W9-ACA-964

D0619343

Meisterwerke
deutscher Literaturkritik

Meisterwerke
deutscher Literaturkritik
Herausgegeben von
Hans Mayer

AUFKLÄRUNG, KLASSIK, ROMANTIK

Goverts
Neue Bibliothek der
Weltliteratur

Erschienen 1962 im Henry Goverts Verlag GmbH., Stuttgart

Satz und Druck der Buchdruckerei Eugen Göbel, Tübingen
Gesetzt aus der Linotype-Garamond-Antiqua
Gebunden bei Heinr. Koch, Tübingen
Spezialdruckpapier von der Papierfabrik Bohnenberger, Niefern
Umschlag, Einband und Typographie von Roland Hänßel
Printed in Germany

INHALT

EINLEITUNG

Aufklärung, Klassik, Romantik – ein Jahrhundert deutscher Literaturentwicklung wird durch diese Dreizahl umfaßt. Gottscheds *Versuch einer Kritischen Dichtkunst vor die Deutschen* erschien zuerst 1730; zwei Jahre später, 1732, genau ein Jahrhundert vor Goethes Tod, gab der berühmte Leipziger Literaturtheoretiker seine Nachdichtung des *Sterbenden Cato* heraus, mitsamt seiner »kritischen Vorrede, darinnen von der Einrichtung desselben Rechenschaft gegeben wird«. In Gottsched aber und den durch ihn und sein Wirken ausgelösten Literaturdebatten pflegen wir den Auftakt jener großartigen literarischen Polyphonie zu erblicken, die das Jahrhundert zwischen 1730 und 1830 zu einer Periode höchsten Wollens und Vollbringens in der Geschichte deutscher Nationalliteratur gemacht hat. Man pflegt gern und leichthin die Epoche der deutschen Aufklärungsliteratur als »Lessing-Zeit« zu benennen: nach dem strahlendsten, weithin wirkenden Geist in der Mitte des deutschen 18. Jahrhunderts. Allein Lessing ist ohne Gottsched nicht denkbar, die Antithese nicht ohne die These, wenngleich, wie bekannt, Gotthold Ephraim Lessings Kampf gegen Gottsched und sein Wirken weit mehr bedeuten sollte als bloße Negierung der von Gottsched vertretenen ästhetischen und literaturtheoretischen Positionen. Nicht bloß aus Gründen literaturgeschichtlicher »Gerechtigkeit«, sondern als Ergebnis einer Rekonstruktion der wirklichen geschichtlichen Zusammenhänge steht daher ein Text Gottscheds, eben seine Vorrede zum *Sterbenden Cato,* am Beginn unserer Anthologie deutscher literaturkritischer Meisterwerke.

Ein großes Jahrhundert deutscher Dichtung und Deutung ist vor uns ausgebreitet. Ein großes deutsches Jahrhundert, aber doch nicht, wie Hugo von Hofmannsthal in der Vorrede zu seinem *Deutschen Lesebuch* gemeint hatte, schlechthin »das Jahrhundert deutschen Geistes«. Allerdings hatte der Herausgeber Hofmannsthal auch zeitlich sein Jahrhundert anders zu fixieren gesucht, als das hier im ersten Bande unserer Textsammlung geschieht. Er begann mit Lessing und erblickte die entscheidende Zäsur in den Ereignissen der Jahre 1848/49. Das »große deutsche Jahrhundert« lief für ihn von 1750 bis 1850: auch wurde durchaus richtig in der Vorrede zum *Deutschen Lesebuch* betont, daß das Jahr 1848 »in vielem die Wende war«.

Wir beginnen nicht mit Lessing und gedenken unsere Auswahl meisterlicher deutscher Literaturkritik auch nicht mit dem Sieg der Konterrevolution über die bürgerliche Revolution ausklingen zu lassen. Übrigens hielt sich auch Hofmannsthal im zweiten Bande seines Lesebuches keineswegs an die Wertskala oder Akzentsetzung, die sein Vorwort anzukündigen schien. Als Herausgeber edler deutscher Prosatexte hatte er weder auf Hebbel oder Stifter verzichten wollen noch auf Gottfried Keller und Victor Hehn. Auch er sieht und vollzieht den entscheidenden Einschnitt am Ausgang des 19. Jahrhunderts. Die von Grund auf neue Situation literarischen Schaffens spürt Hofmannsthal, der Dichter, nicht in jener Lage, die nach 1849 entstand, sondern in jener andern, die sich in den neunziger Jahren herausbildete, zu der Zeit also, da er selbst als der junge Loris hervortrat und dem Entsetzen über das, was sich ihm als Umwelt anbot, in den Versreihen der Zwiesprache zwischen *Tor und Tod* oder in der tieferregten Prosa eines *Märchens der 672. Nacht* Ausdruck verlieh. Die große Wende auch in der deutschen Literatur vollzieht sich also in jenem Augenblick, der geschichtlich den Eintritt in das Stadium des Imperialismus bedeutet. Allein auch dieser geschichtliche Augenblick ist Ausklang und Beginn zugleich. Hugo von Hofmannsthals *Deutsches Lesebuch* stellt Texte von Nietzsche und Bachofen an den Abschluß einer Textsammlung, die mit Lessing, Rabener, Lichtenberg und Wieland eröffnet worden war. Jedes Sammelwerk verrät etwas vom eigenen geschichtlichen Standort und wohl auch von der geschichtsphilosophischen Einsicht seines Herausgebers. Hofmannsthal als Herausgeber wollte offenbar als Frage offenlassen, ob Nietzsche und Bachofen einen Ausklang oder einen Prolog bedeuten. Gehörte der Nietzsche-Text, den Hofmannsthal in das Lesebuch aufnahm – es ist nicht zufälligerweise keine Prosa des »eigentlichen« Nietzsche, sondern ein Auszug aus seiner Baseler Vorlesung von 1872, also ein Text der Wende auch in Nietzsches eigener Entwicklung –, in seiner Grundhaltung noch zur Lessing-Nachfolge, oder vollzog sich hier bereits der qualitative Sprung von der Humanität zur Inhumanität, wie er für das bürgerliche Bewußtsein der imperialistischen Epoche so kennzeichnend sein sollte? Hofmannsthal scheint den Nietzsche, welchen er präsentiert, noch zur Überlieferung bürgerlicher Humanität zu rechnen, so wie er auch den Bachofen, welchen er ausgewählt hat, als Nachfahren großer deutscher Gelehrtentradition verstehen möchte, unabhängig von manchem späteren Obskurantismus, der sich auf Bachofen zu berufen glaubte.

Der zweite Band unseres Sammelwerkes dagegen wird nicht mit Texten einer Spätzeit abgeschlossen werden, sondern mit solchen einer neuen Frühe. In meisterlichen Literaturkritiken Franz Mehrings, die den Beschluß dieser Sammlung bilden sollen, in Kritiken zudem, welche der scharf polemischen Auseinandersetzung mit der spätbürgerlichen sogenannten »Neuromantik« gewidmet sind, wird sich nicht bloß eine neue Methode der Literaturbetrachtung offenbaren, sondern auch eine neue gesellschaftliche Trägerschicht für das künftige literarische Leben widerspiegeln.

Franz Mehring, der am Ende unseres Sammelwerkes steht, bedeutet mithin kein Ende, sondern neuen Beginn. Johann Christoph Gottsched aber, dessen Namen und Wort wir am Anfang finden, bedeutete keineswegs irgendeinen »absoluten Anfang« in der neueren deutschen Literaturgeschichte. Wenn es schon Willkür und geschichtlich kaum zu verteidigen ist, die »klassische« Epoche der deutschen Literatur, im weitesten Sinne genommen, etwa mit dem 17. Literaturbrief beginnen zu wollen, statt mit jenem Manne, nämlich Gottsched, gegen welchen dieser großartige Lessing-Text vom 16. Februar 1759 gerichtet ist, so erweist es sich vollends als unmöglich, das Wirken Gottscheds räumlich und zeitlich »abdichten« zu wollen, um auf diese Weise den einigermaßen trittsicheren Startplatz für eine neue »Periode« der deutschen Literaturentwicklung zu erhalten. Gottsched läßt sich räumlich, geographisch, nationaldeutsch nur sehr schwer isolieren von den zahlreichen Einflüssen französischer, aber auch englischer Literatur und Philosophie, deren Verbreitung und Förderung eines seiner wichtigsten Anliegen war. Schließlich ist sein *Sterbender Cato* eine Nachdichtung nach Stücken von Addison und Deschamps. Aber auch gegenüber der deutschen Literaturentwicklung im 17. Jahrhundert kann man Gottsched mit wesentlichen Zügen seiner Theorie und seiner literarischen Praxis als Fortsetzer oder gar als Ausklang betrachten, so daß auch hier der berühmte und in der Folge so vielumstrittene Leipziger Professor der Poesie und Metaphysik ebenso viele Elemente traditioneller wie reformatorischer Ästhetik in sich birgt. Wer die hier abgedruckten Texte aus der ersten Hälfte des 18. Jahrhunderts im Zusammenhang liest, wird sogleich erkennen, daß es historisch nicht haltbar und eine Vereinfachung ist, die Besinnung auf die deutsche Literaturtradition, wenigstens des 16. und 17. Jahrhunderts, erst den Stürmern und Drängern oder ihrem geistigen Haupt Herder zubilligen zu wollen. So sehr Herder einen entscheidenden Wendepunkt nicht bloß in der deutschen Literaturentwicklung bedeutet, so ungerecht wäre es, all die sorgfältige und bemühte Entdeckungsarbeit an den Bereichen und Texten der älteren deutschen Literatur, wie wir sie allenthalben in Deutschland sowohl in der Schule Gottscheds wie seiner Gegner beobachten können, übersehen zu wollen. Auch Gottsched kannte nicht bloß, wie leichthin behauptet wird, den französischen Klassizismus und dessen Epigonen. Er hatte durchaus ein Herz und oft überraschend viel Verständnis zum Beispiel für jene eigentümliche deutsche Form des »Trauerspiels«, die im 17. Jahrhundert durchaus eigenständig neben der französischen »tragédie« wirkte und deren Wurzeln Walter Benjamin in seinem Buch *Ursprung des deutschen Trauerspiels* (Berlin 1928) so eindringlich bloßgelegt hat. Wenn Johann Elias Schlegel in meisterhafter Einzelanalyse die Tragödienwelt Shakespeares mit jener des Andreas Gryphius konfrontiert, so zeigt sich auch hierin, daß geraume Zeit vor Lessing oder gar Herder in Deutschland, und nicht zuletzt auch bei Gottsched, ein Bewußtsein für die Kontinuität einer eigenen deutschen literarischen Überlieferung vorhanden war. Gottsched also und Rabener, der Schweizer Bodmer oder Johann Elias Schlegel, deren Aufsätze unseren Textband eröffnen, sie alle verlangen vom Leser, der ihre ästhetischen Grundsätze und ihre Kriterien beim kritischen Verhalten richtig verstehen will, daß er das Traditionsgebundene, die Beziehung also zur literarischen Vergangenheit, sorgfältig zu scheiden weiß von dem, was sich nun wirklich an Neuem in ihren Forderungen zur Poetik oder ganz allgemein zur Ästhetik ankündigte.

Weist mithin unsere Anthologie, insgesamt betrachtet, sowohl über Gottsched hinaus nach rückwärts wie über Mehring hinaus bis in die Gegenwart, so ist es auf der anderen Seite doch auch wieder möglich, die literarische und literaturkritische Entwicklung, die sich in den Texten dieses ersten Bandes widerspiegelt, als eine große, in sich geschlossene und in gewissem Sinne sogar übersichtlich gegliederte Gesamtheit aufzufassen. Die Ausdrücke Aufklärung, Klassik, Romantik weisen auf gewisse Gliederungsprinzipien: wobei diese Dreizahl nicht bloß eine

Aufteilung und Trennung vollzieht innerhalb des Bereiches zwischen 1732 und 1832, sondern wobei diese drei Begriffe gleichzeitig auch zusammengenommen werden müssen. Sie sind als Dreiheit und doch auch wieder als Einheit aufzufassen. Innerhalb dieses Jahrhunderts von Gottsched bis zu Goethes Tode sind die Strömungen der Aufklärung, der Klassik und der Romantik an vielen Eigentümlichkeiten zu erkennen. Ein zeitliches Nacheinander findet sich zwar in gewissem Maße, so daß die eigentliche Klassik, gipfelnd im Zusammenwirken Goethes und Schillers, zeitlich später liegt als die deutsche Aufklärung im weitesten Sinne, aber früher als die deutsche Romantik der verschiedenen Schulen. Allein wesentlicher ist die Gleichzeitigkeit: besonders eindrucksvoll erkennbar am räumlichen und zeitlichen Nebeneinander Weimarer Klassik und Jenenser Romantik im Ausgang des 18. Jahrhunderts. Bezeichnen somit – ohne daß hier von einer wirklichen Isolierung oder gar von »reinen Typen« gesprochen werden könnte – die Begriffe der Aufklärung, Klassik und Romantik die drei wichtigsten Strömungen und geistigen Komplexe innerhalb unserer Epoche von 1732 bis 1832, so bedeutet ihr Neben- und Miteinander gleichzeitig eine höhere Einheit, gerade auch im Bereich der Literatur und der Literaturtheorie. Das erkennt man sofort, wenn etwa versucht wird, die Epoche von Goethes Tod bis zur Revolution von 1848/49 mit der vorhergehenden Epoche zu einer neuen Einheit zusammenzufassen. Es zeigt sich alsbald, daß die Besonderheiten der deutschen Literatur zwischen 1830 und 1848, also nach dem Ende der »Kunstperiode«, wie sie ihr Zeitgenosse Heinrich Heine nannte, so ausgeprägt sind, so wenig Gemeinsamkeit aufweisen mit den Grundgedanken deutscher Aufklärung, deutscher Klassik wie deutscher Romantik, daß es einer Vergewaltigung gleichkäme, diese neue Etappe mit dem, was voraufgegangen war, zur Einheit binden zu wollen. Nicht minder bemerkenswert ist es, daß die wichtigsten Gliederungsprinzipien – Aufklärung, Klassik, Romantik – für den Zeitraum 1732 bis 1832 verhältnismäßig leicht und schnell gegeben werden können, während es kaum möglich sein dürfte, die Einteilungsprinzipien der Epoche von 1830 bis 1890 in ähnlich prägnanter Form zu bestimmen. Biedermeier und Vormärz, Junges Deutschland und Poetischer Realismus – im Tasten unserer Literaturwissenschaft nach diesen Begriffen wird deutlich, wie anders sich die literarische Entwicklung seit Goethes Tode (wenn auch natürlich nicht bloß auf Grund dieses Todes) der Betrachtung darbietet als das Jahrhundert, das voraufgegangen war.

Versteht man demnach den geschichtlichen Bereich, dem die Texte unseres ersten Bandes entstammen, gleichzeitig als Einheit und gegliederte Vielheit, gleichzeitig als Kontinuität und Diskontinuität gegenüber der Literaturentwicklung des 16. und 17. Jahrhunderts, so muß man sich überdies noch darüber klar sein, daß sich innerhalb dieses Bereiches die Funktion der Literatur dreimal entscheidend gewandelt hat; daß sich mit ihr die Funktion der Literaturkritik dreimal entscheidend wandeln mußte. Auch dieser Funktionswandel der Literatur und der Literaturkritik läßt sich an den Begriffen der Aufklärung, der Klassik und der Romantik besonders deutlich demonstrieren.

Die Schwierigkeit für den Literaturhistoriker besteht darin, daß er zwar versuchen soll und bestrebt sein muß, den Dichtertext oder das schriftstellerische Werk, dem er sich zuwendet, nachzuerleben und als Aussage auf sich wirken zu lassen, als handle es sich dabei um ein eben erst von einem Zeitgenossen verfaßtes und als unmittelbare Gegenwartsaussage gemeintes literarisches Gebilde: daß er aber gleichzeitig fähig sein muß, der Geschichtlichkeit dieser literarischen Aussage eingedenk zu bleiben. Er muß wissen, welche Anspielungen zeitgeschichtlicher Art dem Text die besondere Prägung geben; die historische Bedeutsamkeit der Gedankengänge und selbst der konkrete geschichtliche

Standort einzelner Wörter und Grundbegriffe muß respektiert werden. Andernfalls ergibt sich eine falsche Aktualisierung, die jedesmal dort zur Fehlinterpretation führt, wo der Interpret seine eigenen Bewußtseinsinhalte und auch Wortbedeutungen in den ihm vorliegenden Text hineinliest, statt diesem Text erst einmal die damalige konkrete Aussage abzufragen und diese dann mit dem Ensemble der Gegenwartsvorstellungen in Verbindung zu bringen. Wo ein geschichtlich bedeutsamer Text bloß als historisches Dokument genommen wird, waltet der Historismus. Wo das literarische Dokument der Vergangenheit bloß zur Bestätigung echter oder oft auch nur scheinbarer Gegenwartsthesen benutzt wird, herrscht Autokratie des Interpreten, die im Grunde der Ehrfurcht vor dem geistigen Eigenbereich der Meister der Vergangenheit ermangelt. Die Texte unserer Sammlung – es handelt sich in den meisten Fällen bekanntlich um Kritiken, die aus aktuellem literarischem Anlaß entstanden – bieten dafür zahlreiche Erläuterungen. Schillers berühmte kritische Abrechnung mit Bürgers Gedichten bleibt sicherlich nach wie vor ein Meisterwerk deutscher Literaturkritik, dazu eine wichtige Selbstaussage und Selbstabrechnung. Allein wird man sagen können, daß der Kritiker Schiller wirklich bemüht war, Bürgers Ästhetik und seinen gesellschaftlichen Standort zu verstehen und dementsprechend gerecht zu beurteilen? Doch wohl kaum. Auch Friedrich Schlegels Rezension *Über Goethes Meister* ist ein Meisterstück deutscher Prosa und deutscher Literaturbetrachtung. Wird man sie aber als verläßliche Deutung der dichterischen Absichten und Verwirklichungen Goethes bezeichnen können? Auch das ist recht fraglich. Immer wieder wird es sich zeigen, daß innerhalb der ästhetischen Auseinandersetzung zwischen den Aufklärern, später zwischen den Aufklärern, den Stürmern und Drängern und der Weimarer Klassik, darauf zwischen Weimarer Klassik und Jenenser Romantik, und nicht zuletzt auch zwischen den späteren verschiedenen Gruppen und Kreisen der romantischen Schule jeweils eine Gesamtauseinandersetzung entbrannt ist, die sich nicht bloß auf einzelne literarische Kriterien, einzelne Bewertungen und ästhetische Vorlieben beschränkt, sondern in jedem Falle die Gesamtauffassung von der Substanz und Funktion der Literatur mitumfaßt. Lessing versteht unter Literatur, wie er sie selbst als Dichter zu schaffen wünscht und als Kritiker zu beurteilen gedenkt, durchaus etwas anderes als Herder und der Straßburger Goethe, von Lenz ganz zu schweigen. Hinter Schillers Kritik an Goethes *Egmont* spürt man eine grundsätzlich andere Auffassung vom Drama und Theater, als sie der Dichter des *Egmont* damals besaß und wohl überhaupt je besessen hat. Wie notwendig es ist, jeweils den ästhetischen Standpunkt der Kritiker, die hier zu Worte kommen, klar zu überschauen und in seiner gesellschaftlichen Verwurzelung zu begreifen, zeigt die auf den ersten Blick verwirrende Vielfalt der Kritiken, die sich in diesem ersten Bande mit Werken Goethes beschäftigen. Eine Eigentümlichkeit unserer Anthologie liegt darin, daß möglichst überall ein großer Kritiker mit einem bedeutenden Gegenstand der Kritik konfrontiert worden ist. Darum nehmen die Kritiken an den wichtigsten Werken Goethes und Schillers erheblichen Raum ein. Jakob Michael Reinhold Lenz spricht über *Götz von Berlichingen*, Schiller rezensiert den *Egmont*, Friedrich Schlegel hat sich die Deutung der *Lehrjahre* zur Aufgabe gestellt, Karl Solger jene der *Wahlverwandtschaften*. (Im zweiten Bande wird die Debatte weitergeführt, wobei sie, um die Mitte des 19. Jahrhunderts, im Für und Wider um Friedrich Theodor Vischer, dem Faust-Problem vor allem sich zuwenden wird.) Schillers *Wallenstein* erleben wir in der Deutung Tiecks und Hegels. Eine verwirrende Vielfalt scheint sich beim ersten Anblick darzubieten. Wo ist das gemeinsame Goethe-Thema, das doch bei den verschiedenartigsten Werken des gleichen Künstlers stets durchklingen sollte, vergleicht man die Goethe-Deutung

Lenzens mit jener Schillers, Friedrich Schlegels oder Solgers!

Man wird entdecken, daß eigentlich keiner der Kritiker, die jenem Jahrhundert von 1732 bis 1832 in Deutschland das Gepräge gaben, in unserem heutigen Sinne als historischer Betrachter von Literatur zu Werke ging. Während wir uns als Kritiker selbst derjenigen Literatur, deren Zeitgenossen wir sind, um historische Einordnung, also um Einbeziehung der neuauftretenden Dichtungen und Schriften in eine überschaute und für überschaubar gehaltene Gesamtentwicklung bemühen, werden wir selbst bei denjenigen Meistern unseres ersten Bandes, die am meisten historischen Sinn besaßen, vor allem also bei Herder, kaum einen Ansatz zu unserer heutigen Betrachtungsweise erblicken können. Gewiß ist es Herder und Lessing und schon einem Johann Elias Schlegel um die Einheit der deutschen Nationalliteratur, um ein lebendiges Verhältnis damaliger Gegenwart zur literarischen Vergangenheit zu tun. Allein die Werke der Vergangenheit werden doch im wesentlichen an den ästhetischen Erfordernissen der jeweiligen Gegenwart gemessen und entsprechend bewertet. Darin nicht zuletzt liegt die besondere Bedeutung des Shakespeare-Problems für die deutsche Literaturentwicklung mindestens seit der Mitte des 18. Jahrhunderts. Diesen Prozeß darzustellen, hatte sich Friedrich Gundolfs Buch *Shakespeare und der deutsche Geist* vorgenommen: diesen entscheidenden Ansatzpunkt aber hatte es gleichzeitig von Grund auf verfehlt, denn der Prozeß der Shakespeare-Rezeption innerhalb der Literaturtheorie und literarischen Praxis des deutschen 18. Jahrhunderts mußte von den jeweiligen und so entscheidend sich wandelnden Forderungen der verschiedenen Gruppen an die gesellschaftliche Rolle der Literatur aus betrachtet werden. Es war zu zeigen, in welchem Maße Shakespeare von den verschiedenen Schulen nacheinander dazu benutzt wurde, als Kronzeuge für bestimmte Auffassungen von Literatur und literarischer Funktion zu dienen: ohne Rücksicht auf den wirklichen Shakespeare und seinen geschichtlichen Standort. Gundolf aber hat darauf verzichtet, diesen geschichtlichen Shakespeare zunächst einmal darzustellen, um ihn dann mit den verschiedenen Shakespeare-Deutungen und ästhetischen »Auswertungen« zu vergleichen. Mit einer formalen Triade, die nacheinander von Shakespeare als »Stoff, Form und Gehalt« spricht, war diese Aufgabe nicht zu bewältigen. –

Die entscheidende Wandlung, die sich zwischen 1730 und 1830 in den Auffassungen damaliger Ästhetiker und Kritiker vom Wesen der Literatur vollzog, bestand wohl darin, daß hier zum erstenmal, und zwar besonders im Sturm und Drang, die Forderung an die Literatur gestellt wurde, sie solle der Selbstaussage und Selbstverwirklichung des Dichters dienen. Die antike Literatur war keineswegs auf diesen Grundsätzen aufgebaut, auch nicht jene des europäischen Mittelalters. So sehr wir Vertrautheit fühlen mit den Liedern Walthers von der Vogelweide, so wenig darf man eine gemeinsame ästhetische Grundkonzeption für Walther und die Straßburger Lyrik des jungen Goethe voraussetzen. Das bürgerliche Denken ist weitgehend verdinglichtes Bewußtsein: es neigt dazu, gewisse allgemein-gesellschaftliche, politische, moralische und auch ästhetische Grundbegriffe der bürgerlichen Gesellschaft als »allgemeinmenschliche« Kategorien zu postulieren. Ergibt man sich diesem Verdinglichungsstreben, so kann man leicht geneigt sein, die literarischen Grundbegriffe vor allem des späten Bürgertums als absolute ästhetische Kategorien gläubig hinzunehmen. Nichts wäre verhängnisvoller, nichts auch würde weniger dem Verständnis der Entwicklung bürgerlicher Ästhetik und Kunstkritik dienen. Der französische Literaturhistoriker Joseph Bédier, berühmter Kenner vor allem der mittelfranzösischen Literatur, pflegte spöttisch zu bemerken, die »Liebe« sei eine Erfindung des 13. Jahrhunderts. Womit er sagen wollte, daß unsere modernen Begriffe von Liebeskonflikten, von Leidenschaft und Liebestragik gerade auch im Bereich der Literatur untrennbar verbunden seien mit bestimmten geschichtlichen Ereignissen; so daß man jenen Begriff der »Liebe«, wie er den größten Teil der neueren abendländischen Literatur beherrscht, nicht ohne weiteres als überzeitlichen Begriff verstehen und unabhängig von seiner geschichtlichen Herkunft betrachten dürfe.

Was Bédier von der »Liebe« als einem gewordenen und geschichtlich determinierten Begriff sagt, gilt auch für die »Literatur«: ganz gleich, ob sie mit dem Thema der Liebe zu tun hat oder jenem der Auseinandersetzung zwischen Individuum und Gemeinschaft, ob es sich um Erziehungsprobleme handelt oder um politische Polemik. Es ist kein Zufall, daß Lenz in seinen *Anmerkungen übers Theater* im Grunde alle ästhetische Nachfolge für den Dichter ablehnt: auch die Nachfolge in den Fußtapfen des Aristoteles, die für Lessing noch selbstverständliche Voraussetzung seines Kritisierens gewesen war. »Selbsthelfertum« und Geniebegriff – dahinter verbarg sich damals weit mehr als bloßer Kampf gegen angeblich oder wirklich überalterte Regeln und Normen. Es ging nicht bloß darum, daß das dichterische »Genie« in der Ästhetik der Stürmer und Dränger selbst die Regeln stellen wollte, statt sie als vorgefunden hinzunehmen. Hinter den nunmehr abgelehnten »Regeln« verbarg sich jedesmal ein bestimmtes allgemeingesellschaftliches Normensystem. Eine festgefügte, hierarchisch gegliederte Gesellschaft verlangte von ihrer Literatur, daß diese nicht bloß die Hierarchie respektiere, sondern künstlerisch gleichzeitig legitimiere. Ein Dichter, der sich den jeweiligen Regeln unterwarf, übernahm damit zugleich den gesellschaftlichen Auftrag, das Normensystem jener Gesellschaft, der er angehörte, in sein literarisches Werk hinüberzunehmen und möglichst folgerichtig, unter Beobachtung und Erfüllung möglichst aller Formfragen und Spielregeln, widerzuspiegeln. Die Normensysteme wechselten; an Stelle des französischen Absolutismus Ludwigs XIV. trat bei Gottsched ein Mischsystem aus deutsch-kleinfürstlichen und bürgerlichen Elementen; bei Lessing wurde daraus ein eindeutig bürgerliches Normensystem. Aber das Grundprinzip literarischer Bewertung war geblieben. Erst mit dem Auftreten der Stürmer und Dränger begann die entscheidende Wendung. Nicht Erfüllung gesellschaftlicher Spielregeln in der Literatur galt nunmehr als Aufgabe, sondern Selbstaussage des Künstlers: mochte diese Aussage nun abseitig und einmalig sein oder typisch. Es mag hier nicht erörtert werden, daß natürlich auch dieser Bruch mit allen Regeln, dieses literarische Selbsthelfertum, diese kopernikanische Wendung von einer Literatur der Regelerfüllung zum literarischen Individualismus einen gesellschaftlich typischen Vorgang darstellte, welcher untrennbar verbunden war mit dem Entwicklungsprozeß der bürgerlichen Gesellschaft in Deutschland. Wichtiger bleibt – als Hintergrund aller Wandlung in den Maßstäben der Literaturkritik um 1770 – diese ganze neue Auffassung vom Wesen und der Aufgabe der Literatur. In seinem Buch *Formgeschichte der deutschen Dichtung* spricht Paul Böckmann von der Entstehung dessen, was er »Ausdruckssprache« in der Literatur nennt und was auch er sehr scharf gegen die literarischen Formen der vorhergehenden Epochen abgrenzt. »Erst als das moderne Lebensverständnis immer entschiedener darauf aufmerksam wurde, wie sehr alles menschlich-seelisch Erfahrene ein je Persönlich-Individuelles ist, mußte auch die Kunst um ihrer Ausdrucksqualität willen besondere Bedeutung gewinnen, mußte sich das künstlerische Schaffen betont darauf richten, das Innere des persönlichsten Erfahrens in Ausdruck zu verwandeln« (Paul Böckmann, Formgeschichte der deutschen Dichtung, Bd. I, Hamburg 1949, S. 553 f.).

Diese Wendung aber bleibt nicht die letzte im Verlauf unserer Epoche. Hatte Gottsched bereits die Adressaten der Literatur, besonders auch das von ihm ersehnte Publikum der Schaubühne, gesellschaftlich anders verstanden als

Corneille und Racine, hatte Lessing vollends eine konsequente Wandlung gegenüber Gottsched und erst recht gegenüber Corneille vollzogen, indem er eine Literatur forderte, die sich an neue Gesellschaftsschichten wandte, die bürgerlichen nämlich, neue Konflikte für die Literatur benannte, neue weltanschauliche Lösungen zu bedenken gab, so hatte sich dahinter doch stets die Auffassung von der erzieherischen Funktion der Literatur verborgen. Bei Lenz, beim jungen Goethe, bei Bürger wird daraus bloß noch und vor allem eine Funktion der Selbstaussage. Das war ein ganz Neues gegenüber Wieland oder Lessing. Übrigens auch gegenüber Klopstock, der 1760 in seiner Einleitung zu einer Neuausgabe des *Messias* unter dem Titel *Von der heiligen Poesie* die Aufgabe und den Wert der Dichtung nach ihrer seelenbildenden und seelenerfüllenden Kraft bemessen hatte.

Der Gegenschlag gegen die angeblich bloß individuell bedeutsame Funktion der Dichtung und Literatur wurde dann immer folgerichtiger von Weimar aus geführt. Schon Schillers Abrechnung mit Gottfried August Bürger behandelte im Grunde am Falle Bürgers das sehr viel weitere Thema der Grenzen des dichterischen Subjektivismus und der notwendigen Schranken einer allgemeinen ästhetischen Gesetzlichkeit. Nichts anderes steht im Jahre 1789, also im Ausklang der Sturm- und Drangbewegung, hinter Goethes großartig knapper ästhetischer Grundlegung *Einfache Nachahmung der Natur, Manier, Stil.* Nun ist jenes Neue der Jahre 1770/71 bloß noch als »Manier«, also als ein ästhetisches Zwischenstadium fragwürdiger Art verstanden, während »Stil« in der Kunst und also auch in der Literatur angestrebt werden müsse: eine neue Gesellschaftlichkeit als Folge freiwilligen Ausgleichs zwischen subjektiver Aussage und objektiver gesellschaftlicher Regelerfüllung. Mit diesem Worte »Stil« aber sei, wie Goethe meint, der »höchste Grad zu bezeichnen, welchen die Kunst je erreicht hat und je erreichen kann«.

Abermals Gegenströmung im Kreise der Jenenser Romantiker. Scheinbar kommt es hier von neuem zum Triumph subjektiver dichterischer Selbstaussage, ohne Rücksicht auf ihre Mitvollziehbarkeit, ja sogar ohne Rücksicht auf die Allgemeinverständlichkeit der dichterischen Botschaft. Dennoch kann man nicht ohne weiteres und nicht ohne Verkennung der sehr entscheidenden gesellschaftlichen Wandlungen die subjektive Ästhetik der Novalis und Friedrich Schlegel einfach als Fortführung der Sturm- und Drangbewegung verstehen. Das Streben der ersten Stürmer und Dränger nach Regelfreiheit besaß stark emanzipatorische Züge: nicht zuletzt spiegelte sich hier eine Beziehung zum niederen Volk und eine Abkehr vom städtischen Bürgertum wider. Der scheinbare Subjektivismus der Romantiker dagegen verhüllt nur unvollkommen bestimmte objektive politische Bestrebungen feudalen Vorurteils und revolutionsfeindlicher Bestrebung. Friedrich von Hardenberg kommt es gar nicht so sehr auf die subjektive Ausdruckswelt des Dichters an als auf die Propagierung gewisser konservativer und rückwärts gewandter Thesen. Insoweit entspricht die Philosophie seiner *Lehrlinge zu Sais* durchaus den politischen Maximen seines Essays *Die Christenheit oder Europa.*

Wandelt sich mithin im Verlauf unseres Jahrhunderts die Auffassung von der Literatur und ihrer Funktion, so verändert sich jedesmal auch die Auffassung von den Aufgaben und Funktionen der Literaturkritik.

Vielleicht läßt sich dieser Wandel in den Auffassungen von den Aufgaben und Methoden literarischer Kritik am Gleichnis der Gewaltenteilung erläutern. Montesquieu hatte sich im *Geist der Gesetze* bekanntlich nicht bloß die Aufgabe gestellt, das Wesen der staatlich-politischen Normen zu untersuchen: als echtes Kind des Aufklärungsjahrhunderts erstrebte er Klarheit über den gesamten Weltenaufbau, über jene Gesetzlichkeit, die den

Menschen als natürliches und gesellschaftliches Wesen beherrsche. »Die Gesetze stellen die notwendigen Beziehungen dar, die sich aus der Natur der Dinge ergeben« – so weit war bei ihm der Gesetzesbegriff gefaßt. »Notwendige Beziehungen«: für Montesquieus an den Meistern antiker Philosophie geschultes Denken mußte auch die Kunst auf Notwendigkeiten und Gesetzlichkeiten begründet sein. Die Aufgabe des Kritikers hatte mithin der Ermittlung und Anwendung solcher notwendiger Formen im Bereich der Kunst und Literatur zu dienen. Freiheit und Notwendigkeit: um diese Begriffe kreist Montesquieus gesamtes Denken; allein sein geheimes Grundanliegen war durchaus ästhetischer Art. Seine Bücher sind darum von den Beurteilern immer wieder als Dichtungen angesprochen worden; seine *Gesetze* hat man immer wieder als insgeheim vor allem für den ästhetischen Bereich bestimmte Grundgesetze erkannt. Im einzelnen mochte sich dabei viel Widersprüchliches ergeben. Paul Hazard betrachtet Montesquieu im wesentlichen als Epiker: »Das Wort Drama entsprach nicht dem Charakter Montesquieus; er war zwar manchmal lyrisch, wenn auch gleichsam wider Willen, aber niemals dramatisch.« (Paul Hazard, Die Herrschaft der Vernunft. Das europäische Denken im 18. Jahrhundert, Hamburg 1949, S. 473.) Andererseits kann man lesen: »... damit ist die Gedankendichtung Montesquieus zu Ende geführt, diesmal nach der Komödie und der Tragödie als Schauspiel.« (Victor Klemperer, Geschichte der französischen Literatur im 18. Jahrhundert, Teil I, Berlin 1954, S. 222.) Wohlgemerkt: als Tragödie wird hier Montesquieus Buch *Über Größe und Niedergang Roms* betrachtet, Komödiencharakter sollen die *Persischen Briefe* besitzen, während der *Geist der Gesetze* von Klemperer der dichterischen Gattung des »Schauspiels« zugerechnet wird. Also doch wohl, wenn man die Begriffe damaliger Literaturtheorie zugrunde legt, jener »Comédie larmoyante«, deren Lebensrecht Diderot, und mit ihm Lessing, so nachdrücklich verfocht. Ist aber der *Esprit des lois* eine »Comédie larmoyante«, so muß er, nach dem geheimen Gesetz und der inneren Notwendigkeit dieser Gattung, auf gesellschaftlichen Ausgleich gerichtet sein. In der Tat steht Montesquieu mit den Grundgedanken seines Hauptwerks, immer um Ausgleich und Gleichgewicht bemüht, zwischen Feudalismus und Bourgeoisie. Sehr scharf formuliert Werner Krauß die wirklichen Hintergründe dieses »Schauspielcharakters« bei Montesquieu: »Überall spürt man die Sicherung und Ausmittelung der persönlichen Freiheit als das Herzproblem dieses Denkens... Montesquieus Furcht vor dem Machtverlangen der jungen Bourgeoisie ist viel stärker als seine geistige Verachtung gegenüber dem überalterten Feudaladel...« (Werner Krauß, Einleitung zum Lesebuch der französischen Literatur, Teil I Aufklärung und Revolution, Berlin 1952, S. 15 f.) Unter diesem Grundgesetz aber steht Montesquieus Staatstheorie ebenso wie seine Ästhetik. Der Einheitscharakter im Denken der Aufklärung, welcher die moderne Auseinanderteilung in Fachgebiete und wissenschaftliche »Kompetenzen« noch nicht kennt, offenbart sich auch hier.

Der berühmte Grundsatz Montesquieus von der Gewaltenteilung kann mithin auch, und zwar nach seinem eigenen Willen, als Kernprinzip der Ästhetik verstanden werden. Gültig wurde er in der Verfassungslehre des bürgerlichen Konstitutionalismus, und im gewissen Sinne hat dieses Prinzip der Auseinandergliederung von gesetzgeberischer, vollziehender und richterlicher Gewalt schlechthin die Struktur der modernen Verfassungsstaaten beeinflußt. Im Bereich der Kunsttheorie aber meint die »Gewaltenteilung« den inneren Zusammenhang zwischen allgemeiner ästhetischer Gesetzlichkeit, konkretem Kunstschaffen und Kunstrichtertum. Der Künstler gehört zur Exekutive, der Kritiker ist Richter. Beide aber unterstehen den Gesetzen des Schönen, einer Legislative, deren Gesetze ewige Geltung beanspruchen.

Dieses allgemeine Prinzip des Aufklärungsdenkens, von Montesquieu mithin nicht bloß für die Staatslehre formuliert, liegt uneingeschränkt der Auffassung über die Funktion der Literaturkritik zugrunde, wie sie von der gesamten Aufklärung verstanden wird. In dieser Beziehung gibt es keinen tieferen Gegensatz zwischen Gottsched und Lessing, zwischen Montesquieu, dem Abbé Dubos, seinem politischen Gegner, oder Denis Diderot. Kunst und Literaturkritik gehören in den Bereich der richterlichen Gewalt. Sie hat über der Regelerfüllung durch den schaffenden Künstler zu wachen und Gesetzesverletzungen durch kritischen Urteilsspruch zu ahnden. Bemerkenswert ist fernerhin, daß eine scharfe Trennung zwischen Künstler und Kritiker noch nicht gezogen ist. Das 18. Jahrhundert ist noch weit entfernt vom Ausbau literarischer »Gewaltenteilung« – dergestalt, daß, wie in der spätbürgerlichen Literatur so häufig zu bemerken, der eigentliche Dichter auf essayistisch-kritische Tätigkeit verzichtet, während der Kritiker aufhört und aufhören will, selbst Schöpfer zu sein. Die Aufklärungsliteratur kennt diese Trennung durchaus nicht. Gottscheds Tragikomödie beruht geradezu darauf, daß er seiner Begabung nach nur Kritiker sein konnte, während nicht bloß der »Ehrgeiz«, wie man später gelegentlich gemeint hat, sondern die damals selbstverständlich geltende Forderung an den Ästhetiker begehren mußte, daß der meisterliche Kritiker auch selbst meisterlich Regelgültiges hervorbringe. Diderot aber und Lessing sind nicht darin einzigartig, daß sie zugleich Künstler und Kritiker waren und sein wollten, sondern daß sie groß waren in beidem! Die Gewalten sind also theoretisch voneinander geschieden, aber sie hängen doch auch wieder insgeheim zusammen: vor allem die Exekutive mit der richterlichen Gewalt, der ausführende Künstler und der richtende Kritiker. Beide sind sie eng an das Gesetz gebunden. Sie haben Gesetze zu befolgen – der eine in seinen Werken, der andere in seinen Kritiken –, aber sie haben keinerlei gesetzgebende Gewalt. Eigentlichem Aufklärungsdenken ist der Begriff vom Künstler, der sich selbst die Gesetze gibt, vollkommen undenkbar. Auf diesen Gegensatz übrigens gründet sich die späte Auseinandersetzung zwischen den Stürmern und Drängern mit der nicht durchaus zu Unrecht sich auf Lessing berufenden Kritik eines Friedrich Nicolai. Die Antwort des Hans Sachs in Wagners *Meistersingern* auf Stolzings Frage: »Wie fang' ich nach der Regel an?«, die lapidar erklärt: »Ihr stellt sie selbst und folgt ihr dann«, ist romantisch und wurde in gewissem Sinne, wie so manches Grundgesetz der deutschen romantischen Schule, bei den Stürmern und Drängern vorgebildet.

Die Literaturkritik der Aufklärung, der französischen wie der deutschen, ist also nicht zu verstehen, wenn vergessen wird, daß die Gesetze und Normen, die sie ihrer Kritik zugrunde legt, als selbstverständlich vorausgesetzt werden. Hinter allem steht auch in Deutschland, jedenfalls bis zum Beginn des Sturms und Drangs, die echte oder geglaubte Kontinuität antiker ästhetischer Überlieferungen, im letzten die *Poetik* des Aristoteles. Schon der erste Satz bei Johann Elias Schlegel, der einen Vergleich zwischen den Tragödien Shakespeares und den Trauerspielen des Andreas Gryphius einleiten soll, spricht von einem Zeitpunkt, »da es für die deutsche Schaubühne am meisten auf eine richtige Beurteilung von dem Werte der Regeln und von den Vorzügen der berühmtesten englischen und französischen Dichter ankam«. Und Schlegel fragt gleich darauf, nach welchen Beurteilungsprinzipien »man fremde Poeten gegen einheimische abmessen solle«. Allein diese Fragestellung setzt offensichtlich ein vorhandenes und funktionierendes Abmessungs- und Bewertungssystem voraus, dem alle, Deutsche und Ausländer, Shakespeare und Gryphius ebenso unterstellt sind wie Racine oder Corneille. Hier spürt man noch die große Überlieferung des europäischen Humanismus, die bis ins 18. Jahrhundert hinüberreicht. Der Disput um die richtige oder unrichtige

Anwendung dieser antiken Kunstgesetze durchzog das französische 17. Jahrhundert; er offenbarte sich vor allem im berühmten Streit der Anhänger des »Alten« mit den damaligen »Modernen«. Noch die *Hamburgische Dramaturgie* geht auf nichts anderes aus als auf Wiederherstellung des Gesetzes, der angeblich echten aristotelischen Theorie – und ihrer Befreiung von allen (ebenso angeblichen) Verfälschungen. In diesem ganzen Bereich der Aufklärung ist die Funktion der Literaturkritik richterlicher Art. Sie ist in gewissem Sinne der ausführenden literarischen Produktivität benachbart. Keinesfalls aber ist sie selbst normativ, gesetzgebend, regelstellend.

Die Auffassung der Stürmer und Dränger vom Aufgabenkreis der Literaturkritik ist nicht einheitlich. Einerseits haben wir – vor allem bei Lenz – gewisse Rudimente ästhetischer Gesetzlosigkeit: das Originalgenie hat sich gleichsam zum Diktator gemacht, der Gesetzgeber und ausführendes Organ in einem ist. Allein wenn die Sturm-und-Drang-Bewegung auch – vor allem in ihrer Auffassung der Literatur als einer dichterischen Selbstaussage – etwas wesentlich Neues bedeutet gegenüber den bis dahin unbestritten geltenden Aufklärungsideen, so wirkt andererseits doch nach wie vor das auf bürgerliche Emanzipation gerichtete Streben der Aufklärungsbewegung auch unter den Stürmern und Drängern fort. Man kann in gewissem Sinne sagen, daß sich im deutschen Sturm und Drang die bürgerliche Befreiungsbewegung zur allgemein plebejischen Emanzipation erweitert, wobei der Begriff »Volk« immer mehr an die Stelle des Begriffs »Bürger« tritt.

Dem Gesamtbereich der Aufklärung bleibt der Sturm und Drang in seinen Anschauungen über Literaturkritik insofern verbunden, als auch bei ihm neben den rein individualistischen Konzeptionen doch auch immer wieder das Festhalten an der erzieherischen Funktion der Literatur betont wird; wobei sich allerdings der Begriff der »Erziehung« gegenüber dem Normensystem des bürgerlichen Rationalismus wesentlich gewandelt hat.

Auch ihren Erziehungsbegriff suchen und finden die Stürmer und Dränger bei Rousseau, wie sie überhaupt auf seinen Lebensanschauungen ihre Ästhetik und insbesondere ihre Poetik aufbauen. Es wiederholt sich in gewissem Sinne in der Auseinandersetzung der Stürmer und Dränger mit Lessing die Auseinandersetzung zwischen den französischen Enzyklopädisten und Rousseau, die vorangegangen war. Gehörte Lessings Auffassung von Kritik noch durchaus in den Bereich des französischen Aufklärungsdenkens, wobei sie sich wohl am meisten den Konzeptionen Diderots angenähert hatte, so spüren wir bei den Stürmern und Drängern unverkennbar Elemente des Rousseauismus. Auch Rousseau hatte über den Begriff der »Gesetze« nachgedacht; auch für ihn war ein innerer Zusammenhang gegeben zwischen Gesetzen der Natur, des Staates und der Gesellschaft – und Gesetzlichkeiten im Bereich der Kunst. Allein Rousseau war weit davon entfernt, mit Montesquieu von Gesetzen als notwendigen Beziehungen zu sprechen, die sich aus der »Natur der Sache« ergeben. Wenn der Verfasser des Traktats über den Gesellschaftsvertrag das Wesen der Gesetze untersucht, so schiebt er das Gerede von den »natürlichen Gesetzen« fast verächtlich beiseite (Du Contrat social, II, 6), um mit Nachdruck die Gesetze als Produkte menschlicher Gesellschaftlichkeit zu erkennen, wobei ihr Ursprung im Volke, und zwar in Rousseaus besonderer Vorstellung vom »Gemeinwillen«, gesucht werden müsse.

Dieser neue und gegen Montesquieu gerichtete Gesetzesbegriff hat unmittelbare Auswirkungen auch im Bereich der ästhetischen Gesetzlichkeit. Wenn der Allgemeinwillen hinter allen gesetzlichen Ordnungen der Menschen steht, so muß man auch die Gesetze künstlerischen Schaffens in Beziehung setzen zum Volk und zu den Grundströmungen des Guten, die, nach Rousseau, im Volk lebendig sind, die man aber immer wieder erwecken und gegen Verfälschungen schützen muß. Rousseau hat nicht gezögert, soweit er sich mit Fragen der Ästhetik überhaupt befaßte, diese Folgerung zu ziehen. Am klarsten vielleicht spürt man den Zusammenhang seines Denkens in dem berühmten offenen Brief, den er 1758 an (oder vielmehr gegen) d'Alembert schrieb, wobei es sich im wesentlichen darum handelte, ob in der Republik Genf, der Vaterstadt des Jean-Jacques, eine ständige Schaubühne eingerichtet werden sollte oder nicht. In seinem Beitrag über Genf, der in der Enzyklopädie erschienen war, hatte d'Alembert für das Theater plädiert. Rousseau antwortet, und zwar als Gegner der Schaubühne. Voller Schärfe erklärt er in diesem Brief: »Die Frage, ob Schauspiele in sich selbst gut oder schlecht seien, ist zu allgemein... Die Schauspiele sind für das Volk gemacht, und daher können ihre absoluten Qualitäten auch nur beurteilt werden nach den Wirkungen, die sie auf das Volk ausüben.« Hier ist mit größter Entschiedenheit das Volk als Gesetzgeber auch im Bereich der Ästhetik, im besonderen Falle sogar der Theaterkritik, durch Rousseau aufgerufen. Der Erziehungscharakter der Literatur, besonders auch der dramatischen Literatur, wird ebenso klar unterstrichen wie die Aufgabe des Kritikers, die Maßstäbe der Beurteilung in den im Volke geltenden und vom Volk gebilligten Gesetzlichkeiten zu finden.

Die literaturkritischen Texte unseres Bandes, soweit sie dem Umkreis deutscher Stürmer und Dränger entstammen, stehen in enger Verbindung mit diesen Prinzipien des Rousseauismus. Auch hier wird erkennbar, daß in der Sturm-und-Drang-Bewegung starke vorjakobinische Entwicklungsmöglichkeiten gegeben waren, die allerdings, unter den besonderen deutschen Verhältnissen, nicht auszureifen vermochten. Gottfried August Bürgers Auffassung von Literatur, von seiner eigenen Literatur vor allem, steht in enger Beziehung zu diesem Rousseau-Gedanken. Man kann die berühmte Formulierung, die Bürger in der Vorrede zu seinen Gedichten in Sperrdruck setzt und von welcher er sagt, daß sie »die Axe ist, woherum meine ganze Poetik sich drehet«, nahezu als Verdeutschung jener Gedanken Rousseaus aus dem Brief an d'Alembert betrachten. Bürger erklärt: »Alle darstellende Bildnerei kan und sol volksmässig seyn, denn das ist das Siegel ihrer Volkommenheit.« In alledem bleibt der Kritiker ein Ausübender der richterlichen Gewalt. Insofern findet sich die Gemeinsamkeit zwischen der Literaturkritik der früheren Aufklärung und des jetzigen Sturmes und Dranges. Nur der Begriff des Gesetzes, noch mehr: nur der Gesetzesquell wird in anderer Weise gesucht und gefunden. Bis zu Lessing galten die Gesetze der Antike; nunmehr wird die konkrete Gesetzlichkeit im Volke gesucht und damit in der Gegenwart. Der schöpferische Künstler soll danach streben, in seinem Schaffen dem Volke zu dienen, er soll sich um Volkstümlichkeit bemühen, während der Kunst- und Literaturkritiker zu prüfen hat, ob dieses Bemühen ernsthaft war – und ob es im einzelnen Falle Erfolg hatte.

Bürger als Kritiker ist keineswegs ein Außenseiter. (Das ist wohl eher Lenz.) Auch Heinrich Leopold Wagner meint in der Vorrede zur Neuausgabe seiner *Kindermörderin* (1779), die Aufgabe des Dramatikers müsse unmittelbar darauf gerichtet sein, die menschlichen Verhältnisse zu bessern und zu verändern. Wenngleich er mit etwas bitterer Selbstironie nicht wahrhaben will, daß die Aufführung seines Schauspiels von nun an den Kindesmord beseitigen könnte, so ist ihm dennoch der enge Zusammenhang zwischen dem dichterischen Werk und dessen sittlicher oder entsittlichender Wirkung keineswegs zweifelhaft, so daß Wagner fortfahren kann: »In unsern gleißnerischen Tagen, wo alles Komödiant ist, kann die Schaubühne freilich, wie ihr schon mehrmalen vorgeworfen worden, keine Schule der Sitten werden; dies von ihr zu erwarten, müssen wir erst dem Stand der unverderbten Natur wieder näher rücken, von dem wir weltenweit entfernt sind. Sollte dies je wieder geschehen können? Ich hoff's.« Die Annäherung dieser Gedankengänge Bürgers oder Wagners an die kritischen Grundprinzipien des jungen Schiller ist leicht zu vollziehen. Die Vorrede zu den *Räubern* hat kein anderes Grundthema als die Mannheimer Rede über die *Schaubühne als moralische Anstalt.*

Hier aber liegt zugleich der Angelpunkt für die etwa um 1789 anhebende Auseinandersetzung zwischen den ästhetischen Grundanschauungen der Stürmer und Dränger und dem, was wir heute als Ästhetik der Weimarer Klassik zu bezeichnen gewohnt sind. Goethes Aufsatz über *Einfache Nachahmung der Natur, Manier, Stil* (1789) bedeutet, ebenso wie Schillers Kritik an Bürgers Gedichten (1791), nicht bloß einen Wendepunkt in der Auffassung von der Literatur und ihrer Funktion, sondern nicht minder in der Auffassung vom Aufgabenbereich der Literaturkritik. Die Literaturkritik der Weimarer Klassik ist gesetzgeberischer Art. Der große Kritiker, wie ihn Goethe und Schiller am eigenen Maßstab zu messen pflegten, soll selbst die Normen finden und erläutern. Der Kritiker soll die ästhetischen Gesetzestafeln aufstellen. Hier hat sich etwas Neues vollzogen: der Kritiker gehört nicht mehr zur richterlichen Gewalt, sondern zur Legislative. Wobei erkennbar wird, daß die bisherigen Gesetze im Bereich der Kunst und Literatur in den Augen unserer Klassiker ihre Geltung verloren haben: sowohl die Gesetze des Aristoteles, denen die *Hamburgische Dramaturgie* zu dienen gewillt war, wie auch die angeblichen Gesetze, die man im Volk und seinem »natürlichen Empfinden« in der Rousseau-Nachfolge und im Sturm und Drang zu finden geglaubt hatte. Wenn Schiller gegen Bürger postuliert: »Eine der ersten Erfordernisse des Dichters ist Idealisierung, Veredlung, ohne welche er aufhört, seinen Namen zu verdienen«, so ist damit ein ganz neuer Bereich gemeint. Nicht mehr der gesellschaftlich-moralische Bereich, worin Begriffe wie »Volkstümlichkeit« und »erzieherische Wirkung« beim kritischen Urteil ausschlaggebend sein durften. Jetzt geht es um die Trennung von Kunst und Leben, von Ideal und Wirklichkeit. Die Ästhetik löst sich von der Ethik, der Pädagogik, im weitesten Sinne vom konkreten gesellschaftlichen Prozeß. Auch die philosophische Grundlage jedenfalls des Schillerschen Klassizismus macht das erforderlich. Ließ sich die Auffassung der Aufklärung von Literatur und Literaturkritik nicht trennen vom Gesetzesbegriff des bürgerlichen Rationalismus, hatte Rousseau entscheidend mitgewirkt, die plebejische Ästhetik der Stürmer und Dränger zu formen, so befinden wir uns nunmehr im Bereich Immanuel Kants und seiner Vorfragen nach den »Bedingungen der Möglichkeit« für wissenschaftliche Erkenntnis der Natur und der Kunst.

Allerdings wird man sich hüten müssen, den Begriff der deutschen Klassik, verkörpert im allgemeinen Bewußtsein durch die abkürzende Prägung »Schiller und Goethe«, als kompakte Einheit und Einheitlichkeit zu verstehen. Schon Rudolf Unger hatte in seinen Vorträgen über *Klassizismus und Klassik in Deutschland* sehr genau zwischen einem »Formalprinzip«, nämlich der »Kant-Schillerschen Komponente der Geisteswelt unserer Klassik«, und einem »Realprinzip«, repräsentiert durch das »Herder-Goethesche Lebensideal«, unterschieden: wobei er eine Übereinstimmung zwischen Schiller, Goethe und Herder in ihrer Auffassung von der Humanität, der reinen Menschlichkeit festgestellt hatte (Rudolf Unger, Zur Dichtung und Geistesgeschichte der Goethe-Zeit, Berlin 1944, S. 62). Wilhelm Girnus war in der Herausarbeitung der »zwei Linien des Klassizismus« noch weiter gegangen. Er hatte von einer »offenen Spaltung in zwei unterschiedliche Flügel« gesprochen, »die beide zwar an dem Grundsatz des Waltens objektiver Gesetze in der Kunst festhalten, aber sich mehr und mehr in der Bestimmung des Ursprungs dieser objektiven Gesetzmäßigkeit voneinander unterscheiden. Der eine Flügel orientiert sich unter Anlehnung an Kant auf den philosophischen Idealismus, der andere orientiert sich unter Anlehnung an die französische Aufklärung und ihre Auswirkungen nach der Revolution auf den philosophischen Materialismus. Der hervorragendste Repräsentant der idealistischen Richtung ist Schiller, der hervorragendste der materialistischen: Goethe.« (Goethe, Über Kunst und Literatur; herausgegeben und eingeleitet von Wilhelm Girnus, Berlin 1953, S. 42f.) Es kann hier natürlich nicht eine Bewertung der zweifellos vorhandenen Gegensätze zwischen Schiller und Goethe, die sich gerade auch in ihrem Wirken als Kritiker offenbaren mußten, vorgenommen werden. Vielleicht wird es notwendig sein, neben den zweifellos in Goethes Ästhetik nachwirkenden früheren Auseinandersetzungen mit dem französischen Materialismus auch die idealistische Komponente zu berücksichtigen, die bei Goethe vielleicht weniger zu Kant hinüberleitet als zur Überlieferung des europäischen Platonismus, wofür gerade auch in den Arbeiten des Naturwissenschaftlers Goethe gewisse Beweise und Bestätigungen gefunden werden könnten. Andererseits wird man sich hüten müssen, Schiller, selbst in seiner Ästhetik, schlechthin als Kantianer oder überhaupt als Idealisten hinzustellen: auch bei Schiller finden sich immer wieder, vor allem im dramatischen Werk, jene »Realkomponenten«, von welchen Rudolf Unger spricht.

In jedem Falle aber, und trotz allen inneren Gegensätzen und Widersprüchen der Weimarer Klassik, hat hier ein gemeinsames Streben nach neuer ästhetischer Normierung gewirkt. Auch Goethe wollte – darüber lassen seine Aufsätze wie seine Briefe keinen Zweifel – im Bereich der Kunst und Literatur gesetzgeberisch, nicht bloß richterlich wirken. Auch für ihn, wie für Schiller, sind die kritischen Maßstäbe in einer schöpferischen Denkanstrengung zu gewinnen, die sich mit dem Spannungsverhältnis zwischen Lebenswirklichkeit und Ideal beschäftigt: wobei der Kritiker und Gesetzgeber im einzelnen festzustellen hat, ob die Lebenswirklichkeit einer bloßen Idealisierung geopfert wurde oder ob eine allzu pralle Lebensfülle zur Verletzung idealischer Forderungen geführt hat. Auch Goethes berühmter Begriff des »Gesunden«, den er immer wieder in seinen späten Jahren mit solchem Nachdruck der angeblichen Krankhaftigkeit der Romantiker gegenüberstellte, beruhte auf einem wohlabgewogenen Ausgleichsverhältnis zwischen idealer und realer Sphäre. »Gesund« – das bedeutete einerseits Lebensgesundheit; es hieß gleichzeitig aber Schönheit und Harmonie im Sinne Goethescher Auffassung vom Griechentum. Darin eben unterscheidet sich Goethes wie Schillers kritisches Verhalten zu den Werken der damaligen und zeitgenössischen Literatur von Grund auf von den kritischen Maßstäben Lessings oder der Stürmer und Dränger.

Genau an dieser Grundfrage aber entzünden sich die Auseinandersetzungen der Weimarer Klassiker mit den literaturkritischen Postulaten der romantischen Schule. Wenn August Wilhelm Schlegel im Winter 1801/02 seine Berliner *Vorlesungen über schöne Literatur und Kunst* beginnt, die er regelmäßig auch in den Wintermonaten der folgenden Jahre bis 1804 fortsetzen sollte, so tritt damit die deutsche romantische Schule aus dem in gewissem Sinne sektenartigen Jenenser Kreis heraus, um sich mit einer scharf konturierten ästhetischen Doktrin der deutschen Öffentlichkeit vorzustellen. Mit August Wilhelm Schlegels Berliner Vorlesungen beginnt die Durchdringung des deutschen Geisteslebens mit romantischen Gedankengängen, Vorlieben, Ironien und Antipathien. Friedrich Schlegel und dann vor allem Novalis als »Kaiser der Romantik«, wie ihn Goethe nannte, hatten das neue Denken über Kunst und Wirklichkeit vollzogen: August Wilhelm Schlegel ist der Systematiker, der die vom Bruder und vom Freunde gefundenen Denkergebnisse zu fundieren und wissenschaftlich zu sichern bemüht ist. Darum stellt er an den Beginn seiner Berliner Vorlesungen eine scharf polemisch gehaltene historische Überschau über die bisherigen Grundlegungen zur Ästhetik, womit nur eine Auseinandersetzung mit den ästhetischen Ideen der deutschen Aufklärung und Klassik gemeint sein kann. In der Tat hat Schlegel als Kritiker besonders damit zu tun, die neuen, die romantischen Maßstäbe gegen Lessing und Schiller abzugrenzen. Er ist nur folgerichtig, wenn er in beiden Fällen die philosophische Grundlage der kritischen Theorie bei Lessing und bei Schiller attackiert. Bei Lessing geht es gegen Aristoteles, bei Schiller gegen Kants *Kritik der Urteilskraft*. »Es ist fast unbegreiflich, wie Lessingen die Widersprüche, worin sich Aristoteles verstrickt, entgehen konnten, da sie sich fast mit Händen greifen lassen«, meint August Wilhelm Schlegel. Nicht minder deutlich heißt es später: »... auch der einsichtsvollste Kenner, der zugleich Philosoph ist, wird schwerlich imstande sein, aus den Grundsätzen der *Kritik der Urteilskraft* etwas zu einer Theorie der Künste Taugliches abzuleiten.« Damit hat der romantische Kritiker nicht bloß das ästhetische Normensystem der Antike abgelehnt, sondern auch Kants Fragestellung für sich als untauglich erachtet. Das alles möchte noch auf einen Streit der philosophischen Schulen hinauslaufen; man könnte vielleicht Schlegels Thesen mit der Abwendung vom transzendentalen Idealismus Kants zugunsten der subjektiv-idealistischen Erkenntnistheorie Fichtes erklären. Bekanntlich hatte Friedrich Schlegel schon einige Jahre vorher in seinen *Fragmenten* deklariert, die wichtigsten Zeitereignisse fänden sich in Goethes *Wilhelm Meister*, in Fichtes *Wissenschaftslehre* und in der Französischen Revolution. Allein so sehr auch Fichtes subjektiver Idealismus für die erste romantische Schule bedeutungsvoll geworden ist, so wenig erschöpft sich August Wilhelm Schlegels Kritik an aller bisherigen Ästhetik in einem ästhetischen Fichteanismus. Er selbst zeigt sehr genau, worin sich die romantische Ästhetik von ihren Vorgängern zu unterscheiden gedenkt: »Das größte Unheil bei den Untersuchungen über das Schöne hat es angerichtet, daß man Kunst und Natur dabei so durcheinanderwarf und die Beispiele der sogenannten ästhetischen Eigenschaften ohne Unterschied aus beiden nahm, wo man sie irgend vorzufinden glaubte.« Unleidlich ist ihm insbesondere Kants Begriff vom »interesselosen Wohlgefallen«, worin Schlegel eine »psychologische« Betrachtungsweise zu erblicken glaubt, der er von Grund auf feindlich gesinnt ist. Wie denn, ein Kunstwerk soll nur nach den Wirkungen beurteilt werden, die es auf den Betrachter auszuüben vermag? Schlegel argumentiert voller Hohn: »Eine Vorstellung soll demnach deswegen gefallen, weil sie andere erweckt.« Und weiter: »Eine Sache wäre demnach deswegen schön, weil einem alles mögliche andere bei ihr einfällt.« Er hat sich damit zum Gegner der gesamten Kunsttheorie sowohl der Aufklärung wie der Klassik gemacht. Nicht bloß die philosophische Grundlegung durch Aristoteles oder Kant ist preisgegeben: die Relation zwischen Kunstwerk und Publikum schlechthin, überhaupt die Frage der Wirkung eines Werkes auf Menschen wird aus dem Bereich dieser Ästhetik verwiesen. Hier steht die romantische Schule in schärfstem Gegensatz nicht bloß zu Lessing, sondern auch zum Sturm und Drang.

Nicht minder zur deutschen Klassik, und zwar auch und gerade zu Goethe, nicht bloß zu Schillers kantianischer Ästhetik. Bekanntlich hatte sich Novalis nicht genugtun können in der Verspottung des *Wilhelm Meister*, wobei er Freundlichkeiten niedergeschrieben hatte wie diese: »Aus Stroh und Hobelspänen ein wohlschmeckendes Gericht, ein Götterbild zusammengesetzt«; oder in junkerlichem Hochmut: »Wilhelm Meisters Lehrjahre oder die Wallfahrt nach dem Adelsdiplom«. Was Novalis fragmentarisch und aphoristisch gegen die Hauptwerke der Weimarer Klassik eingewandt hatte, wird von August Wilhelm Schlegel nunmehr theoretisch unterbaut. Nicht mehr um Ausgleich zwischen Lebenswirklichkeit und Ideal, zwischen Kunst und

Natur soll es sich handeln, sondern um strengste Trennung von Kunst und Natur. Schlegel versteht unter »Naturalismus« alles Kunstschaffen, das bemüht ist, die reale Welt widerzuspiegeln und auf wirkliche Menschen in bestimmtem Sinne einzuwirken.

Ist das aber ästhetisches Grundprinzip der Romantiker, läuft diese Auffassung von der Literatur, jedenfalls der offiziellen Verlautbarung nach, auf den Primat der Kunst über die Wirklichkeit hinaus, so ist damit auch eine völlig neue, allen bisherigen Auffassungen entgegengesetzte Konzeption der Literaturkritik gegeben. Man kann sagen, will man im Bilde der Gewaltenteilung bleiben, daß die deutschen Romantiker den Kritiker als Exekutivmacht betrachtet haben. In gewissem Sinne war das schon durch Wackenroder vorgebildet worden: schon er hatte versucht, Kritiken zu schreiben, über Gegenstände der bildenden Kunst vor allem, die selbst den Anspruch darauf erhoben, poetisches Kunstwerk zu sein und als Kunstwerk zu wirken. Von Wackenroder hatte sein Freund Tieck das Konzept übernommen und dem Jenenser Freundeskreis zugebracht. Von nun an entwickelte sich immer deutlicher in der romantischen Doktrin die Auffassung vom Kritiker als Dichter, von der Kritik als dichterischem Kunstwerk. Wobei sich auch, wie es stets eintritt, wenn die Exekutivgewalt überstark wird, eine erhebliche Grenzverschiebung zwischen gesetzgeberischer, richterlicher und vollziehender Gewalt als Folge zeigte. Denn woher nahm der romantische Kritiker-Dichter nunmehr die Gesetzesmaßstäbe? Wodurch unterschied sich von nun an das dichterische Kunstwerk kritischer Art von anderer Dichtung? Die großen deutschen Romantiker waren nicht blind genug, diese Schwierigkeiten zu verkennen. Daher ihre rastlose Bemühung, jene festen ästhetischen Normen, die Lessing noch bei Aristoteles gesucht hatte, während Goethe und Schiller sie selbst als neue Gesetzgeber zu begründen suchten, im geschichtlichen Stoff zu finden. Daher auch die unablässige Grenzerweiterung räumlicher und zeitlicher Art, die wir den Romantikern verdanken: Erschließung gewaltiger Kulturen der Vergangenheit, nicht zuletzt folgerichtige Erschließung der deutschen literarischen Vergangenheit – und Sprengung des bloß europäischen Geistesbereiches zugunsten einer Beschäftigung mit den Kulturleistungen aller anderen Kontinente. So Großartiges dabei auch die deutsche Romantik geleistet hat, so wenig gelang ihr bei diesen quantitativen Grenzerweiterungen die Erringung einer neuen ästhetischen Qualität.

Im Prozeß deutscher Aufklärung, Klassik und Romantik war eine große deutsche Nationalliteratur entstanden. Den äußeren Höhepunkt dieser Entwicklung bildeten die Befreiungskriege von 1813/14; hier wurde verteidigt und vom ganzen Volke als Besitztum geschützt, was an großen Kunstwerken in den vorhergehenden Jahrzehnten entstanden war. Mochten die einzelnen Romantiker wie Friedrich Schlegel oder Clemens Brentano, von den Adam Müller und Zacharias Werner ganz zu schweigen, der großen nationalen Emanzipation auch verständnislos oder gar feindlich gegenüberstehen, so war diese Bewegung doch Tat zu ihren einstigen und wesentlichen Gedanken. Das Verständnis für deutsche literarische Überlieferung war geweckt worden: nun hatte sich ein allgemeines Bewußtsein entwickelt, das dieser Überlieferung treu bleiben wollte.

Die Krise setzt ein mit der tiefen Enttäuschung über den Ausgang des Wiener Kongresses und die Neuinstallierung der restaurativen Kräfte. Seit 1815 befindet sich die deutsche Literatur in einer Krise – und die zeitgenössische Literaturkritik bemüht sich, dieses Krisenbewußtsein auszudrücken. Noch lebt und wirkt Goethe, aber seine neuen Werke schlagen für den Augenblick keine tiefen Wurzeln. Es fehlt an gültigen ästhetischen Normen: der bare Subjektivismus herrscht im Rezensionswesen. Karl Solger schreibt: »Es kann also heutzutage jeder seinen Gott nur in sich selbst finden und auch seine Philosophie und seine Kunst, oder wie ihr es nennen wollt.« Das sind ganz neue Töne! Hier spricht im gewissen Sinne zwar noch ein Romantiker, allein seine Wirklichkeits- und Kunstanschauung enthält bereits ganz andere Elemente, als sie in Jena oder Heidelberg freigesetzt worden waren.

Die Literatur befindet sich zwischen 1815 und 1830 im Niedergang. Die großen Kritiker der älteren Generation werden nicht müde, ihre Ablehnung und Verachtung zu äußern. Ludwig Tieck schreibt 1826 in der Vorrede zur Sammlung seiner *Dramaturgischen Blätter:* »Soll nun aber die Untersuchung eingeleitet werden, woher es komme, daß sich das Theater, sowohl die dramatische Kunst selbst wie die des Schauspielers, so auffallend verschlechtert habe und fortfahre, immer tiefer zu sinken, so entdeckt der Kenner so viele und mannigfaltige Ursachen, daß er bei den vielverschlungenen Fäden in Versuchung gerät, im Überdruß zu ermüden und lieber das verwirrte Gewebe sich selber zu überlassen.« E. T. A. Hoffmann wird nicht müde, das fratzenhafte Wesen des nunmehr grassierenden Bildungsgeschwätzes, all diese ästhetischen Teegesellschaften, frömmelnden Nazarener, katholisierenden Reaktionäre, die Richtungslosigkeit eines Theaters, das nicht mehr von der dichterischen Substanz lebt, sondern vom Schauspielerkult, in seinen Kritiken, Dialogen, satirischen Skizzen zu verspotten. Der junge Wilhelm Hauff besucht die deutsche Leihbücherei der Restaurationszeit und erfährt, wie die Klassiker ungelesen auf den Regalen verstauben, während die Räuber- und Ritterromane von Leutnant und Ordonnanz, von Gräfin und Zofe verschlungen werden. Wenn Tieck, Hoffmann oder Hauff aus dem Geist einstiger Romantik den Niedergang der Literatur und das Fehlen aller kritischen Maßstäbe beklagen, so gelangt August von Platen als Nachfahre klassischer oder klassizistischer Ästhetik zu ganz ähnlichen Folgerungen. Seine Art der

Literaturkritik an den Schicksalsdramen und den Erzeugnissen der Schauerromantik entwickelt sich folgerichtig zur Literatursatire.

Eine Zeit geht zu Ende, und keiner hat deutlicher als der alte Goethe dieses Bewußtsein einer Zeitenwende gehabt, die sich ihm aber durchaus als Neubeginn darstellte. Er empfindet sich, wie vor allem die letzten Briefe an Zelter und Wilhelm von Humboldt bezeugen, als Überbleibsel einer großen Vergangenheit. Er lebt »hauptsächlich in der Vergangenheit, weniger in der Zukunft und für den Augenblick in der Ferne«. Wenn er den Zweiten Teil des *Faust* versiegelt und nicht mehr selbst bei Lebzeiten herausgeben möchte, so liegt auch darin eine tiefe kritische Entscheidung über die Beziehungen des Verständnisses oder Mißverständnisses zwischen diesem Werk der Dichtung und dieser Zeit oder Zeitgenossenschaft. Allein es bleibt das »fortschreitende Leben«, und Goethe ruft die jungen Dichter zum Weiterschreiten auf. Es war Anlaß zu neuer Hoffnung vorhanden. Seit der Julirevolution von 1830 war die Stagnation der zwanziger Jahre überwunden. Eine neue Literatur stand bereits auf dem Plan: auch sie bedurfte der kritischen Grundlegung und der Auseinandersetzung mit den Werken und Doktrinen der älteren Generation. In Frankreich schart sich diese neue Gruppe um Victor Hugo und Musset, um Lamartine und Alfred de Vigny. Sie nennen sich »Romantiker«, diese Dichter der neuen Ära, deren Auftreten von der Julisonne des Jahres 1830 bestrahlt worden war. In Deutschland aber beginnt die neue literarische Epoche mit einer kritischen Auseinandersetzung, die den Gesamtbereich der deutschen romantischen Schule umfaßt. Darum eröffnet Heinrich Heines ursprünglich in französischer Sprache abgefaßtes und dann 1836 zuerst in Deutschland erscheinendes Buch *Die romantische Schule* eine neue Etappe auch in der Geschichte der deutschen Literaturkritik.

Johann Christoph Gottsched

VORREDE ZUM »STERBENDEN CATO«

Kritische Vorrede, darinnen von der Einrichtung desselben Rechenschaft gegeben wird

1732

Ich unterstehe mich, eine Tragödie in Versen drucken zu lassen, und zwar zu einer solchen Zeit, da diese Art von Gedichten in Deutschland seit dreißig und mehr Jahren ganz ins Vergessen geraten und nur seit kurzem auf unserer Schaubühne sich wieder zu zeigen angefangen hat. Diese Verwegenheit ist in der Tat so groß, daß ich mich deswegen ausführlich entschuldigen muß. Ich weiß zwar, daß ein einziges herrliches Muster dieser in Verfall geratenen Art der Gedichte wohl eher ganze Nationen rege gemacht und ihnen einen Geschmack davon beigebracht hat. Der berühmte *Cid* des Corneille hat dieses in Frankreich, die *Merope* des Hrn. Maffei in Italien und Hrn. Addisons *Cato* in Engelland zur Gnüge erwiesen. Allein ich bin auch im Gegenteil versichert, daß Leute, die einer Sache nicht recht gewachsen sind, durch übelgeratene Proben alles verderben und oftmals eine Art von Poesien in solche Verachtung bringen können, daß sich niemand mehr die Mühe nimmt, sie zu übertreffen oder dasjenige, was sie schlimm gemacht haben, wieder zu verbessern.

Eben deswegen habe ich mich seit drei Jahren, da ich in meiner *Kritischen Dichtkunst* unsre Nation zur Hervorsuchung dieser Art großer Gedichte aufgemuntert und einige Anleitung dazu gegeben, nicht gewaget, selbst ans Licht zu treten oder andern mit meinem Exempel vorzugehen. Ich habe gewartet, ob sich nicht etwa ein geschickterer Poet unsres Vaterlandes hervortun und ein Werk unternehmen würde, welches ihm und Deutschland Ehre machen könnte. Es fehlt uns in der Tat an großen und erhabenen Geistern nicht, die zur tragischen Poesie gleichsam geboren zu sein scheinen. Es kommt nur auf die Wissenschaft der Regeln an, die aber nicht ohne alle Bemühung und Geduld gefasset werden können. Es gehört auch Gelegenheit dazu, die deutsche Schaubühne nach ihren bisherigen Fehlern und erforderlichen Tugenden kennenzulernen, wie denn auch die Kenntnis des französischen, englischen und italienischen Theaters einigermaßen hierzu nötig ist. Und ohngeachtet ich Ursache habe zu glauben, daß es verschiedene unter unsern Dichtern gibt, die mit allen diesen Vorteilen reichlich versehen sind, wie ich denn selbst einige davon nennen könnte, so habe ich doch bisher vergeblich auf die Erfüllung meines Wunsches gehoffet.

Ehe ich mich aber erkläre, aus was für Ursachen ich mich endlich entschlossen habe, dieses Trauerspiel ans Licht zu stellen, muß ich mit wenigem melden, wie ich zuerst auf die theatralische Poesie gelenket worden und was mich endlich bewogen, selbst Hand anzulegen und einen Versuch darinnen zu tun. Es sind nunmehro 15 oder 16 Jahre, als ich zuerst Lohensteins Trauerspiele lase und mir daraus einen sehr wunderlichen Begriff von der Tragödie machte. Ob ich gleich von vielen diesen Poeten himmelhoch erheben hörte, so konnte ich doch die Schönheit seiner Werke selber nicht finden oder gewahr werden. Ich ließ also diese Art von Poesie in ihren Würden und Unwürden beruhen, weil ich mich nicht getrauete, mein Urteil davon zu sagen. Ich las auch um eben die Zeit Opitzens *Antigone,* die er aus dem Sophokles verdeutschet hat. Allein, ob mir wohl die andern Gedichte dieses Vaters unsrer Dichtkunst ungemein gefielen, so konnte ich doch die rauhen Verse dieser etwas gezwungenen Übersetzung nicht leiden; und daher kam es, daß ich auch an dem Inhalte dieser Tragödie keinen Geschmack fand. Ich blieb also im Absehen auf die theatralische Poesie in vollkommener Gleichgültigkeit oder Unwissenheit, bis ich etliche Jahre hernach den Boileau kennenlernte. Damals ward ich denn, teils durch die an den Molière gerichtete Satire, teils durch den hin und her eingestreuten Ruhm und Tadel theatralischer Stücke begierig gemacht, selbige näher kennenzulernen.

Obwohl ich nun den Molière leicht genug zu lesen bekam, so war doch in meinem Vaterlande keine Gelegenheit, eine Komödie oder Tragödie spielen zu sehen, als wozu mir dieses Lesen eine ungemeine Lust erwecket hatte. Ich mußte mir also diese Lust vergehen lassen, bis ich im Jahr 1724 nach Leipzig kam und daselbst Gelegenheit fand, die privilegierten dresdenischen Hofkomödianten spielen zu sehen. Weil sich dieselben nur zur Meßzeit allhier einfanden, so versäumte ich fast kein einziges Stücke, so mir noch neu war. Dergestalt stillte ich zwar anfänglich mein Verlangen dadurch; allein ich ward auch die große Verwirrung bald gewahr, darin diese Schaubühne steckte. Lauter schwülstige und mit Harlekins-Lustbarkeiten untermengte Haupt- und Staatsaktionen, lauter unnatürliche Romanstreiche und Liebesverwirrungen, lauter pöbelhafte Fratzen und Zoten waren dasjenige, so man daselbst zu sehen bekam. Das einzige gute Stücke, so man aufführte, war der *Streit zwischen Ehre und Liebe oder Roderich und Chimene*, aber nur in ungebundener Rede übersetzt. Dieses gefiel mir nun, wie leicht zu erachten ist, vor allen andern und zeigte mir den großen Unterschied zwischen einem ordentlichen Schauspiele und einer regellosen Vorstellung der seltsamsten Verwirrungen auf eine sehr empfindliche Weise.

Hier nahm ich nun Gelegenheit, mich mit dem damaligen Prinzipal der Komödie bekannt zu machen und zuweilen von der besseren Einrichtung seiner Schaubühne mit ihm zu sprechen. Ich fragte ihn sonderlich, warum man nicht Andr. Gryphii Trauerspiele, imgleichen seinen *Horribilicribrifax* etc. aufführete. Die Antwort fiel, daß er die erstern auch sonst vorgestellet hätte; allein itzo ließe sich's nicht mehr tun. Man würde solche Stücke in Versen nicht mehr sehen wollen, zumal sie gar zu ernsthaft wären und keine lustige Person in sich hätten. Ich riet ihm also einmal, ein neues Stücke in Versen zu versuchen, und versprach, selbsten einen Versuch darin zu tun. Da ich aber noch keine Regeln der Schauspiele verstund, ja nicht einmal wußte, ob es dergleichen gäbe, so übersetzte ich aus den Fontenellischen Schäfergedichten den *Endimion* so, wie ich denselben bei der ersten Auflage der *Gespräche von mehr als einer Welt* habe drucken lassen, machte aber hier und dar noch einige Zusätze von lustigen Szenen darzwischen, welche zusammen ein Zwischenspiel ausmachten, so mit der Haupthandlung gar nicht verbunden war. Ich verstund nämlich die Schaubühne so wenig als der Prinzipal der Komödie; und ohngeachtet es mich damals verdroß, daß er meine Übersetzung aufzuführen das Herz nicht hatte, so ist mir's doch itzo sehr lieb, daß solches nicht geschehen ist, zumal da *Endimion* sich mehr zu einer Oper als zu einer Komödie geschicket hätte.

Indessen gaben mir die schlechten Stücke, die ich spielen sahe, vielfältige Gelegenheit, auch ohne alle Kenntnis der Regeln das unnatürliche Wesen derselben wahrzunehmen; zugleich aber machte mich dieses begierig, mich um die Regeln der Schaubühne zu bekümmern. Ich konnte mir nämlich leicht einbilden, daß eine so weitläufige Art der Gedichte unmöglich ohne dieselben bestehen könnte, da man es den allerkleinsten Poesien daran nicht hatte fehlen lassen. In allen unsern deutschen Anleitungen zur Poesie fand ich kein Wort davon, ausgenommen in Rothens *Deutscher Poesie*, die 1688 hier in Leipzig herausgekommen. Alle übrige, auch sogar Menantes in seinen *Theatralischen Gedichten* und der von ihm ans Licht gestellten *Allerneuesten Art zur galanten Poesie zu gelangen*, hatten nur eine seichte Anleitung zur Oper gegeben. Doch da mir auch Rothe noch kein Gnügen tat, ob er gleich nicht übel davon gehandelt hat und ich in ihm des Aristoteles *Poetik* gelobt fand, so ward ich begierig, dieselbe zu lesen, und es fiel mir zu allem Glücke Daciers französische Übersetzung derselben in die Hände. Diese hielte außer dem Texte sehr ausführliche Anmerkungen in sich und gab mir also den längst gewünschten Unterricht in diesem Stücke. Es kamen mir nachmals Casaubonus' *De Poesie Satyrica Graecorum*, Rappolts *Poetica Aristotelica*, imgleichen Heinsius' *De Tragoediae Constitutione*, des Abts Hedelin von Aubignac *Pratique du Théâtre* und andre Schriften mehr in die Hand, die nur beiläufig von diesen Sachen handelten, dahin ich hauptsächlich den englischen *Spectator* und den St. Evremont rechnen muß. Um zu geschweigen, daß ich mir des Corneille, Racine, la Grange, la Motte, Molière, Voltaire u. a. Schauspiele nebst den ihnen vorgesetzten Vorreden und beigefügten kritischen Abhandlungen bekannt gemachet, so kam endlich auch noch des Abts Brumoys *Théâtre des Grecs* und des Italieners Riccoboni *Histoire du Théâtre Italien* dazu, die mir noch mehr Licht in dieser Materie verschaffeten.

Je mehr ich nun durch die Lesung aller dieser Werke die wohleingerichteten Schaubühnen der Ausländer kennenlernte, desto mehr schmerzte mich's, die deutsche Bühne noch in solcher Verwirrung zu sehen. Indessen aber, daß mir das Licht nach und nach aufging, so geschah es, daß die dresdenischen Kofkomödianten einen andern Prinzipal bekamen, der, nebst seiner geschickten Ehegattin, die gewiß in der Vorstellungskunst keiner Französin oder Engelländerin was nachgibt, mehr Lust und Vermögen hatte, das bisherige Chaos abzuschaffen und die deutsche Komödie auf den Fuß der französischen zu setzen. Der ersten Vorschub dazu tat so zu reden der Hochfürstl. Braunschweigische Hof, woselbst zu des höchstsel. Herzog Anton Ulrichs Zeiten schon längst ein Versuch gemacht worden war, die Meisterstücke der Franzosen in deutsche Verse zu übersetzen und wirklich aufzuführen. Man gab ihnen die Abschriften vieler solcher Stücke; und ob sie gleich mit dem *Regulus* des Pradons, eines nicht zum besten berüchtigten Poeten, den Anfang machten, den Bressand an obgedachtem Hofe schon vor vielen Jahren in ziemlich rauhe Verse übersetzt hatte: so gelang ihnen doch dieses Stücke durch die gute Vorstellung so gut, daß sie auch den *Brutus*, imgleichen den *Alexander und Porus* von ebendiesem Übersetzer und bald darauf auch den *Cid* des Corneille aufführeten, der aber von einem weit geschicktern Poeten in viel reinere und angenehmere Verse übersetzt war als jene und also auch ungleich mehr Beifall fand als alle poetischen Stücke, die man vorhin gesehen hatte.

Hierauf schlug ich, die angefangene Verbesserung unsrer Schaubühne, soviel mir möglich war, fortzusetzen und zu unterstützen, dem dermaligen Direktor derselben auch den von einem vornehmen Ratsgliede in Nürnberg übersetzten *Cinna* vor, der in der Sammlung seiner Gedichte, die unter dem Titel der *Vesta und Flora* herausgekommen, befindlich ist. Wie nun dieses Meisterstücke des Corneille durchgehends großen Beifall fand, so machte ich selbst endlich mit Übersetzung der *Iphigenia* aus dem Racine einen Versuch und spornte zugleich ein paar gute Freunde und geschickte Mitglieder der Deutschen Gesellschaft allhier an, dergleichen zu tun; da denn der eine den andern Teil des *Cids oder Chimenens Trauerjahr*, der andere aber die *Berenice* aus dem Racine ins Deutsche brachte. Alle dreie wurden mit ziemlichem Beifalle ausgeführet, so daß man dergestalt schon acht regelmäßige Tragödien in Versen auf unsrer Schaubühne sehen konnte. Ich schweige, was wir der geschickten Feder Hrn. Kochs, eines der geschicktesten Akteurs, hierin zu danken haben, der uns ein paar Stücke von Titus Manlius selbst geliefert, den *Verheirateten Philosophen* aus dem Französischen übersetzet, die *Sinilde* aber aus des Herrn Königs *Opera Sancio* entlehnet und mit einiger Veränderung in eine Tragödie verwandelt hat.

Nachdem ich also beiläufig eine kurze Historie von der

angefangenen Verbesserung der deutschen Schaubühne gegeben, so muß ich endlich auch auf meinen *Cato* kommen und überhaupt von der Einrichtung dieses Stückes Red und Antwort geben.

Cato von Utica ist zu allen Zeiten vor ein ganz besonderes Muster der stoischen Standhaftigkeit und der patriotischen Liebe zur Freiheit gehalten worden. Poeten, Redner, Geschichtschreiber und Weltweisen haben ihn in ihren Schriften um die Wette bewundert und gepriesen. Sogar unter dem unumschränkten Regiment der römischen Kaiser, welche alle Cäsars Nachfolger waren, konnten sich die größten Leute in Rom nicht enthalten, diesen eifrigen Verfechter einer freien Republik zu loben, der in dem ersten Unterdrücker derselben alle Fortpflanzer seiner Herrschaft und Regierung vor Tyrannen erkläret hatte. Virgil und Horaz haben dieses unter Augusts Regierung, Lucan und Seneca aber unter dem Claudius und Nero getan. Maternus, ein Poet, der nach dem Berichte des alten *Gespräches von Rednern oder von den Ursachen der verfallenden Beredsamkeit* eine Tragödie von dem Cato gemachet, muß auch etwa um diese Zeiten gelebet haben, und sein Trauerspiel wird gewiß den Haß gegen das monarchische Regiment nicht undeutlich oder schwach ausgedrücket haben, weil seine guten Freunde es vor anzüglich und gefährlich hielten, wie aus dem angezogenen Gespräche gleich im Eingange erhellet.

Cato hat sich in Utica selbst ermordet. Diese außerordentliche Todesart hat sein Ende zu einer Tragödie überaus geschickt gemacht, und es ist also kein Wunder, daß die Poeten aller Nationen diese Begebenheit in solcher Absicht ergriffen und sie auf die Schaubühne zu bringen bemüht gewesen. Der obgedachte Maternus ist wohl der erste gewesen, der unter Catons Landsleuten solches versuchet hat; nur ist es zu bedauren, daß dieses Trauerspiel verlorengegangen. Ohne Zweifel würden wir in demselben starke Überreste einer römischen, das ist edlen Liebe zur

Freiheit und einen großen Haß wider die Tyrannei angetroffen haben, die durch den nahen Eindruck, den so viel ungerechte und grausame Kaiser erhabnen Gemütern damals machten, ziemlich lebhaft werden vorgestellet worden sein.

Etwa im Jahre 1712, und also vor zwanzig Jahren, hat sich Addison, ein englischer Staatssekretar und berühmter Poet, an ebendiesen Helden gemacht und im Anfange des 1713. Jahres seinen *Cato* wirklich aufführen lassen, wie ich aus dem *Gardian* ersehe. Es ist unbeschreiblich, mit was für einer Begierde dieses Trauerspiel von jedermann besuchet und wie wohl es von allen, die es gesehen, aufgenommen worden. Es kann sein, daß die Neigung der englischen Nation zu ihrer Freiheit und der ihr gleichsam angeborne Abscheu vor einem tyrannischen Regimente viel dazu beigetragen, daß die Vorstellung eines ebenso gesinnten Römers ihnen so wohl gefallen. Allein, soviel ist auch gewiß, daß dieses Trauerspiel sehr viele wahrhafte Schönheiten in sich hält, die nicht nur Engelländern, sondern allen vernünftigen Zuschauern von der Welt gefallen müssen. Die Charaktere, Sitten und Gedanken der Personen sind überaus wohl beobachtet, sonderlich ist Cato selbst als der redlichste Patriot, als der tugendhafteste Mann und vollkommenste Bürger einer freien Republik darinnen vorgestellet. Doch dieses Trauerspiel bedarf meines Lobes nicht, da es auch in einer ungebundenen französischen Übersetzung schon diesseits des Meeres überall Beifall gefunden hat.

Fast um ebendie Zeit, oder doch nicht viel später, hat sich auch in Frankreich jemand an diese tragische Begebenheit gemacht und sie auf die Schaubühne gestellt. Dieses war Hr. Deschamps, der mir nicht weiter als aus seinem *Cato*, der im Haag 1715 herausgekommen, bekannt ist. Es scheinet, dieser Poet habe des Hrn. Addisons Arbeit noch gar nicht gesehen gehabt oder vielleicht gar nichts davon gewußt, als er sein Trauerspiel unternommen, denn beide haben nicht die geringste Ähnlichkeit miteinander. Man findet eine ganz andre Fabel, andre Personen, andre Verwirrungen und eine andre Auflösung derselben darinnen als in der englischen Tragödie. Nur des Cato sein Charakter ist darin ebenso fürtrefflich beobachtet, als in Addisons *Cato* immermehr geschehen, wenn man nur den Tod selbst, ja die ganze letzte Handlung ausnimmt. Denn wie ich bald erinnern will, so hat die englische Tragödie hierin ihren besondern Vorzug, da hergegen die französische ihrer regelmäßigen Einrichtung nach der englischen weit vorzuziehen ist.

Wer da weiß, daß die afrikanische Königin Sophonisbe auch das Glück gehabt, von vier heutigen Nationen in Trauerspielen aufgeführet zu werden, nämlich von Italienern, Franzosen, Engelländern und Deutschen, den wird es nicht wundernehmen, daß Cato auch dieser Ehre würdig geschätzet worden. Nur ist es zu beklagen, daß sich unter uns Deutschen keine geschicktere Feder an diese Arbeit gemacht als eben die meinige. Eben diese Erkenntnis meiner Unfähigkeit aber hat auch verursachet, daß ich mich nicht unterfangen habe, eine ganz neue Fabel zum Tode Catonis auszusinnen. Zweene von meinen Vorgängern waren mir bekannt, und ich habe mir beider ihre Stücke zunutze gemacht, so daß man, wie dort von Terenz gesagt wird, auch von mir sagen kann:

Quae conuenere in Andriam ex Perinthia,
Fatetur transtulisse atque usum pro suis.

Mein Trost aber ist gleichfalls, daß ich ebensowohl, als dort an einem andern Orte geschieht, mit dem Exempel andrer berühmter Poeten entschuldiget werden kann:

Habet bonorum exemplum; quo exemplo sibi
Licere id facere, quod illi fecerunt, putat.

Denn zu geschweigen, daß Terentius selbst vielmals aus dem Menander ganze Stücke, doch mit einiger Veränderung entlehnet oder anders zusammengesetzet hat, so haben ja auch die größten französischen Tragödienschreiber, z. B. Corneille und Racine, sehr oft den Sophokles und Euripides der Griechen dergestalt gebraucht, daß sie selbige teils nachgeahmet, teils übersetzet, teils nach ihrem eigenen Kopfe in etlichen Stücken was verändert haben, wie unter andern aus dem *Ödipus* und der *Iphigenia* zu ersehen ist.

Nun ist es zwar gewiß, daß man mir anfänglich eine bloße Übersetzung des englischen *Cato* zugemutet, wozu ich auch in reimlosen Versen den Anfang gemachet, wie neulich in den *Beiträgen zur kritischen Historie der deutschen Sprache* eine Probe davon mitgeteilet worden. Allein nachdem ich die ganze Einrichtung desselben nach theatralischen Regeln untersuchte, so fand ich, daß selbiger so regelmäßig bei weitem nicht war, als die französischen Tragödien zu sein pflegen. Die Engelländer sind zwar in Gedanken und Ausdrückungen sehr glücklich, sie formieren gute Charaktere und wissen die Sitten der Menschen sehr gut nachzuahmen; allein was die ordentliche Einrichtung der Fabel anlangt, darin sind sie noch keine Meister, wie fast aus allen ihren Schauspielen erhellet. Nun wollte ich auf unsrer deutschen Schaubühne nicht gern ein neues Muster aufführen lassen, so den Feinden aller Regeln einen neuen Vorwand geben könnte zu sagen, daß ein Stücke auch ohne dieselben schön sein könne. Daher änderte ich meinen Vorsatz und beschloß, einen ganz anderen *Cato* als den, den Addison gemacht hatte, zu verfertigen. Es kam mir hier ungemein zustatten, daß die französische Arbeit des Herrn Deschamps weit genauer den Regeln Aristotelis und anderer Kunstrichter gefolget war; ja die kritische Vergleichung, so am Ende derselben befindlich ist, bekräftigte mich in meinen Gedanken von den Fehlern des englischen *Cato*.

Zum ersten hat Addison gleichsam drei Fabeln in einer gemacht, davon eine jede vor sich alleine bestehen kann und nichts zu der Hauptfabel beiträgt, ja dieselbe oft dem Zuschauer oder Leser aus den Augen bringet. Das Hauptwerk ist dieses: Cato ist nebst wenigen Römern und einiger numidischen Reuterei in Utica von Feinden umschlossen. Cäsar schickt zu ihm und bietet ihm den Frieden an. Man schlägt ihn aus; Cäsar läßt seine Armee anrücken; Cato sieht kein Mittel, ihm zu widerstehen, und ersticht sich.

Diese Haupthandlung nun zu verlängern, sind zwei Nebenfabeln mit eingeschaltet. Die erste ist diese: Portius und Marcus, Catons Söhne, lieben die Lucia, eines römischen Ratsherrn Tochter. Portius, dem sein Bruder sein Geheimnis anvertrauet, verhält sich als ein rechtschaffener Mensch, ohne seiner eigenen Liebe Eintrag zu tun oder seinen Bruder zu verraten. Indessen wird Marcus ermordet, und Portius bekommt die Lucia.

Die andere ist folgende: Der junge Prinz Juba liebt Catons Tochter Marcia, die von dem Sempronius, einem römischen Ratsherrn, auch geliebet wird. Dieser ist ein Verräter und will den Cato ausliefern. Syphax, ein Numidier, will ihm darin behülflich sein, und die Soldaten empören sich schon; Cato besänftigt sie aber. Sempron verkleidet sich in des Juba Kleidung und will die Marcia entführen. Darüber wird er von dem Juba erstochen, der endlich die Marcia bekommt.

Diese beide Zwischenfabeln haben nun mit der Hauptsache, das ist dem Tode Catons, keine andere Verknüpfung, als daß sie zu einer Zeit und an einem Orte vorgehen. Sie gehören also gar nicht mit dazu und streiten wider die Einheit der Handlung, die in jedem Schauspiele sein muß; zu geschweigen, daß es nicht sehr wahrscheinlich ist, daß man zu einer solchen Zeit, da alles in Lebensgefahr stund, auf viele Liebesverwirrungen werde gedacht haben. Auch die possierliche Verkleidung des Sempronius sieht viel zu komisch vor eine Tragödie aus. Cato selbst kommt in den ersten Handlungen selten in seiner rechten Größe zum Vorschein, außer da er den Aufruhr stillet und den Tod seines Sohnes Marcus beklaget. Die ganze übrige Zeit wird mit fremden Dingen, die ihn nicht viel angehen, zugebracht.

Zum zweiten aber hangen auch die Auftritte der englischen Tragödie sehr schlecht aneinander, wovon Aubignac in seiner *Pratique du Théâtre* kann nachgesehen werden. Die Personen gehen ab und kommen wieder, ohne daß man weiß warum, und die Schaubühne bleibt oft leer, wenngleich noch keine Handlung aus ist. Endlich sind auch oft Szenen gar nicht abgeteilet, wenngleich neue Personen auftreten oder alte abgehen, welches bei den Franzosen niemals geschieht, weil es eine Unordnung in dem äußerlichen Ansehen verursachet.

Endlich zum dritten gefiel mir's im englischen Trauerspiele nicht, daß der sterbende Cato, dieser strenge Verfechter der Freiheit, der ganz andre Dinge im Kopfe hatte, noch in seinem Letzten ein paar Heiraten bestätigen muß. Das Hochzeitmachen hat in theatralischen Vorstellungen dergestalt überhandgenommen, daß ich es längst überdrüssig geworden bin. Die Alten haben es überaus selten angebracht, und ich habe es daher auch hier versuchen wollen, ob denn ein Trauerspiel nicht ohne die Vollziehung einer Heirat Aufmerksamkeit erlangen könne. Dieses ist mir denn eben nicht übel gelungen, obgleich hier noch nicht halb soviel von der Liebe geredet worden als in des Racines *Berenice*, wo es gleichfalls zu keiner Vermählung kömmt.

Fragt mich nun jemand, warum ich nicht den ganzen französischen *Cato* übersetzt, so sind dieses meine Ursachen. So wahrscheinlich anfänglich die ganze Fabel eingerichtet ist und so groß Cato in den ersten Handlungen dargestellet wird, so schlecht kommt mir die letzte Handlung vor. Er läßt diesen großen Mann nicht als einen Weltweisen, sondern als einen Verzweifelnden sterben. Es entsteht ein Tumult in Utica, der von dem Pharnaz herrühret; und da Cäsar eben daselbst zugegen ist, seine

Soldaten aber außer der Stadt meinen, ihr Haupt sei in Gefahr, so dringen sie herein und hauen alles darnieder. Darüber nimmt sich Cato das Leben. Das heißt aber gar zu sehr wider die Wahrheit der Geschichte und wider den philosophischen Charakter des Cato gehandelt.

Hernach hatte man hier dem Cato gar keinen Sohn gegeben; gleichwohl waren die Stellen im englischen Trauerspiele gar zu schön, wo er den einen Sohn tot vor sich siehet und den andern zur Feindschaft der Tyrannei ermahnet, als daß ich sie hätte weglassen sollen. Ich habe also den Portius beibehalten, ob ich ihm gleich ganz andre Szenen gegeben, als in beiden Tragödien geschehen; den Marcus aber habe ich nur tot vor ihn bringen lassen, nachdem ihn Pharnaz erleget hatte. Dieses mußte ich geschehen lassen, weil ich keinen Sempronius oder Syphax mehr hatte, der in dem englischen Stücke befindlich war. Die letzte Handlung habe ich also fast ganz aus dem Addison beibehalten, außer daß ich die Personen geändert und die Heiraten des Portius und des Juba weggelassen habe. Den Cato hergegen habe ich ganz was anders, aus dem Deschamps, davor sagen lassen, ehe er stirbt.

Übrigens wird ein jeder wohl sehen, daß hier sowohl die Person der Arsene als ihre dem Pharnazes versprochene Ehe nur erdichtet worden. Herr Deschamps hat sich deswegen in seiner Vorrede sattsam gerechtfertiget, weil dasjenige, was uns die Geschichte vom Tode Catons lehret, viel zu kurz gewesen wäre, eine ganze Tragödie auszufüllen. Es ist aber alles sehr wahrscheinlich eingerichtet, so daß niemand was Widersprechendes darin antreffen wird. Bei dieser Zwischenfabel nun, die sich so genau zur ganzen Hauptgeschichte schicket, hat man Gelegenheit, eine sehr lasterhafte Person gegen die Tugend des Cato zu stellen, wie etwa die Maler durch den Schatten das Licht desto mehr zu erhöhen wissen.

Ebenso verhält sich's mit der Person Cäsars. In der Tat ist selbiger nicht nach Utica gekommen, sondern es ist abermals nur erdichtet worden, um diese zween große Römer gegeneinanderzuhalten und den Unterschied einer wahren und tugendhaften Größe von einer falschen zu bemerken, die aus einem glücklichen Laster entstehet, so zuweilen den Schein der Tugend annimmt. Die Auftritte, da Cato und Cäsar miteinander sprechen, haben daher nicht wenig beigetragen, daß ich die Einrichtung der französischen Fabel der englischen vorgezogen. Der Verfasser hat auch die Kunst gewußt, die Gegenwart Cäsars in Utica so wahrscheinlich zu machen, als es möglich gewesen, indem er gedichtet, daß dieser Held nicht nur aus Begierde zum Frieden, sondern auch aus Liebe zu der vermeinten parthischen Königin sich in diese Gefahr gewaget. Was waget nämlich ein Verliebter nicht, um seinen Gegenstand zu sprechen! Oder vielmehr, was hatte Cäsar bei einem redlichen Cato vor Gefahr zu fürchten?

Endlich muß niemand denken, als wenn die Absicht dieses Trauerspiels diese wäre, den Cato als ein vollkommenes Tugendmuster anzupreisen; nein, den Selbstmord wollen wir niemals entschuldigen, geschweige denn loben. Aber eben dadurch ist Cato ein regelmäßiger Held zur Tragödie geworden, daß er sehr tugendhaft gewesen, doch so wie es Menschen zu sein pflegen, daß sie nämlich noch allezeit gewisse Fehler an sich haben, die sie unglücklich machen können. So will Aristoteles, daß man die tragischen Hauptpersonen bilden soll. Durch seine Tugend erwirbt sich Cato unter den Zuschauern Freunde. Man bewundert, man liebet und ehret ihn. Man wünscht ihm daher auch einen glücklichen Ausgang seiner Sachen. Allein er treibet seine Liebe zur Freiheit zu hoch, so daß sie sich in einen Eigensinn verwandelt. Dazu kommt seine stoische Meinung von dem erlaubten Selbstmorde. Und also begeht er einen Fehler, wird unglücklich und stirbt, wodurch er also das Mitleiden seiner Zuhörer erwecket, ja Schrecken und Erstaunen zuwege bringet. Man hat ihn selbst zuletzt noch einen Seufzer zu den Göttern tun lassen, dieselben um ihre Barmherzigkeit anzuflehen, im Fall er irgend zuviel getan hätte. Dieses kann allerdings auch ein Weltweiser tun, wie man denn von dem Aristoteles schreibt, daß er mit diesem Seufzer verschieden sei: Ens entium miserere mei!

Wie ich nun in dem allen die Regeln der Alten von Trauerspielen aufs genaueste beobachtet zu haben glaube, also habe ich das Vergnügen gehabt zu sehen, daß dieses Stück auch Gelehrten und Ungelehrten in der Aufführung gefallen und vielen von beiden Gattungen Tränen ausgepresset hat. Es ist wahr, daß die gute Vorstellung der theatralischen Hauptpersonen viel dazu beigetragen, darunter gewiß Cato, Portia und Cäsar die vornehmsten sind. Deswegen habe ich auch kein Bedenken getragen, nach dem Exempel der Franzosen und Engelländer die Namen dieser und aller übrigen geschickten Personen hierbei bekanntzumachen. Ich überlasse es also verständigen Lesern, ob sie auch ohne die äußerliche Vorstellung bei einiger Aufmerksamkeit einige Bewegungen dabei empfinden werden.

Geschieht dieses, so bin ich zufrieden, daß ich zum wenigsten das Gute des französischen und englischen Stückes nicht verderbet habe. Denn überhaupt bekenne ich, daß alles, was an diesem meinem *Cato* zu loben sein wird, von dem Addison und Deschamps herrühret, alles Schlechte aber mir selbst und meiner Unfähigkeit in der tragischen Poesie zuzuschreiben sei. Ich erkenne es also nunmehro selbst, wiewohl zu spät, daß ich lieber einen bloßen Übersetzer abgeben als mich selbst gewissermaßen zu einem tragischen Poeten hätte aufwerfen sollen.

Johann Jakob Bodmer

AUS DEN »DISKURSEN DER MALERN«

Zwanzigster Diskurs des ersten Teils

1721

Ut pictura poesis erit...
Hor., A.P., V. 361

Wenn ich die genaue Verwandtschaft betrachte, welche die Künste derer Leuten, die mit der Feder, die mit dem Pinsel und die mit dem Griffel und Stempel arbeiten, miteinander haben, so darf ich gedenken, daß die Manes dieser vortrefflichen Malern und Bildhauern, deren Namen sich die Zunft meiner Mitskribenten zugeleget hat, wenn sie gleich unter der Erde noch Anteil an unserer Welt Geschäften nähmen und fähig wären, sich für dieselben zu passionieren, eben nicht Ursachen fänden, wegen dieser genommenen Freiheit mißvergnügt zu werden. Ich sehe nichts, daß sie dazu sagen könnten, als diesen malenden Schreibern den Unterricht erteilen, daß sie sich die Emulation lassen aufmuntern, die Natur mit ihren Federn so nahe und geschickt nachzufolgen, wie sie mit ihren delikaten Pinseln und Griffeln getan haben.

Die Natur ist in der Tat die einzige und allgemeine Lehrerin derjenigen, welche recht schreiben, malen und ätzen. Ihre Professionen treffen darinne genau überein, daß sie sämtlich dieselbe zum Original und Muster ihrer Werken nehmen, sie studieren, kopieren, nachahmen. Sie führet die Feder der Schreibern, sie hilft den Malern die Farben reiben und den Bildhauern die Lineamente zeuhen. Keiner von allen diesen kann etwas ausfertigen, wenn er sich nicht mit ihr beratet und die Regeln seiner Kunst von ihr entlehnt. Der Skribent, der die Natur nicht getroffen hat, ist wie ein Lügner zu betrachten, und der Maler sowohl als der Bildhauer, der abweichende Kopien derselben machet, ist ein Pfuscher. Der erste saget Salbadereien, und die andern machen Chimären.

Alles, was keinen Grund in der Natur hat, kann niemand gefallen als einer dunkeln und ungestalten Imagination. Was würdet ihr von einem Skribenten urteilen, der mit bürlesken Expressionen ein Sterbgedicht anfüllete und traurige Klagtöne in eine Hochzeitode mischete? Eben dasselbe, was von einem Maler, der die Delphine in die Wälder und die Hirsche in die See versetzte, oder von einem Bildhauer, der den Oberteil einer Statuen bis an die Hüften zu einer schönen Frauenperson hauete und den untern in einen Fischschwanz zusammenzöge. Hingegen ergetzet uns auch die Beschreibung und die Abschilderung des Lasters, der Bosheit, der Häßlichkeit, des Erschrecklichen, des Traurigen, wenn sie nur natürlich sind. Ein Mensch liebet in einem Sittenbuche den ähnlichen Charakter eines Grausamen, der alle zahme Neigungen der Menschlichkeit ausgezogen und sich in die Natur der Wölfen und anderer Raubtieren verstellet hat, vor welchem er in der Sozietät einen Abscheu empfindet. Er hat ein Ergetzen, das garstige Konterfei einer Runzlichten anzuschauen, vor dessen Original er die Augen abwendet. Die Gedichte von Ovide, die derselbe die Traurigen genannt hat, die Stürme, die blutige Schlachten, die ungeheuern Tiere, kurz, alles was wohl nachgeahmet ist, wird uns angenehm, es seie so gräßlich und erbärmlich, als es will. Aristoteles hat wohl angemerket, daß dieses Ergetzen, welches uns die Betrachtung einer schönen Nachahmung machet, nicht gerichts von dem Objekte komme, das uns vorgemalet ist, sondern von der Reflexion, welche das Gemüt dannzumalen walten lasse, daß nichts ähnlicher und übereintreffender könne sein als ein solches Gemälde und sein Original; dermaßen, daß es bei dergleichen Anlässen geschähe, daß man etwas Fremdes und Neues gewahr werde, welches kitzele und gefalle. Diese Annehmlichkeit der Ähnlichkeit, welche zwischen einer Schilderei und der Sache waltet, die sie vorstellet, ist so groß, daß oft der Geizige selbst der erste über die wohlgemachte Beschreibung eines Geizigen gelachet hat, die wohl vielleicht nach seinem Modell gemachet worden, und mit Ergetzen seine eigene Person in diesem Spiegel gesehen, der die Natur so künstlich trifft.

Ihr sehet aus diesem, worinne die Verwandtschaft der Schreibern, der Malern und der Bildhauern bestehet, nämlich in der Gleichheit des Vorhabens. Sie suchen sämtlich die Spur der Natur, sie belustigen durch die Ähnlichkeit, welche ihre Schriften, Bilder und Gemälde mit derselben haben, sie machen sich lachenswirdig, wenn sie davon abtreten. Aber sie unterscheiden sich von einander in der Ausführung ihres Vornehmens, welches sie auf ungleiche Manieren verfolgen. Denn der eine bildet die Natur mit den Worten aus, mit welchen er alles, was ihm diese einzige Lehrmeisterin, bei der er in die Schule gehet, sehen oder nur gedenken läßt, so lebhaft abmalet, daß der Zuhörer oder Leser keine Mühe hat, sie darinnen zu erkennen; der andere bedienet sich des Pinsels und der Farben, mit denen er dasjenige, was ihm in die Augen fällt, in seiner wahren Proportion, Stellung, Gestalt und Farbe beschreibet, und dieser findet in einem Holze oder in einem Steine die ganze Figur, die Gliedmaßen und die Forme eines Menschen, eines Tieres, oder was für einer Sache ihr wollet, verborgen und weiß die Kunst, dieselben mit Griffeln und Stempeln herauszubringen.

Von allen diesen Meistern verdienet der erste einen Vorzug, weil seine Kunst ungleich mehr begreifet als der andern ihre. Diese letztern schränken sich mit denen Objekten ein, welche vor die Augen kommen, da der andere nicht nur entwirft, was das Gesichte, sondern was einen jeglichen Sinn rühret und reget; ja, was weit mehr ist, die Werke des Gemütes und die Gedanken selbst, zu welchen keiner von denen äußerlichen Sinnen durchdringet. Man kann zwar in einem gewissen Verstande auch von den Malern und Bildhauern sagen, daß sie die Gedanken auszudrücken wissen, man kann nämlich aus der Physiognomie, den Gebärden und Mienen, welche die Stellung und das Angesicht bezeichnen, schließen, von welcher Passion das Gemüte mag eingenommen sein und welche Gedanken eine solche ihm mag geben haben, maßen diese Zeichen bei allen Menschen in einer gleichen Neigung die gleichen sind. Aber weil diese Art zu reden sehr weitläuftig, langsam und unvollkommen ist, so kommet sie mit der andern in keine Vergleichung. Der Schreiber wird euch mit einem Zuge der Feder zu verstehen geben, was der Maler mit vielen Bildern nicht tun kann. Wie will dieser es angreifen, euch einen Menschen vorzustellen, dessen Charakter dem Skribenten ein leichtes ist, klar und lebhaft auszudrücken? Geschickt von Leib, geistreich, lasterhaft, raubbegierig, verschwenderisch, blutdurstig; hart, unermüdet, verwegen, verschlagen; beredt, unwissend.[1] Er wird nötig finden, fast eine jegliche von diesen Qualitäten und Passionen mit einer eigenen Bildnis zu bemerken, welche dennoch noch der Zweideutigkeit wird unterworfen sein.

Indessen, da ich diesfalls dem Schreiber den Rang gebe, so hat auf der andern Seiten der Maler und der Bildhauer den Vorteil, daß seine Schildereien und seine Statuen einen größeren Einfluß in die Imagination haben und stärkere Impressionen in dieselbe machen, als die Beschreibungen tun, denn was man siehet und betastet, kann man sich viel leichter fürbilden, als was man höret, inmaßen das Gegenwärtige mehr Macht über uns hat als das Entfernte und das Vergangene. Das Mitleiden presset mir die Tränen häufiger aus, wenn ich mit meinen Augen die Glut sehe

[1] Dieses ist der Charakter, den Salluste Catilinen gegeben hat.

durch die Gassen einer Stadt schleichen und sich an ein Hause nach dem andern anhängen, die Kinder mit der Mutter, die Frau an dem Halse des Mannes ergreifen usw., als wenn ich es nur erzählen höre. Opitz hat diesen Vorteil, welcher dem Maler über den Schreiber gehört, wohl gewußt und darüber Strobeln überaus artig gelobet:

...sollt ich dich nicht kennen,
Ich, der Poeten Teil, als wie sie mich ja nennen,
Dich, aller Maler Licht? Es weiß auch fast ein Kind,
Daß dein und meine Kunst Geschwisterkinder sind;
Wir schreiben auf Papier, ihr auf Papier und Leder,
Auf Holz, Metall und Gold. Der Pinsel macht der Feder,
Die Feder wiederum dem Pinsel alles nach.
Dies ist's, was hiebevor der Cheroneser sprach,
Der Mann, dem Griechenland und Rom nicht kann bezahlen
Der Klugheit hohen Wert; daß euer edles Malen
Poeterei, die schweig, und die Poeterei
Ein redendes Gemäld und Bild, das lebe, sei.

...wir schreiben den Verstand
Und Weisheit in ein Buch; ihr malt sie an die Wand;
Bei uns wird sie gehört, bei euch gar angeschauet,
So daß euch die Natur fast mehr als uns vertrauet.

Ich will hier den Maler und den Bildhauer lassen und noch ein Worte für den Schreiber der Sitten beifügen, um ihn bei gewissen Leuten außer die Schuld einer Bosheit zu setzen, welche mit aller Gewalt Schlüssel zu denen Namen begehren, auch selbst erdichten, welcher ein Moraliste sich bedienet. Der einzige Schlüssel eines moralischen Werkes, das gewisse Namen gebrauchet, das Laster oder das Lobenswürdige damit zu belegen, ist der lasterhafte oder der ehrliche Mensch, weil dieser das einzige Original ist, nach welchem seine Charakteren geschildert sind. Er machet keine historische Charakteren, die eine einzige Person angehen und sich nicht auf viele andere Leute schicken, die von den gleichen Qualitäten haben. Die Personen, denen er Namen gibet, bestehen nur in der Einbildung, in währender Zeit das Laster oder die Tugend, der er abschildert, ganz real ist. Wenn er diesen erdichteten Personen Namen gibet oder auch ihren Stand qualifiziert, so geschicht das bloß, die Materien, die er traktiert, ergetzender und lebhafter vorzustellen und sich die Mühe zu sparen, die er hätte allezeit zu wiederholen: Ich kenne einen Menschen, der..., ich habe jemand gesehen, der..., also kann man ihn nicht zur Verantwortung aller dieser Schlüsseln zeuhen, die ein jedweder nach seinem Belieben machet und in die Welt hineinwirft. Wenn jemand hierinfalls kann angeklagt werden, so ist es einzig derjenige, der einen solchen Schlüssel sorgfältig ist zu schmieden und der ihn für wahrhaft verkaufet.

Gottlieb Wilhelm Rabener

VOM MISSBRAUCHE DER SATIRE

Vorbericht zur ersten Ausgabe der »Sammlung satirischer Schriften«

1751

Einige Ursachen haben mich veranlaßt, diejenigen satirischen Schriften in zween Teile zusammenzubringen, welche ich seit einigen Jahren in verschiedenen periodischen Blättern einzeln drucken lassen.

Die Gefälligkeit meiner Freunde gab mir Gelegenheit, mich dieses Mittels zu bedienen, um das Urteil der Welt zu erfahren und die vernünftigen Kritiken der Kenner mir zunutze zu machen.

Beides ist mit gutem Erfolge geschehen. Ich bin so glücklich gewesen, daß die meisten meiner Schriften öffentlichen Beifall gefunden haben, und die verbindliche Nachsicht, welche man gegen meine Arbeiten gezeigt, hat mich aufgemuntert, gegen mich selbst destoweniger Nachsicht zu brauchen und nicht allein diejenigen Fehler auszubessern, welche man auf eine sehr bescheidne Art und mit gutem Grunde dabei ausgesetzt, sondern auch denen, soviel möglich, abzuhelfen, welche bei einer strengen Beurteilung verdient hätten, angemerkt zu werden.

Eine gute Aufnahme gegenwärtiger Sammlung wird mir Mut machen, diese Arbeit fortzusetzen, wofern mich nicht mein unruhiges Amt zu sehr zerstreut oder andre Vorfälle es hindern.

Vielleicht gibt es Leser, welche eine Rechtfertigung von mir erwarten, wie ich es habe wagen können, Satiren zu schreiben. Ich bin nicht willens, eine Schutzschrift für mich aufzusetzen. Vernünftigen Lesern würde ich nichts Neues sagen; für unvernünftige aber schreibe ich nicht.

Ich weiß wohl, wie zweideutig die Begriffe sind, welche sich viele von der Satire machen. Sie sind gar zu sehr gewohnt, das Pasquill mit der Satire zu verwechseln. Sie haben zwar gelernt, daß ein Pasquill eine Schmähschrift sei, wo man, ohne sich zu nennen, den ehrlichen Namen des andern zu verunglimpfen und ihm Laster oder Verbrechen anzudichten sucht. Sie wissen auch so viel, daß die Satire nur die Laster der Menschen und das Lächerliche einer törichten Aufführung durch Spotten kennbar zu machen sucht, um andern einen Ekel dawider beizubringen und, wo möglich, die Lasterhaften selbst tugendhaft zu machen. Beides wissen sie, und dennoch seufzen sie über einen Satirenschreiber so sehr als über einen Pasquillanten.

Ich glaube, die Ursachen dieser ungereimten Urteile liegen an den Schriftstellern sowohl als an den Lesern.

Ich will mich bemühen, einige Ursachen auseinanderzusetzen, warum viele Leser auf eine so unbillige Art von der Satire urteilen.

Die vorgefaßte Meinung ist wohl eine der wichtigsten. Man hat es uns in unsrer Jugend gesagt, daß die Satire vom Pasquill wenig oder nichts unterschieden sei. Wir würden selbst nachdenken müssen, wenn wir diesen Unterschied finden wollten. Vielmals aber können wir nicht selbst denken, und noch öfter sind wir zu bequem dazu. Ohne uns also weiter zu kümmern, sagen wir in kindlichem Gehorsame nach, was unsre Mutter und Großmutter vor uns gesagt haben; und diese waren doch auch christliche Weiber! Dergleichen Leser sind in der Tat mehr zu bedauern als zu bestrafen. Sie können bei ihrer gemächlichen Unempfindlichkeit immer ganz fromme Leute sein, denn viele Leute sind auch aus Dummheit fromm, und ihre guten Absichten ersetzen das, was ihnen am Verstande fehlt.

Diejenigen sind weit weniger zu entschuldigen, welche auf die Bemühungen, die Laster lächerlich und verhaßt zu machen, unerbittlich eifern und doch unermüdet sind, von ihrem unschuldigen Nachbar alles Böse zu reden, was ihnen der Neid oder andre Leidenschaften eingeben. Vielleicht halten diese es für einen Eingriff in ihr Amt, denn dazu haben sie zu viel Eigenliebe, daß sie ihre Verleumdungen für Bosheit und die Absichten eines Satirenschreibers für Menschenliebe halten sollten. Gemeiniglich rührt ihre Wut aus der Quelle so vieler Laster, aus der Heuchelei, her. Sie fühlen es, daß ihre Aufführung schändlich ist. Sie haben sich zu lieb, als daß sie solche ändern sollten. Sie glauben genug getan zu haben, wenn sie ihr einen guten Anstrich geben. Sie eifern auf die Satiren, um auf die Verleumdung eifern zu können, nur unter dieser ehrbaren Maske verfahren sie so lieblos mit ihrem Nächsten, ohne den Vorwurf zu befürchten, daß sie gefährliche Verleumder sind. Denn wie wollte der ein Verleumder sein, welcher eben um deswillen die Satiren verflucht? Es kann sein, daß ich diesen niedrigen Geschöpfen zu viel tue. Vielleicht ist die Heuchelei nur in ihren jüngeren Jahren die Ursache dieser Ausschweifungen; bei zunehmendem Alter erlangen sie durch die unermüdete Übung, Böses zu reden, eine solche Fertigkeit darinnen, daß sie es wirklich mit Überzeugung reden, daß sie glauben, Buße zu predigen, wenn sie lästern, und daß ihnen die Satire im Ernste verdächtig wird, weil sie allein den Beruf haben, Heiden zu bekehren.

Bei vielen ist die Begierde, auf die Satire zu schmähen, nichts anders als die Sprache eines bösen Gewissens. Davon sind sie überzeugt, daß die rühmliche Absicht der Satire nur diese ist, die Laster zu verfolgen. Weil sie aber so gar unempfindlich noch nicht sind, daß sie ihre eignen Laster nicht wahrnehmen sollten, so wird ihnen diese Absicht schrecklich. Jeden Streich, der auf die Laster geschieht, fühlen sie auf ihrem Rücken. Können diese wohl etwas

Bessers tun, als daß sie diese Satire überhaupt verdächtig machen? Wieviel haben sie zu ihrer eignen Sicherheit gewonnen, wenn sie diese große Absicht erreichen? Nun mag die Satire wider die Laster eifern, sie ist verdächtig. Man fängt an, Mitleid mit den Lastern zu haben, weil man gehört hat, daß die Absichten der Satire boshaft sind, daß man nicht bessern, sondern nur verunglimpfen, daß man nicht die Laster verfolgen, sondern den armen unschuldigen Nebenchristen um seinen guten Namen bringen will. Hinter dieses Vorurteil verbergen sie sich und genießen ihre Laster ruhig. Sucht man sie in ihrem Hinterhalte auf, entblößt man ihre Fehler, so schreien sie über Gewalt, und man bedauert sie, anstatt daß man über sie lachen sollte. Mit einem Worte, sie sind wie die mutwilligen Knaben, welche die Rute verbrennen, um ungestraft mutwillig sein zu können.

Verschiedne von ihnen sind noch etwas feiner. Sie finden das Lächerliche von ihren Fehlern in einer Satire abgeschildert; sie schweigen hämisch dazu stille und beseufzen nur das Unrecht, welches andre neben ihnen zugleich leiden müssen. Sie verteidigen ihre Mitbürger, um unparteiisch zu scheinen und von diesen wieder verteidigt zu werden. Können sie gar ihre ungerechte Sache zur Sache des Herrn machen, so haben sie doppelt gewonnen, und für einen lasterhaften Heuchler ist nichts zu ehrwürdig. Ein Mann, welcher die heiligen Lehren seines Amts durch ein unheiliges Leben entkräftet, findet sein Bild. Er erschrickt und schweigt. Er sucht mit boshafter Mühe eine Stelle, nur einen Ausdruck, welcher durch eine unbillige Auslegung den Verfasser zum Religionsspötter machen kann. Er findet ein Wort, welches in seinem tückischen Munde zur Lästerung wird. Nun ruft er mit freudiger Rache das Wehe! aus und verdammt den Verfasser. Sein Pöbel, welchen der Schein blendet, hebt Steine auf und verfolgt im Namen des Herrn denjenigen, welcher nur aus wahrer Hochachtung für die Religion ihren lasterhaften Diener entlarven wollen. In der Tat sind diese die gefährlichsten Feinde der Satire, aber eben um deswillen verdienen sie kein Mitleid, und die Religion selbst fordert es, daß wir sie, wenn gar keine Besserung zu hoffen ist, ohne Barmherzigkeit vertilgen.

Es gibt noch andre Feinde der Satire. Diese sind die traurigen Leser. Sie sind wirklich nicht untugendhaft, sie hassen die Laster von Herzen. Sie würden es zufrieden sein, wenn man alle Lasterhafte dem Teufel mit Leib und Seele übergäbe, aber spotten soll man nur nicht über die Laster. Ich weiß nicht, wie diesen engbrüstigen Leuten zu helfen ist; vielleicht weiß es mein Barbier. Die Eigenliebe der Menschen wird durch nichts so empfindlich gerührt, als wenn man sie lächerlich macht. Sie bleiben gleichgültig, wenn ich ihnen sage, daß ihre Laster abscheulich sind; wenn es hoch kömmt, so werden sie verdrießlich. Aber alsdann schämen sie sich, wenn ich ihnen ihre Schoßsünden, wenn ich ihnen ihre Fehler, mit denen sie sich brüsten, auf der lächerlichen Seite zeige. Wir können unsern Kindern die äußerlichen Fehler des Übelstandes nicht leichter abgewöhnen, als wenn wir solche vor ihren Augen nachahmen. Sie sehen alsdann, wie häßlich sie lassen, und schämen sich. Wollen wir erwachsenen Personen weniger Einsicht zutrauen? Wenn ich die Absicht habe zu bessern, so tue ich am vernünftigsten, ich wähle diejenigen Mittel, welche die Erfahrung bewährt gemacht hat. Inzwischen glaube ich, wird es gut sein, wenn ich mit diesen traurigen Feinden der Satire gemeine Sache mache. Sie sollen mit den Lastern zanken; ich will über die Laster spotten. Vielleicht sind wir glücklicher, wenn wir mit zusammengesetzten Kräften unsre Mitbürger tugendhaft zu machen suchen; sie mit Feuer und Schwert, ich aber mit Scherze.

Wenn ich sage, daß viele um deswillen Feinde der Satire sind, weil sie nicht wissen, was die Ironie sei und worinnen deren Stärke und Schönheit bestehe, so sage ich wirklich etwas, welches dem guten Geschmacke meiner Landsleute eben nicht zur Ehre gereicht. Inzwischen ist es doch wahr, und alles, was ich tun kann, ist dieses, daß ich mich in ihrem Namen schäme. Spreche ich: »Die wollüstigen Ausschweifungen der Jugend sind die Ursachen einer unglücklichen Ehe, eines schimpflichen Alters und eines trostlosen Sterbens«, so verstehen sie mich ganz wohl und werden diesen Gedanken für erbaulich halten. Wollte ich aber sagen: »Glückliche Jünglinge, die ihr die kurzen Augenblicke einer sinnlichen Wollust dem ungewissen Vergnügen vorzieht, welches die mürrische Tugend dem Alter verspricht, die ihr zu vornehm erzogen seid, als daß ihr den gemeinen Mann um die altväterische Glückseligkeit einer gesegneten Ehe beneiden solltet! Es kostet euch in eurer Jugend tausend Unruhe und oft euer ganzes Vermögen, um einem siechen und beschwerlichen Alter mit starken Schritten entgegenzueilen. Fahrt unermüdet fort! Nur der gesittete Pöbel lebt tugendhaft, um ruhig zu sterben. Sterbt ihr, sterbt ihr auch mit Schrecken, so wißt, daß Leute von euerm Stand und Vermögen weit über diesen ängstlichen Gedanken erhaben sind!« Wollte ich dieses sagen, so würde ich in Gefahr sein, von vielen unwissenden Richtern für einen Verführer der Jugend gehalten zu werden. Was soll man mit diesen Leuten anfangen? Man schicke sie wieder in die Schule! Da mögen sie den Vossius lernen und sich erklären lassen, was die Figur der Ironie heiße!

Nichts ist gemeiner als die Frage: Wer hat dir aber den Beruf gegeben, Satiren zu schreiben? Das ist leicht zu beantworten. Sagt mir erst: Wer hat euch den Beruf gegeben, mich zu fragen? – Uns? Die Begierde, dich von deinem sündlichen Vorhaben abzuziehen; das Verlangen, die Unschuld deinen bittern Spöttereien zu entreißen; mit einem Worte, die allgemeine Menschenliebe: Ist dieses nicht Beruf genug? Gut! Und eben diese allgemeine Menschenliebe ist auch mein Beruf, Satiren zu schreiben. Die

Laster zu schrecken, die lächerlichen Fehler den Menschen verächtlich vorzustellen, vernünftige Bürger zu schaffen, alle Welt mit mir glücklich zu machen. Sind euch diese Ursachen nicht wichtig genug? Brauche ich dazu eine schriftliche Vokation? Ich werde mich weiter verantworten, wenn man ebendiese Frage an alle diejenigen tut, welche Bücher schreiben.

Es kommen also diese feindseligen Urteile, denen die Satire ausgestellt ist, gemeiniglich von solchen Lesern her, welche sich aus angeerbten Vorurteilen, aus einer übelverstandnen Frömmigkeit, aus eigner Schmähsucht, aus hämischer Heuchelei, aus murrischem Eigensinne, aus Unwissenheit und aus andern Leidenschaften das bittre Vergnügen machen, sich zu Feinden der Satire aufzuwerfen. Ich habe aber oben gesagt, daß die Verfasser ebensowohl als die Leser an den übeln Begriffen Ursache sind, welche sich viele von der Satire machen, und ich getraue mir zu behaupten, daß sie die allermeiste Schuld daran haben.

Wer den Namen eines Satirenschreibers verdienen will, dessen Herz muß redlich sein. Er muß die Tugend, die er andern lehrt, für den einzigen Grund des wahren Glücks halten. Das Ehrwürdige der Religion muß seine ganze Seele erfüllen. Nach der Religion muß ihm der Thron der Fürsten und das Ansehen der Obern das Heiligste sein. Die Religion und den Fürsten zu beleidigen ist ihm der schrecklichste Gedanke. Er liebet seinen Mitbürger aufrichtig. Ist dieser lasterhaft, so liebt er den Mitbürger doch und verabscheut den Lasterhaften. Die Laster wird er tadeln, ohne der öffentlichen Beschimpfung die Person desjenigen auszustellen, welcher lasterhaft ist und noch tugendhaft werden kann. Er muß eine edle Freude empfinden, wenn er sieht, daß sein Spott dem Vaterlande einen guten Bürger erhält und einen andern zwingt, daß er aufhöre, lächerlich und lasterhaft zu sein. Er muß die Welt und das ganze Herz der Menschen, aber vor allen Dingen muß er sich selbst kennen. Er muß liebreich sein, wenn er bitter ist. Er muß mit einer ernsthaften Vorsicht dasjenige wohl überlegen, was er in einen scherzhaften Vortrag einkleiden will. Mit einem Worte: er muß ein rechtschaffener Mann sein!

Wären alle Satirenschreiber dieses, wie sie es alle sein sollten, so glaube ich gewiß, die meisten ihrer Feinde würden ihre öffentlichen Freunde werden, und diejenigen, welche nicht dazu gemacht sind, vernünftig zu denken, würden sich, wo nicht vor sich selbst, doch wenigstens vor der Welt schämen, länger ihre Feinde zu heißen. Es ist wahr, wir würden, wenn diese strengen Regeln beobachtet werden sollten, ein paar hundert Satirenschreiber weniger haben. Aber, das ist auch in der Tat alles, was man dem Vaterlande nur wünschen kann. Solange dieser Wunsch unerhört bleibt, so lange haben die Verfasser die meiste Schuld, daß die Satiren so vielen Lesern verdächtig sind.

Kein Pasquillant ist zu lasterhaft, er flüchtet sich hinter die Satire. Er schämt sich nicht, dem Unschuldigen Laster anzudichten, aber ein Pasquillant zu heißen, schämt er sich doch. Seine Bosheit ist gefährlicher als die Tücke des Straßenräubers. Er verdient wie dieser die Rache der Gesetze, und er ist unwürdig, daß wir weiter seiner gedenken.

Wir sind sehr geneigt, die Fehler an unsern Feinden lächerlich zu machen, und schmeicheln uns, daß wir eine Satire schreiben, wenn wir dieses tun. Ich zweifle daran. Schreiben wir aus redlichem Herzen? Schreiben wir, unsern Feind zu bessern? Hat er die Fehler auch wirklich an sich, die wir lächerlich machen? Drei schwere Fragen! Wie leicht betrügen wir uns selbst, wenn wir dasjenige für einen Trieb der Menschenliebe halten, welches wohl nichts als eine aufwallende Hitze der Rachbegierde ist. Wir sind beleidigt; unser Feind soll es empfinden, wie gefährlich es sei, denjenigen zu beleidigen, der seine Fehler einsieht und Witz genug hat, ihn lächerlich zu machen. Wollen wir ihn bessern? Nein! denn er ist unser Feind, und wir verlören zu viel, wenn derjenige durch seine

Besserung sich die Hochachtung der vernünftigen Welt verdiente, welchen wir bei der vernünftigen und unvernünftigen Welt lächerlich machen wollen. Vielmals hat er keinen Fehler weiter als diesen, daß er unser Feind ist. Schwachheiten machen wir zu Verbrechen, und was wir bei uns Versehen heißen, das stellt uns der Haß an unsern Feinden als die abscheulichsten Laster vor. Wie können wir verlangen, daß dasjenige eine Satire sein soll, was wir, wenn es wider uns gerichtet wäre, eine rachsüchtige Verleumdung nennen würden? Ich glaube auch, daß es sehr unvorsichtig ist, wider seinen Feind Satiren zu schreiben. Gesetzt, daß wir in der Tat die Absicht hätten, ihn zu bessern, und gesetzt, daß er wirklich lasterhaft wäre. Unser Feind gewinnt zu viel über uns. Er darf nur sagen, daß wir von ihm beleidigt sind und daß wir als Feinde schreiben, so hat er seine Fehler verteidigt und kann ganz ruhig lasterhaft bleiben. Er bringt die Leser auf seine Seite, welche ohnedem geneigt genug sind, an der guten Absicht der Satire zu zweifeln. Wir werden der Welt verdächtig, anstatt daß wir die Fehler unsers Feindes lächerlich machen wollten.

Wenn wir bei manchen die Ursachen untersuchen wollten, warum sie mit so vieler Bitterkeit wider die Fehler der Menschen eifern, so würden wir finden, daß es aus Mißgunst und aus ihrem schwarzen Geblüte herkomme. Ein rechtschaffner Satirenschreiber wird sich freuen, wenn es aller Welt wohlgeht, diese aber knirschen über das Glück ihres Mitbürgers. Es wäre zu verwegen, ihm sein Glück vorzuwerfen. Was sollen sie tun? Sie vergiften ihm seine Zufriedenheit. Sie machen die Quelle verdächtig, aus der sein Glück entsprungen ist, und werfen ihm vor, daß er sich dessen nicht vernünftig bediene. Dadurch schaffen sie sich ein frommes und weises Ansehen und wollen uns bereden, daß sie dieses Glücks weit würdiger wären. Unter hundert Satiren wider die Pracht und Verschwendung der Reichen kommen gewiß funfzig aus der Feder solcher Verfasser, welche innerlich mit dem Himmel murren, daß sie durch ihre Armut gehindert werden, auf eine so prächtige und verschwenderische Art wie jene lasterhaft zu sein. Sie sind Bettelmönche, welche Mäßigkeit predigen. In ihren Augen ist ein Reicher ohne Unterschied ein ungerechter Mann. Er und sein Vater müssen Wuchrer gewesen sein; wo kämen sonst die Schätze her? »Die Tugend adelt nur, reich macht sie nicht«, sagt der Herr Verfasser mit einer bittern Miene und schielt ganz kleinmütig auf seinen abgetragnen Rock. Sind dergleichen Skribenten nicht selbst Ursache, daß der Verschwender und die Wuchrer die Satiren verdächtig machen?

Es ist ein Unglück für die Satire, wenn sie denen in die Hände gerät, welche witzig genug sind, Lachen zu erregen, aber nur aus Mutwillen spotten. In der Tat sind sie weder boshaft noch neidisch; aber sie sind mutwillig. Sie wollen nicht gern allein lachen; die Welt soll mitlachen. Sie spähen die Fehler des andern aus, nicht, ihn zu bessern, sondern ihn lächerlich zu machen. Sie sind froh, daß es Fehler gibt, sonst könnten sie nicht witzig sein. Wären alle Menschen tugendhaft, wie sehr würden sie sich ärgern! Sie warten nicht, bis ihr reifender Verstand durch die Erfahrung die gründliche Einsicht erhält, welche nötig ist, das Herz eines Lasterhaften zu durchforschen, um nur diejenigen Fehler zu züchtigen, welche eine Züchtigung verdienen. Nein, sobald sie vernehmlich reden und leserlich schreiben können, so bald reden und schreiben sie Böses. Sie spotten, ehe sie denken lernen, und weil noch immer viel Gutes unter dem Mutwillen eines so lebhaften Jünglings verborgen liegt, welches sich gemeiniglich mit den Jahren durcharbeitet, so wird man finden, daß sie aufhören zu spotten, sobald sie anfangen zu denken. Inzwischen muß derjenige von ihnen leiden, welcher es nicht verdient hat. Die Satire wird verhaßt, weil sie ihre Spöttereien für Satiren ausgeben, und es gehören viele Jahre dazu, ehe sie das Andenken ihres jugendlichen Mutwillens auslöschen. Man gebe einmal acht, ob nicht diese eben diejenigen sind, welche in den gelehrten Kriegen das größte Lärmen machen.

Die Schreibart, deren man sich bei der Satire bedienet, will mit einer außerordentlichen Vorsicht gewählt sein, wenn sie nicht anstößig werden und den Leser wider die Satire aufbringen soll. Viele glauben recht herzhaft zu lehren, wenn sie recht anzüglich schreiben. Sie murren die Fehler der Menschen an, anstatt daß sie mit ihnen lachen sollten. Aus Liebe zur Wahrheit schimpfen sie. Sie tun sehr unrecht. Kömmt ihre Herzhaftigkeit nicht aus einem bösen, so kömmt sie wenigstens aus einem groben Herzen her; das ist alles, was man zu ihrer Entschuldigung sagen kann. Aber wie viele von den Lesern sind geneigt, diese Entschuldigung gelten zu lassen? Und dennoch sind sie allemal weit erträglicher als der ungezogne Witz derer, welche nicht satirisch sein können, ohne unflätig zu sein. Ich kenne Männer, welche sich einbilden, sehr fein zu denken, welche imstande sind, einen ganzen Abend lang eine Gesellschaft beiderlei Geschlechts mit den gröbsten Zweideutigkeiten zu unterhalten, ohne ein einzigmal rot zu werden. Sie sind gemeiniglich die ersten, die über ihre satirischen Einfälle lachen, und sie zwingen dadurch wenigstens den Wirt, aus Gefälligkeit mitzulachen. Vernünftige aber werden einen so niederträchtigen Witz verabscheuen. Verhängt es nun der Himmel in seinem Zorne, daß ein dergleichen ungesitteter Mensch gar schreibt und seine Satiren, wie er es nennt, drucken läßt, was für einen Begriff müssen die Leser von einer Satire bekommen? Hoffen sie etwan zu bessern? Ich glaube nicht, und sie werden es auch nicht gestehen, daß sie für den Pöbel schreiben, ob sie gleich die Sprache des Pöbels reden.

Viele gehen in ihrem Eifer, das Lächerliche der Menschen zu zeigen, gar zu weit und verschonen keinen Stand. Es ist wahr, es gibt in allen Ständen Toren, aber die Klugheit erfodert, daß man nicht alle tadle; ich werde sonst durch meine Übereilung mehr schaden, als ich durch meine billigsten Absichten nutzen kann. Der Verwegenheit derer will ich gar nicht gedenken, welche mit ihrem Frevel bis an den Thron des Fürsten dringen und die Aufführung der Obern verhaßt oder lächerlich machen wollen. Ist es nicht ein innerlicher Hochmut, daß sie in ihrem finstern Winkel schärfer zu sehen glauben als diejenigen, welche den Zusammenhang des Ganzen vor Augen haben, so ist es doch ein übereilter Eifer, der sich mit nichts entschuldigen läßt. Sie haben selbst noch nicht gelernt, gute Untertanen zu sein; wie können wir von ihnen erwarten, daß sie uns die Pflichten eines vernünftigen Bürgers lehren sollen? Es gibt andre Stände, welche zwar so heilig nicht sind, daß es ein Verbrechen wäre, das Lächerliche an ihren Fehlern zu entdecken, bei denen aber doch die Billigkeit erfodert, daß man es mit vieler Mäßigung tue. Ich rechne darunter die Lehrer auf Schulen. Die Jugend ist ohnedem geneigt genug, das Fehlerhafte an denenjenigen zu entdecken, deren Ernsthaftigkeit ihren Mutwillen im Zaume halten soll. Wollen wir sie durch bittre Satiren auf ihre Lehrer noch mutwilliger machen? Gesetzt, ein solcher Lehrer hat seine Fehler, welche verdienten, bestraft zu werden. Vielleicht ist er eigennützig, vielleicht pedantisch, vielleicht ein elender Skribent. Es kann sein. Werfe ich ihm diese Fehler vor, stelle ich ihn dem Gelächter seiner Schüler bloß; gesetzt auch, daß ich es aus redlichem Herzen täte, um ihn zu bessern, so werde ich allemal mehr schaden als nutzen. Ihn werde ich vielleicht nicht bessern, und seine Schüler werden glauben, ein Recht bekommen zu haben, demjenigen nicht zu gehorchen, welchen die Welt für lächerlich hält. So oft er sie ihrer Pflichten erinnert, so oft wird ihnen einfallen, daß sie von einem eigennützigen Manne, von einem Pedanten, von einem elenden Skribenten daran erinnert werden. Dieses Andenken macht ihnen die wichtigsten Pflichten verächtlich, und ein Schüler, bei dem dieses Vorurteil die Oberhand gewinnt, wird selten als ein redlicher Mann sterben. Bin ich nicht schuld? Einen Pedanten habe ich nicht gebessert, dem Vaterlande aber habe ich an seinen Schülern hundert ungesittete Bürger gezogen. In der Tat erschrecke ich allemal, wenn ich sehe, daß ein Schulmann unter die Geißel der Satire fällt. Ihn bedaure ich selten, aber die Folgen davon sind mir zu ernsthaft. Und tun dergleichen Lehrer wohl unrecht, wenn sie der Jugend fürchterliche Begriffe von der Satire beizubringen suchen?

Die Geistlichen haben gemeiniglich das Unglück, daß der Witz satirischer Köpfe auf sie am meisten anprellt. Ich bin sehr unzufrieden damit. Da verschiedne unter ihnen so wenig sorgfältig sind, ihre Fehler zu verbergen, so können sie von uns nicht verlangen, daß wir sie nicht wahrnehmen sollten. Sie sind nicht über die Satire erhaben, das räume ich ihnen nicht ein; viele sind tief unter derselben, wenn man sie nach ihrer unanständigen Aufführung beurteilen soll, und viele würden gar zu sorglos sein, wenn ihre ehrwürdige Kleidung sie vor allen Streichen der Satire schützte. Dennoch glaube ich, daß man nicht vorsichtig genug dabei verfahren könne. Es gilt hier beinahe ebendas, was ich oben von den Lehrern in Schulen gesagt habe. Die Religion läuft Gefahr, verächtlich zu werden, wenn man die Fehler desjenigen verächtlich macht, welcher gesetzt ist, die Religion zu predigen. Das Volk ist nicht allemal einsehend genug, einen Unterschied zwischen der Person desjenigen, der sie lehrt, und zwischen seinen Lehren selbst zu machen. Wage ich nicht zu viel, wenn ich einen bessern will und dadurch in Gefahr komme, das Ansehen der ganzen Religion zu schwächen, welche man dem Volke nicht ehrwürdig genug vorstellen kann? Ist ein Geistlicher wirklich lasterhaft, so überlasse man ihn der Obrigkeit, welche aufmerksam genug ist, dem Ärgernis zu steuern, das seine lasterhafte Aufführung in der Kirche veranlassen kann. Hat er lächerliche Fehler, und wir finden schlechterdings nötig, diese zu züchtigen, so muß unsre Satire so allgemein sein, daß nur die Fehler lächerlich werden, seine Person aber, soviel es möglich ist, verdeckt und unerkannt bleibt. Sind es Kleinigkeiten, sind es gelehrte Schwachheiten, die ihm anhängen, so habe man Geduld oder mäßige wenigstens die Bitterkeiten mit aller Vorsicht. Ist er ein Ignorant und doch exemplarisch (denn es gibt viel exemplarische Ignoranten), so verehre man ihn wegen seines guten Wandels und verzeihe ihm seine Unwissenheit. Durch Donatschnitzer kömmt die Kirche nicht in Gefahr, und wir können uns mit der angenehmen Vorstellung beruhigen, daß wir gelehrter sind als er.

Ich habe bei dem Charakter eines Satirenschreibers gefodert, daß das Ehrwürdige der Religion seine ganze Seele erfüllen muß. Ist dieses, so wird er nicht allein in Ansehung der Geistlichen nach denen Regeln, die ich oben gegeben habe, viele Mäßigung brauchen, sondern er wird auch seine größte Aufmerksamkeit darauf gerichtet sein lassen, daß durch seine Satiren das Ansehen der Religion nicht im geringsten geschwächt werde. Wie kann sich derjenige rühmen, daß seine Absicht sei, die Tugend allgemeiner zu machen, welcher gegen die Religion leichtsinnig ist? Ein solcher Mensch wird lasterhaft, um nicht lächerlich zu sein. Von denen will ich nicht reden, welche unter dem gemißbrauchten Namen der Satire sich Mühe geben, den ganzen Bau unsers Glaubens zu erschüttern. Ihre unsinnige Wut, so ohnmächtig sie auch ist, verdient das Tollhaus und keine vernünftigen Vorstellungen. Ich will nur eines Mißbrauchs gedenken, welcher, wenn ich freundschaftlich urteilen soll, mehr Leichtsinn als Bosheit verrät. Es gibt gewisse Gebräuche in der Kirche, welche gleichgültig sind und zur Religion selbst nicht gehören. Sie machen den geistlichen Wohlstand aus. Man hüte sich ja, diese lächerlich zu machen! Ist das Volk abergläubisch, so wird es unsre Schriften verabscheuen; ist es so leichtsinnig wie wir, so wird es bei diesen gleichgültigen Gebräuchen nicht stillestehen, sondern wesentliche Stücke der Religion auch für gleichgültig halten und endlich über die ganze Religion spotten lernen.

Es war in Deutschland eine Zeit, wo die Satire nicht anders als auf Unkosten der Bibel witzig sein konnte. Wenn man recht fein scherzen wollte, so scherzte man aus den Psalmen, und es gab muntre Köpfe, welche sozusagen eine ganze satirische Konkordanz in Bereitschaft hatten, um in ihrem Witze unerschöpflich zu sein. Zur Abwechselung brauchten sie die Gesänge der Kirche, und sie brachten dadurch in einer Minute mehr Narren zum Lachen, als Zuhörer der Geistliche durch Bibel und Gesänge in einem ganzen Jahre zum Weinen bewegen konnte. Ich freue mich, daß wir uns von diesem verderbten Geschmacke, das ist der gelindeste Name, den man dieser Torheit geben kann, wieder erholt haben. Worinnen bestund der Witz? Nicht in dem Gedanken, den man vorbrachte, sondern in der Art, wie er vorgebracht ward. Das kam den Zuhörern lustig vor, daß wir die geschwinde Fertigkeit besaßen, den ernsthaftesten Gedanken der Schrift durch eine possierliche Verdrehung dermaßen zu verunstalten, daß er so abgeschmackt aussah wie unser eigner Gedanke. Sie fanden dieses Mittel sehr bequem, spaßhaft zu sein, ohne daß es nötig gewesen wäre, Verstand zu haben. Sie ahmten es mit Freuden nach, und in kurzer Zeit ward dieser Mißbrauch so allgemein, daß niemand witzig war als so ein bibelfester Lustigmacher. Hätte man vor dergleichen Scherze auch um deswillen keinen Abscheu haben wollen, weil sie wirklich dem ehrwürdigen Ansehen der Religion nachteilig sind, so hätte man sich wenigstens darum ihrer schämen sollen, weil wir dadurch einen Eingriff in die Rechte des niedrigsten Pöbels taten. Man gebe nur einmal acht! Sobald ein Stallknecht sich fühlt, daß er feiner denkt als die Viehmagd, so wird er sie mit seinem Spaße aus der Bibel oder einem geistlichen Liede überraschen. Das ganze Gesinde schreit vor Lachen, alle bewundern ihn bis auf den Ochsenjungen, und die arme Viehmagd, welche so witzig nicht ist, steht beschämt da. Der satirische Stallknecht! Man lasse ihm seinen angeerbten Witz! Sind wir eifersüchtig darüber?

Darauf bin ich stolz, daß in meinen satirischen Schriften alles mit möglichster Sorgfalt vermieden ist, was einigen Leichtsinn gegen die Religion verraten oder als ein Mißbrauch der Schrift und Gesänge angesehen werden könnte. Ich habe dieses jederzeit für meine erste Pflicht gehalten, und man wird Stellen finden, wo ich eine wahre Hochachtung gegen die Religion und ihre Diener ernsthaft genug geäußert habe. Desto empfindlicher hat mir es sein müssen, da ich erfahren, daß man einer von meinen Schriften diesen Vorzug sogar gerichtlich streitig machen wollen. Meine Leser werden mir erlauben, daß ich mich dieser Gelegenheit bediene, etwas zu meiner Verteidigung anzuführen. Vielleicht lesen sie es mit Vergnügen, denn dergleichen possierliche Händel kommen nicht alle Jahre vor Gerichte vor.

Der Eidschwur ist ohnstreitig eine der wichtigsten Handlungen im gemeinen Leben, wir mögen den Menschen als einen Christen oder nur als einen Menschen überhaupt betrachten. Der Mißbrauch der Eidschwüre ist mir vor vielen andern Lastern verabscheuungswürdig vorgekommen. Den Grund dieses Mißbrauchs habe ich nicht allein in dem Herzen des Menschen gesucht, welches immer geneigt ist, sich seiner Pflichten, soviel möglich ist, zu entlästigen. Ich habe auch gefunden, daß die Richter selbst, und wohl vielmals wider ihren Willen, schuld daran sind. Die Vorsicht, mit welcher man in alten Zeiten sich des Eides bediente, war Ursache, daß er sich in seinem wahren Werte erhielt. Je behutsamer man war, die Eide zuzulassen, desto mehr Ehrfurcht behielt man für dieselben im Gerichte. Itzt sind unsre Richter weit nachsehender, und ich weiß nicht, ist es die Bosheit der Menschen oder ist es eine andre Ursache, welche das Übel beinahe unvermeidlich macht, daß man vor den meisten Gerichtsbänken fast mehr von Eiden als von Sporteln reden hört. Ich hatte wahrgenommen, daß ein unverschämter Leichtsinn bei Ablegung eines Eides gewissermaßen zu einer Art des Wohlstandes geworden war. Frauenzimmer, welche sich würden geschämt haben, ihrem Bräutigame vor dem Altar anders als mit einer ehrbaren und gesetzten Miene die Versicherung ihrer Treue zu geben, hüpften mit dem flatterhaften Leichtsinne einer Kokette vor den Richterstuhl und schwuren mit lachenden Mienen den schrecklichsten Eid. Männer, und Männer, deren Amt vielmals erfodert, daß sie selbst andre vor dem Meineide warnen müssen, verrichteten diese Handlung mit einer so frechen Sorglosigkeit, daß sie um nichts bekümmert zu sein schienen, als wie sie ihre Füße wohl stellen, den Hut unterm Arme anständig halten und den Mantel auf eine galante Art zurückschlagen möchten. Wer sie in dieser Stellung gesehen hätte, der würde darauf nicht gefallen sein, daß sie hier wären, vor dem Angesichte des obersten Richters sich entweder zu rechtfertigen oder ewig zu verfluchen; er würde haben glauben müssen, daß sie da stünden, vor der anwesenden Gesellschaft einen Scaramutz zu tanzen. Der niederträchtigste Eigennutz ungewissenhafter Advokaten ist an den meisten Meineiden Ursache. Können sie es nur so weit bringen, daß ihr Klient zum Schwure kömmt, so haben sie gewonnen. Fühlt ihr Klient noch einige Regungen der Menschlichkeit, ist er noch nicht ganz ohne Gewissen, so werden sie, um einige Taler beim Prozesse zu erbeuten, alle ihre Beredsamkeit anwenden, ihn entweder ebenso verstockt zu machen, als sie sind, oder, weil dieses so leicht nicht möglich ist, ihm wenigstens durch falsche Begriffe vom Eide und von dessen geheimen Verstande das Gewissen, wie sie es nennen, zu erleichtern und ihn zu Ablegung eines ungerechten Eides zu vermögen.

Alles dieses hatte ich wahrgenommen, und ich setzte mir vor, meinen Mitbürgern diesen törichten Leichtsinn lächerlich zu machen, in der Hoffnung, diejenigen, welche keiner ernsthaften Betrachtung fähig sind, würden sich wenigstens um deswillen schämen, weil diese Aufführung unanständig ist. Ich redete davon in der satirischen Sprache der Ironie und sagte von dem Eidschwure: »In den alten Zeiten kam dieses Wort nicht oft vor, und daher geschah es auch, daß unsre gesitteten Vorfahren, die einfältigen Deutschen, glaubten, ein Eidschwur sei etwas sehr Wichtiges. Heutzutage hat man dieses schon besser eingesehen, und je häufiger dieses Wort, sowohl vor Gerichte als im gemeinen Leben, vorkömmt, desto weniger will es sagen. ›Einen Eid ablegen‹ ist bei Leuten, die etwas weiter denken als der gemeine Pöbel, gemeiniglich nichts anders als eine gewisse Zeremonie, da man aufrechts steht, die Finger in die Höhe reckt, den Hut unter dem Arme hält und etwas verspricht oder beteuert, das man nicht länger hält, bis man den Hut wieder aufsetzt, mit einem Worte, es ist ein Kompliment, das man Gott macht. Ein Kompliment aber gehört unter die nichts bedeutenden Worte. ›Etwas eidlich versichern‹ heißt an vielen Orten soviel als eine Lügen recht wahrscheinlich machen. Van Höken in seinem *Allezeit fertigen Juristen* nennt den Eid herbam betonicam und versichert, einem den Eid deferieren sei nichts anders als seinem klagenden Klienten die Sache mutwillig verspielen, und die Formel ›sich mit einem Eide reinigen‹ heiße soviel als den Prozeß gewinnen, denn zu einem Reinigungseide gehöre weiter nichts als drei gesunde Finger und ein Mann ohne Gewissen. Jene hätten fast alle Menschen, und dieses die wenigsten. Und wenn auch ja jemand die Vorurteile der Jugend an sich und ein sogenanntes Gewissen hätte, so würde es doch nirgends an solchen Advokaten fehlen, welche ihn eines Bessern belehrten und für ein billiges Geld aus seinem Irrtume helfen könnten. ›Gott straf mich!‹ oder ›Der Teufel zerreiße mich!‹ ist bei Matrosen und Musketieren eine Art eines galanten Scherzes, und in Pommern lernte ich einen jungen Offizier kennen, der schwur auch so, doch schwur er niemals geringer als ›bei tausend Teufeln‹, weil er von altem Adel war. ›Ich will nicht zu Gott kommen, ich bin des Teufels mit Leib und Seele‹ ist das gewöhnliche Sprüchwort eines gewissen Narrens, welcher gar zu gern aussehen möchte wie ein Freigeist. Er würde es in der Tat sehr übelnehmen, wenn man ihn mit andern kleinen Geistern vermengen und von ihm sagen wollte, daß er einen Himmel oder eine Hölle glaubte, und dennoch schwört er alle Augenblicke, mit der witzigsten Miene von der Welt, bei Gott und allen Teufeln. Mir kömmt dieses ebenso kräftig vor, als wenn unser Münzjude ›Jesus, Maria!‹ rufen wollte. ›Seinen Eid brechen‹ will nicht viel sagen, und wird diese Redensart nicht sehr gebraucht. Auf der Kanzel hört man sie noch manchmal, aber daher kömmt es, daß sie so geschwind vergessen wird als die Predigt selbst. In der Tat bedeutet es auch nicht mehr als ›die Ehe brechen‹, und um deswillen ist ein Ehebrecher und ein Meineidiger an verschiedenen Orten, besonders in großen Städten, soviel als ein Mann, der zu leben weiß. Diese Bedeutung fängt auch schon an in kleinen Orten bekannt zu werden, denn unsre Deutschen werden alle Tage witziger, und in kurzem werden wir es den Franzosen beinahe gleichtun.«

Ich würde meine Leser beleidigen, wenn ich ihnen nicht zutrauen wollte, sie könnten ohne mein Erinnern einsehen, daß dieses in der lachenden Sprache der Ironie eben dasjenige gesagt sei, was ich oben von dem Mißbrauche des Eides, von dem strafbaren Leichtsinne der Schwörenden und von der Bosheit dererjenigen ernsthaft geschrieben habe, welche ihre Klienten zu einem falschen Eide bereden. Ich ließ diese Stelle, nebst andern, in eben diesem ironischen Charakter unter dem Titel *Versuch eines deutschen Wörterbuchs* in die Monatsschrift der *Neuen Beiträge zum Vergnügen des Verstandes und Witzes* einrücken, und ich war so glücklich, daß dieser Aufsatz bei vernünftigen Lesern Beifall fand.

Ich weiß aber nicht, durch welchen unglücklichen Zufall diese Monatschrift den Bauern eines Dorfs im Voigtlande in die Hände gespielt wird. Sie finden in dem Artikel von Komplimenten, in dem von Eidschwüren und sonst einige Stellen, die ihnen auch als Bauern gefallen. Der Geistliche des Orts hört etwas davon, und weil er nichts als einzelne Stellen hört, so ist es ihm zugute zu halten, daß er solche, außer ihrem Zusammenhange, für verdächtig hält. Auch dieses will ich bei ihm noch entschuldigen, daß er auf der Kanzel sowohl als bei dem Kindtaufessen ängstlich wider diese Schrift eifert, wider diese gefährliche böse Schrift, die er noch nicht gesehen hat. Kurz, er macht Lärmen, und der Gerichtsverwalter tritt ins Gewehr. Nun hebt sich das Schreiben an! Richter und Schöppen, Müller, Bauern und Einnehmer werden vorgefodert. Man will das böse Buch heraushaben, es kömmt endlich, und man behält's im Arreste! Hätte man es hiebei bewenden lassen, so würde man an diesem Verfahren nichts weiter auszusetzen finden als allenfalls eine zu hitzig geäußerte Vorsicht. Ich bin wenig damit zufrieden, daß dieses Buch den Bauern in die Hände gebracht worden. Es kann leicht geschehen, daß Leute von schwacher Einsicht eine Schreibart nicht verstehen, die ihr eigner Gerichtsverwalter nicht versteht, der doch lateinische Bücher hat. Das gemeine Volk mißbraucht gar leicht etwas, wovon es die ernsthafte Absicht nicht übersieht, und eine Obrigkeit kann in der Tat nicht vorsichtig genug sein, dergleichen Leuten alles wegzuräumen, was ihre Unwissenheit mißbrauchen kann. Anfänglich glaubte ich auch, die Bauern hätten einen oder den andern Ausdruck unvorsichtig gemißbraucht und über die Eide leichtsinnig gescherzt. Wäre dieses gewesen, so würden sie diejenige Strafe verdient haben, welche ein solcher leichtsinniger Mißbrauch nach sich zieht; aber nein! davon findet sich in den Akten nicht die mindeste Spur. Sie haben darinnen gelesen, sie haben mit Vergnügen darinnen gelesen, und das ist ein Verbrechen! Man treibt die Untersuchung weiter; man will alle wissen, die in diesem Buche gelesen haben. Es werden Zeugen vernommen, und das Ansehen der Eide zu verteidigen, werden vergebne Eide geschworen, weil man alle diejenigen entdecken will, welche sich den Satan haben blenden lassen, das Buch zu lesen. Hätte man wohl eine grimmigere Untersuchung wider Faustens Höllenzwang anstellen können? Also ging die Verfolgung bloß über die arme Schrift, welche mit öffentlicher Zensur gedruckt und im ganzen Lande orthodox war, nur in diesem Winkel von Sachsen nicht. Die Akten sind voll von beleidigenden Ausdrücken, von solchen Ausdrücken, welche einem Richter unanständig sind und welche die Gesetze als Beschimpfungen gestraft wissen wollen. Man nennt meine Schrift: »Verwegenste Sätze von Geringschätzung der Eidschwüre; gottlose, gewissenlose Lehren; ein ärgerliches Wesen; verdächtige und spöttische Ausdrückungen von Eidschwüren; ausgestreute Lehren vom Mißbrauche des Meineids; öffentliches Ärgernis; Verführung unschuldiger Herzen; skoptische Sätze; Sätze, welche zu nichts geschickter sind als ein zügelloses Leben zu aller heimlichen Bosheit zu befördern« und so weiter. Und wo kömmt denn Ihnen alle diese Weisheit her, mein Herr, daß Sie in einem Buche so viel Giftiges finden, welches vor Ihnen niemand gefunden hat und nach Ihnen niemand finden wird? Kann denn ich was dafür, daß Ihre Bauern ein Buch gelesen haben, das weder für Ihre Bauern noch für Sie geschrieben ist? Muß man denn so ungezogen sein, wenn man für die Ehre der Religion zu eifern glaubt? Und kann man sein Amt nicht verwalten, ohne grob zu werden? Wie sollte der Herr Gerichtsverwalter gesprudelt haben, wenn er in den Zeiten geboren wäre, wo die Hexenprozesse noch Mode waren! Es ist ein Glück für mich, daß wir in Sachsen kein Autodafé haben! Ich sehe im Geiste, wie er aus heiliger Einfalt ein Bündel Holz zu meinem Scheiterhaufen trägt! In der Tat bin ich überzeugt, daß dieses ganze Verfahren mehr Eifer als Überlegung zum Grunde hat. Außerdem würde ich mich empfindlicher rächen. Da ich Gelegenheit gehabt habe, mich zu verantworten, so bin ich geneigt, ihm ein Vergehen zu verzeihen, dessen er sich, wie ich aus christlicher Liebe hoffe, mit der Zeit schämen wird. Ich wünsche ihm mehr Gutes, als er von mir Böses gesagt hat. Ich will ihm, soviel ich kann, alle Wohltaten vom Himmel erbitten, et magnum Dei beneficium est, sensu communi valere, sagt Cominaeus.

Ehe ich schließe, muß ich noch eines Fehlers gedenken, welcher sich bei der Satire sehr oft äußert und an dem die Verfasser sowohl als die Leser schuld sind. Manche sind nicht imstande, Satiren und lebhaft zu schreiben, wenn sie nicht einen aus dem Volke herausheben und seine Laster oder lächerliche Gewohnheiten der Welt zur Schau stellen. Sie verfolgen und zerarbeiten ihn so lange, bis er der ganzen Welt verhaßt oder lächerlich ist. Ich setze voraus, daß sie dieses in der Tat aus Liebe zur Tugend, und andre vor seinen Fehlern zu warnen, nicht aber aus Feindschaft und Verbitterung, nur um sich zu rächen, tun, denn alsdann verdienen sie den Namen eines Satirenschreibers nicht einmal. Gesetzt aber auch, ihre Absicht wäre billig, so glaube ich doch, daß diese verzweifelte Kur nicht eher zu brauchen ist, bis das Laster gar zu gefährlich ist und zur Besserung sonst keine Mittel mehr übrig sind. Derjenige, welchen wir auf diese Art dem Hasse oder dem Gelächter preisgeben, ist nunmehr ganz außer dem Stande, sich zu bessern, sowohl als ein Missetäter, den man an der Stirne gebrandmarkt hat. Die öffentliche Schande muß ihn zur Verzweiflung bringen, und er wird öffentlich lasterhaft, da er es vorher vielleicht nur heimlich war. Ich glaube aber auch, daß wir selbst bei dieser persönlichen Satire, dieses ist ihr eigentlicher Name, Gefahr laufen, parteiisch zu werden. Aus allgemeiner Menschenliebe fangen wir an, seine Fehler zu tadeln, und aus Eigenliebe fahren wir fort, ihn ohne Barmherzigkeit niederzureißen, sobald er Mut genug hat, sich zur Wehre zu stellen. Ich will diesen Satz mit nichts beweisen als mit unsern gelehrten Streitigkeiten. Ich glaube, dieser Beweis geht über alle. Außer der Gefahr, in welche sich auf diese Art ein Satirenschreiber begibt, sich aus seinen Schranken zu verirren, wird er selbst sehr viel dabei verlieren. Ich habe das Herz nicht, einen Verfasser zu fragen, ob er nicht für die Nachwelt schreibe? Wenigstens würde ich sehr betreten sein, wenn man mich auf mein Gewissen darüber fragen wollte. Wir wollen es also nur aufrichtig gestehen: Wir schreiben auch für die Nachwelt. Können wir wohl hoffen, daß wir durch die persönliche Satire diesen großen Zweck erlangen? Ich glaube es nicht. Unsre Satire wird nur denen gefallen, welche den lächerlichen Menschen kennen, den wir züchtigen. Wollen wir diesen Toren mit verewigen? Wird die Nachwelt, die von ihm nichts mehr weiß, als was wir von ihm gesagt haben, mit ebendem Vergnügen unsre Schrift lesen, wie es allenfalls die itzt Lebenden tun? Hundert kleine Umstände, die uns lächerlich sind, fallen sodann weg und werden den Nachkommen gleichgültig. Wie viel vermissen wir, eben um deswillen, an den Satiren des Juvenals? Boileau, dessen Witz vielleicht bitterer als aufrichtig war, hat einen großen Teil der Unsterblichkeit seinen Scholiasten zu danken. Viele Schriften von Swift kommen uns abgeschmackt vor, weil wir in Deutschland die Originale nicht kennen und die Gelegenheit nicht mehr wissen, welche seine persönlichen Satiren veranlaßt haben. Tun wir uns also durch dergleichen persönliche Satiren nicht selbst Schaden?

Wie unendlich sind die Vorzüge, welche die allgemeine Satire vor der persönlichen hat? Dadurch, daß ich Laster oder Fehler, welche vielen zugleich gemein sind, zum Gegenstande meiner Satire wähle, vermeide ich bei billigen Lesern den Vorwurf, daß ich aus Privatleidenschaften, aus persönlichem Hasse, aus Begierde, mich zu rächen, schreibe. Gewinnt ein Autor so viel, erlangt er das

Zutrauen der Leser, daß seine Absichten tugendhaft, billig und uneigennützig sind, so hat er schon halb gewonnen. Er kann gewiß hoffen, daß seine Satiren bessern werden, und da er den Beifall der vernünftigen Welt auf seiner Seite hat, so muß der Lasterhafte sich schämen, ihn anzufeinden. Ich lasse ihm Platz, sich zu bessern, da ich seine Person geschont habe. Noch ist er unerkannt, noch weiß niemand, daß er dieser Lasterhafte ist; nur ich weiß es und sein Gewissen. Er hat noch Zeit, tugendhaft zu werden, und die Welt soll es nicht erfahren, daß er lasterhaft gewesen ist. Es kann nicht fehlen; eine allgemeine Satire muß eine allgemeine Besserung wirken. Die Torheit, die in Leipzig lächerlich ist, eben diese Torheit ist in Lissabon und in Moskau lächerlich. Die Narren sehen, wie die Menschen, alle einander ähnlich, nur einige Züge verändert das Klima. Kann meine Eigenliebe etwas mehr verlangen als die schmeichelhafte Vorstellung, daß, wenn ich die satirische Geißel wider die Ungereimtheiten meines Nachbars aufhebe, sich alle Toren eines ganzen Landes bücken, aus Furcht, daß der Streich ihnen gilt? Wird aber dieses geschehen, wenn ich ihnen sage, daß ich meinen Nachbar meine? Eine allgemeine Satire bleibt der Nachwelt immer neu. Ebendie Toren, die uns lächerlich sind, sind auch die Toren ihrer Zeit. Schildre ich das Laster allgemein, so liest der Enkel den Charakter eines Lasterhaften, er vergißt, daß dieser schon vor hundert Jahren gestorben ist, und sucht ihn in seiner Stadt.

Ich habe mich vor persönlichen Satiren in meinen Schriften mit allem Fleiße gehütet. Die Charaktere meiner Toren sind allgemein; nicht ein einziger ist darunter, auf welchen nicht zehen Narren zugleich billig Anspruch machen können. Zeichne ich das Bild eines Hochmütigen, so nehme ich die unverschämte Stirne von Baven, die stolzen Augenbrauen von Mäven, die vornehmdummen Blicke vom Gargil, die aufgeblasnen Backen vom Crispin, die trotzige Unterkehle vom Kleanth, den aufgeblähten Bauch von Adrasten, den gebieterischen Gang vom Neran, und aus diesen sieben schaffe ich einen hochmütigen Narren, der heißt Suffen. Können Bav und Mäv, können die übrigen sagen, daß ich sie gezeichnet habe? Suffen wird noch leben, wenn sie alle tot sind, und ein jeder von ihnen wird wohl tun, wenn er sich denjenigen Fehler abgewöhnt, welchen er in dieser Kopie lächerlich findet. Habe ich mir auch eine einzelne Person zum Originale vorgenommen, so bin ich doch sorgfältig bemüht gewesen, so lange an ihm zu arbeiten, bis das Original durch viele fremde Züge unkenntlich und zu einem neuen Originale geworden ist.

Ich bin diese Vorsicht meiner Pflicht und der allgemeinen Menschenliebe schuldig gewesen. Desto weniger aber können es diejenigen neugierigen Leser verantworten, welche so vorwitzig sind und zu diesen allgemeinen Charakteren dennoch gewisse Personen aussuchen, welche darunter gemeint sein sollen. Es ist dieses ein sehr gewöhnlicher Fehler der Menschen. Darf ich es wohl sagen, woher er rührt? Wir haben die ungerechten Begriffe von der Satire, daß sie nicht sowohl auf die Fehler der Menschen als auf die Personen gehen soll. Wir suchen daher Personen, sobald wir eine Satire in die Hände bekommen. Es ist eine gewisse Bosheit in uns, die uns in einer beständigen Beschäftigung erhält, die Fehler andrer auszuspähen. Wir freuen uns, wenn andre lächerlich gemacht werden, denn wir sind sehr geneigt, mehr über die Fehler andrer zu lachen, als über ihre Tugend uns zu freuen. Mitten unter diesen Entdeckungen sind wir ruhig, daß nicht wir, wir tugendhaften Leute, sondern unser närrischer Nachbar gemeint ist. Könnten wir wohl so ruhig sein, wenn wir nicht zuviel törichte Eigenliebe besäßen? Vielleicht glaubt unser Nachbar, die Satire gehe auf uns, und wir lachen wohl zu gleicher Zeit beide übereinander. Verdient nicht unser boshafter Vorwitz die schärfste Satire? Durch unsre Auslegungen wird dasjenige eine persönliche Beleidigung, was der Verfasser in der billigen Absicht geschrieben hat, keinen zu beleidigen, sondern alle zu bessern. Es ist wahr, für den Verfasser ist es sehr vorteilhaft, wenn man an zehen Orten zugleich den Toren findet, den er auf seiner Stube geschildert hat! Man gesteht dadurch, daß seine Charaktere sehr allgemein und die Torheiten nach dem Leben gezeichnet sind. Aber diese Schmeichelei muß ihm so schätzbar nicht sein als der Ruhm, daß er nur die Fehler der Menschen verfolgt, die Menschen aber als ein vernünftiger Mitbürger liebt. Jener Beifall kitzelt nur seinen Witz, dieser aber macht, daß er ein Recht erhält, auf sein redliches Herz stolz zu sein.

Da meine satirischen Schriften das Schicksal gehabt, daß andre den Schlüssel dazu gesucht und sie auf so vielerlei Art ausgelegt haben, so nahm ich schon vor einigen Jahren Gelegenheit, die Unbilligkeit dieses Verfahrens lächerlich zu machen und mich durch einen meiner Freunde rechtfertigen zu lassen. Der Verfasser eines Wochenblatts, so *Der Jüngling*[1] heißt, hat die Mühe auf sich genommen. Ich brauche zu meiner Verteidigung weiter nichts zu tun, als daß ich es hier wiederhole.

Ich bin so glücklich mit meinen Blättern, daß sie Lesern in die Hände kommen, welche eine so durchdringende Einsicht und Scharfsinnigkeit besitzen, daß sie sogleich die Originale zu den abgebildeten Charakteren wissen. Diese Scharfsinnigkeit macht sowohl denen, welche sie anwenden, als mir viel Vergnügen. Ich sehe daraus, daß die Welt dergleichen Charaktere als Aufgaben ansieht, deren Auflösung in ihrer Gewalt ist. Ich habe vor andern Schriftstellern meiner Art den Vorzug, daß die Welt keinen Schlüssel zu meinen Arbeiten haben will. Was die lächerlichen Charaktere anbelangt, die ich abgebildet habe, so ist es mir gleichgültig, ob die Leser die Originale dazu kennen oder nicht, wenn ich sie nur nicht kenne. Ich denke, daß sich allezeit ein Original zu dem Abgeschmackten

[1] S. den *Jüngling*, erster Band, das 17. und 21. Stück.

finden wird, den man beschreibt; es fehlt ja in der Welt an solchen Leuten nicht. Man mag sich also immerhin in die Ohren sagen: Ja, ja, das ist das Frauenzimmer, es ist nach dem Leben getroffen; es ist, als wenn ich diesen Edelmann oder Bürger mit Augen vor mir sähe! Wenn man recht hat, so erfreut es mich, daß ich die Natur so glücklich treffe, und ich bedaure den, der das Original zu meiner Kopie wird. Was die löblichen Charaktere betrifft, so versichre ich aufrichtig, daß ich alle diejenigen meine, welche die abgebildeten guten Eigenschaften besitzen. Ich bedaure weiter nichts, als daß sich meine Leser zuweilen nicht eher als andre nennen. Unterdessen will ich der Welt das Vergnügen gönnen und ihr daher heute einige Charaktere vorlegen, von denen ich gewiß bekräftigen kann, daß ich sie nicht erdichtet habe. Die abgebildeten Personen sind nach dem Leben gezeichnet. Ich will mich auch mit denen in einen vertrauten Briefwechsel einlassen, welche diese Personen kennen, damit sie zu einer ganz unstreitigen Gewißheit in ihren Auflösungen gelangen können.

Fa. ist schön, das wissen wir alle. Sie ist noch ein unschuldiges Frauenzimmer. Ja, ja! Sie ist reich, das leugnet niemand. Allein die gute Fa. lobt, aus großer Begierde, gelobt zu werden, sich selbst allzusehr. Der Schade, den sie davon hat, ist sehr groß. Nunmehr will es niemand mehr glauben, daß sie schön, daß sie reich, daß sie ein unschuldiges Frauenzimmer ist.

Ich bedaure den armen Dichter: Alle Welt vermeidet seine Gegenwart; wo er hinkömmt, läuft man vor ihm. Er kann das nicht begreifen? Ich will es ihm sagen: Er ist gar zu poetisch. Ein großer Fehler! Man flieht ihn wie die Pest. Es ist auch in der Tat keinem ehrlichen Manne zuzumuten, daß er so viel ausstehen soll, als man bei dem Herrn C. auszustehen hat. Wenn ich stehe, so liest er mir seine Gedichte vor; setze ich mich nieder, so liest er sie mir auch vor. Ich fange an zu laufen; er läuft nach und liest mir immer hintendrein; bis auf den Abtritt verfolgt er mich mit seinen geistreichen Werken. Vielleicht bin ich in der Allee vor ihm sicher? Es hilft nichts; er liest immer vor. Ich eile auf die Reitbahn. Umsonst, er läßt mich nicht einmal auf das Pferd. Mich hungert; ich muß zu Tische; er hält mich immer noch auf. Ich reiße mich los und setze mich nieder; auch vom Tische jagt er mich weg. Ich werfe mich aufs Bette und schlafe ein. Er weckt mich auf und liest mir seine Verse vor. Ist wohl etwas Unerträglicheres zu denken? Er ist ein billiger, rechtschaffner und braver Mann, ich gebe es zu; allein es hilft ihm alles nichts: Es scheut sich alle Welt vor seinen Versen.

Cliton hat in seinem ganzen Leben nicht mehr als zwei Verrichtungen gehabt: zu Mittage und zu Abend zu essen. Es scheint, daß er nur zur Verdauung geboren worden sei. Er spricht auch nur von Dingen, die dahin gehören. Er erzählt, wie viele Gerichte bei dem letzten Schmause aufgetragen, was für Essen, wieviel Essen, was für Braten und Beigerichte aufgesetzt worden sind. Er besinnt sich ganz genau darauf, was man für Gerichte bei dem ersten Aufsatze gebracht hat, und ebenso gewiß besinnt er sich auf die Früchte und Assietten. Er nennt alle Weine und gebrannte Wasser her, von denen er getrunken hat. Er versteht die Sprache der Küche vollkommen, und er macht mir Appetit, an einem guten Tische zu speisen, wo er nicht ist. Er ist ein außerordentlicher Mann in seiner Art, der die Kunst, sich gut zu mästen, zur größten Vollkommenheit gebracht hat. Er ist auch der Kenner guter Bissen. Es wird kein Mensch wieder geboren werden, der so viel und so gut ißt. Man darf auch selten dasjenige loben, was ihm mißfällt. Er hat sich bis auf seinen letzten Hauch zu Tische tragen lassen; er gab eben an dem Tage, da er starb, einen Schmaus. Er mag sein, wo er will, so wird er essen, und wenn er in die Welt zurückkehrt, so kömmt er zum Essen wieder.

Ka. befindet sich wohlauf, und sieht doch blaß. Er trinkt nicht viel, und sieht doch blaß. Er verdaut gut, und sieht doch blaß. Er hat eine junge artige Haushälterin, und sieht doch blaß. Wo muß das herkommen?

Georg ... an ist ungemein freigebig gegen abgelebte Greise und verschwendet seine Geschenke an alte, reiche Witwen. Verlangt Georg ... an vielleicht, daß ich glauben soll, er tue solches aus Großmut? Der Niederträchtige! Seine Geschenke sind Netze und Fallstricke, die er ihren Erbschaften legt. Will er seine Großmut bezeigen, will er ohne Eigennutz schenken, so beschenke er mich, denn ich bin jung und munter und sterbe ohne Testament.

Unser Wuchrer F. ist ein schlauer Kopf! Er hat eine Frau, die so reizend aussieht, daß ihn niemand zum Hahnreie gemacht haben würde, wenn er auch Geld dazu gegeben hätte. Der Zutritt war allen unverwehrt, und dennoch fand sich kein Mensch, welcher sich selbst so sehr verleugnen können, daß er auf diesen Einfall gekommen wäre. Was hat F. zu tun? Er wird eifersüchtig; er bewacht sie und läßt sie von andern bewachen. Welcher Lärm! Es wimmelt unter seinen Fenstern von jungen Stutzern, die sich fast zu Krüppeln seufzen und den halben Wechsel daranwenden, wenn sie nur eine einzige Nacht Herr F. sein können. Herr F. hat seine Sache vortrefflich gemacht.

Die Madame ... ist vorzeiten verbuhlt und fast ein wenig allzu galant gewesen. Man hat von ihr gesprochen, und dieses hat sie bewogen, sich den allzu lärmenden Ergetzlichkeiten der Welt zu entziehen. Sie ist eben noch so empfindlich, aber vorsichtiger. Sie hat eingesehen, daß Frauenzimmer ihre Ehre nicht sowohl durch ihre Schwachheiten als durch ihre geringe Mäßigung in denselben beleidigen und daß die Entzückungen der Liebhaber immer sehr wirklich und angenehm sind, wenn sie gleich verschwiegen werden. Sie ist schön, aber ihre Schönheit ist majestätisch, die sich leicht Ehrerbietung zuwege bringen würde, wenn sie gleich kein ernsthaftes Wesen annähme. Sie kleidet sich nicht verbuhlt, aber doch nicht ohne Schmuck. Wenn sie sagt, daß sie nicht zu gefallen suche, so setzt sie sich allezeit in den Stand, zu rühren, und ersetzt dadurch die Reizungen sorgfältig, die ihr ihre vierzig Jahre genommen haben. Sie hat wenig Reizungen verloren, und wenn man die frische Farbe ausnimmt, die mit der ersten Jugend verschwindet und welche die Frauenzimmer oft noch vor der Zeit verderben, indem sie dieselbe blendend zu machen suchen, so darf die Madame... nichts bedauern, weil sie nichts verloren hat. Sie ist groß und wohlgebildet, sie hat eine angenommene Nachlässigkeit, ihre Gesichtsbildung und ihre Augen sind gezwungen ernsthaft. Wenn sie aber nicht darauf denkt, Achtung auf sich zu geben, so verraten die Augen ein lustiges Wesen und Zärtlichkeit. Ihr Verstand ist lebhaft, ohne unbesonnen zu sein, vorsichtig und ein wenig zur Verstellung geneigt. Ob sie gleich ein sprödes Ansehen hat, so ist sie doch angenehm in Gesellschaften. Ihre Grundsätze verlangen nicht, daß ein Frauenzimmer keine Schwachheiten begehen müsse, sie verlangen nur, daß allein der Geschmack die Schwachheiten der Vergebung wert machen soll.

Herr G. hat sich einen ganz neuen Weg zu seinem Glücke gebahnt. Es gibt eine gewisse Art von Leuten, welche gern die vornehmsten vor andern sein wollen und es nicht sind; diesen hängt er an. Er läßt sich zwar von ihnen nicht zum Narren gebrauchen, aber er lacht sie selbst freiwillig an und bewundert ihre großen Geister. Was sie sagen, lobt er: Wenn sie es wieder leugnen, so lobt er dieses auch. Verneinen sie etwas, so verneint er's mit. Bejahen sie etwas, so sagt er auch ja. Kurz, er hat sich das Gebot auferlegt, allen zu schmeicheln, denn das ist itzt das einträglichste Gewerbe. Er macht aus Narren Unsinnige. Wo er hinkömmt, läuft ihm alles entgegen, Köche, Weinschenken, Gastwirte und Zuckerbäcker. Sie grüßen ihn, sie stellen ihm zu Ehren eine Gasterei an und wünschen ihm zu seiner Ankunft Glück. Man sehe, was der Müßiggang und fremdes Brot tun kann. Hat Herr G. nicht einen ganz neuen Weg zu seinem Glücke gefunden?

Die Mademoiselle ... zieht einen Handschuh ab, uns eine schöne Hand zu zeigen, und sie vergißt es nicht, einen ganz kleinen Schuh zu entdecken, der einen kleinen Fuß voraussetzt. Sie lacht über lustige und ernsthafte Dinge, um schöne Zähne zu verraten. Wenn sie ihr Ohr sehen läßt, so bedeutet solches das, daß es schön ist, und wenn sie niemals tanzt, so kommt es daher, daß sie mit ihrer Gestalt wegen ihrer Dicke unzufrieden zu sein Ursache hat. Sie kennt alle ihre Vorteile, einen einzigen ausgenommen: Die Mademoiselle ... redet beständig und hat keinen Verstand.

Was? Der Madame ... sollte ein einziger Mann genug sein? Gewiß, nur ein Mann ist für die Madame ... zu wenig. Man wird sie eher dazu nötigen, daß sie sich an einem Auge begnügen lasse.

Der Herr Professor mag sprechen oder Reden halten oder schreiben, so will er zitieren. Er läßt von dem Fürsten der Philosophen sagen, daß der Wein trunken macht, und von dem größten Redner der Römer, daß das Wasser denselben mildere. Wenn er sich in die Moral einläßt, so ist's nicht er, sondern der göttliche Plato, welcher versichert, daß die Tugend liebenswürdig ist und das Laster gehaßt zu werden verdient oder daß aus dem einen sowohl als aus dem andern Fertigkeiten entstehen. Die gemeinsten und alltäglichsten Gedanken, und sogar diejenigen, die er selbst noch denken kann, will er den Alten, den Lateinern und Griechen schuldig sein, nicht etwa, um dem, was er gesagt hat, mehr Gewicht zu geben oder vielleicht mit seiner Wissenschaft sich ein Ansehen zu machen, nein, er will zitieren.

Sie bewundern allein die Alten, mein Herr..., und loben nur die verstorbenen Poeten; allein ich bitte Sie, vergeben Sie mir's, mein Herr, es ist der Mühe nicht wert, daß man stirbt, um Ihren Beifall zu erhalten.

Der Herr Doktor liebt die Insekten; er sammlet ihrer alle Tage mehr. In Europa hat niemand so schöne Schmetterlinge von allerlei Gestalten und Farben. Ach, zu was für einer Zeit besuchen Sie ihn itzt? Er ist in einen tödlichen Kummer versenkt. Er ist murrisch und finster, seine ganze Familie leidet darunter. Er hat auch einen entsetzlichen Verlust erlitten. Kommen Sie nur näher und sehen Sie das an, was er Ihnen auf seinem Finger zeigt. Es hat kein Leben mehr, es ist ihm den Augenblick gestorben! Was ist es denn? Es ist eine Raupe. Was das für eine Raupe war!

Alter Narre! Merkst du nicht, warum dich P. mit Geschenken überhäuft? Du bist reich, du gehst auf der Grube! Stirb! Verstehst du kein Deutsch?

Man wird sich vielleicht der Charaktere erinnern, die ich in einem meiner Blätter der Welt als Aufgaben vorgelegt habe, welche sie auflösen sollte.[1] Ich und mein Verleger haben verschiedene Briefe erhalten, in welchen die Personen angegeben werden, die ich gemeint haben soll. Ich muß eilen und diese Briefe beantworten, sonst bin ich in Gefahr, noch mehrere zu erhalten. Ich hätte nicht geglaubt, daß es eine so gefährliche Sache wäre, ein Autor zu sein. Alle Leute, über die gelacht werden kann, halten einen Autor für ihren Feind, und ich kann bei meinem Vergnügen schwören, daß mir nichts lieber als Ruhe und Friede ist. Wenn ich glaubte, daß mein eigner Name bekannt sein könnte, so traute ich mich nicht auf die Gasse und vor die Stadt. So werden die guten Absichten belohnt! Ich wollte zum Vergnügen der Welt schreiben, und man gibt mir Schuld, daß ich einige aus der Welt lächerlich machen wollte. Ich unschuldiger Jüngling! Doch ich will aufhören, mich zu beklagen. Hier sind die Briefe, aus welchen ich nur die Namen der Personen, die ich abgebildet haben soll, weggelassen habe ...[2]

[1] S. den *Jüngling*, im 21. Stück.

[2] Hier folgt im Original eine Reihe fingierter Briefe. (H. M.)

Man wird aus den Stellen der angeführten Skribenten sehen, wie sehr sich diejenigen geirrt haben, welche die Originale zu meinen Charakteren erraten wollen. Ich habe einige gewöhnliche Charaktere in mein siebzehntes Blatt eingerückt, und doch haben sich einige gefunden, welche besondre Personen angegeben, die ich in Gedanken gehabt haben soll. Ein Schriftsteller verspottet die Lächerlichen, ohne darauf zu denken, ob diese oder jene unter die Lächerlichen gehören. Ich will mich über eine so bekannte Wahrheit nicht mit Anmerkungen ausbreiten und nur so viel sagen, daß ich künftig allezeit denjenigen gemeint haben will, der so dreist ist, daß er Originale zu meinen Charakteren angibt. Was meine Leser denken wollen, das lasse ich ihnen frei. Ich verlange nur, daß sie ihre Auslegungen nicht auf meine Rechnung bringen sollen.

Wie sehr werde ich nunmehr meinen künftigen Lesern ihre Mühe erleichtern! Sie können es sicher glauben, ich meine niemanden als diejenigen, welche wissen, wen ich gemeint habe.

Johann Elias Schlegel

VERGLEICHUNG SHAKESPEARES UND ANDREAS GRYPHS BEI GELEGENHEIT DES VERSUCHS EINER GEBUNDENEN ÜBERSETZUNG VON DEM »TODE DES JULIUS CÄSAR«, AUS DEN ENGLISCHEN WERKEN DES SHAKESPEARE

1741

Wenn ein Buch einmal schon ans Licht getreten ist, so ist alles, was man dabei tun kann, daß man es sich, so gut als möglich ist, zunutze macht. Es ist alsdann bei einer Übersetzung fast zu spät zu sagen, ob der Herr Verfasser recht getan habe, daß er sich dieses zu übersetzen vorgenommen. Und wenn man sagen will, daß er nicht wohl übersetzet hat, so ist es zwar eine Gerechtigkeit von denenjenigen, die sich einmal vorgenommen haben, ihr Urteil von gewissen Büchern zu sagen; aber eine Gerechtigkeit, welche ihren Nutzen mehr an den Büchern, die noch kommen sollen, bezeiget als an demjenigen Buche, daran sie verübet wird, und welche in diesem Falle eine große Ähnlichkeit mit den Todesstrafen im gemeinen Wesen hat. Die Fehler dieser Übersetzung würden wir ganz und gar übergehen und den Fleiß des Verfassers bloß zu nutzen gesucht haben, wenn nicht einesteils eben diese Gerechtigkeit, andernteils aber das Verlangen des Verfassers ein anders erfoderte. Daß die Übersetzung des Verfassers etwas haben müsse, das in dem Originale nicht ist, kann daraus leichtlich geschlossen werden, weil das Original von einer gesitteten Nation, seiner großen Fehler ungeachtet, lange Zeit her wegen seiner großen Schönheiten bewundert worden; die Übersetzung aber bei so vielen Leuten, als wir ihrer davon erforschet, einen ganz widrigen Eindruck gehabt. Wir haben uns die Mühe gegeben, die Ursachen dieses Unterscheids zu suchen. Und der Herr Übersetzer hat uns selbst ermuntert, sie ihm zu sagen, zumal da wir den Vorsatz haben, sie ihm vernünftig zu sagen, welches eben sein Wunsch ist.

Rauhe Verse, ein übelbeobachteter Abschnitt, eine verworfene Ordnung der Wörter können freilich schon viel tun, eine Übersetzung bei vielen Ohren unangenehm zu machen. Aber wir werden diese Dinge übergehen, weil sie in einem so großen Werke sehr langweilig anzuzeigen sind und weil wir glauben, daß der Verfasser diese Dinge selbst wissen und nur dem Zwange der Übersetzung zu sehr nachgegeben haben wird.

Vor allen Dingen aber muß man sich über die große Anzahl niedriger Wörter beschweren, welche der Übersetzer den Großen, die er abbilden soll, in den Mund leget. Es ist nicht selten, daß sie das Wort »Bärenhäuter«, welches der Verfasser »Bärnhäuter«, mit einer sehr rauhen Verkürzung, schreibt, im Munde führen. Der Übersetzer hat das Wort »Co[w]ard«, welches in diesen Stellen sich im Englischen befindet, durch »feig«, p. 67, gegeben:

Daß ich feig oder falsch anitzo mit euch spreche...

und ich sehe nicht, warum er es nicht allezeit getan. Er nennet die gemeinen Leute ziemlich oft Schlüngel.

p. 115: ihr Schlüngels, kommt, erwachet.
p. 57: fort Schlüngel aus dem Wege.
p. 60: Schier dich weg.

Er sagt p. 124:

Schau! schau! Titinius, schau! wie die Schurken fliehen.

Der Verfasser hat dieses zu ersetzen gesucht und sie an andern Orten einander »ihr Gnaden«, »gnädiger Herr« und der[g]leichen heißen lassen, wodurch er ebenfalls seinem Originale einen Zusatz gegeben, dafür ihm Shakespear nicht danken wird. Eine ander Art niedriger Wörter sind die unerhörten Wörter p. 21. Der Löwe gluderte mich an, p. 23. Die Beister, p. 46. Der seltsame Reim, der den Leuten den Irrtum benehmen soll, daß man auf Menschen nichts reimen könne, nämlich Pferde-Wrenschen.

Hierzu kömmt, daß der Verfasser die Bindewörter mißbraucht. Fast durchgehends setzet er was für das oder für welches. Ich zweifle, ob er einen einzigen guten Schriftsteller wird anführen können, der es jemals so gebraucht habe. Das Wörtchen als für wie, z. E. als ich glaube, hängt ihm aus dem Englischen an.

Man muß dieses dem Verfasser zum Lobe nachsagen, daß man aus der Zusammenhaltung des Englischen und seiner Übersetzung überzeugt worden, daß er des Englischen mächtig ist und daß es zu wünschen wäre, daß er des Deutschen ebenso mächtig sein möchte. Unterdessen will man diese Stelle anführen, wo ihn entweder der Vers oder die Eilfertigkeit verführet hat, den Verstand zu verdrehen. p. 24, Casca fraget:

Wer ist es, Cassius, ist's Cäsar, den ihr meinet?

Cassius antwortet:

Er mag sein, wer er will: solang in unsrer Stadt
Man Arm und Sehnen noch gleich unsern Ältern hat.
Doch unsrer Väter Mut ist, weh uns! abgestorben.

Ich glaube schwerlich, daß man in diesen Worten wird einen rechten Verstand finden können. Im Englischen aber heißt die Antwort: Es mag sein, wer da will. Denn die Römer haben itzo nur noch Arme und Sehnen wie ihre Vorfahren, aber ach! der Mut unsrer Väter ist erstorben. p. 39:

Genieße nur den Tau vom honigsüßen Schlummer

anstatt: den vom Himmel tauenden Honig des Schlummers. Obgleich auch dieses schwülstig ist, so ist es doch noch ein Unterschied, ob ich den Schlummer mit dem Honige wegen seiner Süßigkeit vergleiche, oder ob ich ihn mit dem Taue vergleiche, mit welchem er weiter keine Verbindung hat als durch die Ähnlichkeit mit dem Honig, weil der Honig auch von den Alten vom Himmel tauend genennet wird.

p. 70 sagt der Übersetzer, Cäsars Wunden foderten seinen Liebesdienst zur Stimme und Sprache, anstatt zu sagen, daß sie seine Stimme und Sprache zum Liebesdienste foderten.

Einige Zusätze, die ich bei dem Verfasser unter andern angemerket habe, kann ich nicht vergessen. Auf der 44. S. sagt Ligarius:

So wahr die Götter sind, wobei die Römer schweren,
Werf ich die Krankheit ab.

Und der Übersetzer setzt hinzu:

Schau her, da liegt sie schon!

p. 13:

Calpurnia sieht blaß, und Cicero verdrehet
Sein Auge wie der Luchs: wie wir ihn oft gesehn,
Wenn ihm im Capitol die Ratsherrn widerstehn.

Anstatt: Cicero zeiget verdrießliche und hitzige Blicke, wie wir ihn oft gesehn etc. etc.

p. 72 hat er die Worte eines aus dem Pöbel:

Brutus steht auf der Bühne. Schweiget still!

so erweitert:

Laßt keinen unter uns den edlen Brutus stören.
Er steht schon auf der Bühn, um den Bericht zu tun.
Macht keinen Lärm. Steht still. Und gebet Achtung nun,
Weswegen Cäsars Mord geschehn, was es bedeute.

Verschiedenes hat der Übersetzer schwülstig gemacht, welches bei dem Verfasser erträglich ist. Z. E. p. 4:

Wenn man die Federnbrut aus Cäsars Flügeln pflückt,
So wird sein hoher Flug den andern gleich gebückt.

Anstatt:

Die Federn muß man jung aus Cäsars Flügeln reißen,
Dies wird ihn höher nicht, als andre fliegen heißen.

Das meiste aber machen darinnen Redensarten, die undeutsch sind, und in welchem man die Übersetzung erst aus dem Originale erklären muß, ehe man wissen kann, was das Deutsche sagen will. p. 3:

O Niederträchtigkeit! die sich getroffen findet,
Und schaut! mit lahmer Zung in ihrer Schuld verschwindet.

Auf Deutsch:

Sieh! wie ihr schlechtes Herz sich schon getroffen findet,
Sieh! wie sich alles schämt, verstummet und verschwindet.

p. 7:

Ihr drucket euren Freund mit fremd und schwerer Hand.

Anstatt: mit ungewohnter etc. etc; p. 9:

Betrifft's der Römer Heil und allgemeinen Flor,
So stellet Ehr und Tod in beiden Augen vor.

Deutsch:

So stelle meinem einen Auge die Ehre vor und dem andern den Tod.

Die öftre Wiederholung der meisten von diesen Fehlern macht das Durchlesen dieser Übersetzung ziemlich verdrießlich. Ich will eine Probe hersetzen, welche zwar auch in dem Originale nicht ganz von Fehlern frei, in der Übersetzung aber über alle Maßen erniedrigt ist.

Brutus:
Ich sag euch, Cassius,
Ihr selber seid der Mann, den man verdammen muß;
Daß euch die Hand so juckt, daß ihr nach Golde laufet
Und eure Kriegesdienst um schnödes Geld verkaufet
An schlechte Lumpenkerle.

Cassius:
Was? Mord! die Hand juckt mir?
Wißt, daß ihr Brutus seid (und darauf trotzet ihr),
Der dieses sagt. Denn sonst, so wahr die Götter leben,
Dies wär eur letztes Wort etc. etc.

Brutus:
So geht zur Hölle, gehet!
Ihr seid nicht Cassius etc. etc.

Damit ich auch dem Herrn Übersetzer nicht unrecht tue, so will ich eine seiner besten Stellen ebenfalls anführen.

Anton, welcher sich mit dem Brutus zum Scheine versöhnet hat, redet allein bei der Leiche Cäsars:

Vergib mir! ach! vergib du blutend Stückchen Erde,
Daß ich so mild und sanft mit deinen Mördern werde.
Du bist der Überrest vom allergrößten Held,
Vom allerwürdigsten und edelsten der Welt,
Der je gelebt, solang der Zeiten Strom geflossen,
Weh ihnen, welche hier dein teures Blut vergossen!
Ich will auf deiner Leich und Wunden prophezeihn,
So Lippen ohne Zung und stumme Mäuler sein,
Die voller Rachbegier mit Grimm und Eifer lodern
Und meinen Liebesdienst zur Stimm und Sprache fodern.
Ein Fluch soll hier entstehn, der auf die Römer blitzt
Und sie zur Mörderwut und Bürgerkrieg erhitzt.
Das öde Welschland soll in seinem Blut ersaufen.
Mord und Zerstörung soll in freiem Schwange laufen.

Die Greuel sollen ganz gebräuchlich und gemein,
Erbarmen soll erstickt in Schandgewohnheit sein.
Und Mütter sollen sehn mit lächelnden Gebärden,
Wie Kinder durch die Hand des Kriegs gevierteilt
werden.
Ja, Cäsars Rachgespenst, mit Teufeln[1] an der Hand,
Kömmt aus der Höllen Glut ganz rasend heiß gerannt
Und wird auf dieses Land uns unsre Rasereien
Mit der Monarchen Stimm, Angst und Verderben
schreien.
Er hetzt die Kriegeshund auf unsre Grenzen an,
Bis niemand übrigbleibt, der uns beweinen kann,
Bis dieser Meuchelmord der Erden Antlitz füllet
Mit stinkend Menschenaas, was nach Begräbnis brüllet.

Wir wagen es, diese Stelle teils etwas genauer, teils etwas deutscher zu übersetzen:

Du blutig bißchen Staub. Vergib mir, daß ich heuchle,
Daß ich so freundlich tu und deinen Mördern schmeichle.
Zerstörter Überrest des größten Manns der Welt,
Den je der Zeiten Flut ans Tagelicht gestellt,
Weh denen! deren Arm dein köstlich Blut vergossen,
Bei diesen Wunden hier, aus welchen es geflossen,
Die als ein stummer Mund aus roten Lippen schrein,
Ich solle Zung und Wort zu ihrem Dienste leihn,
Bei diesen Wunden hier, hier will ich prophezeihen.
Von hier wird sich ein Fluch durchs ganze Land zer-
streuen,
Daß bürgerliche Wut und innerlicher Zwist
Italien zerteilt und dessen Glieder frißt.
Vernichtung, Mord und Brand soll ein Gebrauch auf
Erden,
Und was Entsetzen macht, soll so gewöhnlich werden,

[1] Hier hat der Übersetzer aus der Göttin Ate, die Shakespear nennet, unverantwortlicherweise Teufel gemacht.

Daß eine Mutter noch aus muntern Augen blickt,
Wenn ihr des Krieges Arm den letzten Sohn erstickt.
Der wilden Taten Zahl wird das Erbarmen dämpfen,
Und Cäsar wird entbrannt nach Blut und Rache
kämpfen.
Sein Geist voll Zorn und Grimm wird aus der Hölle
gehn,
Und das Verderben wird zu seiner Seite stehn.
Er kömmt, noch als Monarch Verheerung zu gebieten,
Und Krieg und Furien heißt er entfesselt wüten.
Bis dieser freche Mord, so weit die Erde geht,
In Menschenaase stinkt, das um Begräbnis fleht.

Englisch:

O pardon me, thou bleeding piece of earth
That i am meek and gentle with these Buthchers.
Thou art the ruins of the noblest Man
That ever lived in the tide of Times.
Woe to the hand, that shed this costly blood!
Over thy wounds now do i prophesie.
(Which like dumb mouths do ope their ruby lips,
To beg the voice and utterance of my tongue)
A curse shall light upon the limbs of Men
Domestick fury, and fierce civil strife
Shall cumber all the parts of Italy,
Blood and destruction shall be so in use,
And dreadful objects so familiar,
That Mothers shall but smile, when they behold
Their Infants quarter'd with the hands of War,
All Pity choak'd with custom of fell deeds.
And Caesar's Spirit ranging for revenge
With Ate by his side come hot from Hell.
Shall in these confines, with a Monarch's voice
Cry havock, and let slip the Dogs of War,
That this foul deed shall smell above the earth
With carrion Men, groaning for burial.

Nunmehr kommen wir auf eine Untersuchung, die unsere Poeten gegen fremde abmessen lehret, und uns dadurch richtige Begriffe von einem Geiste machet, welcher bei uns nicht mit Unrecht hochgeachtet wird. Die Engelländer haben schon durch viele Jahre den Shakespear für einen großen Geist gehalten und die scharfsichtigsten unter ihnen, worunter sich auch *Der Zuschauer* befindet, haben ihm diesen Ruhm zugestehen müssen. Die Deutschen haben ebenfalls Gryphen nicht geringe Hochachtung gegönnet. Ob wir ihn gleich wegen seiner rauhen Schreibart und wegen seiner Art, die Wörter zu verbinden, welche einen nicht sogleich in den Verstand seiner Verse würde eindringen lassen, wenn man seine Stücke spielen sehen sollte, bei uns nicht öffentlich aufführen; ob er auch gleich soviel Unregelmäßigkeit und an einigen Orten soviel Schwulst hat, daß man ihn nicht wohl mit dem Corneille und Racine vergleichen kann, so behält man doch Hochachtung genug gegen ihn, daß man ihn für einen großen Dichter gelten läßt und daß man glaubt, ein Poet, der seine Arbeit auf das Theater gerichtet sein läßt, könne viel von ihm lernen, wenn er das Gute, das darinnen ist, von demjenigen, was nicht nachzuahmen ist, zu unterscheiden weiß. Wir wollen also den Shakespear und den Gryph miteinander vergleichen und sowohl das Gute als die Fehler derselben gegeneinander halten. Und dieses soll geschehen, indem wir den *Cäsar* des ersten und den *Leo Armenius* des andern untersuchen.

Das erste, das man bei einem Schauspiele zu beobachten hat, ist die Einrichtung desselben. Aber eben dieses pfleget bei den Engelländern insgemein das letzte zu sein. Wenn ich nach demjenigen urteilen soll, was ich in der Englischen Schaubühne gelesen habe, so sind ihre Schauspiele mehr Nachahmungen der Personen, als Nachahmungen einer gewissen Handlung. Man sucht eine Anzahl von Personen aus, die in ihrem Leben eine Verbindung miteinander gehabt haben. Wenn man sie nun von ihren wichtigsten Begebenheiten soviel reden lassen als genug ist, eine Anzahl Zuschauer einige Stunden lang zu unterhalten, und wenn man zu einem merkwürdigen Punkte oder zu dem Ausgange ihres Lebens gekommen ist, so höret man auf. Hier denket man so genau nicht an eine Verwirrung, welche am Ende am größten wird und die Zuschauer alsdann in die höchsten Leidenschaften stürzt, sondern man sieht dieses mehr als eine Nebensache an und bemühet sich nur, Personen wohl vorzustellen, wiewohl die Einrichtung der Fabel deswegen eben nicht bei allen Trauerspielen hintenangesetzt ist. Wenn man dieses vorausgesetzet, so ist kein Wunder, warum die Engelländer ein Trauerspiel bewundern, dessen Einrichtung nicht besser ist als ungefähr unsre *Banise,* wo Casca als ein andrer Scandor erscheinet, wo die Eröffnung mit einem Haufen Pöbel und mit einigen gemeinen und niedrigen Scherzreden geschieht, wo die Zeit der Handlung nicht nach Stunden, auch nicht nach Tagen, sondern nach Monaten und Jahren gemessen werden muß und wo der Anfang zu Rom und das Ende zu Philippis ist. Gryph hat, was die Einrichtung betrifft, zwar nicht allen Regeln genug getan, aber er hat doch mit allem dem weiter nichts getan, als daß er die Szene in der Stadt herumwandern läßt, dahingegen er allezeit bei seinem Zwecke bleibet und nicht eine Szene einschaltet, die nicht denselben befördern sollte.

Shakespear läßt das Volk erst auf den Gassen an dem lupercalischen Feste voller Freude herumlaufen. Die Tribunen zerstreuen es. Cäsar kömmt mit großer Pracht zu de[n] Ritterspielen und vergißt nicht zu erinnern, daß Anton Calpurnien mitten im Wettlaufe, im Vorbeirennen, berühren solle, weil dieses fruchtbar mache. Unterdessen aber, daß Cäsar die Krone, die ihm aufgesetzet wird, mit großer Freude des Volks wieder vom Kopfe nimmt, unterredet sich Cassius mit dem Brutus und suchet in ihm die Funken zur Verräterei zu erwecken. Cäsar wird bei der Zurückkunft den Cassius inne und redet von ihm als einem gefährlichen Menschen, ohne daß Cassius sich darum bekümmert. Casca erzählet die Aufführung Cäsars mit vielen Schwänken, und so geht man nicht etwa bis zu dem Tode Cäsars, denn dieser erfolgt im dritten Aufzuge, sondern bis zu dem Tode des Cassius, des Brutus und noch andrer. Jeglicher Auftritt ist ein besonderes Gespräch, wo von einige nicht viel Aufmerksamkeit, die meisten aber in der Tat einige Bewunderung verdienen.

Bei dem Gryph hingegen sind die Anschläge zur Verräterei der Anfang und das Ende der Verräterei das Ende des Stückes. Alle Auftritte desselben sind mit dem Michael, dem Haupte der Verräter, und mit dem Leo, ihrem Schlachtopfer, beschäftigt. Leo dichtet allezeit auf den Tod Michaels und Michael auf den Tod des Leo, und hier hat nicht einmal eine französische Zwischenfabel oder die Liebesgeschichte eines Frauenzimmers statt, welche etwa mit der Geschichte der Verräterei künstlich zusammengeflochten wäre.

Beide, sowohl Shakespear als Gryph, haben in diesen Stücken bewiesen, daß man schöne Auftritte verfertigen könne, ohne von der Liebe zu reden, und daß die unglücklichen Zufälle der Großen und die Staatslehren einnehmend genug sind, die Leidenschaften zu erregen.

Da man also bei beiden die Regelmäßigkeit nicht suchen darf, ob sie gleich bei dem Gryph in weit höherm Grade ist als bei dem Shakespear, so will ich auf die Charaktere ihrer vornehmsten Personen gehen, worinnen die Stärke des Engelländers vor andern besteht.

Der ungenannte Vorredner des *Julius Cäsars* sagt in einer sehr lebhaften Vergleichung des Jonsons und des Shakespears: Der Himmel habe die Helden des Jonsons gemacht, Shakespear aber habe seine eignen gemacht. Dieses läßt sich in ebendem Maße sagen, wenn man den Gryph an die Stelle Jonsons setzet.

Wie sorgfältig Shakespear gewesen, seine Charaktere zu bilden, sieht man daraus, daß er meistens ihre ganzen

Charaktere einem andern in den Mund gelegt und ihn so beschreiben lassen, daß fast nichts hinzuzusetzen übrigbleibt. Seine vornehmsten Charaktere sind Brutus, Cassius, Anton und Cäsar. Den Charakter des Cassius machet Cäsar selbst, p. 13:

...so wüßt ich etwas nicht
Als diesen Cassius, dies magere Gesicht,
Das mehr zu fürchten war. Er tut sonst nichts als lesen,
Er merket alles auf. Er sieht das Tun und Wesen
Der Menschen durch und durch. Er liebt kein Spiel wie du,
Anton, er höret nicht der Kunst des Singens zu.
Gar selten lachet er, und lacht mit solcher Miene,
Als wenn er auf sich selbst erzürnt und höhnisch schiene
Und seinen Geist bestraft. Er sieht es schimpflich an,
Daß ihn ein einzig Ding zum Lachen bringen kann.
Der Leute Herze kann niemalen ruhig liegen,
Solang sie jemand sehn, der über sie gestiegen.
Weswegen stets Gefahr aus ihrem Busen weht.

Den Charakter des Brutus machet Anton am Ende des Stücks:

Dies war der Edelste gewiß von ihnen allen,
Der, als ein Römer soll, gestanden und gefallen.
All andre taten nur aus Neid, was sie getan,
Weil sie mit Mißgunst stets den großen Cäsar sahn.
Er einzig und allein aus redlichem Bedenken,
Aus Furcht, man möchte Rom in seiner Freiheit kränken,
Und fürs gemeine Wohl, hat als ein braver Held
Zu der Verräter Schar mit Unschuld sich gesellt.
Sein Leben war so mild und liebreich, seine Gaben,
Die seine Feinde selbst an ihm gepriesen haben,
So groß, daß die Natur, die selbst ihn lieb gewann,
Zur ganzen Welt sich kehrt und spricht: Dies war ein Mann!

Was den Cäsar betrifft, so scheint es, als ob er sich nicht getrauet hätte, ihn auf ein einigmal zu schildern, und als ob er darum sein Bild zerteilet hätte. Cäsar entdeckt sich einesteils selbst:

> Ich würde leicht bewegt, wär ich gesinnt als ihr,
> Könnt ich beweglich flehn, würd ich durch Flehen hier
> Auch zu bewegen sein. Allein ich bin beständig,
> Als wie der Nordstern ist, der ewig unabwendig
> Nach seiner Eigenschaft nicht von der Stelle weicht,
> Und dem kein anderer am Firmamente gleicht.
> Mit Menschen ist die Welt
> Unendlich angefüllt. Sie haben Blut und Glieder,
> Sie fühlen Sorg und Furcht, sie wanken hin und wieder
> Und in der ganzen Zahl weiß ich nur einen Mann,
> Den die Bewegung selbst niemals erschüttern kann
> Und den kein Zufall kann verändern oder beugen.
> Daß ich derselbe bin, soll eben dies bezeugen.

Dann macht ein andrer ein Stück seines Charakters:

> Er mag sehr gerne hören,
> Daß durch gefällte Bäum ein Einhorn insgemein,
> Ein Löwe durch ein Garn, ein Bär durch Spiegelschein,
> Ein großer Elefant durch Gruben in der Erde
> Und durch ein Schmeichelmaul der Mensch verraten werde.
> Und sag ich ihm dabei, daß er die Schmeichler haßt,
> So saget er, er tut's, wenn er am meisten fast
> Geschmeichelt wird.

Und hierzu muß man noch die Erzählung des Cassius nehmen:

> Auf einen rauhen Tag der scheußlich anzusehen,
> An dem der Tiberstrom in seinen Ufern stürmte,
> Sprach Cäsar einst zu mir, da sich das Wasser türmte:
> Wo du dich wagen darfst, so komme, Cassius,
> Und springe itzt mit mir in den erzürnten Fluß
> Und schwimm an jenes Mal ...
> ...

Allein noch weit vom Ziel rief Cäsar jämmerlich:
O hilf mir, Cassius, ich sinke, rette mich!
...
Und nun ist dieser Mann allmächtig und ein Gott,
Hingegen Cassius ein schlechter Tropf, ein Spott,
Muß seinen Rücken itzt bis zu der Erde schmiegen,
Wenn Cäsarn kaum beliebt nach ihm den Kopf zu
biegen.
Er lag in Spanien am kalten Fieber krank,
Und wenn der Schauer ihm durch seine Glieder drang,
So zitterte sein Leib. Ja, glaub mir, auf mein Leben,
Ich sahe diesen Gott, so wahr ich lebe, beben.
An dem verzagten Maul ward keine Farb erblickt,
Sein Auge selbst, wovor die bange Welt erschrickt,
Verlor den Glanz. Ich hört ihn winseln, seufzen, stehnen.
Die Zunge, will sie gleich den Römern angewehnen,
Fein aufmerksam zu sein, damit man, was sie sagt,
In Bücher schreiben soll, hat Ach! und Weh! geklagt.
...
Ihr Götter mich verwirrt's, daß ein so schwacher Mann
Die majestätsche Welt in seine Macht gewann.

Von dem einzigen Anton hat Shakespear keinen längern Charakter gemacht, als diesen:

Er liebet gar zu sehr Gesellschaft, Spiel und Wein.

Aber er hat ihn desto schöner in seinen Handlungen gezeiget, welche einen listigen Schmeichler, der dennoch voller Herrschsucht steckt, auf das deutlichste abbilden. Man sieht, daß diese Charaktere alle eine ziemlich große Ähnlichkeit mit den historischen Charaktern haben, obgleich Shakespear, nach dem Urteile der Engelländer, seine Menschen selber gemacht hat. Dieses ist eine große Regel für diejenigen, welche ein gleiches wagen wollen. Man kann den Charakter einer Person, die in der Historie bekannt ist, zwar in etwas ändern und entweder höher treiben oder etwas weniger von seinen Tugenden und

Lastern in ihm abbilden, als die Geschichte ihm zuschreibet. Aber wenn man weitergehen wollte, so würde man mit seiner Menschenmacherei mehr zum Romanenschreiber als zum Dichter werden, und es würde lächerlich sein, wenn man, sooft einem ein Fehler, den man wider den Charakter gemacht hat, vorgeworfen wird, sich damit entschuldigen wollte, daß man seine Menschen selber machte. Man wird mir erlauben, daß ich, um den Wert dieser großen Tugend des Shakespear recht in das Licht zu setzen, eine Ausschweifung auf andre Nationen mache, welche sich zuweilen nicht undeutlich zu rühmen scheinen, daß ihre theatralischen Personen zwar die Namen der historischen Personen führen, aber von jenen ganz unterschieden sind. Denn sind es Namen, die in der Historie bekannt sind, so wird einem Zuschauer, der nicht ungelehrt ist, indem er diesen Namen hört, auch dieser Charakter beifallen. Und anstatt daß er ein Vergnügen über die Ähnlichkeit, die der nachgeahmte Held mit dem wahren hat, empfinden sollte, so wird er ein Mißvergnügen über die Unähnlichkeit dieser beiden Helden empfinden. Dieses wird nicht so leicht geschehen, wenn der Charakter in den Hauptumständen ähnlich und nur in Nebenumständen verändert wird. Man pflegt auch von den größten Helden nur ihre Haupttugenden und ihre Hauptlaster im Gedächtnisse zu behalten. Unähnlichkeiten, die nicht merklich sind, sind im Absehen auf unsre Empfindung keine Unähnlichkeiten. Dennoch ist es nicht zu leugnen, daß ein Charakter, welcher auch die kleinsten Züge des Historischen nachmalet, deswegen hoch zu schätzen sei, weil er auch die genausten Kenner der Geschichte, welche die Ähnlichkeit am besten beurteilen können, befriedigen wird. Hingegen wird ein selbstgemachter Held den größten Vorteil darinnen haben, daß die Züge desselben viel verwegner und dessen Charakter in der Bildung künstlicher und gefährlicher sein wird, weil man leichtlich Dinge, die nicht sein können, malen wird, wenn man Dinge malt, die nicht sind. Man findet die Gemütsbewegungen viel heftiger und ausdrücklich in den Gesichtern abgebildet, die der Maler selbst gedichtet hat, und ein Konterfei, welches nach einem Menschen gemacht ist, zeiget hingegen mehrenteils Gelassenheit oder doch nur gelinde Gemütsbewegungen. Es ist also eine erlaubte Kühnheit, seine Helden selbst zu machen, wenn sie nur die Geschichte nicht offenbar Lügen strafen. Es ist keine Kunst, seiner Einbildung den Zügel schießen zu lassen und sein Hirngespinst alsdann unter dem ersten Namen zu verkaufen, der einem in das Maul kömmt. Und es ist eine lobenswürdige Mühsamkeit, die innersten Winkel der Geschichte zu durchstören und den alten Helden wieder lebendig zu machen. Wer das erste tut, der wird leicht unwahrscheinlich, wer das andre tut, ist es schon, und wer den dritten Weg erwählet, der ist sicher, es nicht leicht zu werden.

Unser Gryph ist diese letztere Bahn gegangen, und sein Gedicht ist der Wahrheit auf dem Fuße nachgefolgt. Ich muß es gestehen, ich finde nirgends, daß er seinen Helden so vollständige Bilder voneinander in den Mund geleget. Aber ihre Gemütsbeschaffenheit entdecket sich in ihren Taten, und man sieht mit leichter Mühe, daß er die Charaktere, die er nicht vorgeschrieben, in den Gedanken behalten.

Den Kaiser Leo begleitet überall das furchtsame Wesen eines Tyrannen, welcher vor demjenigen zittert, der ihn auf den Thron gesetzet hat und ihn wieder herunterwerfen will. Alle seine Handlungen sind so weichlich und unentschlossen, als der Anfang seiner Regierung gewesen war, da er sich nicht hatte entschließen können, Kaiser zu werden, bis ihm dieser Michael, der ihn itzt vom Throne stoßen will, den Degen auf die Brust gesetzet und ihn dazu gezwungen und bis die gestickten Schuhe, die ihm der Kaiser, der vor ihm regierte, zuschickte, ihn überzeugten, daß jener sich noch mehr vor ihm fürchtete, als er sich vor jenem. Die Wollust macht ihn furchtsam, die Furcht macht, daß er den Tod seiner Feinde wünscht, und verhindert ihn doch, seinem Wunsche eine Gnüge zu tun. Die erste Nachricht von Michaels Verräterei erwecket bei ihm die Vorstellung von allem, was bei der Regierung nur vorkommen kann, das der Wollust wehe tut, und mehr Klagen als Zorn:

Was ist ein Prinz doch mehr als ein gekrönter Knecht?
Den jeden Augenblick was hoch, was tief, was schlecht,
Was mächtig trotzt und höhnt, den stets von beiden Seiten
Neid, Untreu, Argwohn, Haß, Schmerz, Angst und Furcht bestreiten.
Wem traut er seinen Leib, weil er die lange Nacht
In lauter Sorgen teilt und für die Länder wacht,
Die mehr auf seinen Schmuck als rauhen Kummer sehen,
Und, weil ihn' nicht mehr frei, was Ruhm verdienet, schmähen?
Wen nimmt er an den Hof? Den, der sein Leben wagt,
Bald für, bald wider ihn und ihn vom Hofe jagt,
Wenn sich das Spiel verkehrt.

Und in diesen Klagen verrät er seine ganze Politik, wie sie von einem Furchtsamen zu vermuten ist:

Man muß den Todfeind ehren,
Mit blinden Augen sehn, mit tauben Ohren hören.
Man muß, wie sehr das Herz von Zorn und Eifer brennt,
In Worten sittsam sein und den, der Regiment
Und Kron mit Füßen tritt, zu Ehrenämtern heben.

Er stellet sich hierauf alle Möglichkeiten fast als gegenwärtig vor, die nur erfolgen könnten, wenn er sich an dem Michael vergriffe. Und endlich läßt er sich den Schluß recht abdringen, daß man den Michael gefangensetzen solle, wenn er auf seinem Vorsatze beharren sollte. Endlich versammlet er Richter und verklagt den Michael und gibt der Sache allen möglichen Schein. Er will ihn auch nicht öffentlich hinrichten lassen. Unterdessen hat er keine gewisse Beweise als seine Furcht und die unbedachtsamen und stolzen Reden Michaels. Da das Urteil abgefasset ist, so vergnügt er sich selber über seinen Schluß:

So donnert, wenn man euch nach Kron und Zepter steht,
Ihr, die ihr unter Gott, doch über Menschen geht!
Hier spiegelt euch, die ihr zu dienen seid geboren!

Sogleich aber befällt ihn seine Furcht wieder:

Jedoch was reden wir?
Wem traut man? Wandeln wir als frei von Angst allhier,
Weil der noch Otem schöpft, durch dessen Tod wir leben?
Hochnötig, daß wir selbst genauer Achtung geben,
Wie diese Pest vergeh. Uns hat die Zeit gelehrt,
Wie schnell es der verseh, der nicht mehr sie[h]t als hört.

Seine Gemahlin bittet, den Tod Michaels aufzuschieben, und er hat bei aller seiner Angst nicht die Beständigkeit, es ihr zu versagen, sondern gewährt ihr es noch mit den Worten:

Dein Wünschen werd erfüllt,
Mein Leben! Aber ach, daß hier kein Warnen gilt!
Du wirst die Stunde noch, du wirst die Gunst verfluchen
Und schelten, was wir tun, auf dein so hoch Ersuchen.

Er verschiebt also den Tod seines Feindes und verlängert seine Qual. Da er einschläft, sieht er einen Geist, und da er wieder erwacht, läuft er nach dem Gefängnisse. Hier macht ihm der ruhige Schlaf des Michaels und seine Pracht neue Unruhe. Kurz, das Leben und die Gemütsart eines wollüstigen Tyrannen ist in allem sehr genau geschildert:

Der nur auf heißen Mord bei kalten Nächten denket,
Den unser Tod ergetzt, den unser Leben kränket,
Der aus dem Kaiser sich zum Kerkermeister macht
Und ärger denn ein Sklav um meine Fessel wacht.

Michael, der Verräter des Kaisers, ist durchgehends als ein Mann gebildet, welcher fühlet, daß man ihn fürchtet, welcher ein recht blindes Vertrauen auf seine Verdienste hat und welcher glaubt, daß es ihm gar nicht fehlschlagen dürfte. Er ist einen so schwachen Kaiser als Leo, und ein Werk seiner eignen Hände, überdrüssig. Es dünkt ihm, als wenn man nicht genug aus ihm machte. Und dieses ist schon genug, ihm das Schwert in die Hände zu geben:

Wer sind wir? Sind wir die,
Vor den' der Barbar oft voll Zittern auf die Knie
Gesunken? vor den sich so Parth als der entsetzet,
Der, wenn er fleucht, viel mehr, als wenn er steht, verletzet?
Wer sind wir? Sind wir die, die oft in Staub und Not
Voll Blut, voll Mut und Geist gepocht den grimmen Tod?
Die mit der Feinde Fleisch das große Land bedecket?
Und Sidas umgekehrt und in den Brand gestecket,
Was uns die Waffen bot? Und schlafen itzund ein,
Nun jeder über uns schier will Tyranne sein?
Ihr Helden, wacht doch auf! Kann eure Faust gestehen,
Daß Reich und Land und Stadt so will zugrunde gehen,
Weil Leo sich im Blut der Untertanen wäscht
Und seinen Gelddurst stets mit unsern Gütern löscht.
Was ist der Hof nunmehr als eine Mördergruben,
Als ein Verräter Platz, ein Wohnhaus schlimmer Buben?
Wer artig Pflaumen streicht und angibt, wen er kann,
Den zieht man Fürsten vor; ein unverzagter Mann,
Der ein gerüstet Heer oft in die Flucht geschlagen,
Steht unbekannt und schmacht'.

Und fast eben, wie er gegen seine Mitverschwornen redet, redet er auch mit dem Vertrauten des Kaisers, welcher sich etwas mißvergnügt stellet. Vor dem Gerichte redet er von seinen großen Taten und leugnet sein Vorhaben so kühn, als er es vorher kühn zu erkennen gegeben. Er lästert bis auf den Höchsten. Und da sein Urteil aufgeschoben wird, läßt er seine Gedanken noch im Gefängnisse blicken. Unterdessen kann er auch wieder niedrig bitten und alles, was heilig ist, gilt ihm gleich, es zu seinem Absehen zu mißbrauchen.

Theodosia hat die gewöhnliche Barmherzigkeit und Andacht ihres Geschlechts, welche sich ein Gewissen macht, einem Verurteilten am Weihnachtsheiligenabende sein Recht tun zu lassen, welche durch ihre grausame Barmherzigkeit sich selbst und ihrem Gemahl ohne ihren Willen schaden tut und welche sich durch die Priester regieren läßt, als ob alles, was auch in weltlichen Dingen aus ihrem Munde geht, heilige Wahrheiten wären.

Will man nun sagen, daß Gryph mit Wissen und Willen seine Charaktere so genau beobachtet hat, so sieht man an ihm einen Mann, der nicht minder als Shakespear hoch zu achten ist, ob er gleich seine Kunst mehr als jener versteckt hat. Sagt man aber, daß er unvermerkt so natürlich geworden, indem er der Geschichte gefolget, so sieht man, was es für ein Vorteil ist, sein Vorbild recht aufmerksam vor Augen zu haben.

Dieses kann ich unterdessen nicht leugnen, der Engelländer hat einen großen Vorzug in den verwegnen Zügen, dadurch er seine Charaktere andeutet, welcher Vorzug eine Folge der Kühnheit ist, daß er sich unterstanden, seine Menschen selbst zu bilden, und welchen wenigstens ein andrer so leicht nicht erlangen wird. Denn wir sehen einesteils einen Charakter den wir selbst machen allezeit vollkommener ein als einen solchen, den wir aus der Geschichte nehmen. Andernteils aber ist derjenige, welcher so bedachtsam ist und auf der eingeschränkten Bahn gehet, die ihm von den Geschichten gelassen worden, selten kühn genug, etwas dergleichen zu wagen. Ein solcher Zug ist in dem Shakespear dieser von dem Cassius, welchen der Verlust seiner Freiheit in eine Verzweiflung setzet, die seinem hitzigen Charakter gemäß ist. Er erzählet in der

Nacht, die voller Ungewitter vor dem Tode Cäsars vorher gehet, dem Casca:

Ich wandle lange schon die Gassen auf und ab,
Weil ich mich der Gefahr der Nacht mit Fleiß ergab.
Schaut, Casca, ganz getrost, ganz bloß und unbedecket
Hab ich dem Donnerkeil den Busen hingerecket.
Ja, wenn der blaue Blitz in dicker Finsternis
Vor meinem Angesicht des Himmels Brust zerriß,
Wenn ich den Wetterstrahl herunter fahren sahe,
Hab ich mich hingestellt, wohin der Schlag geschahe.

Ein andrer würde schon viel gewagt haben, wenn er ihm nur den Wunsch in den Mund gelegt hätte, daß ihn in dieser Nacht ein Donnerstrahl hätte treffen mögen, ohne daß er dessentwegen den Cassius selbst etwas weiter hätte tun und sich recht Mühe geben lassen, daß ihn derselbe treffen möchte.

Die strenge Tugend des Brutus und die Redlichkeit seiner Absichten läßt sich nicht besser in das Licht setzen als dadurch, daß er keinen Schwur bei ihrer Verbindung für nötig achtet, weil er glaubt, daß sie alle mit solchem Eifer das gemeine Wohl suchen als er selber.

Wollt ihr ein römisch Herz, das Leiden unsrer Seelen,
Den Mißbrauch dieser Zeit für schwache Gründe zählen,
So brecht beizeiten ab, so lauf ein jeder gleich
Ins faule Bett zurück; laßt des Tyrannen Reich
In hochgeseßner Pracht nur toben, rasen, wettern
Und jeden unter uns nach seinem Los zerschmettern.
...
Was für ein andrer Eid, was für Verbindungspflicht,
Als daß sich Ehrlichkeit mit Ehrlichkeit verspricht?

Desgleichen, als man den Anton auch umbringen will:

Schlägt man die Scheitel ab und hackt die Glieder klein,
So scheint es Zorn im Tod und Mißgunst nach dem
Leben.

Anton ist für ein Glied von Cäsarn ausgegeben.
Laßt uns doch Opferer und keine Fleischer sein,
Wir all empören uns auf Cäsars Geist allein.
...
O wäre Cäsars Geist allein doch beizukommen,
Daß er gezüchtiget und nicht zergliedert sei.

Gleichen Kunstgriff hat Shakespear bei dem Charakter Cäsars angebracht. Dieser will nicht in den Rat gehen und gleichwohl dem Rate keine andre Ursache sagen lassen, als daß er nicht will:

Zur Ursach ist mein Will. Ich will und mag nicht
kommen.
Das ist dem Rat genug, wenn er nur das vernommen.

Wiewohl auch dieses an dem Shakespear nicht zu loben ist, daß er den Charakter Cäsars allzu prahlerhaft vorstellet. Denn außer der Stelle, die ich oben von ihm angeführet habe, will ich nur diese noch anziehen:

Gefahr, du mußt bekennen,
Daß ich gefährlicher als wie du selbst zu nennen,
Weil uns ein Tag zugleich, gleich einem Löwenpaar,
Doch mich zum ältesten und schrecklichsten, gebar.

Es muß ein unsinniger und nicht bloß ein verwegener und eingebildeter Mensch sein, welcher glaubt, daß die Gefahr sich vor ihm fürchte oder was endlich Cäsar unter diesen Worten, welche gar keinen vernünftigen Verstand haben, sagen will. Wir hatten uns vorgenommen, den Charakter Antons noch insbesondere durchzugehen. Aber wir wollen unsern Lesern hierinnen auf das Stück selbst verweisen. Wenn der Leser seinen Ohren einen kleinen Zwang antun und sich bei einer etwas gezwungenen Übersetzung ein weit lebhafteres und natürlicheres Original vorstellen will, so wird er gewiß, wenn er die Untersuchung der Charaktere liebt, dem Übersetzer seine Mühe Dank wissen.

Ungeachtet wir bekennen, daß diese kühnen und doch

sehr nachdrücklichen und lebhaften Züge eines Charakters bei Gryphen nicht so häufig sind, so findet man dieselben doch eben auch. Und hierunter gehöret die Aufführung des Michael Balbus, daß er mitten im Gefängnisse sich als zukünftigen Kaiser verehren läßt. Leo drückt dieses also aus:

Was schauten wir nicht an? Er schlief in stolzer Ruh,
Ganz sicher, sonder Angst. Wir traten näher zu
Und stießen auf sein Haupt. Doch blieb er unbeweget
Und schnarchte mehr denn vor . . .
NICANDER:
Als der der sich entfreit von Angst und Ketten hält.
LEO:
Dies wies die Ruhstatt aus, an welcher nichts zu finden
Als Purpur und Scarlat, Vorhang, Tapet, und Binden
etc.
. . .
. . . Sein Kerker ist mehr denn ein fürstlich Zimmer,
Und dünkts euch fremde, daß sich unser Geist bekümmer?
. . .
Der Papias, dem wir den Mörder anbefohlen.
Spielt auf dem Trauerplatz auch und steht unverholen
Dem Erzverräter bei. Er schlief vor seinem Fuß,
Weil ja der neue Prinz auch Kämmrer haben muß.

Wie schön schicket sich nicht diese Aufführung zu einem verwegenen Kopfe, der auf seine Macht trotzt und glaubt, daß er alles tun kann. Wir reden von diesen Umständen ohne Absicht, ob sie aus den Geschichten genommen sind oder nicht. Denn, wenn sie daraus genommen sind, so ist es künstlich, sie mit demjenigen, was man selbst erfindet, zusammenzusetzen, und wenn sie nicht daraus genommen sind, so ist es künstlich, solche Dinge zu erfinden, die sich zu demjenigen, was man aus den Geschichten erzählet, genau schicken.

Wir sollten nunmehr die Gemütsbewegungen, die beide

ausgedrücket haben, gegeneinander halten, und wir würden hier die schönste Gelegenheit haben, zu zeigen, daß in der Sprache der Leidenschaften ihre größte Ähnlichkeit bestünde. Wir wollen uns aber begnügen, ein einziges Exempel davon anzuführen, und derjenigen Stelle, die wir oben von dem Anton, der bei Cäsars Leiche redet, eingerücket haben, eine andre entgegensetzen, wo Michael bei seinem Holzstoß redet und ebenso Unglück bei demselben wünschet, als Anton es bei Cäsars Leiche prophezeihet:

Ihr Geister, die die Rach ihr hat zu Dienst erkiest,
Wofern durch letzten Wunsch was zu erhalten ist,
Wo einer, der itzt stirbt, sofern euch kann bewegen,
Wofern ihr mächtig Angst und Schrecken zu erregen,
So lang ich euch hervor aus eurer Marterhöhl,
Wo nichts denn Brand und Ach. Gönnt der betrübten Seel,
Was nicht zu weigern ist. Es müsse meine Schmerzen
Betrauren, der sie schafft, und mit erschreckten Herzen
Den suchen, den er brennt. Es müsse meine Glut
Entzünden seine Burg, es müß aus meinem Blut,
Aus dieser Gliederasch, aus den verbrannten Beinen
Ein Rächer auferstehn und eine Seel erscheinen,
Die voll von meinem Mut, bewehrt mit meiner Hand,
Gestärkt mit meiner Kraft in den noch lichten Brand,
Der mich verzehren muß, mit steifen Backen blase,
Die mit der Flamme tob und mit den Funken rase,
Nicht anders als dafern die schwefellichte Macht
Durch Wolk und Schlösser bricht, der schwere Donner kracht,
Die mir mit Fürstenblut so eine Grabschrift setze,
Die auch die Ewigkeit inkünftig nicht verletze.

Beide, sowohl Shakespear als Gryph, sind in ihren Gemütsbewegungen edel, verwegen und noch etwas über das gewöhnliche Maß der Höhe erhaben. Beide sind auch zuweilen schwülstig und verfallen auf weit ausgeführte und weit hergeholte Gleichnisse, wovon wir hernach weiter reden wollen. Der Unterschied zwischen beiden ist in ihren Gemütsbewegungen bloß dieser, daß Shakespear zwischen jeglicher Gemütsbewegung einigen Raum läßt, Gryph aber alles zu Gemütsbewegungen machen will und dadurch, wenn die Materie dazu zu schwach ist, in etwas Übersteigendes und Lächerliches fällt. Zum Exempel können vor andern die beiden gezwungenen Verse dienen, wo Leo und Theodosia zärtliche Namen miteinander wechseln:

THEODOSIA:
Mein Licht!

LEO:
Mein Trost!

THEODOSIA:
Mein Fürst!

LEO:
Mein Engel!

THEODOSIA:
Meine Sonn!

LEO:
Mein Leben!

THEODOSIA:
Meine Lust!

LEO:
Mein Aufenthalt und Wonn!
Wie so betrübt, mein Herz?

Welche Tändeleien, die auf einem Schauplatz, ohne lächerlich zu werden, nicht ausgesprochen werden können, weit unter der schönen Zärtlichkeit der Portia und des Brutus im Shakespear sind.

Wir könnten ebenfalls eine nicht unangenehme Vergleichung zwischen den Sittensprüchen dieser beiden Dichter machen, welche bei beiden pathetisch sind. Bei dem Shakespear aber scheinet überall eine noch tiefere Kenntnis der Menschen hervorzuleuchten als bei dem Gryph. Obgleich die Sittensprüche auch bei diesem letztern deswegen nicht gemein sind.

Aber wir müssen unsern Leser nicht zu lange aufhalten und dennoch müssen wir auch noch was von den Fehlern dieser beiden Leute erwähnen. Damit wir nicht Dinge über die Maßen zu loben scheinen, welche doch auch aus vielen Gründen getadelt zu werden verdienen.

Einen Fehler hat Shakespear vor Gryphen, außer denenjenigen, die die Einrichtung und die drei Einheiten eines Trauerspiels betreffen, zum voraus, daß er nämlich die edlen Regungen, die er erwecket, durch niedrigere Bilder immer wieder einreißet und daß er einem nicht zuläßt, ihn lange ungestört zu bewundern. Der erste Auftritt ist gleich ein Zeuge davon und der, wo Casca erzählet, was dem Cäsar bei den Lupercalien begegnet, ist nicht besser. Es kann sein, daß verschiedenes darinnen ganz natürlich ist, aber ein Poet, der Trauerspiele schreibt, tut es, um in seinen Zuschauern edle Regungen und Leidenschaften vermittelst der Nachahmung zu erwecken, und alles, was dieses hindert, ist ein Fehler, es mag so gut nachgeahmet sein, als es will. Eben deswegen verbannet man daraus alle gemeine Reden großer Herren, auch sogar alle bons mots großer Herren, die etwas an sich haben, das zum Lachen beweget, damit dieser Endzweck erhalten werde. Die Natur dient also nicht zur Entschuldigung, wenn man großen Herren schlechte Redensarten und Schimpfwörter in den Mund leget. Zu diesem Fehler kommen auch viele kalte Szenen bei dem Shakespear. Hieher gehöret, wenn Brutus den Lucinus eine Lampe in seine Studierstube setzen und hernach ihn in den Kalender sehen heißt, wenn er seinen Schlafpelz fodert, wenn Cinna, der Poet, unter den Pöbel fällt, wenn ein Poet zu den uneinigen Feldherren ins Zelt dringet, wenn man auf dem Schauplatze eins auf gute Freundschaft trinkt und was dergleichen mehr ist, sonderlich aber, wenn man einander vielfältig fragt, was die Glocke geschlagen, gerade, als ob es in Rom Schlaguhren gegeben hätte.

Ein Fehler, den beide miteinander gemein haben, ist das Schwülstige, das sie zuweilen haben, welches insonderheit in hochgetriebenen Gleichnissen besteht. Ein ganz außerordentliches Exempel davon ist p. 67 im Shakespear:

Du braver edler Hirsch! Hier wurdest du gefället,
Die Jäger stehen hier, die deinen Leib zerkerbt,
Mit deinem Schweiß genetzt, in deinem Blut gefärbt;
O Welt, du warst der Wald, wo dieser Hirsch gestanden,
In diesem Helden war, o Welt, dein Herz vorhanden,
Hier liegt er als ein Wild von Fürsten umgebracht.

Zumal da sich dieser unvergleichliche Einfall wahrscheinlicherweise, und wie es der Übersetzer angenommen, auf das Wortspiel zwischen »Hart« der Hirsch, und »Heart« das Herz gründet.

O World! thou wast the Forest to this Hart
And this indeed, o World, the Heart of thee.

Ich will vieler andern Stellen nicht gedenken. Insonderheit ist p. 29 die Rede des Brutus ein Meisterstück davon, welches die Zuschauer auf die Gedanken bringen sollte, daß Brutus in seiner Tiefsinnigkeit vollends wahnwitzig geworden wäre.

Gryph hat nicht wenig Gleichnisse; deren aber keines, wie mich dünkt, schwülstiger ist als dieses p. m. 17:

Wer neben uns um Lob mußt in den Zelten liegen
Und suchen, was uns ward, verkleinerte die Schlacht,
Die Palm und Lorbeerkranz auf dieses Haupt gebracht.
So wird die erste Flamm, eh sie sich kann erheben,
Mit dunkelvollem Dunst und schwarzem Rauch umgeben,

Bis sie sich selbst erhitzt und in die Bäume macht,
Daß der noch grüne Wald im lichten Feuer kracht.
Doch wie der scharfe Nord die Glut mit tollem Rasen,
Indem er dämpfen will, pflegt stärker aufzublasen,
Wie ein großmütig Pferd, wenn es den Streich empfind't,
Durch Sand und Schrecken rennt, so hat der strenge
Wind
Der Mißgunst uns so fern, trutzdem es leid, getrieben,
Bis unter diesem Fuß sind Feind und Freunde blieben.

Gryph ist etwas öfter schwülstig als Shakespear, und Shakespear ist es in höherm Grade, wenn man nur dasjenige, was undeutsch in dem Gryph ist, abtut und die Gedanken sodann in ihrem Lichte betrachtet. Denn es geschieht sehr oft, daß man Gedanken, wo einem viel Bilder vorkommen und wo einem die Verbindung derselben unter einer dunkeln Wortfügung verstecket wird, für schwülstig hält, welche so gleich ihre Schwulst verlieren, sobald sie nur in eine deutliche Periode gesetzet werden, weil man dasjenige schwülstig nennet, wo hohe Bilder ohne gnugsame Verbindung zusammengebracht werden, und es ebensoleicht geschehen kann, daß man die Verbindung nicht sieht, als daß keine da ist.

Endlich sind auch beide in Affekten bisweilen zu gekünstelt, sie bringen Gleichnisse an, wo niemand leicht mit Gleichnissen reden wird; und wenn sie sie auch am rechten Orte anbrächten, so bringen sie sie öfters und weitläufiger an, als die Natur zuläßt. Insonderheit ist Gryph in diesen Fehler noch öfter als Shakespear gefallen.

Überdies spielen sie beide zuweilen mit weitgesuchten Gedanken. Z. E. Shakespear gleich im ersten Auftritte:

Lauft, gute Landesleut, eilt, weint einen Zährenfluß
Vor dies Verbrechen aus! Holt eure Mitgesellen,
Führt sie zur Tiber hin, gießt bittre Tränenwellen
An allerseichtesten Ort in diesen Strom hinein,
Bis er sein Ufer küßt, wo sie zum höchsten sein.

Gryph ist noch nicht so arg, doch zu tadeln, wenn Theodosia sagt:

> Du schwefellichte Brunst der donnerharten Flammen,
> Schlag los! Schlag über sie, schlag über uns zusammen!
> Brich, Abgrund, brich entzwei und schlucke, kann es sein,
> Du Kluft der Ewigkeit, uns und die Mörder ein.
> Wir irren. Nein! Nicht sie! Nur uns, nur uns allein.
> Sie auch. Doch fern von uns.

Diese ganze Seite ist mit solchen unnatürlichen Ausdrükkungen eines großen Schmerzens vermischt.

Ich glaube nunmehr, daß ich dem Shakespear sein völliges Recht habe widerfahren lassen und daß diejenigen, die alte Poeten lieben, wo mehr ein selbstwachsender Geist als Regeln herrschen, und die sich nicht abschrecken lassen, etwas Rauhes zu lesen, und die Tugenden eines Poeten zu bewundern wissen, ohne seine Fehler hochzuachten, eine genauere Vergleichung dieser beiden Leute mit vielem Vergnügen machen werden. Ich habe weder Platz noch Lust gehabt, ihnen alle Schönheiten dieser großen Leute zu zeigen, und noch weniger haben wir diesen Platz anfüllen wollen, mehr Fehler von ihnen anzuführen, woran mehr ihre Zeiten als sie selber Schuld haben.

Johann Elias Schlegel

GEDANKEN ZUR AUFNAHME DES DÄNISCHEN THEATERS

1747

Bei vielen Nationen ist es das Schicksal des Theaters gewesen, seine erste Bildung aus den Händen nichtswürdiger Landstreicher zu empfangen und meistenteils auf die unanständigste Weise gemißhandelt zu werden, ehe es nach und nach zu einiger Schönheit gelanget ist. Das dänische Theater genießt den Vorzug, daß es entweder nie in einer so niederträchtigen Gestalt erschienen oder daß wenigstens das Andenken davon erloschen ist, da es hingegen noch immer deutsche Komödiantenbanden gibt, welche mit den unförmlichsten und unanständigsten Vorstellungen herumziehen. Die gute natürliche Geschicklichkeit der neuen dänischen Akteurs, da sie zumal studierte Leute sind, erweckt in mir die Hoffnung, daß durch dieselben das Kopenhagensche Theater sich nicht allein in Hochachtung erhalten, sondern auch immer mehr hervortun werde.

Da ich bemerke, daß fast jeder, der einige Einsicht in witzige Werke zu haben glaubt, sich Mühe gibt, diesen neuen Akteurs Erinnerungen mitzuteilen, und daß ein jeder sie gern nach seinen Begriffen eingerichtet sehen wollte, so verleitet mich meine Liebe zu den dramatischen Gedichten und der Fleiß, welchen ich nunmehr zwölf Jahre lang fast in allen meinen Nebenstunden auf die Regeln des Theaters und auf Schauspiele verwendet, einige von meinen Gedanken zu eröffnen. Ich will hierbei nicht dasjenige sagen, was mich selbst am meisten vergnügen würde, sondern ich will mich an die Stelle der Nation setzen und Betrachtungen anstellen, wie dieselbe am besten belustiget und wie zugleich das neue Theater ihr am nutzbarsten gemacht werden könnte.

Ich wünschte, daß es den Akteurs bei ihrem Anfange, da sie stets mit Erlernung neuer Stücke beschäftigt sind, nicht an Zeit fehlen möchte, des Abts Hedelin von Aubignac *Pratique du Théâtre*, des Brumoys *Théâtre des Grecs*, die Erklärungen über des Aristoteles' *Dichtkunst*, die Anmerkungen, die Corneille über seine eigenen Stücke gemacht hat, die Kritiken, die in Frankreich von Zeit zu Zeit über theatralische Werke erschienen sind, des Riccoboni *Remarques sur tous les théâtres d'Europe*, desselben *Reformation du théâtre* (worin man doch aufmerksam sein muß, seine ungegründeten Einfälle von nützlichen Erinnerungen zu unterscheiden), ferner *I paragoni di teatro*, die Vorreden, Prologen und Epilogen zu den englischen Theaterstücken wie auch einige deutsche Schriften über die Schaubühne zu lesen. Diese Belesenheit würde ihnen statt der Erfahrung dienen, und sie würden, ohne sich sklavisch nach diesen Abhandlungen zu richten, daraus viel Anleitung nehmen können, was sie auf ihrem Theater versuchen sollten.

Ich sage mit Fleiß, ohne sich sklavisch darnach zu richten. Denn eine jede Nation schreibt einem Theater, das ihr gefallen soll, durch ihre verschiedenen Sitten auch verschiedene Regeln vor, und ein Stück, das für die eine Nation gemacht ist, wird selten den andern ganz gefallen. Wir können uns hiervon besonders durch den großen Unterschied des französischen und des englischen Theaters überzeugen. Beide sind in ihrer Art sehr schön, und doch wird nicht leicht ein englisches Stück auf dem französischen noch ein französisches auf dem englischen Theater vollkommenen Beifall erwarten dürfen. Die Engländer lieben eine viel zusammengesetztere Verwirrung, die sich aber nicht so deutlich entwickelt wie auf dem französischen Theater, sondern nur die interessantesten Punkte der Handlung bemerkt. Die Franzosen hingegen gehen Schritt vor Schritt in der Handlung fort, sie hüten sich, den geringsten Sprung zu tun; sie dulden keine Unterbrechung durch Nebenwerke, wenngleich diese Nebenwerke zuletzt zur Vollkommenheit der Haupthandlung mit einstimmen sollten, sie wollen alles erklärt und alles umständlich erzählt haben, damit sie nichts raten und schließen dürfen, sondern bloß das Vergnügen haben, zu hören und zu empfinden. Das erstere kömmt von der Geschwindigkeit und Ungeduld im Denken her, die den Engländern eigen ist, und das andere von dem zärtlichen Gemüte der Franzosen, welches bei einer Erzählung sogleich sich für eine gewisse Person einnehmen läßt, auf dieselbe allein seine Aufmerksamkeit wendet, nichts hören will, was nicht dieselbe unmittelbar angeht, und sich auch mit Kleinigkeiten beschäftigen kann, sobald sie nur diese Person, an der sie Anteil nehmen, betreffen. Aus diesem verschiedenen Charakter beider Nationen rührt es ferner her, daß der Engländer in den Theaterstücken viel Unterredungen leidet, die nur von ferne zur Sache gehören, wenn sie ihm nur zu denken geben, und daß der Franzos hingegen bloß mit der Vorstellung der nächsten Umstände seiner Handlung beschäftigt ist. Der Engländer erwuchert dadurch viele kleine Anmerkungen über das menschliche Leben, kleine Scherze, kleine Abschilderungen der Natur, welche der Franzos nicht leichtlich auf sein Theater bringen kann, weil sie nicht geschickt sind, eine wichtige Folge in einer Handlung nach sich zu ziehen, und nur von weitem und durch Folgen der Folgen damit verknüpfet werden können. Der Franzos sieht die Liebe in seinen Schauspielen so wie in seinem Leben, für die einzige Hauptbeschäftigung eines Herzens an, das einmal verliebt ist, er opfert ihr alle seine Gedanken auf, und er geht darin mit Seufzen, mit Bitten, mit Ehrfurcht und mit einer Zärtlichkeit zu Werke, deren Vorstellung vielen andern Nationen, die nicht mit solchem Eifer verliebt zu sein pflegen, langweilig, verdrießlich und unwahrscheinlich vorkömmt. Der Engländer läßt zwar auch bisweilen diese Leidenschaft eine große Heftigkeit erreichen, doch nur stufenweise, und ebendarum raset sie bei ihm nicht beständig, sondern sie läßt ihm Freiheit genug, auch an andere Dinge, die ihn von andern Seiten angehen, zu gedenken.

Es gibt bei der englischen Nation mehr außerordentliche und hochgetriebene Charaktere als bei der französischen. Aus diesem Grunde findet man sie auch häufiger und wunderlicher in ihren Schauspielen, als andern Nationen wahrscheinlich vorkommen würde. Die Menge von Gedanken, die der Engländer sucht, macht, daß ihre Poeten keine Person in ihren Schauspielen uncharakterisiert lassen, sondern einem jeden etwas seltenes geben, welches die Aufmerksamkeit des Zuschauers insbesondere auf sich zieht. Die Franzosen hingegen begnügen sich, nur die Hauptperson genau auszubilden, die andern aber nur leichthin und ohne besondere Bestimmung oder Wahl ihres Charakters reden zu lassen, wiewohl einige Franzosen darinnen weitergehen als die andern. Ferner findet man bei den Franzosen, die sich auch in den geringsten Kleinigkeiten eine sehr ernsthafte Beschäftigung aus dem Wohlstande zu machen pflegen, eine gewisse ängstliche Höflichkeit auch sogar in denen Stellen, wo Leute in Zwistigkeit miteinander sind. Bei den Engländern hingegen höret man die greulichen Flüche und die herzhaften Schimpfwörter, welche die freie und rohe Jugend an sich hat, man höret eine Hure, einen Hurenjäger und dergleichen alles bei seinem Namen nennen, weil man es daselbst auch in Gesellschaften nicht zu etwas Ungesitteten macht, solche Dinge zu nennen. Der Franzos belustigt sich an dem Geschwätze eines Kammermägdchens und eines Lakaien, welche in manchen seiner Stücke die klügsten Personen sind. Der Engländer läßt sich nur selten zu diesen Kleinigkeiten herunter, und er sieht die Torheiten der vorgestellten Personen ein, ohne daß er diese Glossen der Bedienten darzu nötig hat.

Von dem Unterschiede, der sich zwischen beiden Nationen in einigen äußerlichen Umständen der Schauspiele findet, dergleichen die Einheit des Ortes ist, werde ich weiter unten zu reden Gelegenheit haben. Ich mache diese Anmerkungen, bloß um zu beweisen, daß ein Theater, welches gefallen soll, nach den besondern Sitten und nach der Gemütsbeschaffenheit einer Nation eingerichtet sein muß und daß Schauspiele von französischem Geschmacke in England und von englischem in Frankreich gleich übel angebracht sein würden. Wenn ich dieses in Deutschland schriebe, so würde ich es zugleich in der Absicht sagen, einige ebenso verwegene als unwissende Kunstrichter von ihren verkehrten Begriffen zu überführen, da sie ein Theater, welches eine so vernünftige und scharfsinnige Nation mit so vielem Vergnügen besucht, worauf sie so viele Aufmerksamkeit wendet, woran Steele und andere große Männer gearbeitet haben und wo man so schöne Abschilderungen der Natur und so bündige Gedanken hört, nämlich das englische Theater, deswegen für schlecht, verwirrt und barbarisch ausgeben, weil es nicht nach dem Muster des französischen eingerichtet ist und weil die Poeten in England, wie ein sinnreicher Poet, und wo ich nicht irre Steele selbst, sagt, ihre Stücke nicht nach Rezepten machen wie das Frauenzimmer seine Puddings.

Bei Einrichtung eines neuen Theaters muß man also die Sitten und den besondern Charakter seiner Nation in Betrachtung ziehen und zugleich den edelsten Endzweck vor Augen haben, der durch Schauspiele überhaupt und der insonderheit bei unserer Nation erhalten werden kann.

Von dem Charakter einer Nation, insoweit er ihren Geschmack in den Schauspielen betrifft, ist es schwer, zuverlässig zu urteilen, ehe man durch die Erfahrung allerlei geprüft hat, um das Dienlichste zu behalten. Es folgt nicht, weil diese oder jene Gattung der Schauspiele gefallen hat, so werden die übrigen nicht gefallen. Ich rate also den dänischen Akteurs, nebst den Schauspielen, die sie schon haben, noch allerlei Arten zu versuchen und, soviel nur möglich ist, ihrer Nation das Vergnügen der Mannigfaltigkeit zu verschaffen. Was den gemeinen Mann außerordentlich ergetzet, findet selten unter dem Mittelstande und bei Hofe großen Beifall, zumal wenn durch die Gewohnheit, Komödien zu sehen, der Geschmack nach und nach feiner und edler wird. Der gemeine Mann kann die Feinigkeit von Molièrens *Misanthropen*, von Destouches *Ruhmredigen* und von andern solchen Stücken nicht empfinden, da dieselbigen hingegen ein sonderbares Vergnügen für den Hof sind, weil ein jeder darinnen hier und da das Bild eines seiner Bekannten zu sehen vermeint und zuweilen sein eigenes sieht. Da man Zeit genug hat, bald diese, bald eine andere Art von Schauspielen vorzustellen und also alle Klassen der Zuschauer zu vergnügen, so würde man unrecht tun, wenn man etwas unversucht ließe, das zur Belustigung eines ansehnlichen Teils derselben dienen könnte.

Etwas kann man indessen voraus wissen. Es ist nämlich nicht zu leugnen, daß man hier im Witze so weit noch nicht gekommen ist, daß die Stücke des Theaters und andere zum Unterrichte und Zeitvertreibe verfertigte Werke des Witzes oft, wie in Paris, die allgemeinen Unterredungen der Gesellschaften ausmachten. Dargegen habe ich bei meinem langen Aufenthalte in dieser Stadt aus keinen Kennzeichen schließen können, daß der Geschmack verderbt wäre. Soviel Gefallen auch die Dänen an dem Ruhme finden, daß sie fremde Sprachen wohl reden, so verachten sie doch ihre Muttersprache nicht, sie haben Liebe für dieselbe. Und daß sie gleichfalls eine Liebe zu witzigen und angenehmen Stücken haben, sehe ich nicht allein aus dem verdienten Beifalle, den sie Holbergs Komödien gegeben haben, sondern noch mehr schließe ich es aus der Aufmerksamkeit, womit man einige aus dem Deutschen übersetzte Stücke angehört hat, die nichts enthielten, das vorzüglich belustigen oder einnehmen konnte.

Leute, die keine Empfindungen vom Witze haben, können durch nichts als entweder durch recht grobe Possenspiele oder durch außerordentlich schöne und einnehmende Dinge zur Aufmerksamkeit gebracht werden. Hingegen zeigt es ein Verlangen an, sich an den Werken des Witzes zu vergnügen, wenn man auch bei dem Mittelmäßigen, das doch sonst seiner Natur nach einschläfert, noch aufmerksam bleibt. Ich schließe aus dieser Aufmerksamkeit, daß die Erregung der Leidenschaften hier ihre Wirkung tun wird, wenn man nämlich versucht, auch Trauerspiele auf das Theater zu bringen, die hier denenjenigen, die nicht ausländische Schriften lesen, beinahe noch ganz unbekannt sind.

In den nordlichen Ländern, Deutschland mit eingerechnet, wird die Liebe auf dem Theater schwerlich den starken Eindruck in die Herzen der Zuschauer machen, den sie bei den Franzosen macht, und ich weiß kaum, ob ich dieses für einen Nachteil oder für einen Vorzug achten soll. Gleichwohl ist gewiß, daß eine Liebe, die nicht aufs Äußerste getrieben wird, allemal für die Zuschauer angenehm sein muß, wenn ihr an edeln Gesinnungen und Empfindungen zuwächst, was sie an der Heftigkeit verliert, weil doch die meisten Menschen auf solche Art geliebt zu sein wünschen. Die Abschilderungen der Betrübnis, der Freundschaft, des Zornes, des Ehrgeizes, der Rachbegierde werden gleichfalls überall bei den Zuschauern Herzen finden, die an diesen Empfindungen teilnehmen. Einer meiner Freunde, ein geborner Däne, äußerte einmal die Meinung gegen mich, daß die Trauerspiele deswegen bei seiner Nation nicht gefallen würden, weil sie selbst zur Traurigkeit geneigt wäre. Aber gesetzt auch, man fühlte bei dem ersten Trauerspiele so viel, daß man selbst die erregte Leidenschaft unangenehm fände, so würde es damit wie mit den besten Speisen gehen, die der Zunge anfangs nicht angenehm sind, weil sie dieselbe zu stark angreifen, und die doch hernach desto besser schmecken. Es ist niemand, der an den Gemälden der verschiedenen Leidenschaften mehr Vergnügen findet als derjenige, der selbst vorzüglich zu denselben geneigt ist. Daher vergnügen sich die Engländer in ihren Trauerspielen am meisten an Abbildungen der Verzweiflung, des Entschlusses zum Selbstmorde und an den heftigsten Leidenschaften, die Franzosen hingegen am meisten an den Abbildungen der Liebe.

Nach den Urteilen geborner Dänen findet sich in dem Charakter ihrer Nation etwas Gesetztes und Gelassenes. Wenn man daraus schließen wollte, daß ausschweifend lustige Einfälle und wahre Lustigmacher-Schwänke nötig wären, dergleichen Leute aus ihrer Gleichgültigkeit zu bringen und zum Lachen zu bewegen, so würde man übel schließen. Man wird dadurch zwar mehr Lachen, aber in der Tat weniger wirkliches Vergnügen erwecken als durch einen gesitteten Scherz. Denn man muß bedenken, daß auch wohl der allergesetzteste Mensch sich oft nicht wird enthalten können, über ungereimte und grobe Dinge zu lachen, ja laut zu lachen, wofern sie sehr possierlich sind, aber daß auch er der erste sein wird, der sich schämt, gelacht zu haben, und daß sein Vergnügen nicht groß sein kann, da er wider seinen Willen gelacht hat. Ein Scherz hingegen, der Wahrheit und Feinigkeit in sich hält, ist gerade derjenige, welcher gesetzten Leuten das meiste Vergnügen erweckt, denn er kitzelt solange und sofort, als man daran denkt. Solche Leute können am leichtesten bei den Abschilderungen der Torheiten von gutem Herzen lachen, weil sie durch ihre Gelassenheit mehr als andere im Stande sind, die Ausschweifungen einzusehen, die oft aus einer allzugroßen Lebhaftigkeit herrühren, und weil sie nicht sich selbst zu dergleichen Torheiten geneigt finden. Die Italiener, welche nichts weniger als gleichgültig und gelassen sind, treiben die Buffonerie aufs Höchste und die ernsthaften Engländer brauchen nur ein feines Salz, um Lachen zu erwecken. *Die Maskerade* und *Die honette Ambition* haben bisher unter allen Stücken, die ich hier aufführen gesehen, den meisten Beifall erhalten. Diesen Anmerkungen muß ich noch eine beifügen, daß ich nämlich hier weniger als an andern Orten finde, daß Leute darum angenehm und wohlgelitten werden könnten, weil sie viel haselieren, und daß das Frauenzimmer, welches doch keinen geringen Teil des Schauplatzes ausmacht, hier mehr als irgendwo einen Widerwillen vor plumpen Redensarten hat.

Der hier entworfene Charakter schicket sich besonders auf den Mittelstand, von welchem man meint, daß er das hiesige Theater vor allen andern unterstützen und in die Länge hinaus unterhalten werde. Er entfernet sich auch nicht gar weit von dem Charakter des hiesigen Adels, aus welchem zwar verschiedene, die ausländische Schauspiele gesehen haben, den gegenwärtigen Anfang verachten, die aber wohl bald anders Sinnes werden dürften.

Der Pöbel ist an allen Orten darinnen einerlei, daß dasjenige, was eine feine Artigkeit in sich hat, für ihn nicht gemacht ist und daß er etwas haben muß, das mit seiner groben Einbildungskraft übereinstimmt. Diejenigen, die von ihrer Studierstube aus Regeln vorschreiben, halten dafür, daß man den Pöbel gar nicht achten und nichts aus Gefälligkeit für ihn tun soll wie denn Boileau dieser Gefälligkeit wegen den Molière tadelt. Diejenigen aber sind nicht so strenge, die fürs erste aus der Erfahrung urteilen, daß ein Stück, welches sich hin und wieder nach dem Pöbel bequemt, eben den Mann unterhalten helfen muß, der den *Misanthropen* oder den *Britannicus* würdig vorstellen soll, und die hierbei auch dem Pöbel ein Vergnügen nicht mißgönnen, welches doch für ihn kein Vergnügen sein würde, wenn es nicht nach seinen Begriffen eingerichtet wäre. Diese erlauben, daß man gewisse Lustspiele für den Pöbel insonderheit bestimme, die man alsdann aufführen mag, wenn er feiert und Zeit hat, den Schauplatz zu besuchen. Es ist alsdann ein Verdienst für einen klugen Kopf, wenn er auch in solchen Lustspielen das rechte Maß zu treffen und sie mit nützlichen Sittenlehren zu vermischen weiß und wenn er die Kunst versteht, indem er den Pöbel nach seiner Art belehret und ergetzt, andern, die nicht Pöbel sein wollen, zu zeigen, wie schlecht pöbelhafte Sitten stehen.

Ehe ich aber diese Anmerkungen über den Charakter der Zuschauer anwende, die Einrichtung des dänischen Theaters zu bestimmen, muß ich etwas von dem Endzwecke der theatralischen Gedichte sagen. Denn wie kann man wohl die vorteilhafteste Einrichtung einer Sache bestimmen, ohne ihren Endzweck zu erwägen.

Das Theater würde seine Natur verändern und nicht mehr unter die Ergetzlichkeiten gehören, wenn man nicht festsetzte, daß der Hauptzweck desselben in demjenigen Vergnügen beruht, welches die Nachahmung der menschlichen Handlungen erwecket. Dieses Vergnügen ist um desto edler, weil es ein Vergnügen für den Verstand und nicht allein für die Sinnen ist. Ein Stück, bei welchem noch so viel Kunst verschwendet, aber die Kunst zu ergetzen, vergessen worden ist, gehört in die Studierstube und nicht auf den Schauplatz. Ein Stück hingegen, das nur diesem Hauptzwecke Genüge tut, hat ein Recht, auch den vernünftigsten Leuten bloß aus dieser Ursache zu gefallen, wo nämlich nichts wider die guten Sitten darin enthalten ist. Was aber wider die guten Sitten streitet, kann für einen vernünftigen Menschen kein Ergetzen sein. Denn es hat in Ansehung unsers Verstandes ebendie Wirkung, die das Unflätige in Ansehung unserer Sinnen hat. Wohlerzogenen und feinen Leuten erweckt es Ekel. Groben und ungeschliffenen Menschen aber kann auch der Kot zum Gelächter dienen.

Obgleich das Vergnügen der Hauptzweck des Theaters ist, so ist es doch nicht der einzige Zweck desselben. Ein witziger Kopf braucht die kleinsten Gelegenheiten zu so wichtigen Dingen, als er kann, und der Hauptzweck einer Sache besteht oft in einer Kleinigkeit, da indessen dieselbe

Sache noch außerdem, und gleichsam ohne Absicht, sehr wichtige Dinge befördern hilft. Lehren ist ohne Zweifel eine viel wichtigere Sache als Ergetzen. Gleichwohl ist das Theater, das seinem Wesen nach bloß zum Ergetzen gemacht ist, zum Lehren sehr geschickt. Es gibt Leute, die selbst die Wahrheit auf eine ungereimte Art beweisen. Und mich dünkt, es geht denen so, welche auf den Nutzen oder das Lehrreiche der Schauspiele am meisten trotzen. Sie suchen das größte Lehrreiche der Schauspiele, und der Fabeln überhaupt, darinnen, daß sie mit Mühe aus einem großen Werke eine einzige Sittenlehre ziehen, die dann und wann ziemlich gemein ist und die man ganz leicht von selbst hätte wissen können, und eine solche Sittenlehre geben sie für den Hauptzweck eines ganzen Gedichtes an. Aus der Fabel vom Oedipus, der, ohne es selbst zu wissen, seinen Vater erschlagen und seine Mutter geheuratet hatte, ziehen sie z. E. die Sittenlehre, daß man oft Unrecht tue, ohne es zu wissen, und doch dafür gestraft werde. Solche Kunstrichter wollten gern einen großen Teil schöner Schauspiele, in welchen die Sitten und Leidenschaften vortrefflich abgemalt sind, bloß darum verworfen oder umgegossen haben, weil sich nach ihrem Kopfe nicht eine gewisse Hauptlehre aus denselben ziehen läßt, gleich als ob man große Theaterstücke mit vieler Kunst deswegen verfertigte, um eine einzige, bekannte, seichte und oft sehr unbestimmte Sittenlehre zu sagen, die man aus der Komödie eines Teiltänzers ebenfalls herleiten kann. Ein so wunderlicher Beweis gibt andern Anlaß, über das so sehr gerühmte Lehrreiche des Theaters zu spotten und die Sittenlehren desselben für seicht und nichtswürdig auszurufen.

In der Tat hat das Theater nicht nötig, eine andere Absicht vorzugeben als die edle Absicht, den Verstand des Menschen auf eine vernünftige Art zu ergetzen. Wenn es lehrt, so tut es solches nicht wie ein Pedant, welcher es allemal voraus verkündiget, daß er etwas Kluges sagen will, sondern wie ein Mensch, der durch seinen Umgang unterrichtet und der sich hütet, jemals zu erkennen zu geben, daß dieses seine Absicht sei. Es ist genug, wenn der Poet weiß, daß er in seinem Werke Gelegenheit hat, der Sittenlehre Dienste zu tun. Und der dramatische Poet hat diese Gelegenheit, besonders durch eine genaue und feine Abschilderung der Gemüter und Leidenschaften. Die Kenntnis des Menschen macht einen sehr wichtigen Teil der Sittenlehre aus. Diese Kenntnis besteht größtenteils in der Kenntnis der Charaktere und Leidenschaften. Das Theater ist ein Bild von beiden, und je genauer es die Natur nachahmet, daß heißt, je schöner es ist und je mehr es vergnügt, desto lebhafter malt es uns die Gemüter. Es ist wie eine Schilderei oder ein Riß, der manchmal uns Begriffe von Dingen macht, die wir nicht gesehen haben, und manchmal uns die Dinge in größerer Deutlichkeit zeigt, als wir sie in der Natur erblicken können. Eine solche Schilderei sondert eine Sache von den Nebenumständen ab, mit denen das Original vermischt ist. Die Natur zeigt uns den Heuchler, den Eifersüchtigen, den Spieler, den Menschenfeind nicht in demselben Lichte wie das Theater. Denn auf diesem ist ihr Charakter ganz einfach, ohne Vermischung anderer Tugenden und Laster. In der Natur ist er allemal mit vielen andern Dingen vermengt, und ihn unter den fremden Umständen herauszusuchen, kostet hier allemal erst dasjenige Nachdenken, welches in einem Schauspiele der Verfasser schon für uns übernommen hat.

Wer unter tausend guten Stücken, die man in allerlei Sprachen aufweisen kann, nur etliche gelesen hat, kann nicht leugnen, daß das Theater wirklich der Sittenlehre gute Dienste tut, was die Gemälde der Sitten betrifft, und daß es vorzüglich hierzu fähig ist, wenn es unter gute Hände kömmt. Aus dieser Ursache haben die allerbesten Sittenlehrer das Theater einer besondern Aufmerksamkeit gewürdigt. Ein neues Exempel davon ist, daß eben diejenigen großen Männer, denen wir den englischen *Zuschauer* verdanken, ein Steele und ein Addison, auch für das Theater gearbeitet haben.

Daß hiernächst auch die einzelnen Sittenlehren, die in dramatischen Gedichten vorkommen, nicht zu verachten sind, kann man daraus abnehmen, daß Hugo Grotius fast alle Sätze des Rechts der Natur mit den übereinstimmenden Lehrsprüchen der alten theatralischen Dichter bestätigt hat. Ich will mich eben nicht anheischig machen, aus den meisten neuen theatralischen Dichtern das Recht der Natur oder sonst einen praktischen Teil der Philosophie zu erläutern. Ein Freund von mir hatte sich vorgesetzt, eine Sammlung von Lehrsprüchen aus den Originalstücken einer benachbarten Nation zu machen. Aber außer einigen Zeilen als:

Der Ausgang jeder Schlacht steht in des Schicksals
Hand...

und wiederum:

Jedoch der Ausgang steht doch in des Schicksals Hand...

ferner:

Da des Himmels Arm die Tugend nicht verläßt...

und wiederum:

...Er ist ein Sohn der Tugend,
Und diese schützet stets des Himmels hoher Arm...

bestand seine Sammlung noch meistenteils aus lauter weißem Papiere. Hingegen glaube ich wohl, daß man aus den Lustspielen des Molière und einigen andern ein ganz gründliches Buch von der Artigkeit der Sitten zusammensetzen könnte. Und Racine, Corneille, Voltaire und die englischen Tragödienschreiber haben dann und wann Sachen gesagt, welche desto nützlicher sind, da man sie vergebens in einem moralischen Systeme suchen würde, wo man die Tugenden und Leidenschaften nur obenhin zu betrachten pflegt.

Ein anderer und nicht zu verachtender Endzweck der Schauspiele ist die Auszierung und Verbesserung des Verstandes bei einem ganzen Volke. Ich weiß nicht, warum die Lobredner der Schauspiele diesen Vorteil fast übergehen, da er doch gewiß so wichtig ist als der vorhergehende. Ein gutes Theater tut einem ganzen Volke eben die Dienste, die der Spiegel einem Frauenzimmer leistet, das sich putzen will. Es zeigt ihm, besonders in dem Äußerlichen des Umgangs, was übel steht und was lächerlich ist. Es gibt ihm Exempel von Gesprächen, von feinen Scherzen, von einer guten Art zu denken. Es bereichert den Witz der Zuschauer nach und nach mit guten und muntern Einfällen. Es erteilt einem jungen Menschen Anleitung, wie er die Welt kennenlernen und die Denkungsart der Menschen aus ihren Reden auf ebendie Weise entwickeln soll, wie auf der Schaubühne die Eigenschaften und Schwachheiten der vorgestellten Personen aus ihren Worten und Handlungen erkannt werden. Es verbreitet den Geschmack an Künsten und Wissenschaften, es lehrt auch den geringsten Bürger Vernunftschlüsse machen und höflicher werden. Und eben sein größter Vorteil ist, daß es alle diese Kenntnisse und Einsichten auf eine unvermerkte Weise auch sogar in den Kopf und in den Umgang derer zu bringen weiß, welche mit Fleiß ihren Beruf in der Unwissenheit und im Müßiggange suchen und nichts anders tun wollen, als sich die Zeit vertreiben. Ihr Geist bildet sich, ohne daß sie sich dessen selbst bewußt sind, nach der Art zu denken und zu reden, die sie hören, und sie werden witzig und artig, oder wenigstens erträglich im Umgange, ehe sie daran gedacht haben, es zu werden. Die guten und artigen Sitten der Athenienser wuchsen in dem Maße, wie der gute Geschmack ihres Theaters zunahm. Die Römer fingen zu gleicher Zeit an, höflich zu werden und ein Theater nach dem Muster der Griechen zu haben. Die heutigen Völker werden nach demselben Maße für gesitteter gehalten, in welchem ihr Theater feiner und vollkommener ist. Und wenn die übrige Auspolierung ihrer Sitten etwas darzu beigetragen hat, ihr Theater zu verbessern, so kann man wiederum mit Grunde behaupten, daß die Verbesserung und Aufnahme ihres Theaters zur Verbesserung ihrer Sitten etwas beigetragen hat. Genug, man kann sagen, daß die Feinigkeit ihres Theaters und die Feinigkeit ihrer Sitten meistenteils in einem gewissen Verhältnisse miteinander gestanden haben und daß es damit, wie mit zweenen Steinen zugegangen, welche beide einander glatt schleifen.

Nach diesen festgesetzten Begriffen wollen wir nun untersuchen, was für Eigenschaften zu den neuen Stücken erfodert werden, die man inskünftige hier aufführen wollte, wie man zu solchen Schauspielen, welche die erfoderlichen Eigenschaften haben, am leichtesten gelangen könne und was etwa bei der Aufführung derselben zu beobachten wäre. Denn wenn sich das hiesige Theater auf einem beständigen Fuße erhalten soll, so muß man durch die Neuheit und durch die Reinigkeit der Stücke, die man auf dasselbe bringt, nach und nach bei den Zuschauern Geschmack an Schauspielen und Liebe zum Theater zu erwecken suchen. Dies ist das einzige Mittel, zu verhindern, daß das Theater eines Orts nicht alsbald verfalle und untergehe, sondern sich, je länger es dauert, immer mehr Zuschauer und Liebhaber erwerbe.

So vielerlei Arten von sittlichen Handlungen es gibt, welche eine Reihe von Absichten, Mitteln und Folgen in sich enthalten, und so vielerlei die Personen sind, von denen solche Handlungen vorgenommen werden, so vielerlei Arten theatralischer Stücke gibt es. Wenn ich also die Handlungen insoweit betrachte, als sie entweder das Lachen oder ernsthafte Leidenschaften erregen, und wenn ich die Personen, ihrem Stande nach, in hohe und niedrige einteile, so werde ich folgende Arten von Schauspielen herausbringen: E r s t l i c h Handlungen hoher Personen, welche die Leidenschaften erregen; z w e i t e n s Handlungen hoher Personen, welche das Lachen erregen; drittens Handlungen niedriger Personen, welche die Leidenschaften erwecken; viertens Handlungen niedriger Personen, welche das Lachen erwecken; fünftens Handlungen hoher oder niedriger oder vermischter Personen, welche teils die Leidenschaften, teils das Lachen erregen. Die erste Art von diesen Handlungen ist der Grund zu denjenigen Schauspielen, die man Tragödien nennt, und aus den andern insgesamt entstehen Komödien, worunter auch die Schäferspiele gehören.

Wir würden der Natur Unrecht tun und die Zuschauer eines Vergnügens berauben, wenn wir eine von diesen Arten der Handlungen vom Theater ausschließen wollten, und wir haben wirklich Exempel aller dieser Arten bei den gesittetsten Völkern. Von der zweiten Art ist die Komödie *Amphitruo*, von der dritten die Schäferspiele, *Die Gouvernante* des de la Chaussée, von der vierten der größte Teil der Komödien, von der fünften der *Cyklops* des Euripides, *Der Ehrgeizige* und *Die Unbedachtsame* des Destouches.

Überhaupt wird weiter unten von selbst erhellen, daß die Erregung der Leidenschaften, sobald sie zum Hauptzwecke wird, das Lächerliche ausschließe; wenn aber die Erregung des Lachens der Hauptzweck ist, die Erweckung der Leidenschaften dadurch nicht gänzlich ausgeschlossen werde, sondern vielmehr ein gewisses Maß davon in den mehresten Fällen zuträglich, ja fast notwendig sei.

Von den niedrigen Personen bis zu den hohen gibt es sehr viele Grade. Und nach diesen Graden wird wiederum die Komödie von sehr verschiedener Art, und jede dieser Arten hat ihre eigenen Verdienste, wofern sie nur die Natur nachahmt, deren Ähnlichkeit die große Hauptregel des Theaters wie überhaupt aller Poesie ist.

Ich habe es desto nötiger gefunden, die große Mannigfaltigkeit der Natur und also auch den reichen Überfluß, der dem Theater durch diese Mannigfaltigkeit zuwächst, deutlich auseinanderzusetzen, weil es viele gibt, die nur von einer einzigen Art der Komödie einen Begriff haben und die alles, was nicht nach derselben Art ist, als schlecht und unregelmäßig verwerfen, wenngleich der Poet darinnen der Natur auf dem Fuße gefolgt wäre. Derjenige, der sich seinen Begriff von der Komödie nach des Molière *Misanthropen* und dem *Ruhmredigen* des Destouches gemacht hat, hält die natürlichsten Schildereien von den Sitten des gemeinen Mannes für lüderliche Farcen, für plumpe Possenspiele, die keines gesitteten Zuschauers würdig sind. Und derjenige, welcher diese letztere Art der Komödie nur darum angenehm findet, weil ihn die groben Reden, die bei dem gemeinen Manne mit unterlaufen, in seinem Innersten ergetzen, und welcher den Mund ganze Viertelstunden lang vor Lachen aufbehält, wenn er einen »Schlingel« nennen hört und wenn er die Nase mit den Fingern ausschnauben sieht, hält eine Komödie für schläfrig oder hochtrabend, welche die Sitten der Hofleute auf eine feinere Art durchzieht.

Der Anfang des dänischen Theaters ist damit gemacht, daß man die Handlungen des niedrigsten Standes darauf vorstellet. Und in der Tat sind es diese, wobei man den Anfang auf einem neuerrichteten Theater machen soll, weil in demselben Stande die Torheiten sich offner und ohne Schminke zeigen und also begreiflicher sind. Zuschauer, die noch nicht gewohnt sind, das Theater mit einer rechten Begierde und Aufmerksamkeit zu betrachten, können daher durch Vorstellungen, die sie am leichtesten fassen, zur Besuchung des Theaters angelockt und nach und nach vorbereitet werden, auch die Abschilderungen eines höhern Standes zu verstehen und Geschmack daran zu finden. Wenn man aber allein bei diesen Vorstellungen des niedrigen Standes stehenbliebe, so würde man die große Mannigfaltigkeit, deren das Theater fähig ist, verlieren und dem Vergnügen des Zuschauers nicht wenig entziehen. Der Zuschauer würde dabei der Einfälle und

Redensarten des gemeinen Mannes durch die Wiederholung überdrüssig werden. In Ansehung der Sittenlehre würde uns vieles entgehen, denn man würde die Torheiten vornehmer Leute, die Künste, womit sie dieselben verstecken, die Vermischungen der Leidenschaften und noch weit mehr ebenso wichtige Wahrnehmungen der Sittenlehre unberührt lassen. Man würde die edeln Empfindungen des Herzens, die in die höhern Komödien einfließen und die ein wesentliches Stück der Trauerspiele ausmachen, ganz und gar entbehren müssen. Es würden auch die Vornehmen, das ist fast jedermann (denn wer will gern zum gemeinen Manne gehören?), in den Gedanken stehen, daß alle die Torheiten, die in solchen Komödien vorgestellt sind, sie gar nicht angingen. Wenn man hingegen auch ihre Torheiten in den Komödien von einer höhern Gattung erkennt, so findet der gemeine Mann desto weniger Entschuldigung für sich, da er sieht, daß dieselben Fehler, die er an sich hat, auch an Höhern lächerlich sind. Was endlich die Auspolierung des Verstandes betrifft, so wäre zu besorgen, daß dieselbe gänzlich unterbliebe, wenn man das Theater allein auf die niedrigste Gattung von Schauspielen einschränkt. Der Verstand, der die Gegenstände, die ihn vergnügen, am leichtesten faßt, möchte sich vielmehr alsdann das Plumpe und das Ungesittete des Pöbels eindrücken und unvermerkt nachahmen lernen, das ihm doch auf dem Theater aus einem ganz andern Endzwecke gezeigt worden. Wenn er hingegen auch Handlungen von anderer Art zu sehen bekömmt, so wird er aus der Vergleichung urteilen, daß ihm die Grobheiten des Pöbels nur darum vorgestellt werden, damit er desto kenntlicher ihren Übelstand bemerke. Komödien, worinnen Personen von feiner Erziehung vorgestellt werden und die so beschaffen sind wie unter andern *Der Misanthrop* und *Die Beschwerlichen* des Molière, tragen zur Verbesserung des Verstandes und der Aufführung junger Leute ungemein viel bei.

Mein Rat ist also, mit Beibehaltung der Komödien aus dem niedrigen Stande, die man schon hat, in denen Stükken, die man neu auf das Theater bringt, immer höher zu steigen; aus dem niedrigern Stande in den Mittelstand, aus dem Mittelstande an den Hof und endlich bis zu den Tragödien zu kommen. Auf diese Weise wird man sich versprechen dürfen, allen Ständen durchgängig zu gefallen; der Verstand der Zuschauer wird immer geübter werden, auch die feinsten Einfälle mit Vergnügen und Aufmerksamkeit zu hören, und man wird eines beständigen Beifalls versichert sein, weil man für alle Arten der Zuschauer arbeitet und weil unter so vielen Abänderungen ein jeder einige nach seinem Geschmacke finden wird.

Da es in allen Gattungen der Schauspiele gute und schlechte Stücke gibt, so sieht man in der Auswahl derer, die am geschicktesten sind, zugleich zu gefallen und zu bessern, teils auf ihre innere Einrichtung, teils auf die Einkleidung und äußerliche Ausführung des Plans.

Handlungen, die sich zur Schaubühne schicken, sind solche, die aus Absichten, aus Mitteln, diese Absicht zu erlangen, und aus den Folgen dieser Mittel zusammengewebt sind. Die Kunstrichter nennen die Absicht und ihre Mittel die Verwirrung, und diejenige endliche Folge, welche entweder die Absicht nebst ihren Mitteln erfüllet oder sie dergestalt niederreißt, daß ihre Erlangung den handelnden Personen unmöglich gemacht wird, nennen sie die Auflösung. Man verlangt nur eine Handlung in einem theatralischen Stücke; das ist, daß nichts darinnen vorkomme, welches nicht entweder zur Beförderung oder zur Hindernis derjenigen letzten und endlichen Folge gereicht, durch welche die Auflösung geschieht. Dieses ist sehr natürlich. Denn wenn man es auch nur in einer Erzählung wagt, Umstände einzumischen, die zur Sache nicht gehören, so schläfert man ein; und wenigstens hat es allezeit die üble Wirkung, daß man die Aufmerksamkeit des Zuhörers teilt und also schwächt. Wie aber ein Knoten aus mehr oder weniger Enden, die im Anfange gar nicht aneinanderhängen, zusammengeknüpft sein kann, wie eine einzige Begebenheit eine Folge von vielerlei ganz verschiedenen Absichten und Mitteln sein kann, die anfangs gar nichts miteinander gemein hatten und die dennoch alle zu gleicher Zeit und durch dieselbe Begebenheit teils erfüllt, teils umgestoßen und vernichtet werden, so kann ein Theaterstück im Anfange aus ganz verschiedenen Handlungen zu bestehen scheinen, welche doch zuletzt in einen Punkt oder in einen Knoten zusammenlaufen und also eine einzige Handlung ausmachen. Ein anderes Theaterstück hingegen kann vom Anfange an nur mit einer einzigen Absicht sich beschäftigen und sich beständig bei ihren Hindernissen und Mitteln aufhalten. Von der ersten Art sind die guten Schauspiele der Engländer, von der andern der Franzosen ihre. Zum Beispiele der ersten Gattung dient *Das beständige Ehepaar (The constant couple)*, wo eine große Menge von Verwirrungen durch die Erkenntnis eines Ringes aufgelöst wird; und als Beispiele der andern Gattung kann man den *Tartüffe* des Molière oder fast alle Holbergische Stücke anführen. Wenn die Frage ist, bei welcher Art der Verwirrung das dänische Theater sich am besten befinden werde, so ist es ohne Zweifel bei dieser letztern, welche die Aufmerksamkeit des Zuschauers mehr beisammen erhält und keine so große Tiefsinnigkeit erfodert, als bloß den Engländern angenehm ist. Diese Art nimmt weit mehr ein und ist durch den Beifall, den die Holbergischen Stücke erhalten haben, bei uns schon hinlänglich geprüft, indem dieser Beifall gewiß großenteils der Einfachheit der Handlung zuzuschreiben ist, durch welche die Gedanken des Zuschauers immer auf einen Punkt gerichtet bleiben. Wie die Holbergischen Komödien auf der einen Seite die überhäuften Absichten und Verwirrungen vermeiden, so vermeiden sie auf der andern die Untätigkeit, da immer eine Szene nach der andern verplaudert, immer von denselben Dingen geredet und gleichwohl nie etwas getan wird, welchen Fehler insonderheit die meisten neuen deutschen Originalstücke haben. Eine wohleingerichtete Handlung soll in jeder Szene von einiger Erheblichkeit einen Schritt weitergehen, entweder einen neuen Umstand erzählen oder ein neues Hindernis in den Weg legen, eine neue Tat oder wenigstens einen neuen Entschluß, etwas zu tun, veranlassen oder vorstellen. Wenn man dieses beobachtet, so wird man von selbst, und fast ohne es zu wissen, alle die Kunstgriffe anwenden, die Aristoteles und Hedelin an die Hand geben, wenn sie die Einrichtung und Verwirrung einer Handlung erklären.

Sobald man diese Hauptregel in acht nimmt, daß die Handlung beständig fortgehen soll und daß man die Absichten und Mittel mit ihren Folgen und die Folgen wiederum mit ihren neuen Folgen zu verbinden hat, so wird eine Handlung mit leichter Mühe wahrscheinlich werden. Denn eine Begebenheit ist alsdann wahrscheinlich, wenn sie ihre zureichende Ursache hat. Durch jeden Sprung hingegen, den ich begehe, wenn ich etwas ohne Ursache geschehen lasse, verursache ich eine Unwahrscheinlichkeit.

Nichts ist geschickter, die Zuschauer in der Aufmerksamkeit zu erhalten, nichts tut hierinnen eine so ungemeine Wirkung, als wenn man in die Handlung eine Person von einem solchen Charakter einflicht, daß der Zuschauer sie lieb gewinnt, daß er für sie leidet und wünschet. Diese Person muß an der Handlung einen Anteil haben und in eine solche Lage gebracht werden, daß man bis zum Ausgange ungewiß bleibt, ob derselbe sie entweder glücklich machen oder doch vor einem gedrohten Unglücke in Sicherheit setzen oder ob er sie auch vollkommen unglücklich machen werde. Denn nie kann man zuverlässiger von der Aufmerksamkeit des Zuschauers versichert sein, als wenn sein Herz an der Handlung Anteil nimmt. Eine solche Person braucht nicht allemal die Hauptperson, dem Charakter nach, zu sein. Im *Geizigen* des Molière ist der

Geizige die Hauptperson; die Personen hingegen, für die der Zuschauer wünschet und leidet, sind sein Sohn und seine Tochter. Eine solche Person kann aber auch die Hauptperson sein, wie sie es z. E. im *Misanthropen* ist, wenn nämlich die Fehler der Hauptperson so beschaffen sind, daß sie die Hochachtung des Zuschauers nicht ausschließen. Sind zwo Personen in einem Schauspiele, welche die Hochachtung des Zuschauers gleich stark verdienen, und ihr Glück und Wohl ist einander entgegengesetzt, so muß man sich in acht nehmen, daß der Zuschauer nicht in eine Unentschlossenheit gerate, für wen er sich erklären will, denn dies würde ihn beinahe zur Gleichgültigkeit verleiten können. Die allerfeinste Erfindung der Fabel und die allerschönste Ausführung der Charaktere ist vergeblich, wenn dadurch nur der Verstand und nicht zugleich das Herz eingenommen wird. Der Dichter wird eine schöne Arbeit verfertigt haben, an der niemandem gelegen ist.

Hieraus folgt von selbst, daß eine Komödie, sosehr es ihre Absicht und Bestimmung ist, Lachen zu erwecken, doch allezeit mit Erregung einiger Leidenschaften vermischt sein muß. Keine Handlung, an der etwas gelegen sein soll, kann so beschaffen sein, daß diejenigen, die sie betrifft, sie ganz gleichgültig und ohne alle Leidenschaft ansähen; und wenn die Zuschauer mit den aufgeführten Personen wünschen und leiden sollen, so kann dieses nicht anders geschehen als durch Erregung der Leidenschaften. Eine Handlung ohne Leidenschaften ist keine Handlung, denn sie müßte alsdann keine Absichten und keine Mittel zu denselben enthalten. Zuweilen ist das Lächerliche mit den Leidenschaften so sehr vermischt, daß beides zugleich erregt wird. Eine Probe hiervon hat man an dem *Geizigen* des Molière, da ihm sein Geldkasten genommen worden. Der arme Schelm erwecket sodann Mitleiden und Lachen zugleich. Molière hat überhaupt diese Kunst unvergleichlich verstanden, und Arnolf in der *Schule des Frauen-*

zimmers, da er auf die letzt rasend verliebt wird, ist gleichfalls ein Beispiel davon. Ein gewisses Stück im italienischen Theater, *Die beiden Harlekine*, ist, was die Einrichtung der Fabel betrifft, eines der vollkommensten, das ich noch gefunden habe.

Ein Stück, darinnen die Handlung sehr wohl eingerichtet und verwirret ist, kann gleichwohl noch ein elendes Stück sein, wenn die Wahl und Ausarbeitung der Charaktere und die darinnen angebrachten Gedanken schwach, sich selbst widersprechend oder gemein sind. Die Franzosen teilen die theatralischen Gedichte in Stücke, wo die Verwirrung die Oberhand hat, und in solche, wo der Charakter der Personen das vornehmste ist. Dieses will nicht sagen, als ob ein Schauspiel, darinnen auf die Verwirrung vorzüglich gesehen worden, ohne Charaktere gut sein könnte, denn das würde eben so viel sagen, als ob der erste Entwurf zu der Erfindung eines Malers, wo weder Zeichnung noch Schattierung beobachtet ist und wo er nur seine Gedanken geordnet hat, ein schönes Gemälde wäre. Eine Pièce d'intrigue ist diejenige, wo ich zuerst eine außerordentliche und sonderbare Begebenheit ausstudiere und hernach die Charaktere der Personen so darzu erwähle, wie ich sie zur Ausführung dieser Begebenheit nötig habe. Ein Stück ohne Charaktere ist ein Stück ohne alle Wahrscheinlichkeit, weil die Ursache, warum ein Mensch so oder so handelt, eben in seinem Charakter liegt. Wo demnach dieser nicht festgesetzet ist, geschehen die Handlungen ohne Ursache und sind also nicht wahrscheinlich. Bei den Pièces de caractère hingegen wähle ich zuerst den Charakter, den ich ausführen will, und ich sinne hernach auf eine Reihe von Begebenheiten, die diesen Charakter mehr ins Licht setzen. Weil ich alsdann in der Wahl derselben eingeschränkter bin, so ist es in diesem Falle nicht allezeit möglich, so sonderbare Begebenheiten auszusinnen als in dem ersten Falle. Dieser Abgang aber wird durch die genaue Abschilderung der Denkungsart dessen, den ich vorstelle, reichlich ersetzet, und es versteht sich von selbst, daß auch in einem Charakterstücke die Verwirrung die obenangezeigten Eigenschaften haben soll. Unter den Holbergischen Komödien sind *Die Maskerade*, *Heinrich und Pernille* und mehrere Stücken, darinnen die Verwirrung herrschet, und *Die Honette Ambition* ist ein Stück von Charakter. Des Addison *Gespenst mit der Trommel*, des Destouches *Unversehenes Hindernis* sind Stücken der Intrige, wobei gleichwohl die Charaktere sehr gut beobachtet sind. Ebendiese Einteilung läßt sich auch bei den Trauerspielen machen. *Ödipus* und *Iphigenia* sind Stücken, welche die Verwirrung zur Hauptabsicht haben, der *Britannicus* ist ein Charakterstück, worin Nero die Hauptrolle spielt und Britannicus diejenige Person ist, die das Herz des Zuschauers für sich hat, welches mit meiner obengemachten Anmerkung übereinstimmt, daß dieses nicht allezeit sich für die Hauptperson erklären müsse.

In der Wahl der Charaktere hat man am meisten nötig, sich nach den Sitten einer jeden Nation zu richten, sowie man auch auf der andern Seite eben darinnen die meiste Geschicklichkeit beweisen kann. Um einer Nation zu gefallen, muß man ihr solche Charaktere vorstellen, deren Originale leichtlich bei ihr angetroffen werden oder die sich doch sehr leicht auf ihre Sitten anwenden lassen. Man findet ein schlechtes Vergnügen an Vorstellungen, deren Originale man nicht kennt oder die man wohl gar für unmöglich hält. Ein französischer Finanzier, der Dottore der italienischen Komödie, ein englischer Landjunker, der sein Haus mit einer Zugbrücke versehen hat, seine Tochter als einen Schatz eingeschlossen hält und, sobald sich jemand nähert, unter den Waffen erscheint, das Modevorurteil, welches in Frankreich eine schöne und nach den jetzigen Sitten eingerichtete Komödie ist, dies alles würde auf dem dänischen Schauplatz eine schlechte Wirkung tun. Die Sklavinnen der Griechen und

Lateiner, welche man sich zu Maitressen kauft, würden ebensowenig jetzo gefallen, wenn sie nicht etwa unter dem Schutze anderer desto bekanntern Charaktere, mit denen sie zugleich vorgestellet werden, Beifall finden. Stücke von so fremden Sitten werden nicht allein nicht sonderlich gefallen, sondern sie sind auch sowohl in Absicht auf den Verstand als auf das Herz von wenig Nutzen.

Deswegen aber behaupte ich nicht, daß man keine Geschichte fremder Völker auf das Theater bringen könne. Ich glaube vielmehr selbst, daß es sehr oft nötig ist, den Schauplatz an einen ganz fremden Ort zu verlegen, damit man Gelegenheit gewinne, Charaktere, bei denen man sonst zu eingeschränkt sein würde, mit desto größerer Freiheit auszubilden. Und alsdann ist es auch nötig, die äußerlichen Sitten und alle Umstände so einzurichten, wie sie wirklich dem fremden Volke zukommen. Doch können in solchen Stücken die Charaktere so beschaffen sein, daß sie sich auf die Denkungsart der Nation, wo man sie vorstellet, anwenden lassen. Die *Sklaveninsel* z. E. leidet sehr wohl ihre Anwendung nicht allein auf die französischen Sitten, sondern auch fast auf die Sitten aller Länder, ungeachtet sie ein erdichtetes Land vorstellt. In der Tragödie ist es sogar oft unvermeidlich, zu fremden Ländern seine Zuflucht zu nehmen. Wenn man eine Fabel nach seiner eigenen Freiheit ausschmücken will, so ist es nicht gut, sich an der wahren Historie, besonders der neuern, zu vergreifen. Und sich bloß an die Geschichte zu halten, ist gleichfalls nicht ratsam, weil dies eine gewisse Trockenheit verursacht. Der Geschichtschreiber erzählt die Dinge nur mit denjenigen Ursachen, die er gewußt hat. Er kann sie aber nicht alle wissen, und er läßt also oft diejenigen weg, die auf dem Theater das meiste Vergnügen machen würden. Der Poet soll die Handlung mit ihren zureichenden Ursachen vorstellen. In denjenigen neuern Geschichten, an deren Wahrheit uns gelegen ist, darf er keine Ursachen erdichten, sonst würde er in dem Gedächtnisse der

Zuschauer die äußerste Verwirrung zwischen den wahren und den erdichteten Umständen anrichten. Er kann auch keine hohen Personen erdichten, zumal an demjenigen Orte, wo man lebt, denn man kann die Helden leichter überzählen als den gemeinen Mann. Die alte und fabelhafte Historie eines einzigen Landes ist nicht hinreichend, allerlei Veränderungen der Umstände und Charaktere hervorzubringen. Also wird es am besten sein, daß man die Historie aller fremden Länder zu Hülfe nimmt. Hierzu kömmt noch, daß die Bewunderung vieles beiträgt, die Erregung der Leidenschaften zu erleichtern, und die Bewunderung bezieht sich fast immer auf das Fremde. Doch wollte ich raten, in dem Fremden nicht so weit zu gehen, daß das Volk, dem man zu gefallen sucht, nicht mit einer gewissen Leichtigkeit sich Begriffe davon machen könnte. Wenn der Zuschauer zu viel von fremden Sitten erlernen muß, ehe er den Zusammenhang der Verwirrung einsieht, so verliert er die Geduld, und das schönste Stück mißfällt. Man glaube ja nicht, daß ich die Vorstellung fremder Sitten überhaupt verwerfe. Es würde vielmehr ein großes Vergnügen für den Verstand sein, die Verschiedenheit der Charaktere aller Nationen aus der Vorstellung fremder Sitten zu erkennen, wofern es nur geschieht, ohne die Gemüter der Zuschauer durch eine weitläufige Erzählung verwirrter Umstände, die man voraussetzet, zu ermüden. Solche fremde Sitten, die sich von selbst erklären, können daher in der Tragödie wohl stattfinden. Hingegen wenn man lachen soll, so lachet man bei weitem nicht so gern über Torheiten, die man niemals gesehen hat, als über solche, die man täglich sieht.

Sowohl in der Wahl, Verschiedenheit und Feinigkeit als auch der genauen Bestimmung der Charaktere zeiget sich besonders die Größe des Meisters. Ein kleiner Geist wird sich begnügen, wenn er nur überhaupt beobachtet, daß er denjenigen, den er erst viel Zaghaftigkeit bezeigen lassen, nicht hernach mutig vorstellt und daß er den, der sich erst außerordentlich grausam erwiesen, nicht auf einmal außerordentlich barmherzig werden läßt. Ein anderer, der etwas feiner sein will, wird beständig mit den vier Temperamenten zu tun haben oder es so machen, wie das gemeine italienische Theater. Dies hat den Fehler, daß man immer denselben Charakter des alten Mannes, denselben Charakter des Liebhabers, dieselbe Liebhaberin, kurz dieselben Personen wiederkommen sieht, und ich kann nicht begreifen, wie die Zuschauer solche Wiederholungen ohne Ekel ansehen können. Diese Einförmigkeit benimmt der Komödie alles Lehrreiche, für das Herz sowohl als für den Verstand, und sie läßt ihr nichts als das unvollkommene Vergnügen übrig, das aus der Verwirrung der Fabel entsteht; ein Vergnügen, welches ihr mit allen elenden Romanen gemein ist und welches auch noch dadurch gemäßiget wird, daß die Verwirrung meistenteils auf die List einiger Bedienten ankömmt und nicht auf die Folgen von den Charakteren der Personen. Dichter von feinerem Geschmacke suchen Charaktere, die durch ihre Neuheit gefallen, die sich zu ihrer Fabel schicken und die Handlung von selbst fortgehen lassen. Es ist dem Destouches nicht genug, den Charakter des Ruhmredigen oder Stolzen obenhin zu schildern. Er gibt ihm eine Liebste, deren Herz erst durch allerhand kleine Bemühungen erobert sein will, einen Schwiegervater, der sich mit allen Leuten du heißt und ohne Zeremonie sein will, einen Rival, der ein großer Komplimentenmacher ist und sich dadurch bei der Mutter seiner Geliebten einschleicht, einen Vater, der bescheiden ist, der im Elende lebt und in so dürftigen Umständen erscheint, daß der bloße Anblick desselben seinen Stolz beschämt. Dieses würde zur Absicht des Dichters schon hingereicht haben, aber er setzet noch den Valer, den Bruder seiner Geliebten, der ein vernünftiger Mann ist, ein Kammermägdchen, welches als die Schwester des stolzen Grafen erkannt wird, eine Liebe des alten Mannes in dieses Kammermägdchen und eine

Liebe des Valer gegen ebendieselbe hinzu, welche er vielleicht weggelassen haben würde, wenn er mehr dem Molière als dem Geschmacke der Engländer hätte folgen wollen.

Man muß auch bekennen, daß in dieser Wahl und Bestimmung der Charaktere die größte Stärke der englischen Komödie besteht, deren gute Poeten auch sogar die Grade derselben zu bestimmen wissen. Ich will zum Exempel davon nur des Steele *Funeral* oder *Leichenbegängnis* und des Congreve *Double-dealer* oder *Die Doppelzunge* anführen, wiewohl ein jedes Stück vom Steele, Cibber und Congreve zum Exempel dienen könnte. Je größer der Meister ist, desto mehr wird man den Charakter der Person, die er vorstellt, fast aus jedem Worte erkennen. In ihren Leidenschaften, in ihren Entschlüssen, in ihren vernünftigsten Reden und sogar in ihren Komplimenten wird sie ihre schwache Seite verraten. Man ist sehr bald damit fertig, einen Poeten zu beschuldigen, daß seine Charaktere übertrieben sind, wenn er sich bemühet hat, sie deutlich und angenehm zu machen. Es geschieht dieses oft mit Rechte, aber auch dann und wann mit Unrechte. Ein Poet in Paris hatte vor einiger Zeit eine Komödie geschrieben. Man fing an zu pfeifen und rief: »Das ist zu weit getrieben! Das überschreitet alle Wahrscheinlichkeit!« Er ward hierüber böse, kam heraus auf das Theater und sagte: »Meine Herren, wie wollen Sie sagen, daß es unwahrscheinlich ist? Meine Frau und meine Töchter haben das und noch mehr getan.« In der Tat kann man ein ziemliches Zutrauen zu der Größe der menschlichen Torheit haben. Es kann manchen Zuschauer dünken, daß ein Mensch nicht so viel Torheit in so kurzer Zeit begehen könne, als auf dem Theater geschieht. Aber wenn sich dieses nicht oft in der Welt zuträgt, so kömmt es daher, weil im gemeinen Leben die Gelegenheiten zu Torheiten nicht so dicht beisammenstehen als in der Komödie, wo eine ununterbrochene Handlung, an der ihm gelegen ist, ihm ein weites Feld gibt, sich von mehrern Seiten und in seiner wahren Beschaffenheit zu zeigen. Auch im gemeinen Leben würde man zur Gnüge sehen, worzu Leute von gewissen Charakteren fähig sind, wenn man sich die boshafte Bemühung machen wollte, sie ausdrücklich in solche Umstände zu bringen, die ihre Torheiten ins Licht setzen. Der Grad der Torheit, der aus einer Rede oder Handlung hervorleuchtet, kann zuweilen tadelhaft sein, wenn er bis in die Grenzen der Narrheit und Raserei übergeht. Diese Grenzen lassen sich vielleicht durch folgende Regel bestimmen. Ein Mensch, der noch weiß, was er tut, und der also nur töricht und nicht närrisch ist, wird niemals etwas unternehmen, wodurch er sich selbst als ein Narr vorkommen muß. Er macht sich vielmehr in seinem Verstande gewisse Grundsätze, die seiner Torheit gemäß sind und durch welche er sie so beschönigt, daß er sich noch klug dünken kann. Solange seine Handlungen unter diese Grundsätze gebracht werden und dadurch einige Beschönigung und Farbe bekommen können, solange ist der Charakter noch nicht zuweit getrieben. Wenn er hingegen etwas tut oder redet, das er nicht einmal nach seinen eigenen Grundsätzen für vernünftig ansehen kann. so wäre es ebensoviel, als ob er sich selbst für einen Narren hielte, und dies wird mit Rechte getadelt.

Nachdem ich von den Charakteren geredet habe, so brauche ich fast nichts von der Ausarbeitung und dem Ausdrucke eines Schauspiels zu sagen. Sobald ein Poet sich bemüht, seine Charaktere vom Anfange bis zu Ende wohl auszudrücken, so wird auch sein Ausdruck schön sein. Und der geringste Fehler im Ausdrucke wird auch ein Fehler im Charakter sein. Nur dies ist hierbei zu erinnern: Der Poet sei besorgt, die Worte so zu wählen und zu ordnen, daß sie dem Akteur gleichsam von selbst den Nachdruck der Aussprache in den Mund legen. Die Gedanken ersticken unter der Menge von Worten und bleiben in den langen Perioden zugleich mit dem Otem des Akteurs außen, so daß der Zuschauer den größten Teil davon verliert. Diesen Nachdruck befördert nichts so sehr als das Silbenmaß, und daher ist von den ersten Zeiten der Komödie an die gebundene Schreibart darzu erwählet worden. Man hat viel eher Komödien in Versen als in Prose gehabt, und diese letztern sind eine ganz neue Erfindung. Nur sind der Komödie die guten Verse sehr schwer, und es ist gleichwohl besser, eine Komödie in guter Prose als in schlechten Versen anzuhören, denn schlechte Verse verderben den Nachdruck der Gedanken, anstatt ihn zu erheben. Auch davor muß ich warnen, daß man nicht die Begierde, zu lachen zu machen und bons mots vorzubringen, sich verleiten lasse, etwas wider die Charaktere der Personen zu sagen. Übel angebrachte Einfälle haben eben das Schicksal auf dem Theater, das sie in der Gesellschaft haben. Sie werden nur deswegen belacht, weil sie ungereimt sind.

Endlich gehört auch dieses zu den notwendigen Kennzeichen eines guten Stücks, daß der Verfasser beständig darinnen an die Zuschauer gedacht habe, daß er aufmerksam gewesen sei, alles, was zur Handlung gehört, ihnen auf das deutlichste und ordentlichste zu erzählen, ihnen zu berichten, was für Personen sie vor sich sehen und an welchem Orte dieselben erscheinen, und daß er gleichwohl sich nicht merken lasse, als ob er wisse, daß Zuschauer zugegen sind. Ein Akteur, der mitten in einer Komödie vom Theater aus die Zuschauer anredet und also die Person, die er vorstellt, auf einen Augenblick ablegt, um seine eigene zu spielen, tut in der Tat nichts anders, als ob er mit dem Löwen im *Peter Squenz* sagen wollte: »Ihr lieben Herren, laßt euch nicht leid sein, ich bin kein rechter Löwe, sondern ich soll es nur bedeuten.«

Dieses sind im kurzen die innerlichen Regeln des Theaters, welche aus den Begriffen einer Handlung und der Nachahmung entstehen, wenn dieselben mit dem Endzwecke des Schauspiels, nämlich zu gefallen, zu lehren und den Verstand aufzuheitern, zusammengehalten werden.

Die äußerliche Form eines guten Schauspiels haben die Kunstrichter in zwo Regeln gefaßt, worzu sie durch die Umstände des Theaters und der Zuschauer und durch die Begierde, das Vollkommene vor dem Unvollkommenen zu wählen, veranlaßt worden sind. Sie haben darzu ihren guten Grund gehabt; sie sind aber von ihren Nachfolgern übel verstanden worden. Denn schon oft hat man das Wesen des Schauspiels daraus gemacht und geglaubt, daß man ein schönes Stück verfertigt habe, wenn man nur diese Regeln wohl in acht genommen, ob man gleich die Schönheit der Handlung und der Charaktere gänzlich aus den Augen gesetzt hatte. Diese Regeln heißen, kurz gesagt: die Einheit der Zeit und die Einheit des Ortes.

Wer eine ausführliche Erklärung derselben verlangt, kann sie nirgends vollkommener und mit mehrerm Verstande abgehandelt finden als in Hedelins *Theatralischer Dichtkunst*, einem sehr guten Buche, welches zu einer gründlichen Kenntnis des Theaters vorzügliche Dienste leistet.

Einige Kunstrichter beweisen diese beiden Regeln sehr körperlich, weil nämlich der Zuschauer beständig auf der Bank sitzen bleibe, so solle auch alles an einem Orte vorgehen und die Zeit, welche die Handlung erfodert, nicht über vierundzwanzig Stunden ausgedehnt werden. Ungeachtet nun der Geist des Zuschauers gleich bei Eröffnung des Schauplatzes bereit sein muß, sich in dieselbe Zeit und an denselben Ort zu versetzen, wo nach der Anzeige des Poeten die Handlung vorgeht, und ungeachtet ebendieser Geist (denn mit ihm hat man zu tun und nicht mit dem Körper, der auf den Bänken sitzt) so starke Flügel hat, daß er dem Poeten auch noch weiter von einer Zeit zur andern und von einem Orte zum andern folgen könnte, wofern er gehörig davon benachrichtigt würde, so findet man es doch zu Vermeidung vieler Unbequemlichkeiten am dienlichsten, nur einmal dem Zuschauer diese Mühe zu machen. Damit eine Handlung in beständiger Bewegung sei, damit stets Folgen aus Folgen entstehen und nichts durch einen Sprung geschehe, erachtet man für nötig, die Zeit so sehr einzuschließen, als es möglich ist. Denn sonst würde dieselbe durch allerlei Zwischenfälle unterbrochen werden müssen; sonst würden die Personen, die an der Handlung teilhaben, lange nicht in derjenigen Stärke der Beschäftigung und in dem Grade der Leidenschaft sein, welche die Aufmerksamkeit der Zuschauer an sich ziehen. Ferner setzet die Veränderung des Orts und der Zeit teils den Poeten in die Notwendigkeit, auf neue Mittel zu denken, wie er seinem Zuschauer dieses andeute, teils auch den Zuschauer, sich zu besinnen, welcher Ort und welche Zeit unter den vielen, die der Poet angegeben, zu der gegenwärtigen Szene gehöre. Überdies kömmt der Zuschauer jedesmal, da er sich weiter versetzen muß, von seiner ersten Entzückung zurück, und er erinnert sich, daß er auf dem Schauplatz ist, da er hingegen, wenn die Einheit des Ortes und der Zeit beobachtet ist, seine ganze Aufmerksamkeit auf die Handlung, auf die Charaktere und auf die Leidenschaften verwenden und immer in derselben Entzückung bis ans Ende bleiben kann. Aber alsdann sind auch schon vierundzwanzig Stunden zuviel. Es ist wahr, das Maß der Zeit sind die Begebenheiten, die darin vorgehen, und der Zuschauer sollte wohl, solange er in der Entzückung ist, durch die Menge von Begebenheiten, die er sieht, durch das viele Ausgesuchte und Nachdenkliche, das er hört, sich bereden lassen, daß er mehr als die drittehalb Stunden, die währenden Schauspiels verlaufen, dabei zugebracht habe. Unterdessen weiß ich doch nicht, ob es gerade vierundzwanzig Stunden sind. Vielmehr kann sich der Zuschauer, der eine beständige Folge von Handlungen vor sich gesehen hat, keine Nacht vorstellen, darinnen man inzwischen ausgeruhet hätte. Und da die geschehenen Begebenheiten ihm das Maß der Zeit an die Hand geben, so muß diese Zeit auch in einem gewissen Verhältnisse, und nicht bald geschwind, bald langsam, verlaufen. Doch alles dies macht keine notwendigen Regeln, denn sie fließen nur aus dem Vorzuge des Bessern vor dem weniger Guten.

Die Wahrheit zu gestehen, beobachten die Engländer, die sich keiner Einheit des Ortes rühmen, dieselbe großenteils viel besser als die Franzosen, die sich damit viel wissen, daß sie die Regeln des Aristoteles so genau beobachten. Darauf kömmt gerade am allerwenigsten an, daß das Gemälde der Szenen nicht verändert wird. Aber wenn keine Ursache vorhanden ist, warum die auftretenden Personen sich an dem angezeigen Orte befinden und nicht vielmehr an demjenigen geblieben sind, wo sie vorhin waren, wenn eine Person sich als Herr und Bewohner ebendes Zimmers aufführt, wo kurz vorher eine andere, als ob sie ebenfalls Herr vom Hause wäre, in aller Gelassenheit mit sich selbst oder mit einem Vertrauten gesprochen, ohne daß dieser Umstand auf eine wahrscheinliche Art entschuldigt wird, kurz, wenn die Personen nur deswegen in den angezeigten Saal oder Garten kommen, um auf die Schaubühne zu treten, so würde der Verfasser des Schauspiels am besten getan haben, anstatt der Worte: »Der Schauplatz ist ein Saal in Climenens Haus« unter das Verzeichnis seiner Personen zu setzen: »Der Schauplatz ist auf dem Theater«. Oder im Ernste zu reden, es würde weit besser gewesen sein, wenn der Verfasser, nach dem Gebrauche der Engländer, die Szene aus dem Hause des einen in das Haus eines andern verlegt und also den Zuschauer seinem Helden nachgeführt hätte, als daß er seinem Helden die Mühe macht, den Zuschauern zu gefallen an einen Platz zu kommen, wo er nichts zu tun hat.

Ich will hierdurch die Gewohnheit, die Einheit der Zeit und des Ortes zu beobachten, keineswegs in Verachtung bringen, sondern ich sage es bloß, um einer jeden Regel ihren rechten Wert zu bestimmen, damit man nicht fortfahre, wie viele tun, nach der äußerlichen Form der Schauspiele ihre innerliche Schönheit zu schätzen. Ich weiß vielmehr aus eigener Erfahrung in theatralischen Werken, daß nichts leichter ist, als die Einheit der Zeit und des Ortes zu beobachten, wenn man sich nur bemüht, seine Handlung beständig in Bewegung zu erhalten, und wenn man keine Person in andern Absichten auftreten oder abgehen läßt, als um die Handlung zu befördern und zu ihrem Ende zu gelangen. Ja, ebendiese Einheiten helfen zur Einheit der Handlung, das ist zum beständigen Fortgange der Handlung, wenn man sie gehörig zu beobachten und beides, die Zeit und den Ort, wohl zu wählen weiß.

Eine strenge Beobachtung der Einheit des Ortes ist auch für die Schauspieler bequemer, weil sie alsdann nicht so viele Gemälde der abgeänderten Szenen und keinen so kostbaren Maschinenbau nötig haben und weil sie dieselben Unkosten auf eine anständigere Kleidung und andere mehr wesentliche Stücke des Theaters wenden können.

Nachdem ich in dieser Abhandlung nicht allein einen kurzen Begriff von demjenigen gegeben habe, was zu einem guten theatralischen Stücke erfodert wird, sondern auch von dem, was besonders in Dänemark Beifall finden könnte, so ist die vornehmste Frage, wo das neue dänische Theater dergleichen Stücke herbekommen soll? Die Deutschen haben den Fehler begangen, daß sie ohne Unterschied allerlei Komödien aus dem Französischen übersetzet haben, ohne vorher zu überlegen, ob die Charaktere derselben auch auf ihre Sitten sich schickten. Sie haben also aus ihrem Theater nichts anders als ein französisches in deutscher Sprache gemacht. Es ist wahr, dieses Theater ist darum nicht ohne alle Annehmlichkeiten geblieben. Denn es gibt in den Torheiten etwas, das allgemein ist, worinnen alle Nationen übereinstimmen und dessen Vorstellung folglich allen gefallen muß. Aber ein Theater, das nur durchs Allgemeine gefällt, ist so einnehmend nicht, als es sein könnte, und ich schreibe dieser Ursache die Kaltsinnigkeit zu, womit die Komödien in Deutschland besucht werden. Die Liebe zu denselben würde weit größer sein, wenn einesteils die Nation die Schönheiten, die sie in den vorgestellten Stücken wahrnimmt, auf die Rechnung ihres eigenen Witzes schreiben könnte und wenn andernteils in den abgeschilderten Sitten ein jeder die ihm bekannten Sitten seines Landes erkennte und sich kitzelte, sooft sich etwas fände, das sich auf einen seiner Bekannten anwenden ließe. Denn dieses wird, wofern man nur die Natur nachahmt und für ein Theater in seinem Vaterlande schreibt, fast in allen Zeiten geschehen, ohne daß man darum auf jemanden insbesondere zu denken nötig hätte. Die deutschen Komödianten haben am meisten hierbei verloren. Denn ungeachtet sie anfangs nicht so vollkommene Stücke gehabt haben würden, als sie aus dem Französischen übersetzen lassen konnten, so würden doch Stücke, in denen sich nur Geist und Munterkeit gewiesen, bei allen ihren Mängeln weit mehr Aufsehen erregt und mehr Geld eingebracht haben. Die jungen Anfänger, die dergleichen Stücke verfertigt, würden aufgemuntert und bald vollkommener geworden sein, und hieraus wäre ein allgemeiner Eifer für ein gutes Theater entstanden. Es wäre mir leicht, dieses mit dem Beifalle zu beweisen, den etliche deutsche Stücke erhalten haben, in denen wenig Feuer und gar nichts Einnehmendes ist, die aber deutsche Sitten zeigen.

Ich kann noch hinzusetzen, daß es überhaupt ein großer Schade für den Witz einer Nation ist, wenn man sich immer mit Übersetzungen fremder Werke behilft und die Ermunterung der guten Köpfe in seinem Vaterlande verabsäumt. Das Theater ist allemal das vornehmste Feld und die bequemste Gelegenheit, wo die witzigen Köpfe einer Nation sich üben können, man muß es also nicht so dicht mit ausländischen Arbeiten besetzen, daß den einheimischen der Platz benommen wird.

Ich rate also, aus allen Gattungen der theatralischen Stücke nur einige Werke der Franzosen aufzusuchen, die zu den hiesigen Sitten sich am besten schicken und in denjenigen Arten, die man in Dänemark noch nicht hat, und die guten Köpfe, deren es hier unter den jungen Leuten viele gibt, dadurch zu ermuntern. Es ist zum Anfange des hiesigen Theaters nicht möglich, sie wie in Frankreich zu belohnen. Aber es würden gewiß gute Proben erscheinen, wenn man das Einkommen der fünften Vorstellung, oder auch nur einen Teil desselben, statt einer Erkenntlichkeit denen Verfassern überließe, deren Arbeiten die fünfte Vorstellung erreichen.

Wenn diejenigen Patrioten, die vor einigen Jahren Preise auf gute dänische Poesien setzten, nun auf dasjenige theatralische Werk, das in jedem Jahre den größten Beifall erhielte, einen auch nur mäßigen Preis setzen wollten, so wäre dieses eine neue Beihülfe. Was endlich den Druck betrifft, so ist es für den Verfasser und für die Komödianten gleich nützlich, wenn ein neuverfertigtes Stück nicht eher als ein Jahr nach der ersten Vorstellung bekannt gemacht wird. Aber es würde dem Witze der ganzen Nation und den Komödianten selbst schädlich sein, wenn es gar nicht gedruckt werden sollte. Gedruckte Stücke veranlassen Anmerkungen und Kritiken, und diese machen den Witz und die Regeln bei den Verfassern und bei den Zuschauern bekannter. Je mehr der Zuschauer davon weiß, desto öfter besucht er die Schauspiele, und bei den Kritiken derselben gewinnen die Komödianten wie die Buchhändler bei den Streitigkeiten der Gelehrten.

Gotthold Ephraim Lessing

AUS DEN »BRIEFEN, DIE NEUESTE LITERATUR BETREFFEND«

Siebzehnter Brief

Den 16. Februar 1759

»Niemand«, sagen die Verfasser der »Bibliothek«[1], »wird leugnen, daß die deutsche Schaubühne einen großen Teil ihrer ersten Verbesserung dem Herrn Professor Gottsched zu danken habe.«

Ich bin dieser Niemand; ich leugne es gerade zu. Es wäre zu wünschen, daß sich Herr Gottsched niemals mit dem Theater vermengt hätte. Seine vermeintes Verbesserungen betreffen entweder entbehrliche Kleinigkeiten, oder sind wahre Verschlimmerungen.

Als die Neuberin blühte, und so mancher den Beruf fühlte, sich um sie und die Bühne verdient zu machen, sahe es freilich mit unserer dramatischen Poesie sehr elend aus. Man kannte keine Regeln; man bekümmerte sich um keine Muster. Unsre Staats- und Heldenaktionen waren voller Unsinn, Bombast, Schmutz und Pöbelwitz. Unsre Lustspiele bestanden in Verkleidungen und Zaubereien; und Prügel waren die witzigsten Einfälle derselben. Dieses Verderbnis einzusehen, brauchte man eben nicht der feinste und größte Geist zu sein. Auch war Herr Gottsched nicht der erste, der es einsahe; er war nur der erste, der sich Kräfte genug zutraute, ihm abzuhelfen. Und wie ging er damit zu Werke? Er verstand ein wenig

[1] Des dritten Bandes erstes Stück. S. 85.

Französisch und fing an zu übersetzen; er ermunterte alles, was reimen und »Oui Monsieur« verstehen konnte, gleichfalls zu übersetzen; er verfertigte, wie ein schweizerischer Kunstrichter sagt, mit Kleister und Schere seinen *Cato;* er ließ den *Darius* und die *Austern,* die *Elise* und den *Bock im Prozesse,* den *Aurelius* und den *Witzling,* die *Banise* und den *Hypochondristen,* ohne Kleister und Schere machen; er legte seinen Fluch auf das Extemporieren; er ließ den Harlekin feierlich vom Theater vertreiben, welches selbst die größte Harlekinade war, die jemals gespielt worden; kurz, er wollte nicht sowohl unser altes Theater verbessern, als der Schöpfer eines ganz neuen sein. Und was für eines neuen? Eines französierenden; ohne zu untersuchen, ob dieses französierende Theater der deutschen Denkungsart angemessen sei, oder nicht.

Er hätte aus unsern alten dramatischen Stücken, welche er vertrieb, hinlänglich abmerken können, daß wir mehr in den Geschmack der Engländer, als der Franzosen einschlagen; daß wir in unsern Trauerspielen mehr sehen und denken wollen, als uns das furchtsame französische Trauerspiel zu sehen und zu denken gibt; daß das Große, das Schreckliche, das Melancholische, besser auf uns wirkt als das Artige, das Zärtliche, das Verliebte; daß uns die zu große Einfalt mehr ermüde, als die zu große Verwicklung etc. Er hätte also auf dieser Spur bleiben sollen, und sie würde ihn geraden Weges auf das englische Theater geführet haben. – Sagen Sie ja nicht, daß er auch dieses zu nutzen gesucht; wie sein *Cato* es beweise. Denn eben dieses, daß er den Addisonschen *Cato* für das beste englische Trauerspiel hält, zeiget deutlich, daß er hier nur mit den Augen der Franzosen gesehen, und damals keinen Shakespeare, keinen Jonson, keinen Beaumont und Fletcher etc. gekannt hat, die er hernach aus Stolz auch nicht hat wollen kennen lernen.

Wenn man die Meisterstücke des Shakespeare, mit einigen bescheidenen Veränderungen, unsern Deutschen übersetzt hätte, ich weiß gewiß, es würde von bessern Folgen gewesen sein, als daß man sie mit dem Corneille und Racine so bekannt gemacht hat. Erstlich würde das Volk an jenem weit mehr Geschmack gefunden haben, als es an diesen nicht finden kann; und zweitens würde jener ganz andere Köpfe unter uns erweckt haben, als man von diesen zu rühmen weiß. Denn ein Genie kann nur von einem Genie entzündet werden; und am leichtesten von so einem, das alles bloß der Natur zu danken zu haben scheinet, und durch die mühsamen Vollkommenheiten der Kunst nicht abschrecket.

Auch nach den Mustern der Alten die Sache zu entscheiden, ist Shakespeare ein weit größerer tragischer Dichter als Corneille; obgleich dieser die Alten sehr wohl, und jener fast gar nicht gekannt hat. Corneille kömmt ihnen in der mechanischen Einrichtung, und Shakespeare in dem Wesentlichen näher. Der Engländer erreicht den Zweck der Tragödie fast immer, so sonderbare und ihm eigene Wege er auch wählet; und der Franzose erreicht ihn fast niemals, ob er gleich die gebahnten Wege der Alten betritt. Nach dem *Ödipus* des Sophokles muß in der Welt kein Stück mehr Gewalt über unsere Leidenschaften haben, als *Othello,* als *König Lear,* als *Hamlet* etc. Hat Corneille ein einziges Trauerspiel, das Sie nur halb so gerühret hätte, als die *Zaïre* des Voltaire? Und die *Zaïre* des Voltaire, wie weit ist sie unter dem *Mohren von Venedig,* dessen schwache Kopie sie ist, und von welchem der ganze Charakter des Orosmans entlehnet worden?

Daß aber unsre alten Stücke wirklich sehr viel Englisches gehabt haben, könnte ich Ihnen mit geringer Mühe weitläufig beweisen. Nur das bekannteste derselben zu nennen: *Doktor Faust* hat eine Menge Szenen, die nur ein Shakespearesches Genie zu denken vermögend gewesen. Und wie verliebt war Deutschland, und ist es zum Teil noch, in seinen *Doktor Faust!* Einer von meinen Freunden verwahret einen alten Entwurf dieses Trauerspiels, und er hat mir einen Auftritt daraus mitgeteilet, in welchem gewiß ungemein viel Großes liegt. Sind Sie begierig, ihn zu lesen? Hier ist er! – Faust verlangt den schnellsten Geist der Hölle zu seiner Bedienung. Er macht seine Beschwörungen; es erscheinen derselben sieben; und nun fängt sich die dritte Szene des zweiten Aufzugs an.

Faust und sieben Geister

FAUST: Ihr? Ihr seid die schnellesten Geister der Hölle?
DIE GEISTER ALLE: Wir.
FAUST: Seid ihr alle sieben gleich schnell?
DIE GEISTER ALLE: Nein.
FAUST: Und welcher von euch ist der schnelleste?
DIE GEISTER ALLE: Der bin ich!
FAUST: Ein Wunder! daß unter sieben Teufeln nur sechs Lügner sind. – Ich muß euch näher kennenlernen.
DER ERSTE GEIST: Das wirst du! Einst!
FAUST: Einst! Wie meinst du das? Predigen die Teufel auch Buße?
DER ERSTE GEIST: Jawohl, den Verstockten. – Aber halte uns nicht auf!
FAUST: Wie heißest du? Und wie schnell bist du?
DER ERSTE GEIST: Du könntest eher eine Probe als eine Antwort haben.
FAUST: Nun wohl. Sieh her: was mache ich?
DER ERSTE GEIST: Du fährst mit deinem Finger schnell durch die Flamme des Lichts –
FAUST: Und verbrenne mich nicht. So geh auch du, und fahre siebenmal ebenso schnell durch die Flamme der Hölle, und verbrenne dich nicht. – Du verstummst? Du bleibst? – So prahlen auch die Teufel? Ja, ja; keine Sünde ist so klein, daß ihr sie euch nehmen ließet. – Zweiter, wie heißest du?
DER ZWEITE GEIST: Chil; das ist in eurer langweiligen Sprache: Pfeil der Pest.

FAUST: Und wie schnell bist du?

DER ZWEITE GEIST: Denkest du, daß ich meinen Namen vergebens führe? – Wie die Pfeile der Pest.

FAUST: Nun so geh, und diene einem Arzte! Für mich bist du viel zu langsam. – Du dritter, wie heißest du?

DER DRITTE GEIST: Ich heiße Dilla; denn mich tragen die Flügel der Winde.

FAUST: Und du, vierter?

DER VIERTE GEIST: Mein Name ist Jutta, denn ich fahre auf den Strahlen des Lichts.

FAUST: O ihr, deren Schnelligkeit in endlichen Zahlen auszudrücken, ihr Elenden –

DER FÜNFTE GEIST: Würdige sie deines Unwillens nicht. Sie sind nur Satans Boten in der Körperwelt. Wir sind es in der Welt der Geister; uns wirst du schneller finden.

FAUST: Und wie schnell bist du?

DER FÜNFTE GEIST: So schnell als die Gedanken des Menschen.

FAUST: Das ist etwas! – Aber nicht immer sind die Gedanken des Menschen schnell. Nicht da, wenn Wahrheit und Tugend sie auffordern. Wie träge sind sie alsdenn! – Du kannst schnell sein, wenn du schnell sein willst; aber wer steht mir dafür, daß du es allezeit willst? Nein – dir werde ich so wenig trauen, als ich mir selbst hätte trauen sollen. – Ach! – *(zum sechsten Geiste)* – Sage du, wie schnell bist du? –

DER SECHSTE GEIST: So schnell als die Rache des Rächers.

FAUST: Des Rächers? Welches Rächers?

DER SECHSTE GEIST: Des Gewaltigen, des Schrecklichen, der sich allein die Rache vorbehielt, weil ihn die Rache vergnügte. –

FAUST: Teufel! du lästerst, denn ich sehe, du zitterst. – Schnell, sagst du, wie die Rache des – Bald hätte ich ihn genennt! Nein, er werde nicht unter uns genennt! – Schnell wäre seine Rache? Schnell? – Und ich lebe noch? Und ich sündige noch? –

DER SECHSTE GEIST: Daß er dich noch sündigen läßt, ist schon Rache!

FAUST: Und daß ein Teufel mich dieses lehren muß! – Aber doch erst heute! Nein, seine Rache ist nicht schnell, und wenn du nicht schneller bist als seine Rache, so geh nur. – *(zum siebenten Geiste)* – Wie schnell bist du?

DER SIEBENTE GEIST: Unzuvergnügender Sterblicher, wo auch ich dir nicht schnell genug bin ...

FAUST: So sage, wie schnell?

DER SIEBENTE GEIST: Nicht mehr und nicht weniger, als der Übergang vom Guten zum Bösen. –

FAUST: Ha, du bist mein Teufel! So schnell als der Übergang vom Guten zum Bösen! – Ja, der ist schnell; schneller ist nichts als der! – Weg von hier, ihr Schnekken des Orkus! Weg! – Als der Übergang vom Guten zum Bösen! Ich habe es erfahren, wie schnell er ist! Ich habe es erfahren! etc.

Was sagen Sie zu dieser Szene? Sie wünschen ein deutsches Stück, das lauter solche Szenen hätte? Ich auch!

DREIUNDSECHZIGSTER BRIEF

Den 18. Oktober 1759

Freuen Sie sich mit mir! Herr Wieland hat die ätherischen Sphären verlassen, und wandelt wieder unter den Menschenkindern.

Hier haben Sie vors erste sein Trauerspiel *Lady Johanna Gray!* Ein Trauerspiel, das er in allem Ernste für die Bühne gemacht hat, und das auch wirklich bereits aufgeführet worden; in der Schweiz nämlich, und wie man sagt, mit großem Beifalle. Ihnen einen Begriff überhaupt davon zu machen, das werde ich nicht besser als mit einer

Stelle aus des Dichters eigener Vorrede tun können. »Die Tragödie«, sagt er, »ist dem edeln Endzweck gewidmet, das Große, Schöne und Heroische der Tugend auf die rührendste Art vorzustellen – sie in Handlungen nach dem Leben zu malen, und den Menschen Bewunderung und Liebe für sie abzunötigen.« Von dieser Voraussetzung können Sie leicht einen Schluß auf die Charaktere und auf die Handlung seines Stücks machen. Die meisten von jenen sind moralisch gut; was bekümmert sich ein Dichter, wie Herr Wieland, darum, ob sie poetisch böse sind? Die Johanna Gray ist ein liebes frommes Mädchen; die Lady Suffolk ist eine liebe fromme Mutter; der Herzog von Suffolk ein lieber frommer Vater; der Lord Guilford ein lieber frommer Gemahl; sogar die Vertraute der Johanna, die Sidney, ist eine liebe fromme – ich weiß selbst nicht was. Sie sind alle in einer Form gegossen; in der idealischen Form der Vollkommenheit, die der Dichter mit aus den ätherischen Gegenden gebracht hat. Oder weniger figürlich zu reden: der Mann, der sich so lange unter lauter Cherubim und Seraphim aufgehalten, hat den gutherzigen Fehler, auch unter uns schwachen Sterblichen eine Menge Cherubim und Seraphim, besonders weiblichen Geschlechts, zu finden. Teufel zwar erblickt er auch nicht wenige; sie verhüllen sich aber alle vor seinen Augen in finstere Wolken, aus welchen er sie nicht im geringsten zu exorzisieren sucht, aus Furcht sie möchten uns, wenn wir sie näher und in ihrer Wirksamkeit kennen lernten, ein wenig liebenswürdig vorkommen. So hat er es mit seinem Herzoge von Northumberland, und mit seinem Bischof Gardiner gehalten. Abscheulich sind sie genug; aber schade, daß man sie nur lästern hört, ohne sie handeln zu sehen. – Lassen Sie es gut sein; wenn Herr Wieland wieder lange genug wird unter den Menschen gewesen sein, so wird sich dieser Fehler seines Gesichts schon verlieren. Er wird die Menschen in ihrer wahren Gestalt wieder erblicken; er wird sich, mit dem Homer, weit von den übertriebenen

Moralisten entfernen, die sich einbilden[1], *μήτε τι φαῦλον ἀρετῇ προσεῖναι, μήτε κακίᾳ [χρητον]*; er wird finden, daß *ἐν τοῖς πράγμασι καὶ τῷ βίῳ τῶν πολλῶν* der Ausspruch seines Euripides wahr sei:

> *Οὐκ ἂν γένοιτο χωρὶς ἐσθλὰ καὶ κακά,*
> *'Αλλ' ἐστί τις σύγκρασις.*

Und alsdenn, wenn er diese innere Mischung des Guten und Bösen in dem Menschen wird erkannt, wird studieret haben, alsdenn geben Sie Acht, was für vortreffliche Trauerspiele er uns liefern wird! Bis itzt hat er den vermeinten edeln Endzweck des Trauerspiels nur halb erreicht: er hat das Große und Schöne der Tugend vorgestellt, aber nicht auf die rührendste Art; er hat die Tugend gemalt, aber nicht in Handlungen, nicht nach dem Leben.

Ich werde mich in keine Kritik über den Plan seiner *Johanna Gray* einlassen. Ich finde, daß die Verfasser der *Bibliothek* es bereits getan haben[2], und es so getan haben, daß die Kritik selbst damit zufrieden sein muß. Ich unterschreibe ihren Tadel; noch lieber aber ihr Lob, das sie dem Stücke in Ansehung des Silbenmaßes, des Stils, des Vortrags erteilet haben. Alles, was mir also Ihnen davon zu sagen übrig geblieben, bestehet in einigen Anmerkungen, die den Schöpfergeist des Herrn Wielands in ihr Licht setzen sollen.

Die Geschichte der Johanna Gray ist Ihnen bekannt. Eduard VI. starb den 6ten Julius 1553. Fünf Tage darauf ward Johanna zur Königin ausgerufen. Sie besaß den Thron neun Tage, und ward gefänglich in den Tower gesetzt, wo sie den 12ten Februar des folgenden Jahres hingerichtet ward. – Diesen ganzen Zeitraum von sieben Monaten hat Herr Wieland in die Dauer seines Trauerspiels

[1] Plutarch.

[2] *Bibliothek der schönen Wissenschaften*, vierten Bandes, zweites Stück, S. 785.

einzuschränken gewußt. Eduard stirbt: erster Aufzug. Johanna wird Königin: zweiter Aufzug. Johanna wird abgesetzt und gefangen genommen: dritter Aufzug. Johanna ist gefangen: vierter Aufzug. Johanna wird hingerichtet: fünfter Aufzug. Alles dieses rollt bei dem Herrn Wieland so geschwind hinter einander weg, daß der Leser nicht mehr als ein einzigesmal, zwischen dem vierten und fünften Aufzuge nämlich, Zeit zu schlafen bekömmt.

Doch lassen Sie mich nicht wie ein Gottschedianer kritisieren! Der Dichter ist Herr über die Geschichte; und er kann die Begebenheiten so nahe zusammen rücken, als er will. Ich sage: er ist Herr über die Geschichte! Wir wollen sehen ob Herr Wieland diese Herrschaft in mehrern und wesentlichern Stücken zu behaupten gewußt hat.

Johanna war ein gelehrtes Mädchen. Sie verstand Griechisch, und konnte den Plato in der Grundsprache lesen. Das sagt die Geschichte, und Herr Wieland sagt es der Geschichte nach, ob er gleich von dieser Eigenschaft seiner Heldin in dem Stücke nicht den geringsten Vorteil ziehet.

...Nimmer werden uns
Bei Platons göttlichen Gesprächen
Die holden Stunden zu Minuten werden...

läßt er das Mädchen ausrufen; und der Leser macht sich in allem Ernste Hoffnung, sie eine Stelle aus dem Phädon exponieren zu hören. Aber seine Hoffnung schlägt fehl, und endlich denkt er, das eitle Mädchen habe mit ihrer Gelehrsamkeit nur prahlen wollen. Sie ist ohnedem eine Erzpedantin, der manchmal weiter nichts fehlt, als daß sie noch Hauptstück und Seite zitiere! Man höre nur:

Was gut, was schön, was edel ist,
Was erst den Menschen, denn den König bildet,
Des ersten Edwards väterlicher Sinn
Zu seinem Volk, und Richards Löwenmut,

Der kluge Geist des Salomons der Briten,
Das ganze Chor der Schwestertugenden,
Die einst sich Alfreds Brust zum Tempel weihten,
Befruchteten sein Herz. Wie Davids Sohn
Bat er von Gott nicht Macht, nicht Ruhm, nicht Gold,
Er bat um Weisheit und er ward erhört!
Umsonst erbot ihm mit Sirenenlippen
Die Wollust ihre schnöden Süßigkeiten.
Wie Herkules, verschmäht' er sie und wählte
Der Tugend steilen Pfad, den Weg der Helden!

Welch eine gelehrte Parentation auf ihren Mitschüler! Von allem ist etwas darin: vaterländische Historie, Bibel und Mythologie!

Die Geschichte sagt ausdrücklich, daß Johanna vornehmlich durch das ungestüme Zusetzen ihres Gemahls, des Guilford Dudley, sei bewogen worden, die Krone anzunehmen. Auch der Dichter adoptiert diesen häßlichen Umstand, der uns von dem Guilford eine sehr nichtswürdige Seite zeiget. Wenn Guilford seine Gemahlin bittet, den Thron zu besteigen, was bittet er anders, als ihn nachzuheben? Diese schimpfliche Eigennützigkeit reimet sich zu dem edeln Charakter, den Herr Wieland dem Guilford sonst gegeben hat, im geringsten nicht.

Ferner sagt die Geschichte, daß der Herzog von Northumberland als der feigste Bösewicht gestorben sei, und noch auf dem Blutgerüste seinen Glauben verleugnet habe. Herr Wieland will dieses nicht umsonst gelesen haben; er bringt es an, ohne zu überlegen, daß der Anteil, welchen der Zuschauer an dem Schicksale seiner Johanna nimmt, unendlich dadurch geschwächt werde. Denn nunmehr, wie die Verfasser der *Bibliothek* mit Recht sagen, ist Johanna mehr eine betrogene, als eine verfolgte Unschuld, die sich mehr über die Ihrigen, als über ihre Feinde zu beklagen hat.

Und so könnte ich Ihnen noch mehr als einen Umstand

anführen, den Herr Wieland ganz roh aus der Geschichte genommen hat, und der, wo wahr er immer ist, dem Interesse seines Stücks schnurstracks zuwider läuft. Heißt daß, als ein Genie arbeiten? Ich meinte, nur der Verfasser der *Parisischen Bluthochzeit* stehe in dem schülerhaften Wahne, daß der Dichter an einer Begebenheit, die er auf die tragische Bühne bringen wolle, weiter nichts ändern dürfte, als was mit den Einheiten nicht bestehen wolle, übrigens aber genau bei den Charakteren, wie sie die Geschichte von seinen Helden entwirft, bleiben müsse.

Aber wozu alle diese Anmerkungen? Das Trauerspiel des Herrn Wielands muß dem ohngeachtet ein vortreffliches Stück sein; und davon überzeugt mich ein ganz besonderer Umstand. Dieser nämlich: ich finde, daß die deutsche *Johanna Gray* in ihrem wahren Vaterlande bekannt geworden ist, und da einen englischen Dichter gereizt hat, sie zu plündern; sie recht augenscheinlich zu plündern. Die englischen Highwaymen aber berauben, wie bekannt, nur lauter reiche Beutel und machen sie auch selten ganz leer. Folglich! –

Sollte nicht Milton auch einen Deutschen geplündert haben? Gottsched triumphierte über diese vermeintliche Entdeckung gewaltig! Aber es war eine Kalumnie, und Gottsched hatte zu zeitig triumphiert. Hier will ich ihm also mit einem bessern, gegründeteren Beispiele an die Hand gehen, wie gern sich die englische Biene auf unsern blumenreichen deutschen Auen treffen läßt. Einfältig muß unterdes mein englischer Plagiarius nicht sein; denn er hat sich darauf verstanden, was gut ist. Z. E. die vortreffliche Stelle, wo Johanna zu ihrer Mutter sagt:

> ... Doch wenn Edward wirklich
> Berechtigt war, die Kron' auf Heinrichs Schwesterkinder
> Zu übertragen, ist die Reihe denn
> An mir? ... Was müßte meine Mutter sein,
> Eh' mir der Thron gebührte ...

und ihre Mutter antwortet:

> ... Deine Mutter!
> Und stolzer auf den Titel deiner Mutter
> Als auf den Ruhm, die glänzende Monarchin
> Der ganzen Welt zu sein!

Diese vortreffliche Stelle, sage ich, die so hervorsticht, daß alle Rezensenten des Wielandischen Stücks sie ausgezogen haben, hat sich der Engländer fein eigen gemacht. Er übersetzt sie so:

> Ev'n you my gracious Mother, what must you be
> Ere i can be a Queen?
>
> DUCHESS OF SUFFOLK
>
> That, and that only,
> Thy Mother; fonder of that tender Name,
> Than all the proud Additions Pow'r can give.

Der Beschluß künftig

BESCHLUSS DES DREIUNDSECHZIGSTEN BRIEFES

Den 25. Oktober 1759

Nicht schlimm übersetzt! Gewiß, man sieht, der Engländer muß ein Mann sein, der etwas eben so Schönes eben so wohl aus seinem eigenen Kopfe hätte sagen können. Vergleichen Sie noch folgende Stellen, und Sie werden finden, daß er Herr Wielanden, in der Wahl der edelsten und stärksten Ausdrücke, fast erreicht hat.

Wieland

> ... Ach, Kerkerbande
> Und Schwert und Flammen sind den Heiligen
> Gedräut, den unbeweglichen Bekennern
> Des Evangeliums! – Die Grausamkeit

Der Priester schont des schwächeren Geschlechts
Der Kinder nicht! Der Säugling selber wird
Des Speers geweihtes Eisen färben!

Der Engländer

– Persecution,
That Fiend of Rome and Hell, prepares her Tortures;
See where she comes in Mary's priestly Train!
Still wo't thou doubt, till thou behold her stalk,
Red with the Blood of Martyrs, and wide wasting
O'er England's Bosom? All the mourning Year
Our Towns shall glow with unextinguish'd Fires;
Our Youth on Racks shall stretch their crackling Bones,
Our Babes shall sprawl on consecrated spears etc.

Wieland

Heil dir, Prinzessin, Heil dir, Enkelin
Von alten Königen, du schönste Blume
Von Yorks und Lancasters vereintem Stamme!
Durch deren Eifer, unter deren Schutze
Die göttliche Religion der Christen
Ihr leuchtend Angesicht, von ihren Flecken
Gereinigt, siegreich über alle Länder
Erheben soll, durch deren klugen Zepter
Gesetz und Freiheit, Fleiß und Überfluß
Und Wonne diese segenvolle Insel
Zur Königin der Erde krönen sollen.
Mein Knie beugt sich zuerst dir ehrfurchtsvoll,
Den Bund der unverletzten Treu zu weihen!
Heil, Ruhm und Glück der Königin Johanna!

Der Engländer

Hail, sacred Princess! sprung from ancient Kings,
Our England's dearest Hope, undoubted Offspring
Of York and Lancaster's united Line;

By whose bright Zeal, by whose victorious Faith
Guarded and fenc'd around, our pure Religion,
That Lamp of Truth which shines upon our Altars,
Shall lift its golden Head and flourish long;
Beneath whose awful Rule, and righteous sceptre,
The plenteous Years shall roll in long Succession;
Law shall prevail and ancient Right take place,
Fair Liberty shall lift her chearful Head.
Fearless of Tyranny and proud Oppression;
No sad Complaining in our streets shall cry,
But Justice shall be exercis'd in Mercy.
Hail, royal Jane etc.

Wieland

Verwünscht sei mein fataler Rat! Verwünscht
Die Zunge, die zu deinem Untergang
So wortreich war. – Ach meine Tochter,
Mir bricht mein Herz.

Der Engländer

Curs'd be my fatal Counsels, curs'd my Tongue
That pleaded for thy Ruin, and persuaded
Thy guiltless Feet to tread the Paths of Greatness!
My Child! – I have undone thee!

Genug! Leben Sie wohl; und lernen Sie hieraus, wie bekannt wir deutschen Dichter unter den Engländern sind.

Gotthold Ephraim Lessing

HAMBURGISCHE DRAMATURGIE

Ankündigung

Es wird sich leicht erraten lassen, daß die neue Verwaltung des hiesigen Theaters die Veranlassung des gegenwärtigen Blattes ist.

Der Endzweck desselben soll den guten Absichten entsprechen, welche man den Männern, die sich dieser Verwaltung unterziehen wollen, nicht anders als beimessen kann. Sie haben sich selbst hinlänglich darüber erklärt, und ihre Äußerungen sind, sowohl hier, als auswärts, von dem feinern Teile des Publikums mit dem Beifalle aufgenommen worden, den jede freiwillige Beförderung des allgemeinen Besten verdienet, und zu unsern Zeiten sich versprechen darf.

Freilich gibt es immer und überall Leute, die, weil sie sich selbst am besten kennen, bei jedem guten Unternehmen nichts als Nebenabsichten erblicken. Man könnte ihnen diese Beruhigung ihrer selbst gern gönnen; aber, wenn die vermeinten Nebenabsichten sie wider die Sache selbst aufbringen; wenn ihr hämischer Neid, um jene zu vereiteln, auch dieses scheitern zu lassen, bemüht ist: so müssen sie wissen, daß sie die verachtungswürdigsten Glieder der menschlichen Gesellschaft sind.

Glücklich der Ort, wo diese Elenden den Ton nicht angeben; wo die größere Anzahl wohlgesinnter Bürger sie in den Schranken der Ehrerbietung hält, und nicht verstattet, daß das Bessere des Ganzen ein Raub ihrer Kabalen, und patriotische Absichten ein Vorwurf ihres spöttischen Aberwitzes werden!

So glücklich sei Hamburg in allem, woran seinem

Wohlstande und seiner Freiheit gelegen: denn es verdienet, so glücklich zu sein!

Als Schlegel zur Aufnahme des dänischen Theaters – (ein deutscher Dichter des dänischen Theaters!) – Vorschläge tat, von welchen es Deutschland noch lange zum Vorwurfe gereichen wird, daß ihm keine Gelegenheit gemacht worden, sie zur Aufnahme des unsrigen zu tun: war dieses der erste und vornehmste, »daß man den Schauspielern selbst die Sorge nicht überlassen müsse, für ihren Verlust und Gewinst zu arbeiten«.[1] Die Prinzipalschaft unter ihnen hat eine freie Kunst zu einem Handwerke herabgesetzt, welches der Meister mehrenteils desto nachlässiger und eigennütziger treiben läßt, je gewissere Kunden, je mehrere Abnehmer ihm Notdurft oder Luxus versprechen.

Wenn hier also bis itzt auch weiter noch nichts geschehen wäre, als daß eine Gesellschaft von Freunden der Bühne Hand an das Werk gelegt, und nach einem gemeinnützigen Plane arbeiten zu lassen, sich verbunden hätte: so wäre dennoch, bloß dadurch, schon viel gewonnen. Denn aus dieser ersten Veränderung können, auch bei einer nur mäßigen Begünstigung des Publikums, leicht und geschwind alle andere Verbesserungen erwachsen, deren unser Theater bedarf.

An Fleiß und Kosten wird sicherlich nichts gesparet werden: ob es an Geschmack und Einsicht fehlen dürfte, muß die Zeit lehren. Und hat es nicht das Publikum in seiner Gewalt, was es hierin mangelhaft finden sollte, abstellen und verbessern zu lassen? Es komme nur, und sehe und höre, und prüfe und richte. Seine Stimme soll nie geringschätzig verhöret, sein Urteil soll nie ohne Unterwerfung vernommen werden!

Nur daß sich nicht jeder kleine Kritikaster für das Publikum halte, und derjenige, dessen Erwartungen getäuscht

[1] Werke dritter Teil, S. 252.

werden, auch ein wenig mit sich selbst zu Rate gehe, von welcher Art seine Erwartungen gewesen. Nicht jeder Liebhaber ist Kenner; nicht jeder, der die Schönheiten eines Stücks, das richtige Spiel eines Akteurs empfindet, kann darum auch den Wert aller andern schätzen. Man hat keinen Geschmack, wenn man nur einen einseitigen Geschmack hat; aber oft ist man desto parteiischer. Der wahre Geschmack ist der allgemeine, der sich über Schönheiten von jeder Art verbreitet, aber von keiner mehr Vergnügen und Entzücken erwartet, als sie nach ihrer Art gewähren kann.

Der Stufen sind viel, die eine werdende Bühne bis zum Gipfel der Vollkommenheit zu durchsteigen hat; aber eine verderbte Bühne ist von dieser Höhe, natürlicher Weise, noch weiter entfernt: und ich fürchte sehr, daß die deutsche mehr dieses als jenes ist.

Alles kann folglich nicht auf einmal geschehen. Doch was man nicht wachsen sieht, findet man nach einiger Zeit gewachsen. Der Langsamste, der sein Ziel nur nicht aus den Augen verlieret, geht noch immer geschwinder, als der ohne Ziel herum irret.

Diese Dramaturgie soll ein kritisches Register von allen aufzuführenden Stücken halten, und jeden Schritt begleiten, den die Kunst, sowohl des Dichters, als des Schauspielers, hier tun wird. Die Wahl der Stücke ist keine Kleinigkeit: aber Wahl setzt Menge voraus; und wenn nicht immer Meisterstücke aufgeführet werden sollten, so sieht man wohl, woran die Schuld liegt. Indes ist es gut, wenn das Mittelmäßige für nichts mehr ausgegeben wird, als es ist; und der unbefriedigte Zuschauer wenigstens daran urteilen lernt. Einem Menschen von gesundem Verstande, wenn man ihm Geschmack beibringen will, braucht man es nur aus einander zu setzen, warum ihm etwas nicht gefallen hat. Gewisse mittelmäßige Stücke müssen auch schon darum beibehalten werden, weil sie gewisse vorzügliche Rollen haben, in welchen der oder jener Akteur seine ganze Stärke zeigen kann. So verwirft man nicht gleich eine musikalische Komposition, weil der Text dazu elend ist.

Die größte Feinheit eines dramatischen Richters zeiget sich darin, wenn er in jedem Falle des Vergnügens und Mißvergnügens unfehlbar zu unterscheiden weiß, was und wie viel davon auf die Rechnung des Dichters, oder des Schauspielers, zu setzen sei. Den einen um etwas tadeln, was der andere versehen hat, heißt beide verderben. Jenem wird der Mut benommen, und dieser wird sicher gemacht.

Besonders darf es der Schauspieler verlangen, daß man hierin die größte Strenge und Unparteilichkeit beobachte. Die Rechtfertigung des Dichters kann jederzeit angetreten werden; sein Werk bleibt da, und kann uns immer wieder vor die Augen gelegt werden. Aber die Kunst des Schauspielers ist in ihren Werken transitorisch. Sein Gutes und Schlimmes rauschet gleich schnell vorbei; und nicht selten ist die heutige Laune des Zuschauers mehr Ursache, als er selbst, warum das eine oder das andere einen lebhafteren Eindruck auf jenen gemacht hat.

Eine schöne Figur, eine bezaubernde Miene, ein sprechendes Auge, ein reizender Tritt, ein lieblicher Ton, eine melodische Stimme: sind Dinge, die sich nicht wohl mit Worten ausdrücken lassen. Doch sind es auch weder die einzigen noch größten Vollkommenheiten des Schauspielers. Schätzbare Gaben der Natur, zu seinem Berufe sehr nötig, aber noch lange nicht seinen Beruf erfüllend! Er muß überall mit dem Dichter denken; er muß da, wo dem Dichter etwas Menschliches widerfahren ist, für ihn denken.

Man hat allen Grund, häufige Beispiele hiervon sich von unsern Schauspielern zu versprechen. – Doch ich will die Erwartung des Publikums nicht höher stimmen. Beide schaden sich selbst: der zu viel verspricht, und der zu viel erwartet.

Heute geschieht die Eröffnung der Bühne. Sie wird viel

entscheiden; sie muß aber nicht alles entscheiden sollen. In den ersten Tagen werden sich die Urteile ziemlich durchkreuzen. Es würde Mühe kosten, ein ruhiges Gehör zu erlangen. – Das erste Blatt dieser Schrift soll daher nicht eher, als mit dem Anfange des künftigen Monats erscheinen.

Hamburg, den 22. April 1767.

Neunzehntes Stück

Den 3. Julius 1767

Es ist einem jeden vergönnt, seinen eigenen Geschmack zu haben; und es ist rühmlich, sich von seinem eigenen Geschmacke Rechenschaft zu geben suchen. Aber den Gründen, durch die man ihn rechtfertigen will, eine Allgemeinheit erteilen, die, wenn es seine Richtigkeit damit hätte, ihn zu dem einzigen wahren Geschmacke machen müßte, heißt aus den Grenzen des forschenden Liebhabers herausgehen, und sich zu einem eigensinnigen Gesetzgeber aufwerfen. Der angeführte französische Schriftsteller fängt mit einem bescheidenen »Uns wäre lieber gewesen« an, und geht zu so allgemein verbindenden Aussprüchen fort, daß man glauben sollte, dieses Uns sei aus dem Munde der Kritik selbst gekommen. Der wahre Kunstrichter folgert keine Regeln aus seinem Geschmacke, sondern hat seinen Geschmack nach den Regeln gebildet, welche die Natur der Sache erfodert.

Nun hat es Aristoteles längst entschieden, wie weit sich der tragische Dichter um die historische Wahrheit zu bekümmern habe; nicht weiter, als sie einer wohleingerichteten Fabel ähnlich ist, mit der er seine Absichten verbinden kann. Er braucht eine Geschichte nicht darum, weil sie geschehen ist, sondern darum, weil sie so geschehen ist, daß er sie schwerlich zu seinem gegenwärtigen Zwecke besser erdichten könnte. Findet er diese Schicklichkeit von ohngefähr an einem wahren Falle, so ist ihm der wahre Fall willkommen; aber die Geschichtbücher erst lange darum nachzuschlagen, lohnt der Mühe nicht. Und wie viele wissen denn, was geschehen ist? Wenn wir die Möglichkeit, daß etwas geschehen kann, nur daher abnehmen wollen, weil es geschehen ist: was hindert uns, eine gänzlich erdichtete Fabel für eine wirklich geschehene Historie zu halten, von der wir nie etwas gehört haben? Was ist das erste, was uns eine Historie glaubwürdig macht? Ist es nicht ihre innere Wahrscheinlichkeit? Und ist es nicht einerlei, ob diese Wahrscheinlichkeit von gar keinen Zeugnissen und Überlieferungen bestätiget wird, oder von solchen, die zu unserer Wissenschaft noch nie gelangt sind? Es wird ohne Grund angenommen, daß es eine Bestimmung des Theaters mit sei, das Andenken großer Männer zu erhalten; dafür ist die Geschichte, aber nicht das Theater. Auf dem Theater sollen wir nicht lernen, was dieser oder jener einzelne Mensch getan hat, sondern was ein jeder Mensch von einem gewissen Charakter unter gewissen gegebenen Umständen tun werde. Die Absicht der Tragödie ist weit philosophischer, als die Absicht der Geschichte; und es heißt sie von ihrer wahren Würde herabsetzen, wenn man sie zu einem bloßen Panegyrikus berühmter Männer macht, oder sie gar den Nationalstolz zu nähren mißbraucht.

Die zweite Erinnerung des nämlichen französischen Kunstrichters gegen die *Zelmire* des Du Belloy ist wichtiger. Er tadelt, daß sie fast nichts als ein Gewebe mannigfaltiger wunderbarer Zufälle sei, die in den engen Raum von vierundzwanzig Stunden zusammengepreßt, aller Illusion unfähig würden. Eine seltsam ausgesparte Situation über die andere! ein Theaterstreich über den andern! Was geschieht nicht alles! was hat man nicht alles zu behalten! Wo sich die Begebenheiten so drängen, können schwerlich alle vorbereitet genug sein. Wo uns so vieles überrascht, wird uns leicht manches mehr befremden, als überraschen. »Warum muß sich z. E. der Tyrann dem Rhamnes entdecken? Was zwingt den Antenor, ihm seine Verbrechen zu offenbaren? Fällt Ilus nicht gleichsam vom Himmel? Ist die Gemütsänderung des Rhamnes nicht viel zu schleunig? Bis auf den Augenblick, da er den Antenor ersticht, nimmt er an den Verbrechen seines Herrn auf die entschlossenste Weise Teil; und wenn er einmal Reue zu empfinden geschienen, so hatte er sie doch sogleich wieder unterdrückt. Welche geringfügige Ursachen gibt hiernächst der Dichter nicht manchmal den wichtigsten Dingen! So muß Polidor, wenn er aus der Schlacht kömmt, und sich wiederum in dem Grabmale verbergen will, der Zelmire den Rücken zukehren, und der Dichter muß uns sorgfältig diesen kleinen Umstand einschärfen. Denn wenn Polidor anders ginge, wenn er der Prinzessin das Gesicht, anstatt den Rücken zuwendete: so würde sie ihn erkennen, und die folgende Szene, wo diese zärtliche Tochter unwissend ihren Vater seinen Henkern überliefert, diese so vorstechende, auf alle Zuschauer so großen Eindruck machende Szene fiele weg. Wäre es gleichwohl nicht weit natürlicher gewesen, wenn Polidor, indem er wieder in das Grabmal flüchtet, die Zelmire bemerkt, ihr ein Wort zugerufen, oder auch nur einen Wink gegeben hätte? Freilich wäre es so natürlicher gewesen, als daß die ganzen letzten Akte sich nunmehr auf die Art, wie Polidor geht, ob er seinen Rücken dahin oder dorthin kehret, gründen müssen. Mit dem Billet des Azor hat es die nämliche Bewandtnis: brachte es der Soldat im zweiten Akte gleich mit, so wie er es hätte mitbringen sollen, so war der Tyrann entlarvet, und das Stück hatte ein Ende.«

Die Übersetzung der *Zelmire* ist nur in Prosa. Aber wer wird nicht lieber eine körnichte, wohlklingende Prosa hören wollen, als matte, geradebrechte Verse? Unter allen unsern gereimten Übersetzungen werden kaum ein halbes Dutzend sein, die erträglich sind. Und daß man mich ja nicht bei dem Worte nehme, sie zu nennen! Ich würde eher wissen, wo ich aufhören, als wo ich anfangen sollte. Die beste ist an vielen Stellen dunkel und zweideutig; der Franzose war schon nicht der größte Versifikateur, sondern stümperte und flickte; der Deutsche war es noch weniger, und indem er sich bemühte, die glücklichen und unglücklichen Zeilen seines Originals gleich treu zu übersetzen, so ist es natürlich, daß öfters, was dort nur Lückenbüßerei, oder Tautologie, war, hier zu förmlichem Unsinne werden mußte. Der Ausdruck ist dabei meistens so niedrig, und die Konstruktion so verworfen, daß der Schauspieler allen seinen Adel nötig hat, jenem aufzuhelfen, und allen seinen Verstand brauchet, diese nur nicht verfehlen zu lassen. Ihm die Deklamation zu erleichtern, daran ist vollends gar nicht gedacht worden!

Aber verlohnt es denn auch der Mühe, auf französische Verse so viel Fleiß zu wenden, bis in unserer Sprache eben so wäßrig korrekte, eben so grammatikalisch kalte Verse daraus werden? Wenn wir hingegen den ganzen poetischen Schmuck der Franzosen in unsere Prosa übertragen, so wird unsere Prosa dadurch eben noch nicht sehr poetisch werden. Es wird der Zwitterton noch lange nicht daraus entstehen, der aus den prosaischen Übersetzungen englischer Dichter entstanden ist, in welchen der Gebrauch der kühnsten Tropen und Figuren, außer einer gebundenen kadenzierten Wortfügung, uns an Besoffene denken läßt, die ohne Musik tanzen. Der Ausdruck wird sich höchstens über die alltägliche Sprache nicht weiter erheben, als sich die theatralische Deklamation über den gewöhnlichen Ton der gesellschaftlichen Unterhaltungen erheben soll. Und so nach wünschte ich unserm prosaischen Übersetzer recht viele Nachfolger, ob ich gleich der Meinung des Houdar de la Motte gar nicht bin, daß das Silbenmaß überhaupt ein kindischer Zwang sei, dem sich der dramatische Dichter am wenigsten Ursache habe zu unterwerfen. Denn hier kömmt es bloß darauf an, unter zwei Übeln das kleinste zu wählen; entweder Verstand und Nachdruck der Versifikation, oder diese jenen aufzuopfern. Dem Houdar de la Motte war seine Meinung zu vergeben; er hatte eine Sprache in Gedanken, in der das Metrische der Poesie nur Kitzelung der Ohren ist, und zur Verstärkung des Ausdrucks nicht beitragen kann; in der unsrigen hingegen ist es etwas mehr, und wir können der griechischen ungleich näher kommen, die durch den bloßen Rhythmus ihrer Versarten die Leidenschaften, die darin ausgedrückt werden, anzudeuten vermag. Die französischen Verse haben nichts als den Wert der überstandenen Schwierigkeit für sich; und freilich ist dieses nur ein sehr elender Wert.

Die Rolle des Antenors hat Herr Borchers ungemein wohl gespielt; mit aller der Besonnenheit und Heiterkeit, die einem Bösewichte von großem Verstande so natürlich zu sein scheinen. Kein mißlungener Anschlag wird ihn in Verlegenheit setzen; er ist an immer neuen Ränken unerschöpflich; er besinnt sich kaum, und der unerwartetste Streich, der ihn in seiner Blöße darzustellen drohte, empfängt eine Wendung, die ihm die Larve nur noch fester aufdrückt. Diesen Charakter nicht zu verderben, ist von Seiten des Schauspielers das getreueste Gedächtnis, die fertigste Stimme, die freieste, nachlässigste Aktion unumgänglich nötig. Hr. Borchers hat überhaupt sehr viele Talente, und schon das muß ein günstiges Vorurteil für ihn erwecken, daß er sich in alten Rollen eben so gern übet, als in jungen. Dieses zeiget von seiner Liebe zur Kunst; und der Kenner unterscheidet ihn sogleich von so vielen andern jungen Schauspielern, die nur immer auf der Bühne glänzen wollen, und deren kleine Eitelkeit, sich in lauter galanten liebenswürdigen Rollen begaffen und bewundern zu lassen, ihr vornehmster, auch wohl öfters ihr einziger Beruf zum Theater ist.

Neunundfunfzigstes Stück

Den 24. November 1767

Nur den Stil des Banks muß man aus meiner Übersetzung nicht beurteilen. Von seinem Ausdrucke habe ich gänzlich abgehen müssen. Er ist zugleich so gemein und so kostbar, so kriechend und so hochtrabend, und das nicht von Person zu Person, sondern ganz durchaus, daß er zum Muster dieser Art von Mißhelligkeit dienen kann. Ich habe mich zwischen beide Klippen, so gut als möglich, durchzuschleichen gesucht; dabei aber doch an der einen lieber, als an der andern, scheitern wollen.

Ich habe mich mehr vor dem Schwülstigen gehütet, als vor dem Platten. Die mehresten hätten vielleicht gerade das Gegenteil getan; denn schwülstig und tragisch halten viele so ziemlich für einerlei. Nicht nur viele der Leser: auch viele der Dichter selbst. Ihre Helden sollten wie andere Menschen sprechen? Was wären das für Helden? »Ampullae et sesquipedalia verba«, Sentenzen und Blasen und ellenlange Worte: das macht ihnen den wahren Ton der Tragödie.

»Wir haben es an nichts fehlen lassen«, sagt Diderot[1] (man merke, daß er vornehmlich von seinen Landsleuten spricht), »das Drama aus dem Grunde zu verderben. Wir haben von den Alten die volle prächtige Versifikation beibehalten, die sich doch nur für Sprachen von sehr abgemessenen Quantitäten, und sehr merklichen Akzenten, nur für weitläufige Bühnen, nur für eine in Noten gesetzte und mit Instrumenten begleitete Deklamation so wohl schickt: ihre Einfalt aber in der Verwickelung und dem Gespräche, und die Wahrheit ihrer Gemälde haben wir fahren lassen.«

[1] Zweite Unterredung hinter dem *Natürlichen Sohne*. S. die Übersetzung 247.

Diderot hätte noch einen Grund hinzufügen können, warum wir uns den Ausdruck der alten Tragödien nicht durchgängig zum Muster nehmen dürfen. Alle Personen sprechen und unterhalten sich da auf einem freien, öffentlichen Platze, in Gegenwart einer neugierigen Menge Volkes. Sie müssen also fast immer mit Zurückhaltung, und Rücksicht auf ihre Würde, sprechen; sie können sich ihrer Gedanken und Empfindungen nicht in den ersten den besten Worten entladen; sie müssen sie abmessen und wählen. Aber wir Neuern, die wir den Chor abgeschafft, die wir unsere Personen größtenteils zwischen ihren vier Wänden lassen: was können wir für Ursache haben, sie dem ohngeachtet immer eine so geziemende, so ausgesuchte, so rhetorische Sprache führen zu lassen? Sie hört niemand, als dem sie es erlauben wollen, sie zu hören; mit ihnen spricht niemand als Leute, welche in die Handlung wirklich mit verwickelt, die also selbst im Affekte sind und weder Lust noch Muße haben, Ausdrücke zu kontrollieren. Das war nur von dem Chore zu besorgen, der, so genau er auch in das Stück eingeflochten war, dennoch niemals mit handelte, und stets die handelnden Personen mehr richtete, als an ihrem Schicksale wirklichen Anteil nahm. Umsonst beruft man sich desfalls auf den höhern Rang der Personen. Vornehme Leute haben sich besser ausdrücken gelernt, als der gemeine Mann: aber sie affektieren nicht unaufhörlich, sich besser auszudrücken, als er. Am wenigsten in Leidenschaften; deren jeder seine eigene Beredsamkeit hat, mit der allein die Natur begeistert, die in keiner Schule gelernt wird, und auf die sich der Unerzogenste so gut verstehet, als der Polierteste.

Bei einer gesuchten, kostbaren, schwülstigen Sprache kann niemals Empfindung sein. Sie zeigt von keiner Empfindung, und kann keine hervorbringen. Aber wohl verträgt sie sich mit den simpelsten, gemeinsten, plattesten Worten und Redensarten.

Wie ich Banks' Elisabeth sprechen lasse, weiß ich wohl,

hat noch keine Königin auf dem französischen Theater gesprochen. Den niedrigen vertraulichen Ton, in dem sie sich mit ihren Frauen unterhält, würde man in Paris kaum einer guten adligen Landfrau angemessen finden. »Ist dir nicht wohl? – Mir ist ganz wohl. Steh auf, ich bitte dich. – Nur unruhig; ein wenig unruhig bin ich. – Erzähle mir doch. – Nicht wahr, Nottingham? Tu das! Laß hören! – Gemach, gemach! – Du eiferst dich aus dem Atem. – Gift und Blattern auf ihre Zunge! – Mir steht es frei, dem Dinge, das ich geschaffen habe, mitzuspielen, wie ich will. – Auf den Kopf schlagen. – Wie ist's? Sei munter, liebe Rutland; ich will dir einen wackern Mann suchen. – Wie kannst du so reden? – Du sollst es schon sehen. – Sie hat mich recht sehr geärgert. Ich konnte sie nicht länger vor Augen sehen. – Komm her, meine Liebe; laß mich an deinen Busen mich lehnen. – Ich dacht' es! – Das ist nicht länger auszuhalten.« Ja wohl ist es nicht auszuhalten! würden die feinen Kunstrichter sagen –

Werden vielleicht auch manche von meinen Lesern sagen. – Denn leider gibt es Deutsche, die noch weit französischer sind, als die Franzosen. Ihnen zu gefallen, habe ich diese Brocken auf einen Haufen getragen. Ich kenne ihre Art zu kritisieren. Alle die kleinen Nachlässigkeiten, die ihr zärtliches Ohr so unendlich beleidigen, die dem Dichter so schwer zu finden waren, die er mit so vieler Überlegung dahin und dorthin streuete, um den Dialog geschmeidig zu machen, und den Reden einen wahren Anschein der augenblicklichen Eingebung zu erteilen, reihen sie sehr witzig zusammen auf einen Faden, und wollen sich krank darüber lachen. Endlich folgt ein mitleidiges Achselzucken: »man hört wohl, daß der gute Mann die große Welt nicht kennet; daß er nicht viele Königinnen reden gehört; Racine verstand das besser; aber Racine lebte auch bei Hofe.«

Dem ohngeachtet würde mich das nicht irre machen. Desto schlimmer für die Königinnen, wenn sie wirklich nicht so sprechen, nicht so sprechen dürfen. Ich habe es lange schon geglaubt, daß der Hof der Ort eben nicht ist, wo ein Dichter die Natur studieren kann. Aber wenn Pomp und Etikette aus Menschen Maschinen macht, so ist es das Werk des Dichters, aus diesen Maschinen wieder Menschen zu machen. Die wahren Königinnen mögen so gesucht und affektiert sprechen, als sie wollen: seine Königinnen müssen natürlich sprechen. Er höre der Hekuba des Euripides nur fleißig zu; und tröste sich immer, wenn er schon sonst keine Königinnen gesprochen hat.

Nichts ist züchtiger und anständiger als die simple Natur. Grobheit und Wust ist eben so weit von ihr entfernt, als Schwulst und Bombast von dem Erhabnen. Das nämliche Gefühl, welches die Grenzscheidung dort wahrnimmt, wird sie auch hier bemerken. Der schwülstigste Dichter ist daher unfehlbar auch der pöbelhafteste. Beide Fehler sind unzertrennlich; und keine Gattung gibt mehrere Gelegenheit in beide zu verfallen, als die Tragödie.

Gleichwohl scheinet die Engländer vornehmlich nur der eine in ihrem Banks beleidiget zu haben. Sie tadelten weniger seinen Schwulst, als die pöbelhafte Sprache, die er so edle und in der Geschichte ihres Landes so glänzende Personen führen lasse; und wünschten lange, daß sein Stück von einem Manne, der den tragischen Ausdruck mehr in seiner Gewalt habe, möchte umgearbeitet werden.[1] Dieses geschah endlich auch. Fast zu gleicher Zeit machten sich Jones und Brook darüber. Heinrich Jones, von Geburt

[1] (*Companion to the Theatre*, Vol. II. p. 105.) – »The Diction is every where very bad, and in some Places so low, that it even becomes unnatural. – And I think, there cannot be a greater Proof of the little Encouragement this Age affords to Merit, than that no Gentleman possest of a true Genius and Spirit of Poetry, thinks it worth his Attention to adorn so celebrated a Part of History with that Dignity of Expression befitting Tragedy in general, but more particularly, where the Characters are perhaps the greatest the World ever produced.«

ein Irländer, war seiner Profession nach ein Maurer, und vertauschte, wie der alte Ben Jonson, seine Kelle mit der Feder. Nachdem er schon einen Band Gedichte auf Subskription drucken lassen, die ihn als einen Mann von großem Genie bekannt machten, brachte er seinen *Essex* 1753 aufs Theater. Als dieser zu London gespielt ward, hatte man bereits den von Heinrich Brook in Dublin gespielt. Aber Brook ließ seinen erst einige Jahre hernach drucken; und so kann es wohl sein, daß er, wie man ihm Schuld gibt, ebensowohl den *Essex* des Jones, als den vom Banks, genutzt hat. Auch muß noch ein *Essex* von einem James Ralph vorhanden sein. Ich gestehe, daß ich keinen gelesen habe, und alle drei nur aus den gelehrten Tagebüchern kenne. Von dem *Essex* des Brook sagt ein französischer Kunstrichter, daß er das Feuer und das Pathetische des Banks mit der schönen Poesie des Jones zu verbinden gewußt habe. Was er über die Rolle der Rutland, und über derselben Verzweiflung bei der Hinrichtung ihres Gemahls, hinzufügt[1], ist merkwürdig; man lernt auch daraus das Pariser Parterre auf einer Seite kennen, die ihm wenig Ehre macht.

Aber einen spanischen *Essex* habe ich gelesen, der viel zu sonderbar ist, als daß ich nicht im Vorbeigehen etwas davon sagen sollte. –

[1] (*Journal Encycl.*, Mars 1761.) »Il a aussi fait tomber en demence la Comtesse de Rutland au moment que cet illustre epoux est conduit à l'echafaud; ce moment où cette Comtesse est un object bien digne de pitiè, a produit une très grande sensation, et a été trouvé admirable à Londres: en France il eût paru ridicule, il auroit été sifflé et l'on auroit envoyé la Comtesse avec l'Auteur aux Petites-Maisons.«

Siebzigstes Stück

Den 1. Januar 1768

Wenn in dieser Vergleichung, sage ich, die satirische Laune nicht zu sehr vorstäche: so würde man sie für die beste Schutzschrift des komisch tragischen oder tragisch komischen Drama (»Mischspiel« habe ich es einmal auf irgend einem Titel genannt gefunden), für die geflissentlichste Ausführung des Gedankens beim Lope halten dürfen. Aber zugleich würde sie auch die Widerlegung desselben sein. Denn sie würde zeigen, daß eben das Beispiel der Natur, welches die Verbindung des feierlichen Ernstes mit der possenhaften Lustigkeit rechtfertigen soll, eben so gut jedes dramatische Ungeheuer, das weder Plan, noch Verbindung, noch Menschenverstand hat, rechtfertigen könne. Die Nachahmung der Natur müßte folglich entweder gar kein Grundsatz der Kunst sein; oder, wenn sie es doch bliebe, würde durch ihn selbst die Kunst, Kunst zu sein aufhören; wenigstens keine höhere Kunst sein, als etwa die Kunst, die bunten Adern des Marmors in Gips nachzuahmen; ihr Zug und Lauf mag geraten, wie er will, der seltsamste kann so seltsam nicht sein, daß er nicht natürlich scheinen könnte; bloß und allein der scheinet es nicht, bei welchem sich zu viel Symmetrie, zu viel Ebenmaß und Verhältnis, zu viel von dem zeiget, was in jeder andern Kunst die Kunst ausmacht; der künstlichste in diesem Verstande ist hier der schlechteste, und der wildeste der beste.

Als Kritikus dürfte unser Verfasser ganz anders sprechen. Was er hier so sinnreich aufstützen zu wollen scheinet, würde er ohne Zweifel als eine Mißgeburt des barbarischen Geschmacks verdammen, wenigstens als die ersten Versuche der unter ungeschlachten Völkern wieder auflebenden Kunst vorstellen, an deren Form irgend ein Zusammenfluß gewisser äußerlichen Ursachen, oder das

Ohngefähr, den meisten, Vernunft und Überlegung aber den wenigsten, auch wohl ganz und gar keinen Anteil hatte. Er würde schwerlich sagen, daß die ersten Erfinder des Mischspiels (da das Wort einmal da ist, warum soll ich es nicht brauchen?) »die Natur eben so getreu nachahmen wollen, als die Griechen sich angelegen sein lassen, sie zu verschönern«.

Die Worte »getreu« und »verschönert«, von der Nachahmung und der Natur, als dem Gegenstande der Nachahmung, gebraucht, sind vielen Mißdeutungen unterworfen. Es gibt Leute, die von keiner Natur wissen wollen, welche man zu getreu nachahmen könne; selbst was uns in der Natur mißfalle, gefalle in der getreuen Nachahmung, vermöge der Nachahmung. Es gibt andere, welche die Verschönerung der Natur für eine Grille halten; eine Natur, die schöner sein wolle, als die Natur, sei eben darum nicht Natur. Beide erklären sich für Verehrer der einzigen Natur, so wie sie ist: jene finden in ihr nichts zu vermeiden; diese nichts hinzuzusetzen. Jenen also müßte notwendig das gotische Mischspiel gefallen; so wie diese Mühe haben würden, an den Meisterstücken der Alten Geschmack zu finden.

Wann dieses nun aber nicht erfolgte? Wann jene, so große Bewunderer sie auch von der gemeinsten und alltäglichsten Natur sind, sich dennoch wider die Vermischung des Possenhaften und Interessanten erklärten? Wann diese, so ungeheuer sie auch alles finden, was besser und schöner sein will, als die Natur, dennoch das ganze griechische Theater, ohne den geringsten Anstoß von dieser Seite, durchwandelten? Wie wollten wir diesen Widerspruch erklären?

Wir würden notwendig zurückkommen, und das, was wir von beiden Gattungen erst behauptet, widerrufen müssen. Aber wie müßten wir widerrufen, ohne uns in neue Schwierigkeiten zu verwickeln? Die Vergleichung einer solchen Haupt- und Staatsaktion, über deren Güte wir streiten, mit dem menschlichen Leben, mit dem gemeinen Laufe der Welt, ist doch so richtig!

Ich will einige Gedanken herwerfen, die, wenn sie nicht gründlich genug sind, doch gründlichere veranlassen können. – Der Hauptgedanke ist dieser: es ist wahr, und auch nicht wahr, daß die komische Tragödie, gotischer Erfindung, die Natur getreu nachahmet; sie ahmet sie nur in einer Hälfte getreu nach, und vernachlässiget die andere Hälfte gänzlich; sie ahmet die Natur der Erscheinungen nach, ohne im geringsten auf die Natur unserer Empfindungen und Seelenkräfte dabei zu achten.

In der Natur ist alles mit allem verbunden; alles durchkreuzt sich, alles wechselt mit allem, alles verändert sich eines in das andere. Aber nach dieser unendlichen Mannigfaltigkeit ist sie nur ein Schauspiel für einen unendlichen Geist. Um endliche Geister an dem Genusse desselben Anteil nehmen zu lassen, mußten diese das Vermögen erhalten, ihr Schranken zu geben, die sie nicht hat; das Vermögen abzusondern, und ihre Aufmerksamkeit nach Gutdünken lenken zu können.

Dieses Vermögen üben wir in allen Augenblicken des Lebens; ohne dasselbe würde es für uns gar kein Leben geben; wir würden vor allzu verschiedenen Empfindungen nichts empfinden; wir würden ein beständiger Raub des gegenwärtigen Eindruckes sein; wir würden träumen, ohne zu wissen, was wir träumten.

Die Bestimmung der Kunst ist, uns in dem Reiche des Schönen dieser Absonderung zu überheben, uns die Fixierung unserer Aufmerksamkeit zu erleichtern. Alles, was wir in der Natur von einem Gegenstande, oder einer Verbindung verschiedener Gegenstände, es sei der Zeit oder dem Raume nach, in unsern Gedanken absondern, oder absondern zu können wünschen, sondert sie wirklich ab, und gewährt uns diesen Gegenstand, oder diese Verbindung verschiedener Gegenstände, so lauter und bündig, als es nur immer die Empfindung, die sie erregen sollen, verstattet.

Wenn wir Zeugen von einer wichtigen und rührenden Begebenheit sind, und eine andere von nichtigem Belange läuft quer ein: so suchen wir der Zerstreuung, die diese uns drohet, möglichst auszuweichen. Wir abstrahieren von ihr; und es muß uns notwendig ekeln, in der Kunst das wieder zu finden, was wir aus der Natur wegwünschten.

Nur wenn eben dieselbe Begebenheit in ihrem Fortgange alle Schattierungen des Interesse annimmt, und eine nicht bloß auf die andere folgt, sondern so notwendig aus der andern entspringt; wenn der Ernst das Lachen, die Traurigkeit die Freude, oder umgekehrt, so unmittelbar erzeugt, daß uns die Abstraktion des einen oder des andern unmöglich fällt: nur alsdenn verlangen wir sie auch in der Kunst nicht, und die Kunst weiß aus dieser Unmöglichkeit selbst Vorteil zu ziehen. –

Aber genug hiervon: man sieht schon, wo ich hinaus will. –

Den fünfundvierzigsten Abend (Freitags, den 17. Julius,) wurden *Die Brüder* des Hrn. Romanus, und *Das Orakel* vom Saint-Foix gespielt.

Das erstere Stück kann für ein deutsches Original gelten, ob es schon, größten Teils, aus den *Brüdern* des Terenz genommen ist. Man hat gesagt, daß auch Molière aus dieser Quelle geschöpft habe; und zwar seine *Männerschule.* Der Herr von Voltaire macht seine Anmerkungen über dieses Vorgeben: und ich führe Anmerkungen von dem Herrn von Voltaire so gern an! Aus seinen geringsten ist noch immer etwas zu lernen: wenn schon nicht allezeit das, was er darin sagt: wenigstens das, was er hätte sagen sollen. »Primus sapientiae gradus est, falsa intelligere«; (wo dieses Sprüchelchen steht, will mir nicht gleich beifallen) und ich wüßte keinen Schriftsteller in der Welt, an dem man es so gut versuchen könnte, ob man auf dieser ersten Stufe der Weisheit stehe, als an dem Herrn von Voltaire: aber daher auch keinen, der uns die zweite zu ersteigen, weniger behülflich sein könnte; »secundus, vera cognoscere«. Ein kritischer Schriftsteller, dünkt mich, richtet seine Methode auch am besten nach diesem Sprüchelchen ein. Er suche sich nur erst jemanden, mit dem er streiten kann: so kömmt er nach und nach in die Materie, und das übrige findet sich. Hierzu habe ich mir in diesem Werke, ich bekenne es aufrichtig, nun einmal die franzosischen Skribenten vornehmlich erwählet, und unter diesen besonders den Hrn. von Voltaire. Also auch itzt, nach einer kleinen Verbeugung, nur darauf zu! Wem diese Methode aber etwan mehr mutwillig als gründlich scheinen wollte: der soll wissen, daß selbst der gründliche Aristoteles sich ihrer fast immer bedient hat. »Solet Aristoteles«, sagt einer von seinen Auslegern, der mir eben zur Hand liegt, »quaerere pugnam in suis libris. Atqe hoc facit non temere, et casu, sed certa ratione atque consilio: nam labefactatis aliorum opinionibus«, usw. O des Pedanten! würde der Herr von Voltaire rufen. – Ich bin es bloß aus Mißtrauen in mich selbst.

»*Die Brüder* des Terenz«, sagt der Herr von Voltaire, »können höchstens die Idee zu der *Männerschule* gegeben haben. In den *Brüdern* sind zwei Alte von verschiedner Gemütsart, die ihre Söhne ganz verschieden erziehen; eben so sind in der *Männerschule* zwei Vormünder, ein sehr strenger und ein sehr nachsehender: das ist die ganze Ähnlichkeit. In den *Brüdern* ist fast ganz und gar keine Intrige: die Intrige in der *Männerschule* hingegen ist fein, und unterhaltend und komisch. Eine von den Frauenzimmern des Terenz, welche eigentlich die interessanteste Rolle spielen müßte, erscheinet bloß auf dem Theater, um nieder zu kommen. Die Isabelle des Molière ist fast immer auf der Szene, und zeigt sich immer witzig und reizend, und verbindet sogar die Streiche, die sie ihrem Vormunde spielt, noch mit Anstand. Die Entwicklung in den *Brüdern* ist ganz unwahrscheinlich; es ist wider die Natur, daß ein Alter, der sechzig Jahre ärgerlich und streng und geizig gewesen, auf einmal lustig und höflich und freigebig werden sollte. Die Entwicklung in der *Männerschule* aber ist die beste von allen Entwicklungen des Molière; wahrscheinlich, natürlich, aus der Intrige selbst hergenommen, und was ohnstreitig nicht das schlechteste daran ist, äußerst komisch.«

Neunundachtzigstes Stück

Den 8. März 1786

Zuerst muß ich anmerken, daß Diderot seine Assertion ohne allen Beweis gelassen hat. Er muß sie für eine Wahrheit angesehen haben, die kein Mensch in Zweifel ziehen werde, noch könne; die man nur denken dürfe, um ihren Grund zugleich mit zu denken. Und sollte er den wohl gar in den wahren Namen der tragischen Personen gefunden haben? Weil diese Achilles, und Alexander, und Cato, und Augustus heißen, und Achilles, Alexander, Cato, Augustus, wirklich einzelne Personen gewesen sind: sollte er wohl daraus geschlossen haben, daß sonach alles, was der Dichter in der Tragödie sie sprechen und handeln läßt, auch nur diesen einzeln so genannten Personen, und keinem in der Welt zugleich mit, müsse zukommen können? Fast scheint es so.

Aber diesen Irrtum hatte Aristoteles schon vor zweitausend Jahren widerlegt, und auf die ihr entgegen stehende Wahrheit den wesentlichen Unterschied zwischen der Geschichte und Poesie, so wie den größern Nutzen der letztern vor der erstern, gegründet. Auch hat er es auf eine so einleuchtende Art getan, daß ich nur seine Worte anführen darf, um keine geringe Verwunderung zu erwecken, wie in einer so offenbaren Sache ein Diderot nicht gleicher Meinung mit ihm sein könne.

»Aus diesen also«, sagt Aristoteles[1], nachdem er die

[1] *Dichtk.* 9 Kapitel.

wesentlichen Eigenschaften der poetischen Fabel festgesetzt, »aus diesen also erhellet klar, daß des Dichters Werk nicht ist, zu erzählen, was geschehen, sondern zu erzählen, von welcher Beschaffenheit das Geschehene, und was nach der Wahrscheinlichkeit oder Notwendigkeit dabei möglich gewesen. Denn Geschichtschreiber und Dichter unterscheiden sich nicht durch die gebundene oder ungebundene Rede: indem man die Bücher des Herodotus in gebundene Rede bringen kann, und sie darum doch nichts weniger in gebundener Rede eine Geschichte sein werden, als sie es in ungebundener waren. Sondern darin unterscheiden sie sich, daß jener erzählet, was geschehen; dieser aber, von welcher Beschaffenheit das Geschehene gewesen. Daher ist denn auch die Poesie philosophischer und nützlicher als die Geschichte. Denn die Poesie geht mehr auf das Allgemeine, und die Geschichte auf das Besondere. Das Allgemeine aber ist, wie so oder so ein Mann nach der Wahrscheinlichkeit oder Notwendigkeit sprechen und handeln würde; als worauf die Dichtkunst bei Erteilung der Namen sieht. Das Besondere hingegen ist, was Alkibiades getan, oder gelitten hat. Bei der Komödie nun hat sich dieses schon ganz offenbar gezeigt; denn wenn die Fabel nach der Wahrscheinlichkeit abgefaßt ist, legt man die etwanigen Namen sonach bei, und macht es nicht wie die jambischen Dichter, die bei dem Einzeln bleiben. Bei der Tragödie aber hält man sich an die schon vorhandenen Namen; aus Ursache, weil das Mögliche glaubwürdig ist, und wir nicht möglich glauben, was nie geschehen, da hingegen was geschehen, offenbar möglich sein muß, weil es nicht geschehen wäre, wenn es nicht möglich wäre. Und doch sind auch in den Tragödien, in einigen nur ein oder zwei bekannte Namen, und die übrigen sind erdichtet; in einigen auch gar keiner, so wie in der *Blume* des Agathon. Denn in diesem Stücke sind Handlungen und Namen gleich erdichtet, und doch gefällt es darum nichts weniger.«

In dieser Stelle, die ich nach meiner eigenen Übersetzung

anführe, mit welcher ich so genau bei den Worten geblieben bin, als möglich, sind verschiedene Dinge, welche von den Auslegern, die ich noch zu Rate ziehen können, entweder gar nicht oder falsch verstanden worden. Was davon hier zur Sache gehört, muß ich mitnehmen.

Das ist unwidersprechlich, daß Aristoteles schlechterdings keinen Unterschied zwischen den Personen der Tragödie und Komödie, in Ansehung ihrer Allgemeinheit, macht. Die einen sowohl als die andern, und selbst die Personen der Epopee nicht ausgeschlossen, alle Personen der poetischen Nachahmung ohne Unterschied, sollen sprechen und handeln, nicht wie es ihnen einzig und allein zukommen könnte, sondern so wie ein jeder von ihrer Beschaffenheit in den nämlichen Umständen sprechen oder handeln würde und müßte. In diesem *καθόλου*, in dieser Allgemeinheit liegt allein der Grund, warum die Poesie philosophischer und folglich lehrreicher ist, als die Geschichte; und wenn es wahr ist, daß derjenige komische Dichter, welcher seinen Personen so eigene Physiognomien geben wollte, daß ihnen nur ein einziges Individuum in der Welt ähnlich wäre, die Komödie, wie Diderot sagt, wiederum in ihre Kindheit zurücksetzen und in Satire verkehren würde: so ist es auch eben so wahr, daß derjenige tragische Dichter, welcher nur den und den Menschen, nur den Cäsar, nur den Cato, nach allen den Eigentümlichkeiten, die wir von ihnen wissen, vorstellen wollte, ohne zugleich zu zeigen, wie alle diese Eigentümlichkeiten mit dem Charakter des Cäsar und Cato zusammen gehangen, der ihnen mit mehrern kann gemein sein, daß, sage ich, dieser die Tragödie entkräften und zur Geschichte erniedrigen würde.

Aber Aristoteles sagt auch, daß »die Poesie auf dieses Allgemeine der Personen mit den Namen, die sie ihnen erteile, ziele« *(οὗ στοχάζεται ἡ ποίησις ὀνόματα ἐπιτιθεμένη)*, welches sich besonders bei der Komödie deutlich gezeigt habe. Und dieses ist es, was die Ausleger dem

Aristoteles nachzusagen sich begnügt, im geringsten aber nicht erläutert haben. Wohl aber haben verschiedene sich so darüber ausgedrückt, daß man klar sieht, sie müssen entweder nichts, oder etwas ganz Falsches dabei gedacht haben. Die Frage ist: wie sieht die Poesie, wenn sie ihren Personen Namen erteilt, auf das Allgemeine dieser Personen? und wie ist diese ihre Rücksicht auf das Allgemeine der Person, besonders bei der Komödie, schon längst sichtbar gewesen?

Die Worte: *ἔστι δὲ καθόλου μὲν, τῷ ποίῳ τὰ ποῖα ἄττα συμβαίνει λέγειν, ἢ πράττειν κατὰ τὸ εἰκός, ἢ τὸ ἀναγκαῖον, οὗ στοχάζεται ἡ ποίησις ὀνόματα ἐπιτιθεμένη* übersetzt Dacier: »une chose generale, c'est ce que tout homme d'un tel ou d'un tel caractere, a dû dire, ou faire vraisemblablement ou necessairement, ce qui est le but de la Poesie lors même, qu'elle impose les noms à ses personnages.« Vollkommen so übersetzt sie auch Herr Curtius: »Das Allgemeine ist, was einer, vermöge eines gewissen Charakters, nach der Wahrscheinlichkeit oder Notwendigkeit redet oder tut. Dieses Allgemeine ist der Endzweck der Dichtkunst, auch wenn sie den Personen besondere Namen beilegt.« Auch in ihrer Anmerkung über diese Worte stehen beide für einen Mann; der eine sagt vollkommen eben das, was der andere sagt. Sie erklären beide, was das Allgemeine ist; sie sagen beide, daß dieses Allgemeine die Absicht der Poesie sei; aber wie die Poesie bei Erteilung der Namen auf dieses Allgemeine sieht, davon sagt keiner ein Wort. Vielmehr zeigt der Franzose durch sein »lors même«, so wie der Deutsche durch sein »auch wenn«, offenbar, daß sie nichts davon zu sagen gewußt, ja daß sie gar nicht einmal verstanden, was Aristoteles sagen wollen. Denn dieses »lors même«, dieses »auch wenn«, heißt bei ihnen nichts mehr als »obschon«; und sie lassen den Aristoteles sonach bloß sagen, daß »ungeachtet« die Poesie ihren Personen Namen von einzelnen Personen beilege, sie dem ohngeachtet nicht auf das Einzelne dieser

Personen, sondern auf das Allgemeine derselben gehe. Die Worte des Dacier, die ich in der Note anführen will[1], zeigen dieses deutlich. Nun ist es wahr, daß dieses eigentlich keinen falschen Sinn macht; aber es erschöpft doch auch den Sinn des Aristoteles hier nicht. Nicht genug, daß die Poesie, ungeachtet der von einzeln Personen genommenen Namen, auf das Allgemeine gehen kann: Aristoteles sagt, daß sie mit diesen Namen selbst auf das Allgemeine ziele, οὗ στοχάζεται. Ich sollte doch wohl meinen, daß beides nicht einerlei wäre. Ist es aber nicht einerlei: so gerät man notwendig auf die Frage: wie zielt sie darauf? Und auf diese Frage antworten die Ausleger nichts.

[1] »Arioste prévient ici une objection, qu'on pouvoit lui faire, sur la définition, qu'il vient de donner d'une chose générale; car les ignorans n'auroient pas manqué de lui dire qu'Homère, par exemple, n'a point en vue d'écrire une action générale et universelle, mais une action particulière, puisqu'il raconte ce qu'ont fait de certains hommes, comme Achille, Agamemnon, Ulysse, etc. et que par conséquent, il n'y a aucune différence entre Homère et un Historien, qui auroit écrit les actions d'Achille. Le Philosophe va au devant de cette objection, en faisant voir que les Poètes, c'est à dire, les Auteurs d'une Tragédie ou d'un Poème Epique, lors même, qu'ils imposent les noms à leurs personnages, ne pensent en aucune manière à les faire parler véritablement, ce qu'ils seroient obligés de faire, s'ils écrivoient les actions particulières et véritables d'un certain homme, nommé Achille ou Edipe, mais qu'ils se proposent de les faire parler et agir nécessairement ou vraisemblablement; c'est à dire, de leur faire dire, et faire tout ce que des hommes de ce même caractère devoient faire et dire en cet état, ou par nécessité, ou au moins selon les règles de la vraisemblance; ce qui prouve incontestablement que ce sont des actions générales et universelles.« Nichts anderes sagt auch Herr Curtius in seiner Anmerkung; nur daß er das Allgemeine und Einzelne noch an Beispielen zeigen wollen, die aber nicht so recht beweisen, daß er auf den Grund der Sache gekommen. Denn ihnen zu Folge würden es nur personifizierte Charaktere sein, welche der Dichter reden und handeln ließe; da es doch charakterisierte Personen sein sollen.

Hundertunderstes, -zweites, -drittes und -viertes Stück

Den 19. April 1768

Hundertunderstes bis -viertes? – Ich hatte mir vorgenommen, den Jahrgang dieser Blätter nur aus hundert Stücken bestehen zu lassen. Zweiundfünfzig Wochen, und die Woche zwei Stück, geben zwar allerdings hundertundviere. Aber warum sollte, unter allen Tagewerkern, dem einzigen wöchentlichen Schriftsteller kein Feiertag zu Statten kommen? Und in dem ganzen Jahr nur viere: ist ja so wenig!

Doch Dodsley und Compagnie haben dem Publico, in meinem Namen, ausdrücklich hundertundvier Stück versprochen. Ich werde die guten Leute schon nicht zu Lügnern machen müssen.

Die Frage ist nur, wie fange ich es am besten an? – Der Zeug ist schon verschnitten: ich werde einflicken oder recken müssen. – Aber das klingt so stümpermäßig. Mir fällt ein – was mir gleich hätte einfallen sollen: die Gewohnheit der Schauspieler, auf ihre Hauptvorstellung ein kleines Nachspiel folgen zu lassen. Das Nachspiel kann handeln, wovon es will, und braucht mit dem Vorhergehenden nicht in der geringsten Verbindung zu stehen. – So ein Nachspiel dann mag die Blätter nun füllen, die ich mir ganz ersparen wollte.

Erst ein Wort von mir selbst! Denn warum sollte nicht auch ein Nachspiel einen Prolog haben dürfen, der sich mit einem »Poeta, cum primum animum ad scribendum appulit« anfinge?

Als, vor Jahr und Tag, einige gute Leute hier den Einfall bekamen, einen Versuch zu machen, ob nicht für das deutsche Theater sich etwas mehr tun lasse, als unter der Verwaltung eines sogenannten Prinzipals geschehen könne: so weiß ich nicht, wie man auf mich dabei fiel, und sich träumen ließ, daß ich bei diesem Unternehmen wohl nützlich sein könnte? – Ich stand eben am Markte und war müßig; niemand wollte mich dingen: ohne Zweifel, weil mich niemand zu brauchen wußte; bis gerade auf diese Freunde! – Noch sind mir in meinem Leben alle Beschäftigungen sehr gleichgültig gewesen: ich habe mich nie zu einer gedrungen, oder nur erboten; aber auch die geringfügigste nicht von der Hand gewiesen, zu der ich mich aus einer Art von Prädilektion erlesen zu sein, glauben konnte.

Ob ich zur Aufnahme des hiesigen Theaters konkurrieren wolle? darauf war also leicht geantwortet. Alle Bedenklichkeiten waren nur die: ob ich es könne? und wie ich es am besten könne?

Ich bin weder Schauspieler, noch Dichter.

Man erweiset mir zwar manchmal die Ehre, mich für den letztern zu erkennen. Aber nur, weil man mich verkennt. Aus einigen dramatischen Versuchen, die ich gewagt habe, sollte man nicht so freigebig folgern. Nicht jeder, der den Pinsel in die Hand nimmt, und Farben verquistet, ist ein Maler. Die ältesten von jenen Versuchen sind in den Jahren hingeschrieben, in welchen man Lust und Leichtigkeit so gern für Genie hält. Was in den neuerern Erträgliches ist, davon bin ich mir sehr bewußt, daß ich es einzig und allein der Kritik zu verdanken habe. Ich fühle die lebendige Quelle nicht in mir, die durch eigene Kraft sich empor arbeitet, durch eigene Kraft in so reichen, so frischen, so reinen Strahlen aufschießt: ich muß alles durch Druckwerk und Röhren aus mir herauf pressen. Ich würde so arm, so kalt, so kurzsichtig sein, wenn ich nicht einigermaßen gelernt hätte, fremde Schätze bescheiden zu borgen, an fremdem Feuer mich zu wärmen, und durch die Gläser der Kunst mein Auge zu stärken. Ich bin daher immer beschämt oder verdrüßlich geworden, wenn ich zum Nachteil der Kritik etwas las oder hörte. Sie soll das Genie ersticken: und ich schmeichelte mir, etwas von ihr zu erhalten, was dem Genie sehr nahe kömmt. Ich bin ein Lahmer, den eine Schmähschrift auf die Krücke unmöglich erbauen kann.

Doch freilich, wie die Krücke dem Lahmen wohl hilft, sich von einem Orte zum andern zu bewegen, aber ihn nicht zum Läufer machen kann: so auch die Kritik. Wenn ich mit ihrer Hülfe etwas zu Stande bringe, welches besser ist, als es einer von meinen Talenten ohne Kritik machen würde: so kostet es mich so viel Zeit, ich muß von andern Geschäften so frei, von unwillkürlichen Zerstreuungen so ununterbrochen sein, ich muß meine ganze Belesenheit so gegenwärtig haben, ich muß bei jedem Schritte alle Bemerkungen, die ich jemals über Sitten und Leidenschaften gemacht, so ruhig durchlaufen können; daß zu einem Arbeiter, der ein Theater mit Neuigkeiten unterhalten soll, niemand in der Welt ungeschickter sein kann, als ich.

Was Goldoni für das italienische Theater tat, der es in einem Jahre mit dreizehn neuen Stücken bereicherte, das muß ich für das deutsche zu tun folglich bleiben lassen. Ja, das würde ich bleiben lassen, wenn ich es auch könnte. Ich bin mißtrauischer gegen alle erste Gedanken, als De la Casa und der alte Shandy nur immer gewesen sind. Denn wenn ich sie auch schon nicht für Eingebungen des bösen Feindes, weder des eigentlichen noch des allegorischen, halte[1]: so denke ich doch immer, daß die ersten Gedan-

[1] »An opinion John de la Casa, archbishop of Benevento, was afflicted with – which opinion was, – that whenever a Christian was writing a book (not for his private amusement, but) where his intent and purpose was bona fide, to print and publish it to the world, his first thoughts were always the temptations of the evil one. – My father was hugely pleased with this theory of John de la Casa; and (had it not cramped him a little in his creed) I believe would have given ten of the best acres in the Shandy estate, to have been the broacher of it; – but as he could not have the honour of it in the litteral sense of the doctrine, he took up with the allegory of it. Prejudice of education, he would say, is the devil etc.« (*Life and Op. of Tristram Shandy*, Vol. V. p. 74.)

ken die ersten sind, und daß das Beste auch nicht einmal in allen Suppen obenauf zu schwimmen pflegt. Meine ersten Gedanken sind gewiß kein Haar besser, als jedermanns erste Gedanken: und mit jedermanns Gedanken bleibt man am klügsten zu Hause.

– Endlich fiel man darauf, selbst das, was mich zu einem so langsamen, oder, wie es meinen rüstigern Freunden scheinet, so faulen Arbeiter macht, selbst das an mir nutzen zu wollen: die Kritik. Und so entsprang die Idee zu diesem Blatte.

Sie gefiel mir, diese Idee. Sie erinnerte mich an die Didaskalien der Griechen, d. i. an die kurzen Nachrichten, dergleichen selbst Aristoteles von den Stücken der griechischen Bühne zu schreiben der Mühe wert gehalten. Sie erinnerte mich, vor langer Zeit einmal über den grundgelehrten Casaubonus bei mir gelacht zu haben, der sich, aus wahrer Hochachtung für das Solide in den Wissenschaften, einbildete, daß es dem Aristoteles vornehmlich um die Berichtigung der Chronologie bei seinen Didaskalien zu tun gewesen.[1] Wahrhaftig, es wäre auch eine ewige Schande für den Aristoteles, wenn er sich mehr um den poetischen Wert der Stücke, mehr um ihren Einfluß auf die Sitten, mehr um die Bildung des Geschmacks, darin bekümmert hätte, als um die Olympiade, als um das Jahr der Olympiade, als um die Namen der Archonten, unter welchen sie zuerst aufgeführet worden!

Ich war schon Willens, das Blatt selbst »Hamburgische Didaskalien« zu nennen. Aber der Titel klang mir allzu-

[1] (Animadv. in Athenaeum, Libr. VI. cap. 7.) » *Διδασκαλία* accipitur pro eo scripto, quo explicatur ubi, quando, quomodo et quo eventu fabula aliqua fuerit acta. – Quantum critici hac diligentia veteres chronologos adjuverint, soli aestimabunt illi, qui norunt quam infirma et tenuia praesidia habuerint, qui ad ineundam fugacis temporis rationem primi animum appulerunt. Ego non dubito, eo potissimum sepctasse Aristotelem, cum *Διδασκαλίας* suas componeret –«

fremd, und nun ist es mir sehr lieb, daß ich ihm diesen vorgezogen habe. Was ich in eine Dramaturgie bringen oder nicht bringen wollte, das stand bei mir: wenigstens hatte mir Lione Allacci desfalls nichts vorzuschreiben. Aber wie eine Didaskalie aussehen müsse, glauben die Gelehrten zu wissen, wenn es auch nur aus den noch vorhandenen Didaskalien des Terenz wäre, die eben dieser Casaubonus »breviter et eleganter scriptas« nennt. Ich hatte weder Lust, meine Didaskalien so kurz, noch so elegant zu schreiben: und unsere itztlebende Casauboni würden die Köpfe trefflich geschüttelt haben, wenn sie gefunden hätten, wie selten ich irgend eines chronologischen Umstandes gedenke, der künftig einmal, wenn Millionen anderer Bücher verloren gegangen wären, auf irgend ein historisches Faktum einiges Licht werfen könnte. In welchem Jahre Ludewigs des Vierzehnten, oder Ludewigs des Funfzehnten, ob zu Paris, oder zu Versailles, ob in Gegenwart der Prinzen vom Geblüte, oder nicht der Prinzen vom Geblüte, dieses oder jenes französische Meisterstück zuerst aufgeführet worden: das würden sie bei mir gesucht, und zu ihrem großen Erstaunen nicht gefunden haben.

Was sonst diese Blätter werden sollten, darüber habe ich mich in der Ankündigung erkläret: was sie wirklich geworden, das werden meine Leser wissen. Nicht völlig das, wozu ich sie zu machen versprach: etwas anderes; aber doch, denk' ich, nichts Schlechteres.

»Sie sollten jeden Schritt begleiten, den die Kunst, sowohl des Dichters, als des Schauspielers h i e r tun würde.«

Die letztere Hälfte bin ich sehr bald überdrüssig geworden. Wir haben Schauspieler, aber keine Schauspielkunst. Wenn es vor Alters eine solche Kunst gegeben hat: so haben wir sie nicht mehr; sie ist verloren; sie muß ganz von neuem wieder erfunden werden. Allgemeines Geschwätze darüber hat man in verschiedenen Sprachen genug: aber spezielle, von jedermann erkannte, mit Deutlichkeit und Präzision abgefaßte Regeln, nach welchen der Tadel oder das Lob des Akteurs in einem besonderen Falle zu bestimmen sei, deren wüßte ich kaum zwei oder drei. Daher kömmt es, daß alles Räsonnement über diese Materie immer so schwankend und vieldeutig scheinet, daß es eben kein Wunder ist, wenn der Schauspieler, der nichts als eine glückliche Routine hat, sich auf alle Weise dadurch beleidiget findet. Gelobt wird er sich nie genug, getadelt aber allezeit viel zu viel glauben: ja öfters wird er gar nicht einmal wissen, ob man ihn tadeln oder loben wollen. Überhaupt hat man die Anmerkung schon längst gemacht, daß die Empfindlichkeit der Künstler, in Ansehung der Kritik, in eben dem Verhältnisse steigt, in welchem die Gewißheit und Deutlichkeit und Menge der Grundsätze ihrer Künste abnimmt. – So viel zu meiner, und selbst zu deren Entschuldigung, ohne die ich mich nicht zu entschuldigen hätte.

Aber die erstere Hälfte meines Versprechens? Bei dieser ist freilich das Hier zur Zeit noch nicht sehr in Betrachtung gekommen – und wie hätte es auch können? Die Schranken sind noch kaum geöffnet, und man wollte die Wettläufer lieber schon bei dem Ziele sehen; bei einem Ziele, das ihnen alle Augenblicke immer weiter und weiter hinausgesteckt wird? Wenn das Publikum fragt: was ist denn nun geschehen? und mit einem höhnischen »nichts« sich selbst antwortet: so frage ich wiederum; und was hat denn das Publikum getan, damit etwas geschehen könnte? Auch nichts; ja noch etwas Schlimmeres, als nichts. Nicht genug, daß es das Werk nicht allein nicht befördert: es hat ihm nicht einmal seinen natürlichen Lauf gelassen. – Über den gutherzigen Einfall, den Deutschen ein Nationaltheater zu verschaffen, da wir Deutsche noch keine Nation sind! Ich rede nicht von der politischen Verfassung, sondern bloß von dem sittlichen Charakter. Fast sollte man sagen, dieser sei: keinen eigenen haben zu wollen. Wir sind noch immer die geschwornen Nachahmer alles Ausländischen, besonders noch immer die untertänigen Bewunderer der nie genug bewunderten Franzosen; alles was uns von jenseits dem Rheine kömmt, ist schön, reizend, allerliebst, göttlich; lieber verleugnen wir Gesicht und Gehör, als daß wir es anders finden sollten; lieber wollen wir Plumpheit für Ungezwungenheit, Frechheit für Grazie, Grimasse für Ausdruck, ein Geklingle von Reimen für Poesie, Geheule für Musik, uns einreden lassen, als im geringsten an der Superiorität zweifeln, welche dieses liebenswürdige Volk, dieses erste Volk in der Welt, wie es sich selbst sehr bescheiden zu nennen pflegt, in allem, was gut und schön und erhaben und anständig ist, von dem gerechten Schicksale zu seinem Anteile erhalten hat. – Doch dieser »Locus communis« ist so abgedroschen, und die nähere Anwendung desselben könnte leicht so bitter werden, daß ich lieber davon abbreche.

Ich war also genötiget, anstatt der Schritte, welche die Kunst des dramatischen Dichters hier wirklich könnte getan haben, mich bei denen zu verweilen, die sie vorläufig tun müßte, um sodann mit eins ihre Bahn mit desto schnellern und größern zu durchlaufen. Es waren die Schritte, welche ein Irrender zurückgehen muß, um wieder auf den rechten Weg zu gelangen, und sein Ziel gerade in das Auge zu bekommen.

Seines Fleißes darf sich jedermann rühmen: ich glaube, die dramatische Dichtkunst studiert zu haben; sie mehr studiert zu haben, als zwanzig, die sie ausüben. Auch habe ich sie so weit ausgeübet, als es nötig ist, um mitsprechen zu dürfen: denn ich weiß wohl, so wie der Maler sich von niemanden gern tadeln läßt, der den Pinsel ganz und gar nicht zu führen weiß, so auch der Dichter. Ich habe es wenigstens versucht, was er bewerkstelligen muß, und kann von dem, was ich selbst nicht zu machen vermag, doch urteilen, ob es sich machen läßt. Ich verlange auch nur eine Stimme unter uns, wo so mancher sich eine anmaßt, der, wenn er nicht dem oder jenem Ausländer nachplaudern gelernt hätte, stummer sein würde, als ein Fisch.

Aber man kann studieren, und sich tief in den Irrtum hinein studieren. Was mich also versichert, daß mir dergleichen nicht begegnet sei, daß ich das Wesen der dramatischen Dichtkunst nicht verkenne, ist dieses, daß ich es vollkommen so erkenne, wie es Aristoteles aus den unzähligen Meisterstücken der griechischen Bühne abstrahieret hat. Ich habe von dem Entstehen, von der Grundlage der Dichtkunst dieses Philosophen, meine eigene Gedanken, die ich hier ohne Weitläufigkeit nicht äußern könnte. Indes steh' ich nicht an, zu bekennen (und sollte ich in diesen erleuchteten Zeiten auch darüber ausgelacht werden!), daß ich sie für ein eben so unfehlbares Werk halte, als die Elemente des Euklides nur immer sind. Ihre Grundsätze sind eben so wahr und gewiß, nur freilich nicht so faßlich, und daher mehr der Schikane ausgesetzt, als alles, was diese enthalten. Besonders getraue ich mir von der Tragödie, als über die uns die Zeit so ziemlich alles daraus gönnen wollen, unwidersprechlich zu beweisen, daß sie sich von der Richtschnur des Aristoteles keinen Schritt entfernen kann, ohne sich eben so weit von ihrer Vollkommenheit zu entfernen.

Nach dieser Überzeugung nahm ich mir vor, einige der berühmtesten Muster der französischen Bühne ausführlich zu beurteilen. Denn diese Bühne soll ganz nach den Regeln des Aristoteles gebildet sein; und besonders hat man uns Deutsche bereden wollen, daß sie nur durch diese Regeln die Stufe der Vollkommenheit erreicht habe, auf welcher sie die Bühnen aller neuern Völker so weit unter sich erblicke. Wir haben das auch lange so fest geglaubt, daß bei unsern Dichtern, den Franzosen nachahmen, eben so viel gewesen ist, als nach den Regeln der Alten arbeiten.

Indes konnte das Vorurteil nicht ewig gegen unser Gefühl bestehen. Dieses ward, glücklicher Weise, durch einige englische Stücke aus seinem Schlummer erwecket, und wir machten endlich die Erfahrung, daß die Tragödie noch einer ganz andern Wirkung fähig sei, als ihr Corneille und Racine zu erteilen vermocht. Aber geblendet von diesem plötzlichen Strahle der Wahrheit, prallten wir gegen den Rand eines andern Abgrundes zurück. Den englischen Stücken fehlten zu augenscheinlich gewisse Regeln, mit welchen uns die französischen so bekannt gemacht hatten. Was schloß man daraus? Dieses: daß sich auch ohne diese Regeln der Zweck der Tragödie erreichen lasse; ja daß diese Regeln wohl gar Schuld sein könnten, wenn man ihn weniger erreiche.

Und das hätte noch hingehen mögen! – Aber mit diesen Regeln fing man an, alle Regeln zu vermengen, und es überhaupt für Pedanterie zu erklären, dem Genie vorzuschreiben, was es tun, und was es nicht tun müsse. Kurz, wir waren auf dem Punkte, uns alle Erfahrungen der vergangnen Zeit mutwillig zu verscherzen; und von den Dichtern lieber zu verlangen, daß jeder die Kunst aufs neue für sich erfinden solle.

Ich wäre eitel genug, mir einiges Verdienst um unser Theater beizumessen, wenn ich glauben dürfte, das einzige Mittel getroffen zu haben, diese Gärung des Geschmacks zu hemmen. Darauf los gearbeitet zu haben, darf ich mir wenigstens schmeicheln, indem ich mir nichts angelegner sein lassen, als den Wahn von der Regelmäßigkeit der französischen Bühne zu bestreiten. Gerade keine Nation hat die Regeln des alten Drama mehr verkannt, als die Franzosen. Einige beiläufige Bemerkungen, die sie über die schicklichste äußere Einrichtung des Dramas bei dem Aristoteles fanden, haben sie für das Wesentliche angenommen, und das Wesentliche, durch allerlei Einschränkungen und Deutungen, dafür so entkräftet, daß notwendig nichts anders als Werke daraus entstehen konnten, die weit unter der höchsten Wirkung blieben, auf welche der Philosoph seine Regeln kalkuliert hatte.

Ich wage es, hier eine Äußerung zu tun, mag man sie

doch nehmen, wofür man will! – Man nenne mir das Stück des großen Corneille, welches ich nicht besser machen wollte. Was gilt die Wette? –

Doch nein; ich wollte nicht gern, daß man diese Äußerung für Prahlerei nehmen könne. Man merke also wohl, was ich hinzusetze: Ich werde es zuverlässig besser machen – und doch lange kein Corneille sein – und doch lange noch kein Meisterstück gemacht haben. Ich werde es zuverlässig besser machen – und mir doch wenig darauf einbilden dürfen. Ich werde nichts getan haben, als was jeder tun kann – der so fest an den Aristoteles glaubet, wie ich.

Eine Tonne, für unsere kritische Walfische! Ich freue mich im voraus, wie trefflich sie damit spielen werden. Sie ist einzig und allein für sie ausgeworfen; besonders für den kleinen Walfisch in dem Salzwasser zu Halle! –

Und mit diesem Übergange – sinnreicher muß er nicht sein – mag denn der Ton des ernsthaftern Prologs in den Ton des Nachspiels verschmelzen, wozu ich diese letztern Blätter bestimmte. Wer hätte mich auch sonst erinnern können, daß es Zeit sei, dieses Nachspiel anfangen zu lassen, als eben der Hr. Stl., welcher in der deutschen Bibliothek des Hrn. Geheimrat Klotz den Inhalt desselben bereits angekündiget hat?[1]

Aber was bekömmt denn der schnakische Mann in dem bunten Jäckchen, daß er so dienstfertig mit seiner Trommel ist? Ich erinnere mich nicht, daß ich ihm etwas dafür versprochen hätte. Er mag wohl bloß zu seinem Vergnügen trommeln; und der Himmel weiß, wo er alles her hat, was die liebe Jugend auf den Gassen, die ihm mit einem bewundernden Ah! nachfolgt, aus der ersten Hand von ihm zu erfahren bekömmt. Er muß einen Wahrsagergeist haben, trotz der Magd in der Apostelgeschichte. Denn wer hätte es ihm sonst sagen können, daß der Verfasser der Dramaturgie auch mit der Verleger derselben ist? Wer

[1] Neuntes Stück, S. 60.

hätte ihm sonst die geheimen Ursachen entdecken können, warum ich der einen Schauspielerin eine sonore Stimme beigelegt, und das Probestück einer andern so erhoben habe? Ich war freilich damals in beide verliebt: aber ich hätte doch nimmermehr geglaubt, daß es eine lebendige Seele erraten sollte. Die Damen konnen es ihm auch unmöglich selbst gesagt haben: folglich hat es mit dem Wahrsagergeiste seine Richtigkeit. Ja, weh uns armen Schriftstellern, wenn unsere hochgebietende Herren, die Journalisten und Zeitungsschreiber, mit solchen Kälbern pflügen wollen! Wenn sie zu ihren Beurteilungen, außer ihrer gewöhnlichen Gelehrsamkeit und Scharfsinnigkeit, sich auch noch solcher Stückchen aus der geheimsten Magie bedienen wollen: wer kann wider sie bestehen?

»Ich würde«, schreibt dieser Hr. Stl. aus Eingebung seines Kobolds, »auch den zweiten Band der *Dramaturgie* anzeigen können, wenn nicht die Abhandlung wider die Buchhändler dem Verfasser zu viel Arbeit machte, als daß er das Werk bald beschließen könnte.«

Man muß auch einen Kobold nicht zum Lügner machen wollen, wenn er es gerade einmal nicht ist. Es ist nicht ganz ohne, was das böse Ding dem guten Stl. hier eingeblasen. Ich hatte allerdings so etwas vor. Ich wollte meinen Lesern erzählen, warum dieses Werk so oft unterbrochen worden; warum in zwei Jahren erst, und noch mit Mühe, so viel davon fertig geworden, als auf ein Jahr versprochen war. Ich wollte mich über den Nachdruck beschweren, durch den man den geradesten Weg eingeschlagen, es in seiner Geburt zu ersticken. Ich wollte über die nachteiligen Folgen des Nachdrucks überhaupt einige Betrachtungen anstellen. Ich wollte das einzige Mittel vorschlagen, ihm zu steuern. Aber, das wäre ja sonach keine Abhandlung wider die Buchhändler geworden? Sondern vielmehr, für sie: wenigstens, der rechtschaffenen Männer unter ihnen; und es gibt deren. Trauen Sie, mein Herr Stl., Ihrem Kobolde also nicht immer so ganz! Sie sehen es: was solch Geschmeiß des bösen Feindes von der Zukunft noch etwa weiß, das weiß es nur halb. –

Doch nun genug dem Narren nach seiner Narrheit geantwortet, damit er sich nicht weise dünke. Denn eben dieser Mund sagt: antworte dem Narren nicht nach seiner Narrheit, damit du ihm nicht gleich werdest! Das ist: antworte ihm nicht so nach seiner Narrheit, daß die Sache selbst darüber vergessen wird; als wodurch du ihm gleich werden würdest. Und so wende ich mich wieder an meinen ernsthaften Leser, den ich dieser Possen wegen ernstlich um Vergebung bitte.

Es ist die lautere Wahrheit, daß der Nachdruck, durch den man diese Blätter gemeinnütziger machen wollen, die einzige Ursache ist, warum sich ihre Ausgabe bisher so verzögert hat, und warum sie nun gänzlich liegen bleiben. Ehe ich ein Wort mehr hierüber sage, erlaube man mir, den Verdacht des Eigennutzes von mir abzulehnen. Das Theater selbst hat die Unkosten dazu hergegeben, in Hoffnung, aus dem Verkaufe wenigstens einen ansehnlichen Teil derselben wieder zu erhalten. Ich verliere nichts dabei, daß diese Hoffnung fehl schlägt. Auch bin ich gar nicht ungehalten darüber, daß ich den zur Fortsetzung gesammelten Stoff nicht weiter an den Mann bringen kann. Ich ziehe meine Hand von diesem Pfluge eben so gern wieder ab, als ich sie anlegte. Klotz und Konsorten wünschen ohnedem, daß ich sie nie angelegt hätte; und es wird sich leicht einer unter ihnen finden, der das Tageregister einer mißlungenen Unternehmung bis zu Ende führet, und mir zeiget, was für einen periodischen Nutzen ich einem solchen periodischen Blatte hätte erteilen können und sollen.

Denn ich will und kann es nicht bergen, daß diese letzten Bogen fast ein Jahr später niedergeschrieben worden, als ihr Datum besagt. Der süße Traum, ein Nationaltheater hier in Hamburg zu gründen, ist schon wieder verschwunden: und so viel ich diesen Ort nun habe kennen lernen, dürfte er auch wohl gerade der sein, wo ein solcher Traum am spätesten in Erfüllung gehen wird. Aber auch das kann mir sehr gleichgültig sein! – Ich möchte überhaupt nicht gern das Ansehen haben, als ob ich es für ein großes Unglück hielte, daß Bemühungen vereitelt worden, an welchen ich Anteil genommen. Sie können von keiner besondern Wichtigkeit sein, eben weil ich Anteil daran genommen. Doch wie, wenn Bemühungen von weiterm Belange durch die nämlichen Undienste scheitern könnten, durch welche meine gescheitert sind? Die Welt verliert nichts, daß ich, anstatt fünf und sechs Bände *Dramaturgie*, nur zwei an das Licht bringen kann. Aber sie könnte verlieren, wenn einmal ein nützlicheres Werk eines bessern Schriftstellers ebenso ins Stecken geriete; und es wohl gar Leute gäbe, die einen ausdrücklichen Plan darnach machten, daß auch das nützlichste, unter ähnlichen Umständen unternommene Werk verunglücken sollte und müßte.

In diesem Betracht stehe ich nicht an, und halte es für meine Schuldigkeit, dem Publico ein sonderbares Komplott zu denunzieren. Eben diese Dodsley und Compagnie, welche sich die *Dramaturgie* nachzudrucken erlaubet, lassen seit einiger Zeit einen Aufsatz, gedruckt und geschrieben, bei den Buchhändlern umlaufen, welcher von Wort zu Wort so lautet:

Nachricht an die Herren Buchhändler

Wir haben uns mit Beihülfe verschiedener Herren Buchhändler entschlossen, künftig denenjenigen, welche sich ohne die erforderlichen Eigenschaften in die Buchhandlung mischen werden (wie es, zum Exempel, die neuaufgerichtete in Hamburg und anderer Orten vorgebliche Handlungen mehrere), das Selbst-Verlegen zu verwehren, und ihnen ohne Ansehen nachzudrucken; auch ihre gesetzten Preise alle Zeit um die Hälfte zu verringern. Die diesen Vorhaben bereits beigetretene Herren Buchhändler, welche wohl eingesehen, daß eine solche unbefugte Störung für alle Buchhändler zum größten Nachteil gereichen müsse, haben sich entschlossen, zu Unterstützung dieses Vorhabens, eine Kasse aufzurichten, und eine ansehnliche Summe Geld bereits eingelegt, mit Bitte, ihre Namen vorerst noch nicht zu nennen, dabei aber versprochen, selbige ferner zu unterstützen. Von den übrigen gutgesinnten Herren Buchhändlern erwarten wir demnach zur Vermehrung der Kasse desgleichen, und ersuchen, auch unsern Verlag bestens zu rekommandieren. Was den Druck und die Schönheit des Papiers betrifft, so werden wir der ersten nichts nachgeben; übrigens aber uns bemühen, auf die unzählige Menge der Schleichhändler genau Acht zu geben, damit nicht jeder in der Buchhandlung zu höcken und zu stören anfange. So viel versichern wir, so wohl als die noch zutretende Herren Mitkollegen, daß wir keinem rechtmäßigen Buchhändler ein Blatt nachdrucken werden; aber dagegen werden wir sehr aufmerksam sein, so bald jemanden von unserer Gesellschaft ein Buch nachgedruckt wird, nicht allein dem Nachdrucker hinwieder allen Schaden zuzufügen, sondern auch nicht weniger denenjenigen Buchhändlern, welche ihren Nachdruck zu verkaufen sich unterfangen. Wir ersuchen demnach alle und jede Herren Buchhändler dienstfreundlichst, von allen Arten des Nachdrucks in einer Zeit von einem Jahre, nachdem wir die Namen der ganzen Buchhändler-Gesellschaft gedruckt angezeigt haben werden, sich los zu machen, oder zu erwarten, ihren besten Verlag für die Hälfte des Preises oder noch weit geringer verkaufen zu sehen. Denenjenigen Herren Buchhändlern von unsre Gesellschaft aber, welchen etwas nachgedruckt werden sollte, werden wir nach Proportion und Ertrag der Kasse eine ansehnliche Vergütung widerfahren zu lassen nicht ermangeln. Und so hoffen wir, daß sich auch die übrigen Unordnungen bei der Buchhandlung mit Beihülfe gutgesinnter Herren Buchhändler in kurzer Zeit legen werden.

Wenn die Umstände erlauben, so kommen wir alle

Oster-Messen selbst nach Leipzig, wo nicht, so werden wir doch desfalls Kommission geben. Wir empfehlen uns Deren guten Gesinnungen und verbleiben Deren getreuen Mitkollegen, J. Dodsley und Compagnie.

Wenn dieser Aufsatz nichts enthielte, als die Einladung zu einer genauern Verbindung der Buchhändler, um dem eingerissenen Nachdrucke unter sich zu steuern, so würde schwerlich ein Gelehrter ihm seinen Beifall versagen. Aber wie hat es vernünftigen und rechtschaffenen Leuten einkommen können, diesem Plan eine so strafbare Ausdehnung zu geben? Um ein paar armen Hausdieben das Handwerk zu legen, wollen sie selbst Straßenräuber werden? »Sie wollen dem nachdrucken, der ihnen nachdruckt.« Das möchte sein; wenn es ihnen die Obrigkeit anders erlauben will, sich auf diese Art selbst zu rächen. Aber sie wollen zugleich das Selbst-Verlegen verwehren. Wer sind die, die das verwehren wollen? Haben sie wohl das Herz, sich unter ihren wahren Namen zu diesem Frevel zu bekennen? Ist irgendwo das Selbst-Verlegen jemals verboten gewesen? Und wie kann es verboten sein? Welch Gesetz kann dem Gelehrten das Recht schmälern, aus seinem eigentümlichen Werke alle den Nutzen zu ziehen, den er möglicher Weise daraus ziehen kann? »Aber sie mischen sich ohne die erforderlichen Eigenschaften in die Buchhandlung.« Was sind das für erforderliche Eigenschaften? Daß man fünf Jahre bei einem Manne Pakete zubinden gelernt, der auch nichts weiter kann, als Pakete zubinden? Und wer darf sich in die Buchhandlung nicht mischen? Seit wenn ist der Buchhandel eine Innung? Welches sind seine ausschließenden Privilegien? Wer hat sie ihm erteilt?

Wenn Dodsley und Compagnie ihren Nachdruck der *Dramaturgie* vollenden, so bitte ich sie, mein Werk wenigstens nicht zu verstümmeln, sondern auch das getreulich nachdrucken zu lassen, was sie hier gegen sich finden. Daß sie ihre Verteidigung beifügen – wenn anders eine Verteidigung für sie möglich ist –, werde ich ihnen nicht verdenken. Sie mögen sie auch in einem Tone abfassen, oder von einem Gelehrten, der klein genug sein kann, ihnen seine Feder dazu zu leihen, abfassen lassen, in welchem sie wollen: selbst in dem so interessanten der Klotzischen Schule, reich an allerlei Histörchen und Anekdötchen und Pasquillchen, ohne ein Wort von der Sache. Nur erkläre ich im voraus die geringste Insinuation, daß es gekränkter Eigennutz sei, der mich so warm gegen sie sprechen lassen, für eine Lüge. Ich habe nie etwas auf meine Kosten drucken lassen, und werde es schwerlich in meinem Leben tun. Ich kenne, wie schon gesagt, mehr als einen rechtschaffenen Mann unter den Buchhändlern, dessen Vermittelung ich ein solches Geschäft gern überlasse. Aber keiner von ihnen muß mir es auch verübeln, daß ich meine Verachtung und meinen Haß gegen Leute bezeige, in deren Vergleich alle Buschklepper und Weglaurer wahrlich nicht die schlimmern Menschen sind. Denn jeder von ihnen macht seinen »coup de main« für sich: Dodsley und Compagnie aber wollen bandenweise rauben.

Das beste ist, daß ihre Einladung wohl von den wenigsten dürfte angenommen werden. Sonst wäre es Zeit, daß die Gelehrten mit Ernst darauf dächten, das bekannte Leibnizische Projekt auszuführen.

Christoph Martin Wieland

NEUER VORBERICHT ZU KLOPSTOCKS TRAUERSPIEL »DER TOD ADAMS«

1757

Es ist nicht meine Absicht, die Schönheiten dieser Tragödie hier kritisch zu entwickeln und anzupreisen. Die zärtlichen Rührungen, in welche sie alle Leser, die ein menschliches Herz haben, setzen, und frommen Tränen, die sie nicht nur weiblichen Augen entlocken wird, sind ein Beweis von der Vortrefflichkeit eines Werks von dieser Art, der jeden andern unnötig macht. Es soll hier nur berichtet werden, daß das ungemeine Vergnügen, mit welchem ich selbiges las, mich verlangen machte, dieses Vergnügen unverzüglich allen andern Liebhabern geistreicher Werke mitzuteilen: weil aber nur etliche wenige Exemplare hiehergeschickt worden, hielt ich für das beste, eilends eine kleine Auflage zu veranstalten, durch welche das wartende Verlangen der Liebhaber in unsern Gegenden so schnell als möglich befriediget werden könnte. Ich zweifle nicht, daß vielen dadurch ein freundschaftlicher Dienst erwiesen worden sei. Mich dünkt, man werde schwerlich unter den alten und neuen Tragödien eine finden, welche allgemeiner gefallen müsse als diese. Plato sagt überhaupt von der Tragödie, sie sei unter allen Werken der Dichtkunst dasjenige, welches am geschicktesten sei, den meisten zu gefallen und die Seele mächtig zu bewegen; und ich getraue mir zu sagen, *Der Tod Adams* sei es unter allen möglichen tragischen Sujets am meisten. Um hier gerührt zu werden, muß man nur Mensch sein. Und wie sehr hat der Dichter alle die zartesten Saiten unsers Herzens zu rühren gewußt! Ist jemals die ursprüngliche schöne Einfalt der Natur in

Empfindungen, Sitten und selbst in der Sprache getreuer nachgeahmt worden? Die Menschlichkeit, die in jenen ältesten Zeiten, da Adams Kinder noch eine Familie ausmachten, sich im höchsten Grade äußern mußte, atmet gleichsam durch dieses ganze Stück; und sie ist es, die ihm diese feinern Schönheiten gibt, die nur von den edelsten und besten Seelen gefühlt werden können. – Doch ich erinnere mich meines anfänglichen Vorsatzes. Man darf es kühnlich dieser Tragödie selbst überlassen, fähigen Lesern alle ihre besondern Vorzüge empfindlich zu machen.

Christoph Martin Wieland

ALLGEMEINER VORBERICHT ZU DEN »POETISCHEN SCHRIFTEN«

1761

Die Ursachen, die mich endlich zu dieser neuen und verbesserten Ausgabe meiner Gedichte genötiget haben, hätten es weit eher tun sollen, wenn ich nicht vorher eine starke Abneigung, die derselben im Wege stund, zu überwinden gehabt hätte. Die meisten dieser Gedichte würden wohl niemals ans Licht gekommen sein, wenn ich vor acht oder zehn Jahren diejenigen Überlegungen zu machen fähig gewesen wäre, die mich Erfahrung und reifere Einsichten, wiewohl zu spät, gelehret haben. So unvollkommen indessen diese Werke meiner ersten Jugend sind und so kaltsinnig die Empfindung ihrer Mängel mich etliche Jahre her gegen sie gemacht, so habe ich mir doch nicht verbergen können, daß eine übertriebene Gleichgültigkeit ebenso ungerecht als eine allzu zärtliche Liebe lächerlich sein würde. Und wenn ich auch keine andre Ursache hatte, meinen Gedichten einigen Wert zuzutrauen, so wäre diese einzige zureichend, daß vom Fuße des Jura bis zum Baltischen Meere eine schöne Anzahl wackrer Leute wohnen, deren Freundschaft ich denselben zu danken habe und die es mit Recht für eine Beleidigung aufnehmen könnten, wenn ich allzu gering von demjenigen urteilte, was ihnen gefallen hat.

So wie die wenigsten, die sich mit der Musik abgeben, sich einen Begriff von der Größe machen, zu welcher die Musen einen Pergolese, Galuppi oder Graun erheben können, wie die wenigsten, die sich vom Pinsel nähren, nur die kleinste Ahnung von den Ideen der Schönheit haben, die sich dem entzückten Geist eines Correggio oder Paul Veronese darstellten: So gibt es auch unter dem dichtrischen Volke nur sehr wenige, welche wissen, was die Poesie vermag und zu was für einer Vollkommenheit der wahre Genie, die wahre Begeistrung und ein Fleiß, der durch Einsicht in die Geheimnisse der Natur und der Kunst geleitet wird, ein Werk zu bringen fähig sind. Wäre die Anzahl derer, die dieses wissen, nicht so klein, so würde die Anzahl derer, die zum Vergnügen der Welt zu schreiben glauben, nicht so groß sein, so würden wir nicht alle Jahre eine so unendliche Menge von Oden und Liedern, Trauer- und Lustspielen, Romanen und poetisch-moralischen Mißgeschöpfen zu sehen bekommen. Es würden nicht so viele akademische Müßiggänger, von gärendem Bier und von ganz unanakreontischen und untibullischen Mädchen berauscht, aus der Leier Anakreons oder Gleims die Mißtöne einer spanischen Gitarre zwingen. Unsere Ohren würden nicht durch so viele übel versifizierte und unsingbare Gesänge zerrissen werden, deren Verfasser nur nicht davon gehört zu haben scheinen, daß die Sprache der Musen eine Art von Musik ist, welche die zartesten Saiten der Seele rühren soll: Und selbst gute Skribenten würden sich mehr nach der Korrektion bestreben, deren Mangel an vortrefflichen Werken desto unerträglicher ist, weil er meistens in kleinen Nachlässigkeiten besteht, die oft leicht zu vermeiden gewesen wären.

Wie viele Schriftsteller haben wir, die sich selbst nichts verzeihen, und wie klein wird eine aristarchische Beurteilung die Anzahl nur der einzelnen Gedichte finden, in denen kein unschickliches Wort, kein dunkler oder schielender Ausdruck, keine falsche Metapher, kein Füllwort, kein harter Vers und kein gezwungner Reim den Geschmack oder das Gehör beleidiget, worin nichts niedrig, nichts schwülstig, nichts zu matt, nichts zu stark, nichts zu gedehnt und nichts zu kurz gesagt wird, worin alles Harmonie, alles Musik ist? Ich könnte vielleicht etliche nennen, aber meine allzu geringe Kenntnis der deutschen

Dichter, zumal der neuesten, verbietet es. Und brauchen wir einen andern Beweis als unsern Hagedorn, den echten Horaz unserer Nation, wenn anders jemand diesen Namen verdienen kann, den Dichter, den an Feinheit des Geschmacks keiner, von welcher Nation es sei, übertroffen hat und dem wenige an Fleiß jemals gleichen werden, wenn er, der unter allen unsern Dichtern seine Werke am meisten gefeilt zu haben scheint, nicht durchgängig korrekt ist. Ich höre, was für ein Zuruf mich unterbricht – und können dann unsre Aristarchen so unbillig sein, zu glauben, daß ich, indem ich von Korrektheit rede, nicht wisse, daß ich mir selbst das Urteil spreche? Sollen wir aber den Pflichten das mindeste deswegen vergeben, weil wir uns bewußt sind, daß wir sie übertreten haben, oder sollen wir, wie gewisse sinnreiche Geister unsrer Zeit, die Moral verfälschen, damit wir unsre Laster Tugend nennen können? Doch ich entferne mich von der Betrachtung, die ich angefangen hatte. Ich verwies es den Dichtern und mir selbst, daß die meisten, durch die Gelindigkeit des größern Teils der Leser verführt, sich selbst allzu gelinde sind. Auf der andern Seite aber scheinen mir die Kunstrichter, welche so viel von uns fodern, nicht allemal zu bedenken, ob die Vollkommenheit, die sie in unsern Werken vermissen, in gewissen Umständen, in dem Zeitalter, in dem Lande, worin wir leben, bei den Sitten, bei den Beispielen, von denen wir unvermerkt angesteckt werden, bei den Zerstreuungen, die wir nicht vermeiden konnten, oder bei den Aufmunterungen, die uns gefehlt haben, möglich gewesen sei? Was für eine Art von Kenner müßte der sein, der von unsrer Nation in dem itzigen Zeitpunkt einen Xenophon, einen Euripides, einen Menander, einen Apelles oder Phidias fodern wollte? Ich weiß wohl, daß es auch unter uns Gelehrte gibt, welche die Alten verbessern können, und Witzlinge, welche beweisen, daß man sie nur darum so vortrefflich finde, weil sie schon längst gestorben seien: Allein ich weiß auch, daß die erstern als Leute, die nur für sich selbst schreiben, in keine Betrachtung kommen und daß man die andern in die Schule schicken muß. Woher kömmt es aber, daß Griechenland von den Zeiten des Perikles bis in die Regierung des Ptolemäus Philadelphus weit vortrefflichere Leute hervorgebracht, als unsere Zeit aufzuweisen hat? Die Natur ist allerdings noch eben dieselbige; weder die Luft noch das Klima hat einigen Anteil an dem Unterschiede, denn die heutigen Griechen sind unter eben demselbigen Himmel so barbarisch als die nordlichsten Europäer. Mich dünkt, die wahre Ursache falle so sehr in die Augen, daß man sich wundern muß, wie einige Gelehrte sich so viel Mühe haben geben mögen, eine falsche zu behaupten. Man stelle sich einen jungen Griechen vor, der von den zartesten Jahren an durch alle Arten der Leibesübungen zur Stärke des Herkules und zur Behendigkeit des Merkurs gebildet wurde, der, sobald er erwachsen war, an den Staatsgeschäften oder an den Siegen eines Volkes Anteil nahm, das die Gesetze wie Göttersprüche ehrte und die Freiheit mehr als das Leben liebte; der der Schüler oder Freund eines Sokrates oder Plato war, der von lauter großen Beispielen, lauter Aufmunterungen, lauter glänzenden Hoffnungen umgeben war; der innerhalb der engen Grenzen seines Vaterlandes in Athen die Wohnung der Musen und der Grazien, in Sparta den Sitz der strengen Tugend und der männlichsten Sitten und in Korinth die Pracht des asiatischen Reichtums mit dem griechischen Geschmack vereinigt erblickte: Können wir uns wundern, daß ein junger Mensch, der in solchen Umständen aufblühte, dessen Seele von der Freiheit selbst entwickelt, von den edelsten Beispielen gebildet, allenthalben von Ideen der Schönheit und Vollkommenheit angestrahlt und durch die schönsten Belohnungen und einem allgemeinen Wetteifer beflügelt wurde, eine ganz andere Art von einem Manne wurde, als wir sind? Was für ein Unterschied, der Mitbürger eines Volkes zu sein, wo den Tugenden und Talenten Statuen aufgerichtet wurden, oder unter einem andern zu leben, wo sich beide allzu glücklich schätzen müssen, wenn sie uns zugut gehalten werden? Doch wir wollen nur bei den Dichtern bleiben: Bei uns ist ein Poet gemeiniglich sonst nichts als ein Poet; Sophokles kommandierte mit dem Perikles die griechischen Völker. Bei uns ist es beinahe lächerlich, selbst seinen Freunden ein Gedicht vorzulesen, worüber man ein fremdes Urteil hören möchte: Bei den Griechen wurden alle vier Jahre an den Olympischen Spielen poetische Wettstreite gehalten, bei denen die feierliche Versammlung von allem, was das ganze Griechenland Edles und Ruhmvolles hatte, die Zuhörer und Richter waren, und das allgemeine Zujauchzen eines ganzen geistreichen Volkes war der Beifall, der den Sieger krönte, wenn alles, was bei uns das vortrefflichste Gedicht erhält, in dem zweideutigen oder erkauften Lob etlicher Zeitungsschreiber besteht. Wahrhaftig, die Umstände sind allzu ungleich, als daß man von uns eine Vollkommenheit fodern könnte, die wir kaum zu empfinden fähig sind. Was Wunder also, da unsere Verfassung, unsere Erziehung, unsere Sitten den Musen so wenig günstig sind, daß eine Menge sonderbarer Umstände zusammenkommen müssen, bis unter den poetischen Genien, deren unsre Nation ohne Zweifel so viele hervorbringt als irgendeine andre, einer oder der andre würklich entwickelt und zu demjenigen gebildet wird, was er nach der Absicht der Natur sein soll.

Diese vorläufigen Betrachtungen scheinen mich fast unvermerkt auf meine eigene Geschichte gebracht zu haben, in welche ich mich desto mehr einzulassen versucht werde, weil meine Gedichte ohne dieselbe nicht richtig beurteilt werden können. Es sind noch verschiedene andre Ursachen, welche mich dazu bewegen sollten: Aber da ich mich nicht überwinden kann, so viel von mir selbst zu reden, so werde ich mich begnügen, das Nötigste zu sagen, und das übrige der Zeit überlassen, welche selten ermangelt, einem jeden Gerechtigkeit widerfahren zu lassen.

Die Urteile, welche gewisse Schriftsteller, die allzu bekannt sind, als daß ich sie zu nennen brauche, über meine Gedichte und mich selbst öffentlich ausgesprochen haben, sind einer von den unzähligen Beweisen, die uns das menschliche Leben täglich zeigt, wie leicht man sich im Urteilen betrügen kann. Man hat mich der Affektation beschuldigt und mich unter diejenige Art von Nachahmern gestellt, welche Horaz serva pecora nennt. Alle diejenigen, welche etliche Jahre auf die vertrauteste Art mit mir gelebt haben, wissen, daß Aufrichtigkeit und Liebe zur Freiheit unter die Eigenschaften gehören, womit die Natur mich bis zum Exzeß zu begaben gut gefunden hat. Ein gerührtes Herz, ein würklicher Enthusiasmus, eine von einem würklichen Gegenstand entzückte Seele war die Quelle von allem, was ich geschrieben habe. Wenn ich hierin von vielen andern Poeten verschieden bin, so dienet zu wissen, daß ich niemals ein Poet, wie diese sind, zu sein verlangt habe. Von allen meinen Gedichten ist der unvollendete *Cyrus* das einzige, welches ich mit Absichten auf das Publikum geschrieben. Alle übrigen sind entweder nach der ersten Absicht für einzelne Personen oder in einer besonderen Stimmung der Seele, wovon sie gewissermaßen mechanische Folgen waren, oder, in Ermanglung andrer Beschäftigungen, zu meiner eignen und etlicher Freunde Gemütsergötzung aufgesetzt worden. »Gut«, höre ich die Kunstrichter sagen, »aber warum habt ihr sie drucken lassen?« Hierauf, meine Herren, habe ich Ihnen keine andre Antwort zu geben als eine, die ich, ohne Nachahmung, mit dem Grafen von Shaftesbury gemein habe: Ich sahe den Buchdrucker als meinen amanuensis an, dessen Charakter sich angenehmer lesen ließe als meine eigene Handschrift und dem es leichter ankäme als mir, so viel Kopien zu machen, als ich für meine Freunde nötig hatte. Daß er noch mehr Abschriften gemacht hat und daß einige auch in Dero Hände gefallen sind, darum hatte ich mich nichts zu bekümmern; er tat es auf seine Gefahr und hatte dabei so gute Absichten, als die Herren von seiner Profession nur immer haben können. Einige haben mir die unverdiente Ehre angetan, mich zum Waffenträger eines bekannten Gelehrten zu machen, der in der kritischen und poetischen Welt allzu berühmt ist, als daß ich notig hatte, ihn zu nennen. – Andere haben mich gar beschuldiget, daß ich mit nichts Geringers umgehe als das Haupt einer poetischen Sekte zu werden. Die ersten haben mir mehr Niederträchtigkeit und die andern mehr Ehrgeiz zugetraut, als ich fähig bin. Jene scheinen ihre Meinung hauptsächlich auf die Freundschaft gegründet zu haben, womit dieser würdige Mann von meinem achtzehnten Jahre an mich beehrt hat. Allein sie haben sich vielleicht in den Ursachen und Absichten unsrer Freundschaft betrogen. Er war mein Freund, weil er ein Menschenfreund ist, und ich liebte ihn, weil er seines Geistes, seines Herzens und seiner Verdienste wegen die Liebe aller rechtschaffnen Leute verdient. Wenn mich diese Liebe ehedem vielleicht in eine kleine Enthusiasterei gesetzt hat, so war es keine Affektation, keine Schmeichelei, zu welcher ich meiner Gemütsart nach gerade so aufgelegt bin als der Misanthrope des Molière, sondern eine natürliche Würkung der damaligen Lebhaftigkeit meiner Empfindungen. Sowenig ich aber jemals eine Zeile geschrieben habe, um ihm den Hof zu machen, so wenig ist mir jemals der Gedanke in den Sinn gekommen, meine Art zu dichten, wie man mich beschuldiget hat, für ein Muster und die flüchtigen, unausgebildeten und unzeitigen Geburten meiner jugendlichen Muse für untadelige Meisterstücke auszugeben. Und was besonders diejenige Art von Ambition betrifft, die dazu erfodert wird, es sei nun als Ritter oder Stallmeister, sich mit den poetischen Riesen, Zwergen, Mauleseltreibern und bezauberten Mohren in ein Gefecht einzulassen, so versichre ich, daß sie mich niemals angefochten hat; und überhaupt muß ich bei diesem Anlaß gestehen, daß ich, nach der allergenauesten Selbstprüfung, schon vorlängst die

Entdeckung gemacht, daß mir die Natur den Ehrgeiz gänzlich versagt hat, der die Gelehrten, es sei nun, daß sie sich in Prosa oder Versen, in Reimen oder Hexametern zu verewigen suchen, begeistern soll und von welchem ich nur nicht einmal fähig bin, mir einen deutlichen Begriff zu machen.

Endlich sind auch über den ernsthaften Inhalt oder wenigstens den platonischen Schwung meiner Gedichte große Klagen geführt worden. Gewisse berühmte Kunstrichter haben daher Anlaß genommen, ihre feine Gabe im Spotten mit solchem Nachdruck zu zeigen, daß es beinahe schade wäre, wenn ihnen dieser Anlaß nicht gegeben worden wäre. Was ich hierauf zu sagen nötig achte, ist dieses: Meine natürliche Neigung hat mich, seitdem ich mich selbst empfinde, ebensosehr getrieben, das Wahre und Gute als das Schöne zu suchen, und mein natürliches Geschick, mit den Augen zu sehen, worin, nach der Meinung des König Salomons, der wesentliche Unterschied zwischen den Weisen und Toren bestehen soll, hat mich gar bald einsehen lassen, durch was für ein unauflösliches Band die Natur diese drei charakteristischen Eigenschaften ihrer Werke miteinander verbunden hat. Meine vornehmste Bemühung war daher allezeit, zu wissen und zu empfinden, quid verum atque decens; und von der Begeistrung, worin ich durch die Ideen des Wahren und Schönen, die mich desto stärker rührten, da sie mir neu waren, gesetzt wurde, ist alles dasjenige entsprungen, was die Kunstrichter mit einer ganz unglücklichen Vermutung irgendeiner tartüffischen Affektation beizumessen beliebt haben. Übrigens habe ich, in Absicht des ernsthaften Inhalts, eine namhafte Menge von Poeten aller Zeiten und Nationen zu Vorgängern gehabt. Um nur der Alten allein zu gedenken, wenn Homer und Virgil, statt ihrer sehr moralischen und politischen Heldengedichte, nichts als Siege des Liebesgottes, wenn Pindar und Horaz nichts als Trinkliederchen und Euripides oder Terenz nichts als kleine sinnreiche Aufschriften und Madrigals gemacht hätten, so würden sehr wahrscheinlicher Weise diese Alten gar nicht mehr vorhanden sein, die man uns, ohne sie zu kennen, als Muster anzupreisen pflegt. Doch es ist Zeit, eine Apologie zu enden, welche vielen vielleicht ganz überflüssig scheinen wird. Das Schicksal hat mich in Umstände gesetzt, wo Beschäftigungen, die mit den Musen und Grazien im vollkommensten Gegensatz stehen, mir kaum abgebrochne Stunden übriggelassen haben, die Versuche meiner glücklichern Jugend in etwas auszubessern. Ich werde also für künftige Gedichte keine Apologie nötig haben, und indem ich hiemit meinen poetischen Lebenslauf beschließe, finde ich mich beinahe in den Umständen des Theophrast, welcher bei seinem Ende sich beklagt haben soll, daß er gerade zu der Zeit sterben müsse, da er durch lange Erfahrung endlich gelernt habe, wie man leben sollte.

Christoph Martin Wieland

NATIONALPOESIE

1773

Die Ursachen, warum die deutsche Nation keinen so ausgezeichneten Nationalcharakter haben kann wie die französische und englische, sind bekannt genug. Sie liegen in unsrer Verfassung und können also auch nur mit unsrer Verfassung aufhören. Die deutsche Nation ist eigentlich nicht eine Nation, sondern ein Aggregat von vielen Nationen, so wie die alten Griechen, unter welchen Korinther, Spartaner, Thebaner, Athenienser, Megarenser, Thessalier usw. viel zu verschieden voneinander waren, um sich anders als durch sehr allgemeine, folglich wenig auszeichnende Züge zu gleichen. Wenn die Griechen überhaupt zur Zeit ihres größten Flors unter allen übrigen bekannten Völkern hervorragten, so kam es bloß daher, weil die übrigen Völker alle mehr oder weniger Sklaven oder Barbaren waren. Wäre schon damals der größte Teil von Europa auf einen hohen Grad poliziert gewesen, so würden sie sich bei weitem nicht so stark ausgenommen haben. Bei allem dem hatten die Griechen doch überhaupt einen Nationalcharakter, und wir Deutschen haben den unsrigen. Man lasse (wenn wir selbst zu parteiisch sein sollten, davon zu urteilen) einen Schweden oder Russen, der so viel Geschmack und Kenntnisse hat, als zu einem solchen Urteil erfordert wird, eine Vergleichung der besten deutschen Dichter und Prosaisten mit den besten in Italien, Frankreich und England anstellen und dann den Ausspruch tun, ob er keinen Erdgeschmack, wenn ich so sagen darf, an unsern Schriftstellern wahrnehme? Ob sich nicht in jedem Züge finden, welche den deutschen Schriftsteller von dem welschen, französischen, englischen unterscheiden und die auf Rechnung des Nationalcharakters gesetzt werden müssen? – Und dies, deucht mich, ist alles, was man vernünftigerweise in diesem Stücke fordern kann. Aber hieran genüget, wie es scheint, gewissen von vermeintlicher Vaterlandsliebe brausenden Köpfen nicht. Sie verstehen unter dem Nationalcharakter, den sie unsrer Dichtkunst oder überhaupt unsern Werken des Genies geben möchten, etwas mehr: aber beinahe sollte man zweifeln, ob sie in dem, was sie fordern, sich selbst recht verstehen. Ist ihre Meinung, wir Deutsche sollten eine Nationaldichtkunst haben, die sich ebenso auszeichnete, uns ebenso eigentümlich wäre, wie ehemals die griechische und keltische den Griechen und Kelten eigen war und durch starke Nationalzüge kontrastierte: so haben sie vermutlich nicht bedacht, daß sie etwas verlangen, was weder nach der heutigen Verfassung der Welt möglich noch in irgendeiner Betrachtung wünschenswürdig ist. Würden die Römer zu Trajans Zeiten nicht lächerlich gewesen sein, wenn sie den Verlust ihrer alten, eigentümlichen Poesie, ihrer Fescenninen und saturnischen Verse beklagt und von ihrem Virgil, Horaz, Ovid, Catull usw., als Nachahmern der Griechen, mit gerümpften Nasen gesprochen hätten? Würden wir es weniger sein, wenn wir unsre Dichter nicht für einheimisch erkennen wollten, weil sie sich, anstatt nach den Barden der alten Kelten, nach Mustern derjenigen europäischen Nationen, welche früher als wir beleuchtet und verfeinert worden sind, gebildet haben? Jede Nation hat ihre ursprüngliche, von der Natur allein hervorgebrachte Poesie, und es ist unleugbar, daß diese, bei aller ihrer Wildheit, Schönheiten hat, welche die Kunst nicht erreichen kann, eine Stärke, die nur in einem Stande der Freiheit, wo sie noch alle ihre Kräfte ungebändigt und unerschöpft beisammen hat, möglich ist, ein Feuer, so heftig und ungestüm wie die Leidenschaften kindischer Seelen in herkulischen Körpern. Aber gewiß, um unsrer Poesie diese wilden Schönheiten, diese nervigte Stärke wieder zu verschaffen, werden wir die Zeiten, in welchen der große Ossian dichtete, nicht zurückrufen wollen. Doch wir können uns ja durch Anstrengung unserer Einbildungskraft in sie versetzen? Oh, warum nicht? Dies können wir so gut, als man sich kitzeln kann, um zu lachen. Aber wozu sollten wir das? Unsre Verfassung, unsre Lebensart, unsre Sitten, unser ganzer Zustand ist, Dank sei dem Himmel! so sehr von dem verschieden, was unsre Vorfahren zu den Zeiten der Barden waren, daß kaum ein gewisseres Mittel wäre, unsre Poesie unbrauchbar und lächerlich zu machen, als wenn wir sie in eine Velleda verkleiden wollten. Ich dächte, auch in diesem Falle wären wir doch immer nur Nachahmer, die jenen rohen Waldgesang, den die Natur ihre Söhne lehrte, durch Kunst erzwingen wollten. Und wenn wir denn ja nachahmen wollen oder müssen, warum sollten wir unsre Modelle nicht lieber von einer Nation herholen, in deren Schoße jede edle und schöne Kunst, die den Menschen in den Besitz seiner Vorrechte über die Tiere setzt, bis zur Vollkommenheit getrieben wurde? Sind die Griechen nicht die Lehrmeister aller übrigen polizierten Völker der ganzen Welt gewesen? Haben wir neuern Europäer ihnen weniger zu verdanken als die ehmaligen Römer? Wem anders als dem Geist, den sie in uns angefacht, dem Lichte, das sie uns mitgeteilt, den Mustern, die sie uns hinterlassen, haben wir unsre Verwandlung in gesittete Menschen, unsre bessern Verfassungen, unsre bessre Polizei, unsre Künste, unsern Geschmack, unsre Verfeinerung zu danken? Sind es nicht die Dichter, die Künstler, die Philosophen, die Ärzte, die Redner, die Staatsmänner, die Feldherrn der Griechen und Römer, die uns seit mehr als zweihundert Jahren die größten Männer in allen diesen Klassen gebildet haben? Und nun, nachdem wir ihres Unterrichts, ihrer Beispiele, ihrer Muster so lange genossen, wollten wir uns einfallen lassen, in der Poesie – und in dieser allein (denn in welcher andern

Kunst wollten wir wohl die alten Kelten, Germanen, Goten und Vandalen zum Vorbild nehmen?) – die gebahnten Wege zu verlassen und in den Wäldern der alten Deutschen herumzuirren und in unsern Gesängen einen Nationalcharakter zu affektieren, der schon so lange aufgehört hat, der unsrige zu sein?

Je mehr ich die erste Pflicht der Menschen, sich einander zu nähern, sich miteinander zu verbinden und als Glieder einer großen, von der Natur selbst gestifteten Gesellschaft mit zusammengesetzten Kräften an ihrer gemeinschaftlichen Vervollkommnung zu arbeiten, überdenke: je mehr glaube ich Gründe zu finden, es für einen starken Fortschritt auf dem Wege, der zum Ziel der öffentlichen Glückseligkeit des menschlichen Geschlechtes führt, zu halten, daß wenigstens die Nationen in Europa immer mehr von dem verlieren, was ehmals den Charakter einer jeden ausmachte und wodurch jede sich mehr oder weniger von dem Charakter aufgeklärter und gesitteter Völker entfernte. Je ungeselliger ein Volk ist, je mehr es, wie die alten Ägypter und wie noch jetzt die Chinesen und Japaner, für sich selbst und von allen andern abgeschnitten lebt: je besser erhält es sich freilich in seinem National*charakter*, aber desto unvollkommner bleibt auch sein National*zustand*. Hier scheint von ganzen Völkern das wahr zu sein, was der Verfasser der Betrachtung über die Widersprüche in der menschlichen Natur (Teutscher Merkur, 2. Stück, S. 162) von einzelnen Menschen behauptet – sie erlangen durch diese Absonderung und durch die Sorgfalt, ihre Begriffe und Sitten nicht mit fremden zu vermischen, eine Art von Individualität, die oft an die Karikatur grenzt; und so, wie (nach ebendiesem Verfasser) der Umgang mit Menschen von allen Ständen, von allen Ländern, von allen Denkarten den Begriffen des einzelnen Menschen Ausdehnung und seinen Sitten Eleganz gibt, so läßt sich dies auch von den Völkern behaupten, aus welchen, als aus ebensoviel moralischen Personen, die allgemeine menschliche Gesellschaft zusammengesetzt ist. Die Natur hat schon dafür gesorgt, daß jede Nation ihre eigne Bildung, ihr eignes Temperament, ihre eignen Vorzüge und Mängel habe. Alle die äußerlichen physischen und sittlichen Ursachen, die auf den Menschen wirken, wirken bei verschiedenen Völkern auf so verschiedene Art, in so ungleichem Grade, nach so mancherlei Richtungen, daß man gar nicht zu besorgen hat, sie könnten sich durch die Wirkungen der Geselligkeit und einer gegenseitigen Mitteilung dessen, was jede an den Produkten der Natur und der Kunst eigenes hat, eine der Vollkommenheit nachteilige Einförmigkeit zuziehen. Aber das Harte, zu stark Abstechende, einen widrigen Mißton im Ganzen Verursachende wird sich dadurch verlieren, und die Mitteltinten und sanften Abstufungen, die aus der Brechung der einer jeden Nation eigenen Farbe entstehen, werden dem großen lebenden Gemälde der polizierten Welt eine Schönheit und Harmonie geben, bei deren Erblickung (wenn wir uns eines homerischen Ausdrucks bedienen dürfen) ein Gott im Fluge verweilen möchte, um sich am Anblick eines so schönen Schauspiels zu ergötzen.

Der Dichtkunst wahre Bestimmung ist die Verschönerung und Veredlung der menschlichen Natur, und wenn sie auf diesen großen Zweck in Vereinigung mit der Philosophie und mit ihren andern Schwesterkünsten, den bildenden sowohl als den musikalischen, hinarbeitet, wer kann die Grenzen des wohltätigen Einflusses ziehen, den sie auf die menschliche Gesellschaft haben könnte? Aber damit sie diesen Zweck erreiche, muß sie sich über die bloße Nachahmung der individuellen Natur, über die engen Begriffe einzelner Gesellschaften, über die unvollkommenen Modelle einzelner Kunstwerke erheben, aus den gesammelten Zügen des über die ganze Natur ausgegossenen Schönen sich ideale Formen bilden und aus diesen die Urbilder zusammensetzen, nach denen sie arbeitet. Dies ist, wenigstens nach meiner völligen Überzeugung, die beste Art zu verfahren und das allgemeine Grundgesetz der Kunst, das den welschen, französischen, englischen, deutschen und jeden andern Dichter gleich stark verbindet. Das ganze Reich der Natur und der Kunst steht ihm dazu offen, und indem jeder sich nach seiner Art aus diesen Schätzen zu bereichern sucht, wird er sich endlich einer Vollkommenheit nähern, die den gemeinschaftlichen Charakter der poetischen Virtuosen ausmacht, zu welcher Zeit und bei welchem Volke sie gelebt und in welcher Sprache sie gearbeitet haben mögen. Schülerhafte, sklavische Nachahmer, Affen der großen Meister, eingeschränkte Köpfe, welche sich an das Einzelne und Eigene eines gefallenden und berühmten Artisten halten und ihm gleich zu sein glauben, wenn sie seine Manier (ihrer Einbildung nach, denn eigentlich hat der große Meister keine Manier) ängstlich abkopieren, solche Leute wird es in den schönen Künsten immer geben. Diese Leute werden sich, je nachdem sie durch zufällige Umstände bestimmt werden, bald an einheimische, bald an ausländische einzelne Muster halten, und dann werden Kunstrichter von ebenso eingeschränkten Begriffen kommen und in schwankenden, bald zuviel, bald zuwenig sagenden Ausdrücken über den Mangel einer Nationaldichtkunst, Nationalmusik usw. schreien, ihrer Gewohnheit nach den Wetteifer des Genies mit der Nachahmung des mechanischen Arbeiters vermengen und am Ende wohl gar nur demjenigen den Preis der Vortrefflichkeit zuerkennen, der, aus Begierde, Original zu sein, Dinge sagt, die niemand vor ihm gesagt hat und niemand nach ihm sagen wird.

Viele stehen in der Meinung, daß unsre Dichtkunst durch Bearbeitung einheimischer Gegenstände, Abschilderung einheimischer Sitten und besonders durch unmittelbare Beziehungen auf unser Nationalinteresse und auf große, für das ganze Deutschland wichtige Begebenheiten unendlich viel gewinnen und erst durch eine solche Anwendung eine wahre Nationaldichtkunst werden könnte.

Diese Materie ist wichtig, aber die Aufgaben, welche sie zur Lösung darbietet, sind sehr verwickelt.

Seit Tuiskons oder, um nicht so weit auszuholen, seit Hermanns und Thusneldens, Karls des Großen, Heinrichs des Ersten, Ottos des Ersten, Heinrichs des Vierten, Friedrichs des Zweiten, Ludwigs des Fünften Zeiten – und nur seit den Epochen Friedrichs des Dritten, Karls des Fünften, Ferdinands des Dritten, Karls des Siebenten sind mit dem germanischen Staatskörper nach und nach so große, so mannigfaltige, so wesentliche Veränderungen vorgegangen, daß (wenn wir auch von dem Unschicklichen, welches, aus dem unendlichen Kontrast unsrer Verfeinerung mit der rohen Natur der Enkel Teuts, über jeden Versuch, uns als solche zu behandeln, sich ausbreiten muß, gänzlich abstrahieren wollten) bloß der unermeßliche Unterschied der gegenwärtigen Verfassung von Europa und Deutschland von dem, was beides zu den Zeiten der Barden war, es in mehr als einer Betrachtung unrätlich macht, die Sprache Hermanns mit uns zu reden und uns die Gesinnungen der alten Katten und Hermunduren einflößen zu wollen. Den unbändigen Enthusiasmus für eine Art von Freiheit, die wir zu unserm Glücke längst verloren haben, den kriegerischen, blutdurstigen Geist und die patriotische Wut dieser alten Barbaren durch die Magie der Dichtkunst verschönern und zu Tugend und Heldentum adeln, heißt einen Gebrauch von dieser edlen Kunst machen, der bei allem, was er Blendendes hat, nicht weniger gefährlich ist, als wenn sie zum Werkzeug der Üppigkeit und ausschweifenden Lüste mißbraucht wird. Wir leben in einer Zeit, wo die Aufklärung der europäischen Nationen über ihr wahres Interesse täglich zunimmt und sie immer mehr den Grundgesetzen nähert, welche die Natur der menschlichen Gattung vorgeschrieben und an deren Beobachtung sie die öffentliche und Privatglückseligkeit unzertrennlich gebunden hat. Die Musen, als treue Gehülfinnen der Philosophie, sind dazu bestimmt, die Seelen, welche diese erleuchtet, zu erwärmen, ungestüme Leidenschaften nicht anzuflammen, sondern zu besänftigen und in Harmonie mit unsern moralischen Pflichten zu stimmen und den Wert der häuslichen Glückseligkeit und den Reiz der Privattugenden, die uns derselben fähig machen, in rührenden Gemälden vorzustellen; uns den Geist des Friedens, der Duldung, der Wohltätigkeit und allgemeinen Glückseligkeit einzuflößen, den Menschen durch die Allmacht des Gefühls einzuprägen, daß sie Brüder sind und nur durch Vereinigung und Zusammenstimmung glücklich sein können; den Fürsten – nicht zu schmeicheln, sie nicht in dem Wahne zu bestärken, daß sie alles dürfen, was sie wollen, daß die Kunst, zu unterdrücken, zu würgen und zu erobern sie zu Helden mache, daß es Recht sei, wenn sie zur Befriedigung ihrer Privatleidenschaften und Launen ihre Provinzen entvölkern, glückliche Länder verwüsten und mit dem Leben der Menschen ein grausames Spiel treiben, sondern daß sie entweder wohltätige Väter und Hirten der Völker oder hassenswürdige Tyrannen sind usw. Dies ist, deucht mich, in den Zeiten, worin wir leben, mehr als jemals die wahre Bestimmung der Dichtkunst, und zu dieser Bestimmung fordern wir uns selbst und alle Priester der Musen auf!

Friedrich Gottlieb Klopstock

EINE BEURTEILUNG DER WINCKELMANNISCHEN »GEDANKEN ÜBER DIE NACHAHMUNG DER GRIECHISCHEN WERKE IN DEN SCHÖNEN KÜNSTEN«

1755

Winckelmann ist den Liebhabern der schönen Künste zu bekannt, als daß ich etwas zu seinem Lobe zu sagen nötig hätte. Unterdes wird es nicht überflüssig sein, einige noch mehr in den Stand zu setzen, ihn richtig zu beurteilen. Außer diesem Zwecke habe ich noch den, ihm durch Kritiken meinen Beifall zu bezeigen. Ich weiß sehr wohl, daß, um dieser Art des Beifalls einen rechten Wert zu geben, die Kritiken noch strenger sein müssen, als ich sie machen kann; unterdes werden die meinigen diesem großen Kenner doch zeigen, wie sehr mich seine Werke interessiert haben.

Der Titel von seiner ersten Schrift ist dieser: *Gedanken über die Nachahmung der griechischen Werke in der Malerei und Bildhauerkunst.*

»Der einzige Weg für uns, unnachahmlich zu werden, ist die Nachahmung der Alten.« Ich würde diese Einschränkung hinzusetzen: In denen Arten der Schönheiten, die sie erschöpft haben. Denn welches Genie würde nicht erschrecken müssen, wenn es sich nicht erlauben dürfte, an der Allgemeinheit jenes Satzes zu zweifeln. Haben zum Exempel die Griechen die Vorstellungen ausdrücken können, die wir uns von Engeln machen müssen? Aber wie vortrefflich haben sie nicht oft die Götter vorgestellt. Sollten wir nicht die Engel so machen? Gewiß nicht völlig so. Wir sollten jene Vorstellungen der Götter übertreffen. Bisher zwar sind wir von diesem Übertreffen sehr weit entfernt gewesen. Wir malen Kinderchen, Frauenzimmer, und wenn wir uns recht hoch schwingen, schöne Jünglinge, geben diesen Figuren Flügel und bilden uns ein, Engel vorgestellt zu haben. Sogar Raffaels Michael ist ein Jüngling, und er sollte doch wenigstens ein Jupiter sein, der eben gedonnert hat. Wenn nun Raffael vollends einen Todesengel hätte machen sollen, z. E. einen, durch dessen bloßen Anblick der erstgeborene Sohn Pharaos niedersinkt. Michael Angelo also, wird man sagen. Nein, der auch nicht. Denn er übertrieb zu oft. Der Kontur des wahren Großen ist sehr fein. Wenn die Hand nur ein klein wenig ruckt, so kann es übertrieben werden. Wer also? Vielleicht ein noch ungeborner Künstler, dem es aufbehalten ist, die heilige Geschichte würdig vorzustellen, nämlich die meisten, schon oft wiederholten, neu und dann viele sehr erhabne, die noch niemals gemacht worden sind. Wie würde ich mich freuen, wenn er schon lebte und dieses läse. Er ist es, der noch viel was anders sagen würde, als die Griechen haben sagen können. Gott vorzustellen, würde er sich niemals unterfangen, niemals! Aber den Versöhner der Menschen einigermaßen würdig abzubilden, würde er alle Kräfte seines Genies anstrengen und sich den großen Empfindungen, welche die Religion gibt, ganz überlassen.

»Die Kenner und Nachahmer der griechischen Werke finden an ihren Meisterstücken nicht allein die schönste Natur, sondern noch mehr als Natur.« Wenn es noch Natur ist, verschiedne zerstreute Schönheiten mit Urteilen in einem Bilde zu vereinigen, so sehe ich nicht recht ein, was diese idealische Schönheit, dieses »noch mehr als Natur« sein soll. Doch vielleicht könnte man einen höhern Grad desjenigen Vortrefflichen, das wir gesehen haben, so nennen. Auf diesen Stufen über der schönsten Natur würde ein Künstler auf- und niedersteigen, der es unternähme, Engel zu bilden.

»Das allgemeine, vorzügliche Kennzeichen der griechischen Meisterstücke ist eine edle Einfalt und eine stille Größe sowohl in der Stellung als im Ausdrucke.«

»Alle Handlungen und Stellungen der griechischen Figuren, die mit diesem Charakter der Weisheit nicht bezeichnet, sondern gar zu feurig und wild waren, verfielen in einen Fehler, den die alten Künstler Parenthyrsos nannten.«

Es kommt bei den Künsten überhaupt sehr darauf an, daß die Meister in denselben die feine Linie des Schönen finden. Unterdes ist der Parenthyrsos meistenteils viel eher zu entdecken, als wenn die stille Größe ein wenig zu ruhig ist. Raffaels *Christus am Ölberg* hat mich zu dieser Anmerkung veranlaßt. Er hat nichts von dem, was die Schrift so stark ausdrückt, indem sie sagt: Und es kam, daß er mit dem Tode rang und heftiger betete.

»Die Geschichte der Heiligen sind seit einigen Jahrhunderten der ewige und fast einzige Gegenstand der neuern Maler. – Hierauf wird vorgeschlagen, mehr allegorisch zu malen als bisher geschehen ist.«

Die beiden Hauptfehler der meisten allegorischen Gemälde sind, daß sie oft gar nicht oder doch sehr mühsam verstanden werden und daß sie, ihrer Natur nach, uninteressant sind. Man male eine fast gleichgültige Szene aus der Geschichte, und man zeige eine fast auserlesene Versammlung von den abstrakten Ideen, die wir allegorische Personen zu nennen pflegen, die erste wird dennoch mehr gefallen. Ich bin sehr damit zufrieden, daß man endlich aufhöre, die Mythologie zu malen; man hätte schon lange aufhören können, aber die wahre heilige und weltliche Geschichte sei dasjenige, womit sich die größten Meister am liebsten beschäftigen. Welch ein weites Feld! und wie interessant kann man hier besonders alsdann sein, wenn die rechten Momente gewählt werden. Man kann sogar das Wiederholte wiederholen und dennoch neu sein. Zuerst will ich (so müßte der junge Künstler, der sich fühlt, zu sich selbst sagen), zuerst will ich für die Religion arbeiten! Hierauf soll die Geschichte meines Vaterlandes mein Werk sein, damit auch ich etwas dazu beitrage, meine Mitbürger an die Taten unsrer Vorfahren zu erinnern und denjenigen Patriotismus unter uns wieder aufzuwecken, der sie beseelte! Hierauf – doch weder mein Leben noch vieler andrer reicht zu, jene Unternehmungen bis zu einer gewissen Vollständigkeit auszuführen. Die heilige Geschichte also und die Geschichte m e i n e s Vaterlandes. – Die andern mögen die Geschichte i h r e s Vaterlandes arbeiten. Was geht mich, wie interessant sie auch ist, sogar die Geschichte der Griechen und Römer an? – Aber wenn nur die Kupferstecher ihre unermüdete Gütigkeit behalten und unsre Kopisten bleiben! denn nur durch ihre Hilfe können unsre Arbeiten einen ausgebreiteten Nutzen haben. Ein verschlossnes Manuskript und ein gedrucktes Buch sind zwei sehr verschiedne Sachen. Wenn sie nur nicht aufwachen und sich erinnern, daß es ihnen niemand wehrt, sowohl wie wir, Erfinder, Zeichner und alles zu werden.

Wie kann man gewiß sein, daß sie niemals aufwachen werden? Und wenn sie erst einmal recht aufgewacht sind, so schlafen sie gewiß nicht wieder ein. Da führen wir dann unser unbemerktes Leben in dem Exilio irgendeines Kabinetts oder einer Galerie! Und dann kommt noch überdies die grausame Zeit und wischt uns unsre geliebte Farbe weg. – Wenn ich der Sache recht nachdenke, so sehe ich nicht ein, warum ich denn notwendig ein Maler werden muß? – Die Kolorit – haben nicht die großen Kupferstecher etwas, das der Kolorit sehr nahekommt? Aber die Maler werden mehr geehrt. Vielleicht nicht von allen Kennern. Und wird man denn in diesem Vorurteile bleiben, wenn die Kupferstecher aufhören, nichts als Kopisten zu sein? – Mein Entschluß ist gefaßt. Es sei denn! Weniger Ehre, aber mehr Nutzen! Vielleicht würde selbst Apelles so gedacht haben, wenn diese Kunst, deren vervielfältigte Werke sogar länger als der Marmor aufbehalten werden, zu seinen Zeiten erfunden gewesen wäre. Und vielleicht auch nicht weniger Ehre. Begeistre du mich nur, Genie der Erfindung und der Zeichnung, und leite meine Hand, daß ihr die Linie der Schönheit glücke; so – ist dies nicht zu kühn gedacht? Nein, nicht zu kühn, wenn ich es ausführe! So soll es noch Gemälde geben, die Kopien von Kupferstichen sind.

»Parrhasius hat sogar den Charakter eines ganzen Volkes ausdrücken können. Er malte die Athenienser, wie sie gütig und zugleich grausam, leichtsinnig und zugleich hartnäckig, brav und zugleich feige waren. Diese Vorstellung ist allein durch den Weg der Allegorie möglich.«

Außer daß sie undeutlich und uninteressant hat sein müssen, so hat sie auch, um die angezeigte Absicht zu erreichen, nicht anders als sehr gezwungen sein können.

Es ist wahr, »daß Rubens der vorzüglichste unter den großen Malern ist, der sich auf den unbetretnen Weg der allegorischen Malerei gewagt hat«, allein was wir an Rubens am meisten bewundern, ist gewiß die Vermischung allegorischer Personen mit historischen nicht. Er kann uns hier ebensowenig gefallen, als uns Milton gefallen kann, wenn er die Sünde und den Tod mit den wirklichen Personen, den Engeln und den Menschen, zugleich handeln läßt. Solche Zusammensetzungen sind sehr gute Exempel zu der bekannten Stelle aus dem Horaz: »Delphinum silvis appingunt.«

»Der Künstler hat ein Werk nötig, welches aus der ganzen Mythologie, aus den besten Dichtern alter und neuer Zeiten, aus der geheimen Weltweisheit vieler Völker, aus den Denkmalen des Altertums auf Steinen, Münzen und Geräten diejenigen sinnlichen Figuren und Bilder enthält, wodurch allgemeine Begriffe dichterisch gebildet werden.«

Die Mythologie gehört hier nicht her. Wenn wir den Homer lesen, so sehen wir seine Götter als Personen an, die von den Heiden für wirklich sind gehalten worden.

Sie sind also, insofern wir uns an die Stelle der Griechen setzen, welches wir bei der Lesung des Homer tun müssen, historische Personen für uns. Sie werden freilich nicht völlig historische Personen für uns, weil wir sie nicht glauben; unterdes sind sie doch von ganzen Nationen geglaubt worden, und dies ist zu einem gewissen Grade von Anteil, den wir an ihren Taten nehmen, zureichend. Nicht allein der Umstand, daß sie von ganzen Nationen als wirklich geglaubt worden sind, hindert, daß wir sie nicht als allegorische Personen denken mögen, sondern sie würden auch meistenteils sehr gezwungne und unvollständige Bilder von allgemeinen Begriffen sein. Nun stelle man sich ein Gemälde vor, auf dem wirkliche Personen, allegorische und mythologische, wären. Z. E. Leonidas werde von Mars nach Thermopylae geführt. Die Freiheit streue Blumen vor ihm her, und die Unsterblichkeit winke ihm von der Spitze der thermopylischen Gebirge entgegen. Erst Leonidas! Ein sehr ernsthafter und wahrer Gedanke, der unsre ganze Seele interessiert. Ein großer Mann, der wirklich einmal gelebt hat und sich nicht etwa nur der Gefahr, für sein Vaterland zu sterben, ausgesetzt hat, sondern der einem gewissen Tode für dasselbe entgegengegangen ist. Und nun Mars. Was soll Mars bei ihm? Wir bemühen uns vergebens, ihn in der Gesellschaft des Leonidas gern zu sehen. Er ist ein bloßes Phantom für uns, ob wir gleich wissen, daß ihn die Griechen für einen Gott gehalten haben. Soll er den Krieg bedeuten? Wieviel verderbt uns diese in Panzer gekleidete abstrakte Idee. Ebenso ist es mit der Freiheit und der Unsterblichkeit. Sie sind etwas Fremdes, etwas Fabelhaftes, das wir bei dem wirklichen Leonidas nicht haben mögen. Er steige mit dem Ernste und der Ruhe, mit der er sich für sein Vaterland aufopfert, das jähe Gebirge hinauf. Einige junge Spartaner begleiten ihn voll Ehrfurcht und zurückgehaltenen Ungestüm, einige erwarten ihn oben und schmücken sich zum Gefechte oder werfen ihm Lorbeekränze entgegen, die sie in das Blut eines noch rauchenden Opfertiers getaucht haben.

Ich bin unterdes nicht so sehr gegen die Allegorie, daß ich nicht zugestände, »daß der Geschmack in unsern heutigen Verzierungen in der Baukunst durch ein gründliches Studium der Allegorie gereinigt werden und Wahrheit und Verstand erhalten könnte«.

Nicht allein hierzu, sondern auch zu Vignetten und Medaillen sind simple und deutliche Allegorien sehr brauchbar. Allein zur Verschönerung des Vortrefflichsten, was die Künste hervorbringen können, der historischen Werke, müssen sie nichts beitragen wollen.

Johann Gottfried Herder

Auszug aus einem

BRIEFWECHSEL ÜBER OSSIAN

und die Lieder alter Völker

1773

...Auch ich bin, wie Sie, über die Übersetzung Ossians für unser Volk und unsre Sprache ebensosehr als über ein episches Original entzückt. Ein Dichter, so voll Hoheit, Unschuld, Einfalt, Tätigkeit und Seligkeit des menschlichen Lebens, muß, wenn man in faece Romuli an der Würksamkeit guter Bücher nicht ganz verzweifeln will, gewiß würken und Herzen rühren, die auch in der armen schottischen Hütte zu leben wünschen und sich ihre Häuser zu solchem Hüttenfest einweihen. – Auch Denis' Übersetzung verrät soviel Fleiß und Geschmack, teils glücklichen Schwung der Bilder, teils Stärke der deutschen Sprache, daß ich auch sie gleich unter die Lieblingsbücher meiner Bibliothek gestellt, und Deutschland zu einem Barden Glück gewünscht, den der schottische Barde nur gewecket. – Aber Sie, der vorher so halsstarrig an der Wahrheit und Authentizität des schottischen Ossians zweifelte, hören Sie jetzt mich, den Verteidiger, nicht halsstarrig zweifeln, sondern behaupten, daß trotz alles Fleißes und Geschmacks und Schwunges und Stärke der deutschen Übersetzung, unser Ossian gewiß nicht der wahre Ossian mehr sei. Der Raum fehlt mir, das jetzt zu beweisen: ich muß also meine Behauptung nur wie ein türkischer Mufti sein Fetwa hinsetzen, und hier der Name des Mufti...

...Meine Gründe gegen den deutschen Ossian sind nicht bloß, wie Sie gütigst wähnen, Eigensinn gegen den deutschen Hexameter überhaupt: denn was trauen Sie mir für Empfindung, für Ton und Harmonie der Seele zu, wenn ich z. E. den Kleistischen, den Klopstockischen Hexameter nicht fühlen sollte? Aber freilich, weil Sie doch einmal selbst darauf gekommen sind, der Klopstockische Hexameter bei Ossian? Freilich auch hinc illae lacrimae! Hätte der Herr D. die eigentliche Manier Ossians nur etwas auch mit dem innern Ohre überlegt – Ossian so kurz, stark, männlich, abgebrochen in Bildern und Empfindungen – Klopstocks Manier so ausmalend, so vortrefflich, Empfindungen ganz ausströmen, und wie sie Wellen schlagen, sich legen und wiederkommen, auch die Worte, die Sprachfügungen ergießen zu lassen – welch ein Unterschied! Und was ist nun ein Ossian in Klopstocks Hexameter? in Klopstocks Manier? Fast kenne ich keine zwo verschiednere, auch Ossian schon würklich wie Epopöist betrachtet.

Aber das ist er nun nicht, und sehen Sie, das wollte ich Ihnen nur sagen, von jenem hat schon, wie mich dünkt, eine kritische Bibliothek geredet, und das geht mich nichts an. Ihnen wollte ich nur in Erinnerung bringen, daß Ossians Gedichte Lieder, Lieder des Volks, Lieder eines ungebildeten, sinnlichen Volks sind, die sich so lange im Munde der väterlichen Tradition haben fortsingen können – sind sie das in unsrer schönen epischen Gestalt gewesen? haben sie's sein können? – mein Freund, wenn ich mich zuerst gegen Ihre zweifelnde Halsstarrigkeit gegen die Ursprünglichkeit Ossians auf nichts so sehr als auf inneres Zeugnis, auf den Geist des Werks selbst berief, der uns mit weissagender Stimme zusagte: »So etwas kann Macpherson unmöglich gedichtet haben! so was läßt sich in unserm Jahrhunderte nicht dichten!« mit eben dem innern Zeugnis rufe ich jetzt ebenso laut: »Das läßt sich wahrhaftig nicht singen! in solchem Ton von einem wilden Bergvolke wahrhaftig nicht fortsingen und erhalten! folglich ist's nicht Ossian, der da sang, der so lange fortgesungen wurde!« Was sagen Sie zu meinem innern Beweise? – nächstens fülle ich Ihnen vielleicht damit Seiten!

... So eigensinnig für Ihren deutschen Ossian hätte ich Sie doch nicht geglaubt! Es mir durch Zergliederungen und einzelne Vergleichungen abzwingen zu wollen, »daß er gewiß so gut als der englische sei!« In Sachen der bloßen schnellen Empfindung, was läßt sich da nicht aus zergliedern? was nicht durch ein grübelndes Zerlegen heraus beweisen, was – wenigstens die vorige schnelle Empfindung gewiß nicht ist. Haben Sie es wohl diesmal bedacht, was Sie so oft, oft und täglich fühlen, »was die Auslassung eines, der Zusatz eines andern, die Umschreibung und Wiederholung eines dritten Worts; was mir andrer Akzent, Blick, Stimme der Rede durchaus für anderen Ton geben könne?« Ich will den Sinn noch immer bleiben lassen; aber Ton? Farbe? die schnelleste Empfindung von Eigenheit des Orts, des Zwecks? – Und beruht nicht auf diesen alle Schönheit eines Gedichts, aller Geist und Kraft der Rede? – Ihnen also immer zugegeben, daß unser Ossian als ein poetisches Werk so gut, ja besser als der englische sei – eben weil er ein so schönes poetisches Werk ist, so ist er der alte Barde, Ossian, nicht mehr; das will ich ja eben sagen.

Nehmen Sie doch eins der alten Lieder, die in Shakespeare oder in den englischen Sammlungen dieser Art vorkommen, und entkleiden Sie's von allem Lyrischen des Wohlklanges, des Reims, der Wortsetzung, des dunkeln Ganges der Melodie: lassen Sie ihm bloß den Sinn, so so und auf solche und solche Weise in eine andre Sprache übertragen; ist's nicht, als wenn Sie die Noten in einer Melodie von Pergolese oder die Lettern auf einer Blattseite umwürfen? wo bliebe der Sinn der Seite? wo bliebe Pergolese? Mir fällt eben das Liedchen aus Shakespears *Twelfth-Night* in die Hände, bei welchem der liebesieche Herzog von hinnen scheiden will: –

> ... that old and antic song,
> Me thought it did relieve my passion much –

More than light airs and recollected terms
Of these most brisk and giddy-paced times.

...it is old and plain,
The spinsters and the knitters in the sun
And the free maids that weave their thread with bones
Do use to chant it: it is silly sooth
And dallies with the innocence of Love
Like the old age...

Nun, werden Sie bei solchem Lobe nicht so begierig, wie der verliebte Ritter selbst? Auf! übersetzen Sie's flugs in Denis'sche Hexameter:

Song

Come away, come away, death!
And in sad cypress let me be laid!
Fly away, fly away, breath!
I am slain by a fair cruel maid!
My shroud of white stuck all with yew
Oh prepare it!
My part of death, no one so true
Did share it!

Not a flow'r, not a flow'r sweet
On my black coffin let there be strown!
Not a friend, not a friend greet
My poor corpse, where my bones shall be thrown.

A thousand thousand sighs to save,
Lay me o where
True Lover never find my grave
To weep there.

Der sollte nicht mein Freund sein, der bei diesem so einfältigen, nichtssagenden Liede, insonderheit lebendig gesungen, nichts mitfühlte! Indessen, wenn es übersetzt würde (Wieland hat es, so wie die meisten dieser Art, nicht übersetzt!), wenn der einige fast, dem ich hiezu Biegsamkeit zutraue, der Sänger des Skaldengesanges und der Grabschrift Aspasiens und des griechischen Schnitterliedchens und der süßen Nänie auf die Wachtel und das Schnittermädchen des Himmels und auf die Herzensangst jenes guten Pfarrers – wenn dieser Dichter, der so mancherlei, und dies Mancherlei so vortrefflich sein kann, es übersetzte, wie anders erhält er den Abdruck der innern Empfindung als durch den Abdruck des Äußern, des Sinnlichen in Form, Klang, Ton, Melodie, alles des Dunklen, Unnennbaren, was uns mit dem Gesange stromweise in die Seele fließet! Schlagen Sie die Dodsleyschen *Reliques of ancient Poetry* auf, von einem Ende zum andern; übersetzen Sie, was und wie schön Sie es wollen, aber außer dem Ton des Gesanges, und sehen Sie denn, was Sie haben werden!

Sie kennen doch die liebe, süße Romanze, von der ich mich wundere, daß sie sich in den Dodsleyschen *Reliques* nicht finde: *Heinrich und Kathrine*

In ancient times in Britain Isle
Lord Henry was well knowne –

Ein englischer Schulrektor, seines Namens Samuel Bishop, hat gewisse Ferias poeticas gefeiret: i. e. *Carmina Anglicana Elegiaci plerumque argumenti* (ich schreibe Ihnen den verdienstvollen Titel) *latine reddita* geschrieben, und in diesen *Carminibus Anglicanis latine redditis* ist auch unsre Romanze *Elegiaci argumenti*, und also auch *Elegiaco versu*, schön skandiert und phraseologisiert, die sich also anhebt:

Angliacos inter proceres innotuit olim
Henricus priscae nobilitatis honos!

und wo ist nun die Romanze? – Daß es mit Ossian kaum anders sei, sehen Sie nur einmal die schöne Macferlanesche Übersetzung von *Temora*. Der Verf. selbst ein Schotte?

der Ossian singen gehört? ihn doch also fühlen muß? Sehen Sie nun, was unter den Händen des guten, flinken Lateiners aus der rührenden Stelle geworden ist, da Oskar fällt, und der Dichter plötzlich abbrechend, sich an seine Geliebte wendet – In der N. Bibl. d. sch. W., Band 9, St. 2, S. 344, sind die Übersetzungen aus Macpherson, Macferlane und Denis nebeneinander. Sie können nachschlagen und sehen!...

...Ihre Einwürfe sind sonderbar. Bei alten gotischen Gesängen, wie Sie sie zu nennen belieben, bei Reimgedichten, Romanzen, Sonetts und dergleichen schon künstlichen oder gar gekünstelten Stanzen geben Sie mir nach; aber bei alten ungekünstelten Liedern wilder, ungesitteter Völker – wilder, ungesitteter Völker? ich kann Ihre Stelle kaum ausschreiben. So gehörte Ihr Ossian und sein edler, großer Fingal so schlechthin zu einem wilden, ungesitteten Volk? und wenn jener auch alles idealisiert hätte, wer so idealisieren konnte und wem so idealisiert dergleichen Bilder, dergleichen Geschichte der Traum des Nachts und das Vorbild des Tags, Gemütserholung und beste Herzenslust sein konnte; der war wildes Volk? Wohin man doch abgeraten kann, um nur seine Lieblingsmeinung zu retten.

Wissen Sie also, daß, je wilder, d. i. je lebendiger, je freiwürkender ein Volk ist (denn mehr heißt dies Wort doch nicht!), desto wilder, d. i. desto lebendiger, freier, sinnlicher, lyrisch handelnder müssen auch, wenn es Lieder hat, seine Lieder sein! Je entfernter von künstlicher, wissenschaftlicher Denkart, Sprache und Letternart das Volk ist: desto weniger müssen auch seine Lieder fürs Papier gemacht und tote Letternverse sein: vom Lyrischen, vom Lebendigen und gleichsam Tanzmäßigen des Gesanges, von lebendiger Gegenwart der Bilder, vom Zusammenhange und gleichsam Notdrange des Inhalts, der Empfindungen, von Symmetrie der Worte, der Silben, bei manchen sogar der Buchstaben, vom Gange der Melodie und von hundert andern Sachen, die zur lebendigen Welt, zum Spruch- und Nationalliede gehören und mit diesem verschwinden – davon, und davon allein, hängt das Wesen, der Zweck, die ganze wundertätige Kraft ab, die diese Lieder haben, die Entzückung, die Triebfeder, der ewige Erb- und Lustgesang des Volks zu sein! Das sind die Pfeile dieses wilden Apollo, womit er Herzen durchbohrt und woran er Seelen und Gedächtnisse heftet! Je länger ein Lied dauern soll, desto stärker, desto sinnlicher müssen diese Seelenerwecker sein, daß sie der Macht der Zeit und den Veränderungen der Jahrhunderte trotzen – wohin wendet sich nun die Sache?

Ohne Zweifel waren die Skandinavier, wie sie auch in Ossian überall erscheinen, ein wilderes, rauheres Volk als die weich idealisierten Schotten: mir ist von jenen kein Gedicht bekannt, wo sanfte Empfindung ströme: ihr Tritt ist ganz auf Felsen und Eis und gefrorner Erde, und in Absicht auf solche Bearbeitung und Kultur ist mir von ihnen kein Stück bekannt, das sich mit den Ossianschen darin vergleichen lasse. Aber sehen Sie einmal im Worm, im Bartholin, im Peringskiöld und Verel ihre Gedichte an – wieviel Silbenmaße! wie genau jedes unmittelbar durch den fühlbaren Takt des Ohrs bestimmt! ähnliche Anfangssilben mitten in den Versen symmetrisch aufgezählt, gleichsam Losungen zum Schlage des Takts, Anschläge zum Tritt, zum Gange des Kriegsheers. Ähnliche Anfangsbuchstaben zum Anstoß, zum Schallen des Bardengesanges in die Schilde! Disticha und Verse sich entsprechend! Vokale gleich! Silben conson – wahrhaftig eine Rhythmik des Verses, so künstlich, so schnell, so genau, daß es uns Büchergelehrten schwer wird, sie nur mit den Augen aufzufinden; aber denken Sie nicht, daß sie jenen lebendigen Völkern, die sie hörten und nicht lasen, von Jugend auf hörten und mit sangen und ihr ganzes Ohr danach gebildet hatten, eben so schwer gewesen sei. Nichts ist stärker und ewiger und schneller und feiner als Gewohnheit des Ohrs!

Einmal tief gefaßt, wie lange behält dasselbe! In der Jugend, mit dem Stammeln der Sprache gefaßt, wie lebhaft kommte es zurück, und so schnell mit allen Erscheinungen der lebendigen Welt verbunden, wie reich und mächtig kommt es wieder. Aus Musik, Gesang und Rede könnt' ich Ihnen eine Menge sonderbarer Phänomene anführen, wenn ich einmal psychologisieren wollte!

Denken Sie nicht, daß ich übertreibe. Unter hundertsechsunddreißig Rhythmusarten der Skalden habe ich nur einen, den sangbaren, in Worm näher studiert (denn ihre eigentliche Prosodie, der zweite Teil der *Edda,* ist meines Wissens noch nicht erschienen!), und was denken Sie, wenn in diesem Rhythmus von acht Reihen nicht bloß zwei Disticha, sondern in jedem Distichon drei anfangähnliche Buchstaben, drei consone Wörter und Schälle, und diese in ihren Regionen wieder so metrisch bestimmt sind, daß die ganze Strophe gleichsam eine prosodische Runentextur geworden ist – und alles waren Schälle, Laute eines lebenden Gesanges, Wecker des Takts und der Erinnerung, alles klopfte, und stieß und schallte zusammen! – Machen Sie nun die Probe und studieren Regner Lodbrogs Sterbegesang in den Runen des Worms und lesen denn die feine, zierliche Übersetzung, die wir davon im Deutschen in ganz anderm Ton und ganz anderm Silbenmaße haben – der verzogenste Kupferstich von einem schönen Gemälde! Nun komme jemand und mache aus dem Schlachtgesang der Dysen, aus dem Zaubergespräch Odins am Tor der Hölle, aus dem jüngsten Gericht der Eddagötter ein schönes Heldengedicht in Hexametern oder schöne griechische Silbenmaße, wie Herr Denis aus dem Gespräch Gauls und Mornis, Fingals und Roskranen gemacht hat, aus Evind Skaldaspillers Trauerlied auf Hako eine Elegie im Tone der Rothschildsgräber – was würde Vater Odin und der alte Skaldaspiller sagen? – Daß sich nun diese skaldische Rhythmik nicht auf Island und Skandinavien eingeschränkt, können Sie aus Hickes und andern, am neuesten noch in den Dodsleyschen *Reliques* aus der Vorabhandlung vor dem *Complaint of conscience* (T. 2, Bd. 3, S. 277) sehen, wo aus dem Angelsächsischen dergleichen mehr als eine Probe angeführt wird.

Aber noch mehr. Gehen Sie die Gedichte Ossians durch. Bei allen Gelegenheiten des Bardengesanges sind sie einem andern Volk so ähnlich, das noch jetzt auf der Erde lebet, singet und Taten tut; in deren Geschichte ich also ohne Vorurteil und Wahn die Geschichte Ossians und seiner Väter mehr als einmal lebendig erkannt habe. Es sind die fünf Nationen in Nordamerika: Sterbelied und Kriegsgesang, Schlacht- und Grablied, historische Lobgesänge auf die Väter und an die Väter – alles ist den Barden Ossians und den Wilden in Nordamerika gemein; der letzten Marter- und Rachelied nehme ich aus, dafür die sanften Kaledonier ihre Gesänge mit dem sanften Blut der Liebe färbten. Nun sehen Sie einmal, was alle Reisebeschreiber, Charlevoix und Lafiteau, Roger und Cadwallader Colden, vom Ton, vom Rhythmus, von der Macht dieser Gesänge auch für Ohren der Fremdlinge sagen. Sehen Sie nach, wieviel nach allen Berichten darin auf lebende Bewegung, Melodie, Zeichensprache und Pantomime ankommt, und wenn nun Reisende, die die Schotten kannten und mit den Amerikanern so lange gelebt hatten, Kapitän Timberlake z. B., die offenbare Ähnlichkeit der Gesänge beider Nationen anerkannten – so schließen Sie weiter. Bei Denis stehen wir steif und fest auf der Erde: hören etwa Sinn und Inhalt in eigner, guter poetischer Sprache, aber nach der Analogie aller wilden Völker kein Laut, kein Ton, kein lebendiges Lüftchen von den Hügeln der Kaledonier, das uns hebe und schwinge und den lebendigen Ton ihrer Lieder hören lasse: wir sitzen, wir lesen, wir kleben steif und fest an der Erde.

Als eine Reise nach England noch in meiner Seele lebte – o Freund, Sie wissen nicht, wie sehr ich damals auch auf diese Schotten rechnete! Ein Blick, dachte ich, auf den öffentlichen Geist und die Schaubühne und das ganze lebende Schauspiel des englischen Volks, um im ganzen die Ideen mir aufzuklären, die sich im Kopf eines Ausländers in Geschichte, Philosophie, Politik und Sonderbarkeiten dieser wunderbaren Nation so dunkel und sonderbar zu bilden und zu verwirren pflegen. Alsdenn die größte Abwechselung des Schauspiels, zu den Schotten! zu Macpherson! Da will ich die Gesänge eines lebenden Volks lebendig hören, sie in alle der Würkung sehen, die sie machen, die Örter sehen, die allenthalben in den Gedichten leben, die Reste dieser alten Welt in ihren Sitten studieren! eine Zeitlang ein alter Kaledonier werden – und dann nach England zurück, um die Monumente ihrer Literatur und ihre zusammengeschleppten Kunstworte und das Detail ihres Charakters mehr zu kennen – wie freute ich mich auf den Plan! und als Übersetzer hätte ich gewiß auf andern Wegen ähnliche Schritte tun wollen, die jetzt – Denis nicht getan hat! Für ihn ist selbst die Macphersonsche Probe der Ursprache ganz vergebens abgedruckt gewesen.

...Sie lachen über meinen Enthusiasmus für die Wilden beinahe so wie Voltaire über Rousseau, daß ihm das Gehen auf Vieren so wohl gefiele: glauben Sie nicht, daß ich deswegen unsre sittlichen und gesitteten Vorzüge, worin es auch sei, verachte! Das menschliche Geschlecht ist zu einem Fortgange von Szenen, von Bildung, von Sitten bestimmt: wehe dem Menschen, dem die Szene mißfällt, in der er auftreten, handeln und sich verleben soll! Wehe aber auch dem Philosophen über Menschheit und Sitten, dem seine Szene die einzige ist und der die erste immer, auch als die schlechteste, verkennet! Wenn alle mit zum Ganzen des fortgehenden Schauspiels gehören: so zeigt sich in jeder eine neue, sehr merkwürdige Seite der Menschheit – und nehmen Sie sich nur in acht, daß ich Sie nicht nächstens mit einer Psychologie aus den Gedichten Ossians heimsuche. Die Ideen wenigstens dazu liegen tief und lebendig g'nug in meiner Seele, und Sie würden manches Sonderbare lesen!

Für jetzt. Wissen Sie, warum ich ein solch Gefühl teils für Lieder der Wilden, teils für Ossian insonderheit habe? Ossian zuerst habe ich in Situationen gelesen, wo ihn die meisten, immer in bürgerlichen Geschäften und Sitten und Vergnügen zerstreute Leser als bloß amüsante, abgebrochene Lektüre kaum lesen können. Sie wissen das Abenteuer meiner Schiffahrt; aber nie können Sie sich die Würkung einer solchen etwas langen Schiffahrt so denken, wie man sie fühlt. Auf einmal aus Geschäften, Tumult und Rangespossen der bürgerlichen Welt, aus dem Lehnstuhl des Gelehrten und vom weichen Sofa der Gesellschaften auf einmal weggeworfen, ohne Zerstreuungen, Büchersäle, gelehrten und ungelehrten Zeitungen, über einem Brette, auf offnem allweiten Meere, in einem kleinen Staat von Menschen, die strengere Gesetze haben als die Republik Lykurgus, mitten im Schauspiel einer ganz andern, lebenden und webenden Natur, zwischen Abgrund und Himmel schwebend, täglich mit denselben endlosen Elementen umgeben und dann und wann nur auf eine neue, ferne Küste, auf eine neue Wolke, auf eine ideale Weltgegend merkend – nun die Lieder und Taten der alten Skalden in der Hand, ganz die Seele damit erfüllet, an den Orten, da sie geschahen – hier die Klippen Olaus vorbei, von denen so viele Wundergeschichte lauten – dort dem Eilande gegenüber, das jene Zauberase mit ihren vier mächtigen, sternebestirnten Stieren abpflügte, »das Meer schlug, wie Platzregen, in die Lüfte empor, und wo sich, ihren schweren Pflug ziehend, die Stiere wandten, glänzten acht Sterne vor ihrem Haupte« über dem Sandlande hin, wo vormals Skalden und Vikinge mit Schwert und Liede auf ihren Rossen des Erdegürtels (Schiffen) das Meer durchwandelten, jetzt von fern die Küsten vorbei, da Fingals Taten geschahen und Ossians Lieder Wehmut sangen, unter eben dem Weben der Luft, in der Welt, der Stille – glauben Sie, da lassen sich Skalden und Barden anders lesen als neben dem Katheder des Professors! Wood mit seinem Homer auf den Trümmern Trojas und die *Argonauten, Odysseen* und *Lusiaden* unter wehendem Segel, unter rasselndem Steuer: die Geschichte Uthals und Ninathoma im Anblick der Insel, da sie geschahe; wenigstens für mich sinnlichen Menschen haben solche sinnliche Situationen so viel Würkung. Und das Gefühl der Nacht ist noch in mir, da ich auf scheiterndem Schiffe, das kein Sturm und keine Flut mehr bewegte, mit Meer bespült, und mit Mitternachtwind umschauert, Fingal las und Morgen hoffte ... Verzeihen Sie es also wenigstens einer alternden Einbildung, die sich auf Eindrücke dieser Art als auf alte Bekannte und innige Freunde stützet. –

Aber auch das ist noch nicht eigentlich Genesis des Enthusiasmus, über welchen Sie mir Vorwürfe machen: denn sonst wäre er vielleicht nichts als individuelles Blendwerk, ein bloßes Meergespenst, das mir erscheinet. Wissen Sie also, daß ich selbst Gelegenheit gehabt, lebendige Reste dieses alten, wilden Gesanges, Rhythmus, Tanzes unter lebenden Völkern zu sehen, denen unsre Sitten noch nicht völlig Sprache und Lieder und Gebräuche haben nehmen können, um ihnen dafür etwas sehr Verstümmeltes oder nichts zu geben. Wissen Sie also, daß, wenn ich einen solchen alten – – Gesang mit seinem wilden Gange gehört, ich fast immer wie der französische Marcell gestanden: Que de choses dans un menuet! oder vielmehr, was haben solche Völker durch Umtausch ihrer Gesänge gegen eine verstümmelte Menuet und Reimleins, die dieser Menuet gleich sind, gewonnen? –

Sie kennen die beiden lettischen Liederchen, die Lessing in den *Literaturbriefen* aus Ruhig anzog, und wissen, wie viel sinnlicher Rhythmus der Sprache in ihrem Wesen liegen mußte; lassen Sie mich itzt ein paar peruanische aus Garcilasso di Vega ziehen, die ich nach Worten, Klang und Rhythmus soviel möglich übertragen; Sie werden aber gleich selbst sehen, wie weit sie sich übertragen lassen! Das erste ist die Serenade eines Liebhabers in der Abenddämmerung:

Schlummre, schlummr', o Mädchen,
Sanft in meine Lieder,
Mitternachts, o Mädchen,
Weck' ich dich schon wieder!

Was läßt sich seinem Mädchen mehr und süßer sagen? – Das andre ist ein bloßes Bild, eine Fiktion ihrer Mythologie von Donner und Blitz. In den Wolken ist eine Nymphe mit einem Wasserkruge in der Hand, bestellet, um zu gehöriger Zeit der Erde Regen zu geben. Unterläßt sie's, läßt sie die Erde in Dürre schmachten, so kommt ihr Bruder, zerschlägt ihren Krug, das gibt Blitz und Donner und dann zugleich Regen. Wenn die Dichtung vom Ungewitter in der Dürre, mit Regen begleitet, Ihnen als sinnlich, als anschauend gefällt, so hören Sie das Lied oder Gebet an sie, wie Sie wollen:

Schöne Göttin,
Himmelstochter![1]

Als Weisheit habe ich das Liedchen nicht angeführt: denn Sie wissen, in welchem Ruf die dummen Peruaner stehen? Ich rede von Symmetrie des Rhythmus, des Sangbaren, und da arbeitet meine Nachbildung dem Original so matt und schwach nach.

Sie kennen das Kleistische Lied eines Lappländers, und die Hand dieses braven Mannes konnte für uns gewiß nicht anders als verschönern; aber wenn ich Ihnen nun den rohen Lappländer gäbe? – Wenigstens aus der dritten Hand, denn ich habe Scheffer nicht bei mir:

[1] Hier folgt das Gedicht *An die Regengöttin* aus den *Volksliedern.* (H. M.)

O Sonne, dein hellester Schimmer beglänze den
Orrasee![1]

Es ist, wie gesagt, aus der dritten Hand, dieses lappländische Lied – aber noch immer, wie natürlich, wie sehnlich sinnet der junge begehrende Lappländer, dem sein Weg zu lange wird, dem alles, was er sieht, Sonne und Wipfel und Wolke und Krähe und Ruderfüße, sich zum Orrasee, auf sein Mädchen beziehen muß! Der auf die Schnelle und Langsamkeit seines Weges, auf sein Hineilen der Seele, auf seine vorwandernde Gedanken, auf seine Lust, Richtsteige zu suchen, wie natürlich! wie sehnlich zurückkommt! Que de choses dans un menuet! und ich liefre Ihnen doch nur die stammelndsten, zerrissensten Reste.

Ein andres lappländisches Liebeslied an sein Rentier wollte ich Ihnen auch mitteilen; aber es ist verworfen, und wer mag Zettel suchen? Dafür stehe hier ein altes, recht schauderhaftes schottisches Lied, für das ich schon mehr stehen kann, weil ich's unmittelbar aus der Ursprache habe. Es ist ein Gespräch zwischen Mutter und Sohn und soll im Schottischen mit der rührendsten Landmelodie begleitet sein, der der Text so viel Raum gönnet:

Dein Schwert, wie ist's von Blut so rot?
Edward, Edward![2]

Könnte der Brudermord Kains in einem Populärliede mit grausendern Zügen geschildert werden? und welche Wirkung muß im lebendigen Rhythmus das Lied tun? und so, wie viele viele Lieder des Volks! Doch aus meinem Briefe soll kein Buch werden usw.

...Endlich werden Sie aufmerksam und mahnen mich um mehrere solche Volkslieder; ich aber beweise nun wieder

[1] Hier folgt das Gedicht *Die Fahrt zur Geliebten* aus den *Volksliedern* in etwas veränderter Fassung. (H. M.)
[2] Hier folgt das Gedicht *Edward* aus den *Volksliedern*. (H. M.)

gegen Sie Eigensinn. Denn aus Ihrem vorletzten Briefe z. E. ist mir noch ein Einwurf auf dem Herzen. »Auch Herr D. habe ja so viel lyrische Stücke, und die so schön wären!«

Lyrische Stücke hat er, und schön sind sie; aber wie viel lyrische Stücke, und wodurch sind sie schön? Was ist das andre im Original, was bei ihm nicht lyrisch ist, der Grund des Gedichts, auf dem seine Oden nur Blumen sind, ist das Hexameter? Und denn auch, wie? wodurch sind sie schön? Durch schöne römische, griechische Silbenmaße und durch so schöne Anordnung in denselben, daß ich ja eben deswegen behauptet, sie seien die schönen Bardenlieder Ossians nicht mehr! Was macht Macpherson fast bei jedem solcher Stücke für Ausrufe über das Wilde oder Sanfte oder Feierliche oder Kriegerische ihres Rhythmus, ihrer Melodien, ihrer Silbenmaße, das Seele des Gesangs sei – nun muß ich aber bekennen, daß bei den meisten Fällen ich weder Wahl noch Veranlassung eben zu solchen römischen und griechischen Silbenmaßen; ja, wenn ich von den Gesängen der Wilden überhaupt Ton habe, nirgends Veranlassung zu e i n e m solcher römischen und griechischen Silbenmaße sehe. Ich mag mit Herrn D. nicht wetteifern; er hat so viel poetischen Stil und Sprache in seiner Gewalt; aber ich wollte ein Stück bei ihm sehen, das nicht in einem andern Silbenmaße eben so gut, das ist, eben so geziert, erscheinen sollte, und manches ist, ohne Umschweif, ü b e l gewählt.

Zur Probe davon sehen Sie einmal den dritten Band durch. Da hat ihm, ich weiß nicht welcher Kunstrichter, den Rat gegeben, mehr des skaldischen Silbenmaßes zu gebrauchen, und nun sehen Sie, wie es der Übersetzer mißbraucht hat. Die vortreffliche, so vielsaitige Goldharfe, die unter der Hand des dänischen Skalden allen Zauber- und Macht- und Leier- und Wunderton hat annehmen können so wie gegenseitig den Ton der Liebe, der Freundschaft, der Entzückung, ist in den Händen des Übersetzers eine hölzerne Trommel mit zween Schlägen geworden. – Schade nur, daß eben dadurch die schönen *Lieder von Selma* und das süße *Carrikthura* verunstaltet sind. Im ersten Bande hat der Übersetzer gar eine Kantate in Reimen nach aller Form erfunden, und da ihm nun kaum zwei Reime gelingen, so sinkt dies ganze Stück fast unter die Kritik hinab.

Wie ganz anders hat Klopstock auch hier z. E. in der Sprache gearbeitet! Der sonst so ausfließende, ausströmende Dichter, wie kurz! wie stark und abgebrochen! Wie altdeutsch hat er sich in seiner *Hermanns-Schlacht* zu sein bestrebt! Welche Prose gleicht da wohl seinem Hexameter! welch lyrisches Silbenmaß seinen sonst so strömenden griechischen Silbenmaßen! Wenn in seinem Bardit wenig Drama ist: so ist wenigstens das Lyrische im Bardit, und im Lyrischen mindestens der Wortbau so dramatisch, so deutsch! – Lesen Sie z. E. das edle, simple Stückchen:

Auf Moos, am luftigen Bach etc.

und so viele, ja fast alle andre, und dann zeigen Sie mir etwas in dem Bardenton in Denis. Da nun Klopstock selbst sich so sehr hat verleugnen können, verändern müssen – ist dies Muß nicht eine große Lehre? Sie schreiben mir neulich, da Sie Denis' Silbenmaße priesen, Ihnen sei bei seinem *Fingal und Roskrane* Klopstocks *Hermann und Thusnelde* (in den *Bremer Beiträgen*) eingefallen: desto schlimmer, denn Klopstocks neuerer Bardenton ist wohl nicht ganz der in *Hermann und Thusnelde*. Ich bin's gewiß nicht allein, der diesen veränderten, härtern Bardeton im neuern Klopstock empfindet, und ohne mich in das Bessre oder Schlechtre einzulassen, gehe ich gern mit den Jahren des Dichters und mit der Natur fort, und ich bin stolz darauf, das deutsche Bardenmäßige in seinem

Was tat dir, Tor, dein Vaterland

und in allen neuern Stücken, wo so viel kurzer, dramatischer Dialog und Wurf der Gedanken ist, zu empfinden...

...Der Faden unsres Briefwechsels vervielfältigt sich so, daß ich kaum mehr weiß, wo ich ihn angreifen soll, um ihn fortzuführen – am besten also, wo er mir in die Hände fällt.

Die Anmerkungen, die Sie »über das Dramatische in den alten Liedern« dieser Art machen, ist so nach meinem Sinn, daß ich's mir immer mit unter den Charakterstücken der Alten gedacht habe, die wir Neuere so wenig erreichen als ein totes momentarisches Gemälde eine fortgehende, handelnde, lebendige Szene. Jenes sind unsre Oden; dies die lyrischen Stücke der Alten, insonderheit wilder Völker. Alle Reden und Gedichte derselben sind Handlung: Lesen Sie z. E. im Charlevoix selbst die unvorbereitete *Kriegs- und Friedensrede* des Eskimaux: es ist alles in ihr Bild, Strophe, Szene! Was für Handlung in *Odins Höllenfahrt*, im *Webegesange der Valkyriur*, im *Beschwörungsliede der Hervor* und bei Ossian auf jeder Seite, in jedem Stücke! Damit Sie nun nicht wieder sagen, daß ich Ihnen viel nenne und nichts gebe: so mache ich mit Abtragung meiner Schuld den Anfang und lege Ihnen, zumal ich jetzt zu schreiben nicht mehr Zeit habe, ein paar der genannten bei. Ich hätte sie Ihnen so neu aufstutzen und idealisieren können: denn blieben sie ja aber nicht mehr, was sie jetzt sind, und eben am Aerugo der Bildsäule, am dunklen, einförmigen, nordischen Zauberton der Stücke ist Ihnen und mir ja gelegen.[1]

...Habe ich denn je meine skaldische Gedichte in allem für Muster neuerer Gedichte ausgeben wollen? Nichts weniger! Sie mögen so einförmig, so trocken sein: andre Nationen sie so sehr übertreffen: sie mögen für nichts als Gesänge nordischer Meistersänger oder Improvisatori gelten: was ich mit ihnen beweisen will, beweisen sie. Der Geist, der sie erfüllet, die rohe, einfältige, aber große, zau-

[1] Hier folgen die Gedichte *Odins Höllenfahrt* und *Der Webegesang der Valkyriur* aus den *Volksliedern*, ersteres dort unter dem Titel *Odins Höllengang*. (H. M.)

bermäßige, feierliche Art, die Tiefe des Eindrucks, den jedes so stark gesagte Wort macht, und der freie Wurf, mit dem der Eindruck gemacht wird – nur das wollte ich bei den alten Völkern, nicht als Seltenheit, als Muster, sondern als Natur anführen, und darüber also lassen Sie mich reden.

Sie wissen aus Reisebeschreibungen, wie stark und fest sich immer die Wilden ausdrücken. Immer die Sache, die sie sagen wollen, sinnlich, klar, lebendig anschauend: den Zweck, zu dem sie reden, unmittelbar und genau fühlend: nicht durch Schattenbegriffe, Halbideen und symbolischen Letternverstand (von dem sie in keinem Worte ihrer Sprache, da sie fast keine Abstrakta haben, wissen), durch alle dies nicht zerstreuet: noch minder durch Künsteleien, sklavische Erwartungen, furchtsam schleichende Politik und verwirrende Prämeditation verdorben – über alle diese Schwächungen des Geistes selig unwissend, erfassen sie den ganzen Gedanken mit dem ganzen Worte, und dies mit jenem. Sie schweigen entweder oder reden im Moment des Interesses mit einer unvorbedachten Festigkeit, Sicherheit und Schönheit, die alle wohlstudierte Europäer allezeit haben bewundern müssen, und – müssen bleibenlassen. Unsre Pedanten, die alles vorher zusammen stoppeln und auswendig lernen müssen, um alsdann recht methodisch zu stammeln; unsre Schulmeister, Küster, Halbgelehrte, Apotheker und alle, die den Gelehrten durchs Haus laufen und nichts erbeuten, als daß sie endlich, wie Shakespears Launcelots, Polizeidiener und Totengräber uneigen, unbestimmt und wie in der letzten Todesverwirrung sprechen – diese gelehrte Leute, was wären die gegen die Wilden? – Wer noch bei uns Spuren von dieser Festigkeit finden will, der suche sie ja nicht bei solchen; – unverdorbne Kinder, Frauenzimmer, Leute von gutem Naturverstande, mehr durch Tätigkeit als Spekulation gebildet, die sind, wenn das, was ich anführete, Beredsamkeit ist, alsdann die einzigen und besten Redner unsrer Zeit.

In der alten Zeit aber waren es Dichter, Skalden, Gelehrte, die eben diese Sicherheit und Festigkeit des Ausdrucks am meisten mit Würde, mit Wohlklang, mit Schönheit zu paaren wußten; und da sie also Seele und Mund in den festen Bund gebracht hatten, sich einander nicht zu verwirren, sondern zu unterstützen, beizuhelfen: so entstanden daher jene für uns halbe Wunderwerke von *αοιδοις*, Sängern, Barden, Minstrels, wie die größten Dichter der ältesten Zeiten waren. Homers Rhapsodien und Ossians Lieder waren gleichsam impromptus, weil man damals noch von nichts als impromptus der Rede wußte; dem letztern sind die Minstrels, wiewohl so schwach und entfernt, gefolgt, indessen doch gefolgt, bis endlich die Kunst kam und die Natur auslöschte. In fremden Sprachen quälte man sich von Jugend auf, Quantitäten von Silben kennenzulernen, die uns nicht mehr Ohr und Natur zu fühlen gibt; nach Regeln zu arbeiten, deren wenigste ein Genie als Naturregeln anerkennet; über Gegenstände zu dichten, über die sich nichts denken, noch weniger s i n n e n, noch weniger imaginieren läßt; Leidenschaften zu erkünsteln, die wir nicht haben, Seelenkräfte nachzuahmen, die wir nicht besitzen – und endlich wurde alles Falschheit, Schwäche und Künstelei. Selbst jeder beste Kopf ward verwirret und verlor Festigkeit des Auges und der Hand, Sicherheit des Gedankens und des Ausdrucks: mithin die wahre Lebhaftigkeit und Wahrheit und Andringlichkeit – alles ging verloren. Die Dichtkunst, die die stürmendste, sicherste Tochter der menschlichen Seele sein sollte, ward die ungewisseste, lahmste, wankendste: die Gedichte fein oft korrigierte Knaben- und Schulexerzitien. Und freilich, wenn das der Begriff unsrer Zeit ist, so wollen wir auch in den alten Stücken immer mehr Kunst als Natur bewundern, finden also in ihnen bald zuviel, bald zuwenig, nach dem uns der Kopf steht, und selten was in ihnen singt, den Geist der Natur. Ich bin gewiß, daß Homer und Ossian, wenn sie aufleben und sich lesen, sich rühmen hören sollten, mehr als zu oft über das erstaunen würden, was ihnen gegeben und genommen, angekünstelt und wiederum in ihnen nicht gefühlt wird.

Freilich sind unsre Seelen heutzutage durch lange Generationen und Erziehung von Jugend auf anders gebildet. Wir sehen und fühlen kaum mehr, sondern denken und grüblen nur; wir dichten nicht über und in lebendiger Welt, im Sturm und im Zusammenstrom solcher Gegenstände, solcher Empfindungen; sondern erkünsteln uns entweder Thema oder Art, das Thema zu behandeln, oder gar beides – und haben uns das schon so lange, so oft, so von frühauf erkünstelt, daß uns freilich jetzt kaum eine freie Ausbildung mehr glücken würde, denn wie kann ein Lahmer gehen? Daher also auch, daß unsern meisten neuen Gedichten die Festigkeit, die Bestimmtheit, der runde Kontur so oft fehlet, den nur der erste Hinwurf verleihet und kein späteres Nachzirkeln erteilen kann. Einem Homer und Ossian würden wir bei solchem poetischen Fleiß gewiß nicht anders vorkommen als einem Raffael oder Apelles, der durch einen Umriß sich als Apelles zeigt, der schwachhändig kritzelnde Lehrknabe – usw.

...Als ob ich mit dem, was ich neulich vom ersten Wurfe eines Gedichts gemeint, der Eilfertigkeit und Schmiererei unsrer jungen Dichterlinge auch nur im mindesten zustatten kommen könnte? Denn was ist doch bei ihnen für ein Fehler sichtbarer als eben die Unbestimmtheit, Unsicherheit der Gedanken und der Worte, daß sie nie wissen, was sie sagen wollen oder sollen? – Weiß aber jemand das nicht, wie kann er's durch alle Korrektur lernen? Durch Schnitzelei, kann da je ein Bratspieß zur marmornen Bildsäule Apolls werden?

Mich dünkt, nach der Lage unsrer gegenwärtigen Dichtkunst sind hierin zwei Hauptfälle möglich. Erkennet ein Dichter, daß die Seelenkräfte, die teils sein Gegenstand und seine Dichtungsart fodert und die bei ihm herrschend sind, vorstellende, erkennende Kräfte sind: so muß er seinen Gegenstand und den Inhalt seines Gedichts in Gedanken so überlegen, so deutlich und klar fassen, wenden und ordnen, daß ihm gleichsam alle Lettern schon in die Seele gegraben sind, und er gibt an seinem Gedichte nur den ganzen, redlichen Abdruck. Fodert sein Gedicht aber Ausströmung der Leidenschaft und der Empfindung, oder ist in seiner Seele diese Klasse von Kräften die wirksamste, die geläufigste Triebfeder, ohne die er nicht arbeiten kann: so überläßt er sich dem Feuer der glücklichen Stunde und schreibt und bezaubert. Im ersten Falle haben Milton, Haller, Kleist und andre gedichtet: sie sannen lang, ohne zu schreiben: sprachen sie aber, so ward's und stand. Bei Milton wenige Verse, die er so Nächte durch, gleichsam als mosaische Arbeit, in seiner Seele gebildet hatte und frühe dann seiner Schreiberin sagte; Haller, dessen Gedichten man's genug ansieht, wie ausgedacht und zusammendrängend sie sind; Lessing ist, glaub' ich, in seinen spätern Stücken der Dichtkunst auch in dieser Zahl – alle so lebendig, und in der Seele ganz vollendete Stücke nehmen sich, wenn nicht durch ein Schnelles, so durch ein Tiefes und Beständiges des Eindrucks aus. Sie dauren, und die Seele findet bei jedem neuen, wiederholten Eindruck gleichsam noch etwas Tieferes und Vollendetes, was sie anfangs nicht bemerkte. Von der zweiten Art muß z. E. Klopstock in den ausströmendsten Stellen seiner Gedichte sein; Gleim, dessen Gedichte so viel Sichtbares vom ersten Wurf haben; Jacobi, dessen Verse nichts als sanfte Unterhaltungen des Moments werden, und andre, die die Sache freilich nachher bis zu jeder Nachlässigkeit übertrieben haben. Ramler, glaube ich, sucht beide Arten zu verbinden, ob freilich gleich die erste, die ausgedachte, bei ihm ungleich sichtbarer ist. Wieland sucht sie zu verbinden, ob er gleich immer doch mehr aus dem Fach der Weltkenntnis seines Herzens zu schreiben scheint; Gerstenberg zu verbinden – und überhaupt verbindet sie in gewissem Maße jeder glückliche Kopf: denn so entfernt beide Arten im Anfange scheinen; so wenig ein Genie sich der Art des andern aus dem Stegreife bemächtigen kann: so kommen sie doch endlich beide überein; lange und stark und lebendig gedacht oder schnell und würksam empfunden – im Punkt der Tätigkeit wird beides impromptu oder bekömmt die Festigkeit, Wahrheit, Lebhaftigkeit und Sicherheit desselben, und das – nur das ist, was ich sagen wollte. Was ließen sich aber auch nur aus dem für große, reiche Wahrheiten der Erziehung, der Bildung, der Unterweisung ziehen! Was ließen sich überhaupt aus dieser Proportion oder Disproportion des erkennenden und empfindenden Teils unsrer Seele für psychologische und praktische Anmerkungen machen! – Aber Sie müssen auf meine Psychologie über Ossian warten!

Ich bleibe hier in meinem Felde. Da die Gedichte der alten und wilden Völker so sehr aus unmittelbarer Gegenwart, aus unmittelbarer Begeisterung der Sinne und der Einbildung enstehen, und doch so viel Würfe, so viel Sprünge haben: so hat mich dies längst, aus vielen Wahrnehmungen, auf die Gedanken gebracht, die ich Ihnen hier zum freundschaftlichen Gutachten mitteile. Zuerst, sollten also wohl für den sinnlichen Verstand und die Einbildung, also für die Seele des Volks, die doch nur fast sinnlicher Verstand und Einbildung ist, dergleichen lebhafte Sprünge, Würfe, Wendungen, wie Sie's nennen wollen, so eine fremde, böhmische Sache sein, als uns die Gelehrten und Kunstrichter beibringen wollen? Sie wissen die Einwürfe, die man hier aus Klopstocks Kirchenliedern, wie es immer gelautet hat, für die gute Sache des christlichen Volks gemacht hat; lassen Sie uns sehen, was daran sei!

Zuerst muß ich Ihnen also, wenn es auf Erfahrung und Autorität ankommt, sagen, daß nichts in der Welt mehr Sprünge und kühne Würfe hat als Lieder des Volks, und eben die Lieder des Volks haben deren am meisten, die selbst in ihrem Mittel gedacht, ersonnen, entsprungen und geboren sind und die sie daher mit so viel Aufwallung und Feuer singen, und zu singen nicht ablassen können. Mir ist z. E. ein Jägerlied bekannt, das ich wohl unterlassen werde, Ihnen ganz mitzuteilen, weil sich das meiste und Anziehendste in ihm auf lebendigen Ton und Melodie des Horns bezieht, aber bei allem Simpeln und Populären ist kein Vers ohne Sprung und Wurf des Dialogs, der in einem neuen Gedichte gewiß Erstaunen machte und über den unsre lahme Kunstrichter als so unverständlich, kühn, dithyrambisch schreien würden. Ein Jäger hat abends spät das Netz gestellt und bläst »Alleweil bei der Nacht« (welche Worte die Jägerresonanz sind) mit seinem Horne das Wild aus dem Korn ins lange Holz: alleweil bei der Nacht begegnet ihm also von fern eine Jungfrau stolz, und da hebt sich dieser Dialog an:

Wo aus? wo ein? du wildes Tier!
 Alleweil bei der Nacht!
Ich bin ein Jäger und fang dich schier usw.
Bist du ein Jäger, du fängst mich nicht
 Alleweil bei der Nacht!
Mein' hohe Sprüng', die weißt du nicht usw.
 Alleweil bei der Nacht!
Dein' hohe Sprüng', die weiß ich wohl,
Weiß wohl, wie ich sie dir stellen soll usw.

Und sehen Sie, plötzlich, ohne alle weitere Vorbereitung, erhebt sich die Frage:

Was hat sie an ihrem rechten Arm?

und plötzlich, ohne weitere Vorbereitung, die Antwort:

Nun bin ich gefangen usw.
Was hat sie an ihrem linken Fuß?
Nun weiß ich, daß ich sterben muß!

und so gehen die Würfe fort, und doch in einem so gemeinen, populären Jägerliede! und wer ist's, der's nicht verstünde, der nicht eben daher auf eine dunkle Weise das lebendige Poetische empfände?

Alle alte Lieder sind meine Zeugen! Aus Lapp- und Estland, lettisch und polnisch und schottisch und deutsch, und die ich nur kenne, je älter, je volksmäßiger, je lebendiger; desto kühner, desto werfender. Wenn Ihnen meine skaldischen und lapp- und schottländischen Lieder nicht genug sind, hören Sie einmal ein andres, aus den Dodsleyschen *Reliques*: ich wähle ein ganz gemeines, deren wir unter unserm Volk gewiß hundert ähnliche, und wo nicht Lieder, doch Sagen haben. Es ist nichts in der Welt mehr als *Sweet Williams Ghost*: und doch, wie wenig kann ich ihm in der Übersetzung seinen Aerugo, sein feierliches Populäres lassen.[1]

Nun sagen Sie mir, was kühn geworfner, abgebrochner und doch natürlicher, gemeiner, volksmäßiger sein kann? Ich sage volksmäßiger, denn was die Bräutigamssitte betrifft, lesen Sie die Gebräuche der Wilden, z. E. der Nordamerikaner, und das Kostume der Erscheinung, in seiner ganzen Natur, brauche ich Ihnen nicht zu erklären – künftig weiter!

... Sie glauben, daß auch wir Deutschen wohl mehr solche Gedichte hätten, als ich mit der schottischen Romanze angeführet; ich glaube nicht allein, sondern ich weiß es. In mehr als einer Provinz sind mir Volkslieder, Provinziallieder, Bauernlieder bekannt, die an Lebhaftigkeit und Rhythmus und Naivität und Stärke der Sprache vielen derselben gewiß nichts nachgeben würden; nur wer ist, der sie sammle? der sich um sie bekümmre? sich um Lieder des Volks bekümmre? auf Straßen, und Gassen und Fischmärkten? im ungelehrten Rundgesange des Landvolks? um Lieder, die oft nicht skandiert und oft schlecht gereimt

[1] Hier folgt das Gedicht *Wilhelms Geist* aus den *Volksliedern* in etwas veränderter Fassung. (H. M.)

sind? wer wollte sie sammlen – wer für unsre Kritiker, die ja so gut Silben zählen und skandieren können, drucken lassen? Lieber lesen wir, doch nur zum Zeitvertreib, unsre neuere schöngedruckte Dichter – Laß die Franzosen ihre alte Chansons sammlen! Laß Engländer ihre alte Songs und Balladen und Romanzen in prächtigen Bänden herausgeben! Laß in Deutschland etwa der einzige Lessing sich um die Logaus und Scultetus und Bardengesänge bekümmern! Unsre neuen Dichter sind ja besser gedruckt und schöner zu lesen; allenfalls lassen wir noch aus Opitz, Flemming, Gryphius Stücke abdrucken. – Der Rest der ältern, der wahren Volksstücke mag mit der sogenannten, täglich verbreitetern Kultur ganz untergehen, wie schon solche Schätze untergegangen sind – wir haben ja Metaphysik und Dogmatiken und Akten – und träumen ruhig hin –

Und doch, glauben Sie nur, daß wenn wir noch in unsern Provinzialliedern, jeder in seiner Provinz nachsuchten, wir vielleicht noch Stücke zusammenbrächten, vielleicht die Hälfte der Dodsleyschen Sammlung von *Reliques* oder die derselben beinahe an Wert gleich käme! Bei wie vielen Stücken dieser Sammlung, insonderheit den besten schottischen Stücken, sind mir deutsche Sitten, deutsche Stücke beigefallen, die ich selbst zum Teil gehöret – haben Sie Freunde im Elsaß, in der Schweiz, in Franken, in Tirol, in Schwaben, so bitten Sie – aber zuerst, daß sich diese Freunde ja der Stücke nicht schämen; denn die dreisten Engländer haben sich z. E. nicht schämen wollen und dürfen. Selbst die Melodie des Ihnen einmal angeführten »Come away, come away, death!« erinnere ich mich einmal dunkel gehört zu haben, und noch nicht vor langer Zeit erinnere ich mich eines Bettlerliedes, das an Inhalt so gemischt und voll Sprünge war und in seiner sehr lyrischen alten Melodie so traurig tönte. – Unter ihrem Jammer kam die Sängerin, eine Penia selbst, im halben Gebetston aufs Ende ihres Lebens, wenn sie der bittre Tod überwände und ihr (ich glaube, es ist Gewohnheit oder Ausdruck) die Füße bände; endlich kämen vier oder sechs Leute, die sie von Hause und Freunden weg, unter dem Schall der Totenglocke, in ihr Grab trügen –

Und wenn die Glocke verliert ihren Ton,
So haben meine Freunde vergessen mich schon! –

Sagen Sie, ist der Zug nicht elegisch und rührend?

Da ich weiß, daß dieser Brief keinem von den ekeln Herren unsrer Zeit in die Hände kommen wird, die über eine veralteten Reim oder Ausdruck gleich rümpfen! da ich weiß, daß Sie überall mit mir mehr Natur als Kunst suchen, so trage ich kein Bedenken, Ihnen z. E. aus einer Sammlung schlechter Handwerkslieder ein sehnend-trauriges Liebeslied hinzusetzen, das, wenn es ein Gleim, Ramler oder Gerstenberg nur etwas einlenkte, wie viele der neuern überträfe! –

Der süße Schlaf, der sonst stillt alles wohl...[1]

Ist das Silbenmaß nicht schön, die Sprache nicht stark, der Ausdruck empfunden? Und glauben Sie, so würden sich in jeder Art mehrere Stücke finden, wenn nur Menschen wären, die sie suchten!

Wir haben z. B. viele und vielerlei neue Fabeln, was sagen Sie demohngeachtet aber zu einer solchen alten Fabel im alten Ausdruck und Ton:

Kuckuck und Nachtigall

Einmal in einem tiefen Tal...[2]

Was meinen Sie zu der Fabel? Nicht lieber zehn solche gemacht als alle ...sche? Lassen Sie mich die Moral nicht

[1] Hier folgt das Gedicht *Liedchen der Sehnsucht* aus den *Volksliedern.* (H. M.)

[2] Hier folgt das Gedicht *Kuckuck und Nachtigall (Fabellied)* aus den *Volksliedern.* (H. M.)

dazusetzen, sie ist schlechter gesagt, neuer, und wie vielerlei Moral kann sich nicht jeder selbst daraus ziehen, – in Teilen und im Ganzen! Die Herren, die so bürgerlich feist wohlmeinend achten, daß jener Titel und dieser Kragen doch das Ding verstehen müßte –

Dieweil er hat zwei Ohren groß,
So kann er freilich hören baß!

Die Herren, die aus Stumpfsinn und Gedankenlosigkeit gleich über jeden etwas gedrängten oder lebhaften Stil schreien: »Ei nicht griechische Lauterkeit! Ciceronische Wohlberedtheit« in ellenlangen deutschlateinischen Perioden! so voll Anspielungen, voll Bilder, voll Gedanken – sonst aber freilich ... kurz:

Der Esel sprach: Du machst mir's kraus,
Ich kann's in Kopf nicht bringen –
Aber Kuckuck singt gut Choral
Und hält den Takt fein innen! –

Was ließen sich sonst noch für Deutungen machen, wenn man etwas die Welt kennet! – Aber zu unserm Zweck: wie fest und tief erzählt! Ohne erzwungne Lustigkeit und doch wie lustig und stark und treffend in jedem Wort, in jeder Wendung! – Aller guten Dinge sind drei! und zu unsern Zeiten wird so viel von Liedern für Kinder gesprochen: wollen Sie ein älteres deutsches hören? Es enthält zwar keine transzendente Weisheit und Moral, mit der die Kinder zeitig g'nug überhäuft werden – es ist nichts als ein kindisches

Fabelliedchen

Es sah' ein Knab' ein Röslein stehn...[1]

Ich suppliere diese Reihe nur aus dem Gedächtnis, und nun folgt das kindische Ritornell bei jeder Strophe:

[1] Hier folgen die fünf ersten Zeilen des Gedichts *Röschen auf der Heide* aus den *Volksliedern*. (H. M.)

Röslein, Röslein, Röslein rot,
Röslein auf der Heiden![1]

Ist das nicht Kinderton? Und noch muß ich Ihnen eine Änderung des lebendigen Gesanges melden. Der Vorschlag tut bei den Liedern des Volks eine so große und gute Würkung, daß ich aus deutschen und englischen alten Stücken sehe, wieviel die Minstrels darauf gehalten; und der ist nun noch im Deutschen wie im Englischen in den Volksliedern meistens der dunkle Laut von »the« in beidem Geschlecht (de Knabe), *'s* statt d a s ('s Röslein) und statt e i n ein dunkles *a*, und was man noch immer in Liedern der Art mit ' ausdrücken könnte. Das Hauptwort bekommt auf solche Weise immer weit mehr poetische Substantialität und Persönlichkeit

' Knabe sprach
' Röslein sprach, usw.

in den Liedern weit mehr Akzent; und endlich lassen Sie mich noch mit einer weitern Anmerkung hieraus schließen. In schnellrollenden, gereimten komischen Sachen, und aus dem entgegen gesetzten Grunde in den stärksten, heftigsten Stellen der tragischen Leidenschaft, dort insonderheit in leichtsinnigen Liedern, hier am meisten in den gedrungenen Blank-Versen haben Sie es da nicht oft bemerkt, wie schädlich es uns Deutschen sei, daß wir keine Elisionen haben oder uns machen wollen? Unsre Vorfahren haben sie häufig und zu häufig gehabt: die Engländer mit ihren Artikeln, mit den Vokalen bei unbedeutenden Wörtern, Partikeln usw. haben sie zur Regel gemacht: die innre Beschaffenheit beider Sprachen ist in diesem Stücke ganz einerlei: uns quälen diese schleppenden Artikel, Partikeln usw. oft so sehr und hindern den Gang des Sinns oder der Leidenschaft – aber wer unter uns wird zu elidieren wagen? Unsre Kunstrichter zählen ja Silben und

[1] Hier folgen die übrigen Verse desselben Gedichts. (H. M.)

können so gut skandieren! Sie also, der kein Kunstrichter ist, erlauben Sie also in dergleichen Fällen mir wenigstens, mich freiherrlichermaßen des Zeichens (') bedienen zu können, nach bestem Belieben usw.

... Und so führen Sie mich wieder auf meine abgebrochne Materie: »Woher anscheinend einfältige Völker sich an dergleichen kühne Sprünge und Wendungen haben gewöhnen können?« Gewöhnen wäre immer das leichteste zu erklären: denn wozu kann man sich nicht gewöhnen, wenn man nichts anders hat und kennet? Da wird uns im kurzen die Hütte zum Palast und der Fels zum ebnen Wege – aber darauf kommen? es als eigne Natur so lieben können? Das ist die Frage, und die Antwort drauf sehr kurz: weil das in der Tat die Art der Einbildung ist und sie auf keinem engern Wege je fortgehen kann.

Alle Gesänge solcher wilden Völker weben um daseiende Gegenstände, Handlungen, Begebenheiten, um eine lebendige Welt! Wie reich und vielfach sind da nun Umstände, gegenwärtige Züge, Teilvorfälle! Und alle hat das Auge gesehen! Die Seele stellet sie sich vor! Das setzt Sprünge und Würfe! Es ist kein anderer Zusammenhang unter den Teilen des Gesanges als unter den Bäumen und Gebüschen im Walde, unter den Felsen und Grotten in der Einöde, als unter den Szenen der Begebenheit selbst. Wenn der Grönländer von seinem Seehundfange erzählt: so redet er nicht, sondern malet mit Worten und Bewegungen, jeden Umstand, jede Bewegung: denn alle sind Teile vom Bilde in seiner Seele. Wenn er also auch seinem Verstorbnen das Leichenlob und die Totenklage hält, er lobt, er klagt nicht: er malt, und das Leben des Verstorbnen selbst, mit allen Würfeln der Einbildung herbeigerissen, muß reden und bejammern. Ich entbreche mich nicht, ein Fragment der Art hieher zu setzen; denn da es gewöhnlich ist, Sprünge und Würfe solcher Stücke für Tollheiten der morgenländischen Hitze, für Enthusiasmus des Prophetengeistes oder für schöne Kunstsprünge der Ode auszugeben und man aus diesen eine so herrliche Webertheorie vom Plan und den Sprüngen der Ode recht regelmäßig ausgesponnen hat: so möge hier ein kalter Grönländer fast unterm Pol hervor, ohne Hitze und Prophetengeist und Odentheorie, aus dem vollen Bilde seiner Phantasie reden. Alle Grabbegleiter und Freunde des Verstorbnen sitzen im Trauerhause, den Kopf zwischen die Hände, die Arme aufs Knie gestützt: die Weiber auf dem Angesicht, und schluchzen und weinen in der Stille; und der Vater, Sohn oder nächste Verwandte fängt mit heulender Stimme an:

> Wehe mir, daß ich deinen Sitz ansehen soll, der nun leer ist![1]

Der Grönländer befolgt die feinsten Gesetze vom Schweben der Elegie, die auch – irrt, doch nicht verwirret! – und von wem hat er sie gelernet? Sollte es mit den Gesetzen der Ode, des Liedes nicht eben so sein? und wenn sie in der Natur der Einbildung liegen, wen sind sie nötig zu lehren? wem unmöglich zu fassen, der nur dieselbe Einbildung hat? – Alle Gesänge des A.T., Lieder, Elegien, Orakelstücke der Propheten sind voll davon, und die sollten doch kaum poetische Übungen sein. –

Selbst einen allgemeinen Satz, eine abgezogne Wahrheit kann ein lebendiges Volk im Liede, im Gesange nicht anders als auch so lebendig und kühn behandeln: es weiß von der Lehrart und dem Gange eines dogmatischen Locus nicht, und es schläft gewiß ein, wenn es denselben geführt werden soll. Sehen Sie z.E. in den mehr angeführten Dodsleyschen *Reliques* die alten moralischen Stücke an: »My heart to me a kingdom is« usw. Sie brechen immer in ihrem lyrischen Gange nur die Blumen ihrer Moral und kommen, da hier kein sichtbarer Gegenstand, keine an einander hangende Geschichte und Handlung der Einbildung

[1] Hier folgt der vollständige Text der *Totenklage*. (H. M.)

und dem Gedächtnis vorschwebet, jenem immer durch Anwendung, diesem durch Symmetrie, Refrain des Verses und zehn andre Mittel zustatten. Hören Sie einmal eine Probe der Art über den allgemeinen Satz: Der Liebe läßt sich nicht widerstehen! Wie würde ein neuer analytischer, dogmatischer Kopf den Satz ausgeführt haben, und nun der alte Sänger?

Über die Berge![1]

Konnte der Gedanke sinnlicher, mächtiger, stärker ausgeführt werden? Und mit welchem Fluge! mit welchem Wurfe von Bildern! Lassen Sie den dummsten Menschen das Lied dreimal hören: er wird's können und mit Freude und Entzückung singen; sagen Sie ihm aber ebendieselbe Sache auf einförmige, dogmatische Art, in hübsch abgezählten Strophen, und seine Seele schläft.

Alle unsre alten Kirchenlieder sind voll dieser Würfe und Inversionen: keine aber fast mehr und mächtiger als die von unserm Luther. Welche Klopstocksche Wendung in seinen Liedern kommt wohl den Transgressionen bei, die in seinem *Ein feste Burg ist unser Gott!*, *Gelobet seist Du, Jesu Christ!*, *Christ lag in Todesbanden!* und dergleichen vorkommen: und wie mächtig sind diese Übergänge und Inversionen! Wahrhaftig nicht Notfälle einer ungeschliffenen Muse, für die wir sie gütig annehmen: sie sind allen alten Liedern solcher Art, sie sind der ursprünglichen, unentnervten, freien und männlichen Sprache besonders eigen: die Einbildungskraft führet natürlich darauf, und das Volk, das mehr Sinne und Einbildung hat als der studierende Gelehrte, fühlt sie, zumal von Jugend auf gelernt und sich gleichsam nach ihnen gebildet, so innig und übereinstimmend, daß ich mich z. E. wie über zehn Torheiten unsrer Liederverbesserung so auch darüber wun-

[1] Hier folgt das Gedicht *Weg der Liebe* aus den *Volksliedern*. (H. M.)

dern muß, wie sorgfältig man sie wegbannet und dafür die schläfrigsten Zeilen, die erkünsteltsten Partikeln, die mattesten Reime hineinpfropfet. Eben als wenn der große, ehrwürdige Teil des Publikums, der Volk heißt und für den doch die Gesänge kastigieret werden, eine von den schönen Regeln fühle, nach denen man sie kastigieret! und Lehren in trockner, schläfriger, dogmatischer Form, in einer Reihe toter, schlaftrunken nickender Reime mehr fühlen, empfinden und behalten werde, als wo ihm durch Bild und Feuer, Lehre und Tat auf einmal in Herz und Seele geworfen wird.

Sie glauben doch nicht, daß ich hiemit eine Schutzschrift etwa für die Klopstockschen Lieder schreiben wolle? Ich glaube sehr gerne, daß auch sie nicht immer Lieder des Volks sind und daß sie seltner ganze Gegenstände als kleine Züge aus diesen Gegenständen, seltner ganze Pflichten, Taten und Gestalten des Herzens als feine Nuancen, oft Mittelnuancen von Empfindungen besingen: daß also ein sehr sympathetischer und zu gewissen Vorstellungen sehr zugebildeter Charakter zum ganzen Sänger seiner Lieder gehöre. Aber demohngeachtet ist das, was viele sonst gegen ihn sagten, und noch mehr, was man ihm entgegenstellet, so trocken, so mager, so unkundig der menschlichen Seele, daß ich immer wetten will, das kühnste Klopstocksche Lied voll Sprünge und Inversionen, einem Kinde beigebracht und von ihm einige Male lebendig gesungen, werde mehr für ihn sein, und tiefer und ewiger in ihm bleiben, als der dogmatische Locus vom Liede, wo ja keine Zwischenpartikel und Zwischengedanke ausgelassen ist. – Mein Gott! wie trocken und dürre stellen sich doch manche Leute die menschliche Seele, die Seele eines Kindes vor! Und was für ein großes, treffliches Ideal wäre mir dieselbe, wenn ich mich je an Lieder dieser Art versuchte! Eine ganze jugendliche, kindliche Seele zu füllen, Gesänge in sie zu legen, die, meistens die einzigen, lebenslang in ihnen bleiben und den Ton derselben anstimmen und ihnen ewige Stimme zu Taten und Ruhe, zu Tugenden und zum Troste sein soll, wie Kriegs-, Helden- und Väterlieder in der Seele der alten, wilden Völker – welch ein Zweck! welch ein Werk! und wieviel wahrhafte Bestrebungen zu solchem Werke haben wir denn? Reimgebetlein und Lehrverse genug!

Wenn Luther über jene beiden wegen der Religion Verbrannte anstimmt:

Die Asche will nicht lassen ab,
Sie stäubt in allen Landen;
Hier hilft kein Bach und Grub' und Grab,
Sie macht den Feind zuschanden!
Die er im Leben durch den Mord
Zu schreien hat gezwungen,
Die muß er tot an allem Ort
Mit heller Stimm' und Zungen
Gar fröhlich lassen singen...

oder wenn er schließt:

Die laß man liegen immerhin;
Sie haben's keinen Frommen!
Wir wollen danken Gott darin,
Sein Wort ist wiederkommen,
Der Sommer ist hart für der Tür,
Der Winter ist vergangen.
Die Gartenblumen gehn herfür,
Der das hat angefangen,
Der wird es auch vollenden...

so wollte ich fragen, wie viele unsrer neuern Liederdichter dergleichen Strophen (ich sage nicht dem Inhalt, sondern der Art nach) gemacht haben? und wie viele haben Luthern verbessert?

...Auch Sie beklagen's, daß die Romanze, diese ursprünglich so edle und feierliche Dichtart, bei uns zu nichts als zum Niedrigkomischen und Abenteuerlichen gebraucht oder vielmehr gemißbraucht werde – ich beklage es gewiß mit: denn wie wahrer, tiefer und daurender ist das Vergnügen, das eine sanfte oder rührende Romanze des alten Englands oder der Provinzialen und eine neuere deutsche voll niedrigen, abgebrauchten, pöbelhaften Spottes und Wortwitzes nachläßt. Aber noch sonderbarer ist's, daß in dieser letzten Gestalt die Romanze uns fast nur bekannt geworden zu sein scheint.

Gleim sang seine *Marianne* so schön – ich sage, er sang sie schön: denn eigentlich ist das Stück Zug vor Zug eine alte französische Romanze, die Sie (wenn Sie das noch nicht wissen), wie mich dünkt, auch in dem neuen *Choix des Romances anciennes et modernes* finden werden – und so sang man ihm nach. Seine beiden andern Stücke neigten sich ins Komische; die Nachsinger stürzten sich mit ganzem plumpen Leibe hinein, und so haben wir jetzt eine Menge des Zeugs, und alle nach einem Schlage, und alle in der uneigentlichsten Romanzenart, und fast alle so gemein, so sehr auf ein einmaliges Lesen – daß, nach weniger Zeit, wir fast nichts wieder als die Gleimschen übrig haben werden.

Dazu kommt nun noch das, daß die wenigen fremden, die übersetzt sind, so schlecht übersetzt sind (ich führe Ihnen nur *Die schöne Rosemunde* und *Alkanzor und Zaide* an, welche letztere noch den Vorzug hat, zweimal elend übersetzt zu sein), und da der Ton nun einmal gegeben ist: so singt man fort und verfehlt also den ganzen Nutzen, den für unser jetziges Zeitalter diese Dichtart haben könnte, nämlich unsre lyrischen Gesänge, Oden, Lieder, und wie man sie sonst nennt, etwas zu einfältigen, an einfachere Gegenstände und edlere Behandlung derselben zu gewöhnen, kurz, uns von so manchem drückenden Schmuck zu befreien, der uns jetzt fast Gesetz geworden.

Sehen Sie einmal, in welcher gekünstelten, überladnen, gotischen Manier die neuern sogenannten philosophischen und pindarischen Oden der Engländer sind, die ihnen als Meisterstücke gelten! Von Gray, von Akenside, von Mason usw., ob wohl in ihnen Silbenmaß oder Inhalt oder Einkleidung die mindeste Odenwirkung tun könne? Sehen Sie, in welche gekünstelte Horazische Manier wir Deutsche hie und da gefallen sind – Ossian, die Lieder der Wilden, der Skalden, Romanzen, Provinzialgedichte könnten uns auf bessern Weg bringen, wenn wir aber auch hier nur mehr als Form, als Einkleidung, als Sprache lernen wollten. Zum Unglück aber fangen wir hiervon an und bleiben hiebei stehen, und da wird wieder nichts. – Irre ich mich, oder ist's wahr, daß die schönsten lyrischen Stücke, die wir schon jetzt haben, und längst gehabt haben, schon mit diesem männlichen, starken, festen deutschen Ton übereinkommen oder sich ihm nähern – was wäre nicht also von der Aufweckung mehrerer solcher zu hoffen!

Johann Gottfried Herder

VON ÄHNLICHKEIT DER MITTLERN ENGLISCHEN UND DEUTSCHEN DICHTKUNST NEBST VERSCHIEDENEM, DAS DARAUS FOLGET

1777

Wenn wir gleich anfangs die alten Briten als ein eignes Volk an Sprache und Dichtungsart absondern, wie die Reste der walischen Poesie und ihre Geschichte es darstellt, so wissen wir, daß die Angelsachsen ursprünglich Deutsche waren, mithin der Stamm der Nation an Sprache und Denkart deutsch ward. Außer den Briten, mit denen sie sich mengten, kamen bald dänische Kolonien in Horden herüber; dies waren nördlichere Deutsche, noch desselben Völkerstammes. Späterhin kam der Überguß der Normänner, die ganz England umkehrten und ihre nordischen, in Süden umgebildeten Sitten ihm abermals aufdrangen; also kam nordische, deutsche Denkart in drei Völkern, Zeitläuften und Graden der Kultur herüber: ist nicht auch England recht ein Kernhalt nordischer Poesie und Sprache in dieser dreifachen Mischung worden?

Ein Wink sogleich aus diesen frühen Zeiten für Deutschland! Der ungeheure Schatz der angelsächsischen Sprache in England ist also mit unser, und da die Angelsachsen bereits ein paar Jahrhunderte vor unserm angeblichen Sammler und Zerstörer der Bardengesänge, vor Karl dem Großen, hinübergingen; wie? wäre alles, was dort ist, nur Pfaffenzeug? in dem großen, noch ungenutzten Vorrat keine weitere Fragmente, Wegweiser, Winke? endlich auch ohne dergleichen, wie wär' uns Deutschen das Studium dieser Sprache, Poesie und Literatur nützlich! –

Hiezu aber, wo sind äußere Anmunterungen und Gelegenheiten? Wie weit stehen wir, in Anlässen der Art, den Engländern nach! Unsre Parker, Selden, Spelman, Whelok, Hickes, wo sind sie? wo sind sie itzo? Stußens Plan zur wohlfeilern Ausgabe der Angelsachsen kam nicht zustande: Lindenbrogs angelsächsisches Glossarium liegt ungedruckt, und wieviel haben wir Deutsche noch am Stamm unsrer eignen Sprache zu tun, ehe wir unsre Nebensprößlinge pflegen und darauf das Unsere suchen. Wie manches liegt noch in der kaiserlichen Bibliothek, das man kaum dem Titel nach kennet! und wie manche Zeit dürfte noch hingehn, ehe es uns im mindesten zustatten kommt, daß deutsches Blut auf so viel europäischen Thronen herrschet!

Hurd hat den Ursprung und die Gestalt der mittlern Ritterpoesie aus dem damaligen Zustande Europens in einigen Stücken gut, obwohl nichts minder als vollständig, erkläret. Es war Feudalverfassung, die nachher Ritterzeit gebar und die die Vorrede unsers aufgeputzten Heldenbuchs im Märchenton von Riesen, Zwergen, Untieren und Würmern sehr wahr schildert. Mir ist noch keine Geschichte bekannt, wo diese Verfassung recht charakteristisch für Deutschlands Poesie, Sitten und Denkart behandelt und in alle Züge nach fremden Ländern verfolgt wäre. – Aber freilich haben wir noch nichts weniger als eine Geschichte der deutschen Poesie und Sprache! Auch sind unter so vielen Akademien und Sozietäten in Deutschland wie wenige, die selbst in tüchtigen Fragen sich die Mühe nehmen, einzelne Örter aufzuräumen und ungebahnte Wege zu zeigen.

Ich weiß wohl, was wir, zumal im juristisch-diplomatisch-historischen Fache, hier für mühsame Vorarbeiten haben; diese Vorarbeiten aber sind alle noch erst zu nutzen und zu beleben. Unsre ganze mittlere Geschichte ist Pathologie und meistens nur Pathologie des Kopfs, d. i. des Kaisers und einiger Reichsstände. Physiologie des ganzen

Nationalkörpers – was für ein ander Ding! und wie sich hiezu Denkart, Bildung, Sitte, Vortrag, Sprache verhielt, welch ein Meer ist da noch zu beschiffen und wie schöne Inseln und unbekannte Flecke hie und da zu finden! Wir haben noch keinen Curne de St. Palaye über unser Rittertum, noch keinen Warton über unsre mittlere Dichtkunst. Goldast, Schilter, Schatz, Opitz, Eckhart haben treffliche Fußstapfen gelassen; Frehers Manuskripte sind zerstreuet, einige reiche Bibliotheken zerstreuet und geplündert; wenn sammlen sich einst die Schätze dieser Art zusammen und wo arbeitet der Mann, der Jüngling vielleicht im stillen, die Göttin unsres Vaterlands damit zu schmücken und also darzustellen dem Volke? Freilich, wenn wir in den mittlern Zeiten nur Shakespeare und Spenser gehabt hätten; an Theobalden und Upston, Warton und Jonson sollte es nicht fehlen: hier ist aber eben die Frage, warum wir keine Shakespeare und Spenser gehabt haben?

Der Strich romantischer Denkart läuft über Europa; wie nun aber über Deutschland besonders? Kann man beweisen, daß es wirklich seine Lieblingshelden, Originalsujets, National- und Kindermythologien gehabt und mit eignem Gepräge bearbeitet habe? Parzival, Melusine, Magelone, Artus, die Ritter von der Tafelrunde, die Rolandsmärchen sind fremdes Gut. Sollten die Deutschen denn von jeher bestimmt gewesen sein, nur zu übersetzen, nur nachzuahmen? Unser Heldenbuch singt von Dietrich, von dem aber auch alle Nordländer singen; wie weit hinauf zieht sich's, daß dieser Held deutsch oder romanisch ist besungen worden? Gehört er uns zu wie Roland, Arthur, Fingal, Achill, Äneas andern Nationen? Noch bei Hastings sangen die Angelsachen *The Horne-Child*, dessen Sage noch in der Harleyschen Sammlung zu Oxford liegt: wo ist er her? wie weit ist er unser? Ich freue mich unendlich auf die Arbeiten eines gelehrten jungen Mannes in diesem Felde, dem ich bei kritischem Scharfsinn zugleich völlige Toleranz jeder Sitte, Zeit und Denkart zur Muse und dann die Bibliotheken zu Rom, Oxford, Wien, St. Gallen, im Eskurial u. f. zu Gefährten wünschte. Rittergeist der mittlern Zeiten, in welchem Palaste würdest du weben!

Auch die gemeinen Volkssagen, Märchen und Mythologie gehören hieher. Sie sind gewissermaßen Resultat des Volksglaubens, seiner sinnlichen Anschauung, Kräfte und Triebe, wo man träumt, weil man nicht weiß, glaubt, weil man nicht siehet und mit der ganzen, unzerteilten und ungebildeten Seele würket: also ein großer Gegenstand für den Geschichtsschreiber der Menschheit, den Poeten und Poetiker und Philosophen. Sagen e i n e r Art haben sich mit den nordischen Völkern über viele Länder und Zeiten ergossen, jeden Orts aber und in jeder Zeit sich anders gestaltet; wie trifft das nun auf Deutschland? Wo sind die allgemeinsten und sonderbarsten Volkssagen entsprungen? wie gewandert? wie verbreitet und geteilet? Deutschland überhaupt und einzelne Provinzen Deutschlands haben hierin die sonderbarsten Ähnlichkeiten und Abweichungen: Provinzen, wo noch der ganze Geist der *Edda* von Unholden, Zauberern, Riesenweibern, Valkyriur selbst dem Ton der Erzählung nach voll ist, andre Provinzen, wo schon mildere Märchen, fast Ovidische Verwandlungen, sanfte Abenteuer und Feinheit der Einkleidung herrschet. Die alte wendische, schwäbische, sächsische, holsteinische Mythologie, sofern sie noch in Volkssagen und Volksliedern lebt, mit Treue aufgenommen, mit Helle angeschaut, mit Fruchtbarkeit bearbeitet, wäre wahrlich eine Fundgrube für den Dichter und Redner seines Volks, für den Sittenbilder und Philosophen.

Wenn nun auch hier England und Deutschland große Gemeinschaft haben, wie weiter wären wir, wenn wir diese Volksmeinungen und Sagen auch so gebraucht hätten wie die Briten und unsre Poesie so ganz darauf gebaut wäre, als dort Chaucer, Spenser, Shakespeare auf Glauben des Volks baueten, daher schufen und daher nahmen. Wo sind unsre Chaucer, Spenser und Shakespeare? Wie weit stehen unsre Meistersänger unter jenen! und wo auch diese Gold enthalten, wer hat sie gesammlet? wer mag sich um sie kümmern? Und doch sind würklich beide Nationen in diesen Grundadern der Dichtung sich bis auf Wendungen, Reime, Lieblingssilbenmaße und Vorstellungsarten so ähnlich, wie ein jeder wissen muß, der Rittererzählungen, Balladen, Märchen beider Völker kennet. Der ganze Ton dieser Poesien ist so einförmig, daß man oft Wort für Wort übersetzen, Wendung für Wendung, Inversion gegen Inversion übertragen kann. In allen Ländern Europens hat der Rittergeist nur ein Wörterbuch, und so auch die Erzählung im Ton desselben, Ballade, Romanze, überall dieselben Haupt- und Nebenworte, einerlei Fallendungen und Freiheiten im Silbenmaße, in Verwerfung der Töne und Flicksilben, selbst einerlei Lieblingslieder, romantische Pflanzen und Kräuter, Tiere und Vögel. Wer Shakespeare in dieser Absicht studiert und etwa nur Warton über Spenser gelesen hat und dann nur die schlechtesten Romanzen und Lieder unsres Volks kennet, wird Beispiele und Belege g'nug darüber zu geben wissen, und ich selbst könnte es durch alle Kapitel und Klassen geben. Was diese Vergleichung nun für einen Strom Bemerkungen über die Bildung beider Sprachen und der Schriftsteller in beiden Sprachen geben müsse, wenn sich eine Sprachgesellschaft oder Belles-Lettres-Akademie einer solchen Kleinigkeit annähme, erhellet von selbst. Hier ist dazu weder Ort noch Zeit.

Ich sage nur so viel: Hätten wir wenigstens die Stücke gesammlet, aus denen sich Bemerkungen oder Nutzbarkeiten der Art ergäben – aber wo sind sie? Die Engländer – mit welcher Begierde haben sie ihre alten Gesänge und Melodien gesammlet, gedruckt und wieder gedruckt, genutzt, gelesen! Ramsay, Percy und ihresgleichen sind mit Beifall aufgenommen, ihre neuern Dichter Shenstone, Mason, Mallet haben sich, wenigstens schön und müßig, in die Manier hineingearbeitet; Dryden, Pope, Addison, Swift sie nach ihrer Art gebrauchet: die ältern Dichter,

Chaucer, Spenser, Shakespeare, Milton, haben in Gesängen der Art gelebet, andre edle Männer, Philipp Sidney, Selden, und wie viele müßte ich nennen, haben gesammlet, gelobt, bewundert; aus Samenkörnern der Art ist der Briten beste lyrische, dramatische, mythische, epische Dichtkunst erwachsen; und wir – wir überfüllte, satte, klassische Deutsche – wir? – Man lasse in Deutschland nur Lieder drucken, wie sie Ramsay, Percy u. a. zum Teil haben drucken lassen, und höre, was unsre geschmackvollen, klassischen Kunstrichter sagen!

An allgemeinen Wünschen fehlt's freilich nicht. Als vor weniger Zeit die Bardenwindsbraut brauste: wie wurde nach den Gesängen gerufen, die der große Karl gesammlet haben soll! Wie wurden diese völlig unbekannterweise gelobt, nachgeahmt, gesungen – ihr Fund so leicht gemacht, als ob sie nur aus der Hand gelegt wären, an ihnen nichts weniger als ein deutscher Ossian gehofft u. f. Trefflich alles in der Ferne! Wenn da auf einmal ein Macpherson in Tirol oder in Bayern aufstünde und uns da so einen deutschen Ossian sänge, ginge es hin, so weit ließen wir uns etwa noch mitziehen. Nun aber wären diese Gesänge in einer Sprache, wie sie nach Analogie der Schilterschen Sammlung notwendig sein müßten; müßten sie, weil vor Otfried alles undisziplinierte Sprache war, als lebendiger Gesang im Munde der Barden erst buchstabiert, als eine Zaubergestalt voriger Zeiten im Spiegel der Glossatoren studiert werden, ohne daß sie sowenig als Ulfilas Evangelien in unsern Kirchen Wunder tun könnten, wieviel Lobredner und Jünger würden stracks zurückgehen und sagen: »Ich kenne Euch nicht! Ich hatte mir so einen klassischen Ossian vermutet!«

Sage ich unrecht, oder ist nicht das Exempel völlig dagewesen? Als der Manessische Kodex ans Licht kam, welch ein Schatz von deutscher Sprache, Dichtung, Liebe und Freude erschien in diesen Dichtern des schwäbischen Zeitalters! Wenn die Namen Schoepflin und Bodmer auch kein

Verdienst mehr hätten, so müßten sie dieser Fund und den letzten die Mühe, die er sich gab, der Eifer, den er bewies, der Nation lieb und teuer machen. Hat indessen wohl diese Sammlung alter Vaterlandsgedichte die Würkung gemacht, die sie machen sollte? Wäre Bodmer ein Abt Millot, der den Säklenfleiß seines Curne de St. Palaye in eine *Histoire littéraire des Troubadours* nach gefälligstem Auszuge hat verwandeln wollen, vielleicht wäre er weiter umhergekommen als jetzt, da er den Schatz selbst gab und uns zutraute, daß wir uns nach dem Bissen schwäbischer Sprache leicht hinaufbemühen würden. Er hat sich geirrt: wir sollen von unsrer klassischen Sprache weg, sollen noch ein ander Deutsch lernen, um einige Liebesdichter zu lesen – das ist zuviel! Und so sind diese Gedichte nur etwa durch den einigen Gleim in Nachbildung, wenig andre durch Übersetzung recht unter die Nation gekommen: der Schatz selbst liegt da, wenig gekannt, fast ungenutzt, fast ungelesen.

Aus ältern Zeiten haben wir also durchaus keine lebende Dichterei, auf der unsre neuere Dichtkunst wie Sprosse auf dem Stamm der Nation gewachsen wäre; dahingegen andre Nationen mit den Jahrhunderten fortgegangen sind und sich auf eignem Grunde, aus Nationalprodukten, auf dem Glauben und Geschmack des Volks, aus Resten alter Zeiten gebildet haben. Dadurch ist ihre Dichtkunst und Sprache national worden, Stimme des Volks ist genutzt und geschätzt; sie haben in diesen Dingen weit mehr ein Publikum bekommen, als wir haben.

Wir armen Deutschen sind von jeher bestimmt gewesen, nie unser zu bleiben: immer die Gesetzgeber und Diener fremder Nationen, ihre Schicksalsentscheider und ihre verkauften, blutenden, ausgesogenen Sklaven,

Jordan, Po und Tiber,
wie strömten oft sie deutsches Blut
und deutsche Seelen –

und so mußte freilich, wie alles, auch der deutsche Gesang werden

ein Pangeschrei! ein Widerhall
vom Schilfe Jordans und der Tiber
und Thems' und Sein' –

wie alles, auch der deutsche Geist werden

ein Mietlingsgeist, der wiederkäut,
was andrer Fuß zertrat –

Der schöne, fette Ölbaum, der süße Weinstock und Feigenbaum ging, als ob er Dornbusch wäre, hin, daß er über den Bäumen schwebe, und wo ist also seine gute Art und Frucht? seine Kraft, Fette und Süße? Sie wird und ward in fremden Ländern zertreten.

Hohe, edle Sprache! Großes, starkes Volk! Es gab ganz Europa Sitten, Gesetze, Erfindungen, Regenten, und nimmt von ganz Europa Regentschaft an. Wer hat's wert gehalten, seine Materialien zu nutzen, sich in ihnen zu bilden, wie wir sind? Bei uns wächst alles a priori, unsre Dichtkunst und klassische Bildung ist vom Himmel geregnet. Als man im vorigen Jahrhunderte Sprache und Dichtkunst zu bilden anfing – im vorigen Jahrhunderte? und was hätte man denn wohl mehr tun können, wenn's Zweck gewesen wäre, die letzten Züge von Nationalgeist wirklich auszurotten, als man heuer und jetzt wirklich getan hat? Und jetzt, da wir uns schon auf so hohem Gipfel der Verehrung andrer Völker wähnen, jetzt, da uns die Franzosen, die wir so lang nachgeahmt haben, Gott Lob und Dank? wieder nachahmen und ihren eignen Unrat fressen: jetzt, da wir das Glück genießen, daß deutsche Höfe schon anfangen, deutsch zu buchstabieren und ein paar deutsche Namen zu nennen – Himmel, was sind wir nun für Leute! Wer sich nun noch ums rohe Volk bekümmern wollte, um ihre Grundsuppe von Märchen, Vorurteilen, Liedern, rauher Sprache: welch ein Barbar wäre er! er käme, unsre klassische, silbenzählende Literatur zu beschmutzen, wie eine Nachteule unter die schönen, buntgekleideten, singenden Gefieder!

Und doch bleibt's immer und ewig, daß der Teil von Literatur, der sich aufs Volk beziehet, volksmäßig sein muß, oder er ist klassische Luftblase. Doch bleibt's immer und ewig, daß, wenn wir kein Volk haben, wir kein Publikum, keine Nation, keine Sprache und Dichtkunst haben, die unser sei, die in uns lebe und wirke. Da schreiben wir denn nun ewig für Stubengelehrte und ekle Rezensenten, aus deren Munde und Magen wir's denn zurück empfangen, machen Romanzen, Oden, Heldengedichte, Kirchen- und Küchenlieder, wie sie niemand versteht, niemand will, niemand fühlt. Unsre klassische Literatur ist Paradiesvogel, so bunt, so artig, ganz Flug, ganz Höhe und – ohne Fuß auf die deutsche Erde.

Wie anders hierin andre Nationen! Welche Lieder hat z.E. Percy in seine *Reliques* genommen, die ich unserm gebildeten Deutschland nicht vorzuzeigen wagte! Uns wären sie unausstehlich, jenen sind sie's nicht. Das sind einmal alte Nationalstücke, die das Volk singt und sang, woraus man also die Denkart des Volks, ihre Sprache der Empfindung kennen lernet; dies Liedchen hat etwa gar Shakespeare gekannt, daraus einige Reihen geborget u. f. Mit milder Schonung setzt man sich also in die alten Zeiten zurück, in die Denkart des Volks hinab, liegt, hört, lächelt etwa, erfreuet sich mit oder überschlägt und lernet. Überall indes sieht man, aus welchen rohen, kleinen, verachteten Samenkörnern der herrliche Wald ihrer Nationaldichtkunst worden, aus welchem Marke der Nation Spenser und Shakespeare wuchsen.

Großes Reich, Reich von zehn Völkern, Deutschland! Du hast keinen Shakespeare, hast du auch keine Gesänge deiner Vorfahren, deren du dich rühmen könntest? Schweizer, Schwaben, Franken, Bayern, Westfäler, Sachsen, Wenden, Preußen, ihr habt allesamt nichts? Die Stimme eurer

Väter ist verklungen und schweigt im Staube? Volk von tapfrer Sitte, von edler Tugend und Sprache, du hast keine Abdrücke deiner Seele die Zeiten hinunter?

Kein Zweifel! Sie sind gewesen, sie sind vielleicht noch da; nur, sie liegen unter Schlamm, sind verkannt und verachtet. Noch neulich ist eine Schüssel voll Schlamm öffentlich aufgetragen, damit die Nation ja nicht zu etwas Besserm Lust bekomme, als ob solcher Schlamm das Gold wäre, das man führt und das ja auch selbst der klassische Virgil in den Eingeweiden Ennius' nicht verschmähte. Nur wir müssen Hand anlegen, aufnehmen, suchen, ehe wir alle klassisch gebildet dastehn, französische Lieder singen wie französische Menuets tanzen oder gar allesamt Hexameter und Horazische Oden schreiben. Das Licht der sogenannten Kultur will jedes Winkelchen erleuchten, und Sachen der Art liegen nur im Winkel. Legt also Hand an, meine Brüder, und zeigt unsrer Nation, was sie ist und nicht ist, wie sie dachte und fühlte, oder wie sie denkt und fühlt. Welch herrliche Stücke haben da die Engländer bei ihrem Suchen gefunden! Freilich nicht fürs Papier gemacht und auf ihm kaum lesbar; aber dafür voll lebendigen Geistes, im vollen Kreise des Volks entsprungen, unter ihnen lebend und wirkend. Wer hat nicht von den Wundern der Barden und Skalden, von den Wirkungen der Troubadours, Minstrels und Meistersänger gehört oder gelesen? Wie das Volk dastand und horchte! was es alles in dem Liede hatte und zu haben glaubte! wie heilig es also die Gesänge und Geschichten erhielt, Sprache, Denkart, Sitten, Taten an ihnen mit erhielt und fortpflanzte! Hier war zwar einfältiger, aber starker, rührender, wahrer Sang und Klang voll Gang und Handlung, ein Notdrang ans Herz, schwere Akzente oder scharfe Pfeile für die offne, wahrheittrunkene Seele. Ihr neuen Romanzer, Kirchenlieder- und Odenversler, könnt ihr das? würkt ihr das? und werdet ihr's auf eurem Wege jemals würken? Für euch sollen wir alle im Lehnstuhl ruhig schlummern, mit der Puppe spielen oder das Versebildlein als Kabinetstück auffangen, daß es im klassischen, vergoldeten Rahm da zierlich müßig hange.

Wenn Bürger, der die Sprache und das Herz dieser Volksrührung tief kennet, uns einst einen deutschen Helden- oder Tatengesang voll aller Kraft und alles Ganges dieser kleinen Lieder gäbe: ihr Deutsche, wer würde nicht zulaufen, horchen und staunen? Und er kann ihn geben; seine Romanzen, Lieder, selbst sein verdeutschter Homer ist voll dieser Akzente, und bei allen Völkern ist Epopee und selbst Drama nur aus Volkserzählung, Romanze und Lied worden. – Ja, wären wir nicht auch weiter, wenn selbst unsre Geschichte und Beredsamkeit den simpeln, starken, nicht übereilten, aber zum Ziel strebenden Gang des deutschen Geistes in Tat und Rede genommen oder vielmehr behalten hätte: denn in den alten Chroniken, Reden und Schriften ist er schon da. Die liebe Moral und die feine pragmatische Philosophie würde sich jeder Machiavell doch selbst herausfinden können. Ja endlich wäre selbst unsre Erziehung deutscher, an Materialien dieser Art reicher, stärker und einfältiger in Rührung der Sinne und Beschäftigung der lebendsten Kräfte, mich dünkt, unsre Vorfahren in ihren Gräbern würden sich des erfreuen und eine neue Welt ihrer wahreren Söhne segnen.

Endlich – denn lasset uns auch hier Klopstocks Spruch erfüllen:

Nie war gegen das Ausland
Ein anderes Land gerecht wie Du! –

zeigte sich hier auch noch ein Ausweg zu Liedern fremder Völker, die wir so wenig kennen und nur aus Liedern können kennenlernen.

Die Karte der Menschheit ist an Völkerkunde ungemein erweitert: wie viel mehr Völker kennen wir als Griechen und Römer! wie kennen wir sie aber? Von außen, durch Fratzenkupferstiche und fremde Nachrichten, die den Kupferstichen gleichen? oder von innen? durch ihre eigne Seele? aus Empfindung, Rede und Tat? – So sollte es sein und ist's wenig. Der pragmatische Geschicht- und Reisebeschreiber beschreibt, malt, schildert; er schildert immer, wie er sieht, aus eignem Kopfe, einseitig gebildet; er lügt also, wenn er auch am wenigsten lügen will.

Das einzige Mittel dagegen ist leicht und offenbar. Alle unpolizierten Völker singen und handeln; was sie handeln, singen sie, und singen Abhandlung. Ihre Gesänge sind das Archiv des Volks, der Schatz ihrer Wissenschaft und Religion, ihrer Theogonie und Kosmogonien, der Taten ihrer Väter und der Begebenheiten ihrer Geschichte, Abdruck ihres Herzens, Bild ihres häuslichen Lebens in Freude und Leid, beim Brautbett und Grabe. Die Natur hat ihnen einen Trost gegen viele Übel gegeben, die sie drücken, und einen Ersatz vieler sogenannten Glückseligkeiten, die wir genießen: d. i. Freiheitsliebe, Müßiggang, Taumel und Gesang. Da malen sich alle, da erscheinen alle, wie sie sind. Die kriegerische Nation singt Taten, die zärtliche Liebe. Das scharfsinnige Volk macht Rätsel, das Volk von Einbildung Allegorien, Gleichnisse, lebendige Gemälde. Das Volk von warmer Leidenschaft kann nur Leidenschaft, wie das Volk unter schrecklichen Gegenständen sich auch schreckliche Götter dichtet. – Eine kleine Sammlung solcher Lieder aus dem Munde eines jeden Volks, über die vornehmsten Gegenstände und Handlungen ihres Lebens, in eigner Sprache, zugleich gehörig verstanden, erklärt, mit Musik begleitet: wie würde es die Artikel beleben, auf die der Menschenkenner bei allen Reisebeschreibungen doch immer am begierigsten ist, »von Denkart und Sitten der Nation! von ihrer Wissenschaft und Sprache! von Spiel und Tanz, Musik und Götterlehre«. Von alle diesem bekämen wir doch bessere Begriffe als durch Plappereien des Reisebeschreibers oder als durch ein in ihrer Sprache aufgenommenes – Vaterunser! Wie Naturgeschichte Kräuter und Tiere beschreibt, so schilderten sich hier die Völker selbst. Man bekäme von allem anschauenden Begriff, und durch die Ähnlichkeit oder Abweichung dieser Lieder an Sprache, Inhalt und Tönen, insonderheit in Ideen der Kosmogonie und der Geschichte ihrer Väter, ließe sich auf die Abstammung, Fortpflanzung und Vermischung der Völker wieviel und wie sicher schließen!

Und doch sind selbst in Europa noch eine Reihe Nationen, auf diese Weise unbenutzt, unbeschrieben. Esten und Letten, Wenden und Slawen, Polen und Russen, Friesen und Preußen – ihre Gesänge der Art sind nicht so gesammlet als die Lieder der Isländer, Dänen, Schweden, geschweige der Engländer, Hersen und Briten oder gar der südlichen Völker. Und unter ihnen sind doch so manche Personen, denen es Amt und Arbeit ist, die Sprache, Sitte, Denkart, alte Vorurteile und Gebräuche ihrer Nation zu studieren! und andern Nationen gäben sie hiemit die lebendigste Grammatik, das beste Wörterbuch und Naturgeschichte ihres Volks in die Hände. Nur sie müssen es geben, wie es ist, in der Ursprache und mit genugsamer Erklärung, ungeschimpft und unverspottet, so wie unverschönt und unveredelt: womöglich mit Gesangweise und alles, was zum Leben des Volks gehört. Wenn sie's nicht brauchen können, können's andre brauchen.

Lessing hat über zwei litauische Lieder seine Stimme gegeben; Kleist hat ein Lied der Lappen und Kannibalen nachgebildet und Gerstenberg wie schöne Stücke der alten Dänen übersetzt gegeben. Welche schöne Ernte wäre noch dahinten! – Wenn Leibniz den menschlichen Witz und Scharfsinn nie würksamer erklärt als in den Spielen; wahrlich, so ist das menschliche Herz und die volle Einbildungskraft nie würksamer als in den Naturgesängen solcher Völker. Sie öffnen das Herz, wenn man sie höret, und wie viele Dinge in unsrer künstlichen Welt schließen und mauern es zu!

Auch den Regeln der Dichtkunst endlich, die wir uns

meistens aus Griechen und Römern geformt haben, tun Proben und Sammlungen der Art nicht ungut. Auch die Griechen waren einst, wenn wir so wollen, Wilde, und selbst in den Blüten ihrer schönsten Zeit ist weit mehr Natur, als das blinzende Auge der Scholiasten und Klassiker findet. Bei Homer hat's noch neulich Wood abermals gezeigt: er sang aus alten Sagen, und sein Hexameter war nichts als Sangweise der griechischen Romanze. Tyrtäus' Kriegsgesänge sind griechische Balladen, und wenn Arion, Orpheus, Amphion lebten, so waren die edle griechische Schamanen. Die alte Komödie entsprang aus Spottliedern und Mummereien voll Hefen und Tanz; die Tragödie aus Chören und Dithyramben, das ist alten lyrischen Volkssagen und Göttergeschichten. Wenn nun Frau Sappho und ein litauisches Mädchen die Liebe auf gleiche Art singen, wahrlich, so müssen die Regeln ihres Gesanges wahr sein; sie sind Natur der Liebe und reichen bis ans Ende der Erde. Wenn Tyrtäus und der Isländer gleichen Schlachtgesang anstimmet: so ist der Ton wahr; er reicht bis ans Ende der Erden. Ist aber wesentliche Ungleichheit da, will man uns Nationalformen oder gar gelehrte Übereinkommnisse über Produkte eines Erdwinkels für Gesetze Gottes und der Natur aufbürden: sollte es da nicht erlaubt sein, das Marienbild und den Esel zu unterscheiden, der das Marienbild trägt?

Johann Gottfried Herder

VORREDE ZU DEN »VOLKSLIEDERN NEBST UNTERMISCHTEN ANDERN STÜCKEN, ZWEITER TEIL«

1779

In diesem Teil sollte die Fortsetzung der Zeugnisse über Volkslieder folgen: weil aber jede gute Sache in zweier oder dreier Zeugen Munde bestehet und für den Vorgefaßten auch hundert Zeugnisse nicht genug sein werden, so wollen wir Papier und Worte sparen und lieber selbst etwas voranfügen, was zur Erläuterung und Vorstellung dieser mancherlei Gedichte dienen könnte.

Es ist wohl nicht zu zweifeln, daß Poesie, und insonderheit Lied, im Anfang ganz volksartig, d. i. leicht, einfach, aus Gegenständen und in der Sprache der Menge sowie der reichen und für alle fühlbaren Natur gewesen. Gesang liebt Menge, die Zusammenstimmung vieler: er fodert das Ohr des Hörers und Chorus der Stimmen und Gemüter. Als Buchstaben- und Silbenkunst, als ein Gemälde der Zusammensetzung und Farben für Leser auf dem Polster wäre er gewiß nie entstanden oder nie, was er unter allen Völkern ist, worden. Alle Welt und Sprache, insonderheit der älteste graue Orient liefert von diesem Ursprunge Spuren die Menge, wenn es solche vorzuführen und aufzuzählen not wäre.

Die Namen und Stimmen der ältesten griechischen Dichter bezeugen dasselbe. Linus und Orpheus, Phantasia und Hermes, Musäus und Amphion, Namen und Nachrichten der Fabel oder Wahrheit, zeugen, was damals Poesie war? woraus sie entsprang? worin sie lebte? Sie lebte im Ohr des Volks, auf den Lippen und der Harfe lebendiger

Sänger: sie sang Geschichte, Begebenheit, Geheimnis, Wunder und Zeichen: sie war die Blume der Eigenheit eines Volks, seiner Sprache und seines Landes, seiner Geschäfte und Vorurteile, seiner Leidenschaften und Anmaßungen, seiner Musik und Seele. Wir mögen von den *αοιδοις*, den umherziehenden Sängern der Griechen, soviel der Fabel geben, als wir wollen: so bleibt am Boden des Gefäßes die Wahrheit übrig, die sich auch in andern Völkern und Zeitaltern gleichartig dargetan hat. Das Edelste und Lebendigste der griechischen Dichtkunst ist aus diesem Ursprung erwachsen.

Der größte Sänger der Griechen, Homerus, ist zugleich der größte Volksdichter. Sein herrliches Ganze ist nicht Epopee, sondern *επος*, Märchen, Sage, lebendige Volksgeschichte. Er setzte sich nicht auf Sammet nieder, ein Heldengedicht in zweimal vierundzwanzig Gesängen nach Aristoteles' Regel oder, so die Muse wollte, über die Regel hinaus zu schreiben, sondern sang, was er gehöret, stellte dar, was er gesehen und lebendig erfaßt hatte: seine Rhapsodien blieben nicht in Buchläden und auf den Lumpen unsres Papiers, sondern im Ohr und im Herzen lebendiger Sänger und Hörer, aus denen sie spät gesammlet wurden und zuletzt, überhäuft mit Glossen und Vorurteilen, zu uns kamen, Homers Vers, so umfassend wie der blaue Himmel und so vielfach sich mitteilend, allem, was unter ihm wohnet, ist kein Schulen- und Kunsthexameter, sondern das Metrum der Griechen, das in ihrem reinen und feinen Ohr, in ihrer klingenden Sprache zum Gebrauch bereitlag und gleichsam als bildsamer Leim auf Götter- und Heldengestalten wartete. Unendlich und unermüdet fließt's in sanften Fällen, in einartigen Beiwörtern und Kadenzen, wie sie das Ohr des Volks liebte, hinunter. Diese, das Kreuz aller berühmten Übersetzer und Heldendichter, sind die Seele seiner Harmonie, das sanfte Ruhekissen, das in jeder endenden Zeile unser Auge schließt, und unser Haupt entschlummert, damit es in jeder neuen Zeile gestärkt zum Schauen erwache und des langen Weges nicht ermüde. Alle erhabnen »Siehe!«, alle künstliche Verschränkungen und Wortlabyrinthe sind dem einfachen Sänger fremde, er ist immer hörbar und daher immer verständlich: die Bilder treten vors Auge, wie seine Silbertöne ins Ohr fließen; der verschlungene Tanz beider ist Gang seiner Muse, die auch darin Göttin ist, daß sie dem Geringsten und gleichsam jedem Kinde dienet. Über eine Sache geheimer und liebster Freuden streitet man nicht gern auf dem Markt; aber dem, dünkt mich, ist Homer nicht erschienen, der den lieben Fußgänger nur auf raschrollendem Wagen und den sanften Strom seiner Rede als Mühlengeklapper einer sogenannten Heldenpoesie sich vorbildet. Sein Tritt ist sanft, und die Ankunft seines Geistes wie Ulysses' Ankunft in der Heimat: nur der kann sein Vertrauter werden, der sich diese demütige Gestalt weder verlügt noch hinwegschämet.

Mit Hesiodus und Orpheus ist's in ihrer Art ein Gleiches. Nicht, daß ich die Werke, die unter des letzten Namen gehen, für Urschrift des alten Orpheus hielte; sie sind ohne allen Zweifel wohl nichts als spätere, vielleicht sechs-, sieben- und meinethalb hundertmal aufgefrischte Kopien alter Gesänge und Sagen; aber daß sie dieses sind, daß alter Gesang und Sage in ihnen noch durchschimmert, ist, wenn mich nicht alles trügt, sehr merkbar. Auch Hesiod, der an Echtheit jenem weit vorsteht, hat gewiß fremde Verse; und doch ist überall der alte ehrwürdige Volkssänger, der einfältige Hirt, der am Berge der Musen weidete und von ihnen die Gabe süßer Gesänge und Lehren zum Geschenk überkam, hörbar. O wäre mir's gelungen, von diesen goldnen Gaben und Gerüchten der Vorzeit, als den edelsten Volksgesängen, etwas in unsre Sprache zu übertragen, daß sie noch einigermaßen, was sie sind, blieben! Homer, Hesiodus, Orpheus, ich sehe Eure Schatten dort vor mir auf den Inseln der Glückseligen unter der Menge und höre den Nachhall Eurer Lieder; aber mir fehlt das Schiff von Euch in mein Land und meine Sprache. Die Wellen auf dem Meer der Wiederfahrt verdumpfen die Harfe, und der Wind weht Eure Lieder zurück, wo sie in amaranthnen Lauben unter ewigen Tänzen und Festen nie verhallen werden. –

Ein Gleiches ist mit dem Chor der Griechen, aus dem ihr hohes, einziges Drama entstand und von dem es noch immer, zumal in Äschylus und Sophokles, wie die heilige Flamme von dem Holz und Opfer, das sich unten verzehrt, hinauflodert. Ohne Zweifel ist er das Ideal griechischen Volksgesanges; aber wer kommt zum Bilde? wer kann's aus der Höhe seiner Töne haschen und einverleiben unsrer Sprache? So auch mit Pindars Gesängen, von denen, meines Wissens, noch nichts Entferntähnliches in unsrer Sprache, vielleicht auch nicht in unserm Ohr da ist. Wie Tantalus steht man in ihrem Strome: der klingende Strom fleucht, und die goldnen Früchte entziehen sich jeder Berührung. –

Ich begnügte mich also nur, da mir das Höchste dieser Gattung anzurühren nicht vergönnt war, von den Griechen nur ein paar kleine Liederchen, Tischgesänge und leichte Weisen zu geben. Ich schleiche am Ufer und lasse andern das hohe Meer.

Der Römer alte Lieder der Väter, die sie noch in den blühendsten Zeiten bei ihren Gastmahlen sangen und sich zur Tugend und Liebe des Vaterlandes mit ihnen stärkten, sind verloren. In Catull und Lucrez ist noch viel alter Gesang, aber schwer zu entwenden.

Die alten Gesänge der christlichen Väter haben sich gewissermaßen verewigt. Sie tönten in den dunkelsten Zeiten, in dunkeln Tempeln und Chören lateinisch, bis sie in der Sprache fast jeden europäischen Landes sich verjüngten und, wiewohl in veränderter Gestalt, hie und da noch leben. Wir haben von einigen sehr alte Übersetzungen in unsrer Sprache[1], die merkwürdig sind, aber eigentlich hieher nicht gehörten.

Da ich von den verlornen Barden gar nicht und von den Gedichten der Skalden zu Anfange des zweiten Buchs reden werde, so fahre ich hier nur fort von deutschen Gesängen und Volksliedern. Das älteste Stück, was hieher gehört, ist wohl *König Ludwig*[2], den ich, soviel möglich, in der Kürze und Schnelligkeit seiner Worte hier gebe. Schon als Lied vom Jahr 882 ist er merkwürdig und seiner innern Art nach nicht minder. Stücke aus Otfried, insonderheit Strophen aus der Vorrede: *Ludwig der Schnelle*, stünden ihm etwa von fern zur Seite. *Annos Gesang*, eine Sprosse mit in unsres Opitz Krone[3], schwebt darüber weg: er gehört unter Lobgesänge, nicht unter Volkslieder.

Der Strom der Jahrhunderte floß dunkel und trübe für Deutschland. Hie und da hat sich eine Stimme des Volks, ein Lied, ein Sprüchwort, ein Reim gerettet; meistens aber schlammig, und reißen es die Wellen sogleich wieder hinunter. Ich nehme lateinische Verse und Reimchroniken aus, die zu meinem Zweck nicht gehören, so ist mir noch wenig zu Gesicht gekommen, das den besten Stücken der Engländer, Spanier oder nordischen Völker an die Seite zu setzen wäre. Eckhart hat ein kleines Fragment eines altdeutschen Romans gerettet; schade aber, nur ein kleines Fragment, das, wie es da ist, nur durch Sprache merkwürdig ist.[4] In Meiboms Sammlung[5] findet sich das

[1] S. Eckhart. Commentar. de reb. Franc. orient. Tom. II, p. 948. Schilter, Thes. antiquit. T. I. Vieles in der Bibliothek zu Wien nach Lambecks Anzeige.

[2] Schilter, T. II.

[3] Der Deutlichkeit wegen merke ich für unsere gelehrten Kunstrichter an, daß Opitz ihn nicht gemacht, sondern gefunden und zuerst herausgegeben habe. Er steht, außer Opitzens Ausgabe, in Schilters erstem Teil und in Bodmers leider! nicht vollendetem Opitz.

[4] Eckhart. Comment. Franc. orient. T. II. p. 364.

[5] Meibom. rer. Germ. T. III.

Lied eines sächsischen Prinzen, der nach einer unglücklichen Schlacht sich dem Priester zum Opfer geben mußte; es ist traurig, hat aber nur noch eine Strophe:

Soll ich nun in Gottesfronden Hände
In meinen allerbesten Tagen
Geben werden und sterben so elende,
Das muß ich wol klagen.

Wenn mir das Glücke füget hätte
Des Streits ein gutes Ende,
Dörft' ich nicht leisten diese Wette,
Netzen mit Blut die hiere Wände.

In mehr als einer deutschen Chronik finden sich alte deutsche Reihen und Volkslieder, von denen einige sehr gute Stellen und Strophen haben. Ich will, was mir etwa beifällt, hiehersetzen; denn was für mich nicht dient, kann für einen andern dienen und insonderheit dem nicht gleichgültig sein, der sich einmal (der Himmel gebe bald) an eine Geschichte deutschen Gesanges und Dichtkunst waget. Außer den beiden im ersten Teil gelieferten Reihen über den Prinzenraub[1] und Herzog Wilhelm in Thüringen stehen in ebendem Spangenberg noch zwei Stücke; ein Schimpflied über die Geschlagnen Kaiser Adolphs und ein ziemlich langes Lied über die Belagerung Magdeburgs, das Spangenberg in das Deutsche seiner Zeit gesetzt und das einige sehr gute Strophen und, wie die meisten Lieder der Art, genaue Umstände der Sache selbst hat. Das erste ist auch in Glafeys *Sächs. Geschichte,* das zweite in Pomarii *Chronik* befindlich (S. 482). In der Fortsetzung von Spangenbergs *Hennebergischer Chronik* ist im dritten Teil[2] ein Lied auf die Fehde Reinhards von Haune mit Wilhelm von Henneberg. In Falckensteins *Erfurtischer Geschichte*[3] ist der Ursprung des Liedes, das die

[1] Trillers *Sächs. Prinzenraub.* S. 232, 235.
[2] Heims *Henneb. Chronik.* Teil 3. S. 277–279.
[3] S. 185.

Kinder in Erfurt noch jetzt am Johannisabend verstümmelt singen, angeführt; es war die Zerstörung des Schlosses Dienstberg 1289, und das Lied fängt sich an: Eichen ohne Gerten. In ebender Geschichte[1] sind Fragmente von den Liedern, die von der schwärmenden Geißlersekte im 14. Jahrhundert angestimmt wurden: sie stehen auch in Pomarii und in der *Limpurger Chronik,* aus der vor dem dritten Buch ein Auszug geliefert werden soll. Ein Spottlied auf die Bauern und ihren im Jahre 1525 übelbelohnten Aufruhr steht in Falkenstein und Pfefferkorn[2]; eine Beschreibung des Gefechts bei Hempach 1450 und des Krieges zwischen Nürnberg und dem Markgrafen in Reinhards *Beiträgen*[3]; ein Lied auf die Einnahme der Stadt Hettstädt 1439 in Schöttgens und Kreisigs *Diplomatischer Nachlese*[4]; über die Aachenschen Händel 1429 in Menckens Sammlung[5]; auf die Belagerung von Grubenhagen 1448 in Letzners *Einbeckschen Chronik*[6] und, was ich vielleicht vor allen hätte zuerst anführen sollen, ein Lied über die Schlacht bei Cremmerdamm, in Buchholz' *Brandenburgischer Geschichte*[7]. Ich würde es, wenn es nicht plattdeutsch wäre, eingerückt haben. Die *Nachtigall,* die Lessing[8] neulich bekanntgemacht, und was sonst reichlich auf Bibliotheken sein mag, zu geschweigen.

[1] S. 228.
[2] S. 587. Pfefferkorn, Merkw. von Thüringen, S. 458. Desgleichen steht ein Lied von Eroberung des Schlosses Hohenkraen in Senkenbergs select. iuris et histor. T. IV. Ein Lied vom Ritter Georg im Schamel, Beschreibung des Georgenklost. vor Naumb., S. 26. Schlechte Bergreihen in Albini Meißn. Bergchronik, S. 47 u. a.
[3] Vom Rosenplut: s. Reinhards Beitr. zur Gesch. Frankenlandes, T. 1 und T. 2.
[4] Schöttgens und Kreisigs *Diplomat. Nachlese,* T. V., S. 114–116.
[5] Tom. I, p. 1210.
[6] p. 92, b.
[7] T. 2, S. 383.
[8] Lessings Beiträge aus der Wolfenb. Bibliothek, T. I.

In den Religionsunruhen des sechzehnten Jahrhunderts ist ebensowohl mit Liedern als Schriften gestritten worden, insonderheit, sofern sie die Fürsten und öffentlichen Anlässe betrafen. Ich habe einen Band gedruckter Lieder vor mir, meistens über die Begebenheiten zwischen Sachsen und Braunschweig 1542, 1545 und zwischen Sachsen und dem Kaiser 1547.[1] Der Besitzer scheint nur gesammlet zu haben, was in seiner Gegend darüber erschien: denn das meiste ist zu Leipzig und Erfurt gedruckt, und es ist schon viel; andre Gegenden werden über dieselben Anlässe andre Lieder haben. Man schließe aus der Menge von Liedern, die in zwei Jahren über zwo Begebenheiten erschienen sind, ob Deutschland arm an ihnen gewesen. Möchten sie nur auch an Güte sein, was die meisten an Treuherzigkeit zu sein vorgeben. – Allen diesen Liedern sind ihre Weisen genannt, und diese abermals Titel sehr bekannter Volkslieder: ja meistens hat das neue Lied ganz den Ton des vorhergehenden, d. i. seine Weise. Sehr oft ist das auch der Fall zwischen weltlichen und geistlichen Liedern, daher man sich nicht wundern muß, daß über geistlichen Liedern oft eine sehr weltliche Weise, z. E. *Es wohnet Lieb bei Liebe* u. dgl. stehet. Oft geht dies zu groben Parodien über, die uns beleidigen, die es aber damals nicht taten, weil es die gewöhnliche Art war. So ist z. E. in genannter Sammlung ein neu Lied *Der Jäger* geistlich, wo das bekannte Lied *Es wollt ein Jäger jagen* auf Gabriel und die Maria eben nicht gar fein, doch ehrlich

[1] Z. E. Drei schöne neue Lieder vom großen Scharrhansen zu Wolfenbüttel: Von der Niederlage Herzog Heinrichs zu Braunschweig: ein Heerlied für die Kriegsleut 1546. Ein neu Lied von Moritzen, Herz. zu Sachsen: Wahre Histor. von Herz. Moriz. Ermahnung an die Fürsten, sich der Stadt Wittenberg anzunehmen. Von Überziehung des Kaisers, von Belagerung der Stadt Leipzig. Entschuldigung Herz. Moriz, warum er den Kaiser nicht mit Krieg überzogen: von der Bremer Schlacht u. f. Dazwischen Fastnachts- und geistl. Lieder.

gedeutet ist. Manche Wendungen und Gänge alter Kirchenlieder nehmen aus solchen Weisen ihren Ursprung, und eine Geschichte des Kirchengesanges kann eigentlich nicht ohne Kenntnis derselben geliefert werden. Meistens fließt in solchen Volksgesängen Geistlich- und Weltliches zusammen, wovon auch in den alten Gesangbüchern viele Proben vorhanden. Luther, der treffliche geistliche Lieder machte, machte auch *Ein neu Lied von zweien Märterern Christi zu Brüssel, von den Sophisten zu Löwen verbrannt*, das oft einzeln gedruckt und auch alten Gesangbüchern beigefügt worden. Ich hätte es eingerückt, so wie anderswo bereits Strophen angeführt worden, wenns nicht für diese Sammlung zu abstechend gewesen wäre. Seine Parodie auf das Lied *Nun treiben wir den Tod heraus*[1] ist bekannt und auch noch in alten Gesangbüchern vorhanden: da aber seine *Cantio de aulis* nur in der Altenburger Ausgabe seiner Werke befindlich und nicht lang ist, so habe ich sie hier eingerücket. Seine Gehülfen und Nachfolger folgten ihm, nur freilich nach ihren Kräften. Die Parodie des Erasmus Alberus aufs *Te Deum*, Äsops Fabeln, mancherlei Lieder sind bekannt. Geschichten und Stücke der Bibel wurden, nach der Weise weltlicher Sagen[2], versifiziert, Meistersängerkunst hat diese Manier treulich behalten und zuletzt sehr untreu verderbet.

Über diese und über ihren edlern Ursprung, die sogenannten Minnesinger, mag ich hier nicht reden. Sie waren Volkssänger und waren's auch nicht, wie man die Sache nimmt. Zum Volkssänger gehört nicht, daß er aus

[1] S. Paullini, Philosoph. Feierabend, S. 717. Hilscher, de Dominica Laetare, Lips. 1690. Hilscher wegen des zur Fasten- und Osterzeit eingerissenen Aberglaubens. Dresd. 1708. Mich dünkt, in den Abhandlungen Böhmischer Gelehrten den Anfang dieses Liedes Böhmisch gelesen zu haben, nebst einer Abhandlung darüber.

[2] Die Geschichte von Lazarus und dem Reichen: die meisten Evangelien: u. f.

dem Pöbel sein muß oder für den Pöbel singt, sowenig es die edelste Dichtkunst beschimpft, daß sie im Munde des Volkes tönet. Volk heißt nicht der Pöbel auf den Gassen; der singt und dichtet niemals, sondern schreit und verstümmelt. Daß in den schwäbischen Zeiten die Poesie von großem Umfang gewesen, ist wohl unleugbar: sie erstreckte sich vom Kaiser zum Bürger, vom Handwerker bis zum Fürsten. Man sang nach gegebnen Weisen, und gute Lieder sang man nach. Minne war nicht der einzige Inhalt ihrer Gesänge, wie anderweit gezeigt werden wird; der Umkreis derselben war auch nicht eine Fakultät oder enge Stube. Auch das Fragment der Chronik, das beigerückt werden soll, zeigt, wie verbreitet und lebend diese Gesänge damals gewesen sind, vielleicht mehr als die Lesung unsrer Dichter, mit der man ihren Kreis zu vergleichen gewohnt ist. Allerdings ist überall und allezeit das Gute selten. Auf eine gute Weise folgten ohne Zweifel zehn und funfzig elende, die freilich nicht nachgesungen wurden, die im Munde des Sängers selbst erstarben; endlich ward die ganze edle Kunst ein so jämmerliches Handwerk und Trödelkram, daß große Lust und Liebe dazu gehört, nur noch etwas von ihren fernen ersten Zeiten in ihr zu wittern oder zu ahnden. –

Wie ihm sei, so gehörten jene und diese, Minnesinger und Meistersänger, nicht in meinen Plan, und das aus der einfachen Ursach, weil ihre Sprache und Weise wenig Lyrisches für uns hat. Ich hätte bei schätzbaren und zum Teil ungedruckten Stücken, die ich liefern konnte, erst den Perioden der Strophen, folglich Melodie und Wesen ändern müssen, um uns hörbar und verständlich zu werden, und da das zu meinem Plan verstümmlen hieße, so mögen sie auf andre Gelegenheit warten.

Es gibt ein sogenanntes *Historisches Gesangbuch* von Johann Höfel, wo in drei Büchern Lieder über biblische und unbiblische Personen, über Heilige und Begebenheiten der Geschichte gesammlet sind. Weil aber alles im Ton der

Kirchenlieder, dazu von wenigen Verfassern und also sehr einförmig ist: so konnte ich nichts davon brauchen. Eins mag etwa, zum Andenken des ruhmvollen Mannes[1], dessen Leben aus der Geschichte bekannt gnug ist und der für seine Dienste übel belohnt worden, hier wenigstens genannt werden.

Von romantischen und Liebesliedern gibt's eine Menge, teils umhergehend, teils hie und da, insonderheit zu Nürnberg gedruckt.[2] Der Dichtung darin ist wenig, und wiederholen sie sich oft, ob's gleich an zarten Stellen und sinnreichen Wendungen auch nicht ganz fehlet. Man müßte aber das Gold aus dem abgetragnen Zeuge ausbrennen, und weniges könnte man ganz geben. Das bekannte Lied *Es wohnet Lieb bei Liebe:* das Lied vom *Treuen Wächter*, das schon in der Manessischen Sammlung, obgleich in anderer Versart, zu finden: von *Sultans Tochter*, vom *Streit der Liebe*; das Lied von den *Drei Rosen*, den *Sieben Wünschen* und andre könnte man vielleicht in Stellen und Strophen geben, auch mit einigen Liedern bekannt machen, wenigstens sofern sie Muster andrer und damals berühmte Weisen gewesen. Da es aber einigen Herren gefallen hat, wider Volkslieder überhaupt auf eine etwas ungehörige und neue Weise zu deklamieren, so mochte ich's nicht sein, der ihnen einige unschuldige Laubsprossen und Halme Heu auf ihre weise Hörner vorlegte. Lieber

[1] Das Lied des Herrn von Freundsberg, so er nach der Schlacht bei Pavia selbst gemacht und das Adam Reusner nachher zu seinem Lobe parodiert hat. Es heißt *Mein Fleiß und Müh ich nie gespart* und steht auch hinter der Geschichte desselben. Es scheint zu Luthers *Cantione de aulis* Gelegenheit gegeben zu haben, die etwa zwei Jahre jünger ist und dieselbe Weise hat.
[2] Auf der Wiener Bibliothek sind bei Lambeck unter der Nummer 421–40 viele Deutsche Ritter- und Liebesgedichte genannt, die zu Maximilians Handbibliothek gehört haben und ihm sehr lieb gewesen; von ihrem Inhalt aber wird nichts mitgeteilt. Sollte nicht eine nähere Nachricht der Mühe wert sein?

gab ich einige französische Liederchen, womit sie sich kränzen mögen –

Und hielt mich insonderheit zu beinah vergessenen deutschen Dichtern und einzelnen guten Gedichten derselben. Unter ihren drei gebildeten Nachbarinnen, England, Frankreich und Italien, zeichnete sich auch darin Deutschland aus, daß es seine besten Köpfe älterer Zeiten vergißt und also seine eigne Gaben verschmähet. Alle drei genannten Nationen machen soviel Staat aus ihren vergangnen Zeiten und haben Sammlungen, Blumenlesen ihrer Dichter nach der Reihe. Wir leben jetzo nur mit uns selbst, d. i. von Messe zu Messe, und die lautesten Buben verraten eine Unwissenheit deutscher und aller Literatur, über die man erstaunt und erstarret. Zachariä fing eine Auswahl an, die bald aufhörte; die meisten guten Sachen liegen begraben, wo sie niemand suchen mag noch zu finden träumet. Ich opferte daher lieber einiges auf, um von ältern Dichtern der Deutschen, von jedem meistens nur ein Stück einzustreuen und Aufmerksamkeit auf sie zu erregen. Weit bin ich damit noch nicht gekommen, und insonderheit fehlte mir zu zweien oder dreien Stücken Platz, die manche kaum dem Namen nach kennen werden – doch Zeit hat Ehr.

Wie wünschte ich, daß Bodmer in jüngern Jahren auf Sammlung dieser Art Gedichte und Lieder gefallen wäre! oder Lessingen es bessere Arbeiten erlaubten, seine Kenntnisse deutscher Literatur, die wohl die einzige ihrer Art sein möchten, auch hier zu verfolgen. Die Beiträge, die die Herren Eschenburg, Anton, Seybold u. f. im *Deutschen Museum* geliefert, sind schätzbar: es wäre gut, wenn dies Journal von mehrern dazu angewandt würde. –

Mir sei es erlaubt, hier nur noch eine reiche Quelle von gemeinen, insonderheit Trink- und Buhlliedern anzuführen: es sind die Übersetzungen Fischarts. In seinem verdeutschten Rabelais, zumal in der *Litanei der Trunkenen* und sonst beinahe durchhin, ist eine solche Menge lustiger

Lieder wenigstens dem Anfange nach und strophenweise angeführt, daß mancher *Kleine feine Almanach von lustigen Gesängen und Volksliedern* aus dieser einigen Quelle einen Strom erhalten könnte, mit der allgemeinsten und unendlichsten Bibliothek Wette zu laufen. Für mich war nichts darin; indessen leugne ich nicht, daß viele Lieder eine Fröhlichkeit verraten, zu der manche neuere in dieser Gattung als trocknes, nachgedrechseltes Werk erscheinen möchten. Desgleichen ist's mit ein paar Trinkliedern in *Sittewalds Gesichten* [1], denen das Evoe des Dithyrambenschwunges gewiß nicht fehlet; sie ziemten indessen nicht in diese Sammlung.

Meine Leser verzeihen, daß ich in diesem ganzen Punkt mehr habe sagen müssen, was ich nicht, als was ich gegeben habe? Weder Titel noch Mittel verpflichtet mich, deutsche Originallieder (wie sich die Herren Zeitungsschreiber ausgedruckt haben), noch weniger solcher und keiner andern Gestalt und in solcher und keiner andern Menge zu liefern. Liefre sie ein jeder der Herren: ich habe eine Menge genannt und stehe mit einer noch größern Menge zu Diensten. Es ist lächerlich, daß nicht jedem Autor oder Sammler sein Plan bleiben soll, wieviel oder wie mancherlei Absichten er in ihn bringe. Nicht wie er wählt (wähle ein andrer besser!), sondern wie er, was er wählte, ausführt, davon ist die Frage.

Überhaupt ist's ja für jeden, der in der Geschichte das

[1] T. 2, S. 153, 157. So war mir das teure Lied:

Willst du nichts von Liebe hören,
Nennst das Freien Ungemach –
Ach du kennst noch nicht die Pein,
Alt und doch noch Jungfer sein usw.

unter des edlen Coridons Namen längst bekannt; es verführte mich aber keinen Augenblick zur Anzeichnung, bis ich's jetzt, nebst dem *Hylas will ein Weib* und *»Hylas will kein Weib« haben* u. a. in der *Lyrischen Blumenlese* finde. Es muß also wirklich klassisch schön sein.

Heut und Gestern kennet, so gut als ausgemacht, daß lyrische Dichtkunst oder, wie die Herren sagen, deutsche Originallieder nicht eben der Nerve unsres Volks und die erste Blume seiner poetischen Krone gewesen. Treuherzigkeit und ehrliche Lehrgabe war von jeher unser Charakter, so wie im Leben, so auch im Schreiben und in der Dichtkunst. Dies zeigt sich in allen Jahrhunderten, aus denen man deutsche Geschichte, Chronik, Sprüchwörter, Reime, Erzählungen, Lehrsprüche u. dgl., selten aber Lieder, und Lieder der Art kennet, die man noch jetzt auftragen könnte. Liege es an Ursachen von innen oder außen (wie gewöhnlich, liegt's in beiden), so war von jeher die deutsche Harfe dumpf und die Volksstimme niedrig und wenig lebendig. Eine Sammlung Lehr- und Sinngedichte ließe sich sehr reichlich und auch in den schlechtern Dichtern gute und leidliche Stellen dazu auffinden; eigentlicher Gesang aber ist entweder verhallet, oder wenn man nicht Kot und Unkraut zusammen auftragen will, ist's schlimm und arm, ein deutscher Percy zu werden. Leider aber hat's schon mein erster Teil gesagt, daß zu einem solchen mir nie Sinn oder Mut gestanden --

Der Anblick dieser Sammlung gibt's offenbar, daß ich eigentlich von englischen Volksliedern ausging und auf sie zurückkomme. Als vor zehn und mehr Jahren die *Reliques of ancient Poetry* mir in die Hände fielen, freuten mich einzelne Stücke so sehr, daß ich sie zu übersetzen versuchte und unsrer Muttersprache, die jener an Kadenzen und lyrischem Ausdruck auffallend ähnlich ist, auch ähnlich gute Stücke wünschte. Meine Absicht war nicht, jene Übersetzungen drucken zu lassen (wenigstens übersetzte ich sie dazu nicht), und also konnte auch meine Absicht nicht sein, durch sie die klassische Heiligkeit unsrer Sprache und lyrischen Majestät zu betrüben oder, wie sich ein Kunstrichter witzig ausdruckt, »den Mangel aller Korrektheit als meine Manier« zu zeigen. Sollten diese Stücke bleiben, was sie in der Urschrift waren: so konnten sie nicht mehr Korrektheit (wenn das unpassende Wort ja stattfinden soll!) haben, oder ich hätte neue und andre Stücke geliefert. Wo im Original mehr Korrektheit war, suchte ich auch mehr auszudrucken, trug aber kein Bedenken, sie aufzuopfern, wenn sie den Hauptton des Stücks änderte und also nicht dahingehörte. Jedem stehet's frei, sie, wie er will, zu übertragen, zu verschönern, zu feilen, zu ziehen, zu idealisieren, daß kein Mensch mehr das Original erkennet; es ist seine und nicht meine Weise, und dem Leser stehet frei zu wählen. Ein Gleiches ist mit den Liedern aus Shakespeare. Sie lagen vor zehn und mehr Jahren übersetzt da, ohne daß ich einem besseren Übersetzer je damit hätte zuvorkommen oder nachbuhlen wollen. Sie waren für mich gemacht; nur das elende Gekreisch von Volksliedern und Volksliedern, wo jeder seinen eignen Schatten hetzte, bewegte im Unmut mich, simpel und ohne Anmaßung zu zeigen, was ich denn, der unschuldig dazu Gelegenheit gegeben haben sollte, unter Volksliedern verstünde und nicht verstünde, hätte oder nicht hätte u. dgl.

Das ist auch die Ursache, warum ich den Ton dieses Teils ganz verändert und hie und da Stücke geliefert habe, die freilich, wie es mir niemand demonstrieren darf, nicht Volkslieder sind, meinethalb auch nimmer Volkslieder werden mögen. Ich sah leider! beim ersten Teil, welche armselige Gestalt die gute Feldblume mache, wenn sie nun im Gartenbeet des weißen Papiers dasteht und vom honetten Publikum durchaus als Schmuck- und Kaiserblume gefälligst beäuget, zerpflückt und zergliedert werden soll, wie gern und inständig sie dieses verbäte! Man hat einmal keinen andern Begriff von Lied und Leserei als: was da ist, muß zur Parade da sein; an Not und einfältiges Bedürfnis ist kein Gedanke. Ich habe also in diesem Teil die artigen Leser und Kunstrichter, soviel ich konnte, geschont, von englischen Balladen kaum zwei oder drei mehr geliefert und auch zu diesen lieber die historischen Stücke, über deren Wert keine Frage mehr ist, z. E. Percy, Murray u. dgl. gewählet. Mit den andern, die ich zu geben dachte, mit ihnen, als mit erbärmlichen Abenteuer- und Mordgeschichten, die zum Unglück wieder in meiner Manier, d. i. dem Mangel aller Korrektheit, übersetzt sein möchten, habe ich das korrekte Publikum verschonet.

Auch aus dem Spanischen habe ich nur wenig Stücke gegeben, weil nichts schwerer ist als die Übersetzung einer simpeln spanischen Romanze. Übersetze jemand, wenn sich ein langes historisches Gedicht herab jede zweite Zeile auf »ar« endigt und damit im Spanischen prächtig und angenehm in der Luft verhallet, übersetze jemand so etwas in unsre Sprache! Übrigens wiederhole ich, daß in Absicht auf Romanze und Lied von daher noch viel zu lernen sei und für uns dort vielleicht noch ein ganzes Hesperien blühe. Außer dem Italienischen kenne ich keine neuere Sprache, die niedlichere lyrische Kränze flechte als Iberiens Sprache, die überdies noch mehr klinget als jene. Unsre Väter bekümmerten sich um sie, und Vater Opitz hat den schönen Doppelgesang des Gil Polo, *Mientras el sol sus rayos muy ardientes,* selbst übersetzt. Cronegk liebte die Sprache und holte aus ihr die Blume her, die in seinen besten Gedichten so melancholischsüß duftet. Das kleine Liedchen, das Kästner übersetzt hat, das Gil Blas aus dem Turm singen hörte:

Ach, daß Jahre voll Vergnügen
Schnellen Winden gleich verfliegen;
Einen Augenblick voll Leid
Macht der Schmerz zur Ewigkeit –

welchen Lilienduft verbreitet's um sich! Und so sind Haine von Blumen und süßen Früchten, die verkannt und in Öde dort blühen – –

Aus dem Italienischen habe ich nur ein paar Lieder gegeben. Ihre Novellen sind von den großen Meistern Boccaz und Pulci, Ariost und Scandiano bereits also behandelt worden, daß sie im höchsten Licht glänzen. Gewissermaßen ist und bleibt Dante ihr größester Volksdichter, nur ist er nicht eigentlich mehr lyrisch.

Was sich für andre Stücke in diese Sammlung verborgen haben, mag Buch und Register selbst weisen. Sie erscheinen unter dem bescheidensten Namen Volkslieder, mehr also wie Materialien zur Dichtkunst, als daß sie Dichtkunst selbst wären. Bei vielen wußte ich nicht mehr, wo sie stehen oder woher sie mir zugekommen waren, der ungenannte Name ihres Verfassers oder ihres Vaterlands sowie überhaupt des Sammlers dieser demütigen, armen Blumenlese, ehrwürdiger Herr Pater, ist keine Sünde. Ich erbitte mir über das Gute in ihr, aus so mancherlei Orten und Zeiten es sein mag, kein Wörtchen Lob oder Dank, sowenig ich mir ein Wort Tadel oder Kritik

vom grausam wilden Bär,
wenn er vom Honigbaum kommt her,

oder von den Tauben und Schwänen des leibhaften Apollo selbst verbitte. Mein einziger Wunsch ist, daß man bedenke, was ich liefern wollte, und allenfalls höre, warum ich dies und nichts anders geliefert habe? Mich dünkt, es ist weder Weisheit noch Kunst, Materialien für gebildete Werke, gebrochnes Metall, wie es aus dem Schloß der großen Mutter kommt, für geprägte klassische Münze, oder die arme Feld- und Waldblume für die Krone ansehen zu wollen, damit sich König Salomo oder ein lyrischer Kunstrichter, der etwa mehr als er ist, krönet.

Endlich kann ich nicht umhin, noch mit ein paar Worten merken zu lassen, was ich für das Wesen des Liedes halte. Nicht Zusammensetzung desselben als eines Gemäldes niedlicher Farben, auch glaube ich nicht, daß der Glanz und die Politur seine einzige und Hauptvollkommenheit sei; sie ist's nämlich nur von einer, weder der ersten noch einzigen Gattung von Liedern, die ich lieber Kabinett- und Toilettstück, Sonett, Madrigal u. dg. als ohne Einschränkung und Ausnahme Lied nennen möchte. Das Wesen des Liedes ist Gesang, nicht Gemälde: seine Vollkommenheit liegt im melodischen Gange der Leidenschaft oder Empfindung, den man mit dem alten treffenden Ausdruck: Weise nennen könnte. Fehlt diese einem Liede, hat es keinen Ton, keine poetische Modulation, keinen gehaltenen Gang und Fortgang derselben; habe es Bild und Bilder und Zusammensetzung und Niedlichkeit der Farben, soviel es wolle, es ist kein Lied mehr. Oder wird jene Modulation durch irgend etwas zerstört, bringt ein fremder Verbesserer hier eine Parenthese von malerischer Komposition, dort eine niedliche Farbe von Beiwort u. f. hinein, bei der wir den Augenblick aus dem Ton des Sängers, aus der Melodie des Gesanges hinaus sind und ein schönes, aber hartes und nahrungsloses Farbenkorn kauen; hinweg Gesang! hinweg Lied und Freude! Ist gegenteils in einem Liede Weise da, wohlangeklungne und wohl gehaltne lyrische Weise; wäre der Inhalt selbst auch nicht von Belange, das Lied bleibt und wird gesungen. Über kurz oder lang wird statt des schlechtern ein besserer Inhalt genommen und darauf gebauet werden; nur die Seele des Liedes, poetische Tonart, Melodie, ist geblieben. Hätte ein Lied von guter Weise einzelne merkliche Fehler; die Fehler verlieren sich, die schlechten Strophen werden nicht mitgesungen; aber der Geist des Liedes, der allein in die Seele wirkt und Gemüter zum Chor regt, dieser Geist ist unsterblich und wirkt weiter. Lied muß gehört werden, nicht gesehen; gehört mit dem Ohr der Seele, das nicht einzelne Silben allein zählt und mißt und wäget, sondern auf Fortklang horcht und in ihm fortschwimmet. Der kleinste Fels, der sie daran hindert, und wenn's auch ein Demantfels wäre, ist ihr widrig; die feinste Verbesserung, die sich gibt, statt den Sänger zu geben, die hundert Sänger und ihre tausend Gesänge über einen Leisten zieht und modelt, von dem jene nichts wußten, so willkommen die Verbesserung für alle Meister und Gesellen des Handwerks sein mag und soviel sie an ihr, wie es heißt, lernen mögen, für Sänger und Kinder des Gesanges ist sie

purer puter Schneiderscherz
und trägt der Schere Spur,
nichts mehr vom großen vollen Herz
der tönenden Natur.

Auch beim Übersetzen ist das schwerste, diesen Ton, den Gesangton einer fremden Sprache, zu übertragen, wie hundert gescheiterter Lieder und lyrische Fahrzeuge am Ufer unsrer und fremden Sprachen zeigen. Oft ist kein ander Mittel, als, wenn's unmöglich ist, das Lied selbst zu geben, wie es in der Sprache singet, es treu zu erfassen, wie es in uns übertönet, und festgehalten, so zu geben. Alles Schwanken aber zwischen zwo Sprachen und Singarten, des Verfassers und Übersetzers, ist unausstehlich; das Ohr vernimmt's gleich und haßt den hinkenden Boten, der weder zu sagen noch zu schweigen wußte. Die Hauptsorge dieser Sammlung ist also auch gewesen, den Ton und die Weise jedes Gesanges und Liedes zu fassen und treu zu halten; ob's überall geglückt sei, ist eine andre Frage. Indessen mag diese Anmerkung wenigstens den Inhalt mancher Stücke rechtfertigen; nicht der Inhalt, sondern ihr Ton, ihre Weise war Zweck derselben. Ist diese gelungen, klingt sie aus einer andern in unsre Sprache rein und gut über, so wird sich in einem andern Liede schon der Inhalt geben, wenn auch kein Wort des vorigen bliebe. Immer ist's alsdann aber besser, neue bessere Lieder zu geben als verbesserte, d. i. verstümmelte alte. Beim neuen Liede sind wir völlig Herr über den Inhalt, wenn uns nur die Weise des alten beseelet; bei der Verbesserung sind wir meistens ohn alle Weise, wir nähen und flicken; daher ich alte Lieder wenig oder gar nicht geändert habe. – Dies ist meine Meinung über das Wesen des Liedes, andrer Meinungen unbeschadet und jedem Jüngerlein freigestellt, jetzt viel von W e i s e eines Liedes zu gacken, wie es bisher von W u r f getan hat; ich will hier weder widerlegen noch theorisieren, sondern erläutern und vorbereiten, was zum Gebrauch und Inhalt dieser Sammlung dienet.

Jakob Michael Reinhold Lenz

ÜBER »GÖTZ VON BERLICHINGEN«

Um 1773

Wir werden geboren, unsere Eltern geben uns Brot und Kleid, unsere Lehrer drücken in unser Hirn Worte, Sprachen, Wissenschaften, irgendein artiges Mädchen drückt in unser Herz den Wunsch, es eigen zu besitzen, es in unsere Arme als unser Eigentum zu schließen, wenn sich nicht gar ein tierisch Bedürfnis mit hineinmischt; es entsteht eine Lücke in der Republik, wo wir hineinpassen, unsere Freunde, Verwandte, Gönner setzen an und stoßen uns glücklich hinein; wir drehen uns eine Zeitlang in diesem Platz herum wie die andern Räder und stoßen und treiben, bis wir, wenn's noch so ordentlich geht, abgestumpft sind und zuletzt wieder einem neuen Rade Platz machen müssen. Das ist, meine Heren, ohne Ruhm zu melden, unsere Biographie, und was bleibt nun der Mensch noch anders als eine vorzüglich-künstliche kleine Maschine, die in die große Maschine, die wir Welt, Weltbegebenheiten, Weltläufte nennen, besser oder schlimmer hineinpaßt.

Kein Wunder, daß die Philosophen so philosophieren, wenn die Menschen so leben. Aber heißt das gelebt? Heißt das, seine Existenz gefühlt, seine selbständige Existenz, den Funken von Gott? Ha, er muß in was Besserm stecken, der Reiz des Lebens: denn ein Ball anderer zu sein, ist ein trauriger, niederdrückender Gedanke, eine ewige Sklaverei, eine nur künstlerische, eine vernünftige, aber eben um dessentwillen desto elendere Tierschaft. Was lernen wir hieraus? Das soll keine Deklamation sein, ihr Herrn; wenn Ihr Gefühl Ihnen nicht sagt, daß ich recht habe, so verwünsch ich alle Rednerkünste, die Sie auf meine Partei neigten, ohne Sie überzeugt zu haben. Was lernen wir hieraus? Das lernen wir hieraus, daß handeln, handeln die Seele der Welt sei, nicht genießen, nicht empfindeln, nicht spitzfindeln, daß wir dadurch allein Gott ähnlich werden, der unaufhörlich handelt und unaufhörlich an seinen Werken sich ergötzt; das lernen wir daraus, daß die in uns handelnde Kraft unser Geist, unser höchstes Anteil sei, daß die allein unserm Körper mit allen seinen Sinnlichkeiten und Empfindungen das wahre Leben, die wahre Konsistenz, den wahren Wert gebe, daß ohne denselben all unser Genuß, all unsere Empfindungen, all unser Wissen doch nur ein Leiden, doch nur ein aufgeschobener Tod sind. Das lernen wir daraus, daß diese unsre handelnde Kraft nicht eher ruhe, nicht eher ablasse zu wirken, zu regen, zu toben, als bis sie uns Freiheit um uns her verschafft, Platz zu handeln: Guter Gott, Platz zu handeln, und wenn es ein Chaos wäre, das du geschaffen, wüste und leer, aber Freiheit wohnte nur da, und wir könnten dir nachahmend drüber brüten, bis was herauskäme – Seligkeit! Seligkeit! Göttergefühl das!

Verzeihn Sie meinen Enthusiasmus! Man kann nicht so enthusiastisch von den Sachen sprechen. Da unsere Gegner so viel Feuer verschwenden, uns das Leiden süß und angenehm vorzustellen, sollen wir nicht aus Himmel und Hölle Feuer zusammenraffen, um das Tun zu empfehlen? Da stehn unsre heutigen Theaterhelden und verseufzen ihre letzte Lebenskraft einer bis über die Ohren geschminkten Larve zu Gefallen – Schurken und keine Helden! Was habt ihr getan, daß ihr Helden heißt?

Ich will mich bestimmter erklären. Unsre heutigen Schaubühnen wimmeln von lauter Meisterstücken, die es aber freilich nur in den Köpfen der Meister selber sind. Doch das beiseite, seien sie, was sie seien, was geht's mich an?

Laßt uns aber einen andern Weg einschlagen, meine Brüder, Schauspiele zu beurteilen, laßt uns einmal auf ihre

Folgen sehen, auf die Wirkung, die sie im ganzen machen. Das, denk' ich, ist doch gewiß wohl der sicherste Weg. Wenn ihr einen Stein ins Wasser werft, so beurteilt ihr die Größe, Masse und Gewicht des Steins nach den Zirkeln, die er im Wasser beschreibt. Also sei unsere Frage bei jedem neuen herauskommenden Stück das große, das göttliche cui bono? Cui bono schuf Gott das Licht, daß es leuchte und wärme; cui bono die Planeten, daß sie uns Zeiten und Jahre einrichteten, und so geht es unaufhörlich in der Natur: nichts ohne Zweck, alles seinen großen, vielfachen, nie von menschlichem Visierstab, nie von englischem Visierstab ganz auszumessenden Zweck. Und wo fände der Genius ein anderes, höheres, tieferes, größeres, schöneres Modell als Gott und seine Natur?

Also cui bono? Was für Wirkung? Die Produkte all der tausend französischen Genies auf unsern Geist, auf unser Herz, auf unsre ganze Existenz? Behüte mich der Himmel, ungerecht zu sein. Wir nehmen ein schönes, wonnevolles, süßes Gefühl mit nach Hause, so gut, als ob wir eine Bouteille Champagner ausgeleert – aber das ist auch alles. Eine Nacht drauf geschlafen, und alles ist wieder vertilgt. Wo ist der lebendige Eindruck, der sich in Gesinnungen, Taten und Handlungen hernach einmischt, der prometheische Funken, der sich so unvermerkt in unsere innerste Seele hineingestohlen, daß er, wenn wir ihn nicht durch gänzliches Stilliegen in sich selbst wieder verglimmen lassen, unser ganzes Leben beseligt; das also sei unsre Gerichtswaage, nach der wir auch mit verbundenen Augen den wahren Wert eines Stückes bestimmen. Welches wiegt schwerer, welches hat mehr Gewicht, Macht und Eindruck auf unsre Meinungen und Handlungen? Und nun entscheiden Sie über Götz. Und ich möchte dem ganzen deutschen Publikum, wenn ich so starke Stimme hätte, zurufen: Samt und sonders ahmt Götzen erst nach, lernt erst wieder denken, empfinden, handeln, und wenn ihr euch wohl dabei befindet, dann entscheidet über Götz.

Also, meine werten Brüder, nun ermahne und bitte ich euch: Laßt uns dies Buch nicht gleich nach der ersten Lesung ungebraucht aus der Hand legen, laßt uns den Charakter dieses antiken deutschen Mannes erst mit erhitzter Seele erwägen und, wenn wir ihn gut finden, uns eigen machen, damit wir wieder Deutsche werden, von denen wir so weit, weit ausgeartet sind. Hier will ich euch einige Züge davon hinwerfen. Ein Mann, der weder auf Ruhm noch Namen Anspruch macht, der nichts sein will, als er ist: ein Mann; der ein Weib hat, seiner wert, nicht durch Schmeichelei sich erbettelt, sondern durch Wert sich verdient, eine Familie, einen Zirkel von Freunden, die er alle weit stärker liebt, als daß er's ihnen sagen könnte, für die er aber tut, alles dransetzt, ihnen Friede, Sicherheit für fremde, ungerechte Eingriffe, Freude und Genuß zu verschaffen. Sehen Sie, da ist der ganze Mann immerweg geschäftig, tätig, wärmend und wohltuend wie die Sonne, aber auch ebenso verzehrendes Feuer, wenn man ihm zu nahe kommt, und am Ende seines Lebens geht er unter wie die Sonne, vergnügt, bessere Gegenden zu schauen, wo mehr Freiheit ist, als er hier sich und den Seinigen verschaffen konnte, und läßt noch Licht und Glanz hinter sich. Wer so gelebt hat, wahrlich, der hat seine Bestimmung erfüllt, Gott, du weißt es, wie weit, wie sehr, er weiß nur soviel davon als genug ist, ihn glücklich zu machen. Denn was in der Welt kann wohl über das Bewußtsein gehen, viel Freud angerichtet zu haben.

Wir sind alle, meine Herren, in gewissem Verstand noch stumme Personen auf dem großen Theater der Welt, bis es den Direkteurs gefallen wird, uns eine Rolle zu geben. Welche sie aber auch sei, so müssen wir uns doch alle bereithalten, in derselben zu handeln, und je nachdem wir besser oder schlimmer, schwächer oder stärker handeln, je nachdem haben wir hernach besser oder schlimmer gespielt, je nachdem verbessern wir auch unser äußerliches und innerliches Glück.

Was könnte eine schönere Vorübung zu diesem großen Schauspiel des Lebens sein, als wenn wir, da uns itzt noch Hände und Füße gebunden sind, in einem oder andern Zimmer unsern *Götz von Berlichingen,* den einer aus unsern Mitteln geschrieben, eine große Idee – aufzuführen versuchten. Lassen Sie mich für die Ausführung dieses Projektes sorgen, es soll gar soviel Schwierigkeiten nicht haben, als Sie sich anfangs einbilden werden. Weder Theater noch Kulisse, noch Dekoration – es kommt alles auf Handlung an. Wählen Sie sich die Rollen nach Ihrem Lieblingscharakter oder erlauben Sie mir, sie anzugeben. Es wird in der Tat ein sehr nützlich Amüsement für uns werden. Durchs Nachahmen, durchs Agieren drückt sich der Charakter tiefer ein. Und Amüsement soll es gewiß dabei sein, da bin ich Ihnen gut vor, größer, als Sie es jetzt sich jemals vorstellen können. Aber nur Ernst und Nachdruck bitt ich mir dabei von Ihnen aus, denn, meine Herren, Sie sind jetzt Männer, und ich hoff, ich habe nicht mehr nötig, Ihnen den Ausspruch des Apostels Pauli zuzurufen: Als ich ein Kind war, tat ich wie ein Kind, als ich aber ein Mann ward, legt ich das Kindische ab. Wenn jeder in seine Rolle ganz eindringt und alles draus macht, was draus zu machen ist, denken Sie, meine Herren, welch eine Idee! welch ein Götterspiel! Da braucht's weder Vorhang noch Bänke! Wir sind über die Außenwerke weg. Zwei Flügeltüren zwischen jeder Szene geöffnet und zugeschlossen, die Akte können wir allenfalls durch eine kleine Musik aus unsern eigenen Mitteln unterscheiden. Und kein Sterblicher darf zu unsern Eleusinis, bevor wir die Probe ein-, drei-, viermal gemacht, und dann eingeladen alles, was noch einen lebendigen Odem in sich spürt, das heißt, Kraft, Geist und Leben, um mit Nachdruck zu handeln.

Tantum

Jakob Michael Reinhold Lenz

ANMERKUNGEN ÜBERS THEATER

1774

M. H.

> Nec minimum meruere decus, vestigia Graeca
> Ausi deserere – Horat.

Der Vorwurf einiger Anmerkungen, die ich für Sie auf dem Herzen habe, soll das Theater sein. Der Wert des Schauspiels ist in unsern Zeiten zu entschieden, als daß ich nötig hätte, wegen dieser Wahl captationem benevolentiae vorauszuschicken. Wegen der Art meines Vortrags aber muß ich Sie freilich komplimentieren, da meine gegenwärtige Verfassung und andere zufällige Ursachen mir nicht erlauben, so weit mich über meinen Gegenstand auszubreiten, so hineinzudringen, als ich gern wollte. Ich zimmere in meiner Einbildung ein ungeheures Theater, auf dem die berühmtesten Schauspieler alter und neuer Zeiten nun vor unserm Auge vorbeiziehen sollen. Da werden Sie also sehen die großen Meisterstücke Griechenlands von ebenso großen Meistern in der Aktion vorgestellt, wenn wir dem Aulus Gellius glauben wollen und andern. Sie werden, wenn Sie belieben, im zweiten Departement gewahr werden die Trauerspiele des Ovid und Seneka, die Lustspiele des Plautus und Terenz und den großen Komödianten Roscius, dessen der berühmte Herr Cicero selbst mit voller Achtung erwähnt. Werden sehen die drei Schauspieler, die sich in eine Rolle teilen, die Larven, die uns Herr Du Bos so ausführlich beschreibt, den ganzen furchtbaren Apparatus, und dennoch den alten Römern müssen Gerechtigkeit widerfahren lassen, daß die wesentliche Einrichtung ihrer Bühne und ihr Parterre, das, will's Gott, aus nichts weniger als der Nation bestand, diese scheinbaren Ausschweifungen von der Natur notwendig machten. Daß aber die Alten ihre Stücke mehr abgesungen als rezitiert, scheint mir aus dem Du Bos sehr wahrscheinlich, da es sich so ganz natürlich aus dem Ursprung des Schauspiels erklären läßt, als welches anfangs nichts mehr gewesen zu sein scheint als ein Lobgesang auf den Vater Bacchus, von verschiedenen Personen zumal gesungen. Auch würden eines so ungeheuren Parterre unruhige Zuhörer wenig Erbauung gefunden haben, wenn die Akteurs ihren Prinzessinnen zärtliche Sachen vorgelispelt und vorgeschluchzt, die sie unter den Masken selbst kaum gehört, wiewohl auch heutigen Tages sich zuzutragen pflegt, geschweige. Doch lassen wir das lateinische Departement, Sie werden im italienischen Helden ohne Mannheit und dergleichen, da aber Orpheus den dreiköpfigen Zerberus selbst durch den Klang seiner Leier dahin gebracht, daß er nicht hat mucksen dürfen, sollte ein Sänger oder Sängerin nicht den grimmigsten Kunstrichter? Ich öffne also das vierte Departement, und da erscheint – ach schöne Spielewerk! da erscheinen die fürchterlichsten Helden des Altertums, der rasende Ödip, in jeder Hand ein Auge, und ein großes Gefolge griechischer Imperatoren, römischer Bürgermeister, Könige und Kaiser, sauber frisiert in Haarbeutel und seidenen Strümpfen, unterhalten ihre Madonnen, deren Reifröcke und weiße Schnupftücher jedem Christenmenschen das Herz brechen müssen, in den galantesten Ausdrücken von der Heftigkeit ihrer Flammen, daß sie sterben, ganz gewiß und unausbleiblich den Geist aufgeben, sich genötigt sehen, falls diese nicht. Ich darf mich hier nicht erst lange besinnen, was für Meister für diese Bühne gearbeitet, große Akteurs auf derselben erschienen. Es würde mir beschwerlicher werden, Ihnen die Liste von beiden vorzulegen, als es dem guten Vater Homer mag geworden sein, die griechischen und trojanischen

Offiziere herzubeten. Man darf nur die vielen Journäle, Merkure, Ästhetiken mit Pröbchen gespickt – und was die Schauspieler betrifft, so ist der feine Geschmack ihnen überall schon zur andern Natur geworden, über und unter der sie wie in einem andern Klima würden ersticken müssen. In diesem Departement ist Amor Selbstherrscher; alles atmet, seufzt, weint, blutet, ihn und den Lichtputzer ausgenommen ist noch kein Akteur jemals hinter die Kulisse getreten, ohne sich auf dem Theater verliebt zu haben. Laßt uns nun noch die fünfte Kammer besehen, die von dieser die umgekehrte Seite war, obschon es den erleuchteten Zeiten gelungen, auch bis dahin durchzudringen und der höllischen Barberei zu steuern, die die Dichter vor und unter der Königin Elisabeth daselbst ausgebreitet. Diese Herren hatten sich nicht entblödet, die Natur mutterfadennackt auszuziehen und dem keusch und züchtigen Publikum darzustellen, wie sie Gott erschaffen hat. Auch der häßliche Garrick hört allmählich auf, mit seinem Götzen Shakespeare Wohlstand, Geschmack und Moralität, den drei Grazien des gesellschaftlichen Lebens, den Krieg anzukündigen. Nun und gleich bei lüpfe ich den Vorhang und zeige Ihnen – ja was? ein wunderbares Gemenge alles dessen, was wir bisher gesehen und erwogen haben, und das zu einem Punkt der Vollkommenheit getrieben, den kein unbewaffnetes Auge mehr entdecken kann. Deutsche Sophokles, deutsche Plautus, deutsche Shakespeares, deutsche Franzosen, deutsche Metastasio, kurz alles, was Sie wollen, durch kritische Augengläser angesehen und oft in einer Person vereinigt! Was wollen wir mehr? Wie das alles so durcheinander geht, Cluvers *Orbis antiquus* mit der neueren Heraldik, und der Ton im ganzen so wenig deutsch, so kritisch bebend, geraten schön – wer Ohren hat zu hören, der klatsche, das Volk ist verflucht.

Nachdem ich also fertig bin und Ihnen, so gut ich konnte, die Bühne aller Zeiten und Völker in aller Geschwindigkeit zusammengenagelt, so erlauben Sie mir, meine Herren, Sie beim Arm zu zupfen und, mittlerweile das übrige Parterre mit offnem Mund und gläsernen Augen als Katzen nach dem Taubenschlage zu den Logen hinaufglurt, Ihnen eine müßige Stunde mit Anmerkungen über Theater, über Schauspieler und Schauspiel auszufüllen. Sie werden mir, als einem Fremden, nicht ubelnehmen, daß ich mit einer gewissen Freiheit von den Dingen rede und meine Worte –

Mit Ihrer Erlaubnis werde ich also ein wenig weit ausholen, weil ich solches zu meinem Endzweck – meinem Endzweck? Was meinen Sie aber wohl, das der sei? Es gibt Personen, die ebenso geneigt sind, was Neues zu sagen und das einmal Gesagte mit allen Kräften Leibes und der Seele zu verteidigen, als der größere Teil des Publikums, der dazu geschaffen ist, ewig Auditorium zu sein, geneigt ist, was Neues zu hören. Da ich hier aber kein solches Publikum – so untersteh ich mich nicht, Ihnen den letzten Endzweck dieser Anmerkungen, das Ziel meiner Parteigänger anzuzeigen. Vielleicht werden Sie, wenn Sie mit mir fortgeritten sind, von selbst darauf stoßen und alsdenn –

Wir alle sind Freunde der Dichtkunst, und das menschliche Geschlecht scheint auf allen bewohnten Flecken dieses Planeten einen gewissen angebornen Sinn für diese Sprache der Götter zu haben. Was sie nun so reizend mache, daß zu allen Zeiten – scheint meinem Bedünken nach nichts anders als die Nachahmung der Natur, das heißt aller der Dinge, die wir um uns herum sehen, hören etcetera, die durch die fünf Tore unsrer Seele in dieselbe hineindringen und nach Maßgabe des Raums stärkere oder schwächere Besatzung von Begriffen hineinlegen, die dann anfangen, in dieser Stadt zu leben und zu weben, sich zueinander gesellen, unter gewisse Hauptbegriffe stellen oder auch zeitlebens ohne Anführer, Kommando und Ordnung herumschwärmen, wie solches Bunyan in seinem *Heiligen Kriege* gar schön beschrieben hat. Wie besoffene Soldaten oft auf ihrem Posten einschlafen, zu unrechter Zeit wieder aufwachen etcetera, wie man denn Beispiele davon in allen vier Weltteilen antrifft. Doch bald geb ich selbst ein solches ab – ich finde mich wieder zurecht, ich machte die Anmerkung, das Wesen der Poesie sei Nachahmung, und was dies für Reiz für uns habe. – Wir sind, meine Herren, oder wollen wenigstens sein, die erste Sprosse auf der Leiter der freihandelnden selbständigen Geschöpfe, und da wir eine Welt hie da um uns sehen, die der Beweis eines unendlich freihandelnden Wesens ist, so ist der erste Trieb, den wir in unserer Seele fühlen, die Begierde, 's ihm nachzutun. Da aber die Welt keine Brücken hat und wir uns schon mit den Dingen, die da sind, begnügen müssen, fühlen wir wenigstens Zuwachs unserer Existenz, Glückseligkeit, ihm nachzuäffen, seine Schöpfung im Kleinen zu schaffen. Obschon ich nun wegen dieses Grundtriebes nicht nötig hätte, mich auf eine Autorität zu berufen, so will ich doch nach der einmal angeführten Weise mich auf die Worte eines großen Kunstrichters mit einem Bart lehnen, eines Kunstrichters, der in meinen Anmerkungen noch manchmal ins Gewehr treten wird. Aristoteles, im vierten Buch seiner Poetik: »Es scheint, daß überhaupt zwei natürliche Ursachen zur Poesie Gelegenheit gegeben. Denn es ist dem Menschen von Kindesbeinen an eigen, nachzuahmen; und in diesem Stück liegt sein Unterscheidungszeichen von den Tieren. Der Mensch ist ein Tier, das vorzüglich geschickt ist, nachzuahmen.« Ein Glück, daß er v o r z ü g l i c h sagt, denn was würde sonst aus den Affen werden!

Ich habe eine große Hochachtung für den Aristoteles, obwohl nicht für seinen Bart, den ich allenfalls mit Peter Ramus, dem jedoch der Mutwill übel bekommen ist – Aber da er hier von zwo Quellen redet, aus denen die landüberschwemmende Poesie ihren Ursprung genommen, und gleichwohl nur auf die eine mit seinem kleinen, krummen Finger deutet, die andere aber unterm Bart behält (obwohl ich Ihnen auch nicht dafür stehe, da ich, aufrichtig zu reden, ihn noch nicht ganz durchgelesen), so ist mir ein Gedanke entstanden, der um Erlaubnis bittet, ans Tageslicht zu kommen, denn einen Gedanken bei sich zu behalten und eine glühende Kohle in der Hand –

Erst aber noch eine Autorität. Der berühmte, weltberühmte Herr Sterne, der sich wohl nichts weniger als Nachahmer vermutet und, weil er das in seine siebente Bitte zu setzen vergessen, deswegen vom Himmel damit scheint vorzüglich gestraft worden zu sein, in seinem *Leben und Meinungen* sagt im vierzigsten Kapitel: »Die Gabe, zu vernünfteln und Syllogismen zu machen, im Menschen – denn die höhern Klassen der Wesen, als die Engel und Geister, wie man mir gesagt hat, tun das durch Anschauen.«

Es ist nur der Unterschied, daß diese zweite Autorität dem, was ich sagen will, vorangeht, und also nach schuldiger Dankbarkeit gegen den Pfauenschwanz, dem ich diese Feder entwand, fang und hebe ich also an.

Unsere Seele ist ein Ding, dessen Wirkungen wie die des Körpers sukzessiv sind, eine nach der andern. Woher das komme, das ist – so viel ist gewiß, daß unsere Seele von ganzem Herzen wünscht, weder sukzessiv zu erkennen noch zu wollen. Wir möchten mit einem Blick durch die innerste Natur aller Wesen dringen, mit einer Empfindung alle Wonne, die in der Natur ist, aufnehmen und mit uns vereinigen. Fragen Sie sich, meine Herren, wenn Sie mir nicht glauben wollen: woher die Unruhe, wenn Sie hie und da eine Seite der Erkenntnis beklapst haben, das zitternde Verlangen, das Ganze mit Ihrem Verstande zu umfassen, die lähmende Furcht, wenn Sie zur andern Seite übergehn, würden Sie die erste wieder aus dem Gedächtnis verlieren. Ebenso bei jedem Genuß; woher dieser Sturm, das All zu erfassen, der Überdruß, wenn Ihrer keuchenden Sehnsucht kein neuer Gegenstand übrigzubleiben scheint – die Welt wird für Sie arm, und Sie schwärmen nach Brücken. Den zitterlichtesten Strahl möcht Ihr Heißhunger bis in die Milchstraße verfolgen, und blendete das erzürnte Schicksal Sie, wie Milton würden Sie dann in Chaos und Nacht Welten wähnen, deren Zugang im Reich der Wirklichkeiten Ihnen versperrt ist.

Schließen Sie die Brust zu, wo mehr als eine Adamsrippe rebellisch wird, und kommen wieder hinüber mit mir in die lichten Regionen des Verstandes. Wir suchen alle gern unsere zusammengesetzte Begriffe in einfache zu reduzieren, und warum das? Weil er sie dann schneller und mehr zugleich umfassen kann. Aber trostlos wären wir, wenn wir darüber das Anschauen und die Gegenwart dieser Erkenntnisse verlieren sollten, und das immerwährende Bestreben, all unsere gesammleten Begriffe wieder auseinanderzuwickeln und durchzuschauen, sie anschaulich und gegenwärtig zu machen, nehm ich als die zweite Quelle der Poesie an.

Der Schöpfer hat unserer Seele einen Bleiklumpen angehängt, der wie die Penduln an der Uhr sie durch seine niederziehende Kraft in beständiger Bewegung erhält. Anstatt also mit den Hypochondristen auf diesen sichern Freund zu schimpfen (amicus certus in re incerta, denn was für ein Wetterhahn ist unsere Seele?), ist er, hoff ich, ein Kunststück des Schöpfers, all unsere Erkenntnis festzuhalten, bis sie anschaulich geworden ist.

Die Sinne, ja die Sinne – es kommt freilich auf die spezifische Schleifung der Gläser und die spezifische Größe der Projektionstafel an, aber mit alledem, wenn die Camera obscura Ritzen hat –

So weit sind wir nun. Aber eine Erkenntnis kann vollkommen gegenwärtig und anschaulich sein und ist deswegen doch noch nicht poetisch. Doch dies ist nicht der rechte Zipfel, an dem ich anfassen muß, um –

Wir nennen die Köpfe Genies, die alles, was ihnen vorkommt, gleich so durchdringen, durch und durch sehen, daß ihre Erkenntnis denselben Wert, Umfang, Klarheit hat, als ob sie durch Anschaun oder alle sieben Sinne zusammen wäre erworben worden. Legt einem solchen eine Sprache, mathematische Demonstration, verdrehten Charakter was ihr wollt, vor, eh ihr ausgeredt habt, sitzt das Bild in seiner Seele, mit allen seinen Verhältnissen, Licht, Schatten, Kolorit dazu.

Diese Köpfe werden nun zwar vortreffliche Weltweise, was weiß ich, Zergliederer, Kritiker, alle ... ers, auch vortreffliche Leser von Gedichten abgeben, allein es muß noch was dazukommen, eh sie selbst welche machen, versteh mich wohl, nicht nachmachen. Die Folie, christlicher Leser! die Folie, was Horaz vivida vis ingenii und wir Begeisterung, Schöpfungskraft, Dichtungsvermögen oder lieber gar nicht nennen. Den Gegenstand zurückzuspiegeln, das ist der Knoten, die nota diacritica des poetischen Genies, deren es nun freilich seit Anfang der Welt mehr als sechstausend soll gegeben haben, die aber auf Belsazers Waage vielleicht bis auf sechs oder wie Sie wollen –

Denn, und auf dieses d e n n sind Sie vielleicht schon ungeduldig, das Vermögen, nachzuahmen, ist nicht das, was bei allen Tieren schon im Ansatz – nicht Mechanik – nicht Echo – – nicht was es, um Odem zu sparen, bei unseren Poeten. Der wahre Dichter verbindet nicht in seiner Einbildungskraft, wie es ihm gefällt, was die Herren die schöne Natur zu nennen belieben, was aber, mit ihrer Erlaubnis, nichts als die verfehlte Natur ist. Er nimmt Standpunkt, und dann m u ß e r s o v e r b i n d e n. Man könnte sein Gemälde mit der Sache verwechseln, und der Schöpfer sieht auf ihn hinab wie auf die kleinen Götter, die mit seinem Funken in der Brust auf den Thronen der Erde sitzen und seinem Beispiel gemäß eine kleine Welt erhalten. Wollte sagen – was wollt ich doch sagen?

Hier lassen Sie uns eine kleine Pause bis zur nächsten Stunde machen, wo ich mit Kolumbus' Schifferjungen auf den Mast klettern und sehen will, wo es hinausgeht. Noch weiß ich selber nicht, aber Land wittere ich schon, bewohnt und unbewohnt, ist gleichgültig. Der Parnaß hat noch viel unentdeckte Länder, und willkommen sei mir, Schiffer, der du auch überm Suchen stürbest! Opfer für der Menschen Seligkeit! Märtyrer! Heiliger!

Ich habe in dem ersten Abschnitt meines Versuchs, Ihnen, meine Herren, meine unmaßgebliche Meinung – – mir eine fertige Zunge geben, meine Gedanken geschwind und dennoch mit gehöriger Präzision – – Denn ich fürchte sehr, das Jugendfeuer werde die wenige Portion Geduld auflecken, die ich in meinem Temperament finde und die doch einem Prosaisten, und besonders einem kritischen –

In der Tat, da die Kritik mehr eine Beschäftigung des Verstandes als der Einbildungskraft bleibt, so verlangt sie ein großes Maß Phlegma –

Ich habe also bei phlegmatischem Nachdenken über diese zwei Quellen gefunden, daß die letztere, die Nachahmung, allen schönen Künsten gemein, wie es denn auch Batt – die erste aber, das Anschauen, allen Wissenschaften, ohne Unterschied, im gewissen Grade gemein sein sollte. Die Poesie scheint sich dadurch von allen Künsten und Wissenschaften zu unterscheiden, daß sie diese beiden Quellen vereinigt, alles scharf durchdacht, durchforscht, d u r c h s c h a u t und dann in getreuer Nachahmung zum andern Mal wieder hervorgebracht. Dieses gibt die Poesie der Sachen, jene des Stils, oder umgekehrt, wie ihr wollt. Der schöne Geist kann das Ding ganz kennen, aber er kann es nicht wieder so getreu von sich geben, alle Striche seines Witzes können's nicht. Darum bleibt er immer nur schöner Geist, und in den Marmorhänden Longin, Home (wer will, schreibe seinen Namen hin) wird seine Schale nie zum Dichter hinuntersinken. Doch dies sind so Gedanken neben dem Totenkopf auf der Toilette des Denkers – laßt uns zu unserm Theater umkehren!

Und die Natur des Schauspiels zu entwickeln suchen, aus dieser Untersuchung einige Korollarien ableiten, mit guten Gründen verschanzen und im dritten Abschnitt wider die Angriffe unsrer Gegner, das heißt des ganzen feinern Publikums, verteidigen, ob wir sie vielleicht dahin vermöchten, die Belagerung in eine Blockade zu verwandeln, weil alsdenn –

Daß das Schauspiel eine Nachahmung und folglich einen Dichter fodere, wird mir doch wohl nicht bestritten werden. Schon im gemeinen Leben (fragen wir den Pöbel, dessen Witz noch nicht so boshaft ist, Worte umzumünzen) heißt ein geschickter Nachahmer: ein guter Komödiant, und wäre das Schauspiel was anders als Nachahmung, es würde seine Schauer bald verlieren. Ich getraue mich zu behaupten, daß, tierische Befriedigungen ausgenommen, es für die menschliche Natur kein einzig Vergnügen gibt, wo nicht Nachahmung mit zum Grunde läge, die Nachahmung der Gottheit mit eingerechnet, usw.

Herr Aristoteles selber sagt – –

Es kommt itzt darauf an, was beim Schauspiel eigentlich der Hauptgegenstand der Nachahmung: der Mensch? oder das Schicksal des Menschen? Hier liegt der Knoten, aus dem zwei so verschiedene Gewebe ihren Ursprung genommen, als die Schauspiele der Franzosen (sollen wir der Griechen sagen?) und der ältern Engländer, oder viel mehr überhaupt aller ältern nordischen Nationen, sind, die nicht griechisch gesattelt waren.

Hören Sie also die Definition des Aristoteles von der Tragödie, lassen Sie uns hernach die Dreistigkeit haben, unsere zu geben. Ein großes Unternehmen, aber wer kann uns zwingen, Brillen zu brauchen, die nicht nach unserm Auge geschliffen sind?

Er sagt im sechsten Kapitel seiner poetischen Reitkunst: »Es ist also das Trauerspiel die Nachahmung einer H a n d l u n g, einer guten, vollkommenen und großen Handlung, in einer angenehmen Unterredung, nach der besonderen Beschaffenheit der handelnden Personen abgeändert, nicht aber in einer Erzählung.«

Er breitet sich weiter über diese Definition aus: »Und weil das Trauerspiel die Nachahmung einer Handlung ist, die von bestimmten Personen geschiehet, welche notwendig von verschiedener Beschaffenheit sein müssen, sowohl in Ansehung ihrer Sitten als Gesinnungen, so auch ihre Handlungen von verschiedener Beschaffenheit sind, so ist es natürlich, daß es zwei Ursachen der Handlungen gebe, die Gesinnungen und die Sitten, und nach Maßgabe dieser müssen die Personen alle entweder glücklich oder unglücklich werden.« Er erklärt sich hernach über diese Ausdrücke, damit er allem Mißverstande vorbeuge. »Sitten sind die Art, mit der jemand handelt. Gesinnungen sind seine Gemütsart und der Ausdruck derselben im Sprechen.« Sie sehen aus dieser Erklärung, daß wir nach unserer modernen dramaturgischen Sprache diese beiden Worte in eins zusammenfassen, übersetzen können: Charakter, der kenntliche Umriß eines Menschen auf der Bühne. Er fodert also, daß wir die Fabel des Stücks nach den Charakteren der handelnden Personen einrichten, wie er im neunten Kapitel noch deutlicher sich erklärt, »der Dichter solle Begebenheiten nicht vorstellen, wie sie geschehen sind, sondern geschehen sollten.«

Nachdem er nun selbst zugestanden, daß der Charakter der handelnden Personen den Grund ihrer Handlungen und also auch der Fabel des Stücks enthalte, sollt es uns fast wundern, daß er in eben diesem Kapitel fortfährt: »Das Wichtigste unter allen ist die Zusammensetzung der Begebenheiten. Denn das Trauerspiel ist nicht eine Nachahmung des Menschen, sondern der Handlungen, des Lebens, des Glücks oder Unglücks, denn die Glückseligkeit ist in den Handlungen gegründet, und der Endzweck des Trauerspiels ist eine Handlung, nicht eine Beschaffenheit.« Als ob die Beschaffenheit eines Menschen überhaupt vorgestellt werden könne, ohne ihn in Handlung zu setzen. Er ist dies und das, woran weiß ich es, lieber Freund, woran weißt du es, hast du ihn handeln sehen? Sei es also, daß Drama notwendig die Handlung mit einschließt, um mir die Beschaffenheit anschaulich zu machen, ist darum Handlung der letzte Endzweck, das Prinzipium? Er fährt fort: »Sie (die handelnden Personen) sind nach ihren Sitten von einer gewissen Beschaffenheit, nach ihren Handlungen aber glücklich oder unglücklich. Sie sollen also nicht handeln, um ihre Sitten darzustellen, sondern die *Sitten* werden um der *Handlungen* willen mit eingeführt.« (Aristoteles konnte nicht anders lehren, nach den Mustern, die er vor sich hatte und deren Entstehungsart ich unten aus den Religionsmeinungen klarmachen will. Eben hier ist die unsichtbare Spitze, auf der alle herrlichen Gebäude des griechischen Theaters ruhen, auf der wir aber unmöglich fortbauen können.) »Die Begebenheiten, die Fabel ist also der Endzweck der Tragödie, denn ohne Handlungen würde es keine Tragödie bleiben, wohl aber ohne Sitten.« (Unmöglich können wir ihm hierin recht geben, sosehr er zu seiner Zeit recht gehabt haben mag.) Die Erfahrung ist die ewige Atmosphäre des strengen Philosophen, sein Räsonnement kann und darf sich keinen Nagel breit drüber erheben, sowenig als eine Bombe außer ihrem berechneten Kreise fliegen kann. Da ein eisernes Schicksal die Handlungen der Alten bestimmte und regierte, so konnten sie als solche interessieren, ohne davon den Grund in der menschlichen Seele aufzusuchen und sichtbar zu machen. Wir aber hassen solche Handlungen, von denen wir die Ursache nicht einsehen, und nehmen keinen Teil daran. Daher sehen sich die heutigen Aristoteliker, die bloß Leidenschaften ohne Charaktere malen (und die ich übrigens in ihrem anderweitigen Wert lassen will), genötigt, *eine* gewisse Psychologie für alle ihre handelnden Personen anzunehmen, aus der sie darnach alle Phänomene ihrer Handlungen so geschickt und ungezwungen ableiten können und die im Grunde mit Erlaubnis dieser Herren nichts als ihre eigene Psychologie ist. Wo bleibt aber da der Dichter, christlicher Leser? Wo bleibt die Folie? Große Philosophen mögen diese Herren immer sein, große allgemeine Menschenkenntnis, Kenntnis der Gesetze der menschlichen Seele, aber wo bleibt die individuelle? Wo die un-ekle, immer gleich glänzende, rückspiegelnde, sie mag im Totengräberbusen forschen oder unterm Reifrock der Königin? Was ist Grandison, der abstrahierte, geträumte, gegen einen Rebhuhn, der da steht? Für den mittelmäßigen Teil des Publikums wird Rousseau (der göttliche Rousseau selbst) unendlichen Reiz mehr haben, wenn er die feinsten Adern der Leidenschaften seines Busens entblößt und seine Leser mit Sachen anschaulich vertraut macht, die sie alle vorhin schon dunkel fühlten, ohne Rechenschaft davon geben zu können, aber das Genie wird ihn da schätzen, wo er aus den Schlingen und dem Graziengewebe der feineren Welt Charaktere zu retten weiß, die nun freilich doch oft wie Simson ihre Stärke in dem Schoß der Dame lassen. Wir wollen unsern Aristoteles weiter hören: »Die Trauerspiele der meisten Neueren sind ohne Sitten, es bleiben darum ihre Verfasser immer Dichter« (in unsern Zeiten durchaus nicht mehr; Handlungen und Schicksale sind erschöpft, die konventionellen Charaktere, die konventionellen Psychologien, da stehen wir und müssen immer Kohl wärmen, ich danke für die Dichter). Er führt das Beispiel zweier Maler, des Zeuxes und Polyglotus. Ich will diese Stelle übergehen und meine Paradoxe nicht auf alle schöne Künste ... doch einen Seitenblick: nach meiner Empfindung schätz ich den charakteristischen, selbst den Karikaturmaler zehnmal höher als den idealischen, hyperbolisch gesprochen, denn es gehört zehnmal mehr dazu, eine Figur mit ebender Genauigkeit und Wahrheit darzustellen, mit der das Genie sie erkennt, als zehn Jahre an einem Ideal der Schönheit zu zirkeln, das endlich doch nur in dem Hirn des Künstlers, der es hervorgebracht, ein solches ist. In der Morgenzeit der Welt war's was anders. Zeuxes arbeitete, um uns Kritiker und Geschmack zu bilden, Apelles' Kohle, von einem göttlichen Feuer geleitet, schuf wie Gott um ihr selbst willen. Die Idee der Schönheit muß bei unsern Dichtern ihr ganzes Wesen durchdrungen haben, denn fort mit dem rohen Nachahmer, der nie an diesem Strahl sich gewärmet hat, auf Thespis Karre – aber sie muß nie ihre Hand führen oder zurückhalten, oder der Dichter wird – was er will, Witzling, Pillenversilberer, Bettwärmer, Brustzuckerbäcker, nur nicht Darsteller, Dichter, Schöpfer –

Aristoteles: »Ein Zeichen für die Wahrheit des Satzes, daß die Fabel, die Ver- und Entwickelung der Begebenheiten in der Tragödie am meisten gefalle, ist, weil die, so sich an die Poesie wagen, weit eher in Ansehung der Diktion und Charaktere vortrefflich sind als in der Zusammensetzung der Begebenheiten, wie fast an all unsern ersten Dichtern zu sehen«; dies will nichts sagen. Dictione et moribus soll gar in einer Klasse nicht stehen. Es ist hier nicht die Rede von hingekleckten Charakteren, von denen all unsere bärtigen und unbärtigen Schulübungen so voll, wo bei einer schwimmenden ungefähren Ähnlichkeit des Zuschauers Phantasie das Beste tun muß – selbst nicht von dem famam sequere sibi convenientia finge des Horaz noch von seinem servetur ad imum, was das *Journal Encyclopédique* »soutenir les caractères« nennt – es ist die Rede von Charakteren, die sich ihre Begebenheiten erschaffen, die selbständig und unveränderlich die ganze große Maschine selbst drehen, ohne die Gottheiten in den Wolken anders nötig zu haben als, wenn sie wollen, zu Zuschauern, nicht von Bildern, von Marionettenpuppen – von Menschen. Ha aber freilich dazu gehört Gesichtspunkt, Blick der Gottheit in die Welt, den die Alten nicht haben konnten und wir zu unserer Schande nicht haben wollen. Er fährt fort, wie er denn nicht anders konnte: »Die Fabel also ist der Grund (Prinzipium) und gleichsam die Seele der Tragödie, das zweite aber sind die Sitten. Es ist wie in der Malerei, wenn einer mit den schönsten Farben das Papier beschmiert, würde er lange so nicht ergötzen als einer, der ein Bild darauf hinzeichnet (er vergleicht also die Fabel mit der Zeichnung, die Charaktere mit dem Kolorit??). Es ist aber das Trauerspiel die Nachahmung einer Handlung und durch diese Handlung auch der handelnden Personen.« Umgekehrt wird –

Was er von den Sentiments, der Diktion, der Melopöie, der Dekoration – können wir hier unmöglich aufnehmen, wenn wir uns nicht zu einem Traktat ausdehnen wollen. Wir haben es eigentlich mit seinem dramatischen Prinzipium, mit der Basis seines kunstrichterlichen Gebäudes unternommen, weil wir doch die Ursache anzeigen müssen, warum wir so halsstarrig sind, auf demselben nicht fortzubauen. Gehen über zum Fundament des shakespearischen unsers Landmanns, wollen sehen, ob die Wunder, so er auf jeden gesunden Kopf und unverderbtes Herz tut, wirklich einem je ne sais quoi der erleuchtetsten Kunstrichter, einem Ungefähr, vielleicht einem Planeten, vielleicht gar einem Kometen zuzuschreiben sind, weil er nichts vom Aristoteles gewußt zu haben – Und zum Henker, hat denn die Natur den Aristoteles um Rat gefragt, wenn sie ein Genie?

Auf eins seiner Fundamentalgesetze muß ich noch zurückschießen, das so viel Lärm gemacht, bloß weil es so klein ist, und das ist die so erschröckliche, jämmerlich berühmte Bulle von den drei Einheiten. Und was heißen denn nun drei Einheiten, meine Lieben? Ist es nicht die e i n e, die wir bei allen Gegenständen der Erkenntnis suchen, die eine, die uns den Gesichtspunkt gibt, aus dem wir das Ganze umfangen und überschauen können? Was wollen wir mehr oder was wollen wir weniger? Ist es den Herren beliebig, sich in dem Verhältnis eines Hauses und eines Tages einzuschränken, in Gottes Namen, behalten Sie Ihre Familienstücke, Miniaturgemälde und lassen uns unsere Welt. Kommt es Ihnen so sehr auf den Ort an, von dem Sie sich nicht bewegen möchten, um dem Dichter zu folgen, wie denn, daß Sie sich nicht den Ruhepunkt Archimeds wählen: da mihi figere pedem et terram movebo? Welch ein größer und göttlicher Vergnügen, die Bewegung einer Welt als eines Hauses? Und welche Wohltat des Genies, Sie auf die Höhe zu führen, wo Sie einer Schlacht mit all ihrem Getümmel, Jammern und Grauen zusehen können, ohne Ihr eigen Leben, Gemütsruhe und Behagen hineinzuflechten, ohne auf dieser grausamen Szene Akteur zu sein! Liebe Herren, was sollen wir mehr tun, daß ihr selig werdet? Wie kann man's euch bequemer machen? Nur zuschauen, ruhen und zuschauen, mehr fordern wir nicht, warum wollt ihr denn nicht auf diesem Stern stehenbleiben und in die Welt 'nabgucken, aus kindischer Furcht, den Hals zu brechen?

Was heißen die drei Einheiten? Hundert Einheiten will ich euch angeben, die alle immer doch die e i n e bleiben. Einheit der Nation, Einheit der Sprache, Einheit der Religion, Einheit der Sitten – ja was wird's denn nun? Immer dasselbe, immer und ewig dasselbe. Der Dichter und das Publikum müssen die eine Einheit fühlen, aber nicht klassifizieren. Gott ist nur eins in allen seinen Werken, und der Dichter muß es auch sein, wie groß oder klein sein Wirkungskreis auch immer sein mag. Aber fort mit dem Schulmeister, der mit seinem Stäbchen einem Gott auf die Finger schlägt.

Aristoteles. D i e E i n h e i t d e r H a n d l u n g. Fabula autem est una, non ut aliqui putant, si circa unum sit. Er sondert immer die Handlung von der handelnden Hauptperson ab, die bon gré, mal gré in die gegebene Fabel hineinpassen muß wie ein Schiffstau in ein Nadelöhr. Unten mehr davon; bei den alten Griechen war's die Handlung, die sich das Volk zu sehen versammelte. Bei uns ist's die Reihe von Handlungen, die wie Donnerschläge aufeinanderfolgen, eine die andere stützen und heben, in ein großes Ganze zusammenfließen müssen, das hernach nichts mehr und nichts minder ausmacht als die Hauptperson, wie sie in der ganzen Gruppe ihrer Mithändler hervorsticht. Bei uns also fabula est una si circa unum sit. Was können wir dafür, daß wir an abgerissenen Handlungen kein Vergnügen mehr finden, sondern alt genug geworden sind, ein Ganzes zu wünschen? daß wir den Menschen sehen wollen, wo jene nur das unwandelbare Schicksal und seine geheimen Einflüsse sahen? Oder scheuen Sie sich, meine Herren, einen Menschen zu sehen?

Einheit des Orts – oder möchten lieber sagen, Einheit des Chors, denn was war es anders? Kommen doch auf dem griechischen Theater die Leute wie gerufen und gebeten herbei, und kein Mensch stößt sich daran. Weil wir uns freuen, daß sie nur da sind – weil das Chor dafür dasteht, daß sie kommen sollen, und sich das im Kopf eines Freundes geschwind zusammenreimt, was wohl die causa prima und remotior der Ankunft seines Freundes sein möchte, wenn er ihn eben in seinen Armen drückt.

Einheit der Zeit, worin Aristoteles gar den wesentlichen Unterschied des Trauerspiels von der Epopee setzt. Am Ende des fünften Kapitels: »Die Epopee ist also bis auf den Punkt mit der Tragödie eins, daß jede eine Nachahmung edler Handlungen mittelst einer Rede ist. Darin aber unterschieden, daß jene ein einfaches Metrum und als eine Erzählung lang fortgeht, diese aber, wenn es möglich, nur den Umlauf einer Sonne in sich schließt, da die Epopee von unbestimmter Zeit ist.« Sind denn aber zehn Jahr, die der Trojanische Krieg währte, nicht ebensogut bestimmte Zeit als unus solis ambitus? Wo hinaus, lieber Kunstrichter, mit dieser differentia specifica? Es springt ja in die Augen, daß in der Epopee der Dichter selbst auftritt, im Schauspiele aber seine Helden. Warum sondern wir denn das Wort vorstellen, das einzige Prädikat zu diesem Subjekt, von der Tragödie ab? Die Tragödie stellt vor, das Heldengedicht erzählt: aber freilich in unsern heutigen Tragödien wird nicht mehr vorgestellt.

Wenn wir das Schicksal des Genies betrachten (ich rede von Schriftstellern), so ist es unter aller Erdensöhne ihrem das bängste, das traurigste. Ich rede ehrlich von den größesten Produkten alter und neuerer Zeiten. Wer liest sie? Wer genießt sie? Wer verdaut sie? Fühlt das, was sie fühlten? Folgt der unsichtbaren Kette, die ihre ganze große Maschine in eins schlingt, ohne sie einmal fahren zu lassen? Welches Genie liest das andere so? Mitten im hellesten Anschaun der Zaubermächte des andern und ihren Wirkungen und Stößen auf sein Herz dringen Millionen unberufene Gedanken – dein Blatt Kritik – dein unvollendeter Roman – dein Brief – oft bis auf die Wäsche hinunter – weg sind die süßen Illusionen, da zappelt er wieder auf dem Sande, der vor einem Augenblicke im Meere von Wollust dahinschwamm. Und wenn das Genie so liest ὦ πόποι, wie liest der Philister denn? Wo ist da lebendige Vorstellung der tausend großen Einzelheiten, ihrer Verbindungen, ihres göttlichen ganzen Eindrucks? Was kann der Epopeendichter tun, unsere Aufmerksamkeit festzuhalten, an seine Galeere anzuschmieden und dann mit ihr davonzufahren? Einen Vorrat von Witz verschütten, der sich tausendmal erschöpft (siehe Fielding und andere), oder wie Homer blind das Publikum verachten und für sich selber singen? Der Schauspieldichter hat's besser, wenn das Schicksal seine Wünsche erhören wollte. Schlimmer, wenn sie es nur halb erhört. Werd ich gelesen, und der Kopf ist so krank oder so klein, daß alle meine Pinselzüge unwahrgenommen vorbeischwimmen, geschweige in ein Gemälde zusammenfließen – Trost! ich wollte nicht gelesen werden. Angeschaut. Werd ich aber vorgestellt und verfehlt, so möcht ich Palett und Farben ins Feuer schmeißen, weit inniger betroffen, als wenn eine Betschwestergesellschaft mich zum Bösewicht afterredet. Bin ich denn ein Bösewicht? Und bin ich denn – und schlag in die Hände – was ihr aus ihr machen wollt?

Aber wie gewinnen könnte ich (sagt der Künstler), o welch ein herrlicherer Dank? Welch eine seligere Belohnung aller Mühe, Furcht und Leiden, wie gar nichts Ehrensäulen und Pensionen dagegen, zu denen der Künstler nie den Weg hat wissen wollen – als meine Ideen lebendig gemacht, realisiert zu sehen. Zu sehen das Ganze und seine Wirkung, wie ich es dachte, o ihr Beförderer der Künste! Ihr Mäzene! Ihr Auguste! non saginandi – nur Platz, unser Schauspiel aufzuführen, und ihr sollt Zuschauer sein. Euer ganzes Volk. Da ihr im Angesichte eures ganzen Volks auf dem Theater der Welt eure Rollen spielen müßt und sich der Nachruhm nicht bestechen läßt, wo wollt ihr euch verewigen als hier? Horaz schlug das carmen lyricum vor, aber siehe, ich sage euch, euer Ruhm stirbt mit seinem Schall, bleibt selber nur Schall, nie in Anschauen, nie in Bewegungen des Herzens verwandelt. Cäsar ist in Rom so nie bedauert worden als unter den Händen Shakespeares.

Wir sehen also, was der dramatische Dichter vor dem epischen gewinnt, wie kürzern Weg zum Ziel, sein großes Bild lebendig zu machen, wenn er nur sichere Hand hat, in der Puls von Natur schlägt, vom göttlichen Genius geführt. Richter der Lebendigen und der Toten. – Er braucht die Sinne nicht mit Witz und Flittern zu fesseln, das tut der Dekorationsmaler für ihn, aller Kunstgriffe überhoben, schon eingeschattet von dem magischen Licht, auf das jener so viel Kosten verschwendet, führt er uns dahin, wo er wollte, ohne andern Aufwand zu machen, als was er so gern aufwendet, sein Genie. Hundert Sachen setzt er zum voraus, die ich hier nicht nennen mag, und wie höher muß er fliegen! Ach mir, daß ich die Geheimnisse unserer Kunst verraten muß, den Flor wegziehen, der ihren Reiz so schön und schamhaft in seine Falten zurückbarg, und doch vielleicht noch zu wenig verraten habe. Heutzutage, da man genießen will, ohne das Maul aufzutun, muß Venus Urania selbst zur Kokette werden – fort! Rache!

Da wir am Fundament des aristotelischen Schauspiels ein wenig gebrochen und mit Recht befürchten müssen –

so wollen wir's am andern Ende versuchen, auf das Dach des französischen Gebäudes klettern und unsere gesunde Vernunft und Empfindung fragen.

Was haben uns die Primaner aus den Jesuitenkollegien geliefert? Meister? Wir wollen doch sehen. Die Italiener hatten einen Dante, die Englander Shakespearen, die Deutschen Klopstock, welche das Theater schon aus ihrem eigenen Gesichtspunkt ansahen, nicht durch Aristoteles' Prisma. Kein Naserümpfen, daß Dantens Epopee hier vorkommt, ich sehe überall Theater drin, bewegliches, Himmel und Hölle, den Mönchszeiten analog. Da keine Einschränkungen von Ort und Zeit, und freilich, wenn man uns auf der Erde keinen Platz vergönnen will, müssen wir wohl in der Hölle spielen. Was Shakespeare und Klopstock in seinem Bardit getan, wissen wir alle, die Franzosen aber erschrecken vor allem solchen Unsinn, wie Voltaire wider den La Motte, der im halben Rausch was herlallt, von dem er selbst nicht Rechenschaft zu geben weiß: Les François sont les premiers qui ont fait revivre ces sages règles de théâtre, les autres peuples ... Mais comme ce joug étoit juste et que la raison triomphe enfin de tout ...

Man braucht nicht lange zu beweisen, daß die französischen Schauspiele den Regeln des Aristoteles entsprechen, sie haben sie bis zu einem Punkt hinausgetrieben, der jedem Mann von gesunder Empfindung Herzensangst verursacht. Es gibt nirgends in der Welt so grübelnde Beobachter der drei Einheiten. Der willkürliche Knoten der Handlung ist von den französischen Garnwebern zu einer solchen Vollkommenheit bearbeitet worden, daß man ihren Witz in der Tat bewundern muß, als welcher die simpelsten und natürlichsten Begebenheiten auf so seltsame Arten zu verwirren weiß, daß noch nie eine gute Komödie außer Landes ist geschrieben worden, die nicht von funfzigen ihrer besten Köpfe immer wieder in veränderter Gestalt wäre vorgezeigt worden. Sie setzen, wie

Aristoteles, den ganzen Unterschied des Schauspiels darin, daß es vierundzwanzig Stunden währt und suavi sermone, siehe seine Definition. Das Erzählen im Trauerspiel und in der Epopee ist ihnen gleichgültig, und sie machen mit dem Aristoteles die Charaktere nicht nur zur Nebensache, sondern wollen sie auch, wie Madame Dacier gar schön auseinandergesetzt hat, gar nicht einmal im Trauerspiele leiden. Ein Unglück, daß die gute Frau bei Charakteren sich immer Masken und Fratzen dachte, aber wer kann dafür?

Wenn also die französischen Schauspiele größtenteils nach den Regeln des Aristoteles und seiner Ausleger zugeschnitten sind, wenn wir vorhin bei der Theorie zu murren fanden und bei der Ausübung hier gar – was bleibt uns übrig? Was, als die Natur Baumeisterin sein zu lassen, wie Virgil die Dido beschreibt:

Talis Dido erat, talem se laeta ferebat
Per medios, instans operi regnisque futuris.
Tum foribus divae media testudine templi
Septa armis, solioque alte subnixa resedit
Jura dabat, legesque viris, operumque laborem
Partibus aequabat iustis...

Ist's nicht an dem, daß Sie in allen französischen Schauspielen (wie in den Romanen) eine gewisse Ähnlichkeit der Fabel gewahr werden, welche, wenn man viel gelesen oder gesehen hat, unbeschreiblich ekelhaft wird? Ein offenbarer Beweis des Handwerks, denn die Natur ist in allen ihren Wirkungen mannigfaltig, das Handwerk aber einfach, und Atem der Natur und Funke des Genie ist's, das noch unterweilen zu unserm Trost uns durch eine kleine Abwechselung entschädigt. Fürchte nicht, liebes Publikum, wenn du die Dämme so hoch aufziehst, die Grenzen so weit steckst, von Dichterlingen überschwemmt zu werden. Sie lieben das freie Feld nicht, sie befinden sich besser hinter den Außenwerken des Handwerks. Es ist keine

Kleinigkeit, Schlingen für die Herzen auszuwerfen, alle die tausend Köpfe wegzuzaubern und willig zu machen, uns zu folgen. Die französischen Intrigen, deren sie ganze Kramläden voll haben, die sie verändern, bereichern, zusammenflicken wie die Moden, werden sie nicht von Tag zu Tage uninteressanter, abgeschmackter? Es geht ihren Schauspieldichtern wie den lustigen Räten in Gesellschaften, die in der ersten halben Stunde erträglich, in der zweiten sich selbst wiederholen, in der dritten von niemand mehr gehört werden als von sich selbst. Hab ich doch letzt eine lange Komödie gesehen, die nur auf einem Wortspiel drehte. Ja wenn solche trifles light as air von einem Shakespeare behandelt werden! Aber wenn die Intrige das Wesen des Stücks ausmacht, und die Verwirrung besteht in einem Wort, so ist das ganze Stück so viel wert als – ein Wortspiel. Woher aber diese schimmernde Armut? Der Witz eines Shakespeares erschöpft sich nie, und hätt er noch soviel Schauspiele geschrieben. Sie kommt – erlauben Sie mir's zu sagen, ihr Herren Aristoteliker! – sie kommt aus der Ähnlichkeit der handelnden Personen, partium agentium, die Mannigfaltigkeit der Charaktere und Psychologen ist die Fundgrube der Natur, hier allein schlägt die Wünschelrute des Genies an. Und sie allein bestimmt die unendliche Mannigfaltigkeit der Handlungen und Begebenheiten in der Welt. Nur ein Alexander und nach ihm keiner mehr, und alle Wut der Parallelköpfe und Parallelbiographen wird es dahin nicht bringen, eine vollkommen getreue Kopie von ihm aufzuweisen. Selbst die Parallelsucht verrät die Leute und macht einen besonderen Bestimmungsgrund ihrer Individualität.

Es ist keine Kalumnie (ob in den Gesellschaften, laß ich unentschieden), daß die Franzosen auf der Szene keine Charaktere haben. Ihre Helden, Heldinnen, Bürger, Bürgerinnen, alle ein Gesicht, eine Art zu denken, also auch eine große Einförmigkeit in den Handlungen. Geeinzelte

Karikaturzüge in den Lustspielen geben noch keine Umrisse von Charakteren, personifizierte Gemeinplätze über den Geiz noch keine Personen, ein kitzlichtes Mädchen und ein Knabe, die allenfalls ihre Rollen umwechseln könnten, noch keine Liebhaber. Ich suchte Trost in den sogenannten Charakterstücken, allein ich fand so viel Ähnlichkeit mit der Natur (und noch weniger) als bei den Charaktermasken auf einem Ball.

Ihr ganzer Vorzug bliebe also der Bau der Fabel, die willkürliche Zusammensetzung der Begebenheiten, zu welcher Schilderei der Dichter seine eigene Gemütsverfassung als den Grund unterlegt. Sein ganzes Schauspiel (ich rede hier von Meisterstücken) wird also nicht ein Gemälde der Natur, sondern seiner eigenen Seele. Und da haben wir oft nicht die beste Aussicht zu hoffen. Ist etwas Saft in ihm, so finden wir doch bei jeder Marionettenpuppe, die er herhüpfen und mit dem Kopf nicken läßt, seinen Witz, seine Anspielungen, seine Leidenschaften und seinen Blick. Nur in einen willkürlichen Tanz komponiert, den sie alle, eins nach dem andern, abtanzen und hernach sich gehorsamst empfehlen. Welcher Tanz wie die Kontertänze so oft wieder von neuem verwirrt, verschlungen, verzettelt wird, daß zuletzt Tänzer und Zuschauer die Geduld verlieren. Oder ist der Kopf des Dichters schon ausgetrocknet, so stoppelt er Schulbrocken aus dem Lukan und Seneka zusammen oder leiht vom Euripides und Plautus, die wenigstens gelehrtes Verdienst haben, und bringt das in schöne fließende Verse, suavi sermone. Oder fehlt es ihm an allem, so nimmt er seine Zuflucht zu dem – französischen Charakter, welcher nur einer – und eigentlich das summum oder maximum aller menschlichen Charaktere ist. Macht seinen Helden äußerst verliebt, äußerst großmütig, äußerst zornig, alles zusammen und alles auf einmal, diesen Charakter studieren alle ihre Dichter und Schauspieler unablässig und streichen ihn wie das Rouge auf alle Gesichter ohne Ansehen der Person.

Ich sage, der Dichter malt das ganze Stück auf seinen eigenen Charakter (denn der eben angeführte Fall ereignet sich eigentlich nur bei denen, die selbst gar keinen Fond, keinen Charakter haben). So sind Voltaires Helden fast lauter tolerante Freigeister, Corneillens lauter Senekas. Die ganze Welt nimmt den Ton ihrer Wünsche an, selbst Rousseau in seiner *Héloïse*, das beste Buch, das jemals mit französischen Lettern ist abgedruckt worden, ist davon nicht ausgenommen. So sehr er abändert, so geschickt er sich hinter die Personen zu verstecken weiß, die er auftreten läßt, so guckt doch immer, ich kann es nicht leugnen, etwas von seiner Perücke hervor, und das wünscht ich weg, um mich ganz in seine Welt hinein zu täuschen, in dem Palast der Armide Nektar zu schlürfen. Doch das im Vorbeigehen; zum Theater zurück. Voltaire selbst hat eingesehen, daß einer willkürlich zusammengesetzten Fabel, die nur in den Wünschen des Dichters (oft in seiner Gebärerinangst und Autorsucht), nicht in den Charakteren den Grund hat, das Reizende und Anziehende fehle, das uns auch nach befriedigter Neugierde beim zweiten Anblick unterhalten und nähren kann. Er sucht also dieses wie eine geschickte Kokette durch äußeren Putz zu erhalten. Die Diktion, die Symmetrie und Harmonie des Verses, der Reim selbst, für den er fast zum Märtyrer wird. Pradon und Racine hatten eine *Phädra* geschrieben. La conduite de ces deux ouvrages, sagt er, est à peu près la même. Il y a plus. Les personnages des deux pièces se trouvant dans les mêmes situations, disent presque les mêmes choses; mais c'est là qu'on distingue le grand homme et le mauvais poète, c'est lorsque Racine et Pradon pensent de même, qu'ils sont les plus différents. Merken Sie wohl, Racine et Pradon. Hier steht also nur Racine auf der Bühne und dort nur Pradon. Aber haben wir denn die beiden Herren hervorgerufen? Sie hätten immer warten können, bis das Stück zu Ende war.

Zugegeben, daß bei einer mäßigen Portion allgemeiner

Kenntnis des menschlichen Herzens diese Zunft auch Leidenschaften, etwas mehr als Neugier zu erregen wüßte, da doch gemeinhin die warme Einbildungskraft des Zuschauers bei den schön aufgeputzten Worten wie beim Putz einer Hure das Beste dazutun muß – untersuchen Sie sich, meine Herren! Wenn Sie aus dem Schauspielhause fortgehen, was ist das Residuum davon in Ihrer Brust? Dampf, der verraucht, sobald er an die Luft kommt. Sie merkten dem Dichter das Kunststück ab, Sie sahen ihm auf die Finger, es ist doch nur eine Komödie, sagen Sie, und wer war in der zweiten Loge? Was gilt's, Sie greifen sich gar an den Kopf, wenn Sie aufmerksam zugesehen haben, und ich sage Ihnen im Vertrauen, daß ein solches Stück in vollem Ernst den Kopf des Zuschauers mehr angreiftt als den Kopf des Komödianten und Poeten zusammengenommen. Denn er muß das hinzudenken, was –

Ja wenn noch hinter jedem Stück der Autor in selbsteigener Person aufträte, ein Examen anstellte, remarques machte, die Wahrscheinlichkeit seiner Erfindungen und Träume plädierte und Sie so per syllogismum dahin brächte zu bekennen sein Stück sei schön. So aber bleibt man noch immer im Zweifel, und das ist das ärgste, was man aus einem Stück nach Hause tragen kann.

Daß ich dieses trockene Stück Räsonnement mit einem Nägelchen spicke, will ich –

Voltaire und Shakespeare wetteiferten einst um den Tod des Cäsar. Die ganze Stadt weiß davon. Ich möchte sagen, ein kleiner Vogel verbarg sich einst unter die Flügel eines Adlers, darnach satzt er ihm auf den Rücken und dann: Quo me Bacche rapis tui plenum? Hernach, die Historie ist lustig, klatscht' ein berühmter Kunstrichter in die Hände: il nostro poeta ha fatto quel uso di Shakespeare che Virgilio faceva di Ennio. Nur möchte man beherzigen, mit wie vieler Vorsicht – und daß er bloß den Ernst der Engländer auf die vaterländische Bühne gebracht, nicht aber ihre Wildheit. Dawider hätt ich nun nichts einzuwenden, wenn man mir erlaubt, die Vorsicht durch Ohnmacht zu übersetzen, den Ausdruck ferocità durch Genie, und die Moral drunter schreibe: Wenn der Fuchs die Trauben nicht langen kann –

In eine ausführliche Parallele des *Julius Cäsar* und des *La mort de César* mag sich ein anderer einlassen – nicht den beiderseitigen Bau der Fabel, Gruppierung der Charaktere, Vorbereitung und Schwingung der Situationen – nichts von der Portia sagen, die Voltaire nicht würdig fand, nichts von der nahen Blutsfreundschaft zwischen Cäsar und Brutus, die er wie einen blauen Lappen aufs grüne Kleid – bloß beide Dichter an den Stellen zusammenhalten, wo sie eine und dieselbe Person in einer und derselben Situation sprechen lassen, um zu zeigen, lorsque Racine et Pradon pensent de même qu'ils sont les plus différents.

Es sei der Monolog des Brutus, als die große Tat noch ein Embryo in seinem Gehirn lag, durchs Schicksal gereift ward, dann durch alle Hindernisse brach und wie Minerva in völliger Rüstung geboren ward. Diesen Gang eines großen Entschlusses in der Seele hat Voltaire vielleicht nicht gesehen. Erst zum Shakespeare, meine Herren! Sein Brutus spaziert in einer Nacht, wo Himmel und Erde im Sturm untergehen wollen, gelassen in seinem Garten. Rät aus dem Lauf der Sterne, wie nah der Tag ist. Kann ihn nicht erwarten, befiehlt seinem Buben, ein Licht anzuzünden. »Es muß durch seinen Tod geschehen: dafür hab ich für meinen Teil nicht die geringste Ursach, aber um des Ganzen willen.« – Philosophiert noch, beratschlagt noch ruhig und kalt, derweile die ganze Natur der bevorstehenden Symphonie seiner Gemütsbewegungen präambuliert. Lucius bringt ihm Zettel, die er auf seinem Fenster gefunden. Er dechiffriert sie beim Schein der Blitze. »Rede – schlage – verbeßre – du schläfst« – ha, er reift, er reift, der Entschluß. »Rom! ich versprech es dir.« Lucius sagt ihm, morgen sei der 15. März, der Krönungstag Cäsars. Brutus schickt ihn heraus. Jetzt das Wehgeschrei der

Gebärerin, wie in kurzen, entsetzlichen Worten: »Zwischen der Ausführung einer furchtbaren Tat und ihrer Empfängnis ist die ganze Zwischenzeit wie ein schreckenvoller Traum: der Genius und die sterblichen Werkzeuge sind alsdann in Beratschlagung, und die innere Verfassung des Menschen gleicht einem Königreich, das von allgemeiner Empörung gärt« (Wiel. Übers.). Lucius meld't die Zusammenverschwornen – nun ist's da – die ganze Art – sie sollen kommen – der Empfang ist kurz, Helden anständig, die auf gleichen Ton gestimmt, sich auf einen Wink verstehen. Cassius will, sie sollen schwören (die schwindlichte Cholera). Brutus: »Keinen Eid! Wenn Schicksal des menschlichen Geschlechts, tiefes Gefühl der sterbenden Freiheit zu schwache Bewegungsgründe sind, so gehe jeder wieder in sein Bette« – was soll ich hier abschreiben, Sie mögen's selber lesen, das läßt sich nicht stücken. »Junge! Lucius! schläfst du so feste?« Wer da nicht Addisons Seraph auf Flügeln des Sturmwindes Götterbefehle ausrichtend gewahr wird – wem die Würde menschlicher Natur nicht dabei im Busen aufschwellt und ihm den ganzen Umfang des Worts M e n s c h fühlen läßt – Laßt uns den französischen Brutus besuchen!

Schon im ersten Akt hat er Cäsarn seine ganze Herzensmeinung entdeckt, sagt ihm ins Gesicht, er sei ein größerer Feind der Römer als die Parther, er verabscheue seine Zärtlichkeit; im zweiten Akt fängt er gleich an, auf Antonius zu schimpfen, der weiter nichts von ihm verlangte als eine Unterredung mit Cäsarn und Antonius, oder vielmehr – schimpft wieder auf die römische Tugend: Tu veux être un héros, mais tu n'es qu'un barbare, geht drauf ganz boshaft fort, und nun – merken Sie auf, wie die Champagnerbouteille aufbraust, nachdem der Zapfen heraus ist: Quelle bassesse (Brutus), o ciel! et quelle ignominie. Voilà donc tes soutiens (bis auf den letzten Tropfen). Voilà vos successeurs, Horace, Décius (kurz, er ruft alle Helden des alten Roms in chronologischer Ordnung um

Beistand an, und Pompejus erhört ihn in loco). Que vois-je, grand Pompée – Tu dors, Brutus – Rome, mes yeux sur toi seront toujours ouverts (ein Wortspiel). Mais quel autre billet (ei ei, alle auf einmal und auf einem Flecken. Wir kamen alle auf den Einfall, Pompejens Statue damit zu behängen – und wahrsagten, daß er sie da finden würde. So muß man die Geschichte verschönern. Das Fenster – wie gemein! aber Pompejus' Statue – warum sie ihm nicht lieber in den Mund gesteckt wie die alten Maler ihre Zettel?)

Nun kommen die Zusammenverschwornen zu ihm. Cimber setzt die epische Trompete an den Mund, wer Lust hat, mag seine Deklamation mit der Erzählung des Casca im Shakespeare vergleichen. Nun was tut Cassius drauf? Er predigt, und Brutus macht eine feine kritischphilosophische Glosse zum Lebenslauf des alten Cato aus Utika. Sa mort fut inutile – et c'est la seule faute où tomba ce grand' homme. Nun geht das Predigen auf zwei Seiten fort, jeder sagt mit anderen Worten, was der andere vor ihm gesagt, auf einmal ereifert sich Brutus jähling, weil der Akt bald zu Ende geht: Jurez donc, sagt er, avec moi, jurez, sagt er, sur cette epée par le sang de Caton (obschon er einen Bock damals gemacht) par celui de Pompée, und Cassius schwört mit ihm, und Brutus tritt zur Statue des Pompejus und schwört wieder und – haben Sie genug, meine Herren? – allons, préparons-nous, c'est trop nous arrêter. –

Was kann ich davor? – – Soll ich Ihnen noch die Leichenreden gegeneinanderhalten? Ich denke, ich habe schon zu viel gesagt, und, wenn mir diese chemische Metapher erlaubt ist, man darf nur von jedem einige Tropfen in die Solution tun, um zu sehen, welches Azidum das stärkere ist und das andere zum Rezipienten herausjagt. Doch da es Geschöpfe und Leser von allen Arten gibt, so müssen auch Schriftsteller – aber Signor Conte, daß Sie als ein so aufgeklärter Kunstrichter: il nostro poeta ha fatto quel uso di Shakespeare che Virgilio faceva di Ennio – quo nunc se proripit ille?

Noch ein paar Worte über Aristoteles. Daß er gerade im Trauerspiele, wo auf die handelnden Personen alles ankommt, daß die Epopee dramatisiert heißen könnte, den Charakteren so wenig gibt, wundert mich, könnt ich nicht reimen, wenn ich nicht den Grund davon tiefer fände, in nichts weniger als dem ηϑος der Schauspiele.

Die Schauspiele der Alten waren alle sehr religiös, und war dies wohl ein Wunder, da ihr Ursprung Gottesdienst war. Da nun fatum bei ihnen alles war, so glaubten sie eine Ruchlosigkeit zu begehen, wenn sie Begebenheiten aus den Charakteren berechneten, sie bebten vor dem Gedanken zurück. Es war Gottesdienst, die furchtbare Gewalt des Schicksals anzuerkennen, vor seinem blinden Despotismus hinzuzittern. Daher war Ödip ein sehr schickliches Sujet fürs Theater, einen Diomed führte man nicht gern auf. Die Hauptempfindung, welche erregt werden sollte, war nicht Hochachtung für den Helden, sondern blinde und knechtische Furcht vor den Göttern. Wie konnte Aristoteles also anders: Secundum autem sunt mores. Ich sage blinde und knechtische Furcht, wenn ich als Theologe spreche. Als Ästhetiker, war diese Furcht das einzige, was dem Trauerspiele der Alten haut goût, den Bitterreiz gab, der ihre Leidenschaften allein in Bewegung zu setzen wußte. Von jeher und zu allen Zeiten sind die Empfindungen, Gemütsbewegungen und Leidenschaften der Menschen auf ihre Religionsbegriffe gepfropfet; ein Mensch ohne alle Religion hat gar keine Empfindung (weh ihm!), ein Mensch mit schiefer Religion schiefe Empfindungen, und ein Dichter, der die Religion seines Volkes nicht gegründet hat, ist weniger als ein Meßmusikant.

Was wird nun aus dem *Ödip* des Herrn Voltaire, aus seinem impitoyables dieux, mes crimes sont les vôtres. Gott verzeihe mir, sooft ich das gehört, hab ich meinen Hut andächtig zwischen beide Hände genommen und die Gnade des Himmels für den armen Schauspieler angefleht, der Gotteslästerungen sagen mußte, weil er sie gelernt hatte. Und was bei dem Griechen mein ganzes Mitleiden aus der Brust herausgeschluchzt haben würde, macht beim Franzosen mein Herz vor Abscheu zum Stein. Wer? Was? Ödip? Ist das geschehen? Wenn es geschehen ist, warum bringt ihr's auf die Bühne, wie es geschah, nicht vielmehr, wie Aristoteles selber verlangt, wie es geschehen sollte. Bei dem Griechen sollte Ödip ein Monstrum von Unglück werden, weil Jokaste durch ihren Vorwitz Apollo geärgert, die Ehrfurcht vor ihm aus den Augen gesetzt. Aber bei dem Franzosen hätt er sein Unglück verdienen sollen, oder fort von der Bühne. Wenigstens mußt du mir ein Brett zuwerfen, Dichter, woran ich halten kann, wenn du mich auf die Höhe führst. Ich fordre Rechenschaft von dir. Du sollst mir keinen Menschen auf die Folter bringen, ohne zu sagen warum.

Damit wir nun, unsern Religionsbegriffen und ganzen Art zu denken und zu handeln analog, die Grenzen unsers Trauerspiels richtiger abstecken als bisher geschehen, so müssen wir von einem andern Punkt ausgehen als Aristoteles, wir müssen, um den unsrigen zu nehmen, den Volksgeschmack der Vorzeit und unsers Vaterlandes zu Rate ziehen, der noch heutzutage Volksgeschmack bleibt und bleiben wird. Und da finde ich, daß er, beim Trauerspiele oder Staatsaktion, ist gleichviel, immer drauf losstürmt (die Ästhetiker mögen's hören wollen oder nicht). Das ist ein Kerl! Das sind Kerls! Bei der Komödie aber ist's ein anders. Bei der geringfügigsten drollichten, possierlichen, unerwarteten Begebenheit im gemeinen Leben rufen die Blaffer mit seitwärts verkehrtem Kopf: Komödie! Das ist eine Komödie! ächzen die alten Frauen. Die Hauptempfindung in der Komödie ist immer die Begebenheit, die Hauptempfindung in der Tragödie ist die Person, die Schöpfer ihrer Begebenheiten.

Also ganz und gar wider Madame Dacier in ihrer Vorrede zum Terenz, der ich bei dieser Gelegenheit höflichst die Hände küsse.

Das Trauerspiel bei uns war also nie wie bei den Griechen das Mittel, merkwürdige Begebenheiten auf die Nachwelt zu bringen, sondern merkwürdige Personen. Zu jenem hatten wir Chroniken, Romanzen, Feste, zu diesem Vorstellung, Drama. Die Person mit all ihren Nebenpersonen, Interesse, Leidenschaften, Handlungen. Und war sie tot, so schloß das Stück, es müßte denn noch ihr Tod Wirkungen veranlaßt haben, die auf die Person ein noch helleres Licht zurückwürfen. Daher führen uns unsere ältesten Schauspieldichter oft in einem Akt ohne Anstoß durch verschiedene Jahre fort, sie wollen uns die ganze Person in allen ihren Verhältnissen zeigen; ja Hans Sachs findet so wenig Bedenklichkeiten drin, seine geduldige Griselda in einem Auftritte freien, heiraten, schwanger werden und gebären zu lassen, daß er vielmehr im Prolog seine Zuschauer vor der allzu starken Illusion warnt und ihnen auf sein Ehrenwort versichert, daß alle Sachen so eingerichtet, daß keinem Menschen ein Schaden geschieht. Woher das Zutrauen zu der Einbildungskraft seines Publikums? Weil er sicher war, daß sie sich aus der nämlichen Absicht dort versammelt hatten, aus der er aufgetreten war, ihnen einen Menschen zu zeigen, nicht eine Viertelstunde.

So ist's mit den historischen Stücken Shakespeares: hier möchte ich Charakterstücke sagen, wenn das Wort nicht so gemißbraucht wäre. Die Mumie des alten Helden, die der Biograph einsalbt und spezereit, in die der Poet seinen Geist haucht. Da steht er wieder auf, der edle Tote, in verklärter Schöne geht er aus den Geschichtsbüchern hervor und lebt mit uns zum andern Male. Oh, wo finde ich Worte, diese herzliche Empfindung für die auferstandenen Toten anzudeuten, und sollten wir ihnen nicht mit Freuden nach Alexandrien, nach Rom, in alle Vorfallenheiten ihres Lebens folgen und das »Selig sind die Augen, die dich gesehen haben« nun für uns behalten? Habt ihr nicht Lust, ihnen zuzusehen, meine Herren? In jeder ihrer kleinsten Handlungen, Schicksalswechsel und Lebensstößen? In ihrer immer regen Gegenwirkung und Geistesgröße? Weilt ihr lieber an der Moorlache als an der grünen See in unauslöschlicher Bewegung und dem hellen Felsen mitten in? Ja, meine Herren, wenn Sie den Helden nicht der Mühe wert achten, nach seinen Schicksalen zu fragen, so wird Ihnen sein Schicksal nicht der Mühe wert dünken, sich nach dem Helden umzusehen. Denn der Held allein ist der Schlüssel zu seinen Schicksalen.

Ganz anders ist's mit der Komödie. Meiner Meinung nach wäre immer der Hauptgedanke einer Komödie eine Sache, einer Tragödie eine Person. Eine Mißheirat, ein Findling, irgendeine Grille eines seltsamen Kopfs (die Person darf uns weiter nicht bekannt sein, als insofern ihr Charakter diese Grille, diese Meinung, selbst dieses System veranlaßt haben kann. Wir verlangen hier nicht, die ganze Person zu kennen). Sehen Sie, meine Herren, das wäre so meine Meinung über Shakespeares Komödien und alle Komödien, die geschrieben sind und geschrieben werden können. Die Personen sind für die Handlungen da, für die artigen Erfolge, Wirkungen, Gegenwirkungen; ein Kreis herumgezogen, der sich um eine Hauptidee dreht – und es ist eine Komödie. Ja wahrlich, denn was soll sonst Komödie in der Welt sein? Fragen Sie sich und andere! Im Trauerspiele aber sind die Handlungen um der Person willen da, sie stehen also nicht in meiner Gewalt, ich mag nun Pradon oder Racine heißen, sondern sie stehen bei der Person, die ich darstelle. In der Komödie aber gehe ich von den Handlungen aus und lasse Personen teil dran nehmen, welche ich will. Eine Komödie ohne Personen interessiert nicht, eine Tragödie ohne Personen ist ein Widerspruch, ein Unding, eine oratorische Figur, eine Schaumblase über dem Maul Voltaires oder Corneilles ohne Dasein und Realität – ein Wink macht sie platzen.

Das wär's nun, meine Herren! Ich bin müde, Ihnen mehr zu sagen. Aber weil doch jeder Rauch machen muß, der sich unterstehen will, ein Feuer anzuzünden. Ich bin gewiß, daß es noch lange nicht genug war, Aufmerksamkeit rege zu machen, nichtsdestoweniger straft mich mein Gewissen doch, daß ich schon zuviel gesagt. Denn es ist so eine verdrießliche Sache, von Dingen zu schwatzen, die sich nur sehen und fühlen lassen, über die nichts gesagt sein will – qui hedera non egent. Hätt ich nur mit diesen Anmerkungen das ausgerichtet, was Petronius in seinem *Gastmahl des Trimalchion* von – daß die Römer zwischen den ungeheuren Mahlzeiten der Saturnalien sich eines Brechmittels, auch wohl schnellwirkenden Purganz bedient, um sich neuen Appetit zu schaffen.

Wer noch Magen hat, und ich kann ihm mit einem bisher unübersetzten – Volksstück – Komödie von Shakespeare aufwarten. Seine Sprache ist die Sprache des kühnsten Genius, der Erd und Himmel aufwühlt, Ausdruck zu den ihm zuströmenden Gedanken zu finden. Mensch, in jedem Verhältnis gleich bewandert, gleich stark, schlug er ein Theater fürs ganze menschliche Geschlecht auf, wo jeder stehen, staunen, sich freuen, sich wiederfinden konnte, vom obersten bis zum untersten. Seine Könige und Königinnen schämen sich so wenig als der niedrigste Pöbel, warmes Blut im schlagenden Herzen zu fühlen oder kitzelnder Galle in schalkhaften Scherzen Luft zu machen, denn sie sind Menschen, auch unterm Reifrock, kennen keine Vapeurs, sterben nicht vor unsern Augen in müßiggehenden Formularen dahin, kennen den tötenden Wohlstand nicht. Sie werden also hier nicht ein Stück sehen, das den und den, der durch Augengläser bald so, bald so verschoben drauflos guckt, allein interessiert, sondern wer Lust und Belieben trägt, jedermann, bringt er nur Augen mit und einen gesunden Magen, der ein gutes spasmatisches Gelächter – – doch ich vergesse hier, daß ich nicht das Original, sondern – eheu discrimina rerum – meine Übersetzung ankündige – mag er immerhin auftreten, mein Herkules, wär's auch im Hemd der Dejanira – –

HEINRICH LEOPOLD WAGNER

ETWAS ÜBER »EVCHEN HUMBRECHT«

1779

Ich schrieb vor drei Jahren eine *Kindermörderin* in Form eines Trauerspiels, nicht für die Bühne, sondern fürs Kabinett, für denkende Leser. Man beehrte sie mit Beifall und mit Tadel, beides in einem höhern Grad, als ich jemals erwartet hätte; dies freute mich. Einige philosophisch prüfende Kosmopoliten waren der Meinung, eine auf Befehl der Polizei in einem wohlregierten Staat monatlich wiederholte Vorstellung dieses Stücks könnte nach und nach dies immer unnatürliche, nie ganz willkürliche Verbrechen an seiner Wurzel untergraben und ausrotten. Ein süßer Traum! welcher aber auch als solcher schon der Menschheit zur Ehre gereicht und einer Probe wohl wert wäre, wenn unsre Zeiten es nur erlaubten, ihn zu realisieren. Daß dieses aber jetzt und gewiß so bald noch nicht tunlich sein würde, davon war niemand mehr überzeugt als ich. In unsern gleißnerischen Tagen, wo alles Komödiant ist, kann die Schaubühne freilich, wie ihr schon mehrmalen vorgeworfen worden, keine Schule der Sitten werden. Dies von ihr zu erwarten, müssen wir erst dem Stande der unverderbten Natur wieder näher rücken, von dem wir weltenweit entfernet sind. – Sollte dies je wieder geschehen können? Ich hoff's; denn jede zu hart gespannte Feder schnappt über und in ihre erste natürliche Lage zurück. Jetzt ist es Mode, tugendhaft s c h e i n e n zu wollen, vielleicht w i r d man es einmal aus der nämlichen wichtigen Ursache. Jetzt hat alles keusche Ohren, der größte Haufen freche und buhlerische Augen und ein unreines Herz. Tugend sitzt den meisten bloß auf den Lippen und gibt alle andre Zugänge der unverschämtesten Ausgelassenheit preis. Wenn sich das einmal umkehrt, wirds wieder besser werden. – Eh es aber geschieht, mag sich jeder wohl vorsehn, eine Saite zu berühren, die so kützliche Empfindungen rege macht. Es ist boshaft und grausam, Leute zum Lachen zu reizen, die das Wasser nicht dabei halten können.

Aus diesen und andern Gründen hätt ich's niemals erwartet, daß meine *Kindermörderin* irgendwo auf die Bühne würde gebracht werden, und dennoch geschah es! Der Wahrischen Gesellschaft gelang es, in Preßburg ein Publikum zu finden, vor dem sie eine Vorstellung derselben mit einigen wenigen, unbedeutenden, zwar aber notwendigen (bei der Aufführung notwendigen) Veränderungen wagen durfte.

Mit dieser unerwarteten Art von Belohnung zufrieden, würde ich zeitlebens nie auf den Einfall geraten sein, den Stoff besagten Trauerspiels für andre oder hiesige Gegenden umzuarbeiten, wäre nicht schon vor zwei Jahren eine abgeänderte Ausgabe desselben in Berlin von dem jüngern Herrn Lessing, wie ich nachher erfahren, ohne mein Vorwissen veranstaltet worden. Zu meinem großen Vergnügen fand die dasige Polizei auf Anrufen des Nachtwächters in Altona für gut, die Vorstellung derselben zu verbieten, wofür ich ihr den verbindlichsten Dank hier abstatte.

Indessen bewog mich doch dieses zu einer Zeit, wo ich grade was Bessers zu tun nicht gestimmt war, selbst Hand anzulegen und den in der *Kindermörderin* behandelten Stoff so zu modifizieren, daß er auch in unsern delikaten, tugendlallenden Zeiten auf unsrer sogenannten gereinigten Bühne mit Ehren erscheinen dörfte. In dieser Rücksicht hab ich den ganzen ersten Akt unterdrückt und das Nötigste daraus, was der Zuschauer unumgänglich wissen mußte, in den folgenden Aufzügen an schicklichen Stellen eingeschaltet. Die dem jüngern Herrn Lessing so anstößige

Episode mit der Dose habe ich beibehalten, weil ich sie mit der Entwicklung schon in der Anlage zu sehr verbunden hatte und weil...

Da es nur denenjenigen neueren Trauerspieldichtern erlaubt ist, traurige Katastrophen anzubringen, denen man es bei jeder Szene ansieht, daß es ihr Ernst nicht ist und daß die Leute auf dem Theater nur so zum Spaß sterben, so hab ich, um allen meinen Zuschauern eine schlaflose Nacht zu ersparen, auch die Mühe über mich genommen, dem Ding am Ende eine andre Wendung zu geben, wofür mir, wie ich gewiß weiß, die meisten Dank wissen werden.

Ich überreiche demnach hiemit dem geneigten Leser keine *Kindermörderin*, sondern *Evchen Humbrecht*, ein Schauspiel. Unter diesem Titel ward es den vierten Septembris 1778 hier in Frankfurt am Main von der Seylerischen Schauspielergesellschaft zum erstenmal aufgeführt. Von der Vorstellung und wie sie gelungen sag ich deswegen nichts, weil es mir jederzeit verdächtig vorkam, wenn der Verfasser die Schauspieler loben will. Am Ende macht er sich immer daß größte Kompliment.

Matthias Claudius

»EMILIA GALOTTI«

Ein Trauerspiel von Gotthold Ephraim Lessing

1772

Wollt's wohl machen wie der Maler Conti; er lehnte anfangs das Gemälde der Emilia verwandt gegen einen Stuhl, aber die Leser haben wohl nicht so viel Geduld als der Prinz, will's also lieber gleich umwenden, daß sie die runden hervorliegenden Figuren sehn, den rauhen, biedern Odoardo, den feinen, guten Appiani, den Engel Emilia, den schönen, frechen, infamen Sünder Angelo und den noch infamern Filou und Hofschranzen Marinelli. »Der Künstler scheint mit dem Auge gemalt zu haben, weil so wenig auf dem langen Wege aus dem Auge durch den Arm in den Pinsel verlorengegangen ist; alles wie aus dem Spiegel gestohlen; das Stück soll nicht aufgehangen werden, soll bei der Hand bleiben, nicht wahr?«

Das erste also, was ich von diesem Trauerspiel zu sagen habe, ist, daß es mir gefallen hat; das heißt nun wohl eben nicht viel gesagt, aber es ist auch nie meine Sache gewesen, viel zu sagen; und wer da sagte, daß es ihm nicht gefallen habe, der hat doch noch weniger gesagt. Freilich, wenn ich verstünde, was zu einem guten Trauerspiel gehört, so könnt ich's alles weitläufig mit Gründen belegen und sagen so und so und dies und das und darum. So aber kann ich nur schlechthin sagen, was mir sonderlich gefallen hat, und das will ich frei tun, damit mich der Maler Conti nicht ins Kloster schicke. Sonderlich denn hat mir gefallen der Stolz des Malers Conti in seinem Gespräch mit'm Prinzen, sonderlich, daß Camillo Rota das Todesurteil doch wohl nicht mitgenommen hatte, sonderlich der Morgenbesuch des alten Odoardo, sonderlich Pirro und Angelo, sonderlich Odoardo und Claudia, sonderlich, daß Emilia nichts vor dem Grafen Appiani auf dem Herzen behalten wollte, sonderlich die melancholische Schwärmerei des Grafen Appiani, sonderlich sein Gespräch mit dem Hofschranzen, sonderlich Angelo und Marinelli, sonderlich Emilia, sonderlich Marinelli und Claudia, sonderlich Orsina und Marinelli, sonderlich Odoardo und Orsina, sonderlich Marinelli, der Prinz und Odoardo, sonderlich das ganze Stück von der »Kunst, die nach Brot geht« bis zu Odoardos schönem »Zieh hin«. Der Schuß im 1. Auftritt des 3. Akts hat mich recht erschreckt; ich war mir auf hundert Meile noch keinen Schuß vermuten. Auch die Orsina hat mich ein paarmal recht surpreniert; der Henker erwarte so viel Geist, Entschlossenheit und feste Wut von einer solchen Nickel; 's ist gar ein verteufeltes Weib, aber meisterhaft wie die andern.

Ein Ding hab ich nicht recht in Kopf bringen können, wie nämlich die Emilia, Seite 149, sozusagen bei der Leiche ihres Appiani an ihre Verführung durch einen andern Mann und an ihr warmes Blut denken konnte. Mich dünkt, ich hätt an ihrer Stelle nackt durch'n Heer der wollüstigsten Teufel gehen wollen, und keiner hätt es wagen sollen, mich anzurühren. Doch das kommt mir wohl nur so vor, und ich hab's bloß gesagt, damit ich mich ganz ledig sagte. Wollt's auch für viel nicht mit Herrn Lessing verderben. Er fackelt nicht; zwar, er gäb sich auch mit'm schlichten Boten wohl nicht ab, er ist's so mit Geheimden Räten gewohnt.

MATTHIAS CLAUDIUS

»DER HOFMEISTER ODER VORTEILE DER PRIVATERZIEHUNG«

Eine Komödie

1774

Sind zween Brüder von Berg, einer Geheimer Rat und der andre Major; haben beide Kinder, der Geheime Rat Fritzen und der Major Junkern Leopold und Gustchen; ist auch ein junger Leipziger Student, heißt Läufer, des alten Läufer sein Sohn, der'n gut Kompliment zur Menuett samt Pas machen, auch etwas zeichnen kann; wird Hofmeister bei Junker Leopold und Gustchen und lehrt den einen gar nichts und die andre zuviel, so daß der Major ihm eine Kugel durch den Arm knallt und er sich selbst durch einen desperaten Schnitt kastrieren tut; ist noch ein Privathofmeister im Stück, der auch ein elender, nichtsnütziger Gesell ist wie sein Eleve, der Herr von Seifenblase. Der Geheime Rat tut seinen Fritz in die öffentliche Schule und Universität schicken, und Fritz wird ein edel Kerl, nicht so von wegen des bekannten Stolzes etc., sondern von wegen, daß das Herz in seinem Leibe ein edles Herz war ... Ist auch ein Graf Wermuth, der für 30 000 Fl. tanzen kann und gerne für noch 30 000 Fr. mehr wie Pintinello möchte tanzen können, vermutlich sich selbst im Spiegel und der hochadelichen Frau Majorin desto besser zu gefallen, sind auch einige Studenten und Weibsleute aus Halle und eine alte Marthe, die Gustchen auf ihrer Flucht in ihre Hütte aufnimmt und ihres Kindes pflegt; ist endlich mein lieber Wenzeslaus mit seiner Brille, der kreuzbraveste Schulmeister, womit Gott je ein Dorf gesegnet hat, und Liese, ein junges gelbhaarigtes Bauernmädchen, mit ihrem Gesangbuch. Diese Leute haben nun einen Vorgang miteinander und handeln und sprechen dabei, ein Paar zivilisierte Subjekte ausgenommen, nicht wie gemalte Herren, sondern ganz natürlich und ungeschmickt von der Leber weg, so wie jedem die Natur den Handel und Sprechschnabel hat wachsen lassen. Freilich ein Maître des Arts wird mit dem alten Läufer sagen, daß der Autor sich in die Winke und Vapeurs der Frau Majorin (Theorie des Dramas einer dampfichten Dame) mehr hätte fügen und ein feiner artiger Autor sein sollen; er ist aber mit seinem Geheimen Rat des Dafürhaltens, daß ein Autor nicht an der Sklavenkette seufzen noch an den Winken der gnädigen Frau hängen müsse. »Ohne Freiheit geht das Genie bergab. Freiheit ist das Element des Autors wie das Wasser das des Fisches, und ein Autor, der sich der Freiheit begibt, vergiftet die edelsten Geister seiner Muse, erstickt die schönsten Reize seiner Komödie in der Blüte und ermordet sich selbst.« Sonach ist die Einheit der Zeit und des Ortes noch ganz gut beobachtet worden, denn die gesamte Handlung ist doch innerhalb'n Meilen oder sechzig und zehn bis zwanzig Jahre Zeit eingeschlossen, und da ist nichts von zu sagen. Der Geheime Rat ist ein vortrefflicher Mann, und die besten Figuren des Stücks sind der Major und Wenzeslaus. Doch ich will nicht weitläuftig über die Charaktere räsonieren; aber wäre ich König, so wäre der Geheime Rat mein Premierminister, sein Bruder mein Major, Graf Wermuth mein Hof-, und Bollwerk mein Feldmarschall, Pärus mein Vorleser und Maître de garderobe, Liese meine Maintenon, wenn ich nämlich so schwach wäre, einer zu bedürfen, Wenzeslaus mein Oberkonsistorialrat und Generalsuperintendent, und der Autor mein Freund.

MATTHIAS CLAUDIUS

»DIE LEIDEN DES JUNGEN WERTHERS«

Erster und zweiter Teil

1774

Weiß nicht, ob's 'n Geschicht oder 'n Gedicht ist; aber ganz natürlich geht's her und weiß einem die Tränen recht aus'm Kopf herauszuholen. Ja, die Lieb ist'n eigen Ding; läßt sich's nicht mit ihr spielen wie mit einem Vogel. Ich kenne sie, wie sie durch Leib und Leben geht und in jeder Ader zuckt und stört und mit'm Kopf und der Vernunft kurzweilt. Der arme Werther! Er hat sonst so feine Einfälle und Gedanken. Wenn er doch eine Reise nach Paris oder Peking getan hätte! So aber wollt' er nicht weg von Feuer und Bratspieß und wendet sich so lang dran herum, bis er kaputt ist. Und das ist eben das Unglück, daß einer bei so viel Geschick und Gaben so schwach sein kann, und darum sollen sie unter der Linde an der Kirchhofmauer neben seinem Grabhügel eine Grasbank machen, daß man sich drauf hinsetze und den Kopf in die Hand lege und über die menschliche Schwachheit weine. – Aber, wenn du ausgeweinet hast, sanfter guter Jüngling! wenn du ausgeweinet hast, so hebe den Kopf fröhlich auf und stemme die Hand in die Seite! denn es gibt Tugend, die, wie die Liebe, auch durch Leib und Leben geht und in jeder Ader zuckt und stört. Sie soll, dem Vernehmen nach, nur mit viel Ernst und Streben errungen werden und deswegen nicht sehr bekannt und beliebt sein; aber wer sie hat, dem soll sie auch dafür reichlich lohnen, bei Sonnenschein und Frost und Regen und wenn Freund Hein mit der Hippe kommt.

GOTTFRIED AUGUST BÜRGER

VORREDE ZU DEN GEDICHTEN

1770

Einige meiner bisher einzeln erschienenen Gedichte haben, das weis ich gewis, vielen wackern Leuten gefallen, und von andern, wofern eignes Urtheil nicht gänzlich fehlt, darf ich ein gleiches vermuten. Der Entschlus also, sie in einen eigenen Band für meine Freunde zu sammeln, scheint keiner Entschuldigung weiter zu bedürfen. Denn warum solte ich nicht in ein Haus gehn, wo ich nicht ungern gesehen zu werden hoffen darf?

Darum aber ist es mir noch lange nicht gemütlich, mit der Gebärde des Dünklings, der sich oft so gern für edeln Stolz verkaufen möchte, mein selbstzufriedenes Ich hier vor mir her zu lächeln oder zu schnauben. Denn, wenn auch der Beifal, der mir widerfährt, wolverdient und von unvergänglicher Dauer wäre, so weis und fühlt es doch gewis und warhaftig keiner meiner Brüder lebhafter als ich, daß es noch andre Verdienste zu Tausenden in der Welt gebe, denen das Verdienst, gute Verse zu machen, die Schuhriemen auflösen mus: wiewol es nun freilich unleugbar der Lauf irdischer Dinge mit sich bringt, daß das Ehrensiegel auf der Stirn des Dichters heller und dauerhafter ausgedrukt ist als auf den meisten andern. Ich selbst habe daher nie, weder mit Mund noch Herzen, das Aufheben davon gemacht, welches meine gütigen Freunde davon zu machen beliebt haben. Das werden mir alle diejenigen bezeugen, die je mit mir umgegangen sind und ein scherzendes Eigenlob, womit ich wol bisweilen zu spielen pflege, von dem ernstlichen zu unterscheiden wissen. Überdem weis ich auch sehr gut, wie leicht einem der Wind der

Laune und Mode, selbst wider Verdienst, Beifal entgegenwehen und wie geschwind sich dieser oft wenden könne. Ich weis sehr gut, daß nicht alle meine Gedichte allen, ja selbst meine Besten nicht allen gefallen werden. Manche verdienen und erhalten vielleicht gar keinen Beifal. Denn der Geist hat wie der Leib seine Anwandelungen von Schwachheit; und nicht aller Menschen Seelen sind mit einerlei Saiten bezogen; nicht alle haben gleiche Stimmung.

Darum aber ist es mir wiederum noch lange nicht gemütlich, in dünnethuender Demut, auf allen Vieren vor den Schemel der Kritik, sie sey welche sie wolle, zu kriechen und für irgend eins meiner Werke um Gnade zu betteln. Denn ich lebe und sterbe des Glaubens, das keinem darstellenden Werke, welchem die Natur lebendigen Odem in die Nase geblasen hat, tausend und abermal tausend Schemelrichter – was Schemelrichter? – selbst Thronrichter nicht! nur ein Härchen krümmen können. Ich lebe und sterbe des Glaubens, das tausend und abermal tausend Schemel- und Thronrichter zu ohnmächtig sind, ein an sich sieches Werk zu Gesundheit und Leben zu befördern. Mithin habe ich an diese Herren schlechterdings nichts zu bestellen.

Wandelt demnach hin, ihr Kinder meines Geistes und Herzens, schon von Haus aus mit eurem unvermeidlichen künftigen Schiksal geschwängert! Wandelt hin, entweder selbstständig in angebornem Vermögen oder hinfällig durch eigene innere Schwachheit! Niemand kan euch nemen, was ich euch gab; Niemand geben, was ihr von mir nicht empfinget. Nicht alle werdet ihr sterben: das weis ich, das darf ich sagen, dessen darf ich mich freuen. Nicht alle werdet ihr im Strome der Zeit oben bleiben; das weis ich eben so gut und darf es nicht verschweigen. Solte ich aber drob zagen und trauern? Keineswegs! Um eurer gesunden Brüder willen mag man euch verzeihen. Und wenn ihr nun auch dahin sinkt, was ist es denn mehr? – Tausende sind vor euch versunken, Tausende werden euch nachfolgen, ohne von gesunden, wackern Brüdern zu Grabe gesungen zu werden.

Erreicht habe ich mein Ziel, worauf ich seit der Zeit, da die Begriffe von Natur und Wesen darstellender Bildnerei etwas mehr in meinem Kopfe sich aufgeklärt haben, meistens losgesteuert bin, wenn meine Lieblingskinder den Mehrsten aus allen Klassen anschaulich und behaglich sind. Und warum solte mich es nicht freuen, daß es bei verschiedenen, wo ich dies Ziel mit Vorbedacht scharf auf das Korn genommen hatte und welche durch das ganze Volk – worunter ich mit nichten den Pöbel allein verstehe – gäng und gebe geworden sind, mir gelungen ist, zu bestätigen die Wahrheit des Artikels, woran ich festiglich glaube und welche die Axe ist, woherum meine ganze Poetik sich drehet: Alle darstellende Bildnerei kan und sol volksmässig seyn. Denn das ist das Siegel ihrer Vollkommenheit.

Ich war erst Willens, mein ausführliches Glaubensbekäntnis hierüber an diesem Ort in das Archiv meines Zeitalters, unbekümmert um den Ab- oder Beifal meiner gelehrten, verkünstelnden Zeitgenossen, für die Nachkunft niederzulegen. Da mir dies aber unter andern auch die Enge des vorgesetzten Raums verbietet, so bleibt es mir auf ein andres mal bevor, zu zeigen, wie eigentlich Volkspoesie, die ich als die einzige wahre anerkenne und über alles andre poetische Machwerk erhebe, beschaffen und möglich sey. Vielen von denen, die jezt leben, ist das freilich Aergernis oder Torheit. Aber Gedult! Das Joch,

Nicht auf immer lastet es! Frei, o Teutschland,
Wirst du dereinst! Ein Jahrhundert nur noch;
So ist es geschehen, so herscht
Der Natur Recht vor dem Schulrecht.

Ich darf nicht schliessen, ohne eins und das andre, was diese Samlung im einzelnen betrift, erst noch zu sagen.

Man hat mir erzält – denn ich lese solches Geschreibsels

blutwenig und höre überhaupt lieber, was man hier und da sagt, als ich lese, was ein Stubenschwizer schreibt, erzält hat man mir, daß hypochondrische oder hysterische Personen in einigen meiner Gedichte Anstos und Aergernis gefunden haben. Nachdem ich solche Stellen genau vor meinem Kopfe und Herzen geprüft, so habe ich befunden, daß das Aergernis nicht sowol gegeben als genommen war. Da es mir nun erlaubt seyn wird, dafür zu halten, daß mein Kopf keinem Schafe und mein Herz keinem Schurken gehöre, so habe ich solche Stellen getrost stehen lassen. Eine weitläufige Apologie dafür zu schreiben, hiesse, dem gesunden Menschenverstande ein Aergernis geben. Denn es leuchtet schon an sich in jedes gesunde Auge, daß es jämmerliche Dumheit sey, die Mutter Gottes oder gar den Weltheiland für entehrt zu achten, wenn ein Dichter zur Erhöhung seines darzustellenden Ideals von volkomner Weibesschönheit und Tugend hinzusezt:

Heiliger und schöner war
Nur die hochgebenedeite,
Die den Heiland uns gebar.

In der ersten Leseart stand zwar kaum für nur; aber das ist nach Sin und Sprache einerlei. Wenn der Mutter Gottes die höchste weibliche Schönheit und Tugend beigelegt wird, so dächte ich, selbst der strengste Katholik könte nicht mehr verlangen. Eine Person aber mus schlechterdings in der Welt gewesen seyn, die ihr hierin am nächsten gekommen ist. Ist es denn nun wol Sünde, wenn der Dichter sein Ideal auf die nächste Stufe unter ihr stelt? – Aber ich weis wol, woher sich so manche unsinnige Urtheile entspinnen. Es singt wol kein Dichter ein Liebeslied, das die Einfalt nicht seinen wirklich erlebten Liebesgeschichten anpast. Irgend ein Pinsel weis vielleicht, daß der Dichter dies oder jenes Mädchen liebt oder geliebt hat. Nun fängt er an zu vergleichen, und da mus es denn freilich auffallend seyn, das wirkliche Mädchen dem besungenen Mädchen der Einbildungskraft so weit nachstehen zu sehn. Aber wer heist euch denn vergessen, daß Dichter – Dichter sind? – Petrarcas Laura ist gewis und warhaftig das nicht gewesen, was die unsterblichen Lieder des Dichters aus ihr gemacht haben. Mein erwähntes Lied ist eine Fantasie, im Geiste der Provenzal- und Minnedichter. Die Geschichte erwähnt nichts davon, daß im zwölften und dreizehnten Jahrhundert ein Dichter über Stellen in den Ban gethan worden wäre, worüber den Zeloten des achtzehnten die dummen Augen zum Kopf heraus schwellen.

Ja, wird man mir nun einwenden, dem gesunden Verstande hast du freilich kein Ärgernis gegeben; aber, Dichter, du soltest doch auch der Schwachheit schonen. Ich antworte hierauf: Es ist zwar wider meinen Charakter, die Schwachheit nur unschuldiger Weise zu ärgern; aber sich auch immer und ewig nach ihr zu geniren, giebt der Menschheit kein Gedeihen. Ich hüte mich vor den Krankenstuben, wer heist die Kranken zu mir kommen und von meinen Speisen naschen? Was ist wol, ich wil nicht sagen gleichgültiges, sondern selbst ausgemacht gutes und vortrefliches in der Welt, worüber sich schlechterdings keine schwache Seele ärgerte? Der Gläubige ärgert sich über den Ungläubigen und der Ungläubige über den Gläubigen. Selbst über dich – wer steht dafür, daß nicht selbst über dich, o Johan Ahrends wahres Christenthum, Tausende sich schon geärgert haben, Tausende noch ärgern werden?

Um derjenigen willen, die von der Originalität eines darstellenden Werks und dem Verdienste seines Verfassers, Gott weis! was für seltsame Begriffe haben, mus ich offenherzig gestehen, daß ich den Inhalt zu einigen Gedichten aus fremden Sprachen entlehnt habe. Man bilde sich aber nicht ein, als ob ich in solchen Fällen das Original vor mir liegen gehabt und Zeile bei Zeile verdolmetschet hätte. Oefters hatte ich das fremde Gedicht vor Jahren gelesen; sein Inhalt war meinem Gedächtnisse gegenwärtig geblieben; diesen stelte ich teutsch dar und gab ihm Bildung und Farbe aus eignem Vermögen. Wer von dem Verhältnis dieser meiner teutschen Umbildungen zu den Originalen sich einen Begrif machen wil und etwa die wenigen englischen und französischen Stücke nicht bei der Hand hat, der vergleiche nur meine *Nachtfeier der Venus* mit dem lateinischen *Pervigilium Veneris* oder, noch näher, mein *Zechlied* mit seinem der Rarität und Schnurrigkeit wegen vorangesezten Originale. So viel ich hier ohngefähr dem Lateiner schuldig bin, so viel, oder nicht vielmehr, bin ich anderwärts dem Britten und Franzosen schuldig geworden. Indessen will ich doch, um die Litteratoren der undankbaren Mühe des Nachspürens zu überheben, alles, was nicht ganz mein eigen ist, getreulich hier anzeigen. Die *Nachtfeier*, das Lied *An Themiren*, und das *Zechlied* führen das Bekäntnis an der Stirne. *Das harte Mädchen* sowie das Lied *An den Traumgott* haben, wo ich mich recht erinnere, nur einige Stellen aus einem englischen Dichter, ich weis warhaftig nicht mehr, aus welchem, entlehnt. Es ist aber immer auch möglich, daß sie ganz mein eigen sind. *Adeline* ist, dünkt mich, nach Parnell; *Das Dörfchen* nach Bernard; *Die beiden Liebenden* nach Rochon de Chabannes; *Das vergnügte Leben* nach Grecourt; *Der Bruder Graurok*, *Die Entführung* und *Des Schäfers Liebeswerbung* sind nach altenglischen Gedichten in Percys bekanter Samlung, und endlich zu der *Umarmung* hat, wenn mir recht ist, eine Elegie des Johannes Secundus Anlas gegeben. So lang und nicht länger ist meine ganze Beichte. Kaum wär ich schuldig gewesen, sie so gewissenhaft abzulegen. Allen übrigen wird der schärfste litterarische Spürhund nichts fremdes abriechen, es müste denn seyn, daß die Geschichte von Lenardo und Blandine in alten Novellen unter dem Namen *Guiscardo und Gismunda* ähnlich, die Schnurre der Weiber von Weinsberg aber in alten Chroniken vorkomt und endlich die Handlung des *Braven Mannes* als wahr erzält wird. Wenn aber dies der

Originalität Eintrag thut, so bleibt – si parva licet componere magnis – selbst Shakespear der poetische Schöpfer nicht mehr. Einige wenige meiner Lieder sind in Ramlers *Lyrischer Blumenlese* anders erschienen, als ich sie zuerst in den Almanachen gegeben hatte. Was ich für Verbesserung hielt, das habe ich hier aufgenommen. Wo mir aber die neue Leseart blos Veränderung schien, da glaubte ich berechtigt zu seyn, die meinige vorzuziehen. Vielleicht irre ich sowol hier als dort.

Zum Beschlusse mus ich noch etwas von meiner Rechtschreibung erwänen, wiewol mir die lange Vorrede schon selbst fatal zu werden anfängt. Ich neme Klopstocks Saz, der auch der Saz der gesunden Vernunft ist, an: Man schreibt nicht für das Auge, sondern für das Ohr, und mus daher nicht mehr schreiben, als man aussprechen hört. Klopstock fügt hinzu: Auch nicht weniger! wogegen ich aber doch einiges Bedenken zu äusern habe. – Bin ich aber der Hauptregel überal nachgekommen? – Nein! und zwar aus der Vorsicht, die ebenfals Klopstock aus gutem Grunde empfielt. Man mus nicht alles auf einmal thun wollen, wenn es glücklich von Statten gehn sol. Die Misbräuche eines Tyrannen, wie der Sprachgebrauch ist, lassen sich nur nach und nach untergraben und auswurzeln. Sobald aber die gesunde Vernunft sie wirklich für Misbräuche erkent, so muß man es nicht immer gleichgültig oder zaghaft bei dem alten bewenden lassen, sondern anfangen, fortfahren und enden. Klopstock hat angefangen, manche wackere Leute sind schon fortgefaren; ich habe das nämliche gethan und wünsche gedeihliche Nachfolge. Ich habe noch mehr ungehörte Buchstaben als Klopstock und das unteutsche *y* mehrentheils verbant. Das die Dehnung anzeigende *h* kan überal und mus zunächst aus solchen Sylben wegbleiben, die man ohnehin dehnt und dehnen mus. Das *ß* ist ein höchst alberner Buchstab. Ein reines *s* oder *ss* kan uns die nämlichen Dienste wie andern Sprachen thun. Wo ein *ss* gehört wird, da kan man es ja statt des buklichen *ß* sezen, weil es wol ursprünglich und im Grunde nichts anders als ein durch Schreibverkürzung verändertes *ss* ist. Die überflüssigen Doppelkonsonanten am Ende habe ich fast überal weggelassen. Die grammatische Regel kan ja heissen: In der Umendung wird der Konsonans verdoppelt, z. B. das Ros, des Rosses, der Fus, des Fusses, der Schrit, des Schrittes. Freilich wil es das Auge oft übelnehmen und hierin wie ein Kind gehalten seyn. Ich leugne nicht: selbst das Meinige macht mir oft Kindereien. Eben darum aber mus man es nur nach und nach dran gewönen, da einen unnötigen Buchstaben zu missen, wo es sonst einen zu sehen gewohnt war. Und die tägliche Erfarung lehrt, wie geschwind es sich daran gewönen könne und wie es ihm nachher ebenso auffallend sey, den verbanten Buchstaben wieder da stehn als vorher, ihn mangeln zu sehen. Auch darf man sich warhaftig an dasjenige nicht kehren, was die alten Saalbader und Pfalbürger bis zum Ekel dagegen von sich zu geben pflegen. Die bleiben gemeiniglich unheilbar bei ihren fünf Augen, ob ihre Gründe gleich keinen Pfifferling wehrt sind. Allein sie sind es auch warlich nicht, die zur Bildung der Sprache berufen sind. Jeglichen ihrer Gründe kan man mit irgend einem Gegenbeispiele aus der Sprache, welchem sie selbst folgen, zu Boden stossen. Wenn sie meinen, man müsse einen ungehörten Buchstaben wegen unterschiedlicher Bedeutung einiger Wörter, die einerlei Klang haben, schreiben, so kan man ihnen, sowol aus unsrer als allen andern Sprachen hundert Beispiele darlegen, da Wörter von sehr verschiedener Bedeutung von ihnen selbst mit einerlei Buchstaben geschrieben werden. Sie schreiben lecken lambere wie lecken exsultare. Warum könte nun nicht war erat und wahr verum beides ohne *h* geschrieben werden, da die Aussprache volkommen einerlei ist? Im Grunde widerspricht blos das Auge, welches doch allenfals schon Warheit, stat Wahrheit duldet. Komt mir nicht mit der Undeutlichkeit aufgezogen! Das ist die albernste Ziererei, die ich kenne. Ein Teutscher versteht seine Sprache, oder solte sie doch verstehen. Alle Sprachen haben das an sich, daß man oft nicht den Sin aus einzelnen Wörtern, sondern dem ganzen Zusammenhange aufgreifen mus. Schreibt man ferner einem solchen Pfalbürger Rat für Rath, so ist es lustig, seine Maulgrimassen zu sehen, wenn er behauptet, daß man das Wort ohne *h* nicht anders als Ratt aussprechen könne. Dennoch schreibt der Geck selber er trat, er bat ohne *h* und spricht nicht er tratt, er batt aus. Schreibe ich ihm wiederum für matt mat, so grimassirt er von neuem, und spricht maat aus, wiewol er hat habet ganz richtig auszusprechen weis. – Liebe Brüder, wenn ihr eure Sprache lieb habt, so tretet dem Schlendrian auf den Kopf und richtet euch nach den Regeln der Vernunft und einfachen Schönheit! Nach welcher sich schon gröstentheils die Minnesinger richteten, eh die nachfolgenden plumpern Jahrhunderte die Sprache mit so vielen unnötigen Buchstaben überluden. Jene schrieben fast gar kein Dehnungs-*h*, und das giebt der Sprache ein noch einmal so einfaches, reines und schönes Ansehen.

Klopstock schlägt, nächst der Verbannung ungehörter Buchstaben, zum Behufe richtiger Aussprache in Ansehung der Dehnung und Verkürzung ein algemeines, die Augen am wenigsten beleidigendes Dehnungszeichen vor. Ich kan mir keines denken, das nicht die reine, einfache Schönheit im Schreiben und Drucken beschmuzen solte. Die Accente und Circumflexe im Griechischen, so klein sie auch für das Auge sind, sind mir dennoch sehr zuwider, weil dadurch der schöne, weisse, helle Raum ohne Symmetrie volgeschnörkelt wird. Weit besser, wir hätten wie die Griechen unterschiedene Figuren für die langen und kurzen Selbstlaute. Wozu ist im Grunde ein solches Zeichen nötig? Es ist überflüssig. Wir entberen es schon in vielen Wörtern ohne den geringsten Nachtheil. Ein Teutscher weis und mus es ohnehin schon wissen, wie er seine Sprache auszusprechen habe. Die Fremden, denen daran gelegen ist, sie zu lernen, mögen, wie so vieles andere, auch dies mit lernen. Wer malt uns bei dem Lateinischen die Quantität, die Dehnung oder Verkürzung, wer bei allen andern Sprachen die Aussprache vor? Lernen müssen wir sie und lernen sie auch. So etwas dem Ausländer vorzuzeichnen wäre ebensoviel, als jedem teutschen Buche für den Franzosen oder Britten eine versionem interlinearem beizufügen. Wil man ja dem Ausländer durch solche Zeichen zu Hülfe kommen, so geschehe es doch nirgends als höchstens in der Grammatik oder in dem Lexikon.

Hiermit hoffe ich mich einstweilen hinlänglich erklärt und dem Argwohn vorgebeugt zu haben, als ob ich blos aus Eigensin, Neuerungs- oder Geniesucht – daß ich mich dieses von Crethi und Plethi so sehr ausgemergelten Spotworts bediene – so und nicht anders geschrieben hätte. Ich bin sonst keineswegs ein Feind der Mode und des Schlendrians; habe nicht gern ein Abzeichen an mir, seze meinen Hut, trage meine Haare und Kleider, kurz, von Haupt bis zu Fus trage und gebärde ich mich immer gern wie die meisten andern wackern Gesellen von meinem Schlage und freue mich, wenn sie mich für Ihrer Einen halten, solange Mode und Schlendrian nur gut oder wenigstens gleichgültig sind. Wo sie aber demjenigen, was mir besser scheint, das Widerspiel halten, da folge ich herzhaft meinem mir angeborenen Freiheitssinne.

Ulrich Bräker

ETWAS ÜBER WILLIAM SHAKESPEARES SCHAUSPIELE

von einem armen, ungelehrten Weltbürger,
der das Glück genoß, ihn zu lesen

1780

»Julius Cäsar«

Unter den Trauerspielen das liebste ohne zwei, aber es soll nicht *Julius Cäsar*, sondern *Brutus, Brutus – Markus Brutus* heißen. Cäsar kommt ja nur ein paarmal zum Vorschein, hingegen Brutus ist das ganze Stück aus und aus die Hauptperson, die unsere ganze Aufmerksamkeit auf sich zieht. Ich glaube nicht, den Inhalt dieses Stückes herzusetzen, ich weiß es auswendig wie das Vaterunser – aber etwas von Empfindungen, von Gedanken, deren ich oft voll war. Oft dachte ich, warum müssen wir doch hier die Mörder lieben und den Ermordeten nicht halb soviel bedauern als einen andren Unglücklichen. Nein, ich bedaure dich, edler Cäsar, und denke, jene patriotischen Geschichtsschreiber haben dich vernachlässigt, ihr Patriotismus seie mit des Brutus seinem in genauem Verhältnis gestanden. O Brutus, wann du so ein seltener Mann warst, wie du hier auftrittst, wie konnten die Götter zugeben, daß du in blindem Eifer in solche gefährliche Klippen verstiegest. Konnte dein edler, weitsichtiger Geist kein ander Mittel finden, Rom ohne König zu erhalten, als Cäsars Blut und Leben – war's denn im Rat der Wächter beschlossen? Brutus, der edle Brutus, stolz auf seine gute Sache, auf seine redlichen Gesinnungen, stolz, daß er ein Mann war, der sich nichts vorzuwerfen hatte, diesen Brutus soll seine eigne Gerechtigkeit fällen, auf die er trotzet. O Brutus, wärst du mehr Zweifler gewesen, mehr argwöhnisch gegen deine Biedermannsbrust, hättest tief in den Rat der Götter eingeschaut, aber nun war's vor deinen Augen verborgen. Es muß wahr bleiben, der Mann, der sich auf sein eigen Herz verlaßt, der ist ein Narr. Die Klugheit der Welt muß zur Narrheit werden; du mußtest selber wie ein blinder Pfaffe Märtyrer machen und zuletzt selbst einer werden. Hätte doch dein edler Geist die Pflanzungen genossen, die unsere junge, gelehrte Welt genießt. Doch was half's einen Werther, daß der Gelehrteste unserer Zeiten sein Vater war? Wer kann in die Labyrinthe des menschlichen Herzens, noch weniger in die Geheimnisse des Himmels einschauen? Ich will nicht grübeln. Vielleicht hat Kain auch gedacht, es sei nicht gut, daß Abel die unbewohnte Erde mit seinen froher Gesichtern bevölkere, und Kaiphas mag auch patriotische Gesinnungen gehabt haben, als er seinen Juden sagte, es wäre gut, daß ein Mensch für das Volk stürbe. Ja, meinetwegen, mein Teil sei nicht mit diesen Blutschuldnern. Nein, Brutus, so wie du gezeichnet bist, warst du nicht neidisch, nicht blutdürstig, und doch ist der Mensch von Natur ein fleischfressendes Tier. Aber du warst edel gesinnt. Eine Seele in die Hölle schicken für tausend Seelen zeitliche Freiheit dünkt dir ein Geringes. Du hattest nur Augen, wie's patriotische Helden haben, meinst, wer hier ein redlicher Mann sei, dem könn's nicht fehlen – aber holla. Die Vaterlandsliebe heischt nicht Bürgerblut. Getrost, ihr Toggenburger, wenn Brutus, der edle Brutus, durfte den besten, größten Römer des allgemeinen Wohls wegen morden, so durften ihr Väter auch Rüdlinger und Keller als Verräter totschlagen, wann ihr gewiß wußtet, daß sie solche waren; und ich glaube, eure Gewißheit sei so stark gewesen als des Brutus seine, daß Cäsar sie zu Sklaven machen werde. Aber ihr habt es, als aufgewiegelte Rebellen, in dummer rachsüchtiger Wut getan, hingegen Brutus konnte lieben und morden zugleich, ohne den geringsten Neid, morden, den morden, den er liebte, der sein Freund war. Oh, das glaub ich in Ewigkeit nicht, daß man seinen Freund morden könne ohne andere Absichten, als weil man von ihm böse Folgen fürchtet für das gemeine Wesen. Gewiß, Brutus, du hattest Absichten, und sollten sie von jenes Mordbrenners Art gewesen sein, der den Tempel von Ephesus in Brand steckte. Ich liebe dich, Brutus, aber gewiß, du hattest noch andere Absichten, deine Maler mögen dich auch zeichnen, wie sie wollen, und sich noch soviel Mühe geben, die geheimsten Falten deiner Brust zu verstecken. Um Gottes willen, wie konntest du deinen Freund, der dich zärtlich liebte, auf so eine verräterische Art auf die Schlachtbank liefern und selbst einen Dolch in die Brust stoßen, du, der du deiner Portia so zärtlich begegnet, der du kaum so hartherzig sein konntest, deine Bedienten vom Schlaf aufzuwecken – du konntest so unfreundlich auf die Brust deines Freundes zufahren, daß er nicht einst über dich herrsche? Nein, dieser Brutus hätte dies nicht können übers Herz bringen, er hätte gesagt: Nein, lieber Cassius, nein, wir wollen warten, bis wir dringende Ursachen dazu haben – es ist noch immer früh genug, sobald Cäsar nicht mehr der edle Cäsar ist; und dann werden die Götter vielleicht andre Mittel finden, daß wir unsere Hände nicht mit unsers besten Bürgers Blut beflecken. Aber du hast's getan, Brutus, darum warst du nicht dieser Brutus, nicht der, der sich nicht vorstellen konnte, warum ein Mann einen Eid schwören und wie er sein gegebenes Ehrenwort nicht halten sollte. Aber Cassius hat dich verführt, und doch dünkt er mich fast so gut als du; freilich hat er ein Funken von seinem Neid in den Zunder deiner Brust gelegt, aber dieser Zunder ist ohne Namen.

O William, hier führst du lauter seltene Menschen auf, lauter verschiedene Charakter, von denen man keinen sonderlich hassen, vielmehr noch lieben muß. Was ist ein Casca, ein Trebonius, selbst Lucilius, Dardanius! Brutus'

Bediente sind liebenswürdig; und welche zärtliche Gattinnen sind Kalpurnia und Portia! Und Antonius ist man so gut wie seinem Bruder, wenn man nicht einen verdächtigen Blick in seinen Busen tut. Welch eine zierliche politische Rede hielt dieser Antonius auf seinem Rednerstuhl bei Cäsars Leiche. Aber Brutus, der seltene Brutus, laßt ihm kaum Zeit, einen andern zu bemerken. O Brutus, wie konntest du doch so mißtrauisch und argwöhnisch gegen Cäsar sein und von diesem gefährlichen Antonio so leichtgläubig und gutdenkend. – Du bist der wunderbarste Mensch von der Welt, der zärtlichste Gatte, der beste Herr, der herzlichste Freund, der redlichste Bürger und doch ein verräterischer Meuchelmörder. Höre, William, dies Stück hat mir mehr Denkens gemacht, als ich sagen könnte, oft hat's mich, vielleicht ohne deinen Willen, tief ins Heiligtum Gottes hineingeführt. Mit Herzenslust hab ich's gelesen und wieder gelesen. Soll mir einer kommen, der so einen Cäsar, Brutus, Cassius und einen Antonius mache. Aber meine Anmerkung soll nichts gelten, sie ist bei übler Laune geschrieben.

»Wie es euch gefällt«

Mir gefällt's, in der Tat, mir gefällt's recht wohl. Freilich ist nicht daran gelegen, ob's mir gefalle oder nicht, mir aber ist's genug, wenn's mir gefällt. Gewiß, mir ist's ein allerliebstes Stück, bin ganz in etliche Personen verliebt. Da kommt ein Orlando vor, gewiß liebenswert gezeichnet, der von seinem älteren Bruder Oliver, einem Bärnhäuter, ein rechter Kain, geneidet, unterdrückt wird, der ihn gar mit Manier aus dem Wege räumen wollte, indem Oliver ihn zu einem Wettkampf mit einem handfesten, verwegenen Kerl, einem Ringer, aufhetzt und diesem winkte, Orlando den Hals zu brechen, der aber herrlich über den Kerl siegte. Dann Adam, ein ehrlicher Bedienter, der in seinen alten Tagen dem Orlando so treu davonhalf aus der Schlinge, die ihm nach dem Sieg von dem bösen Herzog und seinem verräterischen Bruder gelegt ward. Man möchte den redlichen Adam auf seinen Rücken nehmen und in eine bessere Welt tragen. O Redlichkeit, du mußt dich oft müd und matt unter einen Baum hinlegen, verfolgt von deinen verräterischen Feinden – Falschheit – mußt du im Elend darben, indem sie sich in Wollust badet und auf Thronen schwelgt. Da kommen dann auch zwei weibliche David und Jonathane daher, so liebenswürdig, o so reizend, daß man von Stund an ihr Packträger werden möchte: Celia und Rosalinde, des vertriebenen und des regierenden Herzogs Töchter, die miteinander die Flucht nehmen nach dem Ardennenwald, den alten Herzog aufzusuchen. Ich möchte diese possierliche Reise mitmachen, Hunger und Durst, Frost und Hitze und alles Ungemach ausstehen: der Rüpel ist auch nirgends so aufgeräumt als bei diesen zwei allerliebsten Geschöpfen. Und dann der alte, edle Herzog Friedrich, wie edel in seiner Verbannung, in der reizend beschriebenen Einöde. Wie schön beschreibt er da ein freies Leben gegen dem falschen Hofleben, wie schön auf der Jagd gegen das unfreundliche Wetter trotzend und doch zufrieden. Dann seine Gefährten, Amiens und Jacques, edle Kameraden, die in die Verbannung folgen. Jacques, wie er da am Bach über einen angeschossenen, ächzenden Hirschen moralisierte, der in den Strom hineinweinte, der doch keines Wassers bedurfte. Der arme, verlassene haarichte Tropf – edler Jacques, du hast recht, so treibt das Unglück die Flut der Gesellschaft zurück. Wie eine sorglose Herde vorbeistrich, wohlgefüttert und stolz: Ja, schwärmt nur vorbei, sagst du, ihr feisten und aufgefütterten Bürger, ja das ist eben die Mode. Du hast recht, die Menschen sind alle Räuber, Mörder und Tyrannen. Die Tiere sind in ihren von der Natur angewiesenen, angeborenen Wohnplätzen nicht sicher, sie schrecken sie heraus und töten sie. Sie machen dir Vorwürfe, guter Jacques, daß du selbst ein ausschweifender Bube warst und nun deine Sünden der Welt aufbürden wollest. Ach, sie machen es so, besser, wir halten das Maul. Wer je in seinem Leben einen Fehltritt getan, den läßt man gar kein Wort mehr über die Sitten sagen, andernst die Farbe des Volkes begünstige ihn. O du hast recht, eine Harlekinsrolle. Gewiß, man hätte große Lust, ein Narr zu werden. Wie der gute Orlando auf Wildbret ausgeht und seinem treuen Adam zu leben befiehlt, den alten Herzog und seine Leute unterm Baum beim Essen überrascht. Oh, da ist's all so angenehm, so reizend beschrieben, wie er die Mahlzeit der Not heischt, wie sie darüber philosophieren und als Freunde da im freien Felde so patriarchaisch tischinieren. Dann die ländliche Gegend, die Schäferei, die Schäfer und Schäferinnen – wie angenehm, wie reizend. Oh, Sir William, du hast gewiß dies holde Schäferleben nach der Länge studiert, bist wohl oft wonnetrunken von den Schafhürden nach der tumoltischen Stadt zurückgekehrt. Ein verliebter Sylvius und eine spröde Phöbe mögen oft dein Herz gerührt haben, daß du deine Rosalinde selbst zur Schäferin gewünscht. Wie artig paßt ihr da ihr Schäferkleid, indem sie eine ganze Schäferei kauft. Aber sie spielt dem guten Orlando ein bißchen wunderlich herum, kommt schier ins Abenteuerliche hinein – aber ich verzeihe ihr alles, weil ich schon von Anfang in sie verliebt bin. Schönste Rosalinde, du möchtest nun zur Zauberin oder noch so wunderlich werden, wie es dich immer gelustet, ich müßte dir dennoch gut sein; Hosen und Wams stehen dir so trefflich wohl an. Der Rüpel und Audrey sind so zierlich; so grob und ungeschliffen sie sind, so stellen sie doch den größten Haufen von Menschen vor. Sie möchten so sehr über diese Heirat lachen, als sie wollten, so würden sich doch viele Tausend hier gezeichnet finden, wenn sie sich selbst kennten. Genug, hier gefällt mir alles, voraus diese einödige Gegend, die schöne Gesellschaft von Hirten und Jägern und wundertätigen Schäferinnen. Ja, du hast Himmelsmacht, göttlicher Mann: einen tyrannischen Herzog, einen barbarischen Bruder bekehrst du plötzlich wie jener Blitz einen Saul, machst Helden wie David, der Löwen besiegt, machst die wunderbarsten und glücklichsten Ehen, hilfst der verstoßenen Unschuld auf den Thron und stürzest hohnsprechende Goliaths zu Boden. Wem sollte deine Arbeit nicht gefallen, du Wundermann? Vielleicht einem stolzen Städtler, einem brutalen Höfling, der nur Gefühl hat für die rauschende Lust oder für verzärtelte Nerven. Mir gefällt's, lieber Mann. Ich bin dir viel Dank dafür schuldig. Du hast mich ergötzt, belehrt und beruhigt. Mir gefällt's wohl.

»Hamlet«

Hamlet, du König unter allen Spielen, du Kern aller Werke, das je ein Dichter von der Art machen konnte, du Edelstein in der Krone, die dem Künstler mehr Ehre macht als dem, der sie trägt, du Ausbund unter den Schönen, Zierde aller Bühnen, Diamant aller Büchersäle, Herz in den Herzen – ich wüßte nicht Worte, mich auszudrücken, wie sehr du mein Liebling bist; ich werde nicht ruhen, bis du nebst deinen Bedienten, oder wenigstens einzeln, mein armseliges Bücherschrank zierst. Du nützest mir mehr als tausend Habermann und zehntausend *Wetterglocken* – mehr als alle Schmolcken und Zollikofer – machst mich wirksamer, tätiger als alle Bogatzkischen Sporren. Hamlet, du bist mir, was ich will – durch dich seh ich deinem Meister ins Innerste. Komm, großer William, da, hier will ich mit dir ins Allerheiligste eindringen – stoße mich nicht zurück – besorge nichts, ich will nichts ausschwatzen, nur wie dein Hündchen hintennachschleichen. Du hast noch nichts deutsch herausgesagt, aber ich errate dich doch, vielleicht konntest du dich nicht deutlicher erklären. Recht, ich auch nicht, schweige nur, ich will auch schweigen – die

Geheimnisse vom Innern des Tempels wollen wir bei uns behalten. Halt, du gehst zu weit, Fantasie – wann ich nur das Einlenken verstünde. Ha, ich wollte den Hauptinhalt dieses schönen Trauerspiels hersetzen, in kurzen Zügen zusammenfassen – aber es wäre mir unmöglich – Oh, es wäre himmelschad, ich würde den ganzen Bau jämmerlich verhunzen. Nein, ich will lieber wie ein Hummel auf einer buntgeschmückten, blumenreichen Flur frei herumflattern, mich voll Entzücken auf jede Blume setzen und Labung saugen... Vergönne mir's, großer Mann, keine Blume soll nicht das geringste von Farb und Geruch verlieren, ich will nur Düfte mitnehmen, deren jene genug hat, wenn auch gleich Millionen von Hummeln darauf sitzen und jede ihr Leibgeschmack heraussaugt. Da find ich all die herrlichste, innigste Anmut in diesem Leben – Leidenschaften – zärtliche, wehmütige Handlungen – überzückerte Sünden, alles durcheinandergewebt und so zierlich gebaut wie ein fürstliches Schloß, wo's Gefängnisse, Roßställe und auch güldne Zimmer hat. – Der anmutigste Irrgarten, wo's die herrlichsten Rosen, die schönsten Blumen, aber stolze Stinkrosen, übergüldete Sodomsäpfel auch hat. Hier irrt man wie begeistert, voll inniger Wonne herum, hat die anmutigsten, die herzlichsten Träume. Bald schmelzt man in liebender Wehmut zu Boden – ein heiliger Feureifer sprengt uns wieder auf, dann kommt ein sanftes elisäisches Säuseln mit feuchtenden Dünsten und schmelzt alles zusammen in ein neu belebendes Element, daß man keinen Ausgang wünschet. Die Handlungen sind so mannigfaltig und so abwechselnd und der Stoff so ausgesucht und getroffen, daß tausend Romeo sich verbergen davor. Hier geht alles so sachte, so ordentlich seinen Gang wie die ganze Natur. Vorher kann man's nicht erraten und nachher sagt man, das hab ich wohl gedacht – oder ich hätt's doch erraten sollen. Da gibt es Brüder – oh, so herzliche Brüder – Soldaten auf ihren Posten, die da in der einsamen Nacht so brüderlich Gedanken wechseln und gerade so denken wie einer, der kann denken, bei Nacht denkt – in der mäusestillen Mitternacht, wo all des Himmels Herrlichkeiten so majestätisch und ruhig ob unsern Köpfen hinschweben. Die heilige Stille, ein sanftes Schwirren um uns her, das dumpfe Getöse fort – immerfort rollender Bäche – und dann der schwarze Flor – das all die Geister so belebt machende Todesbild – sollte Francesco, sollte – oh, wer sollte nicht denken und viel denken! Kein Wunder, wenn Geister sich in solche Nächte verlieben, kein Wunder, Hamlet, daß deines Vaters Geist diese holden Schatten ausliest, um dir aus jener Welt Bericht zu sagen. Doch ich will nichts von Geistern, bis dies Gehäus zerfällt – dann, dann, o dann, all ihr Scharen guter, wohltätiger Geister, dann nehmt meinen nackten Geist in eure Gesellschaft auf. Hamlet, Hamlet – ha, dein Grillisieren, Phantasieren über Gegenwart und Zukunft, über Leben und Tod, Schlafen und Träumen und all der rätselhaften Dinge – ha, das macht einen so voll Gedanken – nicht unruhig – nein, sanft träumend, dir nachspürend in der anmutigsten Sphäre. – Und dein Wahnwitz, Hamlet – nein man sollte glauben, die andern, nicht du, seien wahnwitzig – Polonius, Rosenkranz, Güldenstern, Osrick – oh, die sind wahnwitzig. Dein Lesen da und deine Antwort – ha, der satirische Bube da schreibt, alte Männer haben graue Bärte – und dort wolltest du Güldenstern pfeifen lehren – ja, du warst mir auch der rechte Pfeifer. Aber auf dir möcht ich nicht pfeifen, und doch bist du mir die liebenswürdigste Pfeife – sonderlich, wenn dein rauhstes Tonloch verstopft wäre. Nur etwas mehr Milde, göttliche Milde, dann wärst du ein Halbgott, die schönste Seele. Und dein Horatio, dein Freund, den du so reizend beschreibst, oh, so ein Freund ist mehr wert als eine halbe Welt. O Welt, warum bist du so dünn besät mit solchen Freunden, solch redlichen Seelen, solch edlen Herzen. O ihr Himmelssöhne, wo ihr immer seid, wohl euch, ewig wohl; ihr tragt einen Himmel in eurem Busen,

Ruhe und Segen wird euren Seelen folgen, die Scharen Geister solcher Engelssöhne werden eure Überfahrt besorgen, euch mit Jauchzen in ihre frohen, seligen Gesellschaften aufnehmen. Oh, laßt immer die falschen Freunde am Weg stehn, lächeln und lächeln und süße Gesichtli machen, die bittern Zahner ihre Zähne blöcken – nur getrosten Muts, der Himmel spottet der List des Schlangengeschlechts, er hasset die falschen Herzen, Angst und Unruh folgt ihren Tritten – weint ihnen doch eine wehmütige Träne, ihr redlichen Seelen, dann sie sind arme, elende Geschöpfe. – Doch ich verliere mich, möchte um viel kein Prediger sein. Die Szenen von Ophelia sind rührende Auftritte – ihre wahnwitzigen Liederchen so sanft eindringend, welche Mark und Bein mit einer Wehmut füllen. Wann die Königin Gertrude nichts Gutes getan, hat sie doch dies getan, daß sie ihre Todesart so herzdurchdringend beschrieben. Man muß dir mit wehmütigen Schritten in die Flut hinein folgen, du schuldloses, zartes Lämmchen, wann dich der Strom so fortwälzt und du wie eine Wassernymphe singend daherfährst und in Triumph dem Tode zueilst.

Aber alles übertrifft die Szene, wo die Totengräber ihr Grab machen – gewiß, die Kerl könnten nicht netter gezeichnet sein. Wie Hamlet und sein Freund Horatio so zusehen, wie die Kerls mit den Schädeln und Knochen herumspielen und sie so drüber kritteln und Schlüsse machen. Gewiß, William, du hast diese Szene auf einem Kirchhof gemacht – ich weiß, wie da ei'm die Gedanken im Kopf rumwirbeln, wann das Totengebrumm der Glocken durch die Ohren fährt und das Klagegeheul der Weiber und all die traurigen Feierlichkeiten so eindringen. Ja, ja, William, da fahren tausend Gedanken durch den Kopf, die man sonst selten denkt. Dein Yorik, Hamlet, dein Yorik – ich weiß, wie nahe das geht, wenn man erst sieht die Knochen eines Vaters heraushudeln – wie das all durch die Seele fährt. Gott, was sind die Menschen! Konnten du und Laertes bei allen diesen Feierlichkeiten noch so heftig ineinanderfahren. Ach, das brutale Ding, der Mensch, tut's nicht anders, solang er Luft in sich zieht. Nein, Hamlet, du und Laertes haben sich menschlich edel verhalten, einen anständigen Frieden gemacht. Laertes hatte recht, böse auf dich zu sein, warum hast du seinen Vater für eine Ratze erstochen; schon er ein geselliger, plauderhafter Hofmann war, so war er doch sein Vater – und Laertes gefällt mir wohl. Aber gegen Rosenkranz und Güldenstern bist du streng; vielleicht wußten sie gar nicht um den Befehl, dich hinzurichten, und doch gabst du Order, sie so traurig hinzurichten. Wie mögen die Männer Augen gemacht haben, daß man sie schnell zum Block führte, sobald sie nur einen Fuß ans Land setzten.

Den übertünkten königlichen Heuchler hast du gar zu gut gezeichnet. Aber warum hast du auf dem Duellplatz – Hamlet, warum hast du nicht das Billett wegen deiner Hinrichtung hervorgezogen, deinen Verräter entdeckt und deine und Laertes Wut auf ihn gerichtet und dem traurigen Spektakel ein Ende gemacht?

Ich möchte dies Stück auf der Bühne sehen spielen – und da dünkt's mich, ich woll's lieber so – meine immer, es sei schade drum. Gewiß, man muß es verderben – ich glaube nicht, daß man so leicht ein Gesicht finde, das zu Hamlets Charakter paßt. Königs und seiner Gertrude gibt's genug, Polonius, Rosenkranz und Güldensterns auch. Aber die Szene, wo der Geist in voller Rüstung auftritt und wo die Totengräber auftreten und man das sanfte, schlafende Täubchen zur Ruhe hinsenkt, die müssen gewiß verhunzt werden. Nein, so lebhaft kann's nicht vorgestellt werden, als wie man sich's vorstellt, wenn man's liest. Genug, Hamlet, du bist ein wundervoller Mann. Hätte dich nicht ein großer Künstler gemacht, so wärst du nicht, was du bist – aber du hattest auch ein schweres Geschicke zu tragen.

Johann Wolfgang Goethe

ZUM SCHÄKESPEARS TAG

1771

Mir kommt vor, das sei die edelste von unsern Empfindungen: die Hoffnung, auch dann zu bleiben, wenn das Schicksal uns zur allgemeinen Nonexistenz zurückgeführt zu haben scheint. Dieses Leben, meine Herren, ist für unsre Seele viel zu kurz; Zeuge, daß jeder Mensch, der geringste wie der höchste, der unfähigste wie der würdigste, eher alles müd wird als zu leben; und daß keiner sein Ziel erreicht, wornach er so sehnlich ausging; denn wenn es einem auf seinem Gange auch noch so lang glückt, fällt er doch endlich, und oft im Angesicht des gehofften Zwecks, in eine Grube, die ihm Gott weiß wer gegraben hat, und wird für nichts gerechnet.

Für nichts gerechnet! Ich! Da ich mir alles bin, da ich alles nur durch mich kenne! So ruft jeder, der sich fühlt, und macht große Schritte durch dieses Leben, eine Bereitung für den unendlichen Weg drüben. Freilich, jeder nach seinem Maß. Macht der eine mit dem stärksten Wandertrab sich auf, so hat der andre Siebenmeilenstiefel an, überschreitet ihn, und zwei Schritte des letzten bezeichnen die Tagreise des ersten. Dem sei, wie ihm wolle: dieser emsige Wandrer bleibt unser Freund und unser Geselle, wenn wir die gigantischen Schritte jenes anstaunen und ehren, seinen Fußtapfen folgen, seine Schritte mit den unsrigen abmessen.

Auf die Reise, meine Herren! Die Betrachtung so eines einzigen Tapfs macht unsre Seele feuriger und größer als das Angaffen eines tausendfüßigen königlichen Einzugs.

Wir ehren heute das Andenken des größten Wandrers

und tun uns dadurch selbst eine Ehre an. Von Verdiensten, die wir zu schätzen wissen, haben wir den Keim in uns.

Erwarten Sie nicht, daß ich viel und ordentlich schreibe! Ruhe der Seele ist kein Festtagskleid, und noch zur Zeit habe ich wenig über Shakespearen gedacht; geahndet, empfunden, wenn's hoch kam, ist das Höchste, wohin ich's habe bringen können. Die erste Seite, die ich in ihm las, machte mich auf zeitlebens ihm eigen, und wie ich mit dem ersten Stücke fertig war, stund ich wie ein Blindgeborner, dem eine Wunderhand das Gesicht in einem Augenblicke schenkt. Ich erkannte, ich fühlte aufs lebhafteste meine Existenz um eine Unendlichkeit erweitert; alles war mir neu, unbekannt, und das ungewohnte Licht machte mir Augenschmerzen. Nach und nach lernt ich sehen, und, Dank sei meinem erkenntlichen Genius! ich fühle noch immer lebhaft, was ich gewonnen habe.

Ich zweifelte keinen Augenblick, dem regelmäßigen Theater zu entsagen. Es schien mir die Einheit des Orts so kerkermäßig ängstlich, die Einheiten der Handlung und der Zeit lästige Fesseln unsrer Einbildungskraft. Ich sprang in die freie Luft und fühlte erst, daß ich Hände und Füße hatte. Und jetzo, da ich sahe, wieviel Unrecht mir die Herrn der Regeln in ihrem Loch angetan haben, wieviel freie Seelen noch drinne sich krümmen, so wäre mir mein Herz geborsten, wenn ich ihnen nicht Fehde angekündigt hätte und nicht täglich suchte, ihre Türme zusammenzuschlagen.

Das griechische Theater, das die Franzosen zum Muster nahmen, war nach innrer und äußerer Beschaffenheit so, daß eher ein Marquis den Alkibiades nachahmen könnte, als es Corneillen dem Sophokles zu folgen möglich wär.

Erst Intermezzo des Gottesdiensts, dann feierlich politisch, zeigte das Trauerspiel einzelne große Handlungen der Väter dem Volk mit der reinen Einfalt der Vollkommenheit, erregte ganze, große Empfindungen in den Seelen; denn es war selbst ganz und groß.

Und in was für Seelen! Griechischen! Ich kann mich nicht erklären, was das heißt, aber ich fühl's und berufe mich der Kürze halber auf Homer und Sophokles und Theokrit; die haben's mich fühlen gelehrt.

Nun sag ich geschwind hintendrein: Französgen, was willst du mit der griechischen Rüstung? Sie ist dir zu groß und zu schwer.

Drum sind auch alle französische Trauerspiele Parodien von sich selbst. Wie das so regelmäßig zugeht, und daß sie einander ähnlich sind wie Schuhe und auch langweilig mitunter, besonders in genere im vierten Akt, das wissen die Herren leider aus der Erfahrung, und ich sage nichts davon.

Wer eigentlich zuerst drauf gekommen ist, die Haupt- und Staatsaktionen aufs Theater zu bringen, weiß ich nicht; es gibt Gelegenheit für den Liebhaber zu einer kritischen Abhandlung. Ob Shakespearen die Ehre der Erfindung gehört, zweifl' ich; genung, er brachte diese Art auf den Grad, der noch immer der höchste geschienen hat, da so wenig Augen hinaufreichen und also schwer zu hoffen ist, einer könne ihn übersehen oder gar übersteigen.

Shakespeare, mein Freund! Wenn du noch unter uns wärest, ich könnte nirgends leben als mit dir. Wie gern wollt ich die Nebenrolle eines Pylades spielen, wenn du Orest wärst! lieber als die geehrwürdigte Person eines Oberpriesters im Tempel zu Delphos.

Ich will abbrechen, meine Herren, und morgen weiterschreiben, denn ich bin in einem Ton, der Ihnen vielleicht nicht so erbaulich ist, als er mir von Herzen geht.

Shakespeares Theater ist ein schöner Raritätenkasten, in dem die Geschichte der Welt vor unsern Augen an dem unsichtbaren Faden der Zeit vorbeiwallt. Seine Plane sind, nach dem gemeinen Stil zu reden, keine Plane; aber seine Stücke drehen sich alle um den geheimen Punkt (den noch kein Philosoph gesehen und bestimmt hat), in dem das Eigentümliche unsres Ichs, die prätendierte Freiheit unsres

Willens mit dem notwendigen Gang des Ganzen zusammenstößt. Unser verdorbner Geschmack aber umnebelt dergestalt unsre Augen, daß wir fast eine neue Schöpfung nötig haben, uns aus dieser Finsternis zu entwickeln.

Alle Franzosen und angesteckte Deutsche, sogar Wieland, haben sich bei dieser Gelegenheit, wie bei mehreren, wenig Ehre gemacht. Voltaire, der von jeher Profession machte, alle Majestäten zu lästern, hat sich auch hier als ein echter Thersit bewiesen. Wäre ich Ulysses, er sollte seinen Rücken unter meinem Zepter verzerren!

Die meisten von diesen Herren stoßen auch besonders an seinen Charakteren an.

Und ich rufe: Natur, Natur! nichts so Natur als Shakespeares Menschen!

Da hab ich sie alle überm Hals.

Laßt mir Luft, daß ich reden kann!

Er wetteiferte mit dem Prometheus, bildete ihm Zug vor Zug seine Menschen nach, nur in *kolossalischer Größe* – darin liegt's, daß wir unsre Brüder verkennen – und dann belebte er sie alle mit dem Hauch *seines* Geistes, *er* redet aus allen, und man erkennt ihre Verwandtschaft.

Und was will sich unser Jahrhundert unterstehen, von Natur zu urteilen? Wo sollten wir sie her kennen, die wir von Jugend auf alles geschnürt und geziert an uns fühlen und an andern sehen? Ich schäme mich oft vor Shakespearen, denn es kommt manchmal vor, daß ich beim ersten Blick denke: das hätt ich anders gemacht! Hintendrein erkenn ich, daß ich ein armer Sünder bin, daß aus Shakespearen die Natur weissagt und daß meine Menschen Seifenblasen sind, von Romangrillen aufgetrieben.

Und nun zum Schluß, ob ich gleich noch nicht angefangen habe.

Das, was edle Philosophen von der Welt gesagt haben, gilt auch von Shakespearen: das, was wir bös nennen, ist nur die andre Seite vom Guten, die so notwendig zu seiner

Existenz und in das Ganze gehört, als Zona torrida brennen und Lappland einfrieren muß, daß es einen gemäßigten Himmelsstrich gebe. Er führt uns durch die ganze Welt; aber wir verzärtelte, unerfahrne Menschen schreien bei jeder fremden Heuschrecke, die uns begegnet: Herr, er will uns fressen!

Auf, meine Herren! trompeten Sie mir alle edle Seelen aus dem Elysium des sogenannten guten Geschmacks, wo sie schlaftrunken in langweiliger Dämmerung halb sind, halb nicht sind, Leidenschaften im Herzen und kein Mark in den Knochen haben und, weil sie nicht müde genug, zu ruhen, und doch zu faul sind, um tätig zu sein, ihr Schattenleben zwischen Myrten- und Lorbeergebüschen verschlendern und vergähnen.

JOHANN WOLFGANG GOETHE

»IDYLLEN« VON S. GESSNER

1772

»Die Schönheiten der Natur«, sagt der Verfasser in dem angehängten Brief an Füeßlin, »und die guten Nachahmungen derselben von jeder Art taten immer die größte Wirkung auf mich; aber in Absicht auf Kunst war's nur ein dunkles Gefühl, das mit keiner Kenntnis verbunden war und daher entstand, daß ich meine Empfindungen und die Eindrücke, welche die Schönheiten der Natur auf mich gemacht hatten, lieber auf eine andre und solche Art auszudrücken suchte, welche weniger mechanische Übung, aber die gleichen Talente, ebendas Gefühl für das Schöne, ebendie aufmerksame Bemerkung der Natur fordert.«

Geßner war also zum Landschaftmaler geboren; ein pis aller machte ihn zum Landschaftdichter, und auch nun, da er zu seiner Bestimmung durchgedrungen, da er einen ansehnlichen Rang unter den Künstlern erworben, genießt er in Gesellschaft der Gespielin seiner Jugend, der ländlichen Muse, manchen süßen Augenblick. Malender Dichter: dazu charakterisiert sich in angeführter Stelle Geßner selbst, und wer mit Lessingen der ganzen Gattung ungünstig wäre, würde hier wenig zu loben finden. Doch wir wollen hier nicht unbillig sein. Wir kennen die Empfindungen, die aus der bürgerlichen Gesellschaft in die Einsamkeit führen, aufs Land, wo wir dann nur zum Besuch sind, nur wie bei einer Visite die schöne Seite der Wohnung sehn, und ach! nur sehn – der geringste Anteil, den wir an einer Sache nehmen können!

Und so ist es Geßnern gegangen. Mit dem empfindlichsten Auge für die Schönheiten der Natur, das heißt für schöne Massen, Formen und Farben, hat er reizende Gegenden durchwandelt, in seiner Einbildungskraft zusammengesetzt, verschönert – und so standen paradiesische Landschaften vor seiner Seele. Ohne Figuren ist eine Landschaft tot; er schuf sich also Gestalten aus seiner schmachtenden Empfindung und erhöhten Phantasie, staffierte seine Gemälde damit, und so wurden seine Idyllen. Und in diesem Geiste lese man sie! und man wird über seine Meisterschaft erstaunen. Wer einen Malerblick in die Welt hat, wird mit inniger Freude vor seinen Gegenden verweilen; ein herrliches Ganze steigt vor unsern Augen auf; und dann das Detail, wie bestimmt: Steine, Gräschen. Wir glauben, alles schon einmal gemalt gesehen zu haben, oder wir möchten's malen. Da sagt uns aber ein Feind poetischer Malerei: was ist's? Der Vorhang hebt sich, wir sehen in ein Theater, das für uns, von der Seite zu beschauen, ebenso künstlich hintereinandergeschoben, so wohl beleuchtet ist; und wenn wir einige Minuten Zeit gehabt haben, »Ah!« zu sagen, dann treten Junggesellen und Jungfrauen herein und spielen ihr Spiel.

Wir zweifeln nicht, daß sich darauf antworten ließe, aber die Leute sind nicht zu bekehren! Sie verlangen, daß alles von Empfindung ausgehn, alles in sie zurückkehren soll. Wenn wir als Maler Geßners Figuren betrachten, so sind es die edelsten, schönsten Formen; ihre Stellung so ausgedacht, so meisterhaft empfunden, ihr Stehen, Sitzen, Liegen nach der Antike gewählt –

Was geht mich das an? sagt der Gegner. Im Gedicht ist mir nicht drum zu tun, wie die Leute aussehn, wie sie Hände und Füße stellen, sondern was sie tun, was sie empfinden. Nach der Antike mögen sie wohl studiert sein, wie Geßner seine Landschaft mehr nach seines Herrn Schwähervaters Kupferstichsammlung als nach der Natur ausgebildet zu haben scheint.

Ich will – fährt er fort – von dem Schattenwesen Geßnerischer Menschen nichts reden. Darüber ist lange gesagt, was zu sagen ist. Aber zeigt das nicht den größten Mangel dichterischer Empfindung, daß in keiner einzigen dieser Idyllen die handelnden Personen wahres Interesse an- und miteinander haben? Entweder ist es kalter, erzählender Monolog oder, was ebenso schlimm ist, Erzählung und ein Vertrauter, der seine paar Pfennige quer hineindialogisiert; und wenn dann einmal zwei was zusammen empfinden, empfindet's einer wie der andre, und da ist's vor wie nach.

Wer wird aber einzelnen Stellen wahres Dichtergefühl absprechen? Niemand. Einzelne Stellen sind vortrefflich, und die kleinen Gedichte machen jedes ein niedliches Ganze. Hingegen die größern; so trefflich das Detail sein mag, sowenig zu leugnen ist, daß es zu gewissen Zwecken wohl geordnet ist: so mißt ihr doch überall den Geist, der die Teile so verwebt, daß jeder ein wesentliches Stück vom Ganzen wird. Ebensowenig kann er Szene, Handlung und Empfindung verschmelzen. Gleich in der ersten tritt der Mond auf, und die ganze Idylle ist Sonnenschein. Der Sturm ist unerträglich daher. Voltaire kann zu Lausanne aus seinem Bette dem Sturm des Genfer Sees im Spiegel nicht ruhiger zugesehen haben als die Leute auf dem Felsen, um die das Wetter wütet, sich vice versa detaillieren, was sie beide sehn. Das mag sein! In dieser Dichtungsart ist der Fehler unvermeidlich; dagegen zu wieviel Schönheiten gibt er Anlaß? Muß man dem Theater nicht auch manche Unwahrscheinlichkeit zugute halten? Und dennoch interessiert es, rührt es. Und von der Schweizer Idylle habt ihr kein Wort gesagt! Wie ich anfing, sie zu lesen, rief ich aus: Oh, hätt er nichts als Schweizer Idyllen gemacht! Dieser treuherzige Ton, diese muntre Wendung des Gesprächs, das Nationalinteresse! Das hölzerne Bein ist mir lieber als ein Dutzend elfenbeinerne Nymphenfüßchen! Warum muß sie sich nur so schäfermäßig enden? Kann eine Handlung durch nichts rund werden als durch eine

Hochzeit? Wie lebendig läßt sich an diesem kleinen Stücke fühlen, was Geßner uns sein könnte, wenn er nicht durch ein zu abstraktes und ekles Gefühl physikalischer und moralischer Schönheit wäre in das Land der Ideen geleitet worden, woher er uns nur halbes Interesse, Traumgenuß herüberzaubert.

Johann Wolfgang Goethe

EINFACHE NACHAHMUNG DER NATUR, MANIER, STIL

1788

Es scheint nicht überflüssig zu sein, genau anzuzeigen, was wir uns bei diesen Worten denken, welche wir öfters brauchen werden. Denn wenn man sich gleich auch derselben schon lange in Schriften bedient, wenn sie gleich durch theoretische Werke bestimmt zu sein scheinen, so braucht denn doch jeder sie meistens in einem eignen Sinne und denkt sich mehr oder weniger dabei, je schärfer oder schwächer er den Begriff gefaßt hat, der dadurch ausgedrückt werden soll.

Einfache Nachahmung der Natur

Wenn ein Künstler, bei dem man das natürliche Talent voraussetzen muß, in der frühsten Zeit, nachdem er nur einigermaßen Auge und Hand an Mustern geübt, sich an die Gegenstände der Natur wendete, mit Treue und Fleiß ihre Gestalten, ihre Farben auf das genaueste nachahmte, sich gewissenhaft niemals von ihr entfernte, jedes Gemälde, das er zu fertigen hätte, wieder in ihrer Gegenwart anfinge und vollendete: ein solcher würde immer ein schätzenswerter Künstler sein; denn es könnte ihm nicht fehlen, daß er in einem unglaublichen Grade *wahr* würde, daß seine Arbeiten sicher, kräftig und reich sein müßten.

Wenn man diese Bedingungen genau überlegt, so sieht man leicht, daß eine zwar fähige, aber beschränkte Natur angenehme, aber beschränkte Gegenstände auf diese Weise behandeln könne.

Solche Gegenstände müssen leicht und immer zu haben sein; sie müssen bequem gesehen und ruhig nachgebildet werden können; das Gemüt, das sich mit einer solchen Arbeit beschäftigt, muß still, in sich gekehrt und in einem mäßigen Genuß genügsam sein.

Diese Art der Nachbildung würde also bei sogenannten toten oder stilliegenden Gegenständen von ruhigen, treuen, eingeschränkten Menschen in Ausübung gebracht werden. Sie schließt ihrer Natur nach eine hohe Vollkommenheit nicht aus.

Manier

Allein gewöhnlich wird dem Menschen eine solche Art zu verfahren zu ängstlich oder nicht hinreichend. Er sieht eine Übereinstimmung vieler Gegenstände, die er nur in ein Bild bringen kann, indem er das einzelne aufopfert; es verdrießt ihn, der Natur ihre Buchstaben im Zeichnen nur gleichsam nachzubuchstabieren; er erfindet sich selbst eine Weise, macht sich selbst eine Sprache, um das, was er mit der Seele ergriffen, wieder nach seiner Art auszudrücken, einem Gegenstande, den er öfters wiederholt hat, eine eigne, bezeichnende Form zu geben, ohne, wenn er ihn wiederholt, die Natur selbst vor sich zu haben noch auch sich geradezu ihrer ganz lebhaft zu erinnern.

Nun wird es eine Sprache, in welcher sich der Geist des Sprechenden unmittelbar ausdrückt und bezeichnet. Und wie die Meinungen über sittliche Gegenstände sich in der Seele eines jeden, der selbst denkt, anders reihen und gestalten, so wird auch jeder Künstler dieser Art die Welt anders sehen, ergreifen und nachbilden; er wird ihre Erscheinungen bedächtiger oder leichter fassen, er wird sie gesetzter oder flüchtiger wieder hervorbringen.

Wir sehen, daß diese Art der Nachahmung am geschicktesten bei Gegenständen angewendet wird, welche in einem großen Ganzen viele kleine subordinierte Gegenstände enthalten. Diese letztern müssen aufgeopfert werden, wenn der allgemeine Ausdruck des großen Gegenstandes erreicht werden soll, wie zum Exempel bei Landschaften der Fall ist, wo man ganz die Absicht verfehlen würde, wenn man sich ängstlich beim einzelnen aufhalten und den Begriff des Ganzen nicht vielmehr festhalten wollte.

Stil

Gelangt die Kunst durch Nachahmung der Natur, durch Bemühung, sich eine allgemeine Sprache zu machen, durch genaues und tiefes Studium der Gegenstände selbst endlich dahin, daß sie die Eigenschaften der Dinge und die Art, wie sie bestehen, genau und immer genauer kennenlernt, daß sie die Reihe der Gestalten übersieht und die verschiedenen charakteristischen Formen nebeneinanderzustellen und nachzuahmen weiß: dann wird der Stil der höchste Grad, wohin sie gelangen kann, der Grad, wo sie sich den höchsten menschlichen Bemühungen gleichstellen darf.

Wie die einfache Nachahmung auf dem ruhigen Dasein und einer liebevollen Gegenwart beruht, die Manier eine Erscheinung mit einem leichten, fähigen Gemüt ergreift, so ruht der Stil auf den tiefsten Grundfesten der Erkenntnis, auf dem Wesen der Dinge, insofern uns erlaubt ist, es in sichtbaren und greiflichen Gestalten zu erkennen.

Die Ausführung des oben Gesagten würde ganze Bände einnehmen; man kann auch schon manches darüber in Büchern finden: der reine Begriff aber ist allein an der Natur und den Kunstwerken zu studieren. Wir fügen noch einige Betrachtungen hinzu und werden, sooft von bildender Kunst die Rede ist, Gelegenheit haben, uns dieser Blätter zu erinnern.

Es läßt sich leicht einsehen, daß diese drei hier voneinander geteilten Arten, Kunstwerke hervorzubringen, genau miteinander verwandt sind und daß eine in die andere sich zart verlaufen kann.

Die einfache Nachahmung leichtfaßlicher Gegenstände – wir wollen hier zum Beispiel Blumen und Früchte nehmen – kann schon auf einen hohen Grad gebracht werden. Es ist natürlich, daß einer, der Rosen nachbildet, bald die schönsten und frischesten Rosen kennen und unterscheiden und unter tausenden, die ihm der Sommer anbietet, heraussuchen werde. Also tritt hier schon die Wahl ein, ohne daß sich der Künstler einen allgemeinen, bestimmten Begriff von der Schönheit der Rose gemacht hätte. Er hat mit faßlichen Formen zu tun; alles kommt auf die mannigfaltige Bestimmung und die Farbe der Oberfläche an. Die pelzige Pfirsche, die fein bestaubte Pflaume, den glatten Apfel, die glänzende Kirsche, die blendende Rose, die mannigfaltigen Nelken, die bunten Tulpen, alle wird er nach Wunsch im höchsten Grade der Vollkommenheit ihrer Blüte und Reife in seinem stillen Arbeitszimmer vor sich haben; er wird ihnen die günstigste Beleuchtung geben; sein Auge wird sich an die Harmonie der glänzenden Farben, gleichsam spielend, gewöhnen; er wird alle Jahre dieselben Gegenstände zu erneuern wieder imstande sein und durch eine ruhige, nachahmende Betrachtung des simpeln Daseins die Eigenschaften dieser Gegenstände ohne mühsame Abstraktion erkennen und fassen: und so werden die Wunderwerke eines Huysum, einer Rachel Ruysch entstehen, welche Künstler sich gleichsam über das Mögliche hinübergearbeitet haben. Es ist offenbar, daß ein solcher Künstler nur desto größer und entschiedener werden muß, wenn er zu seinem Talente noch ein unterrichteter Botaniker ist, wenn er von der Wurzel an den Einfluß der verschiedenen Teile auf das Gedeihen und den Wachstum der Pflanze, ihre Bestimmung und wechselseitigen Wirkungen erkennt, wenn er die sukzessive Entwicklung der Blätter,

Blumen, Befruchtung, Frucht und des neuen Keimes einsiehet und überdenkt. Er wird alsdann nicht bloß durch die Wahl aus den Erscheinungen seinen Geschmack zeigen, sondern er wird uns auch durch eine richtige Darstellung der Eigenschaften zugleich in Verwunderung setzen und belehren. In diesem Sinne würde man sagen können, er habe sich einen Stil gebildet, da man von der andern Seite leicht einsehen kann, wie ein solcher Meister, wenn er es nicht gar so genau nähme, wenn er nur das Auffallende, Blendende leicht auszudrücken beflissen wäre, gar bald in die Manier übergehen würde.

Die einfache Nachahmung arbeitet also gleichsam im Vorhofe des Stils. Je treuer, sorgfältiger, reiner sie zu Werke gehet, je ruhiger sie das, was sie erblickt, empfindet, je gelassener sie es nachahmt, je mehr sie sich dabei zu denken gewöhnt, daß heißt, je mehr sie das Ähnliche zu vergleichen, das Unähnliche voneinander abzusondern und einzelne Gegenstände unter allgemeine Begriffe zu ordnen lernet, desto würdiger wird sie sich machen, die Schwelle des Heiligtums selbst zu betreten.

Wenn wir nun ferner die Manier betrachten, so sehen wir, daß sie im höchsten Sinne und in der reinsten Bedeutung des Worts ein Mittel zwischen der einfachen Nachahmung und dem Stil sein könne. Je mehr sie bei ihrer leichteren Methode sich der treuen Nachahmung nähert, je eifriger sie von der andern Seite das Charakteristische der Gegenstände zu ergreifen und faßlich auszudrücken sucht, je mehr sie beides durch eine reine, lebhafte, tätige Individualität verbindet, desto höher, größer und respektabler wird sie werden. Unterläßt ein solcher Künstler, sich an die Natur zu halten und an die Natur zu denken, so wird er sich immer mehr von der Grundfeste der Kunst entfernen, seine Manier wird immer leerer und unbedeutender werden, je weiter sie sich von der einfachen Nachahmung und von dem Stil entfernt.

Wir brauchen hier nicht zu wiederholen, daß wir das

Wort Manier in einem hohen und respektablen Sinne nehmen, daß also die Künstler, deren Arbeiten nach unsrer Meinung in den Kreis der Manier fallen, sich über uns nicht zu beschweren haben. Es ist uns bloß angelegen, das Wort Stil in den höchsten Ehren zu halten, damit uns ein Ausdruck übrigbleibe, um den höchsten Grad zu bezeichnen, welchen die Kunst je erreicht hat und je erreichen kann. Diesen Grad auch nur erkennen ist schon eine große Glückseligkeit und davon sich mit Verständigen unterhalten ein edles Vergnügen, das wir uns in der Folge zu verschaffen manche Gelegenheit finden werden.

Johann Wolfgang Goethe

LITERARISCHER SANSCULOTTISMUS

1795

In dem berlinischen *Archiv der Zeit und ihres Geschmacks*, und zwar im Märzstücke dieses Jahres, findet sich ein Aufsatz über *Prosa und Beredsamkeit der Deutschen*, den die Herausgeber, wie sie selbst bekennen, nicht ohne Bedenken einrückten. Wir unsrerseits tadeln sie nicht, daß sie dieses unreife Produkt aufnahmen; denn wenn ein Archiv Zeugnisse von der Art eines Zeitalters aufbehalten soll, so ist es zugleich seine Pflicht, auch dessen Unarten zu verewigen. Zwar ist der entscheidende Ton und die Manier, womit man sich das Ansehn eines umfassenden Geistes zu geben denkt, in dem Kreise unserer Kritik nichts weniger als neu; aber auch die Rückfälle einzelner Menschen in ein roheres Zeitalter sind zu bemerken, da man sie nicht hindern kann; und so mögen denn die *Horen* dagegen in demjenigen, was wir zu sagen haben, ob es gleich auch schon oft und vielleicht besser gesagt ist, ein Zeugnis aufbewahren: daß neben jenen unbilligen und übertriebenen Forderungen an unsre Schriftsteller auch noch billige und dankbare Gesinnungen gegen diese verhältnismäßig zu ihren Bemühungen wenig belohnten Männer im stillen walten.

Der Verfasser bedauert die Armseligkeit der Deutschen an vortrefflich klassisch-prosaischen Werken und hebt alsdann seinen Fuß hoch auf, um mit einem Riesenschritte über beinahe ein Dutzend unserer besten Autoren hinwegzuschreiten, die er nicht nennt und mit mäßigem Lob und mit strengem Tadel so charakterisiert, daß man sie wohl schwerlich aus seinen Karikaturen herausfinden möchte.

Wir sind überzeugt, daß kein deutscher Autor sich selbst für klassisch hält und daß die Forderungen eines jeden an sich selbst strenger sind als die verworrnen Prätensionen eines Thersiten, der gegen eine ehrwürdige Gesellschaft aufsteht, die keineswegs verlangt, daß man ihre Bemühungen unbedingt bewundere, die aber erwarten kann, daß man sie zu schätzen wisse.

Ferne sei es von uns, den übelgedachten und übelgeschriebenen Text, den wir vor uns haben, zu kommentieren. Nicht ohne Unwillen werden unsre Leser jene Blätter am angezeigten Orte durchlaufen und die ungebildete Anmaßung, womit man sich in einen Kreis von Bessern zu drängen, ja Bessere zu verdrängen und sich an ihre Stelle zu setzen denkt, diesen eigentlichen Sansculottismus zu beurteilen und zu bestrafen wissen. Nur weniges werde dieser rohen Zudringlichkeit entgegengestellt.

Wer mit den Worten, deren er sich im Sprechen oder Schreiben bedient, bestimmte Begriffe zu verbinden für eine unerläßliche Pflicht hält, wird die Ausdrücke *klassischer Autor, klassisches Werk* höchst selten gebrauchen. Wann und wo entsteht ein klassischer Nationalautor? Wenn er in der Geschichte seiner Nation große Begebenheiten und ihre Folgen in einer glücklichen und bedeutenden Einheit vorfindet; wenn er in den Gesinnungen seiner Landsleute Größe, in ihren Empfindungen Tiefe und in ihren Handlungen Stärke und Konsequenz nicht vermißt; wenn er selbst, vom Nationalgeiste durchdrungen, durch ein einwohnendes Genie sich fähig fühlt, mit dem Vergangnen wie mit dem Gegenwärtigen zu sympathisieren; wenn er seine Nation auf einem hohen Grade der Kultur findet, so daß ihm seine eigene Bildung leicht wird; wenn er viele Materialien gesammelt, vollkommene oder unvollkommene Versuche seiner Vorgänger vor sich sieht und so viel äußere und innere Umstände zusammentreffen, daß er kein schweres Lehrgeld zu zahlen braucht, daß er in den besten Jahren seines Lebens ein großes Werk zu übersehen, zu ordnen und in einem Sinne auszuführen fähig ist.

Man halte diese Bedingungen, unter denen allein ein klassischer Schriftsteller, besonders ein prosaischer, möglich wird, gegen die Umstände, unter denen die besten Deutschen dieses Jahrhunderts gearbeitet haben, so wird, wer klar sieht und billig denkt, dasjenige, was ihnen gelungen ist, mit Ehrfurcht bewundern und das, was ihnen mißlang, anständig bedauern.

Eine bedeutende Schrift ist, wie eine bedeutende Rede, nur Folge des Lebens; der Schriftsteller sowenig als der handelnde Mensch bildet die Umstände, unter denen er geboren wird und unter denen er wirkt. Jeder, auch das größte Genie, leidet von seinem Jahrhundert in einigen Stücken, wie er von andern Vorteil zieht, und einen vortrefflichen Nationalschriftsteller kann man nur von der Nation fordern.

Aber auch der deutschen Nation darf es nicht zum Vorwurfe gereichen, daß ihre geographische Lage sie eng zusammenhält, indem ihre politische sie zerstückelt. Wir wollen die Umwälzungen nicht wünschen, die in Deutschland klassische Werke vorbereiten könnten.

Und so ist der ungerechteste Tadel derjenige, der den Gesichtspunkt verrückt. Man sehe unsere Lage, wie sie war und ist, man betrachte die individuellen Verhältnisse, in denen sich deutsche Schriftsteller bildeten, so wird man auch den Standpunkt, aus dem sie zu beurteilen sind, leicht finden. Nirgends in Deutschland ist ein Mittelpunkt gesellschaftlicher Lebensbildung, wo sich Schriftsteller zusammenfänden und nach einer Art, in einem Sinne, jeder in seinem Fache sich ausbilden könnten. Zerstreut geboren, höchst verschieden erzogen, meist nur sich selbst und den Eindrücken ganz verschiedener Verhältnisse überlassen; von der Vorliebe für dieses oder jenes Beispiel einheimischer oder fremder Literatur hingerissen; zu allerlei Versuchen, ja Pfuschereien genötigt, um ohne Anleitung seine eigene Kräfte zu prüfen; erst nach und nach durch Nachdenken von dem überzeugt, was man machen soll, durch Praktik unterrichtet, was man machen kann; immer wieder irregemacht durch ein großes Publikum ohne Geschmack, das das Schlechte nach dem Guten mit ebendemselben Vergnügen verschlingt, dann wieder ermuntert, durch Bekanntschaft mit der gebildeten, aber durch alle Teile des großen Reichs zerstreuten Menge, gestärkt durch mitarbeitende, mitstrebende Zeitgenossen – so findet sich der deutsche Schriftsteller endlich in dem männlichen Alter, wo ihn Sorge für seinen Unterhalt, Sorge für eine Familie sich nach außen umzusehen zwingt und wo er oft mit dem traurigsten Gefühl durch Arbeiten, die er selbst nicht achtet, sich die Mittel verschaffen muß, dasjenige hervorbringen zu dürfen, womit sein ausgebildeter Geist sich allein zu beschäftigen strebt. Welcher deutsche geschätzte Schriftsteller wird sich nicht in diesem Bilde erkennen und welcher wird nicht mit bescheidener Trauer gestehen, daß er oft genug nach Gelegenheit geseufzt habe, früher die Eigenheiten seines originellen Genius einer allgemeinen Nationalkultur, die er leider nicht vorfand, zu unterwerfen! Denn die Bildung der höheren Klassen durch fremde Sitten und ausländische Literatur, soviel Vorteil sie uns auch gebracht hat, hinderte doch den Deutschen, als Deutschen sich früher zu entwickeln.

Und nun betrachte man die Arbeiten deutscher Poeten und Prosaisten von entschiednem Namen! Mit welcher Sorgfalt, mit welcher Religion folgten sie auf ihrer Bahn einer aufgeklärten Überzeugung! So ist es zum Beispiel nicht zuviel gesagt, wenn wir behaupten, daß ein verständiger, fleißiger Literator durch Vergleichung der sämtlichen Ausgaben unsres Wielands, eines Mannes, dessen wir uns, trotz dem Knurren aller Smelfungen, mit stolzer Freude rühmen dürfen, allein aus den stufenweisen Korrekturen dieses unermüdet zum Bessern arbeitenden Schriftstellers die ganze Lehre des Geschmacks würde entwickeln können. Jeder aufmerksame Bibliothekar sorge, daß eine solche Sammlung aufgestellt werde, die jetzt noch möglich ist, und das folgende Jahrhundert wird einen dankbaren Gebrauch davon zu machen wissen.

Vielleicht wagen wir in der Folge, die Geschichte der Ausbildung unsrer vorzüglichsten Schriftsteller, wie sie sich in ihren Werken zeigt, dem Publikum vorzulegen. Wollten sie selbst, sowenig wir an Konfessionen Ansprüche machen, uns nach ihrem Gefallen nur diejenigen Momente mitteilen, die zu ihrer Bildung am meisten beigetragen haben, und dasjenige, was ihr am stärksten entgegengestanden, bekanntmachen, so würde der Nutzen, den sie gestiftet, noch ausgebreiteter werden.

Denn worauf ungeschickte Tadler am wenigsten merken, das Glück, das junge Männer von Talent jetzt genießen, indem sie sich früher ausbilden, eher zu einem reinen, dem Gegenstande angemessenen Stil gelangen können, wem sind sie es schuldig als ihren Vorgängern, die in der letzten Hälfte dieses Jahrhunderts mit einem unablässigen Bestreben, unter mancherlei Hindernissen, sich jeder auf seine eigene Weise ausgebildet haben? Dadurch ist eine Art von unsichtbarer Schule entstanden, und der junge Mann, der jetzt hineintritt, kommt in einen viel größeren und lichteren Kreis als der frühere Schriftsteller, der ihn erst selbst beim Dämmerschein durchirren mußte, um ihn nach und nach, gleichsam nur zufällig, erweitern zu helfen. Viel zu spät kommt der Halbkritiker, der uns mit seinem Lämpchen vorleuchten will; der Tag ist angebrochen, und wir werden die Läden nicht wieder zumachen.

Üble Laune läßt man in guter Gesellschaft nicht aus, und der muß sehr üble Laune haben, der in dem Augenblicke Deutschland vortreffliche Schriftsteller abspricht, da fast jedermann gut schreibt. Man braucht nicht weit zu suchen, um einen artigen Roman, eine glückliche Erzählung, einen reinen Aufsatz über diesen oder jenen Gegenstand zu finden. Unsre kritischen Blätter, Journale und Kompendien, welchen Beweis geben sie nicht oft eines übereinstimmenden guten Stils! Die Sachkenntnis erweitert sich beim Deutschen mehr und mehr, und die Übersicht wird klarer. Eine würdige Philosophie macht ihn, trotz allem Widerstand schwankender Meinungen, mit seinen Geisteskräften immer bekannter und erleichtert ihm die Anwendung derselben. Die vielen Beispiele des Stils, die Vorarbeiten und Bemühungen so mancher Männer setzen den Jüngling früher instand, das, was er von außen aufgenommen und in sich gebildet hat, dem Gegenstande gemäß mit Klarheit und Anmut darzustellen. So sieht ein heitrer, billiger Deutscher die Schriftsteller seiner Nation auf einer schönen Stufe und ist überzeugt, daß sich auch das Publikum nicht durch einen mißlaunischen Krittler werde irremachen lassen. Man entferne ihn aus der Gesellschaft, aus der man jeden ausschließen sollte, dessen vernichtende Bemühungen nur die Handelnden mißmutig, die Teilnehmenden lässig und die Zuschauer mißtrauisch und gleichgültig machen könnten.

Johann Wolfgang Goethe

LYRISCHE GEDICHTE VON JOHANN HEINRICH VOSS

1802

Indem wir die Verzeichnisse sämtlicher Gedichte, wie solche den Bänden regelmäßig vorgedruckt sind, am Eingange betrachten, so finden wir die Oden und Elegien des ersten Bandes, imgleichen die Oden und Lieder der drei folgenden, nicht weniger die übrigen kleineren Gedichte unter sich durchaus nach der Jahrzahl geordnet.

Eine Zusammenstellung derart, die schon mehreren Dichtern gefiel, deutet, besonders bei dem unsrigen, auf ruhige, gleichförmige, stufenweis erfolgte Bildung und gibt uns ein Vorgefühl, daß wir in dieser Sammlung, mehr vielleicht als in irgendeiner andern, das Leben, das Wesen, den Gang des Dichters abgebildet empfangen werden.

Jeder Schriftsteller schildert sich einigermaßen in seinen Werken, auch wider Willen, selbst; der gegenwärtige bringt uns vorsätzlich Inneres und Äußeres, Denkweise, Gemütsbewegungen mit freundlichem Wohlwollen dar und verschmäht nicht, uns durch beigefügte Noten über Zustände, Gesinnungen, Absichten und Ausdrücke vertraulich aufzuklären.

Und nun, auf eine so freundliche Weise eingeladen, treten wir ihm näher, suchen ihn bei sich selbst auf, schließen uns an ihn und versprechen uns im voraus reichen Genuß und mannigfaltige Belehrung und Bildung.

In ebener, nördlicher Landschaft finden wir ihn, sich seines Daseins freuend, unter einem Himmelsstrich, wo die Alten kaum noch Lebendes vermuteten.

Und freilich übt denn auch daselbst der Winter seine ganze Herrschaft aus. Vom Pole herstürmend, bedeckt er die Wälder mit Reif, die Flüsse mit Eis; ein stöbernder Wirbel treibt um den hohen Giebel, indes sich der Dichter, wohlverwahrt, häuslicher Wöhnlichkeit freut und wohlgemut solchen Gewalten Trotz bietet. Bepelzte, bereifte Freunde kommen an, die, herzlich empfangen, unter sicherem Obdach, in liebevollem, vertraulich-gesprächigem Kreis das häusliche Mahl durch den Klang der Gläser, durch Gesang beleben und sich einen geistigen Sommer zu verschaffen wissen.

Dann finden wir ihn auch persönlich den Unbilden des Winterhimmels trotzend. Wenn die Achse, mit Brennholz befrachtet, knarrt, wenn selbst die Fußtritte des Wanderers tönen, sehen wir ihn bald rasch durch den Schnee nach fernen Freundeswohnungen hintraben, bald, zu großem Schlittenzuge gesellt, durch die weiten Ebenen hinklingeln, da denn zuletzt eine trauliche Herberge die Halberstarrten aufnimmt, eine lebhafte Flamme des Kamins die eindringenden Gäste begrüßt, Tanz, Chorgesang und mancher erwärmende Genuß der Jugend sowohl als dem Alter genugtut.

Schmilzt aber von einer zurückkehrenden Sonne der Schnee, befreit sich ein erwärmter Boden nur einigermaßen von dieser lästigen Decke, so eilt mit den Seinen der Dichter alsbald ins Freie, sich an dem ersten Lebenshauche des Jahres zu erquicken und die zuerst erscheinenden Blumen aufzusuchen. Vielfarbiger Güldenklee wird gepflückt, zu Sträußen gebunden und im Triumph nach Hause gebracht, wo diese Vorboten künftigen Genusses ein hoffnungsvolles Familienfest zu krönen gewidmet sind.

Tritt sodann der Frühling selbst herein, so ist von Dach und Fach gar die Rede nicht mehr; immer findet man den Dichter draußen, auf sanften Pfaden, um seinen See herstreichen. Jeder Busch entwickelt sich im einzelnen, jede Blütenart bricht einzeln in seiner Gegenwart hervor. Wie auf einem ausführlichen Gemälde erblickt man im Sonnenschein um ihn her Gras und Kraut so gut als Eichen und

Buchen, und an dem Ufer des stillen Wassers fehlt weder das Rohr noch irgendeine schwellende Pflanze.

Hier begleitet ihn nicht jene verwandelnde Phantasie, durch deren ungeduldiges Bilden sich der Fels zu göttlichen Mädchen ausgestaltet, der Baum seine Äste zurückzieht und mit jugendlichen, weichen Armen den Jäger zu locken scheint. Einsam vielmehr geht der gemütvolle Dichter, als ein Priester der Natur, umher, berührt jede Pflanze, jede Staude mit leiser Hand und weiht sie zu Gliedern einer liebevoll übereinstimmenden Familie.

Um ihn, als einen Paradiesbewohner, spielen harmlose Geschöpfe, das Lamm auf der Wiese, das Reh im Walde. Zugleich versammelt sich das ganze Chor von Vögeln und übertönt das Leben des Tags mit vielfachen Akzenten.

Dann am Abend, gegen die Nacht hin, wenn der Mond in ruhiger Pracht am Himmel heraufsteigt und sein bewegliches Bild auf der leise wogenden Wasserfläche einem jeden schlängelnd entgegenschickt; wenn der Kahn sanft dahinwallt, das Ruder im Takte rauscht und jede Bewegung den Funken eines Widerscheins hervorruft, von dem Ufer die Nachtigall ihre himmlischen Töne verbreitet und jedes Herz zum Gefühle aufruft: dann zeigt sich Neigung und Leidenschaft in glücklicher Zartheit, von den ersten Anklängen einer vom höchsten Wesen selbst vorgeordneten Sympathie bis zu jener stillen, anmutigen, schüchternen Lüsternheit, wie sie aus den engeren Umgebungen des bürgerlichen Lebens hervorsprießt. Ein wallender Busen, ein feuriger Blick, ein Händedruck, ein geraubter Kuß beleben das Lied. Doch ist es immer der Bräutigam, der sich erkühnt, immer die Braut, welche nachgibt, und so beugt selbst alles Gewagte sich unter ein gesetzliches Maß; dagegen erlaubt er sich manches innerhalb dieser Grenze. Frauen und Mädchen wetteifern keck und ohne Scheu über ihre nun einmal anerkannten Zustände, und eine beängstete Braut wird unter lebhaften Zudringlichkeiten mutwilliger Gäste zu Bette gebracht.

Sogleich aber führt er uns wieder unter freien Himmel ins Grüne, zur Laube, zum Gebüsch, und da ist er auf die heiterste, herzlichste und zarteste Weise zu Hause.

Der Sommer hat sich wieder eingefunden. Eine heilsame Schwüle weht durch das Lied, Donner rollen, Wolken träufeln, Regenbogen erscheinen, Blitze leuchten abwärts, und ein kühler Segen wallt über die Flur. Alles reift; keine der verschiedenen Ernten versäumt der Dichter, alle feiert er durch seine Gegenwart.

Und hier ist wohl der Ort, zu bemerken, welchen Einfluß auf Bildung der untern deutschen Volksklasse unser Dichter haben könnte, vielleicht in einigen Gegenden schon hat.

Seine Gedichte, bei Gelegenheit ländlicher Vorfälle, stellen zwar mehr die Reflexion eines Dritten als das Gefühl der Gemeine selbst dar; aber wenn wir uns denken mögen, daß ein Harfner sich bei der Heu-, Korn- und Kartoffelernte finden wollte, wenn wir uns vorstellen, daß er die Menschen, die sich um ihn versammeln, aufmerksam auf dasjenige macht, was ihnen als etwas Alltägliches widerfährt, wenn er das Gemeine, indem er es betrachtet, dichterisch ausspricht, erhöht, jeden Genuß der Gaben Gottes und der Natur mit würdiger Darstellung schärft, so darf man sagen, daß er seiner Nation eine große Wohltat erzeige. Denn der erste Grad einer wahren Aufklärung ist, wenn der Mensch über seinen Zustand nachzudenken und ihn dabei wünschenswert zu finden gewöhnt wird. Man singe das *Kartoffellied* wirklich auf dem Acker, wo die völlig wundergleiche, den Naturforscher selbst zu hohen Betrachtungen leitende Vermehrung nach langem, stillem Weben und Wirken vegetabilischer Kräfte zum Vorschein kommt und ein ganz unbegreiflicher Segen aus der Erde quillt, so wird man erst das Verdienst dieser und anderer ähnlichen Gedichte fühlen, worin der Dichter den rohen, leichtsinnigen, zerstreuten, alles für bekannt annehmenden Menschen auf die ihn alltäglich umgebenden, alles ernährenden hohen Wunder aufmerksam zu machen unternimmt.

Kaum aber ist alles dieses Gute in des Menschen Gewahrsam gebracht, so schleicht auch der Herbst schon wieder heran, und unser Dichter nimmt rührenden Abschied von einer, wenigstens in der äußeren Erscheinung, hinfälligen Natur. Doch seine geliebte Vegetation überläßt er nicht ganz dem unfreundlichen Winter. Der zierliche Topf nimmt manchen Strauch, manche Zwiebel auf, um in winterhafter Häuslichkeit den Sommer zu heucheln und auch in dieser Jahreszeit kein Fest ohne Blumen und Kränze zu lassen. Selbst ist gesorgt, daß es dem zur Familie gehörenden Vogel nicht an grünem, frischem Dache seiner Käfichtlaube fehle.

Nun ist es die schönste Zeit für kurze Spaziergänge, für trauliches Gespräch an schaurigen Abenden. Jede häusliche Empfindung wird rege, freundschaftliche Sehnsucht vermehrt sich, das Bedürfnis der Musik läßt sich lebhafter fühlen, und nun mag sich der Kranke selbst gern an den traulichen Zirkel anschmiegen, und ein verscheidender Freund kleidet sich in die Farbe der scheidenden Jahrszeit.

Denn so gewiß nach überstandenem Winter ein Frühling zurückkehrt, so gewiß werden sich Freunde, Gatten, Verwandte in allen Graden wiedersehen; sie werden sich in der Gegenwart eines alliebenden Vaters wiederfinden und alsdann erst unter sich und mit allem Guten ein Ganzes bilden, wornach sie in dem Stückwerk der Welt nur vergebens hinstrebten. Ebenso ruht auch schon hier des Dichters Glückseligkeit auf der Überzeugung, daß alles der Vorsorge eines weisen Gottes sich zu erfreuen habe, der mit seiner Kraft jeden erreicht und sein Licht über alle leuchten läßt. So bewirkt auch die Anbetung dieses Wesens im Dichter die höchste Klarheit und Vernünftigkeit und zugleich eine Versicherung, daß jene Gedanken, jene Worte, mit denen er unendliche Eigenschaften faßt und bezeichnet, nicht leere Träume noch Klänge sind, und daraus

entspringt ein Wonnegefühl eigener und allgemeiner Seligkeit, in welcher alles Widerstrebende, Besondere, Abweichende aufgelöst und verschlungen wird.

Wir haben bisher die sanfte, ruhige, gefaßte Natur unseres Dichters mit sich selbst, mit Gott, mit der Welt in
Frieden gesehen. Sollte denn aber nicht eben jene Selbstän
digkeit, aus der sich ein so heiteres Leben nach den inneren
Kreisen verbreitet, öfter von außen bestürmt, verletzt und
zu leidenschaftlicher Bewegung aufgeregt werden? Auch
die Frage läßt sich vollständig aus den vorliegenden Gedichten beantworten.

Die Überzeugung, durch eigentümliche Kraft, durch
festen Willen aus beengenden Umständen sich hervorgehoben, sich aus sich selbst ausgebildet zu haben, sein
Verdienst sich selbst schuldig zu sein, solche Vorteile nur
durch ein ungefesseltes Emporstreben des Geistes erhalten
und vermehren zu können, erhöht das natürliche Unab-
hängigkeitsgefühl, das, durch Absonderung von der Welt
immer mehr gesteigert, in den unausweichlichen Lebens-
verhältnissen manchen Druck, manche Unbequemlichkeit
erfahren muß.

Wenn daher der Dichter zu bemerken hat, daß so
manche Glieder der höheren Stände ihre angebornen großen Vorrechte und unschätzbaren Bequemlichkeiten vernachlässigen und hingegen Ungeschick, Roheit, Mangel an
Bildung bei ihnen obwaltet, so kann er einen solchen
Leichtsinn nicht verzeihen. Und wenn sie noch überdies
mit anmaßendem Dünkel dem Verdienst begegnen, entfernt er sich mit Unwillen, verbannt sich launicht von
heiteren Gastmählern und Trinkzirkeln, wo offene Menschlichkeit vom Herzen ins Herz strömen und gesellige
Freude das liebenswürdigste Band knüpfen soll.

Mit heiligem, feierlichem Ernst zeigt er das wahre Ver-
dienst dem falschen gegenüber, straft ausschließenden
Dünkel bald mit Spott, bald sucht er den Irrungen mit
Liebe entgegenzuwirken.

Wo aber angeborne Vorteile durch eigenes Verdienst erhöht werden, da tritt er mit aufrichtiger Achtung hinzu und erwirbt sich die schätzenswertesten Freunde.

Ferner nimmt er einigen vorübergehenden Anteil an jenem dichterischen Freiheitssinn, der in Deutschland im Genuß zehnjährigen Friedens durch poetische Darstellungen geweckt und unterhalten wurde. Mancher wohlgesinnte Jüngling, der das Gefühl akademischer Unabhängigkeit ins Leben und in die Kunst hinübertrug, mußte in der Verknüpfung bürgerlicher Administration so manches Drückende und Unregelmäßige finden, daß er, wo nicht im besonderen, doch im allgemeinen, auf Herstellung von Recht und Freiheit zu sinnen für Pflicht hielt. Kein Feind drohte dem Vaterlande von außen, aber man glaubte sie zu Hause, auf dieser und jener Gerichtsstelle, auf Rittersitzen, in Kabinetten, an Höfen zu finden; und da nun gar Klopstock durch Einführung des Bardenchors in den heiligen Eichenhain der deutschen Phantasie zu einer Art von Boden verhalf, da er die Römer wiederholt mit Hilfe des Gesanges geschlagen hatte, so war es natürlich, daß unter der Jugend sich berufene und unberufene Barden fanden, die ihr Wesen und Unwesen eine Zeitlang vor sich hintrieben, und man wird unserm Dichter, dessen reines Vaterlandsgefühl sich später auf so manche edle Weise wirksam zeigte, nicht verargen, wenn er auch an seinem Teil, um die Sklavenfessel der Wirklichkeit zu zersprengen, den Rhein gelegentlich mit Tyrannenblut färbt.

Auch ist in der Folge die Annäherung zum französischen Freiheitskreise nicht heftig noch von langer Dauer; bald wird unser Dichter durch die Resultate des unglücklichen Versuchs abgestoßen und kehrt ohne Harm in den Schoß sittlicher und bürgerlicher Freiheit zurück.

Innerhalb des Kunstkreises läßt er denn auch manchmal seinen Unmut sehen; besonders äußert er sich kräftig, ja, man kann sagen, hart gegen jene vielfachen unsicheren Versuche, durch die das deutsche Dichterwesen eine Zeitlang in Verwirrung geriet. Hier scheint er nicht genugsam zu sondern, alles mit gleicher Verdammnis zu strafen, da doch selbst aus diesem chaotischen Treiben manches Schätzenswerte hervorging. Doch sind Gedichte und Stellen dieser Art wenige, gleichnisweise gefaßt und ohne Schlüssel kaum verständlich; deswegen man des Dichters sonstige billige Denkweise auch hier unterlegen darf.

Daß überhaupt eine so zarte, in sich gekehrte, von der Welt weggewandte Natur auf ihrem Lebenswege nicht durchaus gefördert, erleichtert und in heiterer Tätigkeit gekräftigt worden, läßt sich wohl vermuten. Doch wer kann sagen, daß ihm ein solches Los gefallen sei! Und so finden wir schon in manchen früheren Gedichten ein gewisses zartes Unbehagen, das durch den Jubel des Rundgesanges wie durch die heitere Feier der Freundschaft und Liebe unvermutet hindurchblickt und manches herrliche Gedicht stellenweis einer allgemeineren Teilnahme entzieht. Nicht weniger bemerken wir spätere Gesänge, in denen gehindertes Streben, verkümmertes Wachstum, gestörtes Erscheinen nach außen, Kränkungen mancher Art mit leisen Lauten bedauert und verlorene Lebensepochen beklagt werden. Dann aber tritt er mit Macht und Gewalt auf, kämpft hartnäckig, wie um sein eigenes Dasein, dann läßt er es an Heftigkeit der Worte, am Gewicht der Invektiven nicht fehlen, wenn die erworbene heitere Geistesfreiheit, dieser aus dem Frieden mit sich selbst hervorleuchtende ruhige Blick über das Weltall, über die sittliche Ordnung desselben, wenn die kindliche Neigung gegen den, der alles leitet und regiert, einigermaßen getrübt, gehindert, gestört werden könnte. Will man dem Dichter dieses Gefühl allgemeinen heiligen Behagens rauben, will man irgendeine besondere Lehre, eine ausschließende Meinung, einen beengenden Grundsatz aufstellen, dann bewegt sich sein Geist in Leidenschaft, dann steht der friedliche Mann auf, greift zum Gewehr und schreitet gewaltig gegen die ihn so fürchterlich bedrohenden Irrsale, gegen Schnellglauben und Aberglauben, gegen alle den Tiefen der Natur und des menschlichen Geistes entsteigenden Wahnbilder, gegen Vernunft verfinsternde, den Verstand beschränkende Satzungen, Macht- und Bannsprüche, gegen Verketzerer, Baalspriester, Hierarchen, Pfaffengezücht und gegen ihren Urahn, den leibhaftigen Teufel.

Sollte man denn aber solche Empfindungen einem Manne verargen, der ganz von der freudigen Überzeugung durchdrungen ist, daß er jenem heiteren Lichte, das sich seit einigen Jahrhunderten, nicht ohne die größten Aufopferungen der Beförderer und Bekenner, im Norden verbreitete, mit vielen anderen das eigentliche Glück seines Daseins schuldig sei? Sollte man zu jener scheinbar gerechten, aber parteisüchtig grundfalschen Maxime stimmen, welche, dreist genug, fordert, wahre Toleranz müsse auch gegen Intoleranz tolerant sein? Keineswegs! Intoleranz ist immer handelnd und wirkend, ihr kann auch nur durch intolerantes Handeln und Wirken gesteuert werden.

Ja, wir begreifen um so mehr die leidenschaftlichen Besorgnisse des Dichters, da ihm noch von einer andern Seite jene düsteren Übermächte drohen. Sie drohen, ihm einen Freund zu rauben, einen Freund in dem wichtigsten Sinne des Wortes. Wenn unser Dichter, wie wir gesehen, so liebevoll an allem hangen kann, was nicht einmal seine Neigung zu erwidern vermag, wie muß er sich erst ans Teilnehmende, an Menschen, an seinesgleichen, an vorzügliche Naturen anschließen und sie zu seinen kostbarsten Gütern zählen!

Gebildete, nach Bildung strebende Männer sucht frühe sein Geist, sein Gefühl auf. Schon schweben Hagedorn und Kleist, die erstverschiedenen, gleichsam seliggesprochenen deutschen Dichtergestalten, in die ätherischen Wohnungen voraus; auf sie ist der Blick jüngerer Nachkömmlinge gerichtet, ihre Namen werden in frommen Hymnen gefeiert. Nicht weniger sieht man die lebendig vorstehenden, vorantretenden gebildeten Meister und Kenner, Klopstock,

Lessing, Gleim, Gerstenberg, Bodmer, Ramler, von den neu aufsprießenden, im Hochgefühl eigenen Vermögens, mit kraftvoller Selbstschätzung und würdiger Demut verehrt. Schon erscheinen die Namen Stolberg, Bürger, Boie, Miller, Hölty in freundschaftlicher Anerkennung des Ruhmes wert, den ihnen das Vaterland bald bestätigen sollte.

In diesem Chor von Freunden, von Verehrten setzt der Dichter ohne bedeutenden Verlust lange sein Leben fort; ja, es gelingt ihm, die Fäden akademischer Frühzeit durch Freundschaft, Liebe, Verwandtschaft, eheliche Verbindung, durch fortgesetzte Teilnahme, durch Reisen, Besuch und Briefwechsel in seinen übrigen Lebensgang zu verweben.

Wie muß es daher den liebenswürdig Verwöhnten schmerzen, wenn nicht der Tod, sondern abweichende Meinung, Rückschritte in jenes alte, von unseren Vätern mit Kraft bekämpfte, seelenbedrückende Wesen ihm einen der geliebtesten Freunde auf ewig zu entreißen droht! Hier kennt er kein Maß des Unmuts; der Schmerz ist grenzenlos, den er bei so trauriger Zerstückelung seiner schönen Umgebungen empfindet. Ja, und er würde sich aus Kummer und Gram nicht zu retten wissen, verlieh' ihm die Muse nicht auch zu diesem Falle die unschätzbare Gabe, jenes bedrängende Gefühl am Busen eines teilnehmenden Freundes harmonisch gewaltig auszustürmen.

Wenden wir uns nun von dem, was unser Dichter als llgemeines und besonderes Gefühl ausspricht, wieder zuück zu seinem darstellenden Talent, so drängen sich uns nancherlei Betrachtungen auf.

Eine vorzüglich der Natur und, man kann sagen, der Virklichkeit gewidmete Dichtungsweise nimmt schon da hren Anfang, wo der übrigens unpoetische Mensch dem, vas er besitzt, dem, was ihn unmittelbar umgibt, einen esonderen Wert aufzuprägen geneigt ist. Diese liebensvürdige Äußerung der Selbstigkeit, wenn uns die Erzeugisse des eignen Grundes und Bodens am besten schmekken, wenn wir glauben, durch Früchte, die in unserem Garten reiften, auch Freunden das schmackhafteste Mahl zu bereiten, diese Überzeugung ist schon eine Art von Poesie, welche der künstlerische Genius in sich nur weiter ausbildet und seinem Besitz nicht nur durch Vorliebe einen besonderen, vielmehr durch sein Talent einen allgemeinen Wert, eine unverkennbare Würde verleiht und sein Eigentum dergestalt den Zeitgenossen, der Welt und Nachwelt zu überliefern und anzueignen versteht.

Diese gleichsam zauberische Wirkung bringt eine tieffühlende, energische Natur durch treues Anschauen, liebevolles Beharren, durch Absonderung der Zustände, durch Behandlung eines jeden Zustandes in sich als eines Ganzen schaffend hervor und befriedigt dadurch die unerläßlichen Grundforderungen an inneren Gehalt; aber damit ist noch nicht alles geschehen; auch äußerer Mittel bedarf es, um aus jenem Stoff einen würdigen Körper zu bilden. Diese sind Sprache und Rhythmus! Und auch hier ist es, wo unser Dichter seine Meisterschaft aufs höchste bewährt.

Zu einem liebevollen Studium der Sprache scheint der Niederdeutsche den eigentlichsten Anlaß zu finden. Vor allem, was undeutsch ist, abgesondert, hört er nur um sich her ein sanftes, behagliches Urdeutsch, und seine Nachbarn reden ähnliche Sprachen. Ja, wenn er ans Mee tritt, wenn Schiffer des Auslandes ankommen, tönen ihm die Grundsilben seiner Mundart entgegen, und so empfängt er manches Eigene, das er selbst schon aufgegeben von fremden Lippen zurück und gewöhnt sich deshal mehr als der Oberdeutsche, der an Völkerstämme gan verschiedenen Ursprungs angrenzt, im Leben selbst au die Abstammung der Worte zu merken.

Diesen ersten Teil der Sprachkunde läßt sich unser Dichter gewissenhaft angelegen sein. Die Ableitung führt ih auf das Bedeutende des Wortes, und so stellt er manche gehaltvolle wieder her, setzt ein mißbrauchtes in den vor gen Stand, und wenn er dabei mit stiller Vorsicht un

Genauigkeit verfährt, so fehlt es ihm nicht an Kühnheit, sich eines harten, sonst vermiedenen Ausdrucks an rechter Stelle zu bedienen. Durch eine so genaue Schätzung der Worte, durch den bestimmten Gebrauch derselben entsteht eine gefaßte Sprache, die sich, von der Prosa weg, unmerklich in die höheren Regionen erhebt und daselbst poetisch für sich zu schalten vermögend ist. Hier erscheinen die dem Deutschen sich darbietenden Wortfügungen, Zusammensetzungen und Stellungen zu ihrem größten Vorteil, und man kann wohl sagen, daß sich darunter unschätzbare Beispiele finden.

Und nicht bloß diesen ans Licht geförderten Reichtum einer im tiefsten Grunde edlen Sprache bewundern wir, sondern auch, was der Dichter bei seiner hohen Forderung an die Rhythmik durch Befolgung der strengsten Regeln geleistet hat. Ihn befriedigte nicht allein jene Gediegenheit des Ausdrucks, wo jedes Wort richtig gewählt ist, keines einen Nebenbegriff zuläßt, sondern bestimmt und einzig seinen Gegenstand bezeichnet. Er verlangt zur Vollendung Wohllaut der Töne, Wohlbewegung des Periodenbaues, wie sie der gebildete Geist aus seinem Innern entwickelt, um einen Gegenstand, ein Empfundenes völlig entsprechend und zugleich bezaubernd anmutig auszudrücken. Und hier erkennen wir sein unsterbliches Verdienst um die deutsche Rhythmik, die er aus so manchen schwankenden Versuchen einer für den Künstler so erwünschten Gewißheit und Festigkeit entgegenhebt. Aufmerksam horchte derselbe den Klängen des griechischen Altertums, und ihnen fügte sich die deutsche Sprache zu gleichem Wohllaute. So enthüllte sich ihm das Geheimnis der Silbenmaße, so fand er die innigste Vereinigung zwischen Poesie und Musik und ward, unter dem Einflusse eines freundschaftlichen Zusammenlebens mit Schulz, in den Stand gesetzt, solche Früchte einer gemeinsamen Anstrengung seinem Vaterlande auf praktischem und theoretischem Wege mitzuteilen.

Besonders angenehm ist das Studium jener Gedichte, die sich der Form nach als eine Nachbildung der aus dem Altertum geretteten ankündigen. Belehrend ist es, zu beobachten, wie der Dichter verfährt. Hier zeigt sich nicht etwa nur ein ähnlicher Körper, notdürftig wiederhergestellt; derselbe Geist vielmehr scheint ebendieselbe Gestalt abermals hervorzubringen.

Wie nun der Dichter den Wert einer bestimmten und vollendeten Form lebhaft anerkennt, die er bei seinen letzten Arbeiten völlig in der Gewalt hat, so wendet er ebendiese Forderung auch gegen seine früheren Gedichte und bearbeitet sie musterhaft nach den Gesetzen einer in ihm später gereiften Vollkommenheit. Haben daher Grammatiker und Techniker jene Leistungen besonders zu würdigen, so liegt uns ob, daß wir das übernommene Geschäft, den Dichter aus dem Gedicht, das Gedicht aus dem Dichter zu entwickeln, mit wenigen Zügen vollenden.

Auch innerhalb des geschlossenen Kreises der diesmal anzuzeigenden vier Bände finden wir ihn, wie er sich zum vorzüglichen Übersetzer jener Werke des Altertums nach und nach ausbildet.

Durch den entschiedenen, oben gepriesenen Sieg der Form über den Stoff, durch manches von äußerer Veranlassung völlig unabhängige Gedicht zeigt uns der Dichter, daß es ihm freistehe, das Wirkliche zu verlassen und ins Mögliche zu gehen, das Nahe wegzuweisen und das Ferne zu ergreifen, das Eigene aufzugeben und das Fremde in sich aufzunehmen. Und wie man zu sagen pflegte, daß neben dem römischen Volke noch ein Volk von Statuen die Stadt verherrliche, so läßt sich von unserem Dichter gleichfalls aussprechen, daß in ihm zu einer echt deutschen wirklichen Umgebung eine echt antike geistige Welt sich geselle.

Ihm war das glückliche Los beschieden, daß er den alten Sprachen und Literaturen seine Jugend widmete, sie zum Geschäft seines Lebens erkor. Nicht zerstückeltes, buch stäbliches Wissen war sein Ziel, sondern er drang bis zum Anschauen, bis zum unmittelbaren Ergreifen der Vergangenheit in ihren wahresten Verhältnissen; er vergegenwärtigte sich das Entfernte und faßte glücklich den kindlichen Sinn, mit welchem die ersten gebildeten Völker sich ihren großen Wohnplatz, die Erde, den übergewölbten Himmel, den verborgenen Tartarus mit beschränkter Phantasie vorgestellt; er ward gewahr, wie sie diese Räume mit Göttern, Halbgöttern und Wundergestalten bevölkerten, wie sie jedem einen Platz zur Wohnung, zur Wanderung den Pfad bezeichneten. Sodann, aufmerksam auf die Fortschritte des menschlichen Geistes, der nicht aufhörte zu beobachten, zu schließen, zu dichten, ließ der Forscher die vollkommene Vorstellung, die wir Neuern von dem Erd- und Weltgebäude sowie von seinen Bewohnern besitzen, aus ihren ersten Keimen sich nach und nach entwickeln und auferbauen. Wie sehr dadurch Fabel und Geschichte gefördert worden, ist niemand mehr verborgen, und sein Verdienst wird sich immer glänzender zeigen, je mehr dieser Methode gemäß nach allen Seiten hin gewirkt und das Gesammelte geordnet und aufgestellt werden kann.

Auf die Weise ward sein großes Recht begründet, sich vorzüglich an den Urbarden anzuschließen, von ihm die Dichterweihe zu empfangen, ihn auf seinen Wanderungen zu begleiten, um gestärkt und gekräftigt unter seine Landsleute zurückzukehren. So, mit festhaltender Eigentümlichkeit, wußte er das Eigentümliche jedes Jahrhunderts, jedes Volkes, jedes Dichters zu schätzen und reichte die älteren Schriften uns mit geübter Meisterhand dergestalt herüber, daß fremde Nationen künftig die deutsche Sprache, als Vermittlerin zwischen der alten und neuen Zeit, höchlich u schätzen verbunden sind.

Und so werde zum Schluß das Hochgefühl gelungener nsäglicher Arbeit und die Einladung zum Genusse des ereiteten mit des Dichters eigenen Worten ausgesprochen:

Mir trug Lyäos, mir der begeisternden
Weinrebe Sprößling, als, dem Verstürmten gleich
Auf ödem Eiland, ich mit Sehnsucht
Wandte den Blick zur Hellenenheimat.

Schamhaft erglühend nahm ich den heiligen
Rebschoß und hegt ihn, nahe dem Nordgestirn,
Abwehrend Luft und Ungeschlachtheit,
Unter dem Glas in erkargter Sonne.

Vom Trieb der Gottheit, siehe! beschleuniget,
Stieg Rankenwaldung, übergewölbt, mich bald
Mit Blüte, bald mit grünem Herling,
Bald mit geröteter Traub umschwebend.

Im süßen Anhauch träumt ich, der Zeit entflohn,
Wettkampf mit altertümlichem Hochgesang.
Wer lauter ist, der koste freundlich,
Ob die Ambrosiafrucht gereift sei.

Johann Wolfgang Goethe

SHAKESPEARE UND KEIN ENDE

1813 und 1826

Es ist über Shakespeare schon so viel gesagt, daß es scheinen möchte, als wäre nichts mehr zu sagen übrig; und doch ist dies die Eigenschaft des Geistes, daß er den Geist ewig anregt. Diesmal will ich Shakespeare von mehr als einer Seite betrachten, und zwar erstlich als Dichter überhaupt, sodann verglichen mit den Alten und den Neusten und zuletzt als eigentlichen Theaterdichter. Ich werde zu entwickeln suchen, was die Nachahmung seiner Art auf uns gewirkt und was sie überhaupt wirken kann. Ich werde meine Beistimmung zu dem, was schon gesagt ist, dadurch geben, daß ich es allenfalls wiederhole, meine Abstimmung aber kurz und positiv ausdrücken, ohne mich in Streit und Widerspruch zu verwickeln. Hier sei also von jenem ersten Punkt zuvörderst die Rede.

1. Shakespeare als Dichter überhaupt

Das Höchste, wozu der Mensch gelangen kann, ist das Bewußtsein eigner Gesinnungen und Gedanken, das Erkennen seiner selbst, welches ihm die Einleitung gibt, auch fremde Gemütsarten innig zu erkennen. Nun gibt es Menschen, die mit einer natürlichen Anlage hierzu geboren sind und solche durch Erfahrung zu praktischen Zwecken ausbilden. Hieraus entsteht die Fähigkeit, der Welt und den Geschäften im höhern Sinn etwas abzugewinnen. Mit jener Anlage nun wird auch der Dichter geboren, nur daß er sie nicht zu unmittelbaren, irdischen Zwecken, sondern zu einem höhern, geistigen, allgemeinen Zweck ausbildet. Nennen wir nun Shakespeare einen der größten Dichter, so gestehen wir zugleich, daß nicht leicht jemand die Welt so gewahrte wie er, daß nicht leicht jemand, der sein inneres Anschauen aussprach, den Leser in höherm Grade mit in das Bewußtsein der Welt versetzt. Sie wird für uns völlig durchsichtig: wir finden uns auf einmal als Vertraute der Tugend und des Lasters, der Größe, der Kleinheit, des Adels, der Verworfenheit, und dieses alles, ja noch mehr, durch die einfachsten Mittel. Fragen wir aber nach diesen Mitteln, so scheint es, als arbeite er für unsre Augen; aber wir sind getäuscht: Shakespeares Werke sind nicht für die Augen des Leibes. Ich will mich zu erklären suchen.

Das Auge mag wohl der klarste Sinn genannt werden, durch den die leichteste Überlieferung möglich ist. Aber der innere Sinn ist noch klarer, und zu ihm gelangt die höchste und schnellste Überlieferung durchs Wort; denn dieses ist eigentlich fruchtbringend, wenn das, was wir durchs Auge auffassen, an und für sich fremd und keineswegs so tiefwirkend vor uns steht. Shakespeare nun spricht durchaus an unsern innern Sinn; durch diesen belebt sich zugleich die Bilderwelt der Einbildungskraft, und so entspringt eine vollständige Wirkung, von der wir uns keine Rechenschaft zu geben wissen; denn hier liegt eben der Grund von jener Täuschung, als begebe sich alles vor unsern Augen. Betrachtet man aber die Shakespeareschen Stücke genau, so enthalten sie viel weniger sinnliche Tat als geistiges Wort. Er läßt geschehen, was sich leicht imaginieren läßt, ja was besser imaginiert als gesehen wird. Hamlets Geist, Macbeths Hexen, manche Grausamkeiten erhalten ihren Wert erst durch die Einbildungskraft, und die vielfältigen kleinen Zwischenszenen sind bloß auf sie berechnet. Alle solche Dinge gehen beim Lesen leicht und gehörig an uns vorbei, da sie bei der Vorstellung lasten und störend, ja widerlich erscheinen.

Durchs lebendige Wort wirkt Shakespeare, und dies läßt sich beim Vorlesen am besten überliefern: der Hörer wird nicht zerstreut, weder durch schickliche noch unschicklich

Darstellung. Es gibt keinen höhern Genuß und keinen reinern als sich mit geschlossenen Augen durch eine natürlich richtige Stimme ein Shakespearesches Stück nicht deklamieren, sondern rezitieren zu lassen. Man folgt dem schlichten Faden, an dem er die Ereignisse abspinnt. Nach der Bezeichnung der Charaktere bilden wir uns zwar gewisse Gestalten, aber eigentlich sollen wir durch eine Folge von Worten und Reden erfahren, was im Innern vorgeht, und hier scheinen alle Mitspielenden sich verabredet zu haben, uns über nichts im Dunkeln, im Zweifel zu lassen. Dazu konspirieren Helden und Kriegsknechte, Herren und Sklaven, Könige und Boten, ja die untergeordneten Figuren wirken hier oft tätiger als die Hauptgestalten. Alles, was bei einer großen Weltbegebenheit heimlich durch die Lüfte säuselt, in Momenten ungeheurer Ereignisse sich in dem Herzen der Menschen verbirgt, wird ausgesprochen; was ein Gemüt ängstlich verschließt und versteckt, wird hier frei und flüssig an den Tag gefördert; wir erfahren die Wahrheit des Lebens und wissen nicht wie.

Shakespeare gesellt sich zum Weltgeist; er durchdringt die Welt wie jener; beiden ist nichts verborgen. Aber wenn des Weltgeists Geschäft ist, Geheimnisse vor, ja oft nach der Tat zu bewahren, so ist es der Sinn des Dichters, das Geheimnis zu verschwätzen und uns vor oder doch gewiß in der Tat zu Vertrauten zu machen. Der lasterhafte Mächtige, der wohldenkende Beschränkte, der leidenschaftlich Hingerissene, der ruhig Betrachtende, alle tragen ihr Herz in der Hand, oft gegen alle Wahrscheinlichkeit; jedermann ist redsam und redselig. Genug, das Geheimnis muß heraus, und sollten es die Steine verkünden. Selbst das Unbelebte drängt sich hinzu; alles Untergeordnete spricht mit: die Elemente, Himmel-, Erd- und Meerphänomene, Donner und Blitz, wilde Tiere erheben ihre Stimme, oft scheinbar als Gleichnis, aber ein wie das andre Mal mithandelnd.

Aber auch die zivilisierte Welt muß ihre Schätze hergeben; Künste und Wissenschaften, Handwerke und Gewerbe, alles reicht seine Gaben dar. Shakespeares Dichtungen sind ein großer, belebter Jahrmarkt, und diesen Reichtum hat er seinem Vaterlande zu danken.

Überall ist England, das meerumflossene, von Nebel und Wolken umzogene, nach allen Weltgegenden tätige. Der Dichter lebt zur würdigen und wichtigen Zeit und stellt ihre Bildung, ja Verbildung mit großer Heiterkeit uns dar; ja, er würde nicht so sehr auf uns wirken, wenn er sich nicht seiner lebendigen Zeit gleichgestellt hätte. Niemand hat das materielle Kostüm mehr verachtet als er; er kennt recht gut das innere Menschenkostüm, und hier gleichen sich alle. Man sagt, er habe die Römer vortrefflich dargestellt; ich finde es nicht; es sind lauter eingefleischte Engländer, aber freilich Menschen sind es, Menschen von Grund aus, und denen paßt wohl auch die römische Toga. Hat man sich einmal hierauf eingerichtet, so findet man seine Anachronismen höchst lobenswürdig, und gerade daß er gegen das äußere Kostüm verstößt, das ist es, was seine Werke so lebendig macht.

Und so sei es genug an diesen wenigen Worten, wodurch Shakespeares Verdienst keineswegs erschöpft ist. Seine Freunde und Verehrer werden noch manches hinzuzusetzen haben. Doch stehe noch eine Bemerkung hier: schwerlich wird man einen Dichter finden, dessen einzelnen Werken jedesmal ein andrer Begriff zugrunde liegt und im Ganzen wirksam ist, wie an den seinigen sich nachweisen läßt.

So geht durch den ganzen *Coriolan* der Ärger durch, daß die Volksmasse den Vorzug der Bessern nicht anerkennen will. Im *Cäsar* bezieht sich alles auf den Begriff, daß die Bessern den obersten Platz nicht wollen eingenommen sehen, weil sie irrig wähnen, in Gesamtheit wirken zu können. *Antonius und Kleopatra* spricht mit tausend Zungen, daß Genuß und Tat unverträglich sei. Und so würde man bei weiterer Untersuchung ihn noch öfter zu bewundern haben.

II. Shakespeare verglichen mit den Alten und Neusten

Das Interesse, welches Shakespeares großen Geist belebt, liegt innerhalb der Welt; denn wenn auch Wahrsagung und Wahnsinn, Träume, Ahnungen, Wunderzeichen, Feen und Gnomen, Gespenster, Unholde und Zauberer ein magisches Element bilden, das zur rechten Zeit seine Dichtungen durchschwebt, so sind doch jene Truggestalten keineswegs Hauptingredienzien seiner Werke, sondern die Wahrheit und Tüchtigkeit seines Lebens ist die große Base, worauf sie ruhen; deshalb uns alles, was sich von ihm herschreibt, so echt und kernhaft erscheint. Man hat daher schon eingesehen, daß er nicht sowohl zu den Dichtern der neuern Welt, welche man die romantischen genannt hat, sondern vielmehr zu jenen der naiven Gattung gehöre, da sein Wert eigentlich auf der Gegenwart ruht und er kaum von der zartesten Seite, ja nur mit der äußersten Spitze an die Sehnsucht grenzt.

Desungeachtet aber ist er, näher betrachtet, ein entschieden moderner Dichter, von den Alten durch eine ungeheure Kluft getrennt, nicht etwa der äußern Form nach, welche hier ganz zu beseitigen ist, sondern dem innersten, tiefsten Sinne nach.

Zuvörderst aber verwahre ich mich und sage, daß keineswegs meine Absicht sei, nachfolgende Terminologie als erschöpfend und abschließend zu gebrauchen; vielmehr soll es nur ein Versuch sein, zu andern, uns schon bekannten Gegensätzen nicht sowohl einen neuen hinzuzufügen als, daß er schon in jenen enthalten sei, anzudeuten. Diese Gegensätze sind:

Antik	Modern
Naiv	Sentimental
Heidnisch	Christlich
Heldenhaft	Romantisch
Real	Ideal
Notwendigkeit	Freiheit
Sollen	Wollen.

Die größten Qualen sowie die meisten, welchen der Mensch ausgesetzt sein kann, entspringen aus den einem jeden inwohnenden Mißverhältnissen zwischen Sollen und Wollen, sodann aber zwischen Sollen und Vollbringen, Wollen und Vollbringen; und diese sind es, die ihn auf seinem Lebensgange so oft in Verlegenheit setzen. Die geringste Verlegenheit, die aus einem leichten Irrtum, der unerwartet und schadlos gelöst werden kann, entspringt, gibt die Anlage zu lächerlichen Situationen. Die höchste Verlegenheit hingegen, unauflöslich oder unaufgelöst, bringt uns die tragischen Momente dar.

Vorherrschend in den alten Dichtungen ist das Unverhältnis zwischen Sollen und Vollbringen, in den neuern zwischen Wollen und Vollbringen. Man nehme diesen durchgreifenden Unterschied unter die übrigen Gegensätze einstweilen auf und versuche, ob sich damit etwas leisten lasse. Vorherrschend, sagte ich, sind in beiden Epochen bald diese, bald jene Seite; weil aber Sollen und Wollen im Menschen nicht radikal getrennt werden kann, so müssen überall beide Ansichten zugleich, wenn schon die eine vorwaltend und die andre untergeordnet, gefunden werden. Das Sollen wird dem Menschen auferlegt; das Muß ist eine harte Nuß; das Wollen legt der Mensch sich selbst auf; des Menschen Wille ist sein Himmelreich. Ein beharrendes Sollen ist lästig, Unvermögen des Vollbringens fürchterlich, ein beharrliches Wollen erfreulich, und bei einem festen Willen kann man sich sogar über das Unvermögen des Vollbringens getröstet sehen.

Betrachte man als eine Art Dichtung die Kartenspiele; auch diese bestehen aus jenen beiden Elementen. Die Form des Spiels, verbunden mit dem Zufalle, vertritt hier die Stelle des Sollens, gerade wie es die Alten unter der Form des Schicksals kannten; das Wollen, verbunden mit der Fähigkeit des Spielers, wirkt ihm entgegen. In diesem Sinn möchte ich das Whistspiel antik nennen. Die Form dieses Spiels beschränkt den Zufall, ja das Wollen selbst. Ich muß bei gegebenen Mit- und Gegenspielern mit den Karten, die mir in die Hand kommen, eine lange Reihe von Zufällen lenken, ohne ihnen ausweichen zu können. Beim l'Hombre und ähnlichen Spielen findet das Gegenteil statt. Hier sind meinem Wollen und Wagen gar viele Türen gelassen; ich kann die Karten, die mir zufallen, verleugnen, in verschiedenem Sinne gelten lassen, halb oder ganz verwerfen, vom Glück Hülfe rufen, ja durch ein umgekehrtes Verfahren aus den schlechtesten Blättern den größten Vorteil ziehen; und so gleichen diese Art Spiele vollkommen der modernen Denk- und Dichtart.

Die alte Tragödie beruht auf einem unausweichlichen Sollen, das durch ein entgegenwirkendes Wollen nur geschärft und beschleunigt wird. Hier ist der Sitz alles Furchtbaren, der Orakel, die Region, in welcher *Ödipus* über alle thront. Zarter erscheint uns das Sollen als Pflicht in der *Antigone,* und in wie viele Formen verwandelt tritt es nicht auf! Aber alles Sollen ist despotisch, es gehöre der Vernunft an wie das Sitten- und Stadtgesetz oder der Natur wie die Gesetze des Werdens, Wachsens und Vergehens, des Lebens und Todes. Vor allem diesem schaudern wir, ohne zu bedenken, daß das Wohl des Ganzen dadurch bezielt sei. Das Wollen hingegen ist frei, scheint frei und begünstigt den einzelnen. Daher ist das Wollen schmeichlerisch und mußte sich der Menschen bemächtigen, sobald sie es kennenlernten. Es ist der Gott der neuern Zeit; ihm hingegeben, fürchten wir uns vor dem Entgegengesetzten, und hier liegt der Grund, warum unsre Kunst sowie unsre Sinnesart von der antiken ewig getrennt bleibt. Durch das Sollen wird die Tragödie groß und stark, durch das Wollen schwach und klein. Auf dem letzten Wege ist das sogenannte Drama entstanden, in dem man das ungeheure Sollen durch ein Wollen auflöste; aber eben weil dieses unsrer Schwachheit zu Hülfe kommt, so fühlen wir uns gerührt, wenn wir nach peinlicher Erwartung zuletzt noch kümmerlich getröstet werden.

Wende ich mich nun nach diesen Vorbetrachtungen zu Shakespeare, so muß der Wunsch entspringen, daß meine Leser selbst Vergleichung und Anwendung übernehmen möchten. Hier tritt Shakespeare einzig hervor, indem er das Alte und Neue auf eine überschwengliche Weise verbindet. Wollen und Sollen suchen sich durchaus in seinen Stücken ins Gleichgewicht zu setzen; beide bekämpfen sich mit Gewalt, doch immer so, daß das Wollen im Nachteile bleibt.

Niemand hat vielleicht herrlicher als er die erste große Verknüpfung des Wollens und Sollens im individuellen Charakter dargestellt. Die Person, von der Seite des Charakters betrachtet, soll; sie ist beschränkt, zu einem Besondern bestimmt, als Mensch aber will sie. Sie ist unbegrenzt und fordert das Allgemeine. Hier entspringt schon ein innerer Konflikt, und diesen läßt Shakespeare vor allen andern hervortreten. Nun aber kommt ein äußerer hinzu, und der erhitzt sich öfters dadurch, daß ein unzulängliches Wollen durch Veranlassungen zum unerläßlichen Sollen erhöht wird. Diese Maxime habe ich früher an *Hamlet* nachgewiesen; sie wiederholt sich aber bei Shakespeare: denn wie Hamlet durch den Geist, so kommt Macbeth durch Hexen, Hekate und die Überhexe, sein Weib, Brutus durch die Freunde in eine Klemme, der sie nicht gewachsen sind; ja sogar im *Coriolan* läßt sich das Ähnliche finden; genug, ein Wollen, das über die Kräfte eines Individuums hinausgeht, ist modern. Daß es aber Shakespeare nicht von innen entspringen, sondern durch äußere Veranlassung aufregen läßt, dadurch wird es zu einer Art von Sollen und nähert sich dem Antiken. Denn alle Helden des dichterischen Altertums wollen nur das, was Menschen möglich ist, und daher entspringt das schöne Gleichgewicht zwischen Wollen, Sollen und Vollbringen; doch steht ihr Sollen immer zu schroff da, als daß es uns, wenn wir es auch bewundern, anmuten könnte. Eine Notwendigkeit, die mehr oder weniger oder völlig alle Freiheit ausschließt, verträgt sich nicht mehr mit unsern Gesinnungen; diesen hat jedoch Shakespeare auf seinem Wege sich genähert; denn indem er das Notwendige sittlich macht, so verknüpft er die alte und neue Welt zu unserm freudigen Erstaunen. Ließe sich etwas von ihm lernen, so wäre hier der Punkt, den wir in seiner Schule studieren müßten. Anstatt unsere Romantik, die nicht zu schelten noch zu verwerfen sein mag, über die Gebühr ausschließlich zu erheben und ihr einseitig nachzuhängen, wodurch ihre starke, derbe, tüchtige Seite verkannt und verderbt wird, sollten wir suchen, jenen großen, unvereinbar scheinenden Gegensatz um so mehr in uns zu vereinigen, als ein großer und einziger Meister, den wir so höchlich schätzen und oft, ohne zu wissen warum, über alles präkonisieren, das Wunder wirklich schon geleistet hat. Freilich hatte er den Vorteil, daß er zur rechten Erntezeit kam, daß er in einem lebensreichen, protestantischen Lande wirken durfte, wo der bigotte Wahn eine Zeitlang schwieg, so daß einem wahren Naturfrommen wie Shakespeare die Freiheit blieb, sein reines Innere ohne Bezug auf irgendeine bestimmte Religion religiös zu entwickeln.

Vorstehendes ward im Sommer 1813 geschrieben, und man will daran nicht markten noch mäkeln, sondern nur an das oben Gesagte erinnern: daß Gegenwärtiges gleichfalls ein einzelner Versuch sei, um zu zeigen, wie die verschiedenen poetischen Geister jenen ungeheuern und unter so viel Gestalten hervortretenden Gegensatz auf ihre Weise zu vereinigen und aufzulösen gesucht. Mehreres zu sagen wäre um so überflüssiger, als man seit gedachter Zeit auf diese Frage von allen Seiten aufmerksam gemacht worden und wir darüber vortreffliche Erklärungen erhalten haben. Vor allen gedenke ich Blümners höchst schätzbare Abhandlung *Über die Idee des Schicksals in den Tragödien des Äschylus* und deren vortreffliche Rezension in den Ergänzungsblättern der *Jenaischen Literaturzeitung*. Worauf ich mich denn ohne weiteres zu dem dritten Punkt wende, welcher sich unmittelbar auf das deutsche Theater bezieht und auf jenen Vorsatz, welchen Schiller gefaßt, dasselbe auch für die Zukunft zu begründen.

III. Shakespeare als Theaterdichter

Wenn Kunstliebhaber und -freunde irgendein Werk freudig genießen wollen, so ergötzen sie sich am Ganzen und durchdringen sich von der Einheit, die ihm die Künstler geben können. Wer hingegen theoretisch über solche Arbeiten sprechen, etwas von ihnen behaupten und also lehren und belehren will, dem wird Sondern zur Pflicht. Diese glaubten wir zu erfüllen, indem wir Shakespeare erst als Dichter überhaupt betrachteten und sodann mit den Alten und den Neusten verglichen. Nun aber gedenken wir unsern Vorsatz dadurch abzuschließen, daß wir ihn als Theaterdichter betrachten.

Shakespeares Name und Verdienst gehören in die Geschichte der Poesie; aber es ist eine Ungerechtigkeit gegen alle Theaterdichter früherer und späterer Zeiten, sein ganzes Verdienst in der Geschichte des Theaters aufzuführen.

Ein allgemein anerkanntes Talent kann von seinen Fähigkeiten einen Gebrauch machen, der problematisch ist. Nicht alles, was der Vortreffliche tut, geschieht auf die vortrefflichste Weise. So gehört Shakespeare notwendig in die Geschichte der Poesie; in der Geschichte des Theaters tritt er nur zufällig auf. Weil man ihn dort unbedingt verehren kann, so muß man hier die Bedingungen erwägen, in die er sich fügte, und diese Bedingungen nicht als Tugenden oder als Muster anpreisen.

Wir unterscheiden nahverwandte Dichtungsarten, die aber bei lebendiger Behandlung oft zusammenfließen: Epos, Dialog, Drama, Theaterstück lassen sich sondern.

Epos fordert mündliche Überlieferung an die Menge durch einen einzelnen; Dialog Gespräch in geschlossener Gesellschaft, wo die Menge allenfalls zuhören mag; Drama Gespräch in Handlungen, wenn es auch nur vor der Einbildungskraft geführt würde; Theaterstück alles dreies zusammen, insofern es den Sinn des Auges mit beschäftigt und unter gewissen Bedingungen örtlicher und persönlicher Gegenwart faßlich werden kann.

Shakespeares Werke sind in diesem Sinne am meisten dramatisch. Durch seine Behandlungsart, das innerste Leben hervorzukehren, gewinnt er den Leser; die theatralischen Forderungen erscheinen ihm nichtig, und so macht er sich's bequem, und man läßt sich's, geistig genommen, mit ihm bequem werden. Wir springen mit ihm von Lokalität zu Lokalität, unsere Einbildungskraft ersetzt alle Zwischenhandlungen, die er ausläßt, ja wir wissen ihm Dank, daß er unsere Geisteskräfte auf eine so würdige Weise anregt. Dadurch, daß er alles unter der Theaterform vorbringt, erleichtert er der Einbildungskraft die Operation; denn mit den »Brettern, die die Welt bedeuten«, sind wir bekannter als mit der Welt selbst, und wir mögen das Wunderlichste lesen und hören, so meinen wir, das könne auch da droben einmal vor unsern Augen vorgehen; daher die so oft mißlungene Bearbeitung von beliebten Romanen in Schauspielen.

Genau aber genommen, so ist nichts theatralisch, als was für die Augen zugleich symbolisch ist: eine wichtige Handlung, die auf eine noch wichtigere deutet. Daß Shakespeare auch diesen Gipfel zu erfassen gewußt, bezeugt jener Augenblick, wo dem todkranken schlummernden König der Sohn und Nachfolger die Krone von seiner Seite wegnimmt, sie aufsetzt und damit fortstolziert. Dieses sind aber nur Momente, ausgesäte Juwelen, die durch viel Untheatralisches auseinandergehalten werden. Shakespeares ganze Verfahrungsart findet an der eigentlichen Bühne etwas Widerstrebendes; sein großes Talent ist das eines Epitomators, und da der Dichter überhaupt als Epitomator der Natur erscheint, so müssen wir auch hier Shakespeares großes Verdienst anerkennen; nur leugnen wir dabei, und zwar zu seinen Ehren, daß die Bühne ein würdiger Raum für sein Genie gewesen. Indessen veranlaßt ihn gerade diese Bühnenenge zu eigner Begrenzung. Hier aber nicht, wie andere Dichter, wählt er sich zu einzelnen Arbeiten besondere Stoffe, sondern er legt einen Begriff in den Mittelpunkt und bezieht auf diesen die Welt und das Universum. Wie er alte und neue Geschichte in die Enge zieht, kann er den Stoff von jeder Chronik brauchen, an die er sich oft sogar wörtlich hält. Nicht so gewissenhaft verfährt er mit den Novellen, wie uns *Hamlet* bezeugt. *Romeo und Julie* bleibt der Überlieferung getreuer, doch zerstört er den tragischen Gehalt derselben beinahe ganz durch die zwei komischen Figuren Mercutio und die Amme, wahrscheinlich von zwei beliebten Schauspielern, die Amme wohl auch von einer Mannsperson gespielt. Betrachtet man die Ökonomie des Stücks recht genau, so bemerkt man, daß diese beiden Figuren, und was an sie grenzt, nur als possenhafte Intermezzisten auftreten, die uns bei unserer folgerechten, Übereinstimmung liebenden Denkart auf der Bühne unerträglich sein müssen.

Am merkwürdigsten erscheint jedoch Shakespeare, wenn er schon vorhandene Stücke redigiert und zusammenschneidet. Bei *König Johann* und *Lear* können wir diese Vergleichung anstellen; denn die ältern Stücke sind noch übrig. Aber auch in diesen Fällen ist er wieder mehr Dichter überhaupt als Theaterdichter.

Lasset uns denn aber zum Schluß zur Auflösung des Rätsels schreiten. Die Unvollkommenheit der englischen Bretterbühne ist uns durch kenntnisreiche Männer vor Augen gestellt. Es ist keine Spur von der Natürlichkeitsforderung, in die wir nach und nach durch Verbesserung der Maschinerie, der perspektivischen Kunst und der Garderobe hineingewachsen sind und von wo man uns wohl schwerlich in jene Kindheit der Anfänge wieder zurückführen dürfte: vor ein Gerüste, wo man wenig sah, wo alles nur bedeutete, wo sich das Publikum gefallen ließ, hinter einem grünen Vorhang das Zimmer des Königs anzunehmen, den Trompeter, der an einer gewissen Stelle immer trompetete, und was dergleichen mehr ist. Wer will sich nun gegenwärtig so etwas zumuten lassen? Unter solchen Umständen waren Shakespeares Stücke höchst interessante Märchen, nur von mehreren Personen erzählt, die sich, um etwas mehr Eindruck zu machen, charakteristisch maskiert hatten, sich, wie es not tat, hin- und herbewegten. kamen und gingen, dem Zuschauer jedoch überließen, sich auf der öden Bühne nach Belieben Paradies und Paläste zu imaginieren.

Wodurch erwarb sich denn Schröder das große Verdienst, Shakespeares Stücke auf die deutsche Bühne zu bringen, als daß er der Epitomator des Epitomators wurde? Schröder hielt sich ganz allein ans Wirksame; alles andere warf er weg, ja sogar manches Notwendige, wenn es ihm die Wirkung auf seine Nation, auf seine Zeit zu stören schien. So ist es z. B. wahr, daß er durch Weglassung der ersten Szene des *Königs Lear* den Charakter des Stücks aufgehoben, aber er hatte doch recht: denn in dieser Szene erscheint Lear so absurd, daß man seinen Töchtern in der Folge nicht ganz unrecht geben kann. Der Alte jammert einen, aber Mitleid hat man nicht mit ihm, und Mitleid wollte Schröder erregen sowie Abscheu gegen die zwar unnatürlichen, aber doch nicht durchaus zu scheltenden Töchter.

In dem alten Stücke, welches Shakespeare redigiert, bringt diese Szene im Verlaufe des Stücks die lieblichsten Wirkungen hervor. Lear entflieht nach Frankreich; Tochter und Schwiegersohn, aus romantischer Grille, machen verkleidet irgendeine Wallfahrt ans Meer und treffen den Alten, der sie nicht erkennt. Hier wird alles süß, was Shakespeares hoher, tragischer Geist uns verbittert hat.

Eine Vergleichung dieser Stücke macht dem denkenden Kunstfreunde immer aufs neue Vergnügen.

Nun hat sich aber seit vielen Jahren das Vorurteil in Deutschland eingeschlichen, daß man Shakespeare auf der deutschen Bühne Wort für Wort aufführen müsse, und wenn Schauspieler und Zuschauer daran erwürgen sollten. Die Versuche, durch eine vortreffliche, genaue Übersetzung veranlaßt, wollten nirgends gelingen, wovon die Weimarische Bühne bei redlichen und wiederholten Bemühungen das beste Zeugnis ablegen kann. Will man ein Shakespearisch Stück sehen, so muß man wieder zu Schröders Bearbeitung greifen; aber die Redensart, daß auch bei der Vorstellung von Shakespeare kein Jota zurückbleiben dürfe, so sinnlos sie ist, hört man immer wiederklingen. Behalten die Verfechter dieser Meinung die Oberhand, so wird Shakespeare in wenigen Jahren ganz von der deutschen Bühne verdrängt sein, welches denn auch kein Unglück wäre; denn der einsame oder gesellige Leser wird an ihm desto reinere Freude empfinden.

Um jedoch in dem Sinne, wie wir oben weitläufig gesprochen, einen Versuch zu machen, hat man *Romeo und Julie* für das weimarische Theater redigiert. Die Grundsätze, wonach solches geschehen, wollen wir ehestens entwickeln, woraus sich denn vielleicht auch ergeben wird, warum diese Redaktion, deren Vorstellung keineswegs schwierig ist, jedoch kunstmäßig und genau behandelt werden muß, auf dem deutschen Theater nicht gegriffen. Versuche ähnlicher Art sind im Werke, und vielleicht bereitet sich für die Zukunft etwas vor, da ein häufiges Bemühen nicht immer auf den Tag wirkt.

Johann Wolfgang Goethe

EIN WORT FÜR JUNGE DICHTER

1832

Unser Meister ist derjenige, unter dessen Anleitung wir uns in einer Kunst fortwährend üben und welcher uns, wie wir nach und nach zur Fertigkeit gelangen, stufenweise die Grundsätze mitteilt, nach welchen handelnd wir das ersehnte Ziel am sichersten erreichen.

In solchem Sinne war ich Meister von niemand. Wenn ich aber aussprechen soll, was ich den Deutschen überhaupt, besonders den jungen Dichtern geworden bin, so darf ich mich wohl ihren Befreier nennen; denn sie sind an mir gewahr geworden, daß, wie der Mensch von innen heraus leben, der Künstler von innen heraus wirken müsse, indem er, gebärde er sich, wie er will, immer nur sein Individuum zutage fördern wird.

Geht er dabei frisch und froh zu Werke, so manifestiert er gewiß den Wert seines Lebens, die Hoheit oder Anmut, vielleicht auch die anmutige Hoheit, die ihm von der Natur verliehen war.

Ich kann übrigens recht gut bemerken, auf wen ich in dieser Art gewirkt; es entspringt daraus gewissermaßen eine Naturdichtung, und nur auf diese Art ist es möglich, Original zu sein.

Glücklicherweise steht unsere Poesie im Technischen so hoch, das Verdienst eines würdigen Gehalts liegt so klar am Tag, daß wir wundersam erfreuliche Erscheinungen auftreten sehen. Dieses kann immer noch besser werden, und niemand weiß, wohin es führen mag; nur freilich muß jeder sich selbst kennenlernen, sich selbst zu beurteilen wissen, weil hier kein fremder äußerer Maßstab zu Hülfe zu nehmen ist.

Worauf aber alles ankommt, sei in kurzem gesagt. Der junge Dichter spreche nur aus, was lebt und fortwirkt, unter welcherlei Gestalt es auch sein möge; er beseitige streng allen Widergeist, alles Mißwollen, Mißreden und was nur verneinen kann: denn dabei kommt nichts heraus.

Ich kann es meinen jungen Freunden nicht ernst genug empfehlen, daß sie sich selbst beobachten müssen, auf daß bei einer gewissen Fazilität des rhythmischen Ausdrucks sie doch auch immer an Gehalt mehr und mehr gewinnen.

Poetischer Gehalt aber ist Gehalt des eigenen Lebens; den kann uns niemand geben, vielleicht verdüstern, aber nicht verkümmern. Alles was Eitelkeit, das heißt Selbstgefälliges ohne Fundament, ist, wird schlimmer als jemals behandelt werden.

Sich frei zu erklären ist eine große Anmaßung; denn man erklärt zugleich, daß man sich selbst beherrschen wolle, und wer vermag das? Zu meinen Freunden, den jungen Dichtern, sprech ich hierüber folgendermaßen: Ihr habt jetzt eigentlich keine Norm, und die müßt ihr euch selbst geben; fragt euch nur bei jedem Gedicht, ob es ein Erlebtes enthalte und ob dies Erlebte euch gefördert habe.

Ihr seid nicht gefördert, wenn ihr eine Geliebte, die ihr durch Entfernung, Untreue, Tod verloren habt, immerfort betrauert. Das ist gar nichts wert, und wenn ihr noch soviel Geschick und Talent dabei aufopfert.

Man halte sich an's fortschreitende Leben und prüfe sich bei Gelegenheiten; denn da beweist sich's im Augenblick, ob wir lebendig sind, und bei späterer Betrachtung, ob wir lebendig waren.

FRIEDRICH SCHILLER

VORREDE ZU DEN »RÄUBERN«

1781

Man nehme dieses Schauspiel für nichts andres als eine dramatische Geschichte, welche die Vorteile der dramatischen Methode, die Seele gleichsam bei ihren geheimsten Operationen zu ertappen, benutzt, ohne sich übrigens in die Schranken eines Theaterstücks einzuzäunen oder nach dem so zweifelhaften Gewinn bei theatralischer Verkörperung zu geizen. Man wird mir einräumen, daß es eine widersinnige Zumutung ist, binnen drei Stunden drei außerordentliche Menschen zu erschöpfen, deren Tätigkeit von vielleicht tausend Räderchen abhängt, so wie es in der Natur der Dinge unmöglich kann gegründet sein, daß sich drei außerordentliche Menschen auch dem durchdringendsten Geisteskenner innerhalb vierundzwanzig Stunden entblößen. Hier war Fülle ineinander gedrungener Realitäten vorhanden, die ich unmöglich in die allzu engen Palisaden des Aristoteles und Batteux einkeilen konnte.

Nun ist es aber nicht sowohl die Masse meines Schauspiels als vielmehr sein Inhalt, der es von der Bühne verbannet. Die Ökonomie desselben machte es notwendig, daß mancher Charakter auftreten mußte, der das feinere Gefühl der Tugend beleidigt und die Zärtlichkeit unsrer Sitten empört. Jeder Menschenmaler ist in diese Notwendigkeit gesetzt, wenn er anders eine Kopie der wirklichen Welt und keine idealischen Affektationen, keine Kompendienmenschen will geliefert haben. Es ist einmal so die Mode in der Welt, daß die Guten durch die Bösen schattiert werden und die Tugend im Kontraste mit dem Laster das lebendigste Kolorit erhält. Wer sich den Zweck vorgezeichnet hat, das Laster zu stürzen und Religion, Moral und bürgerliche Gesetze an ihren Feinden zu rächen, ein solcher muß das Laster in seiner nackten Abscheulichkeit enthüllen und in seiner kolossalischen Größe vor das Auge der Menschheit stellen, er selbst muß augenblicklich seine nächtlichen Labyrinthe durchwandern, er muß sich in Empfindungen hineinzuzwingen wissen, unter deren Widernatürlichkeit sich seine Seele sträubt.

Das Laster wird hier mitsamt seinem ganzen innern Räderwerk entfaltet. Es löst in Franzen alle die verworrenen Schauer des Gewissens in ohnmächtige Abstraktionen auf, skelettisiert die richtende Empfindung und scherzt die ernsthafte Stimme der Religion hinweg. Wer es einmal so weit gebracht hat (ein Ruhm, den wir ihm nicht beneiden), seinen Verstand auf Unkosten seines Herzens zu verfeinern, dem ist das Heiligste nicht heilig mehr, dem ist die Menschheit, die Gottheit nichts, beide Welten sind nichts in seinen Augen. Ich habe versucht, von einem Mißmenschen dieser Art ein treffendes, lebendiges Konterfei hinzuwerfen, die vollständige Mechanik seines Lastersystems auseinanderzugliedern und ihre Kraft an der Wahrheit zu prüfen. Man unterrichte sich demnach im Verfolg dieser Geschichte, wie weit ihr's gelungen hat. Ich denke, ich habe die Natur getroffen.

Nächst an diesem stehet ein andrer, der vielleicht nicht wenige meiner Leser in Verlegenheit setzen möchte. Ein Geist, den das äußerste Laster nur reizet um der Größe willen, die ihm anhänget, um der Kraft willen, die es erheischet, um der Gefahren willen, die es begleiten. Ein merkwürdiger, wichtiger Mensch, ausgestattet mit aller Kraft, nach der Richtung, die diese bekommt, notwendig entweder ein Brutus oder ein Catilina zu werden. Unglückliche Konjunkturen entscheiden für das zweite, und erst am Ende einer ungeheuren Verirrung gelangt er zu dem ersten. Falsche Begriffe von Tätigkeit und Einfluß,

Fülle und Kraft, die alle Gesetze übersprudelt, mußten sich natürlicherweise an bürgerlichen Verhältnissen zerschlagen, und zu diesen enthusiastischen Träumen von Größe und Wirksamkeit durfte sich nur eine Bitterkeit gegen die unidealische Welt gesellen, so war der seltsame Don Quichotte fertig, den wir im Räuber Moor verabscheuen und lieben, bewundern und bedauern. Ich werde es hoffentlich nicht erst anmerken dürfen, daß ich dieses Gemälde sowenig nur allein Räubern vorhalte, als die Satire des Spaniers nur allein Ritter geißelt.

Auch ist jetzt der große Geschmack, seinen Witz auf Kosten der Religion spielen zu lassen, daß man beinahe für kein Genie mehr passiert, wenn man nicht seinen gottlosen Satyr auf ihren heiligsten Wahrheiten sich herumtummeln läßt. Die edle Einfalt der Schrift muß sich in alltäglichen Assembleen von den sogenannten witzigen Köpfen mißhandeln und ins Lächerliche verzerren lassen, denn was ist so heilig und ernsthaft, das, wenn man es falsch verdreht, nicht belacht werden kann? Ich kann hoffen, daß ich der Religion und der wahren Moral keine gemeine Rache verschafft habe, wenn ich diese mutwilligen Schriftverachter in der Person meiner schändlichsten Räuber dem Abscheu der Welt überliefere.

Aber noch mehr. Diese unmoralischen Charaktere, von denen vorhin gesprochen wurde, mußten von gewissen Seiten glänzen, ja oft von seiten des Geistes gewinnen, was sie von seiten des Herzens verlieren. Hierin habe ich nur die Natur gleichsam wörtlich abgeschrieben. Jedem, auch dem Lasterhaftesten, ist gewissermaßen der Stempel des göttlichen Ebenbildes aufgedrückt, und vielleicht hat der große Bösewicht keinen so weiten Weg zum großen Rechtschaffenen als der kleine; denn die Moralität hält gleichen Gang mit den Kräften, und je weiter die Fähigkeit, desto weiter und ungeheurer ihre Verirrung, desto imputabler ihre Verfälschung.

Klopstocks Adramelech weckt in uns eine Empfindung,

worin Bewunderung in Abscheu schmilzt. Miltsons Satan folgen wir mit schauderndem Erstaunen durch das unwegsame Chaos. Die Medea der alten Dramatiker bleibt bei all ihren Greueln noch ein großes, staunenswürdiges Weib, und Shakespeares Richard hat so gewiß am Leser einen Bewunderer, als er auch ihn hassen würde, wenn er ihm vor der Sonne stünde. Wenn es mir darum zu tun ist, ganze Menschen hinzustellen, so muß ich auch ihre Vollkommenheiten mitnehmen, die auch dem Bösesten nie ganz fehlen. Wenn ich vor dem Tiger gewarnt haben will, so darf ich seine schöne, blendende Fleckenhaut nicht übergehen, damit man nicht den Tiger beim Tiger vermisse. Auch ist ein Mensch, der ganz Bosheit ist, schlechterdings kein Gegenstand der Kunst und äußert eine zurückstoßende Kraft, statt daß er die Aufmerksamkeit der Leser fesseln sollte. Man würde umblättern, wenn er redet. Eine edle Seele erträgt so wenig anhaltende moralische Dissonanzen als das Ohr das Gekritzel eines Messers auf Glas.

Aber eben darum will ich selbst mißraten haben, dieses mein Schauspiel auf der Bühne zu wagen. Es gehört beiderseits, beim Dichter und seinem Leser, schon ein gewisser Gehalt von Geisteskraft dazu: bei jenem, daß er das Laster nicht ziere, bei diesem, daß er sich nicht von einer schönen Seite bestechen lasse, auch den häßlichen Grund zu schätzen. Meinerseits entscheide ein Dritter, aber von meinen Lesern bin ich es nicht ganz versichert. Der Pöbel, worunter ich keineswegs die Gassenkehrer allein will verstanden wissen, der Pöbel wurzelt (unter uns gesagt) weit um und gibt zum Unglück den Ton an. Zu kurzsichtig, mein Ganzes auszureichen, zu kleingeistisch, mein Großes zu begreifen, zu boshaft, mein Gutes wissen zu wollen, wird er, fürcht ich, fast meine Absicht vereiteln, wird vielleicht eine Apologie des Lasters, das ich stürze, darin zu finden meinen und seine eigene Einfalt den armen Dichter entgelten lassen, dem man gemeiniglich alles, nur nicht Gerechtigkeit widerfahren läßt.

Es ist das ewige da capo mit Abdera und Demokrit, und unsre guten Hippokrate müßten ganze Plantagen Nieswurz erschöpfen, wenn sie dem Unwesen durch ein heilsames Dekokt abhelfen wollten. Noch so viele Freunde der Wahrheit mögen zusammenstehen, ihren Mitbürgern auf Kanzel und Schaubühne Schule zu halten, der Pöbel hört nie auf, Pöbel zu sein, und wenn Sonne und Mond sich wandeln und Himmel und Erde veralten wie ein Kleid. Vielleicht hätt ich, den Schwachherzigen zu Frommen, der Natur minder getreu sein sollen. Aber wenn jener Käfer, den wir alle kennen, auch den Mist aus den Perlen stört, wenn man Exempel hat, daß Feuer verbrannt und Wasser ersäuft habe, soll darum Perle, Feuer und Wasser konfisziert werden?

Ich darf meiner Schrift, zufolge ihrer merkwürdigen Katastrophe, mit Recht einen Platz unter den moralischen Büchern versprechen; das Laster nimmt den Ausgang, der seiner würdig ist. Der Verirrte tritt wieder in das Geleise der Gesetze. Die Tugend geht siegend davon. Wer nur so billig gegen mich handelt, mich ganz zu lesen, mich verstehen zu wollen, von dem kann ich erwarten, daß er – nicht den Dichter bewundere, aber den rechtschaffenen Mann in mir hochschätze.

Friedrich Schiller

ÜBER »EGMONT«

Trauerspiel von Goethe

1788

Dieser fünfte Band der G. Schriften, der durch eine Vignette und Titelkupfer, von der Ang. Kaufmann gezeichnet und von Lips in Rom gestochen, verschönert wird, enthält außer einem ganz neuen Stück, *Egmont*, die zwei schon längst bekannten Singspiele *Claudine von Villa Bella* und *Erwin und Elmire*, beide nunmehr in Jamben und durchaus sehr verändert. Ihre Beurteilung versparen wir, bis die ganze Ausgabe vollendet sein wird, und verweilen uns jetzt bloß bei dem Trauerspiele *Egmont*, das auch besonders zu haben ist, als einer ganz neuen Erscheinung.

Entweder es sind außerordentliche Handlungen und Situationen oder es sind Leidenschaften oder es sind Charaktere, die dem tragischen Dichter zum Stoff dienen; und wenngleich oft alle diese drei als Ursach und Wirkung in einem Stücke sich beisammen finden, so ist doch immer das eine oder das andere vorzugsweise der letzte Zweck der Schilderung gewesen. Ist die Begebenheit oder Situation das Hauptaugenmerk des Dichters, so braucht er sich nur insofern in die Leidenschaft- und Charakterschilderung einzulassen, als er jene durch diese herbeiführt. Ist hingegen die Leidenschaft sein Hauptzweck, so ist ihm oft die unscheinbarste Handlung schon genug, wenn sie jene nur ins Spiel setzt. Ein am unrechten Orte gefundenes Schnupftuch veranlaßt eine Meisterszene im *Mohren von Venedig*. Ist endlich der Charakter sein vorzüglicheres Augenmerk, so ist er in der Wahl und Verknüpfung der Begebenheiten noch viel weniger gebunden, und die ausführliche Darstellung des ganzen Menschen verbietet ihm sogar, einer Leidenschaft zu viel Raum zu geben. Die alten Tragiker haben sich beinahe einzig auf Situationen und Leidenschaften eingeschränkt. Darum findet man bei ihnen auch nur wenig Individualität, Ausführlichkeit und Schärfe der Charakteristik. Erst in neueren Zeiten, und in diesen erst seit Shakespeare, wurde die Tragödie mit der dritten Gattung bereichert; er war der erste, der in seinem *Macbeth, Richard III.* usw. ganze Menschen und Menschenleben auf die Bühne brachte, und in Deutschland gab uns der Verfasser des *Götz von Berlichingen* das erste Muster in dieser Gattung. Es ist hier nicht der Ort, zu untersuchen, wie viel oder wie wenig sich diese Gattung mit dem letzten Zwecke der Tragödie, Furcht und Mitleid zu erregen, verträgt; genug, sie ist einmal vorhanden, und ihre Regeln sind bestimmt.

Zu dieser letzten Gattung nun gehört das vorliegende Stück, und es ist leicht einzusehen, inwiefern die vorangeschickte Erinnerung mit demselben zusammenhängt. Hier ist keine hervorstechende Begebenheit, keine vorwaltende Leidenschaft, keine Verwickelung, kein dramatischer Plan, nichts von dem allem; – eine bloße Aneinanderstellung mehrerer einzelnen Handlungen und Gemälde, die beinahe durch nichts als durch den Charakter zusammengehalten werden, der an allen Anteil nimmt und auf den sich alle beziehen. Die Einheit dieses Stücks liegt also weder in den Situationen noch in irgendeiner Leidenschaft, sondern sie liegt in dem Menschen. Egmonts wahre Geschichte konnte dem Verfasser auch nicht viel mehreres liefern. Seine Gefangennehmung und Verurteilung hat nichts Außerordentliches, und sie selbst ist auch nicht die Folge irgendeiner einzelnen interessanten Handlung, sondern vieler kleinern, die der Dichter alle nicht brauchen konnte, wie er sie fand, die er mit der Katastrophe auch nicht so genau zusammenknüpfen konnte, daß sie eine dramatische Handlung mit ihr ausmachten. Wollte er also diesen Gegenstand in einem Trauerspiel behandeln, so hatte er die Wahl, entweder eine ganz neue Handlung zu dieser Katastrophe zu erfinden, diesem Charakter, den er in der Geschichte vorfand, irgendeine herrschende Leidenschaft unterzulegen oder ganz und gar auf diese zwo Gattungen der Tragödie Verzicht zu tun und den Charakter selbst, von dem er hingerissen war, zu seinem eigentlichen Vorwurf zu machen. Und dieses letztere, das Schwerere unstreitig, hat er vorgezogen, weniger vermutlich aus zu großer Achtung für die historische Wahrheit, als weil er die Armut seines Stoffs durch den Reichtum seines Genies ersetzen zu können fühlte.

In diesem Trauerspiel also – oder Rez. müßte sich ganz in dem Gesichtspunkte geirret haben – wird ein Charakter aufgeführt, der in einem bedenklichen Zeitlauf, umgeben von den Schlingen einer arglistigen Politik, in nichts als sein Verdienst eingehüllt, voll übertriebenen Vertrauens zu seiner gerechten Sache, die es aber nur für ihn allein ist, gefährlich wie ein Nachtwanderer auf jäher Dachspitze wandelt. Diese übergroße Zuversicht, von deren Ungrund wir unterrichtet werden, und der unglückliche Ausschlag derselben sollen uns Furcht und Mitleiden einflößen oder uns tragisch rühren – und diese Wirkung wird erreicht.

In der Geschichte ist Egmont kein großer Charakter, er ist es auch in dem Trauerspiele nicht. Hier ist er ein wohlwollender, heiterer und offener Mensch, Freund mit der ganzen Welt, voll leichtsinnigen Vertrauens zu sich selbst und zu andern, frei und kühn, als ob die Welt ihm gehörte, brav und unerschrocken, wo es gilt, dabei großmütig, liebenswürdig und sanft, im Charakter der schöneren Ritterzeit, prächtig und etwas Prahler, sinnlich und verliebt, ein fröhliches Weltkind – alle diese Eigenschaften in eine lebendige, menschliche, durchaus wahre und individuelle Schilderung verschmolzen, die der verschönernden

Kunst nichts, auch gar nichts zu danken hat. Egmont ist ein Held, aber auch ganz nur ein flämischer Held, ein Held des sechzehnten Jahrhunderts; Patriot, jedoch ohne sich durch das allgemeine Elend in seinen Freuden stören zu lassen; Liebhaber, ohne darum weniger Essen und Trinken zu lieben. Er hat Ehrgeiz, er strebt nach einem großen Ziele; aber das hält ihn nicht ab, jede Blume aufzulesen, die er auf seinem Wege findet, hindert ihn nicht, des Nachts zu seinem Liebchen zu schleichen, das kostet ihm keine schlaflosen Nächte. Tolldreist wagt er bei St. Quentin und Gravelingen sein Leben, aber er möchte weinen, wenn er von dieser freundlichen, süßen Gewohnheit des Daseins und Wirkens scheiden soll. »Leb ich nur«, so schildert er sich selbst, »um aufs Leben zu denken? Soll ich den gegenwärtigen Augenblick nicht genießen, damit ich des folgenden gewiß sei? Und diesen wieder mit Sorgen und Grillen verzehren? – Wir haben die und jene Torheit in einem lustigen Augenblick empfangen und geboren, sind schuld, daß eine ganze edle Schar mit Bettelsäcken und mit einem selbstgewählten Unnamen dem König seine Pflicht mit spottender Demut ins Gedächtnis rief, sind schuld – was ist's nun weiter? Ist ein Fastnachtspiel gleich Hochverrat? Sind uns die kurzen bunten Lumpen zu mißgönnen, die ein jugendlicher Mut um unsers Lebens arme Blöße zu hängen mag? Wenn ihr das Leben gar zu ernsthaft nehmt, was ist denn dran? Scheint mir die Sonne heut, um das zu überlegen, was gestern war?« – Durch seine schöne Humanität, nicht durch Außerordentlichkeit, soll dieser Charakter uns rühren; wir sollen ihn liebgewinnen, nicht über ihn erstaunen. Diesem letztern scheint der Dichter so sorgfältig aus dem Wege gegangen zu sein, daß er ihm eine Menschlichkeit über die andere beilegt, um ja seinen Helden zu uns herabzuziehen; – daß er ihm endlich nicht einmal so viel Größe und Ernst mehr übrigläßt, als unsrer Meinung nach unumgänglich erfordert wird, diesen Menschlichkeiten selbst das höchste Interesse zu verschaffen. Wahr ist es, solche Züge menschlicher Schwachheit ziehen oft unwiderstehlich an – in einem Heldengemälde, wo sie mit großen Handlungen in schöner Mischung zerfließen. Heinrich IV. von Frankreich kann uns nach dem glänzendsten Siege nicht interessanter sein als auf einer nächtlichen Wanderung zu seiner Gabriele; aber durch welche strahlende Tat, durch was für gründliche Verdienste hat sich Egmont bei uns das Recht auf eine ähnliche Teilnahme und Nachsicht erworben? Zwar heißt es, diese Verdienste werden als schon geschehen vorausgesetzt, sie leben im Gedächtnis der ganzen Nation, und alles, was er spricht, atmet den Willen und die Fähigkeit, sie zu erwerben. Richtig! Aber das ist eben das Unglück, daß wir seine Verdienste von Hörensagen wissen und auf Treu und Glauben anzunehmen gezwungen werden – seine Schwachheiten hingegen mit unsern Augen sehen. Alles weiset auf diesen Egmont hin als auf die letzte Stütze der Nation, und was tut er eigentlich Großes, um dieses ehrenvolle Vertrauen zu verdienen? (denn folgende Stelle darf man doch wohl nicht dagegen anführen: »Die Leute«, sagt Egmont, »erhalten sie [die Liebe] auch meist allein, die nicht darnach jagen.« Klärchen: »Hast du diese stolze Anmerkung über dich selbst gemacht? du, den alles Volk liebt?« Egmont: »Hätte ich nur etwas für sie getan! Es ist ihr guter Wille, mich zu lieben.«) Ein großer Mann soll er nicht sein, aber auch erschlaffen soll er nicht; eine relative Größe, einen gewissen Ernst verlangen wir mit Recht von jedem Helden eines Stückes, wir verlangen, daß er über dem Kleinen nicht das Große hintansetze, daß er die Zeiten nicht verwechsele. Wer wird z. B. folgendes billigen? Oranien ist eben von ihm gegangen; Oranien, der ihn mit allen Gründen der Vernunft auf sein nahes Verderben hingewiesen, der ihn, wie uns Egmont selbst gesteht, durch diese Gründe erschüttert hat. »Dieser Mann«, sagt er, »trägt seine Sorglichkeit in mich herüber: – Weg – das ist ein fremder Tropfen in meinem Blute. Gute Natur, wirf ihn wieder heraus. Und von meiner Stirne die sinnenden Runzeln wegzubaden, gibt es ja wohl noch ein freundliches Mittel.« Dieses freundliche Mittel nun – wer es noch nicht weiß – ist kein andres als ein Besuch beim Liebchen! Wie? Nach einer so ernsten Aufforderung keinen andern Gedanken als nach Zerstreuung? Nein, guter Graf Egmont! Runzeln, wo sie hingehören! und freundliche Mittel, wo sie hingehören! Wenn es Euch zu beschwerlich ist, Euch Eurer eignen Rettung anzunehmen, so mögt Ihr's haben, wenn sich die Schlinge über Euch zusammenzieht. Wir sind nicht gewohnt, unser Mitleid zu verschenken.

Hätte also die Einmischung dieser Liebesangelegenheit dem Interesse wirklich Schaden getan, so wäre dieses doppelt zu beklagen, da der Dichter noch obendrein der historischen Wahrheit Gewalt antun mußte, um sie hervorzubringen. In der Geschichte nämlich war Egmont verheiratet und hinterließ neun (andere sagen elf) Kinder, als er starb. Diesen Umstand konnte der Dichter wissen und nicht wissen, wie es sein Interesse mit sich brachte; aber er hätte ihn nicht vernachlässigen sollen, sobald er Handlungen, welche natürliche Folgen waren, in sein Trauerspiel aufnahm. Der wahre Egmont hatte durch eine prächtige Lebensart sein Vermögen äußerst in Unordnung gebracht und brauchte also den König, wodurch seine Schritte in der Republik sehr gebunden wurden. Besonders aber war es seine Familie, was ihn auf eine so unglückliche Art in Brüssel zurückhielt, da fast alle seine übrigen Freunde sich durch die Flucht retteten. Seine Entfernung aus dem Lande hätte ihm nicht bloß die reichen Einkünfte von zwei Statthalterschaften gekostet; sie hätte ihn auch zugleich um den Besitz aller seiner Güter gebracht, die in den Staaten des Königs lagen und sogleich dem Fiskus anheimgefallen sein würden. Aber weder er selbst noch seine Gemahlin, eine Herzogin von Bayern, waren gewohnt, Mangel zu ertragen; auch seine Kinder waren nicht dazu erzogen. Diese Gründe setzte er selbst bei mehreren Gelegenheiten dem Pr. v. O., der ihn zur Flucht bereden wollte, auf eine rührende Art entgegen; diese Gründe waren es, die ihn so geneigt machten, sich an dem schwächsten Aste von Hoffnung zu halten und sein Verhältnis zum König von der besten Seite zu nehmen. Wie zusammenhängend, wie menschlich wird nunmehr sein ganzes Verhalten! Er wird nicht mehr das Opfer einer blinden, törichten Zuversicht, sondern der übertrieben ängstlichen Zärtlichkeit für die Seinigen. Weil er zu fein und zu edel denkt, um einer Familie, die er über alles liebt, ein hartes Opfer zuzumuten, stürzt er sich selbst ins Verderben. Und nun der Egmont im Trauerspiel! – Indem der Dichter ihm Gemahlin und Kinder *nimmt*, zerstört er den ganzen Zusammenhang seines Verhaltens. Er ist ganz gezwungen, dieses unglückliche *Bleiben* aus einem leichtsinnigen Selbsvertrauen entspringen zu lassen, und verringert dadurch gar sehr unsere Achtung für den Verstand eines Helden, ohne ihm diesen Verlust von seiten des Herzens zu ersetzen. Im Gegenteil – er bringt uns um das rührende Bild eines Vaters, eines liebenden Gemahls – um uns einen Liebhaber von ganz gewöhnlichem Schlag dafür zu geben, der die Ruhe eines liebenswürdigen Mädchens, das ihn nie besitzen und noch weniger seinen Verlust überleben wird, zugrund richtet, dessen Herz er nicht einmal besitzen kann, ohne eine Liebe, die glücklich hätte werden können, vorher zu zerstören, der also, mit dem besten Herzen zwar, zwei Geschöpfe unglücklich macht, *um die sinnenden Runzeln von seiner Stirne wegzubaden*. Und alles dieses kann er noch außerdem erst nur auf Unkosten der historischen Wahrheit möglich machen, die der dramatische Dichter allerdings hintansetzen darf, um das Interesse seines Gegenstandes zu *erheben*, aber nicht, um es zu *schwächen*. Wie teuer läßt er uns also diese Episode bezahlen, die, an sich betrachtet, gewiß eines der schönsten Gemälde ist, die in einer größern Komposition, wo sie von verhältnismäßig großen Handlungen aufgewogen würde, von der höchsten Wirkung würde gewesen sein.

Egmonts tragische Katastrophe fließt aus seinem politischen Leben, aus seinem Verhältnis zu der Nation und zu der Regierung. Eine Darstellung des damaligen politischbürgerlichen Zustandes der Niederlande mußte daher seiner Schilderung zum Grund liegen oder vielmehr selbst einen Teil der dramatischen Handlung mit ausmachen. Betrachtet man nun, wie wenig sich Staatsaktionen überhaupt dramatisch behandeln lassen und was für Kunst dazu gehöre, so viele zerstreute Züge in ein faßliches, lebendiges Bild zusammenzutragen und das Allgemeine wieder im Individuellen anschaulich zu machen, wie z. B. Shakespeare in seinem *Julius Cäsar* getan hat; betrachtet man ferner das Eigentümliche der Niederlande, die nicht eine Nation, sondern ein Aggregat mehrerer kleinen sind, die unter sich aufs schärfste kontrastieren, so daß es unendlich leichter war, uns nach Rom als nach Brüssel zu versetzen; betrachtet man endlich, wie unzählig viele kleine Dinge zusammenwirkten, um den Geist jener Zeit und jenen politischen Zustand der Niederlande hervorzubringen: so wird man nicht aufhören können, das schöpferische Genie zu bewundern, das alle diese Schwierigkeiten besiegt und uns mit einer Kunst, die nur von derjenigen erreicht wird, womit es uns selbst in zwei andern Stücken in die Ritterzeiten Deutschlands und nach Griechenland versetzte, nun auch in diese Welt gezaubert hat. Nicht genug, daß wir diese Menschen vor uns leben und wirken sehen, wir wohnen unter ihnen, wir sind alte Bekannte von ihnen. Auf der einen Seite die fröhliche Geselligkeit, die Gastfreundlichkeit, die Redseligkeit, die Großtuerei dieses Volks, der republikanische Geist, der bei der geringsten Neuerung aufwallt und sich oft ebenso schnell auf die seichtesten Gründe wieder gibt; auf der andern die Lasten, unter denen es jetzt seufzt, von den neuen

Bischofsmützen an bis auf die französischen Psalmen, die es nicht singen soll; – nichts ist vergessen, nichts ohne die höchste Natur und Wahrheit herbeigeführt. Wir sehen hier nicht bloß den gemeinen Haufen, der sich überall gleich ist, wir erkennen darin den Niederländer, und zwar den Niederländer dieses und keines andern Jahrhunderts; in diesem unterscheiden wir noch den Brüssler, den Holländer, den Friesen, und selbst unter diesen noch den Wohlhabenden und den Bettler, den Zimmermeister und den Schneider. So etwas läßt sich nicht wollen, nicht erzwingen durch Kunst. – Das kann nur der Dichter, der von seinem Gegenstand ganz durchdrungen ist. Diese Züge entwischen ihm, wie sie demjenigen, den er dadurch schildert, entwischen, ohne daß er es will oder gewahr wird; ein Beiwort, ein Komma zeichnet einen Charakter. Buyk, ein Holländer und Soldat unter Egmont, hat beim Armbrustschießen das Beste gewonnen und will, als König, die Herren gastieren. Das ist aber wider den Gebrauch.

Buyk:

Ich bin fremd und König und achte eure Gesetze und Herkommen nicht.

Jetter (ein Schneider aus Brüssel):

Du bist ja ärger als der Spanier; der hat sie uns doch bisher lassen müssen.

Ruysum (ein Friesländer):

Laßt ihn! Doch ohne Präjudiz! Das ist auch seines Herren Art, splendid zu sein und es laufen zu lassen, wo es gedeiht!

Wer glaubt nicht, in diesem *doch ohne Präjudiz* den zähen, auf seine Vorrechte wachsamen Friesen zu erkennen, der sich auch bei der kleinsten Bewilligung noch durch eine Klausel verwahrt. Wie wahr, wenn sich die Bürger von ihren Regenten unterreden: –

»Das war ein Herr! (Von Karl V. spricht er.) Er hatte die Hand über den ganzen Erdboden und war euch alles in allem – und wenn er euch begegnete, so grüßt er euch, wie ein Nachbar den andern usf. – Haben wir doch alle geweint, wie er seinem Sohn das Regiment hier abtrat – sagt ich, versteht mich – der ist schon anders, der ist majestätischer.

JETTER:

Er spricht wenig, sagen die Leute.

SOEST:

Er ist kein Herr für uns Niederländer. Unsere Fürsten müssen froh und frei sein wie wir, leben und leben lassen« usw.

Wie treffend schildert er uns durch einen einzigen Zug das Elend jener Zeiten: Egmont geht über die Straße, und die Bürger sehen ihm mit Bewunderung nach.

ZIMMERMEISTER:

Ein schöner Herr!

JETTER:

Sein Hals wäre ein rechtes Fressen für einen Scharfrichter.«

Die wenigen Szenen, wo sich die Bürger von Brüssel unterreden, scheinen uns das Resultat eines tiefen Studiums jener Zeiten und jenes Volks zu sein, und schwerlich findet man in so wenigen Worten ein schöneres historisches Denkmal für jene Geschichte.

Mit nicht geringerer Wahrheit ist derjenige Teil des Gemäldes behandelt, der uns von dem Geiste der Regierung und den Anstalten des Königs zur Unterdrückung des niederländischen Volks unterrichtet. Milder und menschlicher ist doch hier alles, und sehr veredelt ist besonders der Charakter der Herzogin von Parma. »Ich weiß, daß einer ein ehrlicher und verständiger Mann sein kann, wenn er gleich den nächsten und besten Weg zum Heil seiner Seele verfehlt hat« konnte eine Zöglingin des Ignatius Loyola wohl nicht sagen. Besonders gut verstand es der Dichter, durch eine gewisse Weiblichkeit, die er aus ihrem sonst männischen Charakter sehr glücklich hervorscheinen läßt, das kalte Staatsinteresse, dessen Exposition er ihr anvertrauen mußte, mit Licht und Wärme zu beseelen und ihm eine gewisse Individualität und Lebendigkeit zu geben. Vor seinem Herzog von Alba zittern wir, ohne uns mit Abscheu von ihm wegzukehren; es ist ein fester, starrer, unzugänglicher Charakter, »ein eherner Turm ohne Pforte, wozu die Besatzung Flügel haben muß«. Die kluge Vorsicht, womit er die Anstalten zu Egmonts Verhaftung trifft, ersetzt ihm an unserer Bewunderung, was ihm an unserm Wohlwollen abgeht. Die Art, wie er uns in seine innerste Seele hineinführt und uns auf den Ausgang seines Unternehmens spannt, macht uns auf einen Augenblick zu Teilhabern desselben, wir interessieren uns da für, als gält es etwas, das uns lieb ist.

Meisterhaft erfunden und ausgeführt ist die Szene Egmonts mit dem jungen Alba im Gefängnis, und sie gehört dem Verfasser ganz allein. Was kann rührender sein, als wenn ihm dieser Sohn seines Mörders die Achtung bekennt, die er längst im stillen gegen ihn getragen. »Dein Name war's, der mir in meiner ersten Jugend gleich einem Stern des Himmels entgegenleuchtete. Wie oft hab ich nach dir gehorcht, gefragt! Des Kindes Hoffnung ist der Jüngling, des Jünglings der Mann. So bist du vor mir hergeschritten, immer vor, und ohne Neid sah ich dich vor und schritt dir nach und fort und fort. Nun hofft ich, endlich, dich zu sehen und sah dich, und mein Herz flog dir entgegen. Nun hofft ich erst mit dir zu sein, mit dir zu leben, dich zu fassen, dich – Das ist nun alles weggeschnitten, und ich sehe dich hier!« – Und wenn ihm Egmont darauf antwortet: »War dir mein Leben ein Spiegel, in welchem du dich gern betrachtetest, so sei es auch mein Tod. Die Menschen sind nicht bloß zusammen, wenn sie beisammen sind; auch der Entfernte, der Abgeschiedene lebt uns. Ich lebe dir und habe mir genug gelebt. Eines jeden Tages habe ich mich gefreut« usf. – Die übrigen Charaktere im Stück sind mit wenigem treffend gezeichnet; eine einzige Szene schildert uns den schlauen, wortkargen, alles verknüpfenden und alles fürchtenden Oranien. Alba sowohl als Egmont malen sich in den Menschen, die ihnen nahe sind; diese Schilderungsart ist vortrefflich. Um alles Licht auf den einzigen Egmont zu versammeln, hat der Dichter ihn ganz isoliert, darum auch der Graf von Hoorne, der ein Schicksal mit ihm hatte, weggeblieben ist. Ein ganz neuer Charakter ist Brackenburg, Klärchens Liebhaber, den Egmont verdrängt hat. Dieses Gemälde des melancholischen Temperaments mit leidenschaftlicher Liebe wäre einer eigenen Auseinandersetzung wert. Klärchen, die ihn für Egmont aufgegeben, hat Gift genommen und geht ab, nachdem sie ihm den Rest zurückgelassen. Er sieht sich allein. Wie schrecklich schön ist diese Schilderung: »Sie läßt mich stehn, mir selber überlassen. Sie teilt mit mir den Todestropfen und schickt mich weg! von ihrer Seite weg! Sie zieht mich an, und stößt ins Leben mich zurück. O Egmont, welch preiswürdig Los fällt dir! Sie geht voran; sie bringt den ganzen Himmel dir entgegen! Und soll ich folgen? *wieder* seitwärts stehn? den unauslöschlichen Neid in jene Wohnungen hinübertragen? Auf Erden ist kein Bleiben mehr für mich, und Höll und Himmel bieten gleiche Qual.« Klärchen selbst ist unnachahmlich schön und wahr gezeichnet. Auch im höchsten Adel ihrer Unschuld noch das gemeine Bürgermädchen und ein niederländisches Mädchen – durch nichts veredelt als durch ihre Liebe, reizend im Zustand der Ruhe, hinreißend und herrlich im Zustand des Affekts. Aber wer zweifelt, daß der Verf. in einer Manier unübertrefflich sei, worin er sein eigenes Muster ist!

Je höher die Illusion in dem Stück getrieben ist, desto unbegreiflicher wird man es finden, daß der Verf. selbst sie mutwillig zerstört. Egmont hat alle seine Angelegenheiten berichtigt und schlummert endlich, von Müdigkeit überwältigt, ein. Eine Musik läßt sich hören, und hinter seinem Lager scheint sich die Mauer aufzutun; eine glänzende Erscheinung, die Freiheit, in Klärchens Gestalt, zeigt sich in einer Wolke. – Kurz, mitten aus der wahrsten und rührendsten Situation werden wir durch einen Salto mortale in eine Opernwelt versetzt, um einen Traum – zu sehen. Lächerlich würde es sein, dem Verf. dartun zu wollen, wie sehr er sich dadurch an Natur und Wahrheit versündigt habe; das hat er so gut und besser gewußt als wir; aber ihm schien die Idee, Klärchen und die Freiheit, Egmonts beide herrschende Gefühle, in Egmonts Kopf allegorisch zu verbinden, sinnreich genug, um diese Freiheit allenfalls zu entschuldigen. Gefalle dieser Gedanke, wem er will – Rez. gesteht, daß er gern einen witzigen Einfall entbehrt hätte, um eine Empfindung ungestört zu genießen.

FRIEDRICH SCHILLER

ÜBER BÜRGERS GEDICHTE

1791

Die Gleichgültigkeit, mit der unser philosophierendes Zeitalter auf die Spiele der Musen herabzusehen anfängt, scheint keine Gattung der Poesie empfindlicher zu treffen als die lyrische. Der dramatischen Dichtkunst dient doch wenigstens die Einrichtung des gesellschaftlichen Lebens zu einigem Schutze, und der erzählenden erlaubt ihre freiere Form, sich dem Weltton mehr anzuschmiegen und den Geist der Zeit in sich aufzunehmen. Aber die jährlichen Almanache, die Gesellschaftsgesänge, die Musikliebhaberei unsrer Damen sind nur ein schwacher Damm gegen den Verfall der lyrischen Dichtkunst. Und doch wäre es für den Freund des Schönen ein sehr niederschlagender Gedanke, wenn diese jugendlichen Blüten des Geistes in der Fruchtzeit absterben, wenn die reifere Kultur auch nur mit einem einzigen Schönheitsgenuß erkauft werden sollte. Vielmehr ließe sich auch in unsern so unpoetischen Tagen, wie für die Dichtkunst überhaupt, also auch für die lyrische, eine sehr würdige Bestimmung entdecken; es ließe sich vielleicht dartun, daß, wenn sie von einer Seite höhern Geistesbeschäftigungen nachstehen muß, sie von einer andern nur desto notwendiger geworden ist. Bei der Vereinzelung und getrennten Wirksamkeit unsrer Geisteskräfte, die der erweiterte Kreis des Wissens und die Absonderung der Berufsgeschäfte notwendig macht, ist es die Dichtkunst beinahe allein, welche die getrennten Kräfte der Seele wieder in Vereinigung bringt, welche Kopf und Herz, Scharfsinn und Witz, Vernunft und Einbildungskraft in harmonischem Bunde beschäftigt, welche gleichsam den ganzen Menschen in uns wieder herstellt. Sie allein kann das Schicksal abwenden, das traurigste, das dem philosophierenden Verstande widerfahren kann, über dem Fleiß des Forschens den Preis seiner Anstrengungen zu verlieren und in einer abgezognen Vernunftwelt für die Freuden der wirklichen zu ersterben. Aus noch so divergierenden Bahnen würde sich der Geist bei der Dichtkunst wieder zurechtfinden und in ihrem verjüngenden Licht der Erstarrung eines frühzeitigen Alters entgehen. Sie wäre die jugendlichblühende Hebe, welche in Jovis Saal die unsterblichen Götter bedient.

Dazu aber würde erfodert, daß sie selbst mit dem Zeitalter fortschritte, dem sie diesen wichtigen Dienst leisten soll, daß sie sich alle Vorzüge und Erwerbungen desselben zu eigen machte. Was Erfahrung und Vernunft an Schätzen für die Menschheit aufhäuften, müßte Leben und Fruchtbarkeit gewinnen und in Anmut sich kleiden in ihrer schöpferischen Hand. Die Sitten, den Charakter, die ganze Weisheit ihrer Zeit müßte sie, geläutert und veredelt, in ihrem Spiegel sammeln und mit idealisierender Kunst aus dem Jahrhundert selbst ein Muster für das Jahrhundert erschaffen. Dies aber setzte voraus, daß sie selbst in keine andre als reife und gebildete Hände fiel. Solange dies nicht ist, solange zwischen dem sittlich ausgebildeten, vorurteilsfreien Kopf und dem Dichter ein andrer Unterschied stattfindet, als daß letzterer zu den Vorzügen des erstern das Talent der Dichtung noch als Zugabe besitzt, so lange dürfte die Dichtkunst ihren veredelnden Einfluß auf das Jahrhundert verfehlen, und jeder Fortschritt wissenschaftlicher Kultur wird nur die Zahl ihrer Bewunderer vermindern. Unmöglich kann der gebildete Mann Erquickung für Geist und Herz bei einem unreifen Jüngling suchen, unmöglich in Gedichten die Vorurteile, die gemeinen Sitten, die Geistesleerheit wieder finden wollen, die ihn im wirklichen Leben verscheuchen. Mit Recht verlangt er von dem Dichter, der ihm, wie dem Römer sein

Horaz, ein teurer Begleiter durch das Leben sein soll, daß er im Intellektuellen und Sittlichen auf einer Stufe mit ihm stehe, weil er auch in Stunden des Genusses nicht unter sich sinken will. Es ist also nicht genug, Empfindung mit erhöhten Farben zu schildern; man muß auch erhöht empfinden. Begeisterung allein ist nicht genug; man fodert die Begeisterung eines gebildeten Geistes. Alles, was der Dichter uns geben kann, ist seine Individualität. Diese muß es also wert sein, vor Welt und Nachwelt ausgestellt zu werden. Diese seine Individualität so sehr als möglich zu veredeln, zur reinsten, herrlichsten Menschheit hinaufzuläutern, ist sein erstes und wichtigstes Geschäft, ehe er es unternehmen darf, die Vortrefflichen zu rühren. Der höchste Wert seines Gedichtes kann kein andrer sein, als daß es der reine, vollendete Abdruck einer interessanten Gemütslage eines interessanten vollendeten Geistes ist. Nur ein solcher Geist soll sich uns in Kunstwerken ausprägen; er wird uns in seiner kleinsten Äußerung kenntlich sein, und umsonst wird, der es nicht ist, diesen wesentlichen Mangel durch Kunst zu verstecken suchen. Vom Ästhetischen gilt eben das, was vom Sittlichen; wie es hier der moralisch vortreffliche Charakter eines Menschen allein ist, der einer seiner einzelnen Handlungen den Stempel moralischer Güte aufdrücken kann, so ist es dort nur der reife, der vollkommene Geist, von dem das Reife, das Vollkommene ausfließt. Kein noch so großes Talent kann dem einzelnen Kunstwerk verleihen, was dem Schöpfer desselben gebricht, und Mängel, die aus dieser Quelle entspringen, kann selbst die Feile nicht wegnehmen.

Wir würden nicht wenig verlegen sein, wenn uns aufgelegt würde, diesen Maßstab in der Hand, den gegenwärtigen deutschen Musenberg zu durchwandern. Aber die Erfahrung, deucht uns, müßte es ja lehren, wieviel der größere Teil unsrer, nicht ungepriesenen, lyrischen Dichter auf den bessern des Publikums wirkt; auch trifft es sich zuweilen, daß uns einer oder der andre, wenn wir es auch seinen Gedichten nicht angemerkt hätten, mit seinen Bekenntnissen überrascht oder uns Proben von seinen Sitten liefert. Jetzt schränken wir uns darauf ein, von dem bisher Gesagten die Anwendung auf Hn. Bürger zu machen.

Aber darf wohl diesem Maßstab auch ein Dichter unterworfen werden, der sich ausdrücklich als »Volkssänger« ankündigt und Popularität (s. Vorrede z. 1. Teil, S. 15 u. f.) zu seinem höchsten Gesetz macht? Wir sind weit entfernt, Hn. B. mit dem schwankenden Wort »Volk« schikanieren zu wollen; vielleicht bedarf es nur weniger Worte, um uns mit ihm darüber zu verständigen. Ein Volksdichter in jenem Sinn, wie es Homer seinem Weltalter oder die Troubadours dem ihrigen waren, dürfte in unsern Tagen vergeblich gesucht werden. Unsre Welt ist die homerische nicht mehr, wo alle Glieder der Gesellschaft im Empfinden und Meinen ungefähr dieselbe Stufe einnahmen, sich also leicht in derselben Schilderung erkennen, in denselben Gefühlen begegnen konnten. Jetzt ist zwischen der Auswahl einer Nation und der Masse derselben ein sehr großer Abstand sichtbar, wovon die Ursache zum Teil schon darin liegt, daß Aufklärung der Begriffe und sittliche Veredlung ein zusammenhängendes Ganze ausmachen, mit dessen Bruchstücken nichts gewonnen wird. Außer diesem Kulturunterschied ist es noch die Konvenienz, welche die Glieder der Nation in der Empfindungsart und im Ausdruck der Empfindung einander so äußerst unähnlich macht. Es würde daher umsonst sein, willkürlich in einen Begriff zusammenzuwerfen, was längst schon keine Einheit mehr ist. Ein Volksdichter für unsre Zeiten hätte also bloß zwischen dem Allerleichtesten und dem Allerschweresten die Wahl: entweder sich ausschließend der Fassungskraft des großen Haufens zu bequemen und auf den Beifall der gebildeten Klasse Verzicht zu tun – oder den ungeheuren Abstand, der zwischen beiden sich befindet, durch die Größe seiner

Kunst aufzuheben und beide Zwecke vereinigt zu verfolgen. Es fehlt uns nicht an Dichtern, die in der ersten Gattung glücklich gewesen sind und sich bei ihrem Publikum Dank verdient haben; aber nimmermehr kann ein Dichter von Hn. Bürgers Genie die Kunst und sein Talent so tief herabgesetzt haben, um nach einem so gemeinen Ziele zu streben. Popularität ist ihm, weit entfernt, dem Dichter die Arbeit zu erleichtern oder mittelmäßige Talente zu bedecken, eine Schwierigkeit mehr und fürwahr eine so schwere Aufgabe, daß ihre glückliche Auflösung der höchste Triumph des Genies genannt werden kann. Welch Unternehmen, dem ekeln Geschmack des Kenners Genüge zu leisten, ohne dadurch dem großen Haufen ungenießbar zu sein – ohne der Kunst etwas von ihrer Würde zu vergeben, sich an den Kinderverstand des Volks anzuschmiegen. Groß, doch nicht unüberwindlich ist diese Schwierigkeit; das ganze Geheimnis, sie aufzulösen – glückliche Wahl des Stoffs und höchste Simplizität in Behandlung desselben. Jenen müßte der Dichter ausschließend nur unter Situationen und Empfindungen wählen, die dem Menschen als Menschen eigen sind. Alles, wozu Erfahrungen, Aufschlüsse, Fertigkeiten gehören, die man nur in positiven und künstlichen Verhältnissen erlangt, müßte er sich sorgfältig untersagen und durch diese reine Scheidung dessen, was im Menschen bloß menschlich ist, gleichsam den verlornen Zustand der Natur zurückrufen. In stillschweigendem Einverständnis mit den Vortrefflichsten seiner Zeit würde er die Herzen des Volks an ihrer weichsten und bildsamsten Seite fassen, durch das geübte Schönheitsgefühl den sittlichen Trieben eine Nachhülfe geben und das Leidenschaftsbedürfnis, das der Alltagspoet so geistlos und oft so schädlich befriedigt, für die Reinigung der Leidenschaft nutzen. Als der aufgeklärte, verfeinerte Wortführer der Volksgefühle würde er dem hervorströmenden, Sprache suchenden Affekt der Liebe, der Freude, der Andacht, der Traurigkeit, der Hoffnung u. a. m. einen reinern und geistreichern Text unterlegen; er würde, indem er ihnen den Ausdruck lieh, sich zum Herrn dieser Affekte machen und ihren rohen, gestaltlosen, oft tierischen Ausbruch noch auf den Lippen des Volks veredeln. Selbst die erhabenste Philosophie des Lebens würde ein solcher Dichter in die einfachen Gefühle der Natur auflösen, die Resultate des mühsamsten Forschens der Einbildungskraft überliefern und die Geheimnisse des Denkens in leicht zu entziffernder Bildersprache dem Kindersinn zu erraten geben. Ein Vorläufer der hellen Erkenntnis, brächte er die gewagtesten Vernunftwahrheiten, in reizender und verdachtloser Hülle, lange vorher unter das Volk, ehe der Philosoph und Gesetzgeber sich erkühnen dürfen, sie in ihrem vollen Glanze heraufzuführen. Ehe sie ein Eigentum der Überzeugung geworden, hätten sie durch ihn schon ihre stille Macht an den Herzen bewiesen, und ein ungeduldiges, einstimmiges Verlangen würde sie endlich von selbst der Vernunft abfodern.

In diesem Sinne genommen, scheint uns der Volksdichter, man messe ihn nach den Fähigkeiten, die bei ihm vorausgesetzt werden, oder nach seinem Wirkungskreis, einen sehr hohen Rang zu verdienen. Nur dem großen Talent ist es gegeben, mit den Resultaten des Tiefsinns zu spielen, den Gedanken von der Form los zu machen, an die er ursprünglich geheftet, aus der er vielleicht entstanden war, ihn in eine fremde Ideenreihe zu verpflanzen, so viel Kunst in so wenigem Aufwand, in so einfacher Hülle so viel Reichtum zu verbergen. Hr. B. sagt also keineswegs zuviel, wenn er »Popularität eines Gedichts für das Siegel der Vollkommenheit« erklärt. Aber indem er dies behauptet, setzt er stillschweigend schon voraus, was mancher, der ihn liest, bei dieser Behauptung ganz und gar übersehen dürfte, daß zur Vollkommenheit eines Gedichts die erste unerlaßliche Bedingung ist, einen von der verschiednen Fassungskraft seiner Leser durchaus unabhängigen absoluten, innern Wert zu besitzen. »Wenn ein Gedicht«, scheint er sagen zu wollen, »die Prüfung des echten Geschmacks aushält und mit diesem Vorzug noch eine Klarheit und Faßlichkeit verbindet, die es fähig macht, im Munde des Volks zu leben: dann ist ihm das Siegel der Vollkommenheit aufgedrückt.« Dieser Satz ist durchaus eins mit diesem: Was den Vortrefflichen gefällt, ist gut; was allen ohne Unterschied gefällt, ist es noch mehr.

Also weit entfernt, daß bei Gedichten, welche für das Volk bestimmt sind, von den höchsten Foderungen der Kunst etwas nachgelassen werden könnte, so ist vielmehr zu Bestimmung ihres Werts (der nur in der glücklichen Vereinigung so verschiedner Eigenschaften besteht) wesentlich und nötig, mit der Frage anzufangen: Ist der Popularität nichts von der höhern Schönheit aufgeopfert worden? Haben sie, was sie für die Volksmasse an Interesse gewannen, nicht für den Kenner verloren?

Und hier müssen wir gestehen, daß uns die Bürgerischen Gedichte noch sehr viel zu wünschen übrig gelassen haben, daß wir in dem größten Teil derselben den milden, sich immer gleichen, immer hellen, männlichen Geist vermissen, der, eingeweiht in die Mysterien des Schönen, Edeln und Wahren, zu dem Volke bildend herniedersteigt, aber auch in der vertrautesten Gemeinschaft mit demselben nie seine himmlische Abkunft verleugnet. Hr. B. vermischt sich nicht selten mit dem Volk, zu dem er sich nur herablassen sollte, und anstatt es scherzend und spielend zu sich hinaufzuziehen, gefällt es ihm oft, sich ihm gleich zu machen. Das Volk, für das er dichtet, ist leider nicht immer dasjenige, welches er unter diesem Namen gedacht wissen will. Nimmermehr sind es dieselben Leser, für welche er seine *Nachtfeier der Venus,* seine *Lenore,* sein Lied *An die Hoffnung, Die Elemente, Die Göttingische Jubelfeier, Männerkeuschheit, Vorgefühl der Gesundheit* u. a. m. und eine *Frau Schnips, Fortunens Pranger, Menagerie der Götter, An die Menschengesichter* und ähnliche niederschrieb. Wenn wir anders aber einen Volksdichter richtig schätzen, so besteht sein Verdienst nicht darin, jede Volksklasse mit irgend einem, ihr besonders genießbaren, Liede zu versorgen, sondern in jedem einzelnen Liede jeder Volksklasse genug zu tun.

Wir wollen uns aber nicht bei Fehlern verweilen, die eine unglückliche Stunde entschuldigen, und denen durch eine strengere Auswahl unter seinen Gedichten abgeholfen werden kann. Aber daß sich diese Ungleichheit des Geschmacks sehr oft in demselben Gedichte findet, dürfte ebenso schwer zu verbessern als zu entschuldigen sein. Rez. muß gestehen, daß er unter allen Bürgerischen Gedichten (die Rede ist von denen, welche er am reichlichsten aussteuerte) beinahe keines zu nennen weiß, das ihm einen durchaus reinen, durch gar kein Mißfallen erkauften Genuß gewährt hätte. War es entweder die vermißte Übereinstimmung des Bildes mit dem Gedanken oder die beleidigte Würde des Inhalts oder eine zu geistlose Einkleidung, war es auch nur ein unedles, die Schönheit der Gedanken entstellendes Bild, ein ins Platte fallender Ausdruck, ein unnützer Wörterprunk, ein (was doch am seltensten ihm begegnet) unechter Reim oder harter Vers, was die harmonische Wirkung des Ganzen störte: so war uns diese Störung bei so vollem Genuß um so widriger, weil sie uns das Urteil abnötigte, daß der Geist, der sich in diesen Gedichten darstellte, kein gereifter, kein vollendeter Geist sei, daß seinen Produkten nur deswegen die letzte Hand fehlen möchte, weil sie – ihm selbst fehlte.

Man begreift, daß hier nicht der Ort sein kann, den Beweis für eine so allgemeine Behauptung im einzelnen zu führen; um jedoch im kleinen anschaulich zu machen, was die Bürgerische Muse sich zu erlauben fähig ist, wollen wir ein einzelnes Lied, und zwar bloß in dieser einzigen Hinsicht durchlaufen. 1. T., S. 163 u. f. *Elegie, als Molly sich losreißen wollte:*

Auszuschreien seinen Schmerz?
Schreien! Ich muß aus ihn schreien.
. . .
Und sie sollte lügen können?
Lügen nur ein einzig Wort?
Nein! In Flammen will ich brennen,
Zeitlich hier und ewig dort,
Der Verzweiflung ganz zum Raube
Will ich sein, sofern ich nicht
An das kleinste Wörtchen glaube usf.
. . .
O ich weiß wohl, was ich sage,
Deutlich, wie mir See und Land
Hoch am Mittag liegt zu Tage,
So wird das von mir erkannt.

Rümpften tausend auch die Nasen . . .
O ihr tausend seid nicht ich.
Ich, ich weiß es, was ich sage,
Denn ich weiß es, was sie ist,
Was sie wiegt auf rechter Waage!
Was nach rechtem Maß sie mißt.

Doch lebendig darzustellen
Das, was sie und ich gefühlt,
Fühl ich jetzt mich, wie zum schnellen
Reigen sich der Lahme fühlt.

Es ist Geist, so rasch beflügelt,
Wie der Spezereien Geist,
Der, hermetisch auch versiegelt,
Sich aus seinem Kerker reißt.
. . .
Ach ich weiß dem keinen Tadel,
Ob es gleich mich niederwürgt . . .
. . .

Wie wird mir so herzlich bange,
Wie so heiß und wieder kalt!
...
Herr mein Gott! Wie soll es werden?
Herr mein Gott! Erleuchte mich!
...
Freilich, freilich fühlt, was billig
Und gerecht ist, noch mein Sinn...
...
Dient denn Gott ein Mensch zum Spiele,
Wie des Buben Hand der Wurm?
...
O es keimt, wie lang es währe,
Doch vielleicht uns noch Gewinst...
...
Sinnig sitz ich oft und frage
Und erwäg es herzlich treu
Auf des besten Wissens Waage:
Ob »uns lieben« Sünde sei?
...
Freier Strom sei meine Liebe,
Wo ich freier Schiffer bin.

Zur Entschuldigung Hn. B. sei es übrigens gesagt, daß das gewählte Lied, dessen vier letzte Strophen jedoch von ungemeiner Schönheit sind, zu seinen mattesten Produkten gehört; doch müssen wir zugleich hinzusetzen, daß wir nur die Hälfte dessen bezeichnet haben, was uns darin mißfallen hat. Sollen wir nun noch aus *Fortunens Pranger* S. 186 die faulen Äpfel und Eier – Mir nichts, dir nichts – Lumpenkupfer – Schinderknochen – Schurken – Fuselbrenner – Galgenschwengel – Mit Treue umspringen, wie die Katze mit der Maus – Hui und Pfui – u. d. m. als Beweise unsrer Behauptung anführen, oder weiß der Leser es schon genug, um darin uns beizustimmen, daß ein Geschmack, der solche Kruditäten sich erlaubte, und bei wiederholter Durchsicht begnadigte, Hn. B. auch bei seinen gelungensten Produkten unmöglich ein treuer und sichrer Führer gewesen sein konnte?

Eine der ersten Erfordernisse des Dichters ist Idealisierung, Veredlung, ohne welche er aufhört, seinen Namen zu verdienen. Ihm kommt es zu, das Vortreffliche seines Gegenstandes (mag dieser nun Gestalt, Empfindung oder Handlung sein, in ihm oder außer ihm wohnen) von gröbern, wenigstens fremdartigen Beimischungen zu befreien, die in mehrern Gegenständen zerstreuten Strahlen von Vollkommenheit in einem einzigen zu sammeln, einzelne, das Ebenmaß störende Züge der Harmonie des Ganzen zu unterwerfen, das Individuelle und Lokale zum Allgemeinen zu erheben. Alle Ideale, die er auf diese Art im einzelnen bildet, sind gleichsam nur Ausflüsse eines inneren Ideals von Vollkommenheit, das in der Seele des Dichters wohnt. Zu je größerer Reinheit und Fülle er dieses innere allgemeine Ideal ausgebildet hat, desto mehr werden auch jene einzelnen sich der höchsten Vollkommenheit nähern. Diese Idealisierkunst vermissen wir bei Hn. Bürger. Außerdem, daß uns seine Muse überhaupt einen zu sinnlichen, oft gemeinsinnlichen Charakter zu tragen scheint, daß ihm Liebe selten etwas anders als Genuß oder sinnliche Augenweide, Schönheit oft nur Jugend, Gesundheit, Glückseligkeit nur Wohlleben ist, möchten wir die Gemälde, die er uns aufstellt, mehr einen Zusammenwurf von Bildern, eine Kompilation von Zügen, eine Art Mosaik als Ideale nennen. Will er uns z. B. weibliche Schönheit malen, so sucht er zu jedem einzelnen Reiz seiner Geliebten ein demselben korrespondierendes Bild in der Natur umher auf, und daraus erschafft er sich seine Göttin. Man sehe 1. Teil, S. 124: *Das Mädel, (?) das ich meine, Das hohe Lied* und mehrere andre. Will er sie überhaupt als Muster von Vollkommenheit uns darstellen, so werden ihre Qualitäten von einer ganzen Schar Göttinnen zusammengeborgt. Seite 86. *Die beiden Liebenden:*

Im Denken ist sie Pallas ganz
Und Juno ganz an edelm Gange,
Terpsichore beim Freudentanz,
Euterpe neidet sie im Sange;
Ihr weicht Aglaja, wenn sie lacht,
Melpomene bei sanfter Klage,
Die Wollust ist sie in der Nacht,
Die holde Sittsamkeit bei Tage. (?)

Wir führen diese Strophe nicht an, als glaubten wir, daß sie das Gedicht, worin sie vorkömmt, eben verunstalte, sondern weil sie uns das passendste Beispiel zu sein scheint, wie ungefähr Hr. B. idealisiert. Es kann nicht fehlen, daß dieser üppige Farbenwechsel auf den ersten Anblick hinreißt und blendet, Leser besonders, die nur für das Sinnliche empfänglich sind und, den Kindern gleich, nur das Bunte bewundern. Aber wie wenig sagen Gemälde dieser Art dem verfeinerten Kunstsinn, den nie der Reichtum, sondern die weise Ökonomie, nie die Materie, nur die Schönheit der Form, nie die Ingredienzien, nur die Feinheit der Mischung befriedigt! Wir wollen nicht untersuchen, wie viel oder wenig Kunst erfodert wird, in dieser Manier zu erfinden; aber wir entdecken bei dieser Gelegenheit an uns selbst, wie wenig dergleichen Matadorstücke der Jugend die Prüfung eines männlichen Geschmacks aushalten. Es konnte uns eben darum auch nicht sehr angenehm überraschen, als wir in dieser Gedichtsammlung, einem Unternehmen reiferer Jahre, sowohl ganze Gedichte als einzelne Stellen und Ausdrücke wiederfanden (das Klinglingling, Hopp, Hopp, Hopp, Huhu, Sasa, Trallyrum larum u. dgl. m. nicht zu vergessen), welche nur die poetische Kindheit ihres Verfassers entschuldigen und der zweideutige Beifall des großen Haufens so lange durchbringen konnte. Wenn ein Dichter wie Hr. B. dergleichen Spielereien durch die Zauberkraft seines Pinsels, durch das Gewicht seines Beispiels in Schutz nimmt: wie soll sich der unmännliche, kindische Ton verlieren, den ein Heer von Stümpern in unsere lyrische Dichtkunst einführte? Aus eben diesem Grunde kann Rez. das sonst so lieblich gesungene Gedicht *Blümchen Wunderhold* nur mit Einschränkung loben. Wie sehr sich auch Hr. B. in dieser Erfindung gefallen haben mag, so ist ein Zauberblümchen an der Brust kein ganz würdiges und eben auch nicht sehr geistreiches Symbol der Bescheidenheit; es ist, frei herausgesagt, Tändelei. Wenn es von diesem Blümchen heißt:

> Du teilst der Flöte weichen Klang
> Des Schreiers Kehle mit
> Und wandelst in Zephyrengang
> Des Stürmers Poltertritt,

so geschieht der Bescheidenheit zuviel Ehre. Der unschickliche Ausdruck: die Nase schnaubt nach Äther und ein unechter Reim: blähn und schön verunstalten den leichten und schönen Gang dieses Liedes.

Am meisten vermißt man die Idealisierkunst bei Hn. B., wenn er Empfindungen schildert; dieser Vorwurf trifft besonders die neuern Gedichte, großenteils an Molly gerichtet, womit er diese Ausgabe bereichert hat. So unnachahmlich schön in den meisten Diktion und Versbau ist, so poetisch sie gesungen sind, so unpoetisch scheinen sie uns empfunden. Was Lessing irgendwo dem Tragödiendichter zum Gesetz macht, keine Seltenheiten, keine streng individuellen Charaktere und Situationen darzustellen, gilt noch weit mehr von dem lyrischen. Dieser darf eine gewisse Allgemeinheit in den Gemütsbewegungen, die er schildert, um so weniger verlassen, je weniger Raum ihm gegeben ist, sich über das Eigentümliche der Umstände, wodurch sie veranlaßt sind, zu verbreiten. Die neuern Bürgerschen Gedichte sind großenteils Produkte einer solchen ganz eigentümlichen Lage, die zwar weder so streng individuell, noch so sehr Ausnahme ist als ein Heautontimorumenos des Terenz, aber gerade individuell genug, um von dem Leser weder vollständig, noch rein genug aufgefaßt zu werden, daß das Unideale, welches davon unzertrennlich ist, den Genuß nicht störte. Indessen würde dieser Umstand den Gedichten, bei denen er angetroffen wird, bloß eine Vollkommenheit nehmen; aber ein anderer kommt hinzu, der ihnen wesentlich schadet. Sie sind nämlich nicht bloß Gemälde dieser eigentümlichen (und sehr undichterischen) Seelenlage, sondern sie sind offenbar auch Geburten derselben. Die Empfindlichkeit, der Unwille, die Schwermut des Dichters sind nicht bloß der Gegenstand, den er besingt, sie sind leider oft auch der Apoll, der ihn begeistert. Aber die Göttinnen des Reizes und der Schönheit sind sehr eigensinnige Gottheiten. Sie belohnen nur die Leidenschaft, die sie selbst einflößten; sie dulden auf ihrem Altar nicht gern ein ander Feuer als das Feuer einer reinen, uneigennützigen Begeisterung. Ein erzürnter Schauspieler wird uns schwerlich ein edler Repräsentant des Unwillens werden; ein Dichter nehme sich ja in acht, mitten im Schmerz den Schmerz zu besingen. So, wie der Dichter selbst bloß leidender Teil ist, muß seine Empfindung unausbleiblich von ihrer idealischen Allgemeinheit zu einer unvollkommenen Individualität herabsinken. Aus der sanftern und fernenden Erinnerung mag er dichten, und dann desto besser für ihn, je mehr er an sich erfahren hat, was er besingt; aber ja niemals unter der gegenwärtigen Herrschaft des Affekts, den er uns schön versinnlichen soll. Selbst in Gedichten, von denen man zu sagen pflegt, daß die Liebe, die Freundschaft usw. selbst dem Dichter den Pinsel dabei geführt habe, hatte er damit anfangen müssen, sich selbst fremd zu werden, den Gegenstand seiner Begeisterung von seiner Individualität loszuwickeln, seine Leidenschaft aus einer mildernden Ferne anzuschauen. Das Idealschöne wird schlechterdings nur durch eine Freiheit des Geistes, durch eine Selbsttätigkeit möglich, welche die Übermacht der Leidenschaft aufhebt.

Die neuern Gedichte Hn. B.'s charakterisiert eine gewisse Bitterkeit, eine fast kränkelnde Schwermut. Das hervorragendste Stück in dieser Sammlung: *Das hohe Lied von der Einzigen*, verliert dadurch besonders viel von seinem übrigen unerreichbaren Werte. Andre Kunstrichter haben sich bereits ausführlicher über dieses schöne Produkt der Bürgerischen Muse herausgelassen, und mit Vergnügen stimmen wir in einen großen Teil des Lobes mit ein, das sie ihm beigelegt haben. Nur wundern wir uns, wie es möglich war, dem Schwunge des Dichters, dem Feuer seiner Empfindungen, seinem Reichtum an Bildern, der Kraft seiner Sprache, der Harmonie seines Verses so viele Versündigungen gegen den guten Geschmack zu vergeben; wie es möglich war, zu übersehen, daß sich die Begeisterung des Dichters nicht selten in die Grenzen des Wahnsinns verliert, daß sein Feuer oft Furie wird, daß eben deswegen die Gemütsstimmung, mit der man dies Lied aus der Hand legt, durchaus nicht die wohltätige, harmonische Stimmung ist, in welche wir uns von dem Dichter versetzt sehen wollen. Wir begreifen, wie Hr. B., hingerissen von dem Affekt, der dieses Lied ihm diktierte, bestochen von der nahen Beziehung dieses Lieds auf seine eigne Lage, die er in demselben, wie in einem Heiligtum, niederlegte, am Schlusse dieses Lieds sich zurufen konnte, daß es das Siegel der Vollendung an sich trage; – aber eben deswegen möchten wir es, seiner glänzenden Vorzüge ungeachtet, nur ein sehr vortreffliches Gelegenheitsgedicht nennen – ein Gedicht nämlich, dessen Entstehung und Bestimmung man es allenfalls verzeiht, wenn ihm die idealische Reinheit und Vollendung mangelt, die allein den guten Geschmack befriedigt.

Eben dieser große und nahe Anteil, den das eigene Selbst des Dichters an diesem und noch einigen andern Liedern dieser Sammlung hatte, erklärt uns beiläufig, warum wir in diesen Liedern so übertrieben oft an ihn selbst, den Verfasser, erinnert werden. Rez. kennt unter den neuern Dichtern keinen, der das sublimi feriam sidera vertice des Horaz mit solchem Mißbrauch im Munde führte als Hr. B. Wir wollen ihn deswegen nicht in Verdacht haben, daß ihm bei solchen Gelegenheiten das Blümchen Wunderhold aus dem Busen gefallen sei; es leuchtet ein, daß man nur im Scherz so viel Selbstlob an sich verschwenden kann. Aber angenommen, daß an solchen scherzhaften Äußerungen nur der zehente Teil sein Ernst sei, so macht ja ein zehenter Teil, der zehenmal wiederkömmt, einen ganzen und bittern Ernst. Eigenruhm kann selbst einem Horaz nur verziehen werden, und ungern verzeiht der hingerissne Leser dem Dichter, den er so gern – nur bewundern möchte.

Diese allgemeinen Winke, den Geist des Dichters betreffend, scheinen uns alles zu sein, was über eine Sammlung von mehr als hundert Gedichten, worunter viele einer ausführlichen Zergliederung wert sind, in einer Zeitung gesagt werden konnte. Das längst entschiedne einstimmige Urteil des Publikums überhebt uns, von seinen Balladen zu reden, in welcher Dichtungsart es nicht leicht ein deutscher Dichter Hn. B. zuvortun wird. Bei seinen Sonetten, Mustern ihrer Art, die sich auf den Lippen des Deklamateurs in Gesang verwandeln, wünschen wir mit ihm, daß sie keinen Nachahmer finden möchten, der nicht gleich ihm und seinem vortrefflichen Freund, Schlegel, die Leier des pythischen Gottes spielen kann. Gerne hätten wir alle bloß witzigen Stücke, die Sinngedichte vor allen, in dieser Sammlung entbehrt, so wie wir überhaupt Hn. B. die leichte, scherzende Gattung möchten verlassen sehen, die seiner starken nervigten Manier nicht zusagt. Man vergleiche z. B., um sich davon zu überzeugen, das *Zechlied,* 1. Teil S. 142, mit einem Anakreontischen oder Horazischen von ähnlichem Inhalt. Wenn man uns endlich auf Gewissen fragte, welchen von Hn. B's Gedichten, den ernsthaften oder den satirischen, den ganz lyrischen oder lyrischerzählenden, den frühern oder spätern wir den Vorzug geben, so würde unser Ausspruch für die ernsthaften, für die erzählenden und für die frühern ausfallen. Es ist nicht zu verkennen, daß Hr. B. an Kraft und Fülle, an Sprachgewalt und an Schönheit des Verses gewonnen hat; aber seine Manier hat sich weder veredelt noch sein Geschmack gereinigt.

Wenn wir bei Gedichten, von denen sich unendlich viel Schönes sagen läßt, nur auf die fehlerhafte Seite hingewiesen haben, so ist dies, wenn man will, eine Ungerechtigkeit, der wir uns nur gegen einen Dichter von Hn. B's Talent und Ruhm schuldig machen konnten. Nur gegen einen Dichter, auf den so viele nachahmende Federn lauern, verlohnt es sich der Mühe, die Partei der Kunst zu ergreifen; und auch nur das große Dichtergenie ist imstande, den Freund des Schönen an die höchsten Foderungen der Kunst zu erinnern, die er bei dem mittelmäßigen Talent entweder freiwillig unterdrückt oder ganz zu vergessen im Gefahr ist. Gerne gestehen wir, daß wir das ganze Heer von unsern jetzt lebenden Dichtern, die mit Hn. B. um den lyrischen Lorbeerkranz ringen, gerade so tief unter ihm erblicken, als er, unsrer Meinung nach, selbst unter dem höchsten Schönen geblieben ist. Auch empfinden wir sehr gut, daß vieles von dem, was wir an seinen Produkten tadelnswert fanden, auf Rechnung äußrer Umstände kommt, die seine genialische Kraft in ihrer schönsten Wirkung beschränkten, und von denen seine Gedichte selbst so rührende Winke geben. Nur die heitre, die ruhige Seele gebiert das Vollkommene. Kampf mit äußern Lagen und Hypochondrie, welche überhaupt jede Geisteskraft lähmen, dürfen am allerwenigsten das Gemüt des Dichters belasten, der sich von der Gegenwart loswickeln und frei und kühn in die Welt der Ideale emporschweben soll. Wenn es auch noch so sehr in seinem Busen stürmt, so müsse Sonnenklarheit seine Stirne umfließen.

Wenn indessen irgend einer von unsern Dichtern es

wert ist, sich selbst zu vollenden, um etwas Vollendetes zu leisten, so ist es Hr. Bürger. Diese Fülle poetischer Malerei, diese glühende, energische Herzenssprache, dieser bald prächtig wogende, bald lieblich flötende Poesiestrom, der seine Produkte so hervorragend unterscheidet, endlich dieses biedre Herz, das, man möchte sagen, aus jeder Zeile spricht, ist es wert, sich mit immer gleicher ästhetischer und sittlicher Grazie, mit männlicher Würde, mit Gedankengehalt, mit hoher und stiller Größe zu gatten und so die höchste Krone der Klassizität zu erringen.

Das Publikum hat eine schöne Gelegenheit, um die vaterländische Kunst sich dieses Verdienst zu erwerben. Hr. B. besorgt, wie wir hören, eine neue, verschönerte Ausgabe seiner Gedichte, und von dem Maße der Unterstützung, die ihm von den Freunden seiner Muse widerfahren wird, hängt es ab, ob sie zugleich eine verbesserte, ob sie eine vollendete sein soll.

Friedrich Schiller

ÜBER DEN GEBRAUCH DES CHORS IN DER TRAGÖDIE

1803

Ein poetisches Werk muß sich selbst rechtfertigen, und wo die Tat nicht spricht, da wird das Wort nicht viel helfen. Man könnte es also gar wohl dem Chor überlassen, sein eigener Sprecher zu sein, wenn er nur erst selbst auf die gehörige Art zur Darstellung gebracht wäre. Aber das tragische Dichterwerk wird erst durch die theatralische Vorstellung zu einem Ganzen; nur die Worte gibt der Dichter, Musik und Tanz müssen hinzukommen, sie zu beleben. Solange also dem Chor diese sinnlich mächtige Begleitung fehlt, solange wird er in der Ökonomie des Trauerspiels als ein Außending, als ein fremdartiger Körper und als ein Aufenthalt erscheinen, der nur den Gang der Handlung unterbricht, der die Täuschung stört, der den Zuschauer erkältet. Um dem Chor sein Recht anzutun, muß man sich also von der wirklichen Bühne auf eine mögliche versetzen; aber das muß man überall, wo man zu etwas Höherm gelangen will. Was die Kunst noch nicht hat, das soll sie erwerben; der zufällige Mangel an Hilfsmitteln darf die schaffende Einbildungskraft des Dichters nicht beschränken. Das Würdigste setzt er sich zum Ziel, einem Ideale strebt er nach, die ausübende Kunst mag sich nach den Umständen bequemen.

Es ist nicht wahr, was man gewöhnlich behaupten hört, daß das Publikum die Kunst herabzieht; der Künstler zieht das Publikum herab, und zu allen Zeiten, wo die Kunst verfiel, ist sie durch die Künstler gefallen. Das Publikum braucht nichts als Empfänglichkeit, und diese besitzt es. Es tritt vor den Vorhang mit einem unbestimmten Verlangen, mit einem vielseitigen Vermögen. Zu dem Höchsten bringt es eine Fähigkeit mit; es erfreut sich an dem Verständigen und Rechten, und wenn es damit angefangen hat, sich mit dem Schlechten zu begnügen, so wird es zuverlässig damit aufhören, das Vortreffliche zu fodern, wenn man es ihm erst gegeben hat.

Der Dichter, hört man einwenden, hat gut nach einem Ideal arbeiten, der Kunstrichter hat gut nach Ideen urteilen; die bedingte, beschränkte, ausübende Kunst ruht auf dem Bedürfnis. Der Unternehmer will bestehen, der Schauspieler will sich zeigen, der Zuschauer will unterhalten und in Bewegung gesetzt sein. Das Vergnügen sucht er und ist unzufrieden, wenn man ihm da eine Anstrengung zumutet, wo er ein Spiel und eine Erholung erwartet.

Aber, indem man das Theater ernsthafter behandelt, will man das Vergnügen des Zuschauers nicht aufheben, sondern veredeln. Es soll ein Spiel bleiben, aber ein poetisches. Alle Kunst ist der Freude gewidmet, und es gibt keine höhere und keine ernsthaftere Aufgabe, als die Menschen zu beglücken. Die rechte Kunst ist nur diese, welche den höchsten Genuß verschafft. Der höchste Genuß aber ist die Freiheit des Gemüts in dem lebendigen Spiel aller seiner Kräfte.

Jeder Mensch zwar erwartet von den Künsten der Einbildungskraft eine gewisse Befreiung von den Schranken des Wirklichen; er will sich an dem Möglichen ergötzen und seiner Phantasie Raum geben. Der am wenigsten erwartet, will doch sein Geschäft, sein gemeines Leben, sein Individuum vergessen, er will sich in außerordentlichen Lagen fühlen, sich an den seltsamen Kombinationen des Zufalls weiden; er will, wenn er von ernsthafterer Natur ist, die moralische Weltregierung, die er im wirklichen Leben vermißt, auf der Schaubühne finden. Aber er weiß selbst recht gut, daß er nur ein leeres Spiel treibt, daß er im eigentlichen Sinn sich nur an Träumen weidet, und wenn er von dem Schauplatz wieder in die wirkliche Welt zurückkehrt, so umgibt ihn diese wieder mit ihrer ganzen drückenden Enge, er ist ihr Raub, wie vorher; denn sie selbst ist geblieben, was sie war, und an ihm ist nichts verändert worden. Dadurch ist also nichts gewonnen als ein gefälliger Wahn des Augenblicks, der beim Erwachen verschwindet.

Und eben darum, weil es hier nur auf eine vorübergehende Täuschung abgesehen ist, so ist auch nur ein Schein der Wahrheit oder die beliebte Wahrscheinlichkeit nötig, die man so gern an die Stelle der Wahrheit setzt.

Die wahre Kunst aber hat es nicht bloß auf ein vorübergehendes Spiel abgesehen; es ist ihr ernst damit, den Menschen nicht bloß in einen augenblicklichen Traum von Freiheit zu versetzen, sondern ihn wirklich und in der Tat frei zu machen, und dieses dadurch, daß sie eine Kraft in ihm erweckt, übt und ausbildet, die sinnliche Welt, die sonst nur als ein roher Stoff auf uns lastet, als eine blinde Macht auf uns drückt, in eine objektive Ferne zu rücken, in ein freies Werk unsers Geistes zu verwandeln und das Materielle durch Ideen zu beherrschen.

Und eben darum, weil die wahre Kunst etwas Reelles und Objektives will, so kann sie sich nicht bloß mit dem Schein der Wahrheit begnügen; auf der Wahrheit selbst, auf dem festen und tiefen Grunde der Natur errichtet sie ihr ideales Gebäude.

Wie aber nun die Kunst zugleich ganz ideell und noch im tiefsten Sinne reell sein – wie sie das Wirkliche ganz verlassen und doch aufs genaueste mit der Natur übereinstimmen soll und kann, das ist's, was wenige fassen, was die Ansicht poetischer und plastischer Werke so schielend macht, weil beide Foderungen einander im gemeinen Urteil geradezu aufzuheben scheinen.

Auch begegnet es gewöhnlich, daß man das eine mit Aufopferung des andern zu erreichen sucht und eben deswegen beides verfehlt. Wem die Natur zwar einen treuen Sinn und eine Innigkeit des Gefühls verliehen, aber die schaffende Einbildungskraft versagte, der wird ein treuer Maler des Wirklichen sein, er wird die zufälligen Erscheinungen, aber nie den Geist der Natur ergreifen. Nur den Stoff der Welt wird er uns wiederbringen; aber es wird eben darum nicht unser Werk, nicht das freie Produkt unsers bildenden Geistes sein und kann also auch die wohltätige Wirkung der Kunst, welche in der Freiheit besteht, nicht haben. Ernst zwar, doch unerfreulich ist die Stimmung, mit der uns ein solcher Künstler und Dichter entläßt, und wir sehen uns durch die Kunst selbst, die uns befreien sollte, in die gemeine, enge Wirklichkeit peinlich zurückversetzt. Wem hingegen zwar eine rege Phantasie, aber ohne Gemüt und Charakter, zuteil geworden, der wird sich um keine Wahrheit bekümmern, sondern mit dem Weltstoff nur spielen, nur durch phantastische und bizarre Kombinationen zu überraschen suchen, und wie sein ganzes Tun nur Schaum und Schein ist, so wird er zwar für den Augenblick unterhalten, aber im Gemüt nichts erbauen und begründen. Sein Spiel ist, so wie der Ernst des andern, kein poetisches. Phantastische Gebilde willkürlich aneinanderreihen, heißt nicht, ins Ideale gehen, und das Wirkliche nachahmend wiederbringen, heißt nicht, die Natur darstellen. Beide Forderungen stehen so wenig im Widerspruch miteinander, daß sie vielmehr – eine und dieselbe sind; daß die Kunst nur dadurch wahr ist, daß sie das Wirkliche ganz verläßt und rein ideell wird. Die Natur selbst ist nur eine Idee des Geistes, die nie in die Sinne fällt. Unter der Decke der Erscheinungen liegt sie, aber sie selbst kommt niemals zur Erscheinung. Bloß der Kunst des Ideals ist es verliehen, oder vielmehr, es ist ihr aufgegeben, diesen Geist des Alls zu ergreifen und in einer körperlichen Form zu binden. Auch sie selbst kann ihn zwar nie vor die Sinne, aber doch durch ihre schaffende Gewalt vor die Einbildungskraft bringen und dadurch wahrer sein als alle Wirklichkeit und realer als alle Erfahrung. Es ergibt sich daraus von selbst, daß der Künstler kein einziges Element aus der Wirklichkeit brauchen kann, wie er es findet, daß sein Werk in allen seinen Teilen ideell sein muß, wenn es als ein Ganzes Realität haben und mit der Natur übereinstimmen soll.

Was von Poesie und Kunst im ganzen wahr ist, gilt auch von allen Gattungen derselben, und es läßt sich ohne Mühe von dem jetzt Gesagten auf die Tragödie die Anwendung machen. Auch hier hatte man lange und hat noch jetzt mit dem gemeinen Begriff des Natürlichen zu kämpfen, welcher alle Poesie und Kunst geradezu aufhebt und vernichtet. Der bildenden Kunst gibt man zwar notdürftig, doch mehr aus konventionellen als aus inneren Gründen, eine gewisse Idealität zu; aber von der Poesie, und von der dramatischen insbesondere, verlangt man Illusion, die, wenn sie auch wirklich zu leisten wäre, immer nur ein armseliger Gauklerbetrug sein würde. Alles Äußere bei einer dramatischen Vorstellung steht diesem Begriff entgegen – alles ist nur ein Symbol des Wirklichen. Der Tag selbst auf dem Theater ist nur ein künstlicher, die Architektur ist nur eine symbolische, die metrische Sprache selbst ist ideal; aber die Handlung soll nun einmal real sein und der Teil das Ganze zerstören. So haben die Franzosen, die den Geist der Alten zuerst ganz mißverstanden, eine Einheit des Orts und der Zeit nach dem gemeinsten empirischen Sinn auf der Schaubühne eingeführt, als ob hier ein anderer Ort wäre als der bloß ideale Raum und eine andere Zeit als bloß die stetige Folge der Handlung.

Durch Einführung einer metrischen Sprache ist man indes der poetischen Tragödie schon um einen großen Schritt nähergekommen. Es sind einige lyrische Versuche auf der Schaubühne glücklich durchgegangen, und die Poesie hat sich durch ihre eigene lebendige Kraft im einzelnen manchen Sieg über das herrschende Vorurteil errungen. Aber mit den einzelnen ist wenig gewonnen, wenn nicht der Irrtum im ganzen fällt, und es ist nicht genug, daß man das nur als eine poetische Freiheit duldet, was doch das Wesen aller Poesie ist. Die Einführung des Chors wäre der letzte, der entscheidende Schritt – und wenn derselbe auch nur dazu diente, dem Naturalism in der Kunst offen und ehrlich den Krieg zu erklären, so sollte er uns eine lebendige Mauer sein, die die Tragödie um sich herumzieht, um sich von der wirklichen Welt rein abzuschließen und sich ihren idealen Boden, ihre poetische Freiheit zu bewahren.

Die Tragödie der Griechen ist, wie man weiß, aus dem Chor entsprungen. Aber sowie sie sich historisch und der Zeitfolge nach daraus loswand, so kann man auch sagen, daß sie poetisch und dem Geiste nach aus demselben entstanden und daß ohne diesen beharrlichen Zeugen und Träger der Handlung eine ganz andere Dichtung aus ihr geworden wäre. Die Abschaffung des Chors und die Zusammenziehung dieses sinnlich mächtigen Organs in die charakterlose, langweilig wiederkehrende Figur eines ärmlichen Vertrauten war also keine so große Verbesserung der Tragödie, als die Franzosen und ihre Nachbeter sich eingebildet haben.

Die alte Tragödie, welche sich ursprünglich nur mit Göttern, Helden und Königen abgab, brauchte den Chor als eine notwendige Begleitung; sie fand ihn in der Natur und brauchte ihn, weil sie ihn fand. Die Handlungen und Schicksale der Helden und Könige sind schon an sich selbst öffentlich und waren es in der einfachen Urzeit noch mehr. Der Chor war folglich in der alten Tragödie mehr ein natürliches Organ, er folgte schon aus der poetischen Gestalt des wirklichen Lebens. In der neuen Tragödie wird er zu einem Kunstorgan; er hilft die Poesie hervorbringen. Der neuere Dichter findet den Chor nicht mehr in der Natur, er muß ihn poetisch erschaffen und einführen, das ist, er muß mit der Fabel, die er behandelt, eine solche Veränderung vornehmen, wodurch sie in jene kindliche Zeit und in jene einfache Form des Lebens zurückversetzt wird.

Der Chor leistet daher dem neuern Tragiker noch weit wesentlichere Dienste als dem alten Dichter, eben deswegen, weil er die moderne gemeine Welt in die alte poetische verwandelt, weil er ihm alles das unbrauchbar macht, was der Poesie widerstrebt, und ihn auf die einfachsten, ursprünglichen und naivsten Motive hinauftreibt. Der Palast der Könige ist jetzt geschlossen, die Gerichte haben sich von den Toren der Städte in das Innere der Häuser zurückgezogen, die Schrift hat das lebendige Wort verdrängt, das Volk selbst, die sinnlich lebendige Masse, ist, wo sie nicht als rohe Gewalt wirkt, zum Staat, folglich zu einem abgezogenen Begriff geworden, die Götter sind in die Brust des Menschen zurückgekehrt. Der Dichter muß die Paläste wieder auftun, er muß die Gerichte unter freiem Himmel herausführen, er muß die Götter wieder aufstellen, er muß alles Unmittelbare, das durch die künstliche Einrichtung des wirklichen Lebens aufgehoben ist, wiederherstellen und alles künstliche Machwerk *an* dem Menschen und *um* denselben, das die Erscheinung seiner innern Natur und seines ursprünglichen Charakters hindert, wie der Bildhauer die modernen Gewänder abwerfen und von allen äußern Umgebungen desselben nichts aufnehmen, als was die höchste der Formen, die menschliche, sichtbar macht.

Aber ebenso wie der bildende Künstler die faltige Fülle der Gewänder um seine Figuren breitet, um die Räume seines Bildes reich und anmutig auszufüllen, um die getrennten Partien desselben in ruhigen Massen stetig zu verbinden, um der Farbe, die das Auge reizt und erquickt, einen Spielraum zu geben, um die menschlichen Formen zugleich geistreich zu verhüllen und sichtbar zu machen, ebenso durchflicht und umgibt der tragische Dichter seine streng abgemessene Handlung und die festen Umrisse seiner handelnden Figuren mit einem lyrischen Prachtgewebe, in welchem sich, als wie in einem weit gefalteten Purpurgewand, die handelnden Personen frei und edel mit einer gehaltenen Würde und hoher Ruhe bewegen.

In einer höhern Organisation darf der Stoff oder das Elementarische nicht mehr sichtbar sein; die chemische Farbe verschwindet in der feinen Karnation des Lebendigen. Aber auch der Stoff hat seine Herrlichkeit und kann als solcher in einem Kunstkörper aufgenommen werden. Dann aber muß er sich durch Leben und Fülle und durch Harmonie seinen Platz verdienen und die Formen, die er umgibt, geltend machen, anstatt sie durch seine Schwere zu erdrücken.

In Werken der bildenden Kunst ist dieses jedem leicht verständlich, aber auch in der Poesie und in der tragischen, von der hier die Rede ist, findet dasselbe statt. Alles, was der Verstand sich im allgemeinen ausspricht, ist ebenso wie das, was bloß die Sinne reizt, nur Stoff und rohes Element in einem Dichterwerk und wird da, wo es vorherrscht, unausbleiblich das Poetische zerstören; denn dieses liegt gerade in dem Indifferenzpunkt des Ideellen und Sinnlichen. Nun ist aber der Mensch so gebildet, daß er immer von dem Besondern ins Allgemeine gehen will, und die Reflexion muß also auch in der Tragödie ihren Platz erhalten. Soll sie aber diesen Platz verdienen, so muß sie das, was ihr an sinnlichem Leben fehlt, durch den Vortrag wiedergewinnen; denn wenn die zwei Elemente der Poesie, das Ideale und Sinnliche, nicht innig verbunden zusammenwirken, so müssen sie nebeneinander wirken, oder die Poesie ist aufgehoben. Wenn die Waage nicht vollkommen inne steht, da kann das Gleichgewicht nur durch eine Schwankung der beiden Schalen hergestellt werden.

Und dieses leistet nun der Chor in der Tragödie. Der Chor ist selbst kein Individuum, sondern ein allgemeiner Begriff; aber dieser Begriff repräsentiert sich durch eine sinnlich mächtige Masse, welche durch ihre ausfüllende

Gegenwart den Sinnen imponiert. Der Chor verläßt den engen Kreis der Handlung, um sich über Vergangenes und Künftiges, über ferne Zeiten und Völker, über das Menschliche überhaupt zu verbreiten, um die großen Resultate des Lebens zu ziehen und die Lehren der Weisheit auszusprechen. Aber er tut dieses mit der vollen Macht der Phantasie, mit einer kühnen lyrischen Freiheit, welche auf den hohen Gipfeln der menschlichen Dinge wie mit Schritten der Götter einhergeht – und er tut es, von der ganzen sinnlichen Macht des Rhythmus und der Musik in Tönen und Bewegungen begleitet.

Der Chor reinigt also das tragische Gedicht, indem er die Reflexion von der Handlung absondert und eben durch diese Absonderung sie selbst mit poetischer Kraft ausrüstet; ebenso, wie der bildende Künstler die gemeine Notdurft der Bekleidung durch eine reiche Draperie in einen Reiz und in eine Schönheit verwandelt.

Aber ebenso, wie sich der Maler gezwungen sieht, den Farbenton des Lebendigen zu verstärken, um den mächtigen Stoffen das Gleichgewicht zu halten, so legt die lyrische Sprache des Chors dem Dichter auf, verhältnismäßig die ganze Sprache des Gedichts zu erheben und dadurch die sinnliche Gewalt des Ausdrucks überhaupt zu verstärken. Nur der Chor berechtiget den tragischen Dichter zu dieser Erhebung des Tons, die das Ohr ausfüllt, die den Geist anspannt, die das ganze Gemüt erweitert. Diese eine Riesengestalt in seinem Bilde nötigt ihn, alle seine Figuren auf den Kothurn zu stellen und seinem Gemälde dadurch die tragische Größe zu geben. Nimmt man den Chor hinweg, so muß die Sprache der Tragödie im ganzen sinken, oder was jetzt groß und mächtig ist, wird gezwungen und überspannt erscheinen. Der alte Chor, in das französische Trauerspiel eingeführt, würde es in seiner ganzen Dürftigkeit darstellen und zunichte machen; eben derselbe würde ohne Zweifel Shakespeares Tragödie erst ihre wahre Bedeutung geben.

So wie der Chor in die Sprache *Leben* bringt, so bringt er *Ruhe* in die Handlung – aber die schöne und hohe Ruhe, die der Charakter eines edeln Kunstwerkes sein muß. Denn das Gemüt des Zuschauers soll auch in der heftigsten Passion seine Freiheit behalten; es soll kein Raub der Eindrücke sein, sondern sich immer klar und heiter von den Rührungen scheiden, die es erleidet. Was das gemeine Urteil an dem Chor zu tadeln pflegt, daß er die Täuschung aufhebe, daß er die Gewalt der Affekte breche, das gereicht ihm zu seiner höchsten Empfehlung; denn eben diese blinde Gewalt der Affekte ist es, die der wahre Künstler vermeidet, diese Täuschung ist es, die er zu erregen verschmäht. Wenn die Schläge, womit die Tragödie unser Herz trifft, ohne Unterbrechung aufeinanderfolgten, so würde das Leiden über die Tätigkeit siegen. Wir würden uns mit dem Stoffe vermengen und nicht mehr über demselben schweben. Dadurch, daß der Chor die Teile auseinanderhält und zwischen die Passionen mit seiner beruhigenden Betrachtung tritt, gibt er uns unsre Freiheit zurück, die im Sturm der Affekte verlorengehen würde. Auch die tragischen Personen selbst bedürfen dieses Anhalts, dieser Ruhe, um sich zu sammeln; denn sie sind keine wirkliche Wesen, die bloß der Gewalt des Moments gehorchen und bloß ein Individuum darstellen, sondern ideale Personen und Repräsentanten ihrer Gattung, die das Tiefe der Menschheit aussprechen. Die Gegenwart des Chors, der als ein richtender Zeuge sie vernimmt und die ersten Ausbrüche ihrer Leidenschaft durch seine Dazwischenkunft bändigt, motiviert die Besonnenheit, mit der sie handeln, und die Würde, mit der sie reden. Sie stehen gewissermaßen schon auf einem natürlichen Theater, weil sie vor Zuschauern sprechen und handeln, und werden eben deswegen desto tauglicher, von dem Kunsttheater zu einem Publikum zu reden.

Soviel über meine Befugnis, den alten Chor auf die tragische Bühne zurückzuführen. Chöre kennt man zwar auch schon in der modernen Tragödie; aber der Chor des griechischen Trauerspiels, so wie ich ihn hier gebraucht habe, der Chor als eine einzige ideale Person, die die ganze Handlung trägt und begleitet, dieser ist von jenen operhaften Chören wesentlich verschieden, und wenn ich bei Gelegenheit der griechischen Tragödie von *Chören* anstatt von *einem Chor* sprechen höre, so entsteht mir der Verdacht, daß man nicht recht wisse, wovon man rede. Der Chor der alten Tragödie ist meines Wissens seit dem Verfall derselben nie wieder auf der Bühne erschienen.

Ich habe den Chor zwar in zwei Teile getrennt und im Streit mit sich selbst dargestellt; aber dies ist nur dann der Fall, wo er als wirkliche Person und als blinde Menge mithandelt. Als *Chor* und als ideale Person ist er immer eins mit sich selbst. Ich habe den Ort verändert und den Chor mehrmal abgehen lassen; aber auch Äschylus, der Schöpfer der Tragödie, und Sophokles, der größte Meister in dieser Kunst, haben sich dieser Freiheit bedient.

Eine andere Freiheit, die ich mir erlaubt, möchte schwerer zu rechtfertigen sein. Ich habe die christliche Religion und die griechische Götterlehre vermischt angewendet, ja selbst an den maurischen Aberglauben erinnert. Aber der Schauplatz der Handlung ist Messina, wo diese drei Religionen teils lebendig, teils in Denkmälern fortwirkten und zu den Sinnen sprachen. Und dann halte ich es für ein Recht der Poesie, die verschiedenen Religionen als ein kollektives Ganze für die Einbildungskraft zu behandeln, in welchem alles, was einen eigenen Charakter trägt, eine eigene Empfindungsweise ausdrückt, seine Stelle findet. Unter der Hülle aller Religionen liegt die Religion selbst, die Idee eines Göttlichen, und es muß dem Dichter erlaubt sein, dieses auszusprechen, in welcher Form er es jedesmal am bequemsten und am treffendsten findet.

Wilhelm von Humboldt

ÜBER SCHILLER UND DEN GANG SEINER GEISTESENTWICKLUNG

1830

Mein näherer Umgang und mein Briefwechsel mit Schiller fallen in die Jahre 1793 bis 1797; vorher kannten wir uns wenig; nachher, wo ich mich meistenteils im Auslande aufhielt, schrieben wir uns seltener. Gerade der erwähnte Zeitraum war aber ohne Zweifel der bedeutendste in der geistigen Entwicklung Schillers. Er beschloß den langen Abschnitt, wo Schiller seit dem Erscheinen des *Don Carlos* von aller dramatischen Tätigkeit gefeiert hatte, und ging unmittelbar der Periode voraus, wo er, von der Vollendung des *Wallensteins* an, wie im Vorgefühl seiner nahen Auflösung, die letzten Jahre seines Lebens fast mit ebenso vielen Meisterwerken bezeichnete. Es war eine Krise, ein Wendepunkt, aber vielleicht der seltenste, den je ein Mensch in seinem geistigen Leben erfahren hat. Das angeborene, schöpferische Dichtergenie »durchbrach gleich einem angeschwollenen Strome« die Hindernisse, welche ihm zu mächtig angewachsene Ideenbeschäftigung und zu deutlich gewordenes Bewußtsein entgegensetzten, und es trug aus diesem Kampfe selbst die Form idealer Notwendigkeit reiner und klarer heraus. Den glücklichen Erfolg dieser Krise verdankte Schiller der Gediegenheit seiner Natur und der rastlosen Arbeit, mit der er auf den verschiedensten Wegen der einzigen Aufgabe nachstrebte, die reichste Lebendigkeit des Stoffs in die reinste Gesetzmäßigkeit der Kunst zu binden. Er bedurfte hierzu zugleich der schöpferischen und der beurteilend formenden Kräfte; so sicher er aber sein konnte, daß ihm die ersteren nie entstehen würden, so fanden sich doch in ihm Stunden, Tage des Zweifels, der Kleinmütigkeit, ein scheinbares Schwanken zwischen Poesie und Philosophie, ein Mangel an Zuversicht auf seinen Dichterberuf, wodurch jene Jahre zu einer so entscheidenden Epoche seines Lebens wurden. Denn alles, was ihm in derselben das leichte Gelingen dichterischer Arbeiten erschwerte, erhöhte die Vollkommenheit der endlich zur Reife gediehenen.

Es war im Frühjahre 1793, als Schiller von einer in sein Vaterland gemachten Reise zurückkam, um sich wieder in Jena häuslich niederzulassen. Die große Krankheit, die seine ganze Gesundheit erschüttert hatte und von der er eigentlich nie wieder genas, hatte, verbunden mit der Reise, eine Unterbrechung in allen seinen Arbeiten zur Folge gehabt, und Schiller kehrte mit dem doppelt regen Streben nach Tätigkeit zurück, das eine solche Unterbrechung und eine neue Niederlassung gewöhnlich hervorbringen. Der damals beginnende Umgang mit Goethe trug noch sehr dazu bei, seine geistige Lebendigkeit anzuregen. Es entstand also nun die Frage, was er unternehmen solle, was er mit Hoffnung des Gelingens unternehmen könne? Eine wirklich angefangene Arbeit hatte er, außer den *Briefen über die ästhetische Erziehung des Menschen,* nicht vor sich. Im Dichten hatte er sich seit dem Jahre 1790 nicht versucht. Die Neigung zur Geschichte war erkaltet, dagegen fühlte er sich zu philosophischen Forschungen hingezogen. Indes standen im Hintergrunde immer die *Malteser*[1] und *Wallenstein,* allein unter den damaligen Umständen wie durch eine große Kluft selbst von dem Entschlusse, sich für einen beider Plane zu bestimmen, geschieden. Ich hatte, um Schiller nahe zu sein, meinen Wohnsitz in Jena genommen und war wenige Wochen vor ihm dort

[1] Ein Schauspiel, zu welchem Schiller den Plan lange mit sich herumtrug und von dem auch in dem nachfolgenden Briefwechsel die Rede sein wird.

angekommen. Wir sahen uns täglich zweimal, vorzüglich aber des Abends allein und meistenteils bis tief in die Nacht hinein. Alles eben Berührte kam da natürlich zur Sprache, und diese Unterredungen machten die Grundlage zu dem hier dem Publikum mitgeteilten Briefwechsel aus, der auch größtenteils davon handelt und schrittweise den Weg sehen läßt, auf dem Schiller sich seiner großen letzten Produktionsepoche näherte. Aus diesem Grunde können, auch noch einzelne vortreffliche und genievolle Entwicklungen in den Schillerschen abgerechnet, die hier nachfolgenden Briefe sich vielleicht Hoffnung machen, Interesse bei denjenigen zu erwecken, welche dem Geiste eines großen Mannes gern über dasjenige hinausfolgen, was davon seinen Werken aufgeprägt ist.

Es gibt ein unmittelbareres und volleres Wirken eines großen Geistes als das durch seine Werke. Diese zeigen nur einen Teil seines Wesens. In die lebendige Erscheinung strömt es rein und vollständig über. Auf eine Art, die sich einzeln nicht nachweisen, nicht erforschen läßt, welcher selbst der Gedanke nicht zu folgen vermag, wird es aufgenommen von den Zeitgenossen und auf die folgenden Geschlechter vererbt. Dies stille und gleichsam magische Wirken großer geistiger Naturen ist es vorzüglich, was den immer wachsenden Gedanken von Geschlecht zu Geschlecht, von Volk zu Volk immer mächtiger und ausgebreiteter emporsprießen läßt. In Schrift gefaßte Werke und Literaturen tragen ihn dann, gleichsam mumienartig verschlossen, über Klüfte hinweg, welche die lebendige Wirksamkeit nicht zu überspringen vermag. Die Völker aber haben schon immer Hauptschritte zu ihrer Geistesentwicklung vor der Schrift getan, und in diesen dunkelsten, aber wichtigsten Perioden des menschlichen Schaffens und Bildens ist nur die lebendige Einwirkung möglich. Nichts zieht daher die Betrachtung mehr an als jeder, wenn selbst schwache Versuch, zu erforschen, wie ein merkwürdiger Mann des Jahrhunderts die Bahn alles Denkens, das

Gesetz an die Erscheinung zu knüpfen, über das Endliche hinaus nach dem Unendlichen zu streben, in seiner individuellen Weise durchlief. Dies hat mein Nachdenken über Schiller oft beschäftigt, und unsere Zeit hat keinen aufzuweisen, dessen inneres geistiges Leben in dieser Hinsicht merkwürdiger zu verfolgen wäre.

Schillers Dichtergenie kündigte sich gleich in seinen ersten Arbeiten an; ungeachtet aller Mängel der Form, ungeachtet vieler Dinge, die dem gereiften Künstler sogar roh erscheinen mußten, zeugten die *Räuber* und *Fiesco* von einer entschiednen großen Naturkraft. Es verriet sich nachher durch die bei ganz verschiedenartigen philosophischen und historischen Beschäftigungen immer durchbrechende, auch in diesen Briefen so oft angedeutete Sehnsucht nach der Dichtung wie nach der eigentümlichen Heimat seines Geistes. Es offenbarte sich endlich in männlicher Kraft und geläuterter Reinheit in den Stücken, die gewiß noch lange der Stolz und der Ruhm der deutschen Bühne bleiben werden. Aber dies Dichtergenie war auf das engste an das Denken in allen seinen Tiefen und Höhen geknüpft, es tritt ganz eigentlich auf dem Grunde einer Intellektualität hervor, die alles ergründend spalten und alles verknüpfend zu einem Ganzen vereinen möchte. Darin liegt Schillers besondere Eigentümlichkeit. Er forderte von der Dichtung einen tieferen Anteil des Gedankens und unterwarf sie strenger einer geistigen Einheit; letzteres auf zwiefache Weise, indem er sie an eine festere Kunstform band und indem er jede Dichtung so behandelte, daß ihr Stoff unwillkürlich und von selbst seine Individualität zum Ganzen einer Idee erweiterte. Auf diesen Eigentümlichkeiten beruhen die Vorzüge, welche Schiller charakteristisch bezeichnen. Aus ihnen entsprang es, daß er, das Größeste und Höchste hervorzubringen, dessen er fähig war, erst eines Zeitraums bedurfte, in welchem sich seine ganze Intellektualität, an die sein Dichtergenie unauflöslich geknüpft war, zu der von ihm geforderten Klarheit und Bestimmtheit durcharbeitete. Diese Eigentümlichkeiten endlich erklären die tadelnden Urteile derer, die in Schillers Werken, ihm die Freiwilligkeit der Gabe der Musen absprechend, weniger die leichte, glückliche Geburt des Genies als die sich ihrer selbst bewußte Arbeit des Geistes zu erkennen meinen, worin allerdings das Wahre liegt, daß nur die intellektuelle Größe Schillers die Veranlassung zu einem solchen Tadel darbieten konnte.

Ich würde es für überflüssig halten, zur Rechtfertigung dieser Behauptungen in eine Zergliederung der Schillerschen Werke einzugehen, die jedem zu gegenwärtig sind, um nicht, welches auch seine Meinung sein möchte, die Anwendung selbst zu machen. Dagegen ist es vielleicht dem Leser des Briefwechsels angenehm, wenn ich mit wenigem zu entwickeln versuche, wie diese meine Ansicht von Schillers Eigentümlichkeit zugleich und besonders durch meinen Umgang mit ihm, durch Erinnerungen aus seinen Gesprächen, durch die Vergleichung seiner Arbeiten in ihrer Zeitfolge und den Nachforschungen über den Gang seines Geistes entstand.

Was jedem Beobachter an Schiller am meisten, als charakteristisch bezeichnend, auffallen mußte, war, daß in einem höheren und prägnanteren Sinn als vielleicht je bei einem andern der Gedanke das Element seines Lebens war. Anhaltend selbsttätige Beschäftigung des Geistes verließ ihn fast nie und wich nur den heftigeren Anfällen seines körperlichen Übels. Sie schien ihm Erholung, nicht Anstrengung. Dies zeigte sich am meisten im Gespräch, für das Schiller ganz eigentlich geboren schien. Er suchte nie nach einem bedeutenden Stoff der Unterredung, er überließ es mehr dem Zufall, den Gegenstand herbeizuführen, aber von jedem aus leitete er das Gespräch zu einem allgemeinen Gesichtspunkt, und man sah sich nach wenigen Zwischenreden in den Mittelpunkt einer den Geist anregenden Diskussion versetzt. Er behandelte den Gedanken immer als ein gemeinschaftlich zu gewinnendes Resultat, schien immer des Mitredenden zu bedürfen, wenn dieser sich auch bewußt blieb, die Idee allein von ihm zu empfangen, und ließ ihn nie müßig werden. Hierin unterschied sich sein Gespräch am meisten von dem Herderschen. Nie vielleicht hat ein Mann schöner gesprochen als Herder, wenn man, was bei Berührung irgendeiner leicht bei ihm anklingenden Saite nicht schwer war, ihn in aufgelegter Stimmung antraf. Alle seltenen Eigenschaften dieses mit Recht bewunderten Mannes schienen, so geeignet waren sie für dasselbe, im Gespräch ihre Kraft zu verdoppeln. Der Gedanke verband sich mit dem Ausdruck, mit der Anmut und Würde, die, da sie in Wahrheit allein der Person angehören, nur vom Gegenstande herzukommen scheinen. So floß die Rede ununterbrochen hin in der Klarheit, die doch noch dem eignen Erahnen übrigläßt, und in dem Helldunkel, das doch nicht hindert, den Gedanken bestimmt zu erkennen. Aber wenn die Materie erschöpft war, so ging man zu einer neuen über. Man förderte nichts durch Einwendungen, man hätte eher gehindert. Man hatte gehört, man konnte nun selbst reden, aber man vermißte die Wechseltätigkeit des Gesprächs. Schiller sprach nicht eigentlich schön. Aber sein Geist strebte immer in Schärfe und Bestimmtheit einem neuen geistigen Gewinne zu, er beherrschte dies Streben und schwebte in vollkommener Freiheit über seinem Gegenstande. Daher benutzte er in leichter Heiterkeit jede sich darbietende Nebenbeziehung und daher war sein Gespräch so reich an den Worten, die das Gepräge glücklicher Geburten des Augenblicks an sich tragen. Die Freiheit tat aber dem Gange der Untersuchung keinen Abbruch. Schiller hielt immer den Faden fest, der zu ihrem Endpunkt führen mußte, und wenn die Unterredung nicht durch einen Zufall gestört wurde, so brach er nicht leicht vor Erreichung des Zieles ab.

So wie Schiller im Gespräch immer dem Gebiete des Denkens neuen Boden zu gewinnen suchte, so war überhaupt seine geistige Beschäftigung immer eine von angestrengter Selbsttätigkeit. Auch seine Briefe zeigen dies deutlich. Er kannte sogar keine andere. Bloßer Lektüre überließ er sich nur spätabends und in seinen leider so häufig schlaflosen Nächten. Seinen Tag nahmen seine Arbeiten ein oder bestimmte Studien für dieselben, wo also der Geist durch die Arbeit und die Forschung zugleich in Spannung gehalten wird. Das bloße, von keinem andern unmittelbaren Zweck als dem des Wissens geleitete Studieren, das für den damit Vertrauten einen so unendlichen Reiz hat, daß man sich verwahren muß, dadurch nicht zu sehr von bestimmterer Tätigkeit abgehalten zu werden, kannte er nicht und achtete es nicht genug. Das Wissen erschien ihm zu stoffartig und die Kräfte des Geistes zu edel, um in dem Stoffe mehr zu sehen als ein Material zur Bearbeitung.

Nur weil er die allerdings höhere Anstrengung des Geistes, welche selbsttätig aus ihren eigenen Tiefen schöpft, mehr schätzte, konnte er sich weniger mit der geringeren befreunden. Es ist aber auch merkwürdig, aus welchem kleinen Vorrat des Stoffes, wie entblößt von den Mitteln, welche andern ihn zuführen, Schiller eine sehr vielseitige Weltansicht gewann, die, wo man sie gewahr wurde, durch genialische Wahrheit überraschte; denn man kann die nicht anders nennen, die durchaus auf keinem äußerlichen Wege entstanden war. Selbst von Deutschland hatte er nur einen Teil gesehen, nie die Schweiz, von der sein *Tell* doch so lebendige Schilderungen enthält. Wer einmal am Rheinfall steht, wird sich beim Anblick unwillkürlich an die schöne Strophe des *Tauchers* erinnern, welche dies verwirrende Wassergewühl malt, das den Blick gleichsam fesselnd verschlingt; doch lag auch dieser keine eigne Ansicht zum Grunde. Aber was Schiller durch eigne Erfahrung gewann, das ergriff er mit einem Blick, der ihm hernach auch das anschaulich machte, was ihm bloß fremde Schilderung zuführte. Dabei versäumte er nie, zu jeder Arbeit Studien durch Lektüre zu machen; auch was er in dieser Art Dienliches zufällig fand, prägte sich seinem Gedächtnis fest ein, und seine rastlos angestrengte Phantasie, die in beständiger Lebendigkeit bald diesen, bald jenen Teil des irgend je gesammelten Stoffes bearbeitete, ergänzte das Mangelhafte einer so mittelbaren Auffassung.

Auf ganz ähnliche Weise eignete er sich den Geist der griechischen Dichtung an, ohne sie je anders als aus Übersetzungen zu kennen. Er scheute dabei keine Mühe; er zog die Übersetzungen vor, die darauf Verzicht leisten, für sich zu gelten; am liebsten waren ihm die wörtlichen lateinischen Paraphrasen. So übersetzte er die Szenen und die *Hochzeit der Thetis* aus dem Euripides. Ich gestehe, daß ich diesen Chor immer mit großem Vergnügen wieder lese. Es ist nicht bloß eine Übertragung in eine andre Sprache, sondern in eine andre Gattung von Dichtung. Der Schwung, in den die Phantasie von den ersten Versen an versetzt wird, ist ein verschiedener, also gerade das, was die rein poetische Wirkung ausmacht. Denn diese kann man nur in die allgemeine Stimmung der Phantasie und des Gefühles setzen, die der Dichter, unabhängig von dem Ideengehalte, bloß durch den seinem Werke beigegebenen Hauch seiner Begeisterung im Leser hervorruft. Der antike Geist blickt wie ein Schatten durch das ihm geliehene Gewand. Aber in jeder Strophe sind einige Züge des Originals so bedeutsam herausgehoben und so rein hingestellt, daß man dennoch vom Anfang bis zum Ende beim Antiken festgehalten wird. Ich meinte indes nicht vorzugsweise diese Übersetzung, wenn ich von Schillers Eingehen in griechischen Dichtergeist sprach, sondern zwei seiner späteren Stücke. Auch hierin hatte Schiller bedeutende Fortschritte gemacht. Die *Kraniche des Ibycus* und das *Siegesfest* tragen die Farbe des Altertums so rein und treu an sich, als man es nur von irgendeinem modernen Dichter erwarten kann, und zwar auf die schönste und geistvolle Weise. Der Dichter hat den Sinn des Altertums in sich aufgenommen, er bewegt sich darin mit Freiheit, und so entspringt eine neue, in allen ihren Teilen nur ihn atmende Dichtung. Beide Stücke stehen aber wieder in einem merkwürdigen Gegensatz gegeneinander. Die *Kraniche des Ibycus* erlaubten eine ganz epische Ausführung; was den Stoff dem Dichter innerlich wert machte, war die daraus hervorspringende Idee der Gewalt künstlerischer Darstellung über die menschliche Brust. Diese Macht der Poesie, einer unsichtbaren, bloß durch den Geist geschaffenen, in der Wirklichkeit verfliegenden Kraft, gehörte wesentlich in den Ideenkreis, der Schiller lebendig beschäftigte. Schon acht Jahre, ehe er sich zur Ballade in ihm gestaltete, schwebte ihm dieser Stoff vor, wie deutlich aus den *Künstlern* aus den Versen hervorgeht:

Vom Eumenidenchor geschrecket,
Zieht sich der Mord, auch nie entdecket,
Das Los des Todes aus dem Lied.

Diese Idee erlaubte aber auch eine vollkommen antike Ausführung; das Altertum besaß alles, um sie in ihrer ganzen Reinheit und Stärke hervortreten zu lassen. Daher ist alles in der ganzen Erzählung unmittelbar aus ihm entnommen, besonders das Erscheinen und der Gesang der Eumeniden. Der Äschylische bekannte Chor ist so kunstvoll in die moderne Dichtungsform, in Reim und Silbenmaß verwebt, daß nichts von seiner stillen Größe aufgegeben scheint. Das *Siegesfest* ist lyrischer und betrachtender Natur. Hier konnte und mußte der Dichter aus der Fülle seines Busens hinzufügen, was nicht im Ideen- und Gefühlskreis des Altertums lag. Aber im übrigen ist alles im Sinne der Homerischen Dichtung ebenso rein als in dem andern Gedicht. Das Ganze ist nur wie in einer höheren, mehr abgesondert gehaltenen Geistigkeit ausgeprägt, als dem alten Sänger eigen ist, und erhält gerade dadurch seine größesten Schönheiten.

An einzelnen, aus den Alten entnommenen Zügen, in die aber oft eine höhere Bedeutung gelegt ist, sind auch frühere Gedichte Schillers reich. Ich erwähne hier nur die Schilderung des Todes aus den *Künstlern*,

den sanften Bogen der Notwendigkeit,

der so schön an die ἀγανὰ βέλεα (die sanften Geschosse) bei Homer erinnert, wo aber die Übertragung des Beiworts vom Geschoß auf den Bogen selbst dem Gedanken einen zarteren und tieferen Sinn gibt.

Die Zuversicht in das Vermögen der menschlichen Geisteskraft, gesteigert zu einem dichterischen Bilde, ist in den *Columbus* überschriebenen Distichen ausgedrückt, die zu dem Eigentümlichsten gehören, was Schiller gedichtet hat. Dieser Glaube an die dem Menschen unsichtbar inwohnende Kraft, die erhabene und so tief wahre Ansicht, daß es eine innere geheime Übereinstimmung geben muß zwischen ihr und der das ganze Weltall ordnenden und regierenden, da alle Wahrheit nur Abglanz der ewigen, ursprünglichen sein kann, war ein charakteristischer Zug in Schillers Ideensystem. Ihm entsprach auch die Beharrlichkeit, mit der er jeder intellektuellen Aufgabe so lange nachging, bis sie befriedigend gelöst war. Schon in den *Briefen Raffaels an Julius* in der *Thalia* in dem kühnen, aber schönen Ausdruck »als Columbus die bedenkliche Wette mit einem unbefahrenen Meer einging« findet sich der gleiche Gedanke an dasselbe Bild geknüpft.

Dem Inhalte und der Form nach waren Schillers philosophische Ideen ein getreuer Abdruck seiner ganzen geistigen Wirksamkeit überhaupt. Beide bewegten sich immer im nämlichen Gleise und strebten dem gleichen Ziele zu, allein auf eine Weise, daß die lebendigere Aneignung immer reicheren Stoffs und die Kraft des ihn beherrschenden Gedankens sich unaufhörlich zu wechselseitiger Steigerung bestimmten. Der Endpunkt, an den er alles knüpfte, war die Totalität in der menschlichen Natur durch das Zusammenstimmen ihrer geschiedenen Kräfte in ihrer absoluten Freiheit. Beide dem Ich, das nur eins und ein unteilbares sein kann, angehörend, aber die eine Mannigfaltigkeit und Stoff, die andre Einheit und Form suchend, sollten sie durch ihre freiwillige Harmonie schon hier auf einen über alle Endlichkeit hinaus liegenden Ursprung hindeuten. Die Vernunft, unbedingt herrschend in der Erkenntnis und Willensbestimmung, sollte die Anschauung und Empfindung mit schonender Achtung behandeln und nirgends in ihr Gebiet übergreifen; dagegen sollten diese sich aus ihrem eigentümlichen Wesen und auf ihrer selbstgewählten Bahn zu einer Gestalt emporbilden, in welcher jene, bei aller Verschiedenheit des Prinzips, sich der Form nach wiederfände. Diese, nicht auf entdeckbaren Wegen entstehende, sondern wie durch plötzliches Wunder überraschende Übereinstimmung zu vermitteln, den in sich unabweisbaren Widerspruch beider Naturen durch einen in ihrer Wechselbeziehung aufeinander gegründeten Schein aufzuheben und dem Menschen dadurch in der Erscheinung ein Bild desjenigen zu geben, was außer aller Erscheinung liegt, vermag allein die Richtung in ihm, welche wir die ästhetische nennen; denn sie behandelt den Stoff mit einer auf dem Gebiete der Sinnlichkeit entsprungenen, nicht von der Idee erborgten und dennoch als Freiheit erscheinenden Selbsttätigkeit.

In *Anmut und Würde* und in den *Briefen über die ästhetische Erziehung des Menschen* ist diese Vorstellungsweise ausführlich dargelegt. Ich zweifle, daß diese mit den gehaltreichsten Ideen und einer seltenen Schönheit des Vortrags ausgestatteten Aufsätze jetzt noch häufig gelesen werden, aber es ist in vieler Rücksicht zu bedauern. Zwar sind beide Werke, und namentlich die *Briefe*, nicht von dem Vorwurfe freizusprechen, daß Schiller, um seine Behauptungen fest zu begründen, einen zu strengen und abstrakten Weg gewählt und es sich zu sehr versagt hat, seinen Gegenstand auf eine in der Anwendung fruchtbarere Weise zu behandeln, ohne doch dadurch den Forderungen einer Deduktion bloß aus Begriffen wirklich zu genügen; aber über den Begriff der Schönheit, über das Ästhetische im Schaffen und Handeln, also über die Grundlagen aller Kunst, sowie über die Kunst selbst, enthalten diese Arbeiten alles Wesentliche auf eine Weise, über die es niemals möglich sein wird hinauszugehen. In diesem ganzen Gebiet dürfte schwerlich eine Frage vorkommen, deren richtige Beantwortung sich nicht würde bis zu den in diesen Abhandlungen aufgestellten Prinzipien hinaufführen lassen. Dies liegt nicht bloß in der scharfen Absonderung und Begrenzung der Begriffe, sondern fließt bei weitem mehr aus dem viel selteneren Verdienst, alle in ihrem ganzen Umfange, ihrem vollen Gehalte, schon mit der Ahnung aller aus ihnen hervorgehenden Folgerungen hingestellt zu haben. Überhaupt werden die Ideen in diesen Aufsätzen nicht sowohl gespalten und zerlegt als, wenn mir das Gleichnis erlaubt ist, gewissermaßen in Facetten geschnitten, von denen jede ein neues Licht empfängt und zurückwirft. Dies gilt vorzüglich von der letzten Hälfte von *Anmut und Würde,* wo die Unterschiede zwischen verschiedenen Arten der Gesinnung und des Betragens geschildert sind.

Niemals vorher sind diese Materien so rein, so vollständig und lichtvoll abgehandelt worden. Es war aber damit unendlich viel, nicht bloß für die sichere Scheidung der Begriffe, sondern auch für die ästhetische und sittliche Bildung gewonnen. Kunst und Dichtung waren unmittelbar an das Edelste im Menschen geknüpft, dargestellt als dasjenige, woran er erst zum Bewußtsein der ihm inwohnenden, über die Endlichkeit hinausstrebenden Natur erwacht. So waren beide auf die Höhe gestellt, welcher sie wirklich entstammen. Sie auf dieser vor der Entweihung jeder kleinlichen und herabziehenden Ansicht, jeder nicht aus ihrem reinen Element entsprungenen Empfindung zu sichern, war im eigentlichsten Verstande Schillers beständiges Bemühen und erschien als seine wahre, ihm durch seine ursprüngliche Richtung gegebene Lebensbestimmung.

Seine ersten und strengsten Forderungen ergehen daher an den Dichter selbst, von dem er nicht gleichsam bloß abgesondert wirkendes Genie und Talent, sondern eine der Höhe seines Berufs zusagende Stimmung des ganzen Gemüts, nicht bloß eine augenblickliche, sondern eine zum Charakter gewordene Erhebung verlangt. »Ehe er es unternimmt, die Vortrefflichen zu rühren, soll er es zu seinem ersten und wichtigsten Geschäft machen, seine Individualität selbst zur reinsten, herrlichsten Menschheit hinaufzuläutern.« Die *Rezension der Bürgerschen Gedichte*, aus welcher diese Stelle genommen ist, hat Schillern den Vorwurf der Ungerechtigkeit gegen diesen mit Recht geliebten Dichter zugezogen. Allerdings ist sie streng. Denn solange der ungefähr gleiche Zustand der Sprache den Gedichten unserer Zeit in Deutschland allgemeinen Eingang verstattet (eine Bedingung, an welche das Wirken aller Dichtung geknüpft ist), wird Bürger gewiß jede Phantasie auf das poetischste anregen und jedes Gemüt mit einer ihm ganz eigenen Wahrheit und Innigkeit ergreifen. Schiller gesteht in einem seiner späteren Briefe auch selbst, in jener Kritik das Ideal zu unmittelbar auf einen besonderen Fall angewendet zu haben. Allein an den darin aufgestellten allgemeinen Forderungen würde er darum gewiß nichts nachgelassen haben, und diese verdienen gerade hier als wahrhaft individuelle und persönliche Ansichten Schillers herausgehoben zu werden. An niemand richtet er diese Forderungen so streng als an sich selbst. Man kann von ihm mit Wahrheit sagen, daß, was auch nur von fern an das Gemeine, selbst an das Gewöhnliche grenzte, ihn niemals berührte, daß er die hohen und edeln Ansichten, die sein Denken erfüllten, auch ganz in seine Empfindungsweise und sein Leben übertrug und im Dichten immer mit gleicher Lebendigkeit, auch bei kleineren Produktionen, vom Streben nach dem Ideale begeistert war. Daher findet sich in seinen Werken so weniges, was man matt oder mittelmäßig nennen müßte. Allerdings trug dazu auch das, was ich früher berührte, sehr viel bei, daß nämlich seine Geisteskraft immer mit gleicher Anstrengung arbeitete und daß es ihm durchaus fremd war, sie bei einer gleichsam erholenden Arbeit eine Abspannung finden zu lassen. Es mag Individualitäten geben, welchen seine ganze Dichtungsweise und seine ganze philosophische Ansicht minder zusagt. Allein nur wenig einzelnes wird man als seiner nicht würdig ausstoßen, indem man das andre enthusiastisch erhebt, und der Tadel selbst, um dies hier im Vorbeigehen zu bemerken, wird gerade seine individuellsten Seiten treffen und also die hohe Einheit seiner Natur in ein noch helleres Licht stellen. Die Strenge seines Urteils über seine frühesten Produktionen spricht eine Stelle in der *Bürgerschen Rezension* klar und mit Stärke aus, und noch deutlicher die zwei Jahre vor seinem Tode geschriebene *Vorerinnerung* zu der Sammlung seiner Gedichte. Allein, was darin seinen großen und zarten Sinn verletzte, der in dem, was man die zweite Epoche seines Lebens nennen kann, im *Don Carlos,* so hell leuchtend hervortrat und seitdem nie durch einen Flecken getrübt ward, ging nicht die Individualität, nicht die Persönlichkeit des Dichters an. Seine hohe, reine, nach Totalität strebende Ansicht der menschlichen Natur und des Lebens spricht auch aus jenen Produktionen. Das in ihnen Verletzende bedurfte nur einer künstlerischen Berichtigung, entsprang nur aus mißverstandenen Begriffen von poetischer Wahrheit, aus noch nicht hinlänglich gefühlter Notwendigkeit der Unterordnung der Teile unter die Einheit des Ganzen, dann im einzelnen aus nicht gehörig geläutertem Geschmack. Zugleich trugen die gewählten Stoffe dazu bei. Im *Don Carlos* befand sich Schiller wie in einer andern Sphäre. Hier stellte sich ihm der große Gegensatz weltbürgerlicher Ansicht und sich tief dünkender, beengter Staatsklugheit dar und zeigte ihm von aller Erfahrung absehende Ideen im Kampf mit einer Beschränktheit, die Erfahrung ohne Ideen möglich hält. Unmittelbar daran hing das Schicksal in ihren Volks- und Gewissensrechten gekränkter, in gerechtem Abfall begriffener Provinzen, und in dies große politische Interesse war eine in ihrem ersten Aufwallen reine und schwärmerische und schuldlos und zart erwiderte Liebe verwebt. So umgab dieser Stoff den Dichter wie mit einem höher emportragenden Element. Allerdings entsprang die Wahl desselben aus der ihr vorangehenden Stimmung des Gemütes. Diese zeigt sich auch in der veränderten äußeren Form, dem Verlassen der Prosa, zu der er zwar in den ersten Entwürfen zum *Wallenstein* zurückkehrte, bald aber wieder zum Verse hingerissen, seinen Irrtum, und nun für immer, erkannte. Die erste Szene zwischen Max und Thekla, früher ausgearbeitet als die ihr vorangehenden, widerstrebte dem prosaischen Ausdruck; sie war die erste in Versen.

Der Poesie unter den menschlichen Bestrebungen die hohe und ernste Stellung, von der ich oben gesprochen, anzuweisen, von ihr die kleinliche und die trockene Ansicht abzuwehren, welche, jene ihre Würde, diese ihre Eigentümlichkeit verkennend, sie nur zu einer tändelnden Verzierung und Verschönerung des Lebens machen oder unmittelbar moralisches Wirken und Belehrung von ihr verlangen, ist, wie man sich nicht genug wiederholen kann, tief in deutscher Sinnes- und Empfindungsart gegründet. Schiller sprach, nur auf seine individuelle Weise, darin aus, was seine Deutschheit in ihn gelegt hatte, was ihm aus den Tiefen der Sprache entgegenklang, deren geheimes Wirken er so trefflich vernahm und so meisterhaft wieder zu benutzen verstand. Es liegt in der großen Ökonomie der Geistesentwickelung, welche die ideale Seite der Weltgeschichte gegenüber den Taten und Ereignissen ausmacht, ein gewisses Maß, um welches der einzelne, auch am günstigsten Bevorrechtete, sich nur über den Geist seiner Nation erheben kann, um, was dieser ihm unbewußt verlieh, durch Individualität bearbeitet in ihn zurückströmen zu lassen. Die Kunst nun und alles ästhetische Wirken von ihrem wahren Standpunkt aus zu betrachten ist keiner neueren Nation in dem Grade als der deutschen gelungen, auch denen nicht, welche sich der Dichter rühmen, die alle Zeiten für groß und hervorragend erkennen werden. Die tiefere und wahrere Richtung im Deutschen liegt in seiner größeren Innerlichkeit, die ihn der Wahrheit der Natur näher erhält, in dem Hange zur Beschäftigung mit Ideen und auf sie bezogenen Empfindungen und in allem, was hieran geknüpft ist. Dadurch unterscheidet er sich von den meisten neueren Nationen und, in näherer Bestimmung des Begriffes der Innerlichkeit, wieder auch von den Griechen. Er sucht Poesie und Philosophie, er will sie nicht trennen, sondern strebt, sie zu verbinden, und solange dies Streben nach Philosophie, auch ganz reiner, abgezogener Philosophie, das sogar unter uns nicht selten in seinem unentbehrlichen Wirken verkannt und gemißdeutet wird, in der Nation fortlebt, wird auch der Impuls fortdauern und neue Kräfte gewinnen, den mächtige Geister in der letzten Hälfte des vorigen Jahrhunderts unverkennbar gegeben haben. Poesie und Philosophie stehen ihrer Natur nach in dem Mittelpunkte aller geistigen Bestrebungen, nur sie können alle einzelnen Resultate in sich vereinigen, nur von ihnen kann in alles einzelne zugleich Einheit und Begeisterung überströmen, nur sie repräsentieren eigentlich, was der Mensch ist, da alle übrigen Wissenschaften und Fertigkeiten, könnte man sie je ganz von ihnen scheiden, nur zeigen würden, was er besitzt und sich angeeignet hat. Ohne diesen zugleich erhellenden und funkenweckenden Brennpunkt bleibt auch das ausgebreitetste Wissen zu sehr zerstückelt und wird die Rückwirkung auf die Veredlung des einzelnen, der Nation und der Menschheit gehemmt und kraftlos gemacht, welche doch der einzige Zweck alles Ergründens der Natur und des Menschen und des unerklärbaren Zusammenhanges beider sein kann. Das Forschen um der Wahrheit und das Bilden und Dichten um der Schönheit willen werden zum leeren Namen, wenn man Wahrheit und Schönheit da aufzusuchen flieht, wo ihre verwandten Naturen sich nicht zerstreut an einzelnen Gegenständen, sondern als reine Objekte des Geistes offenbaren. Schiller kannte keine andere Beschäftigung als gerade mit Poesie und Philosophie, und die Eigentümlichkeit seines intellektuellen Strebens bestand gerade darin, die Identität ihres Ursprungs zu fassen und darzustellen. Die obigen Betrachtungen knüpfen sich daher unmittelbar an ihn an.

Eine Idee, mit der Schiller vorzugsweise gern sich beschäftigte, war die Bildung des rohen Naturmenschen, wie er ihn annimmt, durch die Kunst, ehe er der Kultur durch Vernunft übergeben werden konnte. Prosaisch und dichterisch hat er sie mehrfach ausgeführt. Auch bei den Anfängen der Zivilisation überhaupt, dem Übergange vom Nomadenleben zum Ackerbau, bei dem, wie er es so schön ausdrückt, mit der frommen, mütterlichen Erde gläubig gestifteten Bund verweilte seine Phantasie vorzugsweise gern. Was die Mythologie hiermit Verwandtes darbot, hielt er mit Begierde fest. Ganz den Spuren der Fabel getreu bleibend, bildete er Demeter, die Hauptgestalt in diesem Kreis, indem er sich in ihrer Brust menschliche Gefühle mit göttlichen gatten ließ, zu einer ebenso wundervollen als tief ergreifenden Erscheinung aus. Es war lange ein Lieblingsplan Schillers, die erste Gesittung Attikas durch fremde Einwanderungen episch zu behandeln. Das *Eleusische Fest* ist an die Stelle dieses unausgeführt gebliebenen Plans getreten.

Hätte Schiller das Aufleben der indischen Literatur erlebt, so würde er eine engere Verbindung der Poesie mit der abgezogensten Philosophie kennengelernt haben, als die griechische Literatur aufzuweisen hat, und die Erscheinung würde ihn lebhaft ergriffen haben. Die indische Poesie, in ihrer früheren Epoche nämlich, hat überhaupt einen mehr feierlichen, frommen und religiösen Charakter als die griechische, ohne darum, gleichsam unter fremder

Herrschaft stehend, an eigner Freiheit einzubüßen. Nur am Vorzug des Plastischen möchte sie dadurch wirklich verlieren.

Es ist in hohem Grade zu beklagen, aber auch gewissermaßen zu verwundern, daß Schiller bei seinen Raisonnements über den Entwicklungsgang des Menschengeschlechts auch nicht einmal der Sprache erwähnt, in welcher sich doch gerade die zwiefache Natur des Menschen, und zwar nicht abgesondert, sondern zum Symbole verschmolzen, ausprägt. Sie vereinigt im genauesten Verstande ein philosophisches und poetisches Wirken in sich, letzteres zugleich in der im Wort liegenden Metapher und in der Musik seines Schalles. Zugleich bietet sie überall einen Übergang ins Unendliche dar, indem ihre Symbole die Kraft zur Tätigkeit reizen, allein dieser Tätigkeit nirgends Grenzen stecken und auch das höchste Maß des in sie Gelegten durch ein noch größeres überboten werden kann. Sie hätte daher gerade in Schillers Ideenkreise als ein willkommener Gegenstand erscheinen müssen. Indes gehört die Sprache allerdings der Nation und dem Geschlecht, nicht dem einzelnen an, und der Mensch kann sie, ehe er sie begreifen lernt, lange als ein totes Werkzeug gebrauchen, ohne von dem sie durchdringenden Leben ergriffen zu werden. Unbedingt kann sie daher nicht als ein Bildungsmittel gelten. Es gibt aber dennoch eine, zwar nicht ursprünglich schaffende, allein doch still fortbildende Einwirkung des Menschen auf seine Sprache, und die Sprachen haben ihren höchsten poetischen und musikalischen Gehalt immer in ihrer früheren, dann mit einem besonderen Schwunge der Phantasie der Völker, die sie reden, verbundenen Formung. Sie verlieren von diesem Gehalt im Laufe der Zeit, allein ihr Aufsteigen dazu ist wenigstens uns selten sichtbar und bleibt eher problematisch. Wenn man daher von der Betrachtung des wundervollen Baues von Sprachen ganz kulturloser Nationen, sich ihrer Zergliederung, wie der eines Naturgegenstandes, mit offnem und unbefangenem Sinne hingebend, zur Erwägung des in ewiges Dunkel gehüllten ursprünglichen Zustandes des Menschengeschlechts übergeht, so sollte man, da die Sprache mit dem Menschen gegeben ist und vor ihr nichts Menschliches in ihm gedacht werden kann, eher ahnen, daß dieser Zustand ein friedlicher, besonnener, sich keinem tieferen und zarteren Eindruck verschließender gewesen sei und daß gesellschaftliche Verwilderung erst einer späteren Periode angehöre, wo der Kampf widriger Ereignisse mit wilder Leidenschaft die Stimme der eigenen Brust übertäubte. Wenigstens würde Schiller auf diesem Wege schwerlich die Schilderung eines Naturstandes, wie sie die *Ästhetischen Briefe* enthalten, notwendig erachtet und überhaupt weniger scharf getrennt haben, was in der entschieden primitivsten Emanation der menschlichen Natur, in der Sprache, als fest vereinigt und innig verschmolzen erscheint.

Der Trieb nach Beschäftigung mit abstrakten Ideen, das Streben, alles Endliche in ein großes Bild zu fassen und es an das Unendliche anzuknüpfen, lag von selbst und ohne fremden Anstoß in Schiller; es war mit seiner Individualität gegeben. Es entwickelte sich am freiesten und lebendigsten in der zweiten und dritten Periode seines Lebens, wenn man die erste seine drei früheren, die vierte seine letzten Trauerspiele, vom *Wallenstein* an, einnehmen läßt. Von *Don Carlos* habe ich in dieser Rücksicht schon gesprochen. Die zuerst in der *Thalia* abgedruckten *Philosophischen Briefe,* mit welchen die *Resignation,* die ein Produkt desselben Jahres ist, in dem kühnen Schwunge einer leidenschaftlich philosophierenden Vernunft eine auffallende Verwandtschaft hat, sollten den Anfang einer Reihe philosophischer Erörterungen machen. Aber die Fortsetzung unterblieb, und eine neue Epoche des Philosophierens begann für Schiller in *Anmut und Würde,* hauptsächlich begründet durch seine Bekanntschaft mit Kantischer Philosophie. Jene beiden Stücke könnte man nur mit Unrecht als einen Ausdruck wirklicher Meinungen des

Dichters selbst ansehen, sie gehören aber zu dem Besten, was wir von ihm besitzen. Die Briefe sind mit hinreißendem Feuer geschrieben und mit einem noch vom Zwange keiner Schule auch nur von fern berührten Geiste. Die *Resignation* trägt Schillers eigentümlichstes Gepräge in der unmittelbaren Verknüpfung einfach ausgedrückter, großer und tiefer Wahrheiten und unermeßlicher Bilder und in der ganz originellen, die kühnsten Zusammenstellungen begünstigenden Sprache an sich. Den durch das Ganze durchgeführten Hauptgedanken kann man nur als vorübergehende Stimmung eines leidenschaftlich bewegten Gemüts ansehen, aber er ist darin so meisterhaft geschildert, daß die Leidenschaft ganz in der Betrachtung aufgegangen und der Ausspruch nur Frucht des Nachdenkens und der Erfahrung zu sein scheint.

Kant unternahm und vollbrachte das größeste Werk, das vielleicht je die philosophierende Vernunft einem einzelnen Manne zu danken gehabt hat. Er prüfte und sichtete das ganze philosophische Verfahren auf einem Wege, auf dem er notwendig den Philosophien aller Zeiten und aller Nationen begegnen mußte, er maß, begrenzte und ebnete den Boden desselben, zerstörte die darauf angelegten Truggebäude und stellte, nach Vollendung dieser Arbeit, Grundlagen fest, in welchen die philosophische Analyse mit dem durch die früheren Systeme oft irregeleiteten und übertäubten natürlichen Menschensinne zusammentraf. Er führte im wahrsten Sinne des Wortes die Philosophie in die Tiefen des menschlichen Busens zurück. Alles, was den großen Denker bezeichnet, besaß er in vollendetem Maße und vereinigte in sich, was sich sonst zu widerstreben scheint; Tiefe und Schärfe, eine vielleicht nie übertroffene Dialektik, an die doch der Sinn nicht verlorenging, auch die Wahrheit zu fassen, die auf diesem Wege nicht erreichbar ist, und das philosophische Genie, welches die Fäden eines weitläuftigen Ideengewebes nach allen Richtungen hin ausspinnt und alle vermittelst der Einheit der Idee zusammenhält, ohne welches kein philosophisches System möglich sein würde. Von den Spuren, die man in seinen Schriften von seinem Gefühl und seinem Herzen antrifft, hat schon Schiller richtig bemerkt, daß der hohe philosophische Beruf beide Eigenschaften (des Denkens und des Empfindens) verbunden fordert. Verläßt man ihn aber auf der Bahn, wo sich sein Geist nach einer Richtung hin zeigt, so lernt man das Außerordentliche des Genies dieses Mannes auch an seinem Umfange kennen. Nichts, weder in der Natur noch im Gebiete des Wissens, läßt ihn gleichgültig, alles zieht er in seinen Kreis; aber da das selbsttätige Prinzip in seiner Intellektualität sichtbar die Oberhand behauptet, so leuchtet seine Eigentümlichkeit am strahlendsten da hervor, wo, wie in den Ansichten über den Bau des gestirnten Himmels, der Stoff, in sich erhabner Natur, der Einbildungskraft unter der Leitung einer großen Idee ein weites Feld darbietet. Denn Größe und Macht der Phantasie stehen in Kant der Tiefe und Schärfe des Denkens unmittelbar zur Seite. Wieviel oder wenig sich von der Kantischen Philosophie bis heute erhalten hat und künftig erhalten wird, maße ich mir nicht an zu entscheiden, allein dreierlei bleibt, wenn man den Ruhm, den Kant seiner Nation, den Nutzen, den er dem spekulativen Denken verliehen hat, bestimmen will, unverkennbar gewiß. Einiges, was er zertrümmert hat, wird sich nie wieder erheben; einiges, was er begründet hat, wird nie wieder untergehen, und was das wichtigste ist, so hat er eine Reform gestiftet, wie die gesamte Geschichte der Philosophie wenig ähnliche aufweist. So wurde die bei dem Erscheinen seiner *Kritik der reinen Vernunft* unter uns kaum noch schwache Kunde von sich gebende spekulative Philosophie von ihm zu einer Regsamkeit geweckt, die den deutschen Geist hoffentlich noch lange beleben wird. Da er nicht sowohl Philosophie als zu philosophieren lehrte, weniger Gefundenes mitteilte als die Fackel des eigenen Suchens anzündete, so veranlaßte er mittelbar mehr oder weniger von ihm abweichende Systeme und Schulen, und es charakterisiert die hohe Freiheit seines Geistes, daß er Philosophien, wieder in vollkommner Freiheit und auf selbst geschaffnen Wegen für sich fortwirkend, zu wecken vermochte.

Ein großer Mann ist in jeder Gattung und in jedem Zeitalter eine Erscheinung, von der sich meistenteils gar nicht und immer nur sehr unvollkommen Rechenschaft ablegen läßt. Wer möchte es wohl unternehmen zu erklären, wie Goethe plötzlich dastand, der Fülle und Tiefe des Genies nach gleich groß in seinen frühesten wie in seinen späteren Werken? Und doch gründete er eine neue Epoche der Poesie unter uns, schuf die Poesie überhaupt zu einer neuen Gestalt um, drückte der Sprache seine Form auf und gab dem Geiste seiner Nation für alle Folge entscheidende Impulse.

Das Genie, immer neu und die Regel angebend, tut sein Entstehen erst durch sein Dasein kund, und sein Grund kann nicht in einem Früheren, schon Bekannten gesucht werden; wie es erscheint, erteilt es sich selbst seine Richtung. Aus dem dürftigen Zustande, in welchem Kant die Philosophie, eklektisch herumirrend, vor sich fand, vermochte er keinen anregenden Funken zu ziehen. Auch möchte es schwer sein zu sagen, ob er mehr den alten oder den späteren Philosophen verdankte. Er selbst, mit dieser Schärfe der Kritik, die seine hervorstechendste Seite ausmacht, war sichtbar dem Geiste der neueren Zeit näher verwandt. Auch war es ein charakteristischer Zug in ihm, mit allen Fortschritten seines Jahrhunderts fortzugehen, selbst an allen Begegnissen des Tages den lebendigsten Anteil zu nehmen. Indem er, mehr als irgendeiner vor ihm, die Philosophie in den Tiefen der menschlichen Brust isolierte, hat wohl niemand zugleich sie in so mannigfaltige und fruchtbare Anwendung gebracht. Diese in alle seine Schriften reichlich verstreuten Stellen geben ihnen einen ganz eigentümlichen Reiz.

Eine solche Erscheinung konnte an Schiller nicht unbemerkt vorübergehen. Ihn, der immer über seiner jedesmaligen Beschäftigung schwebte, der die Poesie selbst, für welche die Natur ihn bestimmt hatte und die sein ganzes Leben durchdrang, doch auch wieder an etwas noch Höheres anknüpfte, mußte eine Lehre anziehen, deren Natur es war, Wurzel und Endpunkt des Gegenstandes seines beständigen Sinnens zu enthalten. Plötzlich emporgegangen und jahrelang unbeachtet, wurde sie außerdem gerade in der Zeit und der Gegend, wo sich Schiller damals befand, mit einem Enthusiasmus ergriffen, der noch in der Erinnerung erfreut. Auf welche Weise Kant von Schiller gewürdigt ward, hat Schiller in mehreren Stellen seiner Schriften geäußert, noch mehr aber durch die Tat gezeigt. Er eignete sich die neue Philosophie, seiner Natur gemäß, an. In den eigentlichen Bau des Systems ging er wenig ein; er heftete sich aber an die Deduktion des Schönheitsprinzips und des Sittengesetzes. Hier mußte es ihn mächtig ergreifen, das natürliche, menschliche Gefühl in seine Rechte eingesetzt und in seiner Reinheit philosophisch begründet zu finden. Gerade hier hatten die unmittelbar vorher herrschend gewesenen Theorien die wahren Gesichtspunkte verrückt und das Erhabne entadelt. Dagegen fand Schiller, seinem Ideengange nach, die sinnlichen Kräfte des Menschen teils verletzt, teils nicht hinlänglich geachtet und die durch das ästhetische Prinzip in sie gelegte Möglichkeit freiwilliger Übereinstimmung mit der Vernunfteinheit nicht genug herausgehoben. So geschah es, daß Schiller, als er zuerst Kants Namen öffentlich aussprach, in *Anmut und Würde,* als sein Gegner auftrat.

Es lag in Schillers Eigentümlichkeit, von einem großen Geiste neben sich nie in dessen Kreis herübergezogen, dagegen in dem eignen, selbstgeschaffenen durch einen solchen Einfluß auf das mächtigste angeregt zu werden, und man kann wohl zweifelhaft bleiben, ob man dies in ihm mehr als Größe des Geistes oder als tiefe Schönheit des Charakters bewundern soll. Sich fremder Individualität nicht unterzuordnen ist Eigenschaft jeder größeren Geisteskraft, jedes stärkeren Gemüts, aber die fremde Individualität ganz, als verschieden, zu durchschauen, vollkommen zu würdigen und aus dieser bewundernden Anschauung die Kraft zu schöpfen, die eigne nur noch entschiedner und richtiger ihrem Ziele zuzuwenden, gehört wenigen an und war in Schiller hervorstechender Charakterzug. Allerdings ist ein solches Verhältnis nur unter verwandten Geistern möglich, deren divergierende Bahnen in einem höherliegenden Punkte zusammentreffen, aber es setzt von seiten der Intellektualität die klare Erkenntnis dieses Punkts, von seiten des Charakters voraus, daß die Rücksicht auf die Person gänzlich zurückbleibe hinter dem Interesse an der Sache. Nur unter dieser Bedingung gehen Bescheidenheit und Selbstgefühl, wie es die Bestimmung ihres idealischen Zusammenwirkens ist, wahrhaft in Unbefangenheit über. So nun stand Schiller auch Kant gegenüber. Er nahm nicht von ihm; von den in *Anmut und Würde* und den *Ästhetischen Briefen* durchgeführten Ideen ruhen die Keime schon in dem, was er vor der Bekanntschaft mit Kantischer Philosophie schrieb; sie stellen auch nur die innere, ursprüngliche Anlage seines Geistes dar. Allein dennoch wurde jene Bekanntschaft zu einer neuen Epoche in Schillers philosophischem Streben; die Kantische Philosophie gewährte ihm Hülfe und Anregung. Ohne große Divinationsgabe läßt sich ahnen, wie, ohne Kant, Schiller jene ihm ganz eigentümlichen Ideen ausgeführt haben würde. Die Freiheit der F o r m hätte wahrscheinlich dabei gewonnen.

Bei der Art, wie ich hier von der Form rede, meine ich natürlich nicht den Stil. Diesen hat im Historischen und Philosophischen wie im Poetischen Schiller sich ganz eigen geschaffen. Was er in einer Stelle seiner Schriften über die Art sagt, wie die Sprache den Ausdruck umhüllen soll, das hat er selbst in hohem Grade erreicht. Wer einen Stil zu würdigen versteht, der nicht den gleichsam schon fertigen Gedanken nüchtern auszudrücken strebt (ein notwendig mißlingendes Bemühen, da der Gedanke erst im Ausdruck seine Vollendung erhält), sondern mit dem er, in jedem Augenblick selbsttätig erzeugt, zugleich hervorzuspringen scheint, der wird den Schillerschen bewundern. Denn indem er den Stempel der Originalität an sich trägt, gibt er zugleich die Regel des, nur auf jedes eigene Weise, allgemein zu Erringenden.

Was ich hier von Schillers Stil sage, gilt in noch viel prägnanterem Sinne von denjenigen seiner Gedichte, welche vorzugsweise der Ausführung philosophischer Ideen gewidmet sind. Sie erzeugen die Idee, umkleiden sie nicht bloß mit einem dichterischen Schmuck. Sie erfüllen dadurch die Forderung dieser Gattung der Poesie. Der Leser gewinnt die Überzeugung, daß die sich ihm darbietende Idee jenseits einer Kluft liege, über welche der Verstand keine Brücke zu schlagen, die nur die dichterisch begeisterte Einbildungskraft zu überspringen vermag. Der Dichter, der immer nur hervorbringt, was er selbst empfindet, muß, um jene Überzeugung zu bewirken, erst in sich die geeignete Stimmung erzeugen, er muß die Kraft besitzen, die Idee, als gedacht, rein in der dichterischen Darstellung aufgehen lassen und seinen Stoff in die Sphäre des Unendlichen hinüberführen, in welcher allein, nicht auf dem Gebiet des Verstandes, die poetischen Kräfte mit den erkennenden zusammentreffen. Schiller klagt irgendwo, daß es noch kein wahres didaktisches Gedicht gebe. Aber einige der seinigen können, gerade in der von ihm aufgestellten Idee, dafür gelten. Unter diesen spricht vielleicht der *Spaziergang*, in dem sich Schiller zugleich in malerischen Naturschilderungen selbst übertroffen hat, am meisten die Phantasie und das allgemeine Gefühl an. Sonst möchte man in dieser Gattung einige frühere: *Die Götter Griechenlands, Die Künstler* späteren vorziehen, welche der Ausführung der darin angeregten Ideen auf philosophischem

Wege nachfolgten. Denn in Schiller selbst entwickelten sich, wie es in einem Dichter nicht anders sein konnte, die philosophischen Ideen aus dem Medium der Phantasie und des Gefühls.

Schillers historische Arbeiten werden vielleicht von einigen nur als Zufälligkeiten in seinem Leben und als durch äußere Umstände hervorgerufen angesehen. Dazu, daß sie eine größere Ausdehnung erhielten, trugen diese Ursachen unleugbar bei, allein an sich mußte Schiller durch seine Geisteseigentümlichkeit ebensowohl zu historischem als philosophischem Studium hingezogen werden. Nur um dies mit wenigen Worten anzudeuten, berühre ich diesen Punkt hier. Wer wie Schiller durch seine innerste Natur aufgefordert war, die Beherrschung und freiwillige Übereinstimmung des Sinnenstoffes durch und mit der Idee aufzusuchen, konnte nicht da zurücktreten, wo sich gerade die reichste Mannigfaltigkeit eines ungeheuren Gebietes eröffnet; wessen beständiges Geschäft es war, dichtend den von der Phantasie gebildeten Stoff in eine Notwendigkeit atmende Form zu gießen, der mußte begierig sein zu versuchen, welche Form, da das Darstellbare es doch nur durch irgendeine Form ist, ein durch die Wirklichkeit gegebener Stoff erlaubt und verlangt. Das Talent des Geschichtschreibers ist dem poetischen und philosophischen nahe verwandt, und bei dem, welcher keinen Funken dieser beiden in sich trüge, möchte es sehr bedenklich um den Beruf zum Historiker aussehen. Dies gilt aber nicht bloß von der Geschichtschreibung, sondern auch von der Geschichtsforschung. Schiller pflegte zu behaupten, daß der Geschichtschreiber, wenn er alles Faktische durch genaues und gründliches Studium der Quellen in sich aufgenommen habe, nun dennoch den so gesammelten Stoff erst wieder aus sich heraus zur Geschichte konstruieren müsse, und hatte darin gewiß vollkommen recht, obgleich allerdings dieser Ausspruch auch gewaltig mißverstanden werden könnte. Eine Tatsache läßt sich ebensowenig zu einer Geschichte wie die Gesichtszüge eines Menschen zu einem Bildnis bloß abschreiben. Wie in dem organischen Bau und dem Seelenausdruck der Gestalt gibt es in dem Zusammenhange selbst einer einfachen Begebenheit eine lebendige Einheit, und nur vor diesem Mittelpunkt aus läßt sie sich auffassen und darstellen. Auch tritt, man möge es wollen oder nicht, unvermeidlich zwischen die Ereignisse und die Darstellung die Auffassung des Geschichtschreibers, und der wahre Zusammenhang der Begebenheiten wird am sichersten von demjenigen erkannt werden, der seinen Blick an philosophischer und poetischer Notwendigkeit geübt hat. Denn auch hier steht die Wirksamkeit mit dem Geist in geheimnisvollem Bunde. Im Sammeln der Tatsachen, im Studium der Quellen, soweit es ihm vergönnt war, in sie hinabzusteigen, war Schiller sehr genau und sorgfältig. Auch bei seinen poetischen Arbeiten versäumte er nie, sich die historische oder Sachkunde, welche sie erforderten, zu verschaffen. Wenn ihm etwas in dieser Art mißlang, so lag es gewiß nicht an der Emsigkeit seines Strebens, sondern am Mangel von Hülfsmitteln, an seiner Kränklichkeit und andern zufälligen Umständen. Nur muß man einzelne faktische Unrichtigkeiten nicht immer als Instanzen gegen die Allgemeinheit dieser Behauptung ansehen. Er eignete sich bei diesen Studien zu poetischen Arbeiten natürlich vorzugsweise das Ganze des Eindrucks an. Mit welcher Liebe er sich dem Geschichtsfache widmete, geht aus einem seiner Briefe an Körner hervor. Nur wo er historische Arbeiten bloß für äußere Zwecke, wie für die *Horen,* übernehmen mußte, wurden sie ihm lästig. Sonst war, auch gerade in dieser späteren Zeit, die Lust zur Geschichte nicht in ihm erloschen. Er sprach mir noch, als ich ihn das letztemal im Herbst 1802 sah, mit leidenschaftlicher Wärme von dem Plan einer Geschichte Roms, den er sich für höhere Jahre aufsparte, wenn ihn vielleicht das Feuer der Dichtung verlassen hätte. In der Tat kommt wohl keine andere Geschichte dieser an dramatischer

Größe gleich. Besonders wurde Schiller so lebendig durch die Idee ergriffen, wie sich die größesten welthistorischen Verhängnisse im Altertum und der neueren Zeit gerade an die Örtlichkeit dieser Stadt anknüpften. Man erinnert sich hierbei an Goethes schönen Ausspruch, daß sich von Rom aus die Geschichte ganz anders als an jedem Orte der Welt liest. »Anderwärts liest man von außen hinein, in Rom glaubt man von innen hinaus zu lesen; es lagert sich alles um uns her und geht wieder aus von uns.«

Das Genie in jeder Art der Hervorbringung ist die Spannung der ganzen Intellektualität auf den einen, ihr von der Natur angewiesenen Punkt. Von der Beschaffenheit dieses Ganzen hängen zwei bei jeder intellektuellen Charakterisierung notwendige Bestimmungen ab: das besondere Gepräge des Genies, da es sich in jeder Gattung wieder sehr verschieden gestalten kann, und die Freiheit des Geistes neben und außer demselben zu allgemeinerer Überschauung des intellektuellen Standpunkts. In den Grenzen dieses Typus und dem Verhältnis der darin zusammenwirkenden Potenzen liegen, was jedoch hier nicht der Ort zu entwickeln ist, alle Verschiedenheiten der menschlichen Intellektualität, die in jedem Menschen, wie verdunkelt es immer sein mag, vorzugsweise auf einen Punkt hin bezogen ist. Darum schien es mir notwendig, um Schiller, den jeder als Dichter fühlt, auch, soviel dies möglich ist, dem Begriff nach als Dichter zu schildern, vorzüglich von seiner ganzen Geistesrichtung, und namentlich von seiner philosophischen, zu sprechen. Gerade um sein Dichtergenie zu charakterisieren, redete ich von dem, worin er die Bahn des Dichters zu verlassen schien. Die Schilderung einer großen geistigen Natur setzt notwendig wieder einen genialen Blick in das Wesen und Zusammenwirken aller sich individuell verteilenden Intellektualität voraus. Ich darf daher nicht die Hoffnung nähren, den Leser wirklich ganz auf den Standpunkt geführt zu haben, Schillers Eigentümlichkeit, wie er sie bisher empfunden hat, nunmehr auch klar und entschieden in ihrem Zusammenhange zu übersehen. Bin ich hierin aber nur einigermaßen glücklich gewesen, so können Schillers philosophische und historische Bestrebungen nicht bloß als eine vielseitige Geistesbildung, noch weniger aber als ein unsichres Umhersuchen nach seinem wahren Beruf, sondern beide nur als mit den poetischen aus einer und ebenderselben tiefen, reichen und mächtigen Urquelle in ihm hervorbrechend erscheinen. Wie in den Körpern die Stoffe nach Wahlverwandtschaften verschiedenartige Verbindungen eingehen, so war in Schiller die Dichtung innig an die Kraft des Gedankens gebunden. Sie strömte darum nicht weniger frei aus der Anschauung und dem Gefühle hervor. Sie schöpfte vielmehr gerade aus dieser die Einbildungskraft schon durch den zu überwindenden Kontrast steigernden Verbindung ein Feuer, eine Tiefe und Stärke, wie sie auf diese Weise kein andrer älterer noch neuerer Dichter bewiesen hat. Gedanke und Bild, Idee und Empfindung treten immer in ihm in Wechselwirkung, und in den gelungenen Stellen durchdringen sie einander, ohne von ihrer Eigentümlichkeit aufzugeben. Man kann sich im Geiste nichts als ruhend und gelegentlich zur Tätigkeit übergehend, nichts getrennt und abgesondert aufeinander einwirkend denken. Was in ihm ist, ist nur durch Tätigkeit, was er in sich faßt, ist eins, nur verschieden durch Spannung und Richtung, die oft durch den Impuls verschiedener, ja entgegengesetzter Kräfte gegeben wird. Der Gedanke jedes Augenblicks trägt den ganzen in diese Gestaltung gegossenen Geist. Dies energische Erscheinen der ganzen Intellektualität in dem einzelnen Gedanken macht Schiller, was nur aus der Energie der wirklichen Verknüpfung in ihm selbst entsprang, vorzugsweise fühlbar. Das schöne Bild, durch das er in der *Macht des Gesanges* die Dichtung überhaupt charakterisiert: ein Regenstrom aus Felsenrissen usw. steht in besonderer Beziehung auf die seinige. Was ihn aber daneben, wenn es auch für seinen Dichterberuf als gleichgültig erscheinen könnte, auszeichnet, ist die Höhe, in der er sich über jeder einzelnen Bestrebung in ihm, selbst über seinem Dichtergenie befindet, einem der mächtigsten und gewaltigsten, welche je die menschliche Brust bewegt haben. Es ist nicht Freiheit bloß, sondern ganz eigentlich Übermacht.

Wenngleich diese ihn sichtbar, auch als Dichter, hob und emportrug, so mußte ebendarum unleugbar auch sein Dichten aus einer doppelt energischen Kraft hervorgehen. Alles Künstlerische und Dichterische trägt zwar den Charakter des Freiwilligen an sich, darum aber fällt doch auch dem Künstler und Dichter nicht ganz ohne Mühe ihr glücklich Los. Auch sie bedürfen der Arbeit, nur einer Arbeit ganz eigner Natur, und diese war Schillern gerade durch die Vorzüge seiner Eigentümlichkeit erschwert. Sein Ziel war ihm höher gesteckt, weil er das Ziel aller Dichtung klarer vor sich sah, ihre verschiedenen Bahnen sicherer übermaß, das ganze Getriebe des geistigen Wirkens, wenn dieser Ausdruck auf das Walten der höchsten Freiheit übergetragen werden kann, heller durchschaute. Er erkannte das Ideal in seiner ganzen, von ihm aber immer erhebend, nicht niederdrückend empfundenen Größe, und indem er, nach seiner eigenen lichtvollen Einteilung, durchaus zur Klasse der sentimentalischen Dichter gehörte, so steigerte seine Individualität noch den Begriff dieser Gattung. Zugleich schwebend über seinen eigenen und den Leistungen anderer, war er nicht bloß Schöpfer, sondern auch Richter und forderte Rechenschaft von dem poetischen Wirken auf dem Gebiete des Denkens. Es war daher doppelt zu bewundern, daß die den Dichter unbewußt und unerklärbar mit sich fortreißende wahre Naturkraft darum nichts an ihrer Macht in ihm verlor. Hier aber, wie in allem, wirkte wieder die Totalität seiner Natur. Niemand drang so sehr als er auf die absolute Freiheit des sinnlichen Stoffs, auf seine vollendete und von der Idee ganz unabhängige Ausbildung vor der Anschauung und der Phantasie, und daß er dies tat, war nicht etwa Folge theoretischer Ideen. Er schöpfte vielmehr diese erst selbst aus dem gleichen, ihn beherrschenden, mächtigen inneren Drange. Was anderen sentimentalischen Dichtern begegnete, eben darum, weil sie dies waren, in ihren Werken weniger plastisch zu sein, ihnen weniger sinnliche Gestaltung zu geben, konnte für ihn nie eine Klippe werden. Vielmehr war er wieder in höherem Grade naiv, als es die entschiedene Hinneigung zur sentimentalischen Gattung zuzulassen schien. Seine sich selbst überlassene Natur führte ihn mehr der höheren Idee zu, in welcher sich der Unterschied zwischen jenen Gattungen wieder von selbst verliert, als sie ihn in eine von beiden verschloß, und wenn er dieses Vorrecht mit einigen der größesten Dichtergenies teilte, so gesellte sich dazu noch in ihm, daß er schon in die Idee selbst die Forderung absoluter Freiheit des sich idealisch bildenden Sinnenstoffs legte.

Das bloß Rührende, Schmelzende, einfach Beschreibende, kurz die ganze, unmittelbar aus der Anschauung und dem Gefühl genommene Gattung der Dichtung findet sich bei Schiller in unzähligen einzelnen Stellen und in ganzen Gedichten. Ich brauche hier nur an *Die Ideale, Des Mädchens Klage*, den *Jüngling am Bach, Thekla, eine Geisterstimme, An Emma, Die Erwartung* u. a. m. zu erinnern, die nur den empfangenen Eindruck wiederzugeben scheinen und in denen man Schillers intellektuelle Eigentümlichkeit nur wie in einem sanften Widerschein erkennt. Die wundervollste Beglaubigung vollendeten Dichtergenies aber enthält das *Lied von der Glocke*, das in wechselnden Silbenmaßen, in Schilderungen der höchsten Lebendigkeit, wo kurz angedeutete Züge das ganze Bild hinstellen, alle Vorfälle des menschlichen und gesellschaftlichen Lebens durchläuft, die aus jedem entspringenden Gefühle ausdrückt und dies alles symbolisch immer an die Töne der Glocke heftet, deren fortlaufende Arbeit die Dichtung in ihren verschiednen Momenten begleitet. In keiner Sprache ist mir ein Gedicht bekannt, das in einem so kleinen Umfang einen so weiten poetischen Kreis eröffnet, die Tonleiter aller tiefsten menschlichen Empfindungen durchgeht und auf ganz lyrische Weise das Leben mit seinen wichtigsten Ereignissen und Epochen wie ein durch natürliche Grenzen umschlossenes Epos zeigt. Die dichterische Anschaulichkeit wird aber noch dadurch vermehrt, daß jenen der Phantasie von ferne vorgehaltenen Erscheinungen ein als unmittelbar wirklich geschilderter Gegenstand entspricht und die beiden sich dadurch bildenden Reihen zu gleichem Ende parallel nebeneinander fortlaufen.

Wenn man sich vergegenwärtigt, was ich über Schillers rastlose Geistestätigkeit und die enge Verbindung seines dichterischen Genies mit der mächtigen Kraft gesagt habe, die in ihm alles in das Gebiet ihres Denkens zog, so wird man jetzt besser die Epoche verstehen, in welche der nachfolgende Briefwechsel fällt und die ich im vorigen als die kritische in seiner poetischen Laufbahn ansah. Jede große poetische Arbeit fordert eine Stimmung und Sammlung des Gemüts, die Schiller, als er nach Jena zurückkehrte, seit Jahren vermißte. Zum Teil lag die Schuld wohl in dem Plane zum *Wallenstein,* den er lange bei sich trug, ehe er wirklich Hand an die Arbeit legte. Dieser Stoff war in seinem Umfange zu gewaltig und, seiner Beschaffenheit nach, zu spröde, um nicht der größesten Zurüstungen vor seiner Ausführung zu bedürfen. Wer dieses Gedicht richtig zu würdigen versteht, wird erkennen, daß es eine wahre poetische Riesenarbeit ist; selbst Schillers formender Geist vermochte diesen weit ausgreifenden Stoff doch nur in drei zusammenhängenden Stücken zu bezwingen. Allein auch die Forderungen, welche Schiller an seine theatralischen Werke machte, hatten sich gesteigert; da das schöpferische Genie augenblicklich feierte, trat desto geschäftiger die richtende Kritik, und nicht ohne Besorgnisse, an ihre Stelle. In allem künstlerischen Schaffen verlangt die Zuversicht das Beispiel des schon wirklich Gelungenen. Dies fehlte

Schillern hier, nicht nach dem Urteil seiner Nation, aber nach seinem eigenen. Die früheren Stücke konnten ihm nicht als Beglaubigungen des Talentes gelten, dessen Entwicklung ihm jetzt allein seiner und der Kunst würdig erschien. *Don Carlos* war durch äußere Umstände in einem langen Intervalle gedichtet worden, und die Einheit und Glut der ersten Auffassung hatten die Länge der Arbeit nicht überdauert. So glaubte Schiller am Anfange einer neuen Laufbahn zu stehen, und wirklich drückte er, da er sich einmal der Fesseln entledigt hatte, die seinen neuen Aufflug hemmten, der Tragödie ein Gepräge auf, mit dem sie niemals vorher die Bühne betreten hatte. Zugleich fiel dies in eine Zeit, wo Schillers inneres Bestreben vorzüglich ein philosophisches war. Denn es ist nicht zu verkennen, daß zur Zeit unmittelbar nach der Arbeit am *Don Carlos* er bemüht war, die in ihm rege gewordenen philosophischen Ideen zur Klarheit und Bestimmtheit zu bringen. Schon die Wahl des *Don Carlos* zum Gegenstand einer Tragödie war, wie man aus den Briefen über ihn sieht, nicht frei vom Anteil dieses innern, auf Ideen gerichteten Triebes, und dies in seiner Art einzige, im einzelnen mit der ganzen Fülle des Schillerschen Genies ausgestattete, wenngleich in der Form und Zusammenfügung des Ganzen nicht gleich den spätern gelungene Stück verrät die Spuren dieses Ursprungs. Ein innerer, auf Ideen gerichteter Trieb war es in der Tat; da er aber in dem Erscheinen der Kantischen Philosophie Nahrung fand, und nachdem er sich einmal in *Anmut und Würde* in bestimmter Klarheit auszusprechen begonnen hatte, lag die vollendete Ausbildung des in diesem Aufsatze angedeuteten und teilweise ausgeführten Systems als eine innere Aufgabe in Schiller, die, seiner Individualität nach, gelöst sein mußte, ehe er in ein andres Gebiet übergehn konnte. Es war ihm unmöglich, etwas Unklares oder Ungewisses in seinem Geiste zurückzulassen, solange er nicht die Hoffnung aufgeben mußte, es zur Klarheit und Gewißheit zu bringen, die Ideen, welche die

Grundsäulen seines ganzen intellektuellen Strebens ausmachten, mit denen er sein poetisches Schaffen, das Element seines Lebens, unauflöslich verschwistert sah, sobald es ihm Gegenstand der Betrachtung und des Nachdenkens wurde, mußten bis zu ihren Endpunkten hin rein ausgesponnen vor ihm liegen. Beharrlichkeit der Ausdauer war ein charakteristischer Zug bei jeder Arbeit in Schiller, und so ruhte er nicht eher, bis die ihm von seiner innersten Natur gestellte Aufgabe in den *Briefen über die ästhetische Erziehung des Menschen* gelöst war. Bis dahin aber konnte er auch nichts anderes ergreifen. Was seinen Geist anzog, beschäftigte ihn immer ausschließlich und ganz.

Es ist sehr merkwürdig, wie in der Periode, von welcher hier die Rede ist, die beständig in Schiller fortlebende Sehnsucht nach dramatischer Dichtung langsam, aber immer allmählich sich Luft machend, die Oberhand über das philosophische Streben gewann. Im ersten Jahre seiner Rückkehr nach Jena beschäftigten ihn noch ausschließlich die *Ästhetischen Briefe* und gelegentliche historische Arbeiten. Dann blühte die Poesie, zuerst nur in kleineren lyrischen und erzählenden Gedichten, ihm auf, und die Philosophie näherte sich in den Abhandlungen *Über naive und sentimentalische Dichtung* in mehr leichter und heiterer Form der nun schon herrschend werdenden Arbeit der Phantasie. Endlich begann der *Wallenstein.* So trat Schiller wie in ein leichteres, ihm eigentümlicheres Element, in die glänzende dichterische Periode seiner letzten Jahre, die dann durch nichts weiter unterbrochen wurde. Sein, wie er uns auch schmerzlich bewegt, großer und schöner Tod führte ihn mitten in einer schon herrlich zurückgelegten und mit immer weiterstrebender Kraft verfolgten Laufbahn hinweg.

In jene Periode der Rückkehr Schillers zur dramatischen Dichtung fällt auch der Anfang seines vertrauteren Umgangs mit Goethe, und gewiß als die am stärksten und bedeutendsten mitwirkende Ursache. Der gegenseitige Einfluß dieser beiden großen Männer aufeinander war der mächtigste und würdigste. Jeder fühlte sich dadurch angeregt, gestärkt und ermutigt auf seiner eigenen Bahn, jeder sah klarer und richtiger ein, wie auf verschiedenen Wegen dasselbe Ziel sie vereinte. Keiner zog den andern in seinen Pfad herüber oder brachte ihn nur ins Schwanken im Verfolgen des eignen. Wie durch ihre unsterblichen Werke haben sie durch ihre Freundschaft, in der sich das geistige Zusammenstreben unlösbar mit den Gesinnungen des Charakters und den Gefühlen des Herzens verwebte, ein bis dahin nie gesehenes Vorbild aufgestellt und auch dadurch den deutschen Namen verherrlicht. Mehr aber darüber zu sagen würde teils überflüssig sein, teils verbietet es eine natürliche und gerechte Scheu. Schiller und Goethe haben sich in ihren Briefen selbst so klar und offen, so innig und großartig über dies einzige Verhältnis ausgesprochen, daß so Gesagtem noch etwas hinzuzufügen niemand versucht werden kann.

In dem Briefwechsel mit mir gibt es Stellen, wo Schiller seinem Dichterberufe zu mißtrauen scheint, und Ähnliches findet sich in Körners Lebensbeschreibung angeführt. Ich erwähnte auch dessen schon im Anfange dieser Vorerinnerung. Solche augenblickliche Aufwallungen sowie der sonderbare Mißgriff, sich mehr für epische als dramatische Dichtung geboren zu halten, werden niemanden irremachen, der mit dem menschlichen Kopfe und Herzen vertraut ist. Nie hat einer, wenn man Momente einzelner Verstimmung ausnimmt, so klar und entschieden gewußt, was er durch seine Natur wollen und suchen mußte, nie einer sein Streben und sein Gelingen so richtig und unbefangen gewürdigt als Schiller; nie war einem mehr als ihm unsichres Umhertappen nach seiner naturgemäßen Bestimmung fremd und verhaßt. Seine Bestimmung war aber offenbar die dramatische Dichtung. Die Schärfe der Einbildungskraft, die alles auf einen Punkt hinführt, die Fähigkeit, auf einen gewaltigen Effekt hinzuarbeiten, die höchste Spannung in der Wirklichkeit hervorzubringen und die erhabenste Lösung in der Idee daran zu knüpfen, welches alles durch Schillers Individualität unmittelbar gegeben war, sagt vorzugsweise dieser Dichtungsart zu, deren Charakter sich, nach Goethes treffender Bemerkung, daraus ableiten läßt, daß sie ihren Gegenstand in die Gegenwart versetzt. Denn auch sie sammelt ihre ganze Wirkung auf einen Endpunkt, verfolgt mehr eine Linie, als sie sich auf eine Fläche verbreitet und steht, wie auch der Gedanke, in engerem Bunde mit der Zeit als mit dem mehr der Anschauung zusagenden Raume. Wenn Schiller dies, und selbst den dichterischen Genius in ihm, augenblicklich zu verkennen schien, so war es in den besten Momenten dieses Mißtrauens die Höhe des Ideals, die den Blick schwindeln macht, und die immer am Erreichen des erwünschten Ziels zweifelnde Heftigkeit der tiefen inneren Sehnsucht.

Des Einflusses, den äußere Umstände auf den Wechsel in Schillers Beschäftigungen ausüben mochten, habe ich mit Absicht gar nicht erwähnt. Allerdings zwar wurden die prosaischen Aufsätze großenteils durch die *Thalia* und die *Horen,* die Gedichte durch die *Musenalmanache* hervorgerufen. Der erste von 1795 veranlaßte geradezu alle, die er von Schiller enthält; keines stammt aus einer früheren Periode. Demungeachtet lag dieser wechselnde Übergang von poetischen zu philosophischen, prosaischen zu rhythmischen Arbeiten hauptsächlich und im ganzen allein in der oben geschilderten Geistesstimmung Schillers. Nur weil das Große, was er in sehnender Erwartung in sich trug, noch nicht seine Reife erlangt hatte, weil die Sammlung und Stimmung des Gemüts noch nicht vollkommen war, welche die einzig mögliche Zurüstung zu künstlerischem Schaffen und Dichten ist, ließ er sich zu Unternehmungen dieser Art gehen, die ihm hernach allerdings bisweilen störend erschienen, allein mehr schienen als es in der Tat waren. Bewundernswürdig blieb dabei, wie diese äußeren Motive ihm niemals Anlaß zu mittelmäßigen Arbeiten wurden und wie die Nötigung (denn so mußte man es oft bei Arbeiten, zu bestimmten Zeiten zugesagt, nennen), sobald sich die glücklich empfangene Idee dem Geiste darstellte, in schöne Freiwilligkeit überging, die jede Spur des äußern Ursprungs in dem Werk selbst austilgte. Denn niemand wird selbst den weniger bedeutenden unter den *Almanachs-* und *Horen*gedichten den Stempel echter Genialität abzusprechen vermögen.

Was seine spätern dramatischen Werke vorzugsweise auszeichnet, ist erstlich ein sorgfältigeres und richtiger verstandenes Streben nach einem Ganzen der Kunstform, dann eine tiefere Bearbeitung der Gegenstände, durch die sie in eine größere und reichere Weltumgebung treten und höhere Ideen sich an sie anknüpfen, endlich eine mehr vollendete Austilgung alles Prosaischen durch einen reineren Schwung des Poetischen in Darstellung, Gedanken und Ausdruck. In allen Punkten ist der Begriff der von einem Gedicht zu fordernden Kunst in ihnen gesteigert, und indem die lebendige poetische Form den Stoff vollkommener durchdringt, wird dieser wieder auch in höherem Sinne Natur. In mehreren Stellen seiner Briefe gibt Schiller die größere Rücksicht auf die Form des Ganzen als den eigentlichen, von ihm gemachten Fortschritt an und tadelt das Hängen am einzelnen und die durch Vorliebe geleitete Behandlung der Teile. Viel früher aber spricht er dies höchste Erfordernis eines Kunstwerks wundervoll klar und schön in den *Künstlern* aus. Was er unter einer solchen Behandlung eines dramatischen Stoffes verstand, zeigte er gleich an dem schwierigsten in dieser Hinsicht, am *Wallenstein*. Alles einzelne in der großen, so unendlich vieles umfassenden Begebenheit sollte der Wirklichkeit entrissen und durch dichterische Notwendigkeit verbunden erscheinen; alle Grundlagen, auf welche der kühne Held sein gefahrvolles Unternehmen stützen wollte, alle Klippen, an welchen es scheiterte, die politische Lage der Fürsten, der Gang des Krieges, der Zustand Deutschlands, die Stimmung des Heers sollte vor den Augen des Zuschauers dichterisch und anschaulich dargestellt werden. Selten hat ein Dichter größere Forderungen an sich und seinen Stoff gemacht, wenn man Shakespeare ausnimmt, nicht leicht ein zweiter eine solche Welt von Gegenständen, Bewegung und Gefühlen in einer Tragödie umfaßt.

Die auf *Wallenstein* folgenden Stücke zeigen, daß Schiller in gleicher Art fortarbeitete. In der Tat bestand sein Leben darin, daß er als Dichter übte, was er irgendwo vom idealisch gebildeten Menschen überhaupt sagt, so viel Welt, als er mit seiner Phantasie zu erfassen vermochte, mit der ganzen Mannigfaltigkeit ihrer Erscheinungen in sich zu ziehen und in die Einheit der Kunstform zu verschmelzen. Daher sind seine Tragödien nicht Wiederholungen eines zur Manier gewordenen Talents, sondern Geburten eines immer jugendlichen, immer neuen Ringens mit richtiger eingesehenen, höher aufgefaßten Anforderungen der Kunst. Tiefer in sie einzugehen ist meine Absicht nicht. Die in dieser *Vorerinnerung* niedergelegten Betrachtungen haben nur den Endzweck, den hier nachfolgenden Briefwechsel in den ganzen Entwicklungsgang Schillers einzupassen. Sie finden daher ihren natürlichen Endpunkt in dem entschiedenen Beginn der Periode seiner letzten Trauerspiele. Diese haben längst das Urteil der Mitwelt erfahren; sie können mit Ruhe das der nachfolgenden Geschlechter erwarten. Lange noch werden sie die Bühne beschäftigen, dann ihren Platz in der Geschichte deutscher Dichtung einnehmen. Der Dichter führt nicht neue Wahrheiten ans Licht, sammelt nicht Tatsachen. Er wirkt in der Art, wie er schafft; der Phantasie aller Zeiten führt er Gestalten vor, die erheben und bilden, er leistet dies in der Form, in die er seine Gegenstände kleidet, in den Charakteren, mit welchen er die Menschheit idealisch bereichert, in seinem eignen, aus allen seinen Werken widerstrahlenden Bilde. So begeisternd und bildend durch Erhebung und Rührung, wird auch Schiller lange und mächtig auf seine Nation fortwirken.

Er wurde der Welt in der vollendetsten Reife seiner geistigen Kraft entrissen und hätte noch Unendliches leisten können. Sein Ziel war so gesteckt, daß er nie an einen Endpunkt gelangen konnte, und die immer fortschreitende Tätigkeit seines Geistes hätte keinen Stillstand besorgen lassen; noch sehr lange hätte er die Freude, das Entzücken, ja wie er es in einem der hier folgenden Briefe bei Gelegenheit des Plans zu einer Idylle so unnachahmlich beschreibt, die Seligkeit des dichterischen Schaffens genießen können. Sein Leben endete vor dem gewöhnlichen Ziele; aber solange es währte, war er ausschließlich und unablässig im Gebiete der Ideen und der Phantasie beschäftigt; von niemand läßt sich vielleicht mit so viel Wahrheit sagen, daß »er die Angst des Irdischen von sich geworfen hatte, aus dem engen, dumpfen Leben in das Reich des Ideales geflohen war«; er lebte nur von den höchsten Ideen und den glänzendsten Bildern umgeben, welche der Mensch in sich aufzunehmen und aus sich hervorzubringen vermag. Wer so die Erde verläßt, ist nicht anders als glücklich zu preisen.

Johann Georg Forster

FRAGMENT EINES BRIEFES AN EINEN DEUTSCHEN SCHRIFTSTELLER ÜBER SCHILLERS »GÖTTER GRIECHENLANDS«

1788

...Dem Wahrheitsuchenden gefällt die freimütige Äußerung Ihres mißbilligenden Urteils über Schillers neues Gedicht; denn jeder hat das Recht, seine Meinung nicht nur für sich zu hegen, sondern auch frei zu bekennen und mit Gründen zu rechtfertigen. Wir suchen die Wahrheit, jeder mit eigenem Gefühl, jeder mit Geisteskräften, die *für ihn* unfehlbar sind und sein müssen. Gibt es also eine allgemeine, von allen anzuerkennende Wahrheit, so führt kein anderer Weg zu ihr als dieser, daß jeder sage und verteidige, was ihn Wahrheit *dünkt*. Aus der freien Äußerung aller verschiedenen Meinungen und ihrer ebenso freien Prüfung muß endlich, insoweit dieses eingeschränkte, kurzsichtige Geschlecht überhaupt zu einer solchen Erkenntnis geschickt ist, die lautere Wahrheit als ein jedem Sinne faßliches und willkommenes, jeden Sinn erfüllendes Resultat hervorgehen, *freiwillig* von allen angenommen werden und dann im Frieden allein über uns herrschen.

Der Zeitpunkt dieser allgemeinen Übereinstimmung ist noch nicht gekommen. Die Systeme von Gefühlen und Schlüssen, worin jeder lebt und webt und die allein vermögend sind, sein Wesen mit Genuß zu erquicken, widersprechen einander oft in allen wesentlichen Punkten; und dennoch sucht ein jeder die Überzeugung, die ihn glücklich macht, auch andern mit Begeisterung anzupreisen, um auch sie an seinen Freuden teilnehmen zu lassen. In diesem

Triebe unseres Herzens, sich alles zu verähnlichen und das Verschiedene gleichartig zu machen, sehen wir auch bis dahin nichts Sträfliches, sondern vielmehr etwas Edles, Menschenfreundliches, Gutes; und gäbe es ein Land, wo die Gesetze jedem Bürger in Beziehung auf diesen Trieb völlig gleiche Rechte zugestünden, so würde dort vielleicht die Wahrheit am ersten allen und jeden leuchten und ihr weises, liebevolles Reich beginnen: gewiß aber blühete dort das allgemeine Wohl, die Menschenliebe und die Achtung für den Adel unserer Natur. Liegt gleich ein solcher Staat bis jetzt noch im Reiche der Möglichkeiten, so belohnt sich doch schon die Annäherung zu seinem Regierungssystem durch heilsame Wirkungen. Es darf sogar eine gewisse Form der Glückseligkeit den übrigen vorgezogen und denen, die sich dazu bekennen, ein Vorrecht über ihre Mitbürger eingeräumt werden: so wird dennoch, solange nur persönliche Freiheit und Eigentum dadurch unangefochten bleiben, solange Wahl, Bekenntnis und Prüfung frei gestattet werden, der Geist der Vaterlandsliebe (wiewohl in etwas geschwächt) die Gemüter einigen, die in ihren Gefühlen und Begriffen hundertfältig voneinander verschieden sind. Der unrechtmäßige Vorzug, den eine Meinung vor den andern erhält, die Ungerechtigkeit, gleichen Bürgern gleiche Rechte vorzuenthalten, weil ihr Gefühl und ihre Vernunft in Sachen jenseits ihres gesellschaftlichen Verhältnisses nicht übereinstimmen – diese Sünde wider die Menschheit entgeht indessen ihrer Strafe nicht; denn von einer so fehlerhaften Grundverfassung erwarten zu können, daß sie die Wahrheit am Ziel erreichen werde, bleibt nach allen Gesetzen des Denkens ein Widerspruch.

Insgemein überschreitet man aber auch diese äußerste Grenze. Die gutmütige Absicht, für die Glückseligkeit anderer sorgen zu wollen, oder die hinterlistige Herrschsucht, die sich dieser Larve bedient, äußert sich nur gar zu oft in Zwangmitteln, um jene begünstigte Form zur einzigen zu erheben, alle andere neben ihr zu vernichten und sie, die einzige, ewig unverändert zu erhalten. Diese Anmaßungen beruhen gleichwohl auf der ganz irrigen Voraussetzung, daß die Gesetzgebung eines Staats dessen Glückseligkeit und Moralität bewirken könne; da doch nichts mit siegreicheren Gründen erwiesen ward, als daß Selbstbestimmung oder, mit andern Worten, moralische Freiheit die einzig mögliche Quelle der menschlichen Tugend ist und alle Funktionen der Gesetze, so wie sie aus dieser Freiheit geflossen sind, sich auch einzig und allein auf ihre Beschirmung einschränken müssen. »Derjenige Zwang«, sagt ein vortrefflicher Denker, »ohne welchen die Gesellschaft nicht bestehen kann, hat nicht, was den Menschen gut, sondern was ihn böse macht, zum Gegenstande: keinen positiven sondern einen negativen Zweck. Dieser kann durch eine äußerliche Form erhalten und gesichert werden; und alles Positive, Tugend und Glückseligkeit entspringen dann aus ihrer eigenen Quelle. Menschlicher Eigendünkel, mit der Gewalt verknüpft, andere nach sich zu zwingen, es sei nun, daß er sich in Auslesung und Handhabung natürlicher oder offenbarter Gesetze an den Tag lege, kann überall nur Böses stiften und hat es von Anbeginn gestiftet.« Eben dieser tiefsinnige Philosoph bemerkt daher, daß jene Zeiten, wo die hierarchische Form die herrschende, beinah die einzige der Menschheit war und alle übrigen verschlang, an Greueln und an Dauer dieser Greuel alle andere Zeiten übertrafen. »Wenn aber«, so fährt er fort, »diese gräßliche Epoche meist vorüber ist, wem haben wir es zu verdanken? Etwa irgendeiner neuen Form, irgendeiner gewalttätigen Anstalt? Keineswegs. Zu verdanken haben wir es jener unsichtbaren Kraft allein, welche überall, wo Gutes in der Welt geschah und Böses ihm die Stelle räumen mußte, wenn nicht an der Spitze, wenigstens im Hinterhalte war, dem niemals ruhenden Bestreben der Vernunft. So unvollkommen die Vernunft sich auch im Menschen zeigt, so ist sie doch das Beste, was er hat, das einzige, was ihm wahrhaft hilft und frommet. Was er außer ihrem Lichte sehen soll, wird er nie erblicken; was er unternehmen soll, von ihrem Rat entfernt, das wird ihm nie gelingen. Kann wohl jemand weise werden anderswo als im Verstande? Im Verstande, den er selber hat? Kann er glücklich werden außer seinem eigenen Herzen?« In der Tat, so wenig wie ein Mensch dem andern den Auftrag geben kann, statt seiner zu empfinden und zu denken, so wenig kann der Bürger die gesetzgebende Macht bevollmächtigt haben, ihn glücklich zu machen, wozu er eigener Gefühle und Einsichten bedarf. Diese Vollmacht aber von der Voraussetzung abzuleiten, daß Glückseligkeit und Tugend nur mit den spekulativen Meinungen des Gesetzgebers bestehen, wäre nun gar der augenscheinlichste Zirkelschluß. Gäbe es ein Symbol, welches allen wahr, allen alles sein könnte, so wissen wir doch mit apodiktischer Gewißheit, daß jedes Symbol, welches mit Gewalt aufgedrungen werden muß, dieses echte nicht sein kann. Zwang ist hier das Kennzeichen des Betrugs. Kennen wir gleich, wie Lessing sagt, bei weitem nicht das Gute, so trägt wenigstens das Schlimme sein unauslöschliches Brandmal an der Stirne.

Wer demnach die moralische Freiheit kränkt und Meinungen nachdrücklicher als mit Gründen verficht, sei er König und Priester oder Bettler und Laie, er ist ein Störer der öffentlichen Ruhe. Ein Satz, an welchem auch nur ein einziger noch zweifelt, ist wenigstens für diesen einen noch nicht ausgemacht, beträfe es auch das Dasein einer ersten Ursach oder die ewige Fortdauer unserer Existenz. Gibt es etwa ein Mittel, jemandem seine Überzeugung zu nehmen, ihm eine andere einzuimpfen, wenn die Vernunft der andern ihm immer nicht unfehlbar oder wohl gar inkonsequent zu sein scheinet? Man wird ihn von Ämtern und Würden ausschließen, ihn verbannen, darben lassen, vielleicht martern und erwürgen; nur überzeugen kann man ihn durch dieses alles nicht. Es ist daher unmöglich, auch nur einen spekulativen Satz zu gestatten, dessen Annahme blindlings und unbedingt gefordert werden könnte, ohne zugleich die Rechte der Menschheit bis in ihre Grundfesten zu erschüttern und alle Greuel der Gewissenssklaverei wieder über uns zurückzuführen. Wenn nicht alles, was diesem oder jenem für wahr gelten mag, wahr sein soll, so ist die Wahrheit also noch nicht gefunden. Jeder hat sein Los in dieser großen Lotterie, und jedem bleibt es unbenommen, mit fester Überzeugung sich des höchsten Gewinnes im voraus versichert zu halten. Kann er diese Hoffnung, die ihn beglückt, in seinem Herzen nicht verschließen, so mag er es versuchen, die anderen zur Wegwerfung ihrer Lose zu bereden, sich aber zugleich mit Geduld waffnen, wenn mancher, bei völlig gleichen Ansprüchen, seine Einfalt belächelt. Setzt er hingegen jedem, der ihm in den Weg kommt, das Pistol auf die Brust und ertrotzt das Bekenntnis, daß nur diese Nummer die glückliche sei, wen empörte nicht dieses Verbrechen der beleidigten Menschheit?

Jetzt kehre ich von einer Abschweifung, welche sowohl für unsere Materie als wegen einiger neueren Attentate gegen die Denk- und Gewissensfreiheit wichtig ist, zu Ihnen zurück. Noch einmal, im Namen aller, die mit uns die Freimütigkeit lieben, haben Sie Dank, daß Sie es wagten, ein allgemein bewundertes Gedicht zu tadeln, weil es Ihrer Überzeugung und Ihren Grundsätzen widerspricht. Ohne Ihren besonderen Meinungen beizupflichten, dürfte mancher sich in einem ähnlichen Falle befinden; allein wer hätte gleich den Mut, über einen Dichter, der Apollons immer straffen Bogen führt, öffentlich und keck den Kopf zu schütteln? Doch Sie, mit Lorbeer auch umkränzt, treten hervor, den goldenen Geschossen Hohn zu bieten. Nun wird sich leicht ein ganzes Heer zu Ihrer Fahne sammeln und den griechischen Göttern tapfere Gegenwehr leisten. Wie reizend in der Phantasie die Regierung jener »schönen Wesen aus dem Fabelland« erscheinen mag, so passen sie doch, denke ich selbst, nicht in unsere Zeiten und höchstens kann man ihnen noch in unseren Parks und Palästen, wo sie zieren und nicht gebieten, ihre Nischen und Fußgestelle vergönnen.

Es wäre überflüssig, Sie an die erste Fehldherrnregel zu erinnern: Ihren Gegner nicht für schwächer zu halten, als er ist. Sie kennen nicht nur die Macht der Dichtkunst über die Gemüter, sondern auch den unnachahmlichen Zauber, den insbesondere dieser Götterfreund seinen hohen Gesängen einhauchen kann. Alles hört ihn mit Entzücken; allen um sich her teilt er die Glut der Begeisterung mit, dergestalt, daß Sie im Ernst zu besorgen scheinen, man werde seinen Göttern wieder Altäre bauen, und jede andere Sekte müsse unterliegen, die in der Wahl ihrer Empfehlungsmittel minder glücklich ist. Zwar mit gewaffneter Hand wird er sie nicht einsetzen wollen; und daß Sie *ihm* nicht wehren können, von ihrer Rechtmäßigkeit überzeugt zu sein, versteht sich von selbst. Auch ist sein Recht, die Gründe seiner Überzeugung an den Tag zu legen, dem Ihrigen, ihn mit Gegengründen zu bestreiten, völlig gleich.

Ist Ihr Verdacht gegründet, ist der Verfasser im Herzen ein Heide, der nur Gelegenheit sucht, den ganzen Olymp wieder in Besitz seiner ehemaligen Würden zu setzen, und fühlen Sie sich berufen, Ihre Mitbürger dawider zu warnen, so muß Ihnen alles daran liegen, Ihren Gründen das Vollgewicht zu verschaffen, welches *freiwillige Überzeugung* nach sich zieht. An Ihres Gegners Gedicht und an seiner Methode überhaupt müssen Sie die unhaltbare Seite erspähen und dort mit unwiderstehlicher Macht auf ihn eindringen. Ein kaltblütiger Zuschauer sieht indes oft besser als die in Fehde begriffenen Parteien selbst, welche Wendung der Streit zu nehmen scheint; und wem er aus treuherziger Meinung einen Wink erteilt, welcher Anleitung geben kann, eine unvorteilhafte Position zu verändern, bei dem glaubt er um so mehr auf Gehör rechnen zu dürfen, als er sich dadurch gewissermaßen auf seine Seite zu lenken scheint.

Schon der erste Ausfall gegen die Moralität der griechischen Götter, so arg es auch damit gemeint war, mußte Ihnen gänzlich mißlingen. Wir wollen einstweilen annehmen, daß Ihre Beschuldigungen gegründet sind, so beweisen sie zuviel und folglich gar nichts. Wie konnte es Ihnen entgehen, daß in allen möglichen Systemen die Begriffe, aus welchen man die Gottheit konstruiert, vom Menschen abgezogen sind; mithin, daß überall die anthropomorphistische Vorstellung der Gottheit, durch Raum und Zeit begrenzt, keine andere Definition gibt als diese, eines nach Umständen und mit Leidenschaft handelnden Wesens? Die Rachsucht, der Haß, ja die Liebe selbst, sind es nicht Leidenschaften, sobald wir uns etwas dabei denken? Übrigens wissen Sie ja, daß, wo man immer den Unbegreiflichen begreiflich zu machen gesucht, man ihm die Menschheit beigelegt hat.

Vielleicht verleitete Sie der Gedanke, daß die Moralität der Völker von der Moralität ihrer Götter abhängt. Allein davon gingen wir aus, meine ich, daß kein Symbol, kein Glaubenssystem eine solche Beziehung haben kann. Noch heutiges Tages gibt es große Staaten, deren Religionssystem Verbrechen um Geld verzeiht, oft gutheißt, ja sogar zuweilen gebietet. Wird aber wohl billigerweise jemand behaupten, daß diese Staaten vor allen andern in Laster versunken sind? So wenig hängt die Moralität der Menschen von ihrem Wähnen über Dinge ab, die jenseits ihrer Erfahrung und Erkenntnis liegen! Man schütze die persönliche Freiheit und das Eigentum, so wird die Tugend aus der innern Energie der menschlichen Natur hervorgehen, die Menschen werden vom Äußerlichen unabhängiger, das ist moralisch frei werden, der Vernunft zu gehorchen und ihrem eigenen, wie aller Vorteil nachzustreben. Nennen Sie daher die griechische Fabel so ausschweifend, wie Sie wollen, so beweisen Sie damit nimmermehr, daß es in

Griechenland an klaren Begriffen von Tugend und Verbrechen fehlte oder daß das Laster dort ungestraft mit frecher Stirne einherging. Eine menschliche Gesellschaft mit solchen Grundsätzen könnte keinen Augenblick bestehen; wie die kadmeische, aus Schlangenzähnen entsprossene Brut würde sie sich selbst aufzehren. Die Griechen hingegen gingen in manchen Fällen weiter als wir, und indes unsere Gerechtigkeit nur das Schwert ausstreckt, hielt die ihrige mit der andern Hand auch den lohnenden Kranz. Die Entscheidung der Frage, ob die Welt jetzt tugendhafter als vor diesem ist, beruht übrigens auf einer allzu subtilen Berechnung, wozu die meisten Data uns fehlen. Weit entfernt, den Zweck der griechischen Fabel für unmoralisch zu halten, singt Schiller vielmehr:

Sanfter war, da Hymen es noch knüpfte,
Heiliger der Herzen ew'ges Band.

Wie gegründet diese Äußerung sein möge, gehört nicht hieher; sie soll hier nur dartun, daß der Dichter von einem nachteiligen Einfluß seiner Götterlehre auf menschliche Handlungen sich nichts träumen ließ, und mir nur Anlaß geben zu erinnern, daß Sie ihn zwar behauptet, aber nicht erwiesen haben.

Eine ähnliche Bewandtnis hat es mit Ihrer Beschuldigung, das Gedicht Ihres Gegners verletzte die Wahrheit. Bei allen Grazien! dies ist seine unüberwindliche Seite. Welch ein eigener Unstern mußte Sie regieren, ihn gerade von keiner andern anzugreifen? Nur das Zeugnis der Wahrheit selbst kann Ihre Anklage erhärten. Getrauen Sie sich, diese jungfräuliche Zeugin, die noch niemand erkannt hat, vor Gericht zu stellen? Ich muß besorgen, Sie unternehmen das Unmögliche. Unser Philosoph sagt sogar: »Ich begreife nicht einmal den Stolz, der sich Wahrheit zu verwalten untersteht. Das ist Gottes Sache. Also laßt uns ehrlich nur bekennen, was wir ehrlich glauben. Er wird schon zusehen!« Gleichwohl scheinen Sie

Ihrer Sache ziemlich gewiß, und wenn ich recht verstehe, geben Sie nicht undeutlich zu raten, daß die Wahrheit insgeheim mit Ihnen des vertrautesten Umgangs pflegt. Glückseliger – und muß ich hinzufügen? –, indiskreter Sterblicher! Doch was sehe ich? Sie guter Mann lassen sich täuschen, wie ein anderer Ixion. Ihre Überzeugung nennen Sie also Wahrheit? In dem nämlichen Augenblick, wenn Sie damit im Gerichtssaal auftreten, werden ganze Scharen ähnlicher Wolkengestalten erscheinen. Umsonst rufen Sie, die Ihrige sei allein die echte. Hundert andere Stimmen erklären sich laut, eine jede für eine verschiedene vermeintliche Wahrheit. Wollen Sie jene anderen alle überschreien? So wünscht man Ihnen Glück zum großen Lose, und jeder lacht oder zischt, nachdem Sie ihm Milz oder Galle erregen.

Der Eifer um die vermeintliche gute Sache kann zum Ziele führen; der Zorn aber ist ungerecht, er beleidigt und empört. Wird man Sie wohl von diesem Affekt ganz freisprechen können? Statt der Gründe sind Ihnen Ausdrücke entfahren, welche man nur denen, die den kürzeren gezogen haben, gleichsam zur Entschädigung zu verzeihen pflegt. Sie hatten in der Tat alle Fassung verloren. Sie suchten ein Schimpfwort! – und fanden keines wegwerfend und verächtlich genug. Späterhin gab Ihr Gedächtnis doch noch eines her; und wie der Blitz flog dem Dichter der Naturalist nach dem Kopf. Es gibt bekanntlich Leute von gewissen Grundsätzen, die man, ich weiß nicht, ob mit ihrer eigenen Einwilligung, Naturalisten nennt. Allein mich dünkt, ich sage Ihnen etwas Allbekanntes, wenn ich hinzusetze, daß die Vielgötterei und der Naturalismus ganz getrennte Dinge sind. Übrigens ist es eine verunglückte Erfindung um diese Kunst, die Leute mit ihren eigenen Namen zu schimpfen. Im Vertrauen! wiederholen Sie nie diesen Versuch! Ich ersparte Ihnen und mir gern das unangenehme Gefühl, welches Sie uns doch selbst bereitet hätten, falls Ihr Gegner den Stein, der ihn verfehlte, auf Sie zurückschleudern und in den einzigen Ausruf: Christ! seinen ganzen Unwillen zusammenpressen sollte.

Was die Menschen für Tugend halten, ist gewöhnlich dasjenige, dessen Ausübung ihnen am schwersten fällt. Daher mag es wohl kommen, daß Dulden, Demut und Fassung da so äußerst selten angetroffen werden, wo man sie für verdienstlich hält, ihnen eine besondere Wichtigkeit beilegt und sie als wesentliche Hauptstücke der Sittenlehre empfiehlt. Wohingegen eine richtige Schätzung der Dinge von selbst zu einer gewissen Billigkeit im Denken und Handeln führt, dort werden diese sogenannten Tugenden zwar ausgeübt, jedoch ohne alle Zurechnung und Anmaßung. Von Ihnen, zu welcher Klasse Sie auch gezählt sein wollen, erwartet man aber diese Eigenschaften, es sei als Folgen Ihrer Glaubensregeln oder Ihrer Lebensphilosophie. Denn wer, wie Sie, in die Schranken tritt, um seine Überzeugung geltend zu machen, muß, weit entfernt, beleidigen zu wollen, vielmehr gefaßt sein, Beleidigungen, die nicht zur Sache gehören, mit Gelassenheit zu ertragen; er darf sich keine Rechte anmaßen, die er nicht auch jedem Andersgesinnten einzuräumen gesonnen ist, und er ist der Gottheit oder dem Schicksal dieses Bekenntnis als ein Opfer der Demut schuldig: daß, wo seine Gründe keinen Eingang finden, seine Überzeugung aufhöre, Wahrheit zu sein. Sie haben bisher, dieser Verhaltungsregeln uneingedenk, einen Ton angenommen, der Ihren Gegner berechtigen könnte, Ihnen vielleicht mit Empfindlichkeit zu antworten. Das, worauf ich Sie jetzt aufmerksam machen werde, leidet kaum Entschuldigung. Einem Menschen, welcher über spekulative Gegenstände anders denkt als Sie, dürfen Sie öffentlich nachreden: er lästre Gott? Es ist wahr, genau untersucht hat dieser Ausdruck keinen bestimmten Sinn; allein die Emphase, womit Sie ihn niederschreiben, zeugt offenbar, daß Sie keinen leeren Schall zu sagen vermeinten, und wissen Sie nicht, welch eine Bedeutung die Bosheit ihm unterschiebt, um die Dummheit zu ihren Endzwecken anzuspornen? Sie bekennen sich zu einer Partei, deren Meinungen die herrschenden sind, ohnerachtet *Meinungen* nie herrschen sollten. Desto sorgfältiger müssen Sie aber den erniedrigenden Verdacht vermeiden, als wollten Sie mit der überlegenen Macht Ihres Haufens dreinschlagen und, wo es Vernunftgründe gilt, die Keule der Unfehlbarkeit schwingen. Sie sind Manns genug, um sich keiner Helfershelfer, keiner unerwiesenen Behauptungen, keiner Schmähungen zu bedienen. Ergreifen Sie die rechtmäßigen Waffen, so haben Sie, wenn Sie auch unterliegen sollten, wenigstens Ehre von dem Kampf! Aber freilich! gegen den *Lästerer* brauchen Sie sich nicht zu stellen; mit diesem einzigen Worte ziehen Sie sich behend aus der Sache und überlassen den friedlichen Streit der Vernunft einer heiligen Hermandad, die ihn etwa mit dem Holzstoß entscheidet. Nennen Sie dieses *prüfen*? Dies wären die *Gründe*, womit Sie sich der Götter Griechenlands erwehren wollen? Doch genug! Sie entsetzen sich gewiß vor den möglichen Folgen Ihrer Heftigkeit. Nie konnte es Ihre Absicht sein, unedel und unritterlich, selbst an einem Feinde, zu handeln: nur im Augenblick der Leidenschaft konnten Sie sich selbst so weit vergessen, die einzige Tat zu begehen, die man Gotteslästerung nennen könnte, weil sie an seinem Bilde geschieht.

Jetzt müssen Sie noch erfahren, daß auch dieser Wurf das Ziel verfehlte. Ich will über die Bedeutung jener Redensart nicht rechten, nicht untersuchen, wie die Gottheit mit sich selbst uneins sein könne, nicht die endlosen Labyrinthe der Fragen vom freien Willen, vom Ursprung des Übels, vom Fall der Engel, von der Erbsünde durchirren; alles, sogar die Anwendung des abscheulichen Worts, mögen Sie nach Ihrer Art rechtfertigen können; aber – *Ihren* Gott hat denn doch der Verteidiger der olympischen Götter nicht gelästert! Seine Seitenblicke sind auf den *philosophischen Gott* gerichtet, das »*Werk des Verstandes*«, wie er ihn ausdrücklich nennt.

Freundlos, ohne Brüder, ohne Gleichen,
Keiner Göttin, keiner Ird'schen Sohn,
Herrscht ein andrer in des Äthers Reichen, etc.

War es möglich, diese Stelle zu lesen und sich nur einen Augenblick träumen zu lassen, daß sie auf einen wirklich existierenden, geoffenbarten Gott ginge, dessen Sohn auf Erden gewandelt hat und dessen ganze Familie weltbekannt ist? Von seinen Göttern rühmt der Dichter:

Selbst des Orkus strenge Richterwaage
Hielt der Enkel einer Sterblichen,

um den Vorzug dieses Anthropomorphismus vor einem metaphysischen Hirngespinste zu behaupten, also keineswegs, um einen andern anthropomorphistischen Lehrbegriff zu bestreiten. Haben Sie es vergessen, daß unser Weltrichter um einen Grad näher mit dem Menschengeschlechte verwandt ist? Jetzt werden Sie also Ihr Unrecht tief empfinden. Den Mann, der die demonstrierte Gottheit, das ist, mit andern Worten, den Atheismus so eifrig angreift; den Mann, der das Gefühl und nicht die kalte Vernunft zur Quelle der Gottesverehrung erhebt, den schimpften Sie einen Lästerer und Naturalisten? Sowohl das System, welches der Dichter verteidigt, als jenes, welches er erschüttert, sind im Westfälischen Frieden nicht begriffen, und man könnte sein Gedicht von dieser Seite mit den Totengesprächen in eine Klasse stellen. Es ist darin nur von den Toten die Rede, denen Konstantin der Große und Kant das Leben raubten. Nunmehr dürfte es Ihnen selbst vielleicht seltsam vorkommen, daß Sie ein Meisterstück der Fiktion – nicht auch als Fiktion behandelten. Was ich Ihnen bis hieher gesagt habe, berechtigt mich aber, für das Folgende Gehör zu erbitten.

Eine schöne, lange Reihe von Jahren – dies kann Ihnen so wenig als mir entgangen sein – war Griechenland höchst beglückt unter der Herrschaft seiner Götter; und wenn

Rom zuletzt diese herrlichen Freistaaten verschlang, so war das schwerlich Jupiters oder Apollons oder irgendeines Olympiers Schuld; sondern der Wohlstand, nach welchem alle Völker streben müssen und der sie alle, sobald sie ihn erlangt haben, innerlich verzehrt, dieser raffte auch die schönste Blüte der Menschheit dahin. Jenen Zeiten, wo die Geisteskräfte des edelsten Menschenstammes sich unter den günstigsten Verhältnissen entwickelten, jenen Zeiten, die nie wiederkommen werden, verdanken wir doch alles, was wir bis jetzt geworden sind. Mehr als eine Mutter und Amme war unserm Geiste Griechenland; und ob ich gleich die Zumutung äußerst unbillig finden würde, mich nie der Gesellschaft meiner Amme entziehen, ihre Märchen stets andächtig nachbeten und ihre Unfehlbarkeit nie bezweifeln zu müssen, so gestehe ich doch gern, daß die Erinnerung an meine Kinderjahre mir oft ein lebhaftes Vergnügen gewährt und daß ich nicht ohne Rührung und Dankbegierde an die gute, wenngleich nicht immer weise Pflegerin denke.

In diese Klasse von Empfindungen setze ich das Entzücken, womit ich Schillers Gedicht unzähligemal nacheinander las und womit es von meinen Freunden und Bekannten, ja überall, wohin es nur gekommen ist, gelesen ward. Mit jugendlich glühender Phantasie versetzt sich der Dichter in die Zeiten der Vorwelt, in ihre Denkungsart. Er wird hingerissen von den poetischen Schönheiten einer Fabellehre, welche der Jugend des Menschengeschlechts angemessen ist, lauter Szenen des tätigen, leidenschaftlichen Lebens schildert, nicht in transzendenten Worten, sondern in anschaulichen Bildern das Gefühl und nicht das Abstraktionsvermögen beschäftigt und statt Verneinungen begrenzte Ideale von menschlicher Schönheit und Vollkommenheit aufstellt. Indem ihn diese Gestalten der Einbildungskraft umschweben, kommt der Geist der Lieder über ihn und kleidet seine Anschauungen in Worte. Wer kennt den Zustand der Begeisterung besser als Sie, da Sie ihn als Entäußerung seiner selbst so treffend beschreiben? Wir hören nicht mehr unsern deutschen Mitbürger; ein Grieche würde so klagen, der nach Jahrtausenden erwachte und seine Götter nicht mehr fände: ein Grieche, dessen junge, in Bildern spielende Vernunft noch keinen Sinn hat für einen metaphysischen Gott. Dies ist das hohe Vorrecht des Dichters, mit jeder Seele sich identifizieren zu können. Dachten sich nicht die Schauspieldichter so an die Stelle eines jeden neuen Charakters in ihren unsterblichen Werken? Bei Ihrer Frage: »Hat der Dichter zwo Seelen?« waren Sie uneingedenk eines Vorrechts, das Ihnen selbst wohl eher zustatten kam und ohne welches wir keine lebendige *poetische* Darstellung hätten.

Da *die* Wahrheit, welche Sie in Schillers Gedicht vermissen, in jedem Kopfe anders modifiziert erscheint, mithin als *absolut* für die jetzt lebende Menschheit nicht existiert, warum sollte ich mich nicht an die *relative* Wahrheit halten, welche der Dichtung eigen ist und welche gerade in diesem, Ihnen so mißfälligen Werke des Genies allgemeines Entzücken erweckt, ja Ihnen selbst mit unwiderstehlicher Anmut den Tribut der Bewunderung entlockt? Die Wesen des Dichters sind Geschöpfe der Einbildungskraft, welche das wirklich Vorhandene innig auffaßt und wieder zu hellen, lebendigen Gestalten vereinigt. Natur und Geschichte sind die nie versiegenden Quellen, aus welchen er schöpft; sein innerer Sinn aber stempelt die Anschauungen und bringt sie als neugeprägte Bilder des Möglichen wieder in Umlauf. Keinen Gegenstand gibt es daher im weiten Weltall und in den mannigfachen Ereignissen der Vorzeit, dessen Darstellung nicht durch eines Dichters reines Feuer geadelt würde, aber auch keinen, der einer besudelten Einbildungskraft nicht frischen Zunder reichte. Aus derselben Blüte bereitet die Biene sich Honig und Gift. Dem Menschen ist die freie Wahl gelassen, welches von beiden er aus den Bildern, die sich seinem Anschauungsvermögen aufdringen, für sich einsammlen will. In dem vor uns liegenden Falle schuf der Dichter aus Götternamen und personifizierten Eigenschaften der Gottheit ein Ganzes, mit einer in Bildern schwelgenden, aber keiner verderbten Vorstellung fähigen Phantasie. Was geht es ihn an, wie tief hinab sich mancher mythologische Dichter senkte? Was würden Sie zu einer Messiade sagen, die ihre Bilder aus dem *Toldos Jeschu* entlehnte?

Lehrreich soll uns eine jede Dichtung sein; sie soll uns mit neuen Ideenverbindungen bereichern, das Gefühl des Schönen in uns wecken, unsere Geisteskräfte üben, schärfen, stärken, durch ihre glühend lebendige Darstellung uns Begriffe des Wirklichen in dem Gemälde des Möglichen zeigen. Die Gewalt des Dichters über die Gemüter besteht gänzlich in dieser schaffenden Energie seiner Seelenkräfte; durch sie rührt und erschüttert oder erweicht und entzückt er die harmonisch mit ihm fühlende Seele, nicht durch sein Lehrsystem, nicht durch einen besonderen ästhetischen Satz, den er etwa beweisen will. Liest wohl jemand Klopstocks Epopee als einen versifizierten Katechismus, und gefällt die *Gerusalemme* nur als ein Kompendium der christlichen Moral?

Vielleicht ist es mir geglückt, befriedigend genug zu zeigen, daß man Schillers *Götter Griechenlands* bewundern könne, ohne ihre fabelhaften Urbilder anbeten zu wollen. Ich wünschte, hier, wie überall, den Mißverstand hinwegzuräumen. Nicht die Äußerung Ihres Mißfallens, wofür ich Ihnen als freier Mann Dank weiß, sondern die Art des Benehmens, welche für Sie und andere von nachteiliger Wirkung ist, veranlaßte diese gutgemeinten Winke. Ihre öffentliche Darlegung ist Barmherzigkeit, verübt an manchem zarten Gewissen, welches vor dem schrecklichen Ruf des Wächters zusammenfuhr und alle die zerrüttenden Folgen empfand, die von der Entdeckung einer zuvor an sich selbst ungeahndeten Sündlichkeit unzertrennlich sind. Mein sei der süße Lohn, den schüchternen Kindern eines gütigen Vaters die Überzeugung wiedergeschenkt zu haben, daß ihre Freude über ein schönes Gedicht ihn kindlicher als die knechtische Furcht oder der unbefugte Eifer ehrt: denn die Qualen des Zweiflers, wenn sie auf jemanden zurückfallen müssen, so fallen sie nicht auf den, der einen Wahn bestreitet, sondern auf den Feind des Menschengeschlechts, der Seligkeit und Verdammnis daran knüpfte. Auf ihm allein haftet das Wehe! über den, der Ärgernis gibt; sonst hätte die Weisheit sich selbst verdammt, und der Weg zur Wahrheit bliebe auf ewig verschlossen. Ist aber nur die leere Furcht vor selbstgeschaffenen Schrecknissen besiegt, so können wir wieder ruhig empfinden, prüfen, überlegen, mit unserm Sinn und unserm Herzen zu Rate gehen. Am Ende halten wir uns doch an unser Gefühl und unsere Einsicht, in Ermangelung einer bessern und weil Sinn und Verstand eines andern – nicht die unsrigen sind; wir fordern aber auch von niemanden Gleichheit der Denkungsart und Glaubenseinigkeit und feinden niemanden an, der anderes Sinnes ist; nicht, daß wir den Indifferentismus affektierten, sondern weil wir überall das Bild der Wahrheit im Spiegel der Vernunft, bald mehr, bald weniger verzerrt, auch in der seltsamsten Strahlenbrechung noch ehren und von unserer eigenen Vernunft ohne die lächerlichste Inkonsequenz nicht glauben dürfen, daß sie allein untrüglich und ihr Spiel allein geradflächig sei.

Fühlen Sie demungeachtet den Beruf, die Ehre nicht sowohl der Gottheit als Ihrer Vorstellungsart zu retten? So würde ich Ihnen wenigstens wünschen, daß Sie mit einem so delikaten Subjekt als der Anthropomorphismus äußerst behutsam umgingen und sich ja wohl bedächten, was für einen Sie dem griechischen entgegenstellen. Der Begriff des Seins bleibt leer für uns, solange wir nichts Relatives hineinlegen; obschon das Sein alles erschöpft. Denken Sie sich aber einen Gott mit Attributen, so wird er menschlicher, Sie bringen ihn sich und sich ihm näher, und Schillers Worte werden wahr:

Da die Götter menschlicher noch waren,
Waren Menschen göttlicher.

Für den erkünstelten Zustand der kalten Besonnenheit gehört freilich diese Vorstellungsart nicht; allein die leidenschaftlichen Stunden, wo wir alles personifizieren, sind nicht die unglücklichsten für phantasierende Geschöpfe wie wir. Jeder Frühling und jede Blüte, der Mann von Genie und seine Dichtungen, alles, alles ist für mich in solchen Stunden eine herrliche Offenbarung!

Genügen Ihnen diese Offenbarungen und meine Erinnerungen nicht, so bleibt Ihnen ein ziemlich unbetretener Weg noch übrig. Setzen Sie Ihren Lehrbegriff in das helle Licht, welches jetzt die Götter Griechenlands in Schillers Liede umfließt; bieten Sie alle Kräfte auf zu einem unsterblichen Gesange, der Ihres Gegners Talente verdunkelt und seinen Zauber auflöst. Den Beistand der neun Schwestern dürfen Sie zwar nicht dazu erflehen; allein wer weiß, ob nicht eine uns unbekannte Muse auch in Ihrem Himmel wohnt?

Johann Georg Forster

VOM IDEAL

1790

Die Rose, sagen wir, ist die schönste unter den Blumen, und ein ziemlich allgemeines Wohlgefallen an ihrer Gestalt scheint dieses Urteil zu bestätigen. Ich weiß nicht, ob der göttliche Apoll, oder wähle Dir, welches andere Ideal Du willst, ob dieses ebenso allgemein durch übereinstimmendes Gefühl als Inbegriff der menschlichen Schönheit anerkannt und angenommen wird; aber das weiß ich, daß der Mensch, vor allen anderen Gegenständen der Natur, einer wahrhaften Idealisierung fähig ist, indem das Ideal, welches der Künstler entwirft, zugleich mit dem richtigen Verhältnisse des menschlichen Körpers als einer besonderen Tiergattung auch die Sittlichkeit des Menschen, als mitempfunden, darstellen muß. Von keinem andern Wesen wissen wir die Bestimmung, die relative Zweckmäßigkeit und folglich die subjektive Vollkommenheit so genau und bestimmt in allen ihren Momenten anzugeben wie von uns selbst, von keinem andern Wesen wissen wir aus vielfältig gesammelter Erfahrung den Begriff dieser Vollkommenheit mit einer tiefempfundenen Vollkommenheit der Form zu paaren. Den physiognomischen Sinn, so unmöglich es ist, ihm eine Methodik unterzulegen, können wir uns selbst nicht ableugnen, aber es bedarf keines Erinnerns, daß er vom Menschen zum Menschen ungleich wirksamer ist als in Beziehung auf die Qualitäten der Tiere und Pflanzen und deren Signaturen (laß mir das mystische Wort nur hingehen) in der äußeren Gestalt. Es scheint uns zwar oft gar etwas Verächtliches um die Bestimmung der mancherlei Wesen, die zugleich mit uns die Erde bewohnen, wir wähnen auch wohl uns selbst als letzten Zweck des Daseins aller Dinge um uns her. Allein ein geringer Grad von Naturkenntnis kann uns aus diesem Irrtum reißen. Überall stoßen wir auf Organisationen, die wir noch nicht kennen, die wir nicht zu brauchen wissen, deren Verhältnis zu den übrigen Erdenwesen uns rätselhaft bleibt; und wollen wir die Augen öffnen, so wird sich uns täglich und stündlich die Überzeugung aufdrängen, daß wir von der Art zu sein, zu genießen, des Daseins froh zu werden und seine Bestimmung zu erreichen, eines jeden andern Dinges, außer dem Menschen selbst, auf dem Wege der Empfindung nichts Vollständiges erfahren können, indem die Natur alles Identifizieren mit fremden Gattungen unmöglich macht. Ein Wesen aber, mit dessen Organen wir nicht empfinden, in dessen Lage wir uns nicht hinein denken und hinein ahnden können, von dessen innerer Vollkommenheit können wir uns auch kein Ideal abstrahieren, und dieses ebenso wenig mit dem Gefühl, das wir von der Schönheit seiner Gestalt haben, in eine Harmonie bringen oder mit einer bestimmten Form bezeichnen.

Den Menschen können wir idealisieren, darum bleibt er allerdings der höchste Gegenstand der bildenden Kunst.[1] Wie nun aber das Ideal gestaltet sein müßte, das die gesamte Gattung vorstellen sollte, ist darum noch nicht ausgemacht. Wenn wir darin übereinstimmen, daß es über die individuelle Natur hinausgehen und, was von Vollkommenheiten in einzelnen Personen durch das ganze Geschlecht zerstreuet ist, zu einem harmonischen Ganzen vereinigt, darstellen müsse, so wird uns bei der Ausführung immer eines jeden individueller Schönheitssinn im Wege stehen, und jeder Künstler, wie er selbst moralisch groß oder klein ist, wie er auffassen, teilnehmen und mitteilen kann, wie er Gelegenheit hatte, das einzelne Vortreffliche

[1] S. meinen Aufsatz: Die Kunst und das Zeitalter, in dem neunten Heft der Thalis.

zu sammlen und zu vergleichen, wird uns das Ideal seiner Phantasie mit andern Zügen schildern. Fürwahr also eine höchstverwickelte Aufgabe, da, wo sich alle zuletzt auf ein unwillkürliches Gefallen und Nichtgefallen berufen, einen Ausspruch wagen, eine Wahl treffen zu müssen, zumal da der Fall des Kenners, des Kunstliebhabers und überhaupt eines jeden, der sich auf die Beurteilung eines Kunstwerkes einläßt, von dem Falle des Künstlers insofern nicht verschieden ist, daß jeder von ihnen zu dieser Beurteilung andere Fähigkeiten und Fertigkeiten mitbringt.

Auf etwas Gemeinschaftliches, auf eine gewisse Übereinstimmung des Gefühls gründet sich indessen doch das Bestreben eines jeden Künstlers, die tiefempfundene Schönheit darzustellen. Es ist unstreitig, daß die Empfindung des Wohlgefallens bei den meisten Menschen nach einer gewissen Analogie berechnet werden kann. Völker, deren Bildung, Erziehung, Sitten und Wohnsitze sich ähnlich sind, werden im allgemeinen über Gegenstände der Sinne ein übereinstimmendes Urteil fällen und in ihren Empfindungen von Gerüchen, Gestalten, Tönen und Geschmacksarten miteinander harmonieren. Die eigentliche Schwierigkeit entsteht erst dann, wenn Schönes mit Schönem verglichen und Grade des mehr oder minder Gefälligen angegeben werden sollen. Alsdann zeigt es sich, daß wir zur Bildung des Geschmacks, als des lichten Kunst- und Schönheitssinnes, ebensowohl Übung bedürfen und den Beistand unserer übrigen Gemütskräfte hinzurufen müssen, wie es zur Vervollkommnung irgendeines andern Gebrauches dieser Kräfte nötig ist. Weil nun aber das Wesen des Ideals es mit sich bringt, daß es ein Abdruck der sittlichen Vollkommenheit in sinnlich anschaulichen Formen sei, so scheinen zur Hervorbringung eines solchen höchstvollendeten Werkes der menschlichen Kunst dreierlei Requisite in der Person des Künstlers zusammentreffen zu müssen: erstlich eine reiche Ausstattung mit jenen überlegenen Seelenkräften, in deren Fülle und Harmonie schon individuelle Größe und subjektive Vollkommenheit gegeben ist; zweitens Schauplatz und Gelegenheit zur zartesten Entwicklung und Ausbildung dieser innern Energie, höchste sittliche Kultur; drittens hohe Darstellungsgabe und innerer Trieb sowohl als äußere Veranlassung, sie in Wirksamkeit zu versetzen.

Der Geschmack, womit das Ideal der Schönheit beurteilt werden muß, wenn anders seine Aussprüche unparteiisch sein sollen, setzt in demjenigen, der ihn besitzt, das Vermögen voraus, zwischen dem Wohlgefallen am Schönen und einem jeden anderen Interesse, welches der Verstand oder auch die Begierde an einem schönen Gegenstande nehmen können, zart und rein zu unterscheiden. Die Empfindung, die das Schöne in uns hervorbringt, ist vom Reize unabhängig und zugleich durch keine Operation der Vernunft erklärbar. Vielleicht ist dies der Grund, weshalb der höchste Schwung, den die bildende Kunst zur Erreichung des Ideals sich je gegeben hat, in den mythologischen Statüen der Alten zu suchen ist, teils weil ihr Gegenstand hinausragte über den gewöhnlichen Stand aller menschlichen, wirklich existierenden Vollkommenheit, teils weil die Bildhauerei – das abgerechnet, daß sie das Materielle dem Gefühl und dem Auge zugleich Preis gibt – jene vollkommene Ruhe notwendig macht, welche die Betrachtung des Schönen begünstigt, indem sie uns durch keinen pathognomischen Eindruck unterbricht. Es war eine glückliche Übereinstimmung der Kunstideen mit dem Religionssystem jener Völker, daß man diese Muster der übermenschlichen Schönheit und Vollkommenheit zu Gegenständen der Anbetung erhob und ihnen dadurch neben ihrem ästhetischen Werte, der nur von wenigen rein empfunden werden konnte, zugleich für das Volk ein näherliegendes Interesse gab. Dies, verbunden mit so vielen andern Begünstigungen, womit Verfassung, Klima, Lebensart und vor allem angestammter Reichtum der Organisation dem Griechen zustatten kamen, wirkte kräftig und ohne ein zweites, wetteiferndes Beispiel in der Geschichte, zur Ausbildung des Geschmacks und zur Erzeugung jenes allgemeinen zarten Kunst- und Schönheitssinnes, für welchen namentlich der atheniensische Demos so berühmt geworden ist.

Bei uns ist der reine Kunstgeschmack in Ermangelung alles dessen, was ihn bilden, vervollkommnen und allgemein entwickeln konnte, nur auf wenige einzelne Menschen eingeschränkt. Der Anblick der bloßen Schönheit ohne einiges Interesse ermüdet den großen Haufen der Künstler und Kenner, die nicht mehr das Knie vor ihr beugen, ihr huldigen und Schutz und Gaben von ihr erflehen. Die idealisierten Götter und Göttinnen sind nicht mehr, Menschen von bestimmten, individuellem Charakter, Menschen, durch herrschende Leidenschaften und Gemütsarten bezeichnet, sind an ihre Stelle getreten. Die Kunst mußte also ihrem ersten, wahren Endzweck, der Darstellung des Idealisch-Schönen, ungetreu werden oder ihre gewohnte Wirkung verfehlen und auf alle Herrschaft über die Gemüter Verzicht tun. Das Letzte wäre nur in dem einen Falle möglich gewesen, wenn der Geist des Zeitalters nicht auf den Künstler gewirkt hätte, wenn, von Zeit und Umständen unabhängig, der künstlerische Genius, in abstrakter Vollkommenheit schwebend, mitten unter Christen ein Grieche geblieben wäre.

Aber Veränderung und Wechsel sind ja die Devisen unseres so schief in seiner Bahn kreiselnden Planeten! Der ewige Reihentanz bringt immer neue Verhältnisse, neue Verwicklungen, neuen Kampf unserer Kräfte mit den Kräften des Weltalls hervor; und, frei heraus bekannt, wäre nicht der Dienst der schönen Ideale gestürzt, so hätten wir noch keinen Raffael, keinen Tizian und keinen Correggio, wir hätten in der Kunst keine individuelle menschliche Schönheit, keinen Farbenzauber und keine Anmut. Du wirst mich der Paradoxie beschuldigen, aber ich will es hier in Gegenwart der großen Namen, die ich eben nannte, gleichsam unter ihrer Fahne beteuern, daß, weil einmal dem also ist, es auch für uns noch allenfalls am besten sei. Was sollen uns die alten Lappen, wären sie auch noch so schön, auf dem neumodigen Kleide? Griechische Gestalten und griechische Götter passen nicht mehr in die Form des Menschengeschlechtes, sie sind uns so fremd wie griechisch ausgesprochene Laute und Namen in unserer Poesie. Es mag seine Richtigkeit haben mit der göttlichen Vollkommenheit der beiden Meisterwerke des Phidias, seiner Minerva und seines Jupiters, aber je majestätischer sie da säßen oder ständen, das hehre Haupt für unsern Blick angrenzend an den Himmel: desto furchtbarer unserer Phantasie; je vollkommnere Ideale des Erhabenen: desto befremdlicher unserer Schwachheit. Menschen, die für sich allein stehen konnten, hatten keckes Bewußtsein genug, um jenen Riesengottheiten ins Auge zu sehen, sich verwandt mit ihnen zu fühlen und sich um dieser Verwandtschaft willen ihren Beistand im Notfall zu versprechen. Unsere Hülfsbedürftigkeit ändert die Sache. Wir darben unaufhörlich und trotzen nie auf eigene Kräfte. Einen Vertrauten zu finden, dem wir unsere Not mit uns selbst klagen, dem wir unser Herz mit allen seinen Widersprüchen, Verirrungen und geheimen Anliegen ausschütten, dem wir durch anhaltendes Bitten und Tränenvergießen, wie wir selbst geduldig und mitleidig sind, ohne ihn zu ermüden, Beistand und Mitleid ablocken können: dies ist das Hauptbedürfnis unseres Lebens, und dazu schaffen wir uns Götter nach unserem Bilde. In dem nächsten Kapellchen kann ich die Überzeugung finden, daß die unbegreifliche Gottheit selbst schwerlich irgendwo mit dem herzlichen Vertrauen angerufen wird, womit eifrige Christen hier zu den Heiligen beten, die einst Menschen waren wie sie. Dies ist Stimme der Natur, trotz allem, was die Philosophie, die nur in Abstraktionen lebt, darüber dogmatisieren mag. Gleichheit ist die unnachläßliche Bedingung der Liebe. Der Schwache kann das Vollkommene nicht umfangen, er sucht ein Wesen seiner Art, von dem er verstanden und geliebt werden, dem er sich mitteilen kann.

Zu diesem Menschengeschlechte nun gehören unsere Künstler, und für dasselbe arbeiten sie. Von Griechenlands Idealen ist genau noch so viel übrig geblieben, daß es ihnen zu einem Fingerzeige dienen kann, wohinaus vor diesem der Weg der Kunst liegen mochte. Mit dem Sinne für das hohe Schönheitsideal ist aber auch die Möglichkeit, es wieder zu erreichen, verschwunden. Die Mannigfaltigkeit des Individuellen ersetzt uns indes diesen kaum mehr empfundenen Verlust. Einzelne aus der Natur gegriffene Charaktere mit Beibehaltung ihrer Individualität zu idealisieren, oder mit einem Abglanze des Schönen auszuschmücken, welcher hinreicht, die Empfindung des Wohlgefallens zu erregen, dies ist das Ziel der neueren Kunst. Also arbeitet sie auch nicht mehr für den reinen ästhetischen Sinn, vielmehr, um ihrer Wirkung gewisser zu sein, intrigiert sie durch Handlung den Verstand und besticht unser Begehrungsvermögen durch den Reiz der Grazien. Wir sind es schon so gewohnt, dem Künstler in dieser Richtung zu folgen, daß oft die bloße Nachahmung des Natürlichen, ohne den mindesten Versuch zum Idealisieren, unsere Forderungen befriedigt, oft die Erdichtung der Beziehungen, in denen man uns eine Handlung darstellt, völlig hinreicht, uns über die gänzliche Abwesenheit alles Schönen zu beruhigen. Eine unausbleibliche Folge dieser Verrückung des eigentlichen Kunstziels ist die Abzweigung der Kunst in so manche ganz verschiedene Darstellungsarten, womit es endlich dahin gekommen ist, daß insbesondere der jetzigen Malerei kein Gegenstand in der Natur, der nur mit Farben sich bezeichnen läßt, außerhalb ihrer Grenzen zu liegen scheint.

Wenn aber hier und dort unter den Künstlern eine große Seele hervorgeht, so wird sie nach ihrem angeborenen inneren Adel das Schöne dennoch ahnden, ihm nachstreben und sich zuweilen, ungeachtet aller Hindernisse, dem vorgesteckten Ziele nähern. Die physische Natur und die Stufen der sittlichen Ausbildung verschiedener Völker müssen diesen Flug des Genius entweder begünstigen oder hemmen. Italien! Reizendes Italien! Noch sah ich dich nicht! – Italien ist reich an den Trümmern der altgriechischen Kunst, und seinen Bewohnern hat der mildere Sonnenstrahl, zugleich mit einer gewissen Unabhängigkeit von manchem klimatischen Bedürfnisse, auch ein reiches Maß von Spontaneität und Empfänglichkeit zugeteilt. Was ich von dorther kommen sah, es sei nun Gemälde, Gedicht oder Gesang, das hat einen Zauber, der das Auge fesselt wie das Ohr und den Sinn auflöst in Entzücken. Wenn ich hier in den Saal trete, wo die Werke italienischer Meister mit flammändischen untermischt, meinem Blicke begegnen – mir ist zu Mute wie einem Europäer, der nach einem langen Aufenthalt im Orient endlich einen näher mit ihm verwandten Menschen erblickt; er untersucht nicht erst, ob der Fremde ein Deutscher, ein Franzose, ein Engländer, ein Spanier, ob er ketzerisch oder rechtgläubig sei: genug, es ist ein Franke, dessen Sinnes- und Denkungsart den seinigen gemäßer sind, der ihn und den auch er besser versteht.

JOHANN GEORG FORSTER

VORREDE ZU »SAKONTALA ODER DER ENTSCHEIDENDE RING«

1791

Die indische Literatur ward in England schon vor einigen Jahren ein Gegenstand der Wißbegierde, und nichts ist begreiflicher als die Wärme, womit man sich dort für die Kenntnisse und Vorstellungsarten eines Volks interessiert, von welchem funfzehn Millionen unter dem britischen Zepter stehen. Die Erscheinung eines dramatischen Werks aus Indien, welches ein neunzehnhundertjähriges Alter für sich hat, war also bei der bereits in Umlauf gekommenen näheren Kenntnis von jenem Lande hinreichend, auch ohne Rücksicht auf den Inhalt, die allgemeine Aufmerksamkeit zu erregen, die ohnehin in einer Stadt, wo sieben bis achtmalhunderttausend Menschen beisammen wohnen, so leicht gespannt werden kann.

In Deutschland verhält es sich anders. Wir haben keine Hauptstadt und kein näheres Interesse, das den Geisteswerken der Indier eine äußere Wichtigkeit des Augenblicks verleihen kann. Daher entbehrt unser Publikum, vielleicht weil das Gesetz des Geschmacks nur in einer verfeinerten Hauptstadt entstehen und herrschend werden kann, jenen in reizbaren Mechanismus übergegangenen Kunstsinn, der es wenigstens vor einer lächerlichen Hochschätzung des Erbärmlichen sicherstellen könnte, wenn auch seine schulgerechte Strenge gar oft die regellose, genialische Schönheit verkennt, und nur als seltene, vereinzelte Gabe findet sich unter uns die künstlerische Unbefangenheit, womit die reine Phantasie sich alle noch so fremde Formen aneignen und das Schöne in jeder Beziehung auffassen kann, ohne sich selbst der Herrschaft der edelsten Form zu entziehen. Gleichwohl hat uns geographische Lage, politische Verfassung und so manches mitwirkende Verhältnis den eklektischen Charakter verliehen, womit wir das Schöne, Gute und Vollkommene, was hier und dort in Bruchstücken und Modifikationen auf der ganzen Erdoberfläche zerstreut ist, uneigennützig um sein selbst willen erforschen, sammeln und so lange ordnen sollen, bis etwa der Bau des menschlichen Wissens vollendet dasteht – oder unsere Rolle gespielt ist – und künftige Menschenalter die Steine, die wir zusammentrugen, zu einem neuen Gebäude brauchen.

Diese allgemeine Empfänglichkeit ist es, die uns in Stand setzt, den Werken des Geschmacks, gleichviel von welcher Nation, wenn sie nur wahre Vorzüge besitzen, wirklich zu huldigen, dahingegen es Franzosen, Engländern und Italienern so schwer, ja fast unmöglich wird, sich in eine andere Denkungs- und Empfindungsart, in andere Sitten und Gewohnheiten als die ihrigen zu versetzen. Ihr Genuß ist einseitig und konventionell, der unsrige kann allgemein und philosophisch sein, sie suchen nur unmittelbare Befriedigung ihres Geschmacks, wir hingegen fühlen uns auch hier am liebsten im Verstande, wir genießen auch in Werken der Kunst den Zuwachs unseres Wissens. Ohne jemandem einen Vorwurf daraus zu machen, daß er anders empfindet, ohne selbst ihm die speziellen Vorzüge seiner Empfindungsart streitig zu machen, können wir mit der unsrigen zufrieden sein. Wie das vortrefflichste Instrument nicht eher seine Wirkung tut, als bis es so meisterhaft berührt wird, daß seine verborgensten, zartesten Töne hervorgehen, so ist auch der Mensch mit den edelsten, reichsten Anlagen eher nicht auf der Annäherung zu dem möglichsten Grade seiner Vervollkommnung begriffen, als bis er alle Eindrücke, welche die Erfahrung ihm geben kann, wirklich empfangen hat und von ihrer Harmonie gleichsam wiedertönt. Je edler also der Mensch oder je empfänglicher und wirksamer zugleich, desto begieriger muß er Vorstellungen auffassen und einsammeln, um sich daraus das Ganze der äußeren Welt in vollkommnerem Zusammenhange wiederherzustellen. Die Einsammlung von Erfahrungen aller Art, teils unmittelbar mit eigenen Sinnen, teils mittelbar durch die Schriftzüge, wird folglich die Vorbereitung zur zweckmäßigsten Anwendung unsres Hierseins, und wenn unsere Neigung mit den vernünftigen Vorstellungen, die wir von unserer Bestimmung haben, übereinstimmt, so dürfen wir uns im Vergleich mit andern Völkern über eine stiefmütterliche Behandlung der Natur wenigstens nicht beklagen.

Jedes Land hat seine Eigenheiten, welche auf die Geisteskräfte und auf die Organisation der Einwohner zurückwirken. Aus diesen sehr verschiedenen Individualitäten, wenn wir sie vergleichen und das Allgemeine vom Lokalen absondern, entwickeln wir uns den richtigeren Begriff der Menschheit. Durch wissenschaftliche Verfeinerung in Kenntnissen und Sitten zu einer künstlich abgemessenen, raisonierten Lebensweise gestimmt, könnten wir aber leicht des einfachen Naturgefühls entwohnen, wenn wir es nicht in den Geisteswerken solcher Nationen wiederfänden, die bis zu unserer komplizierten Ausbildung nicht hinangestiegen sind. Aus diesem Gesichtspunkte darf uns die Literatur der Indier nicht gleichgültig sein. Hier öffnet sich unserm Gefühl und unserer Phantasie ein ganz neues Feld, eine vorzüglich schöne Individualität des menschlichen Charakters.

Es wäre hier der Ort, von dem Eigentümlichen der indischen Dichtung zu sprechen und den Leser durch leichte Umrisse der allgemeinen Geistesbildung jenes merkwürdigen Volks, soweit sie durch die neueren Bemühungen der Engländer bekannt ist, auf den rechten Gesichtspunkt zu führen, aus welchem die nachstehende, aus der alten heiligen Sprache der Indier übersetzte dramatische Schrift beurteilt zu werden verdient. Man könnte, um diesem Entwurf noch einiges Interesse zu geben, teils diesen Menschenstamm und seine lokalen Verhältnisse charakterisieren, teils die Berührungspunkte aufsuchen, wo die Phantasie sowohl als die Vernunft und der Sinn alter und neuer Völker mit den indischen zusammentreffen. Vielleicht wäre es sogar nötig, von einer zu raschen Vergleichung der Kunstprodukte eines so entfernten, so von europäischen Sitten abgeschiedenen Volks mit den unsrigen und vor der Anwendung unserer Regeln auf etwas, das ohne einen Begriff von diesen Regeln entstand, recht ernstlich zu warnen. Die Billigkeit forderte wohl, daß man es deutlich auseinandersetzte, wie die Verschiedenheit der indischen Mythologie, Geschichte und Sitten von der griechischen zum Beispiel den Kunstwerken jenes Landes eine uns ungewohnte Gestalt und Maschinerie verleihen müsse, wie aber das Interessante eines solchen Werks gar nicht darin bestehe, ob es fünf oder sieben Aufzüge habe, sondern daß die zartesten Empfindungen, deren das menschliche Herz fähig ist, sich so gut am Ganges und bei dunkelbraunen Menschen wie am Rhein, am Tiber, am Ilissus bei unserem weißen Geschlechte äußern konnten.

Allein die Umstände wollen jetzt unserer *Sakontala* diesen begleitenden Schutz nicht gestatten. In einem gesitteten Lande wird man der sanften, schüchternen Fremden ja nichts zuleide tun? Vielleicht wird man sogar sie um ihrer selbst willen liebgewinnen und ihr die edle Gastfreundschaft ihres eigenen Vaterlandes nicht vermissen lassen. Alsdann ist es immer noch Zeit, ihr künftig jene Begleitung als Ehrenwache beizugeben.

Friedrich Schlegel

GEORG FORSTER

Fragment einer Charakteristik der deutschen Klassiker

1797

Über nichts wehklagt der Deutsche mehr als über Mangel an Deutschheit. »Wir haben siebentausend Schriftsteller«, sagt Georg Forster (Kl. Schr. III, S. 362), »und noch gibt es in Deutschland keine öffentliche Meinung.« In der Tat, wenn die Sache nicht einmal in Regensburg in Anregung gebracht und allen Untertanen ein Nationalcharakter von Reichs wegen befohlen wird oder wenn es nicht etwa einem Sophisten der Reinholdischen Schule gefällt, die allgemeingültigen Prinzipien der Deutschheit allgemein geltend zu machen, so hat es allen Anschein, daß die Deutschheit noch geraume Zeit nur ein gutherziges Postulat oder ein trotziger und verzagter Imperativ bleiben werde.

Über notwendige Übel soll man nicht jammern. Ebensowenig fruchtet neidische Anfeindung der Nachbaren, kindisch erkünstelte Selbstvergötterung und eigensinnige Verbannung des Fremden, welches so oft ein wesentlicher Bestandteil zu der neuen Mischung ist, durch welche wir allein noch zu eigener Vortrefflichkeit gelangen können. Selbst die an sich rühmliche und nützliche Erneuerung kann den Zweck nicht erreichen, welchen die meisten doch wohl dabei gehabt haben mögen. Was mit unsrer jetzigen Bildung, denn in dieser allein besteht doch unser eigentümlicher Wert, gar keinen Zusammenhang mehr hat, ist nicht bloß alt, sondern veraltet. Alle echte, eigne und gemeinschaftliche Bildung, welche noch irgend in Deutschland gefunden wird, ist, wenn ich so sagen darf, von heute und gestern und ward fast allein durch Schriften entwickelt, genährt und unter den Mittelstand, den gesundesten Teil der Nation, verbreitet. Das allein ist Deutschheit; da ist die heilige Flamme, welche jeder Patriot hell und stark zu erhalten und zu vermehren an seinem Teil streben sollte! Jeder klassische Schriftsteller ist ein Wohltäter seiner Nation und hat gerechte Ansprüche auf ein öffentliches Ehrendenkmal. Ein Denkmal: aber nicht eben in Erz oder Marmor; auch kein Panegyrikus. Das schönste Denkmal für einen schriftstellerischen Künstler ist, daß sein eigentlicher Wert öffentlich anerkannt wird, daß alle einer allgemeinen Ausbildung Fähige immer wieder mit Liebe und Andacht von ihm lernen, daß einige die Eigentümlichkeit seiner Geisteswerke bis auf die feinsten Züge durchforschen und verstehen lernen.

Es will verlauten: Wir hätten keine klassischen Schriftsteller, wenigstens nicht in Prosa. Einige haben's laut gesagt, aber tölpisch. Andere wollen dem gemeinen Mann das Untere der Karten nicht sehen lassen und reden leise. Wenn wir nur recht viel klassische Leser hätten, einige klassische Schriftsteller, glaube ich, fänden sich noch wohl. Sie lesen; viel und vieles, aber wie und was? Wie viele gibt es denn wohl, welche, auch nachdem der Reiz der Neuheit ganz vorüber ist, zu einer Schrift, die es verdient, immer von neuem zurückkehren können, nicht um die Zeit zu töten noch um Kenntnisse von dieser oder jener Sache zu erwerben, sondern um sich den Eindruck durch die Wiederholung schärfer zu bestimmen und um sich das Beste ganz anzueignen? Solange es daran fehlt, muß ein reifes Urteil über geschriebene Kunstwerke unter die seltensten Seltenheiten gehören. Daß einsichtsvolle Bemerkungen über Bilder, Gemälde und Produkte der Musik verhältnismäßig so ungleich häufiger sind, entspringt gewiß größtenteils daher, daß hier die

Dauer des Stoffs und der lebendigere Reiz schon von selbst zur öfteren Wiederholung einladet.

Es soll Philosophen geben, welche glauben, wir wüßten noch gar nicht, was Poesie eigentlich sei. Dann könnten wir auch durchaus gar nicht wissen, was Prosa ist, denn Prosa und Poesie sind so unzertrennliche Gegensätze wie Leib und Seele. Vielleicht auch nicht, was klassisch. Und jenes unbesonnene Todesurteil über den Genius der deutschen Prosa wäre also um vieles zu voreilig.

Zwar in einem gewissen Sinne, der wohl der eigentliche und ursprüngliche sein mag, haben alle Europäer keine klassischen Schriftsteller zu befürchten. Ich sage, befürchten, denn schlechthin unübertreffliche Urbilder beweisen unübersteigliche Grenzen der Vervollkommnung. In dieser Rücksicht könnte man wohl sagen: der Himmel behüte uns vor ewigen Werken. Aber die Menschheit reicht weiter als das Genie. Die Europäer haben diese Höhe erreicht. Es kann fernerhin kein schriftstellerischer Künstler so nachahmenswürdig werden, daß er nicht einmal veralten und überschritten werden müßte. Der reine Wert jedes einzelnen wirkt ewig mit fort, aber die Eigentümlichkeit auch des Größten verliert sich in dem Strome des Ganzen. Wenn wir aber unter klassischen Schriften einer Nation nur solche verstehen, die in irgendeiner nachahmenswürdigen Eigenschaft noch nicht übertroffen sind, bis dahin also Urbilder bleiben sollen, so haben die Deutschen deren so gut wie die übrigen gebildeten Völker Europas. Auch solche, die eigentlich der Nation angehören und durch ihre Allgemeinheit in Gehalt und Geist ein eigentümliches, bleibendes Gemeingut aller bildungsfähigen Mitbürger einer Sprache sind, wenngleich weniger wie andre Nationen. Sollen nämlich klassische Schriften es nicht bloß für diese oder jene Zunft, sollen sie allgemeine Urbilder sein, so muß die Bildung, welche sie mitteilen, nicht bloß eine echte, aber einseitige und bei gewissen Grenzen schlechthin stillstehende oder wohl gar umkehrende, sondern eine ganz allgemeine und fortschreitende sein, so muß ihre Richtung und Stimmung den Gesetzen und Forderungen der Menschheit entsprechen.

Auch in Prosa. Ja, eigentlich künstlerische Schriften sind wohl in unserm Zeitalter weit weniger geschickt, ein gemeinsames Eigentum aller gebildeten und bildungsfähigen Menschen zu sein. Zwar wirkt jene liebliche Naturpoesie, welche vielmehr ein freies Gewächs als ein absichtliches Kunstwerk ist, auf alle, die nur allgemeinen Sinn haben, auch ohne besonders ausgebildetes Kunstgefühl; und auch der Roman geht darauf aus, die geistige, sittliche und gesellschaftliche Bildung wieder mit der künstlerischen zu vereinigen. Aber jene zarten Pflanzen wollen nicht auf jedem Boden wild wachsen noch die Verpflanzung ertragen oder in Treibhäusern eingehen. Der höfliche Sprachgebrauch nennt auch vieles Poesie, was weder schönes Naturgewächs noch schönes Kunstwerk, sondern bloße Äußerung und Befriedigung eines rohen Bedürfnisses ist. Sie ist allgemein, aber nicht im guten Sinne; nämlich, sie arbeitet für die große Mehrheit der Bildungslosen. Und der Roman ist in der Regel wie ein lockrer Gesell, der unglaublich geschwind lebt, alt wird und stirbt. Überhaupt kann jede menschliche Kraft nur durch entschiedne Absonderung von allen übrigen zu echter Bildung gedeihen: jede solche Trennung des ganzen Menschen aber ist nicht für alle, sie erfordert mehr und leistet weniger als zu einer allgemeinen Bildung notwendig ist.

Unter allen eigentlichen Prosaisten, welche auf eine Stelle in dem Verzeichnis der deutschen Klassiker Anspruch machen dürfen, atmet keiner so sehr den Geist freier Fortschreitung wie Georg Forster. Man legt fast keine seiner Schriften aus der Hand, ohne sich nicht bloß zum Selbstdenken belebt und bereichert, sondern auch erweitert zu fühlen. In andern, auch den besten deutschen Schriften, fühlt man Stubenluft. Hier scheint man in frischer Luft, unter heiterm Himmel, mit einem gesunden Manne, bald in einem reizenden Tal zu lustwandeln, bald von einer freien Anhöhe weit umherzuschauen. Jeder Pulsschlag seines immer tätigen Wesens strebt vorwärts. Unter allen noch so verschiednen Ansichten seines reichen und vielseitigen Verstandes bleibt Vervollkommnung der feste, durch seine ganze schriftstellerische Laufbahn herrschende Grundgedanke; ohngeachtet er darum nicht jeden Wunsch der Menschheit für sogleich ausführbar hielt (Ans. I., S. 351 f.).

Fesseln, Mauern und Dämme waren nicht für diesen freien Geist. Aber nicht der Name der Aufklärung und Freiheit, nicht diese oder jene Form war es, woran er hing. Er erkennt und ehrt in seinen Schriften jeden Funken vom echten Geist gesetzlicher Freiheit, wo er ihn auch trifft: in unumschränkten Monarchien wie in gemäßigten Verfassungen und Republiken, in Wissenschaften und Werken wie in sittlichen Handlungen, in der bürgerlichen Welt wie in der Erziehung und deren Anstalten (Ans. III., S. 221 f.). Er redet für die Öffentlichkeit der bürgerlichen Rechtspflege (Ans. III., S. 32) so warm wie gegen den gelehrten Zunftzwang und das Berufen auf das Wort des Meisters (Kl. Schr. IV., S. 369, 381 f.). Auch das Vorurteil sollte nicht mit Gewalt bekämpft werden. Mit edlem männlichen Eifer widersetzte er sich in der köstlichen Schrift *Über Proselytenmacherei* der verfolgungssüchtigen Beschränktheit handwerksmäßiger Aufklärer, welche selbst in der Dämmerung tappen. Ihm stand es an zu sagen (Kl. Schr. III., S. 226 f.): »Frei sein heißt Mensch sein.«

Bei jener rührenden Schilderung in den *Ansichten* (II., S. 233), wie er, nach seiner Trennung von zwölf Jahren, das Meer, gleich einem alten Freunde, zum ersten Male wieder begrüßt habe, sagt er die merkwürdigen Worte: »Ich sank gleichsam unwillkürlich in mich selbst zurück, und vor meiner Seele stand das Bild jener drei Jahre, die ich auf dem Ozean zubrachte und die mein ganzes Schicksal bestimmten.« Für seinen Geist war die

Weltumseglung vielleicht die wichtigste Hauptbegebenheit seines Lebens: dagegen die Trennung von Deutschland auf seine letzten Schriften keinen bedeutenden Einfluß gehabt; wohl aber, wider Recht und Billigkeit, auf die Beurteilung selbst der früheren. War seine Reise mit Cook wirklich der Urkeim, aus welchem sich jenes freie Streben, jener weite Blick vielleicht erst später völlig entwickelte, so möchte man wünschen, daß junge Wahrheitsfreunde statt der Schule häufiger eine Reise um die Welt wählen könnten, nicht etwa nur, um die Verzeichnisse der Pflanzen zu bereichern, sondern um sich selbst zur echten Lebensweisheit zu bilden.

Eine solche Erfahrung, bei solchen ursprünglichen Anlagen, einer offnen Empfänglichkeit, einem nicht gemeinen Maß analytischer Vernunft und stetem Streben nach dem Unendlichen, mußte in der Seele des Jünglings den Grund zu jener Mischung und steten Verwebung von Anschauungen, Begriffen und Ideen legen, welche die Geisteswerke des Mannes so merkwürdig auszeichnete. Immer achtet er den Wert einer universellen Empfänglichkeit (Kl. Schr. V., S. 27) und lebendiger Eindrücke aus der Anschauung des Gegenstandes (Vorr. der Kl. Schr.) ganz so hoch, wie er es verdient. Wenn in seiner Darstellung gleich die Ordnung oft umgekehrt ist, so war für seinen Geist doch immer eine äußre Wahrnehmung das erste, gleichsam der elastische Punkt. Er geht vom einzelnen aus, weiß es aber bald ins Allgemeine hinüberzuspielen und bezieht es überall aufs Unendliche. Nie beschäftigt er die Einbildungskraft, das Gefühl oder die Vernunft allein; er interessiert den ganzen Menschen. Alle Seelenkräfte aber in sich und andern gleich sehr und vereinigt auszubilden, das ist die Grundlage der echten Popularität, welche nicht bloß in konsequenter Mittelmäßigkeit besteht.

Dieses Weitumfassende seines Geistes, dieses Nehmen aller Gegenstände im großen und ganzen gibt seinen Schriften etwas wahrhaft Großartiges und beinah

Erhabnes. Nur freilich nicht für diejenigen, welche das Erhabne allein in heroischen Phrasen erblicken können. Stelzen liebte Forster nicht, brauchte sie auch nicht. Er schreibt, wie man in der edelsten, geistreichsten und feinsten Gesellschaft am besten spricht.

Seine Werke verdienen ihre Popularität durch die echte Sittlichkeit, welche sie atmen. Viele deutsche Schriften handeln von der Sittlichkeit, wenige sind sittlich. Wenige vielleicht in höherm Maß wie Forsters; in ihrer Gattung wenigstens keine. Zwar strengere Begriffe zu haben ist wohlfeil, wenn es bloß Begriffe sind. Was er wußte, meinte und glaubte, war in Saft und Blut verwandelt. Wie in allen Stücken so auch in diesem wird man Buchstaben und Namen ohne den Geist in Forsters Schriften vergeblich suchen. Überall zeigt sich in ihnen eine edle und zarte Natur, reges Mitgefühl, sanfte und billige Schonung, warme Begeisterung für das Wohl der Menschheit, eine reine Gesinnung, lebhafter Abscheu alles Unrechts. Wenn sein Unwille sich zuweilen bei geringen Anlässen unverhältnismäßig lebhaft äußert, so kann doch das seltne Übermaß sittlicher Reizbarkeit an einem Erdensohne immer noch für einen schönen Fehler gelten. Dabei findet man seine Denkart fester, strenger und männlicher, als die beinah weibliche Milde seines Wesens, die gleich beim ersten Blick so sehr auffällt, vermuten ließ. Ein lebendiger Begriff von der Würde des Menschen ist in seinen Schriften gleichsam überall gegenwärtig. Dieser, und nicht jenes lügenhafte Bild des Glücks, das so lange am Ziele der menschlichen Laufbahn stand, »ist ihm die oberste Richtschnur aller sittlichen Urteile und der echte Wegweiser des Lebens« (Kl. Schr. VI., S. 316), wie sich doch von dem Ton des Zeitalters und der ausländischen Philosophie, in dem und durch die er seine wissenschaftliche Bildung zuerst empfing, erwarten ließ. Nach diesem echt sittlichen Grundbegriff betrachtete er auch die Gegenstände der bürgerlichen Welt. Zwar könnte er nach einzelnen Stellen, besonders etwas früherer Schriften (z. B. Kl. Schr. I., S. 191 f.), zu behaupten scheinen, allgemeine Beglückung sei der Zweck des Staats. Nimmt man seine Gedanken aber, wie man überall bei ihm tun muß, im großen und ganzen, so ergibt sich, daß nichts seinem Kopfe und Herzen mehr widerstehen konnte als die Lehre, der einsichtsvollere Herrscher dürfe die Untertanen zwingen, nach seiner Willkür glücklich zu werden. Dieses erhellt besonders aus dem Aufsatz *Über die Beziehung der Staatskunst auf das Glück der Menschheit.* Er ist fest überzeugt, daß auch die edelste Absicht unrechtmäßige Gewalt nicht beschönigen könne (Kl. Schr. VI., S. 214). Den freien Willen der einzelnen Bürger erklärt er, als notwendige Bedingung ihrer sittlichen Vervollkommnung, für das Heiligste (Kl. Schr. III., S. 6).

Freilich treibt er die Sittlichkeit nicht so handwerksmäßig wie manche Erziehungskünstler und Meister der reinen Vernunft, welche sich nun einmal mit der ganzen Schwere ihres Wesens darauf gelegt haben. Der gesellschaftliche Schriftsteller, welcher die gesamte Menschheit umfassen soll, darf eine einzige wesentliche Anlage derselben nicht so einseitig auf Unkosten der übrigen ausbilden, wie es dem eigentlichen Sittenlehrer und Sittenkünstler von Rechts wegen erlaubt ist. Forster erkennt seinen Wert, auch jenseits der Gesetze des Katechismus, und hält echte Größe, trotz aller Ausschweifungen, für Größe. Der erste Keim dieser natürlichen, aber seltnen Urteilsart lag schon in seiner allgemeinen Vielseitigkeit, scheint sich jedoch erst später ganz entfaltet zu haben.

Seine Anbetung unerreichbarer und in ihrer Art einziger Vortrefflichkeit kann schwärmerisch scheinen. Ja, man könnte ihm wirkliche Grundsätze der geistigen Gesetzlosigkeit aufzeigen, wenn jeder Zweifel, jeder Einfall, jede Wendung (wie Kl. Schr. VI., S. 96) ein Grundsatz wäre. Nur darf man nicht jeden übertriebenen Ausdruck gleich für ein Zeichen weichlicher Hingebung erklären, wiewohl er sich dem Genuß der schönen Natur leidend (Ans. III., S. 190) hingab und hier die Zergliederung des Eindrucks für des Genusses Grenze hielt. Vielleicht nicht mit Unrecht. Seine bestimmte und bedingte Würdigung großer Menschen und Menschenwerke aber, die man nicht wie Natur genießen soll, ist ein Beweis von selbsttätiger Rückwirkung. Es darf nicht für Schwärmerei gelten, demjenigen einen unbedingten Wert beizulegen, was nur diesen oder gar keinen haben kann, oder an menschlicher Größe überhaupt zu glauben und zum Beispiel die übergesetzlichen Handlungen des Brutus (Kl. Schr. IV., S. 367) und Timoleon (Kl. Schr. VI., S. 298) anzuerkennen.

Auch muß man nie über einzelne Worte mit ihm mäkeln. Leser, welche nicht dann und wann durch einen Hauch beleidigt werden und über ein Wort mäkeln können, sind gewiß auch für die Schönheiten von der feineren Art stumpf. Nur soll man nicht alle Gegenstände durch Mikroskop betrachten. Man sollte sich ordentlich kunstmäßig üben, ebensowohl äußerst langsam mit steter Zergliederung des einzelnen als auch schneller und in einem Zuge zur Übersicht des Ganzen lesen zu können. Wer nicht beides kann und jedes anwendet, wo es hingehört, der weiß eigentlich noch gar nicht zu lesen. Man darf mit Grund voraussetzen, daß Forster oft auch mit polemischer Nebenabsicht gegen die herrschende Mikrologie und Unempfänglichkeit für genialische Größe den Ton hoch angab. Denn bei seiner Vielseitigkeit konnte ihm die »Rückseite des schönen Gepräges« (Ans. I., S. 68) selten ganz entgehen. Er kannte zum Beispiel die Grenzen von Gibbons Wert recht wohl (Kl. Schr. II., S. 289), ohngeachtet er seine Verkleinerer so unwillig straft. Denn nichts konnte ihn mehr aufbringen als eine solche Verkennung des echten Verdienstes, welche neben der Beschränktheit und Verkehrtheit auch üblen Willen verrät. Wenn er diese Saite berührt, so bekommt seine sonst so friedliche und milde Denkart und Schreibart ordentlich schneidende Schärfe und polemischen Nerv. Edler, rühmlicher Eifer für alles Große, Gute und Schöne! Und ohne alle einseitige Vorliebe für eine Lieblingsgattung. Bereitwillig huldigte er dem echten Genie jeder Art. Franklin und Mirabeau, der Schauspieler Iffland und der sokratische Hemsterhuis, Raffael, Cook und Friedrich der Große fanden in einem und demselben Manne einen doch nicht oberflächlichen Bewunderer.

Wenn die sittliche Bildung alle Wollungen, Begehrungen und Handlungen umfaßt, deren Quelle und Ziel die Forderung ist, alles Zufällige in uns und außer uns durch den ewigen Teil unsres Wesens zu bestimmen und demselben zu verähnlichen, so gehört dazu auch vornehmlich diejenige freie Handlung, durch welche der Mensch die Welt zur Gottheit adelt. Auch bei Forster ging der gegebne Glaube voraus und veredelte sich erst später in einen freien, dem er aber nie untreu ward. Er verabscheute auch hier die Geistesknechtheit und haßte die geistliche Verfolgungssucht samt ihrem gehässigen Unterschiede zwischen Orthodoxie und Heterodoxie (Ans. I., S. 95–98). Der gänzliche Mangel an Schönheitsgefühl (Ans. I., S. 134) und die marklose Schwäche des Charakters (Ans. I., S. 209), welche sich in der Frömmigkeit nur allzu vieler Gläubiger zeigt, konnte ihm keine Achtung einflößen. Er hielt das Schwelgen in himmlischen Gefühlen sehr richtig für entmannende Seelenunzucht (Ans. I., (48), S. 29–32), aber er glaubte standhaft an die Vorsehung. Es ist nicht bloß die unendliche Lebenskraft der allerzeugenden und allnährenden Natur, über die er sich oft mit der Begeisterung ihrer geweihtesten Priester, eines Lukrez oder Buffon, in Bewunderung ergießt. Auch die Spuren von dem Endzweck einer allgütigen Weisheit verfolgt er in der umgebenden Welt und in der Geschichte der Menschheit mit wahrer Liebe und mit jener nicht bloß gesagten, sondern tief gefühlten Andacht, welche einige Schriften von Kant und Lichtenberg so anziehend macht.

Aber nicht bloß diese und jene Ansicht, sondern die herrschende Stimmung aller seiner Werke ist echt sittlich. Sie ist es von der jungfräulichen Scheu vor dem ersten Fehltritt und der erbaulichen Nutzanwendung in *Dodds Leben*, welches man nicht ohne das Lächeln der Zuneigung über seine jugendliche Arglosigkeit lesen kann, bis zu seinen merkwürdigsten Empfindungen und Gedanken über die furchtbarste aller Naturerscheinungen der sittlichen Welt, welche, außer dem Anschein der größten weltbürgerlichen Wichtigkeit, schon durch ihre Einzigkeit und an Ausschweifungen jeder Art ergiebige Größe die vollste Teilnahme seines Beobachtungsgeistes an sich ziehen mußte, in den *Parisischen Umrissen* und in den *Letzten Briefen*.

Was soll man an diesen Briefen mehr bewundern und lieben? Den Scharfsinn? Den großen Blick? Die rührende Herzlichkeit des Ausdrucks? Die unerschütterliche Rechtlichkeit und Redlichkeit der Denkart? Oder die sanfte, milde Äußerung des tiefsten, oft Verzweiflung scheinenden Unmuts? Am achtungswürdigsten ist es vielleicht, daß bei einem Anblick, wo hohle Vernünftler wie der Pöbel, sobald es über eigne Gefahr und Klugheit hinausgeht, nur über das Unglück zu deklamieren pflegen, wo Menschen, die nur gutartig, nicht sittlich sind, sich höchstens bis zum Mitgefühl mit der leidenden Tierheit erheben, er nur um die Menschheit trauert und allein über die sittlichen Greuel zürnt, deren Anblick sein Inneres zerriß. Das ist echte Männlichkeit.

Wenn die rückständigen Briefe diesen entsprechen, so wird die deutsche Literatur durch die vollständigere Sammlung der Forsterschen Briefe, zu der bei Bekanntmachung der letzten Hoffnung gegeben ward, mit einem in jeder Rücksicht lehrreichen, köstlichen und in seiner Art einzigen Werke bereichert werden.

Man hat es unbegreiflich gefunden, daß die *Parisischen Umrisse* parisisch sind, daß sie Farbe des Orts und der Zeit verraten, und unverzeihlich, daß der denkende Beobachter das Unvermeidliche notwendig fand. Es ist nicht bloß von den armen Sündern die Rede, welche Forsters Schriften nach seinen bürgerlichen Verhältnissen beurteilt haben. Menschen, deren erstes und letztes Prinzipium alles Meinens und Handelns, deren Gott die Wetterfahne ist, verdienen kaum Erwähnung, geschweige denn zergliedernde Widerlegung. Selbst von gebildeten, denkenden Männern erwartet man oft vergebens, daß ihnen der himmelweite Unterschied zwischen der Sittlichkeit eines Menschen und der Gesetzmäßigkeit seiner Handlungen geläufig wäre. Sogar ein, wie es scheint, rechtlicher, aber wenigstens hier oberflächlicher Beurteiler hat die *Umrisse* unsittlich, die *Letzten Briefe* leichtsinnig gefunden. Und es ließ sich doch mit einem einzigen Blick auf den ganzen schriftstellerischen Forster erkennen, daß man hier kein Wort genauer nehmen dürfe, als wir es im raschen Gedränge des Lebens und im lebhaften Gespräch zu nehmen pflegen. »Ist es nicht Torheit«, sagt er einmal in den *Ansichten* (III., S. 218), »die Schriftsteller richten zu wollen wegen einzelner Empfindungen eines Augenblicks, wo man vielmehr ihre Offenherzigkeit, das Herz des Menschen aufzudecken, bewundern sollte? Die schnellen, tausendfachen Übergänge in einer empfänglichen Seele zählen zu wollen, die sich unaufhörlich jagen, wenn Gegenstände von außen oder durch ihre lebhafte Phantasie hervorgerufen auf sie wirken, wäre wirklich verlorne Mühe.«

Für ein Lehrgebäude mag die gänzliche Freiheit auch von den geringsten Widersprüchen die wesentlichste Haupttugend sein. An dem einzelnen ganzen Menschen aber im handelnden und gesellschaftlichen Leben entspringt diese Gleichförmigkeit und Unveränderlichkeit der Ansichten in den meisten Fällen nur aus blinder Einseitigkeit und Starrsinn oder wohl gar aus gänzlichem Mangel an eigner, freier Meinung und Wahrnehmung. Ein Widerspruch vernichtet das System; unzählige machen den Philosophen dieses erhabenen Namens nicht unwürdig, wenn er es nicht ohnehin ist. Widersprüche können sogar Kennzeichen aufrichtiger Wahrheitsliebe sein und jene Vielseitigkeit beweisen, ohne welche Forsters Schriften nicht sein könnten, was sie doch in ihrer Art sein sollen und müssen.

Mannigfaltigkeit der Ansichten scheint flüchtigen oder an Lehrgebäude gewohnten Beobachtern gern gänzlicher Mangel an festen Grundbegriffen. Hier war es aber wirklich leicht, diejenigen wahrzunehmen, welche unter dem Wechsel der verschiedensten Stimmungen, und selbst bei entgegengesetzten Standpunkten, in den *Umrissen* wie in den *Briefen*, unveränderlich bleiben. Und welche Grundbegriffe sind es, an denen F. so standhaft aushielt? Die unerschütterliche Notwendigkeit der Gesetze der Natur und die unvertilgbare Vervollkommnungsfähigkeit des Menschen: die beiden Pole der höhern politischen Kritik! Sie herrschen allgemein in allen seinen politischen Schriften, welche deshalb um so mehr Wert haben müssen, da auch viele unsrer besseren Geschichtskünstler nur wie Staatsmänner die Klugheit einzelner Entwürfe und Handlungen würdigen, zu wenig Naturforscher sind. Die gründlichsten Naturrechtslehrer hingegen sind oft im Gebiet der Erfahrung am meisten fremd, in deren Labyrinth man sich doch nur an dem Leitfaden jener Begriffe finden lernt.

In dem Wesentlichsten, dem Gesichtspunkt, sind also diese hingeworfnen *Umrisse* ungleich historischer als manches berühmte und bändereiche Werk über die Französische Revolution. Über einzelne Äußerungen kann natürlich jeder, der die Zeitungen innehat, jetzt Forstern eines Bessern belehren. Der Wert seiner treffendsten und feinsten Beobachtungen aber kann nur von wenigen erkannt werden, weil ihre Gegenstände zugleich sehr geistig und sehr umfassend sind. Ist seine Ansicht aber auch durchaus schief und unwahr, so ist sie doch nicht unsittlich. Dieselben Verbrechen und Greuel, welche dem beobachtenden Naturforscher mit Recht nur für eine Naturerscheinung galten, empörten sein sittliches Gefühl. Nirgends hat er nur versucht, sie wegzuvernünfteln, oft selbst in den *Umrissen* laut anerkannt. Auch konnte ihm wohl die leichte Bemerkung nicht entgehen, daß der stete Anblick vergossenen Menschenbluts Menschen, die nur zahm, nicht sittlich sind, fühllos und wild mache. Nur mußte er es freilich beschränkt finden, daß so viele in der reichhaltigsten aller Naturerscheinungen nur allein das wahrnehmen wollten (Kl. Schr. VI., S. 383). Hatte er so ganz unrecht, zu glauben, daß man vieles zu voreilig den Handelnden zurechne, was aus der Verkettung der Umstände hervorging (Kl. Schr. VI., S. 347, 385)? Doch war er nicht von denen, welche die Naturnotwendigkeit bis zum Unsittlichen anbeten und im dumpfen Hinbrüten über ein hohles Gedankenbild von unerklärlicher Einzigkeit endlich selbst zu forschen aufhören. Er unterschied das Zufällige und sagt ausdrücklich: »Was die Leidenschaften hier unter dem Mantel der unerbittlichen Notwendigkeit gewirkt haben mögen, wird der Vergeltung nicht entgehen« (VI., S. 384). Welche Eigenschaften sind es denn, die er am meisten rühmt, deren Annäherung er wahrzunehmen glaubt, hofft oder wünscht? Vaterlandsliebe (S. 358), allgemeine Entsagung, große Selbstverleugnung (S. 380), Unabhängigkeit von leblosen Dingen (S. 355), Einfalt in den Sitten (S. 356), Strenge der Gesetze (S. 357). Darf man auf den endlichen Umsturz des allgemeinen herrschenden Egoismus (S. 351, 352) auch nicht einmal hoffen? Oder ist vielleicht schon das ein Verbrechen, daß die Französische Revolution samt allen ihren Greueln Forstern den festen Glauben an die Vorsehung dennoch nicht zu entreißen vermochte? Daß er es, was von diesem Glauben unzertrennlich ist, mit der Beobachtung der Weltbegebenheiten im Großen und Ganzen hielt (Kl. Schr. VI., S. 365, 366)?

Daß er auch hier die »Rückseite des Gepräges« kannte, läßt schon jene Vielseitigkeit seines Geistes erwarten, womit er unter andern in der merkwürdigen Stelle einer früheren

Schrift, nachdem er die engländische Verfassung soeben mit Wärme gepriesen hat, auf »den Gesichtspunkt deutet, aus welchem ihre Vorzüge zu unendlich kleinen Größen hinabsinken« (Ans. III., S. 159, 160). Die gleichzeitigen *Letzten Briefe* beweisen es. Denn wahr ist's, in den *Umrissen* sucht er alles zum besten zu kehren. Auch nimmt er bis auf die geringsten Kleinigkeiten absichtlich die Person und den Ton eines französischen Bürgers an. Das letzte ist nur eine schriftstellerische Wendung, um lebhafter zu polemisieren, denn in den *Letzten Briefen* redet ein echter Weltbürger, deutscher Herkunft. Überhaupt liebte er es auch in allgemeinen Abhandlungen nicht, allein zu lehren. Seine dramatisierende Einbildungskraft schuf sich gern Gegner, wenn er einen Gegenstand von mehr als einer Seite beleuchten wollte (Kl. Schr. VI., S. 262). Und nicht zum Schein: er lieh ihnen starke Gründe und lebhaften Vortrag. Diese Manier seines Geistes kann man unter andern auch in dem Aufsatz *Über die Beziehung der Staatskunst auf das Glück der Menschheit* studieren.

Wenn man nicht gar leugnen will, daß es für einige Gegenstände verschiedene Gesichtspunkte gebe, so muß man auch zugeben, daß ein redlicher Forscher solche Gegenstände absichtlich aus entgegengesetzten Standorten betrachten dürfe.

In Rücksicht auf die alles zum besten kehrende, im großen und ganzen nehmende Art zu sehen und zu würdigen, sind, so paradox es auch klingen mag, die kritischen Annalen der englischen Literatur die beste Erklärung und Rechtfertigung der *Parisischen Umrisse*. Sie herrscht auch hier, und mit Recht; denn nichts ist unhistorischer als bloße Mikrologie ohne große Beziehungen und Resultate. Doch nie greift er zu solchen Lizenzen, wie sich Philosophen der alten und neuen Zeit und solche, die des Namens gewiß nicht am unwürdigsten sind, in der Erklärung heiliger Dichter und alter Offenbarungen erlaubt haben. Es war nicht Zufall. Er wußte recht gut um die »Lindigkeit, mit der er hier das kritische Zepter führte« (Kl. Schr. V., S. 199). Man vergleiche nur einige seiner eigentlichen Rezensionen mit den ungleich milderen Urteilen in jenen allgemeinen Übersichten, zum Beispiel die von Robertsons Werk über Indien. Viele sind mehr Anzeigen als Beurteilungen, einige beweisen, daß er auch streng würdigen konnte und daß er in jenen Jahrbüchern nicht bloß aus Charakter, sondern aus Grundsatz so mild urteilt. Aus diesem Gesichtspunkt muß man auch einige Äußerungen über verschiedene Gegenstände der deutschen Literatur nehmen, deren schwache Seiten er übrigens sehr gut kannte (Kl. Schr. V., S. 31, 41–63 f.).

Solche kritische Annalen in großem Stil und Gesichtspunkt wären eins der dringendsten, aber schwer zu befriedigenden Bedürfnisse der deutschen Literatur. Die Deutschen sind ein rezensierendes Volk, und in den sämtlichen Werken eines deutschen Gelehrten wird man eine Sammlung von Rezensionen ebenso zuversichtlich suchen als eine Auswahl von Bonmots in denen eines Franzosen, aber wir kennen fast nur die mikrologische Kritik, welche sich mit einer mehr historischen Ansicht nicht verträgt. Die allzu große Nähe des besonderen Gegenstandes, worauf die Seele jedes einzelnen als auf ihren Zweck sich konzentriert, verbirgt ihr auch des Ganzen Zusammenhang und Gestalt. Vielleicht sind beide Arten von Kritik gleich notwendig; gewiß aber sind sie subjektiv und objektiv durchaus verschieden und sollten daher immer ganz getrennt bleiben. Es ist nicht angenehm, da, wo man gründlich, ja mikrologisch zergliedernde Prüfung erwartete, wenn etwa ein Günstling an die Reihe kommt, mit weltbürgerlichen Phrasen und den Manieren der Historie abgefertigt zu werden.

Ebenso widersinnig ist es, wenn man ohne Vorkenntnis der einzelnen Schrift eines Autors rezensierend zu Leibe geht, für den, vielleicht eben darum, weil er Charakter hat, nur durch wiederholtes Studium aller seiner aus und in einem Geist gebildeter Werke der eigentliche Gesichtspunkt gefunden werden kann, auf den doch alles ankommt. Auch ohne Leidenschaft oder üblen Willen muß das Urteil dann wohl grundschief ausfallen. Nur das Gemeine verkennt man selten. Es wäre endlich Zeit, dem Gegenstand, welchen die Beurteiler so lange nur seitlich angeschielt haben, auch einmal von vorn grade ins Auge zu schauen.

Es ist das allgemeine und unvermeidliche Schicksal *geschriebner Gespräche*, daß ihnen die Zunftgelehrten übel mitspielen. Wie breit und schwerfällig haben sie zum Beispiel von jeher die *Sokratische Ironie* mißdeutet und mißhandelt, auf die man anwenden könnte, was Plato vom Dichter sagt: Es ist ein zartes, geflügeltes und heiliges Ding. Auch Forster kennt die feinste Ironie, und von groben Händen wird sich der flüchtige Geist seiner *geschriebenen Gespräche* nie greifen lassen. Denn das sind alle seine Schriften fast ohne Ausnahme, ohnerachtet der Ausdruck noch lange nicht so abgerissen, hingeworfen und keck ist wie in ähnlichen Geisteswerken der lebhafteren Franzosen, sondern periodischer, wie es einem Deutschen ziemt.

Es verlohnt sich wohl der Mühe, Forsters Schriften nicht zu verkennen. Wenige Deutsche sind so allgemein geliebt. Wenige verdienen, es noch mehr zu werden. Sie vollständig zergliedern hieße den Begriff eines in seiner Art vortrefflichen *gesellschaftlichen Schriftstellers* entwickeln. Und in weltbürgerlicher Rücksicht stehen diese, deren Bestimmung es ist, *alle* wesentlichen Anlagen des Menschen anzuregen, zu bilden und wieder zu vereinigen, oben an. Diese für das ganze Geschlecht wie für einzelne unbedingt notwendige *Wiedervereinigung* aller der Grundkräfte des Menschen, welche in Urquell, Endziel und Wesen *eins* und unteilbar, doch verschieden erscheinen und getrennt wirken und sich bilden müssen, kann und darf auch nicht etwa *aufgeschoben* werden, bis die Vervollkommnung der einzelnen Fertigkeiten durchaus vollendet wäre; das hieße auf ewig. Sie muß mit dieser zugleich als gleich heilig und zu gleichen Rechten verehrt und befördert werden, wenn auch nicht durch dieselben Priester. Weltbürgerliche, gesellschaftliche Schriften sind also ein ebenso unentbehrliches Mittel und Bedingnis der fortschreitenden Bildung als eigentlich wissenschaftliche und künstlerische. Sie sind die echten Prosaisten, wenn wir nämlich unter Prosa die grade, allgemeine Heerstraße der gebildeten Sprache verstehn, von welcher die eigentümlichen Mundarten des Dichters und des Denkers nur notwendige Nebenwege sind.

Die allgemeine Vorliebe für Forsters Schriften ist ein wichtiger Beitrag zu einer künftigen Apologie des Publikums gegen die häufigen Winke der Autoren, daß das Publikum sie, die Autoren, nicht wert sei. Jeder, vom Größten zum Geringsten, meint auf das wehrlose Geschöpf unritterlich und unbarmherzig losschlagen zu müssen. Mehrere haben ihm sogar ins Ohr gesagt, was der Gottesleugner bei Voltaire dem höchsten Wesen: »Ich glaube, du existierst nicht.« Indessen stehen doch nicht bloß einzelne Leser auf einer hohen Stufe, wo sie der Schriftsteller nicht gar viele antreffen möchten. Selbst das große, allgemein verachtete Publikum hat nicht selten, wie auch hier, durch die Tat richtiger geurteilt als diejenigen, welche die Fabrikate ihres Urteilstriebes öffentlich ausstellen. Freilich mögen viele wohl nur blättern, um die Zeit zu töten oder um doch auch zu hören und mitsprechen zu können. Die Gründlicheren hingegen lesen oft zu kaufmännisch. Sie sind unzufrieden mit einer Schrift, wenn sie nicht am Ende sagen können: Valuta habe bar und richtig empfangen. Kaum können Autoren, die sich nur durch bedingtes Lob geehrt finden, seltner sein wie Leser, die ohne Passivität bewundern und dem in seiner bestimmten Art Vortrefflichen die Abweichungen und Beschränkungen verzeihen können, ohne die es doch nicht sein würde, was es Gutes und Schönes ist und sein soll.

Je vortrefflicher etwas in seiner Art ist, je mehr ist es auf sie beschränkt. Fordert von Forsters Schriften jede eigentümliche Tugend ihrer Gattung, nur nicht auch die aller übrigen. An der vornehmsten kommt kein anderer deutscher Prosaist ihm auch nur nahe: an Weltbürgerlichkeit, an Geselligkeit. Keiner hat in der Auswahl der Gegenstände, in der Anordnung des Ganzen, in den Übergängen und Wendungen, in Ausbildung und Farbe so sehr die Gesetze und Forderungen der gebildeten Gesellschaft erfüllt und befriedigt wie er. Keiner ist so ganz gesellschaftlicher Schriftsteller wie er. Lessing selbst, der Prometheus der deutschen Prosa, hat seine genialische Behandlung sehr oft an einen so unwürdigen Stoff verschwendet, daß er scheinen könnte, ihn aus echtem Virtuoseneigensinn eben deswegen gewählt zu haben.

Wie in einem streng wissenschaftlichen und eigentlich künstlerischen Werke vieles sein muß, was der gebildeten Gesellschaft gleichgültig oder anstößig ist, so darf auch das gesellschaftliche Werk nach jenem Maßstabe in Gehalt und Ausdruck vieles zu wünschen übriglassen und kann doch in seiner Art klassisch, korrekt und selbst genialisch sein.

Die meisten können sich das Klassische gar nicht denken ohne Meilenumfang, Zentnerschwere und Äonendauer. Sie fordern die Tugend ihrer Lieblingsgattung auch von allen übrigen. Sie können nichts begreifen, daß ein Gartenhaus anders gebaut werden müsse wie ein Tempel. Einen Tempel baut man auf Felsengrund, alles von Marmor, aus dem gediegensten und vornehmsten Stoff; den festen Gliederbau des einfachen und großen Ganzen in Verhältnissen, welche nach tausend Jahren so richtig und schön sind wie heute. Also auch umfassende Werke geschichtlicher Kunst, die einigen das Höchste scheinen, was der menschliche Geist zu bilden vermag. In einem solchen würde freilich der lose Zusammenhang des immer verwebten Besondern und Allgemeinen in Forsters Schriften schlaff und unwürdig scheinen. Manches, was hier an seiner

Stelle eben das Beste ist, wie die Einleitung zu *Cook, der Entdecker, Botanybay* und dem Aufsatz über Nordamerika würde dort ein unverzeihlich üppiger Auswuchs sein.

Noch eher leidlich ist jene Verkehrtheit wohl, wenn sie aus einseitiger Liebhaberei für eine besondere Art entspringt. Oft sind es aber gewiß die nämlichen, die Forstern, als zu leicht für sie, zurückschieben, welche auch Winckelmanns und *Müllers Meisterwerke* wegen der Schwerfälligkeit vernachlässigen. Sie wollen Rosen vom Eichbaum pflücken und wehklagen, daß man aus Rosenstöcken keine Kriegsschiffe zimmern könne:

> ...unkundig dessen, was möglich
> Sei und was nicht: auf welcherlei Art die Gewalt einem jeden sei umschränkt und wie fest ihm die scharfe Grenze gesteckt sei.

Dem Vorurteil, daß solche leichte gesellschaftliche Werke, deren Leichtigkeit nicht selten die Frucht der größten Kunst und Anstrengung ist, überhaupt nicht dauern könnten, widerspricht die Geschichte, besonders diejenigen alten Urschriften, die immer noch neu sind. Die zarten Gewebe der Sokratischen Muse zum Beispiel, an die wir uns in einer Charakteristik der Forsterschen Schriften wohl erinnern dürfen, haben viele Jahrhunderte wirksam gelebt und sind nach einem langen Winterschlaf wieder zu neuer Jugend erwacht, während so manche schwere Arbeit in dem Strom der Zeit untersank.

Aber ich möchte das doch zweifelhafte und ominöse Merkmal der Unsterblichkeit am liebsten ganz aus unsern Begriff vom Klassischen entfernt wissen. Möchten doch Forsters Schriften recht bald so weit übertroffen werden, daß sie überflüssig und nicht mehr gut genug für uns wären, daß wir sie von Rechts wegen antiquieren könnten!

Bis jetzt aber ist er in den wesentlichen Eigenschaften eines klassischen Prosaisten noch nicht übertroffen, in andern kann er mit den Besten verglichen werden. Jene Eigenschaften sind um so nachahmenswürdiger, da es dieselben sind, welche am sichersten allgemein wirken und doch im Deutschen am seltensten und am schwersten erreicht werden können. Forster bewies auch darin seine universelle Empfänglichkeit und Ausbildung, daß er französische Eleganz und Popularität des Vortrags und engländische Gemeinnützigkeit mit deutscher Tiefe des Gefühls und des Geistes vereinigte. Er hatte sich diese ausländischen Tugenden wirklich ganz zugeeignet. Alles ist aus einem Stück in seinen Schriften und hat deutsche Farbe. Denn er blieb ein Deutscher, noch zuletzt in Paris fühlte er seine Deutschheit sehr bestimmt.

Will man nur das Fehlerfreie korrekt nennen, so sind alle vom Weibe Geborenen notwendig inkorrekt. So ist es jetzt, so war es zuvor und so wird es stets sein. Ist aber jedes Werk korrekt, welches dieselbe Kraft, die es hervorbrachte, auch wieder rückwirkend durchgearbeitet hat, damit sich Inneres und Äußeres entspreche, so darf man in F.s Schriften auch nur jene gesellschaftliche Korrektheit suchen, welche die glänzende Seite der französischen Literatur und in ihr einheimisch ist. Man wird sie auch in F.s Schriften nicht vermissen: er hatte sie an der Quelle studiert (Kl. Schr. V., S. 261, 266, 344, 345). Sie ist es, die, wie sich auch an manchem französischen Produkt bewährt, an echt künstlerischen oder wissenschaftlichen Werken oft eben das Beste abschleifen würde. Einige deutsche Autoren hätten daher nicht versuchen sollen, was doch vergeblich war, sie da zu erreichen, wo sie nicht hingehört, denn Anmut läßt sich nicht errechnen noch eine ungesellige Natur durch Zwang plötzlich verwandeln.

Zwar verliert sich ein Ausdruck je zuweilen ins Spitzfindige und Geschrobne. Das ist nicht Affektation, wie es mir scheint, sondern es entsprang lediglich aus dem arglosen und herzlichen Bestreben, sich ganz offen mitzuteilen und auch das Unaussprechliche auszusprechen. Wenn er hie und da seine Ansichten lauter verrichtet, als es Sitte ist, so darf das uns wohl ein Lächeln abnötigen. Nur beklage ich den, welcher diese liebenswürdige kleine Schwachheit von jener eigentlichen Schminke nicht unterscheiden kann, in der eine tief verderbte Seele auch vor sich selbst im Spiegel ihres Innern erscheinen muß! Vorzüglich finden sich solche Gezwungenheiten, worein auch wohl sonst natürliche und nicht ganz unbeholfne Menschen im Anfange eines Gesprächs aus begründeter Furcht vor dem Platten zu verfallen pflegen, in den Einleitungen und Eingängen, oder wo er seines Tons noch nicht ganz Meister war. So ist weit mehr Koketterie in dem Aufsatz *Über Leckereien* sichtbar als in den *Erinnerungen,* die von ähnlicher Manier und Farbe der Schreibart, aber ungleich vollendeter sind. Dieses Werk, in der ganzen deutschen Literatur das einzige seiner Art, übertrifft alle übrigen an Glanz des Ausdrucks, an feiner Ironie und in verschwenderischem Reichtum überraschend glücklicher Wendungen. Und doch war es keine leichte Aufgabe, sich hier zwischen Scylla und Charybdis durchzuwinden, nie die Aufrichtigkeit zu beleidigen und doch keine Schicklichkeit zu verletzen! Gewiß aber ist in Forsters Schriften nur sehr weniges, was nicht in der besten Gesellschaft gesagt werden dürfte. Der Ausdruck ist edel, zart, gewählt und gesellig. Er läßt uns oft wie ein heller Kristall auf den reinen Grund seiner Seele blicken.

Der Gehalt eines gesellschaftlichen Schriftstellers darf ebensowenig nach streng wissenschaftlichem und künstlerischem Maßstabe gewürdigt werden wie der Ausdruck. Der gesellschaftliche Schriftsteller ist schon von Amts wegen gleichsam verpflichtet, wie ich weiß nicht welcher Magister seine Dissertation überschrieb, von allen Dingen und noch von einigen andern zu handeln. Er kann gar nicht umhin, ein Polyhistor zu sein. Wer nirgends fremd ist, kann auch nirgends ganz angesiedelt sein. Man kann zugleich auf Reisen sein und seinen Acker bestellen.

Auch wird der freie Weltbürger sich schwerlich in eine enge Gilde einzunften lassen.

Kenner und Nichtkenner haben Forsters Kunsturteile vielfältig hart, und zwar im einzelnen, getadelt. Man hätte lieber kürzer und strenger geradezu gestehen sollen, daß ihm eigentliches Kunstgefühl für die Darstellungen des Schönen, welches einer isolierten Ausbildung durchaus bedarf, ganz fehle, auch in der Poesie. Keine Vollkommenheit der Darstellung konnte ihn mit einem Stoff aussöhnen, der sein Zartgefühl verletzte, seine Sittlichkeit beleidigte oder seinen Geist unbefriedigt ließ. Immer bewunderte und liebte er im Kunstwerk den großen und edlen Menschen, die erhabene oder reizende Natur. Denn wie tief und lebendig das von jenem Kunstgefühl wesentlich verschiedene Naturgefühl in ihm war, davon geben viele unnachahmlich wahre Ergießungen in seinen Schriften vollgültiges Zeugnis. Auch für schöne dichterische Naturgewächse hatte er viel Sinn. Das beweist schon die Art, wie er eins der köstlichsten, *Sakontala,* auf vaterländischen Boden verpflanzte.

Als eigentümliche Ansicht dagegen ist Forsters Kunstlehre sehr interessant; schon darum, weil sie so ganz eigen und selbst gefühlt ist, vornehmlich aber, weil sie ihren Gegenstand aus dem notwendigen Gesichtspunkt der gebildeten Gesellschaft betrachtet, welche es nie weit genug in der Kennerschaft bringen wird, um über den künstlerischen Wert die Gerechtsame und Forderungen der Sittlichkeit und des Verstandes zu vergessen. So wird der gesellschaftliche Mensch im wesentlichen immer denken, und als die deutlich ausgesprochene Stimme einer so ursprünglichen und ewigen Klasse der freien Natur hat F.s Kunstansicht einen sehr allgemeinen, bleibenden Wert. Jenes allgepriesene Kunstgefühl aber dürfte ein Rigorist selbst bei vielen vermissen, die stets Gedichte schreiben, bei vielen, die, was jene gearbeitet haben, wenn es gedruckt ist, erläutern.

Die wesentlichen Grundgesetze derjenigen künstlerischen Sittlichkeit, ohne welche der Künstler auch in der Kunst sinken und seine künstlerische Würde und Selbständigkeit verlieren muß, hat F. nicht nur mit der Wärme eigner Empfindung vorgetragen, sondern auch, insofern er selbst ein Künstler war, treu befolgt. Er durfte sagen: »Der Künstler, der nur für die Bewunderung arbeitete, ist kaum noch Bewunderung wert« (Ans. I., S. 127). »Ihn muß vielmehr, nach dem Beispiele der Gottheit, der Selbstgenuß ermuntern und befriedigen, den er sich in seinen eigenen Werken bereitet. Es muß ihm genügen, daß in Erz, in Marmor, auf der Leinwand oder in Buchstaben seine große Seele zur Schau liegt. Hier fasse, wer sie fassen kann!« (Ans. I., S. 84, 85, 176, 177)

Auch von der Kunst selbst hatte er so hohe, würdige Begriffe, wie sich mit jener gesellschaftlichen Vielseitigkeit nur immer vertragen. Solche herrschen auch in dem Aufsatz *Die Kunst und das Zeitalter.* Die darin entworfene Ansicht der Griechen, die er vorzüglich von seiten der urbildlichen und unerreichbaren Einzigkeit ihrer Kunst faßte, mag, im ganzen genommen, unter den oberflächlichen leicht am richtigsten treffen. Bei seiner ursprünglich naturwissenschaftlichen und gesellschaftlichen Bildung, bei seinen herrschenden Grundgedanken von Fortschreitung und Vervollkommnung bleibt es eine herrliche Bestätigung seiner unglaublich großen Vielseitigkeit, daß er die Begriffe von urbildlicher Schönheit und unerreichbar einziger Vollendung so lebendig auffassen und seinem Wesen gleichsam ganz einverleiben konnte, ohngeachtet er die lähmende Idee des Unverbesserlichen mit Recht verabscheute und behauptete, »daß, wenn ein solches Unding wie ein vollkommnes System möglich wäre, die Anwendung desselben für den Gebrauch der Vernunft dennoch gefährlicher als jedes andere werden müßte.« Das einzelne aber in jener Ansicht der Griechen sollte man ihm um so weniger strenger auf die Waage legen, da es ohnehin eine allgemeine Liebhaberei der deutschen Autoren ist, die Geschichte des Altertums zu erfinden, auch solcher, die in der gesellschaftlichen Natur ihrer Schriften durchaus keine Entschuldigung finden können.[1] Warum will man doch alles von allen fordern! Soll die Philologie als strenge Wissenschaft und echte Kunst getrieben werden, so erfordert sie eine ganz eigene Organisation des Geistes, nicht minder als die eigentliche Philosophie, bei der man es doch endlich einzusehen anfängt, daß sie nicht für jedermann ist.

Unleugbar aber war Forster ein Künstler im vollsten Sinne des Worts, wenn man es nur überhaupt in seiner Gattung sein kann. Selbst das wirkliche Gespräch kann ein Kunstwerk sein, wenn es durch gebildete Fertigkeit zur höchsten Vollendung in seiner Art geführt wird und in Stoff und Gestalt ursprünglichen geselligen Sinn und Begeisterung für die höchste Mitteilung verrät. Ein Kunstwerk: ebensogut wie das auch vorübereilende Schauspiel, der Gesang, welcher selbst verhallend nur in der Seele bleibt, und der noch flüchtigere Tanz. Von einem solchen Gespräch kann gelten, was F. so köstlich von der »Vergänglichkeit gesagt hat, welche der Schauspielkunst mit jenen prachtvollen Blumen gemein ist, deren Fülle und Zartheit alles übertrifft, die in einer Stunde der Nacht am Stengel der Fackeldistel prangen und noch vor Sonnenaufgang verwelken« (Ans. I., S. 87, 88). Wer es vollends versucht, dem schönen Gespräch, dieser flüchtigsten aller Schöpfungen des Genius, durch die Schrift Dauer zu geben, muß eine ungleich größere Gewalt über die Sprache, dieses unauslernbarste und eigensinnigste aller Werkzeuge besitzen, indem er die Nachhilfe der mitsprechenden Gebärde, Stimme und Augen entbehrt. Auch muß er, um die Bestandteile, die er aus dem Leben nahm oder die in seiner

[1] Auch solcher, die sich ausdrücklich zu Altertumslehrern aufwarfen. Moritz zum Beispiel würde vortrefflich über die Alten geschrieben haben, wenn er sie gekannt hätte; aber es fehlt nur wenig, daß er sie gar nicht kannte.

dramatisierenden Einbildungskraft von selbst entstanden, zu ergänzen und zu ordnen, mehr oder weniger auch erfinden, absichtlich darstellen, dichten.

Wenn aufrichtige und warme Wahrheits- und Wissenschaftsliebe, freier Forschungsgeist und stete Erhebung zu Ideen, wenn ein großer Reichtum der verschiedenartigsten Sachkenntnis, die vielseitige Empfänglichkeit und rückwirkende Selbsttätigkeit eines hellen Verstandes, feine Beobachtungsgabe, Entwicklungsfertigkeit, gesunde Vernunft, ein nicht bloß kühn, sondern auch treffend verbindender Witz bei einem hohen Maß geistiger Mitteilungsfähigkeit, kurz, wenn die wesentlichsten Vorzüge der echten Lebensweisheit auf diesen schönen Namen hinreichende Ansprüche geben: so war Forster ein Philosoph.

Seine Gründlichkeit in den Naturwissenschaften, wo er wohl die ausgebreitetsten und genauesten Sachkenntnisse besitzen mochte, überlasse ich der Beurteilung der Kenner. Seine hervorspringendsten Eigenschaften, die große Übersicht (Kl. Schr. I., S. 410), der Blick ins Ganze, der feine Beobachtungsgeist glänzen hier unstreitig nicht minder wie überall sonst. Durch seine weltbürgerliche und geistvolle Behandlung und Darstellung hat er die Naturwissenschaften in die gebildete Gesellschaft eingeführt. Durch vielfache Verwebung mit andern wissenschaftlichen Ansichten hat er sie, wo nicht erweitert, doch verschönert, wie hinwiederum das Interessante seiner politischen Schriften durch ihren naturwissenschaftlichen Anstrich ungemein erhöht wird. F. hat auch das Verdienst um deutsche Kultur, daß er zur Verbreitung einer zweckmäßigen Lektüre in Reisebeschreibungen, die im ganzen genommen doch ungleich nahrhafter ist als die der gewöhnlichen Romane, so viel wirkte.

Indessen würde es mir doch eine unerklärliche Ausnahme vom Charakter seines Geistes scheinen, wenn er grade nur hier die Fähigkeit einer ganz wissenschaftlichen durchgreifenden und streng durchgeführten Methode besessen hätte, die sich sonst nirgends zeigt. Denn so voll seine Schriften auch sind von geistigen Keimen, Blüten und Früchten: so war er doch kein eigentlicher Vernunftkünstler; auch würdigte er die Spekulation aus einem kosmopolitischen Gesichtspunkt (Kl. Schr. II., S. 9). Er ist nicht von denen, die mit schneidender Schärfe, in senkrechter Richtung, grade auf den Mittelpunkt ihres Gegenstandes losdringen und, ohne zu ermatten, auch die längste Reihe der allgemeinsten Begriffe fest aneinanderketten und gliedern können.

Ihm fehlte das Vermögen, sein Inneres bestimmt zu trennen und sein ganzes Wesen wiederum in eine Richtung zusammenzudrängen und ausdauernd auf einen Gegenstand beschränken zu können, ja überhaupt die gewaltige Selbständigkeit der schöpferischen Kraft, ohne die es unmöglich ist, ein großes wissenschaftliches, künstlerisches Werk zu vollenden.

Doch möchte ich darum das Genialische seinen Schriften nicht absprechen, wenn diejenigen Produkte genialisch sind, wo das Eigentümlichste zugleich auch das Beste ist, wo alles lebt und auch im kleinsten Gliede der ganze Urheber sichtbar wird, wie er, um es zu bilden, ganz wirksam sein mußte, wie bei F.s Werken so offenbar der Fall ist. Denn Genie ist Geist, lebendige Einheit der verschiedenen natürlichen, künstlichen und freien Bildungsbestandteile einer bestimmten Art. Nun besteht aber das Eigentümliche eben nicht in diesem oder jenem einzelnen Bestandteil oder in dem bestimmten Maß desselben, sondern in dem Verhältnis aller. Grade diese ursprünglichen und erworbenen Fähigkeiten mußten in diesem Maß und in dieser Mischung zusammentreffen, damit unter dem beseelenden Hauch des Enthusiasmus, welchen allein weder Natur noch Kunst dem freien Menschen geben können, etwas in seiner Art so Vortreffliches entstehen konnte. Eine so glückliche Harmonie ist eine wahre Gunst der Natur; unlernbar und unnachahmlich.

Dieselbe gesellige Mitteilung befremdete also noch die einfachsten Bestandteile seines innersten Daseins, welche in seinen Schriften lebt und immer ein unter den mannigfachsten Gestalten oft wiederkehrender Lieblingsbegriff seines Geistes war. Man könnte diese gesellige Wendung seines Wesens selbst noch in dem glänzend günstigen Lichte zu erkennen glauben, worin er den Stand erblickt, welchen der Austausch sinnlicher Güter vorzüglich veranlaßt und begünstigt, den Verkehr auch der geistigen Waren und Erzeugnisse in sich am freiesten und gleichsam in der Mitte aller übrigen Stände auszubilden und in der umgebenden Welt zu befördern (Ans. I., S. 304, 305). Die Verwebung und Verbindung der verschiedenartigsten Kenntnisse, ihre allgemeinere Verbreitung selbst in die gesellschaftlichen Kreise hielt er für den eigentümlichsten Vorzug unsers Zeitalters (Ans. I., S. 65 f.) und für die schönste Frucht des Handels (Ans. II., S. 426–429). In dem tätigen Gefühl einer großen Seestadt erblickt er ein Bild der friedlichen Vereinigung des Menschengeschlechtes zu gemeinsamen Zwecken des frohen, tätigen Lebensgenusses (Ans. II., S. 373). Die Wiedervereinigung endlich aller wesentlich zusammenhängenden (Kl. Schr. V., S. 23), wenngleich jetzt getrennten und zerstückelten Wissenschaften (Kl. Schr. III., S. 311–314, IV., S. 378) zu einem einzigen, unteilbaren Ganzen erscheint ihm als das erhabenste Ziel des Forschers.

Friedrich Schlegel

ÜBER GOETHES »MEISTER«

1797/98

Ohne Anmaßung und ohne Geräusch, wie die Bildung eines strebenden Geistes sich still entfaltet und wie die werdende Welt aus seinem Innern leise emporsteigt, beginnt die klare Geschichte. Was hier vorgeht und was hier gesprochen wird, ist nicht außerordentlich, und die Gestalten, welche zuerst hervortreten, sind weder groß noch wunderbar: eine kluge Alte, die überall den Vorteil bedenkt und für den reicheren Liebhaber das Wort führt, ein Mädchen, die sich aus den Verstrickungen der gefährlichen Führerin nur losreißen kann, um sich dem Geliebten heftig hinzugeben, ein reiner Jüngling, der das schöne Feuer seiner ersten Liebe einer Schauspielerin weiht. Indessen steht alles gegenwärtig vor unsern Augen da, lockt und spricht uns an. Die Umrisse sind allgemein und leicht, aber sie sind genau, scharf und sicher. Der kleinste Zug ist bedeutsam, jeder Strich ist ein leiser Wink, und alles ist durch helle und lebhafte Gegensätze gehoben. Hier ist nichts, was die Leidenschaft heftig entzünden oder die Teilnahme sogleich gewaltsam mit sich fortreißen könnte. Aber die beweglichen Gemälde haften wie von selbst in dem Gemüte, welches eben zum ruhigen Genuß heiter gestimmt war. So bleibt auch wohl eine Landschaft von einfachem und unscheinbarem Reiz, der eine seltsam schöne Beleuchtung oder eine wunderbare Stimmung unsers Gefühls einen augenblicklichen Schein von Neuheit und von Einzigkeit lieh, sonderbar hell und unauslöschlich in der Erinnerung. Der Geist fühlt sich durch die heitre Erzählung überall gelinde berührt, leise und vielfach angeregt. Ohne sie ganz zu kennen, hält er diese Menschen dennoch schon für Bekannte, ehe er noch recht weiß oder sich fragen kann, wie er mit ihnen bekannt geworden sei. Es geht ihm damit wie der Schauspielergesellschaft auf ihrer lustigen Wasserfahrt mit dem Fremden. Er glaubt, er müßte sie schon gesehen haben, weil sie aussehn wie Menschen und nicht wie Hinz oder Kunz. Dies Aussehn verdanken sie nicht eben ihrer Natur und ihrer Bildung, denn nur bei einem oder dem andern nähert sich diese auf verschiedne Weise und in verschiednem Maß der Allgemeinheit. Die Art der Darstellung ist es, wodurch auch das Beschränkteste zugleich ein ganz eignes, selbständiges Wesen für sich und dennoch nur eine andre Seite, eine neue Veränderung der allgemeinen und unter allen Verwandlungen einigen menschlichen Natur, ein kleiner Teil der unendlichen Welt zu sein scheint. Das ist eben das Große, worin jeder Gebildete nur sich selbst wiederzufinden glaubt, während er weit über sich selbst erhoben wird; was nur so ist, als müßte es so sein, und doch weit mehr, als man fordern darf.

Mit wohlwollendem Lächeln folgt der heitre Leser Wilhelms gefühlvollen Erinnerungen an die Puppenspiele, welche den neugierigen Knaben mehr beseligten als alles andre Naschwerk, als er noch jedes Schauspiel und Bilder aller Art, wie sie ihm vorkamen, mit demselben reinen Durste in sich sog, mit welchem der Neugeborne die süße Nahrung aus der Brust der liebkosenden Mutter empfängt. Sein Glaube macht ihm die gutmütigen Kindergeschichten von jener Zeit, wo er immer alles zu sehen begehrte, was ihm neu war, und, was er gesehen hatte, nun auch gleich zu machen oder nachzumachen versuchte oder strebte, wichtig, ja heilig, seine Liebe malt sie mit den reizendsten Farben aus, und seine Hoffnung leiht ihnen die schmeichelhafteste Bedeutung. Eben diese schönen Eigenschaften bilden das Gewebe seines Lieblingsgedankens, von der Bühne herab die Menschen zu erheben, aufzuklären und zu veredeln und der Schöpfer eines neuen, schöneren Zeit alters der vaterländischen Bühne zu werden, für die seine kindliche Neigung, erhöht durch die Jugend und verdoppelt durch die Liebe, in helle Flammen emporschlägt. Wenn die Teilnahme an diesen Gefühlen und Wünschen nicht frei von Besorgnis sein kann, so ist dagegen nicht wenig anziehend und ergötzlich, wie Wilhelm auf einer kleinen Reise, auf welche ihn die Väter zum ersten Versuch senden, einem Abenteuer von der Art, die sich ernsthaft anläßt und drollig entwickelt, begegnet, in welchem er den Widerschein seines eignen Unternehmens, freilich nicht auf die vorteilhafteste Weise abgebildet, erblickt, ohne daß ihn dies seiner Schwärmerei untreu machen könnte. Unvermerkt ist indes die Erzählung lebhafter und leidenschaftlicher geworden, und in der warmen Nacht, wo Wilhelm, sich seiner ewigen Verbindung mit seiner Mariane so nahe wähnend, liebevoll um ihre Wohnung schwärmt, steigt die heiße Sehnsucht, die sich in sich selbst zu verlieren, im Genuß ihrer eignen Töne zu lindern und zu erquicken scheint, aufs äußerste, bis die Glut durch die traurige Gewißheit und Norbergs niedrigen Brief plötzlich gelöscht und die ganze Gedankenwelt des liebenden Jünglings mit einem Streich vernichtet wird.

Mit diesem so harten Mißlaut schließt das erste Buch, dessen Ende einer geistigen Musik gleicht, wo die verschiedensten Stimmen wie ebenso viele einladende Anklänge aus der neuen Welt, deren Wunder sich vor uns entfalten sollen, rasch und heftig wechseln, und der schneidende Abstich kann die erst weniger, dann mehr als man erwartete gereizte Spannung mit einem Zusatz von Ungeduld heilsam würzen, ohne doch je den ruhigsten Genuß des Gegenwärtigen zu stören oder auch die feinsten Züge der Nebenausbildung, die leisesten Winke der Wahrnehmung zu entziehn, die jeden Blick, jede Miene des durch das Werk sichtbaren Dichtergeistes zu verstehen wünscht.

Damit aber nicht bloß das Gefühl in ein leeres Unendliches hinausstrebe, sondern auch das Auge nach einem großen Gesichtspunkt die Entfernung sinnlich berechnen und die weite Aussicht einigermaßen umgrenzen könne, steht der Fremde da, der mit so vielem Rechte der Fremde heißt. Allein und unbegreiflich, wie eine Erscheinung aus einer andern, edleren Welt, die von der Wirklichkeit, welche Wilhelmen umgibt, so verschieden sein mag wie von der Möglichkeit, die er sich träumt, dient er zum Maßstab der Höhe, zu welcher das Werk noch steigen soll; eine Höhe, auf der vielleicht die Kunst eine Wissenschaft und das Leben eine Kunst sein wird.

Der reife Verstand dieses gebildeten Mannes ist wie durch eine große Kluft von der blühenden Einbildung des liebenden Jünglings geschieden. Aber auch von Wilhelms Serenate zu Norbergs Brief ist der Übergang nicht milde, und der Kontrast zwischen seiner Poesie und Marianens prosaischer, ja niedriger Umgebung ist stark genug. Als vorbereitender Teil des ganzen Werkes ist das erste Buch eine Reihe von veränderten Stellungen und malerischen Gegensätzen, in deren jedem Wilhelms Charakter von einer andern merkwürdigen Seite, in einem neuen helleren Lichte gezeigt wird; und die kleineren, deutlich geschiednen Massen und Kapitel bilden mehr oder weniger jede für sich ein malerisches Ganzes. Auch gewinnt er schon jetzt das ganze Wohlwollen des Lesers, dem er, wie sich selbst, wo er geht und steht, in einer Fülle von prächtigen Worten die erhabensten Gesinnungen vorsagt. Sein ganzes Tun und Wesen besteht fast im Streben, Wollen und Empfinden, und obgleich wir voraussehn, daß er erst spät oder nie als Mann handeln wird, so verspricht doch seine grenzenlose Bildsamkeit, daß Männer und Frauen sich seine Erziehung zum Geschäft und zum Vergnügen machen und dadurch, vielleicht ohne es zu wollen oder zu wissen, die leise und vielseitige Empfänglichkeit, welche seinem Geiste einen so hohen Zauber gibt, vielfach anregen und die Vorempfindung der ganzen Welt in ihm zu einem schönen Bilde entfalten werden. Lernen muß er überall können und auch an prüfenden Versuchen wird es ihm nie fehlen. Wenn ihm nun das günstige Schicksal oder ein erfahrener Freund von großem Überblick günstig beisteht und ihn durch Warnungen und Verheißungen nach dem Ziele lenkt, so müssen seine Lehrjahre glücklich endigen.

Das zweite Buch beginnt damit, die Resultate des ersten musikalisch zu wiederholen, sie in wenige Punkte zusammenzudrängen und gleichsam auf die äußerste Spitze zu treiben. Zuerst wird die langsame, aber völlige Vernichtung von Wilhelms Poesie seiner Kinderträume und seiner ersten Liebe mit schonender Allgemeinheit der Darstellung betrachtet. Dann wird der Geist, der mit Wilhelmen in diese Tiefe gesunken und mit ihm gleichsam untätig geworden war, von neuem belebt und mächtig geweckt, sich aus der Leere herauszureißen, durch die leidenschaftlichste Erinnerung an Marianen und durch des Jünglings begeistertes Lob der Poesie, welches die Wirklichkeit seines ursprünglichen Traums von Poesie durch seine Schönheit bewährt und uns in die ahndungsvollste Vergangenheit der alten Heroen und der noch unschuldigen Dichterwelt versetzt.

Nun folgt sein Eintritt in die Welt, der weder abgemessen noch brausend ist, sondern gelinde und leise wie das freie Lustwandeln eines, der zwischen Schwermut und Erwartung geteilt, von schmerzlichsüßen Erinnerungen zu noch ahndungsvolleren Wünschen schwankt. Eine neue Szene öffnet sich, und eine neue Welt breitet sich lockend vor uns aus. Alles ist hier seltsam, bedeutend, wundervoll und von geheimem Zauber umweht. Die Ereignisse und die Personen bewegen sich rascher, und jedes Kapitel ist wie ein neuer Akt. Auch solche Ereignisse, die nicht eigentlich ungewöhnlich sind, machen eine überraschende Erscheinung. Aber diese sind nur das Element der Personen, in denen sich der Geist dieser Masse des ganzen Systems am klarsten offenbart. Auch in ihnen äußert sich jene frische Gegenwart, jenes magische Schweben zwischen Vorwärts und Rückwärts. Philine ist das verführerische Symbol der leichtesten Sinnlichkeit; auch der bewegliche Laertes lebt nur für den Augenblick, und damit die lustige Gesellschaft vollzählig sei, repräsentiert der blonde Friedrich die gesunde, kräftige Ungezogenheit. Alles was die Erinnerung und die Schwermut und die Reue nur Rührendes hat, atmet und klagt der Alte wie aus einer unbekannten, bodenlosen Tiefe von Gram und ergreift uns mit wilder Wehmut. Noch süßere Schauer und gleichsam ein schönes Grausen erregt das heilige Kind, mit dessen Erscheinung die innerste Springfeder des sonderbaren Werks plötzlich frei zu werden scheint. Dann und wann tritt Marianens Bild hervor wie ein bedeutender Traum; plötzlich erscheint der seltsame Fremde und verschwindet schnell wie ein Blitz. Auch Melinas kommen wieder, aber verwandelt, nämlich ganz in ihrer natürlichen Gestalt. Die schwerfällige Eitelkeit der Anempfinderin kontrastiert artig genug gegen die Leichtigkeit der zierlichen Sünderin. Überhaupt gewährt uns die Vorlesung des Ritterstücks einen tiefen Blick hinter die Kulissen des theatralischen Zaubers wie in eine komische Welt im Hintergrunde. Das Lustige und das Ergreifende, das Geheime und das Lockende sind im Finale wunderbar verwebt, und die streitenden Stimmen tönen grell nebeneinander. Diese Harmonie von Dissonanzen ist noch schöner als die Musik, mit der das erste Buch endigte; sie ist entzückender und doch zerreißender, sie überwältigt mehr, und sie läßt doch besonnener.

Es ist schön und notwendig, sich dem Eindruck eines Gedichtes ganz hinzugeben, den Künstler mit uns machen zu lassen, was er will, und etwa nur im einzelnen das Gefühl durch Reflexion zu bestätigen und zum Gedanken zu erheben und wo es noch zweifeln oder streiten dürfte, zu entscheiden und zu ergänzen. Dies ist das erste und das Wesentlichste. Aber nicht minder notwendig ist es, von allem einzelnen abstrahieren zu können, das Allgemeine schwebend zu fassen, eine Masse zu überschauen und das

Ganze festzuhalten, selbst dem Verborgensten nachzuforschen und das Entlegenste zu verbinden. Wir müssen uns über unsre eigne Liebe erheben und, was wir anbeten, in Gedanken vernichten können, sonst fehlt uns, was wir auch für andre Fähigkeiten haben, der Sinn für das Weltall. Warum sollte man nicht den Duft einer Blume einatmen und dann doch das unendliche Geäder eines einzelnen Blattes betrachten und sich ganz in diese Betrachtung verlieren können? Nicht bloß die glänzende äußre Hülle, das bunte Kleid der schönen Erde ist dem Menschen, der ganz Mensch ist, und so fühlt und denkt, interessant: er mag auch gern untersuchen, wie die Schichten im Innern aufeinanderliegen und aus welchen Erdarten sie zusammengesetzt sind; er möchte immer tiefer dringen, bis in den Mittelpunkt womöglich, und möchte wissen, wie das Ganze konstruiert ist. So mögen wir uns gern dem Zauber des Dichters entreißen, nachdem wir uns gutwillig von ihm fesseln lassen, mögen am liebsten dem nachspähn, was er unserm Blick entziehen oder doch nicht zuerst zeigen wollte und was ihn doch am meisten zum Künstler macht: die geheimen Absichten, die er im stillen verfolgt und deren wir beim Genius, dessen Instinkt zur Willkür geworden ist, nie zu viele voraussetzen können.

Der angeborne Trieb des durchaus organisierten und organisierenden Werks, sich zu einem Ganzen zu bilden, äußert sich in den größeren wie in den kleineren Massen. Keine Pause ist zufällig und unbedeutend; und hier, wo alles zugleich Mittel und Zweck ist, wird es nicht unrichtig sein, den ersten Teil unbeschadet seiner Beziehung aufs Ganze als ein Werk für sich zu betrachten. Wenn wir auf die Lieblingsgegenstände aller Gespräche und aller gelegentlichen Entwicklungen und auf die Lieblingsbeziehungen aller Begebenheiten, der Menschen und ihrer Umgebung sehen, so fällt in die Augen, daß sich alles um Schauspiel, Darstellung, Kunst und Poesie drehe. Es war so sehr die Absicht des Dichters, eine nicht unvollständige

Kunstlehre aufzustellen oder vielmehr in lebendigen Beispielen und Ansichten darzustellen, daß diese Absicht ihn sogar zu eigentlichen Episoden verleiten kann wie die Komödie der Fabrikanten und die Vorstellung der Bergmänner. Ja, man dürfte eine systematische Ordnung in dem Vortrage dieser poetischen Physik der Poesie finden; nicht eben das tote Fachwerk eines Lehrgebäudes, aber die lebendige Stufenleiter jeder Naturgeschichte und Bildungslehre. Wie nämlich Wilhelm in diesem Abschnitt seiner Lehrjahre mit den ersten und notdürftigsten Anfangsgründen der Lebenskunst beschäftigt ist, so werden hier auch die einfachsten Ideen über die schöne Kunst, die ursprünglichen Fakta und die rohesten Versuche, kurz die Elemente der Poesie vorgetragen: die Puppenspiele, diese Kinderjahre des gemeinen poetischen Instinkts, wie er allen gefühlvollen Menschen auch ohne besondres Talent eigen ist, die Bemerkungen über die Art, wie der Schüler Versuche machen und beurteilen soll, und über die Eindrücke, welche der Bergmann und die Seiltänzer erregen, die Dichtung über das goldne Zeitalter der jugendlichen Poesie, die Künste der Gaukler, die improvisierte Komödie auf der Wasserfahrt. Aber nicht bloß auf die Darstellungen des Schauspielers und was dem ähnlich ist beschränkt sich diese Naturgeschichte des Schönen; in Mignons und des Alten romantischen Gesängen offenbart sich die Poesie auch als die natürliche Sprache und Musik schöner Seelen. Bei dieser Absicht mußte die Schauspielerwelt die Umgebung und der Grund des Ganzen werden, weil eben diese Kunst nicht bloß die vielseitigste, sondern auch die geselligste aller Künste ist und weil sich hier vorzüglich Poesie und Leben, Zeitalter und Welt berühren, während die einsame Werkstätte des bildenden Künstlers weniger Stoff darbietet und die Dichter nur in ihrem Innern als Dichter leben und keinen abgesonderten Künstlerstand mehr bilden.

Obgleich es also den Anschein haben möchte, als sei das

Ganze ebensosehr eine historische Philosophie der Kunst als ein Kunstwerk oder Gedicht und als sei alles, was der Dichter mit solcher Liebe ausführt, als wäre es sein letzter Zweck, am Ende doch nur Mittel, so ist doch auch alles Poesie, reine, hohe Poesie. Alles ist so gedacht und so gesagt wie von einem, der zugleich ein göttlicher Dichter und vollendeter Künstler wäre, und selbst der feinste Zug der Nebenausbildung scheint für sich zu existieren und sich eines eignen, selbständigen Daseins zu erfreuen. Sogar gegen die Gesetze einer kleinlichen unechten Wahrscheinlichkeit. Was fehlt Werners und Wilhelms Lobe des Handels und der Dichtkunst als das Metrum, um von jedermann für erhabne Poesie anerkannt zu werden? Überall werden uns goldne Früchte in silbernen Schalen gereicht. Diese wunderbare Prosa ist Prosa und doch Poesie. Ihre Fülle ist zierlich, ihre Einfachheit bedeutend und vielsagend, und ihre hohe und zarte Ausbildung ist ohne eigensinnige Strenge. Wie die Grundfäden dieses Stils im Ganzen aus der gebildeten Sprache des gesellschaftlichen Lebens genommen sind, so gefällt er sich auch in seltsamen Gleichnissen, welche eine eigentümliche Merkwürdigkeit aus diesem oder jenem ökonomischen Gewerbe, und was sonst von den öffentlichen Gemeinplätzen der Poesie am entlegensten scheint, dem Höchsten und Zartesten ähnlich zu bilden streben.

Man lasse sich also dadurch, daß der Dichter selbst die Personen und die Begebenheiten so leicht und so launig zu nehmen, den Helden fast nie ohne Ironie zu erwähnen und auf sein Meisterwerk selbst von der Höhe seines Geistes herabzulächeln scheint, nicht täuschen, als sei es ihm nicht der heiligste Ernst. Man darf es nur auf die höchsten Begriffe beziehn und es nicht bloß so nehmen, wie es gewöhnlich auf dem Standpunkt des gesellschaftlichen Lebens genommen wird: als einen Roman, wo Personen und Begebenheiten der letzte Endzweck sind. Denn dieses schlechthin neue und einzige Buch, welches man nur aus sich selbst verstehen lernen kann, nach einem aus Gewohnheit und Glauben, aus zufälligen Erfahrungen und willkürlichen Forderungen zusammengesetzten und entstandnen Gattungsbegriff beurteilen, das ist, als wenn ein Kind Mond und Gestirne mit der Hand greifen und in sein Schächtelchen packen will.

Ebensosehr regt sich das Gefühl gegen eine schulgerechte Kunstbeurteilung des göttlichen Gewächses. Wer möchte ein Grashalm des feinsten und ausgesuchtesten Witzes mit allen Förmlichkeiten und in aller üblichen Umständlichkeit rezensieren? Eine sogenannte Rezension des *Meister* würde uns immer erscheinen wie der junge Mann, der mit dem Buche unter dem Arm in den Wald spazieren kommt und den Philine mit dem Kuckuck vertreibt.

Vielleicht soll man es also zugleich beurteilen und nicht beurteilen, welches keine leichte Aufgabe zu sein scheint. Glücklicherweise ist es eben eins von den Büchern, welche sich selbst beurteilen und den Kunstrichter sonach aller Mühe überheben. Ja, es beurteilt sich nicht nur selbst, es stellt sich auch selbst dar. Eine bloße Darstellung des Eindrucks würde daher, wenn sie auch keins der schlechtesten Gedichte von der beschreibenden Gattung sein sollte, außerdem, daß sie überflüssig sein würde, sehr den kürzern ziehen müssen; nicht bloß gegen den Dichter, sondern sogar gegen den Gedanken des Lesers, der Sinn für das Höchste hat, der anbeten kann und ohne Kunst und Wissenschaft gleich weiß, was er anbeten soll, den das Rechte trifft wie ein Blitz.

Die gewöhnlichen Erwartungen von Einheit und Zusammenhang täuscht dieser Roman ebensooft, als er sie erfüllt. Wer aber echten systematischen Instinkt, Sinn für das Universum, jene Vorempfindung der ganzen Welt hat, die Wilhelmen so interessant macht, fühlt gleichsam überall die Persönlichkeit und lebendige Individualität des Werks, und je tiefer er forscht, je mehr innere Beziehungen und Verwandtschaften, je mehr geistigen Zusammenhang entdeckt er in demselben. Hat irgendein Buch einen Genius, so ist es dieses. Hätte sich dieser auch im ganzen wie im einzelnen selbst charakterisieren können, so dürfte niemand weiter sagen, was eigentlich daran sei und wie man es nehmen solle. Hier bleibt noch eine kleine Ergänzung möglich, und einige Erklärung kann nicht unnütz oder überflüssig scheinen, da trotz jenes Gefühls der Anfang und der Schluß des Werks fast allgemein seltsam und unbefriedigend und eins und das andre in der Mitte überflüssig und unzusammenhängend gefunden wird und da selbst der, welcher das Göttliche der gebildeten Willkür zu unterscheiden und zu ehren weiß, beim ersten und beim letzten Lesen etwas Isoliertes fühlt, als ob bei der schönsten und innigsten Übereinstimmung und Einheit nur eben die letzte Verknüpfung der Gedanken und der Gefühle fehlte. Mancher, dem man den Sinn nicht absprechen kann, wird sich in vieles lange nicht finden können, denn bei fortschreitenden Naturen erweitern, schärfen und bilden sich Begriff und Sinn gegenseitig.

Über die Organisation des Werks muß der verschiedne Charakter der einzelnen Massen viel Licht geben können. Doch darf sich die Beobachtung und Zergliederung, um von den Teilen zum Ganzen gesetzmäßig fortzuschreiten, eben nicht ins unendlich Kleine verlieren. Sie muß vielmehr, als wären es schlechthin einfache Teile, bei jenen größern Massen stehnbleiben, deren Selbständigkeit sich auch durch ihre freie Behandlung, Gestaltung und Verwandlung dessen, was sie von den vorhergehenden überkamen, bewährt und deren innre absichtslose Gleichartigkeit und ursprüngliche Einheit der Dichter selbst durch das absichtliche Bestreben, sie durch sehr verschiedenartige, doch immer poetische Mittel zu einem in sich vollendeten Ganzen zu runden, anerkannt hat. Durch jene Fortbildung ist der Zusammenhang, durch diese Einfassung ist die Verschiedenheit der einzelnen Massen gesichert und bestätigt, und so wird jeder notwendige Teil des einen und unteilbaren Romans ein System für sich. Die Mittel der Verknüpfung und der Fortschreitung sind ungefähr überall dieselben. Auch im zweiten Bande locken Jarno und die Erscheinung der Amazone, wie der Fremde und Mignon im ersten Bande, unsre Erwartung und unser Interesse in die dunkle Ferne und deuten auf eine noch nicht sichtbare Höhe der Bildung. Auch hier öffnet sich mit jedem Buch eine neue Szene und eine neue Welt, auch hier kommen die alten Gestalten verjüngt wieder; auch hier enthält jedes Buch die Keime des künftigen und verarbeitet den reinen Ertrag des vorigen mit lebendiger Kraft in sein eigentümliches Wesen. Und das dritte Buch, welches sich durch das frischeste und fröhlichste Kolorit auszeichnet, erhält durch Mignons »Dahin« und durch Wilhelms und der Gräfin ersten Kuß eine schöne Einfassung wie von den höchsten Blüten der noch keimenden und der schon reifen Jugendfülle. Wo so unendlich viel zu bemerken ist, wäre es unzweckmäßig, irgend etwas bemerken zu wollen, was schon dagewesen ist oder mit wenigen Veränderungen immer ähnlich wiederkommt. Nur was ganz neu und eigen ist, bedarf der Erläuterungen, die aber keineswegs alles allen hell und klar machen sollen. Sie dürften vielmehr eben dann vortrefflich genannt zu werden verdienen, wenn sie dem, der den *Meister* ganz versteht, durchaus bekannt und dem, der ihn gar nicht versteht, so gemein und leer wie das, was sie erläutern wollen, selbst vorkämen, dem hingegen, welcher das Werk halb versteht, auch nur halb verständlich wären, ihn über einiges aufklärten, über anders aber vielleicht noch tiefer verwirrten, damit aus der Unruhe und dem Zweifeln die Erkenntnis hervorgehe oder damit das Subjekt wenigstens seiner Halbheit, soviel das möglich ist, innewerde. Der zweite Band insonderheit bedarf der Erläuterungen am wenigsten: er ist der reichste, aber der reizendste; er ist voll Verstand, aber doch sehr verständlich.

In dem Stufengange der Lehrjahre der Lebenskunst ist

dieser Band für Wilhelmen der höhere Grad der Versuchungen und die Zeit der Verirrungen und lehrreichen, aber kostbaren Erfahrungen. Freilich laufen seine Vorsätze und seine Handlungen vor wie nach in parallelen Linien nebeneinander her, ohne sich je zu stören oder zu berühren. Indessen hat er doch endlich das gewonnen, daß er sich aus der Gemeinheit, die auch den edelsten Naturen ursprünglich anhängt oder sie durch Zufall umgibt, mehr und mehr erhoben oder sich doch aus ihr zu erheben ernstlich bemüht hat. Nachdem Wilhelms unendlicher Bildungstrieb zuerst bloß in seinem eigenen Innern gewebt und gelebt hatte, bis zur Selbstvernichtung seiner ersten Liebe und seiner ersten Künstlerhoffnung, und sich dann weit genug in die Welt gewagt hatte, war es natürlich, daß er nun vor allen Dingen in die Höhe strebte, sollte es auch nur die Höhe einer gewöhnlichen Bühne sein, daß das Edle und Vornehme sein vorzüglichstes Augenmerk ward, sollte es auch nur die Repräsentation eines nicht sehr gebildeten Adels sein. Anders konnte der Erfolg dieses seinem Ursprunge nach achtungswürdigen Strebens nicht wohl ausfallen, da Wilhelm noch so unschuldig und so neu war. Daher mußte das dritte Buch eine starke Annäherung zur Komödie erhalten, um so mehr, da es darauf angelegt war, Wilhelms Unbekanntschaft mit der Welt und den Gegensatz zwischen dem Zauber des Schauspiels und der Niedrigkeit des gewöhnlichen Schauspielerlebens in das hellste Licht zu setzen. In den vorigen Massen waren nur einzelne Züge entschieden komisch, etwa ein paar Gestalten zum Vorgrunde oder eine unbestimmte Ferne. Hier ist das Ganze, die Szene und Handlung selbst, komisch. Ja man möchte es eine komische Welt nennen, da des Lustigen darin in der Tat unendlich viel ist und da die Adligen und die Komödianten zwei abgesonderte Korps bilden, deren keines dem andern den Preis der Lächerlichkeit abtreten darf und die auf das drolligste gegeneinander manövrieren. Die Bestandteile dieses Komischen sind keineswegs vorzüglich fein und zart oder edel. Manches ist vielmehr von der Art, worüber jeder gemeiniglich von Herzen zu lachen pflegt, wie der Kontrast zwischen den schönsten Erwartungen und einer schlechten Bewirtung. Der Kontrast zwischen der Hoffnung und dem Erfolg, der Einbildung und der Wirklichkeit spielt hier überhaupt eine große Rolle: die Rechte der Realität werden mit unbarmherziger Strenge durchgesetzt, und der Pedant bekommt sogar Prügel, weil er doch auch ein Idealist ist. Aus wahrer Affenliebe begrüßt ihn sein Kollege, der Graf, mit gnädigen Blicken über die ungeheure Kluft der Verschiedenheit des Standes; der Baron darf an geistiger Albernheit und die Baronesse an sittlicher Gemeinheit niemanden weichen; die Gräfin selbst ist höchstens eine reizende Veranlassung zu der schönsten Rechtfertigung des Putzes, und diese Adligen sind, den Stand abgerechnet, den Schauspielern nur darin vorzuziehen, daß sie gründlicher gemein sind. Aber diese Menschen, die man lieber Figuren als Menschen nennen dürfte, sind mit leichter Hand und mit zartem Pinsel so hingedruckt, wie man sich die zierlichsten Karikaturen der edelsten Malerei denken möchte. Es ist bis zum Durchsichtigen gebildete Albernheit. Diese Frische der Farben, dieses kindliche Bunte, diese Liebe zum Putz und Schmuck, dieser geistreiche Leichtsinn und flüchtige Mutwillen haben etwas, was man Äther der Fröhlichkeit nennen möchte und was zu zart und zu fein ist, als daß der Buchstabe seinen Eindruck nachbilden und wiedergeben könnte. Nur dem, der vorlesen kann und sie vollkommen versteht, muß es überlassen bleiben, die Ironie, die über dem ganzen Werke schwebt, hier aber vorzüglich laut wird, denen, die den Sinn dafür haben, ganz fühlbar zu machen. Dieser sich selbst belächelnde Schein von Würde und Bedeutsamkeit in dem periodischen Stil, diese scheinbaren Nachlässigkeiten und Tautologien, welche die Bedingungen so vollenden, daß sie mit dem Bedingten wieder eins werden und, wie es die Gelegenheit gibt, alles oder nichts zu sagen oder sagen zu wollen scheinen, dieses höchst Prosaische mitten in der poetischen Stimmung des dargestellten oder komödierten Subjekts, der absichtliche Anhauch von poetischer Pedanterie bei sehr prosaischen Veranlassungen, sie beruhen oft auf einem einzigen Wort, ja auf einem Akzent.

Vielleicht ist keine Masse des Werks so frei und unabhängig vom Ganzen als eben das dritte Buch. Doch ist nicht alles darin Spiel und nur auf den augenblicklichen Genuß gerichtet. Jarno gibt Wilhelmen und dem Leser eine mächtige Glaubensbestätigung an eine würdige, große Realität und ernstere Tätigkeit in der Welt und in dem Werke. Sein schlichter, trockner Verstand ist das vollkommene Gegenteil von Aureliens spitzfindiger Empfindsamkeit, die ihr halb natürlich ist und halb erzwungen. Sie ist durch und durch Schauspielerin, auch von Charakter; sie kann nichts und mag nichts als darstellen und aufführen, am liebsten sich selbst, und sie trägt alles zur Schau, auch ihre Weiblichkeit und ihre Liebe. Beide haben nur Verstand, denn auch Aurelien gibt der Dichter ein großes Maß von Scharfsinn, aber es fehlt ihr so ganz an Urteil und Gefühl des Schicklichen wie Jarnon an Einbildungskraft. Es sind sehr ausgezeichnete, aber fast beschränkte, durchaus nicht große Menschen, und daß das Buch selbst auf jene Beschränktheit so bestimmt hindeutet, beweist, wie wenig es so bloße Lobrede auf den Verstand sei, als es wohl anfänglich scheinen könnte. Beide sind sich so vollkommen entgegengesetzt wie die tiefe, innige Mariane und die leichte, allgemeine Philine; und beide treten gleich diesen stärker hervor als nötig wäre, um die dargestellte Kunstlehre mit Beispielen und die Verwicklung des Ganzen mit Personen zu versorgen. Es sind Hauptfiguren, die, jede in ihrer Masse, gleichsam den Ton angeben. Sie bezahlen ihre Stelle dadurch, daß sie Wilhelms Geist auch bilden wollen und sich seine gesamte Erziehung vorzüglich angelegen sein lassen. Wenngleich der Zögling trotz des redlichen Beistandes so vieler Erzieher in seiner persönlichen und sittlichen Ausbildung wenig mehr gewonnen zu haben scheint als die äußre Gewandtheit, die er sich durch den mannigfaltigeren Umgang und durch die Übungen im Tanzen und Fechten erworben zu haben glaubt, so macht er doch dem Anscheine nach in der Kunst große Fortschritte, und zwar mehr durch die natürliche Entfaltung seines Geistes als auf fremde Veranlassung. Er lernt nun auch eigentliche Virtuosen kennen, und die künstlerischen Gespräche unter ihnen sind, außer dem, daß sie ohne den schwerfälligen Prunk der sogenannten gedrängten Kürze unendlich viel Geist, Sinn und Gehalt haben, auch noch wahre Gespräche; vielstimmig und ineinandergreifend, nicht bloß einseitige Scheingespräche. Serlo ist in gewissem Sinne ein allgemeingültiger Mensch, und selbst seine Jugendgeschichte ist, wie sie sein kann und sein soll bei entschiedenem Talent und ebenso entschiedenem Mangel an Sinn für das Höchste. Darin ist er Jarnon gleich: beide haben am Ende doch nur das Mechanische ihrer Kunst in der Gewalt. Von den ersten Wahrnehmungen und Elementen der Poesie, mit denen der erste Band Wilhelmen und den Leser beschäftigte, bis zu dem Punkt, wo der Mensch fähig wird, das Höchste und das Tiefste zu fassen, ist ein unermeßlich weiter Zwischenraum, und wenn der Übergang, der immer ein Sprung sein muß, wie billig durch ein großes Vorbild vermittelt werden sollte, durch welchen Dichter konnte dies wohl schicklicher geschehen als durch den, welcher vorzugsweise der Unendliche genannt zu werden verdient? Grade diese Seite des Shakespeare wird von Wilhelmen zuerst aufgefaßt, und da es in dieser Kunstlehre weniger auf seine große Natur als auf seine tiefe Künstlichkeit und Absichtlichkeit ankam, so mußte die Wahl den *Hamlet* treffen, da wohl kein Stück zu so vielfachem und interessantem Streit, was die verborgne Absicht des Künstlers oder was zufälliger Mangel des Werks sein möchte, Veranlassung geben kann als eben dieses, welches auch in die theatralische Verwicklung und Umgebung des Romans am schönsten eingreift und unter anderm die Frage von der Möglichkeit, ein vollendetes Meisterwerk zu verändern oder unverändert auf der Bühne zu geben, gleichsam von selbst aufwirft. Durch seine retardierende Natur kann das Stück dem Roman, der sein Wesen eben darin setzt, bis zu Verwechslungen verwandt scheinen. Auch ist der Geist der Betrachtung und der Rückkehr in sich selbst, von dem es so voll ist, so sehr eine gemeinsame Eigentümlichkeit aller sehr geistigen Poesie, daß dadurch selbst dies fürchterliche Trauerspiel, welches, zwischen Verbrechen und Wahnsinn schwankend, die sichtbare Erde als einen verwilderten Garten der lüsternen Sünde und ihr gleichsam hohles Inneres wie den Wohnsitz der Strafe und der Pein darstellt und auf den härtesten Begriffen von Ehre und Pflicht ruht, wenigstens in einer Eigenschaft sich den fröhlichen Lehrjahren eines jungen Künstlers anneigen kann.

Die in diesem und dem ersten Buche des nächsten Bandes zerstreute Ansicht des *Hamlet* ist nicht sowohl Kritik als hohe Poesie. Und was kann wohl anders entstehen als ein Gedicht, wenn der Dichter als solcher ein Werk der Dichtkunst anschaut und darstellt? Dies liegt nicht darin, daß sie über die Grenzen des sichtbaren Werkes mit Vermutungen und Behauptungen hinausgeht. Das muß alle Kritik, weil jedes vortreffliche Werk, von welcher Art es auch sei, mehr weiß, als es sagt, und mehr will, als es weiß. Es liegt in der gänzlichen Verschiedenheit des Zweckes und des Verfahrens. Jene poetische Kritik will gar nicht wie eine bloße Inschrift nur sagen, was die Sache eigentlich sei, wo sie in der Welt stehe und stehn solle, dazu bedarf es nur eines vollständigen, ungeteilten Menschen, der das Werk, solange als nötig ist, zum Mittelpunkt seiner Tätigkeit mache; wenn ein solcher mündliche oder schriftliche Mitteilung liebt, kann es ihm Vergnügen gewähren, eine Wahrnehmung, die im Grunde nur eine und unteilbar ist, weitläufig zu entwickeln, und so entsteht eine eigentliche Charakteristik. Der Dichter und Künstler hingegen wird die Darstellung von neuem darstellen, das schon Gebildete noch einmal bilden wollen; er wird das Werk ergänzen, verjüngen, neu gestalten. Er wird das Ganze nur in Glieder und Massen und Stücke teilen, nie in seine ursprünglichen Bestandteile zerlegen, die in Beziehung auf das Werk tot sind, weil sie nicht mehr Einheiten derselben Art wie das Ganze enthalten, in Beziehung auf das Weltall aber allerdings lebendig und Glieder oder Massen desselben sein könnten. Auf solche bezieht der gewöhnliche Kritiker den Gegenstand seiner Kunst und muß daher seine lebendige Einheit unvermeidlich zerstören, ihn bald in seine Elemente zersetzen, bald selbst nur als ein Atom einer größeren Masse betrachten.

Im fünften Buche kommt es von der Theorie zu einer durchdachten und nach Grundsätzen verfahrenden Ausübung; und auch Serlos und der andern Roheit und Eigennutz, Philinens Leichtsinn, Aureliens Überspannung, des Alten Schwermut und Mignons Sehnsucht gehen in Handlung über. Daher die nicht seltene Annäherung zum Wahnsinn, die eine Lieblingsbeziehung und Ton dieses Teils scheinen dürfte. Mignon als Mänade ist ein göttlich lichter Punkt, deren es hier mehrere gibt. Aber im ganzen scheint das Werk etwas von der Höhe des zweiten Bandes zu sinken. Es bereitet sich gleichsam schon vor, in die äußersten Tiefen des innern Menschen zu graben und von da wieder eine noch größere und schlechthin große Höhe zu ersteigen, wo es bleiben kann. Überhaupt scheint es an einem Scheidepunkte zu stehen und in einer wichtigen Krise begriffen zu sein. Die Verwicklung und Verwirrung steigt am höchsten und auch die gespannte Erwartung über den endlichen Aufschluß so vieler interessanter Rätsel und schöner Wunder. Auch Wilhelms falsche Tendenz bildet sich zu Maximen, aber die seltsame Warnung warnt auch den Leser, ihn nicht zu leichtsinnig schon am Ziel oder auf dem rechten Wege dahin zu glauben. Kein Teil des Ganzen scheint so abhängig von diesem zu sein und nur als Mittel gebraucht zu werden wie das fünfte Buch. Es erlaubt sich sogar bloß theoretische Nachträge und Ergänzungen, wie das Ideal eines Souffleurs, die Skizze der Liebhaber der Schauspielkunst, die Grundsätze über den Unterschied des Drama und des Romans.

Die *Bekenntnisse der schönen Seele* überraschen im Gegenteil durch ihre unbefangene Einzelnheit, scheinbare Beziehungslosigkeit auf das Ganze und in den früheren Teilen des Romans beispiellose Willkürlichkeit der Verflechtung mit dem Ganzen oder vielmehr die Aufnahme in dasselbe. Genauer erwogen aber dürfte Wilhelm auch wohl vor seiner Verheiratung nicht ohne alle Verwandtschaft mit der Tante sein, wie ihre Bekenntnisse mit dem ganzen Buch. Es sind doch auch Lehrjahre, in denen nichts gelernt wird als zu existieren, nach seinen besonderen Grundsätzen oder seiner unabänderlichen Natur zu leben; und wenn Wilhelm nur durch die Fähigkeit, sich für alles zu interessieren, interessiert bleibt, so darf auch die Tante durch die Art, wie sie sich für sich selbst interessiert, Ansprüche darauf machen, ihr Gefühl mitzuteilen. Ja, sie lebt im Grunde auch theatralisch; nur mit dem Unterschiede, daß sie die sämtlichen Rollen vereinigt, die in dem gräflichen Schlosse, wo alle agieren und Komödie mit sich spielten, unter viele Figuren verteilt waren, und daß ihr Innres die Bühne bildet, auf der sie Schauspieler und Zuschauer zugleich ist und auch noch die Intrigen in der Kulisse besorgt. Sie steht beständig vor dem Spiegel des Gewissens und ist beschäftigt, ihr Gemüt zu putzen und zu schmücken. Überhaupt ist in ihr das äußerste Maß der Innerlichkeit erreicht, wie es doch auch geschehen mußte, da das Werk von Anfang an einen so entschiednen Hang offenbarte, das Innre und das Äußre scharf zu trennen und entgegenzusetzen. Hier hat sich das Innre nur gleichsam selbst ausgehöhlt. Es ist der Gipfel der ausgebildeten Einseitigkeit, dem das Bild reifer Allgemeinheit eines großen Sinnes gegenübersteht. Der Onkel nämlich ruht im Hintergrunde dieses Gemäldes wie ein gewaltiges Gebäude der Lebenskunst im großen, alten Stil, von edlen, einfachen Verhältnissen, aus dem reinsten, gediegensten Marmor. Es ist eine ganz neue Erscheinung in dieser Suite von Bildungsstücken. Bekenntnisse zu schreiben wäre wohl nicht seine Liebhaberei gewesen, und da er sein eigner Lehrer war, kann er keine Lehrjahre gehabt haben wie Wilhelm. Aber mit männlicher Kraft hat er sich die umgebende Natur zu einer klassischen Welt gebildet, die sich um seinen selbständigen Geist wie um den Mittelpunkt bewegt.

Daß auch die Religion hier als angeborne Liebhaberei dargestellt wird, die sich durch sich selbst freien Spielraum schafft und stufenweise zur Kunst vollendet, stimmt vollkommen zu dem künstlerischen Geist des Ganzen, und es wird dadurch, wie an dem auffallendsten Beispiele gezeigt, daß er alles so behandeln und behandelt wissen möchte. Die Schonung des Oheims gegen die Tante ist die stärkste Versinnlichung der unglaublichen Toleranz jener großen Männer, in denen sich der Weltgeist des Werks am unmittelbarsten offenbart. Die Darstellung einer sich wie ins Unendliche immer wieder selbst anschauenden Natur war der schönste Beweis, den ein Künstler von der unergründlichen Tiefe seines Vermögens geben konnte. Selbst die fremden Gegenstände malte er in der Beleuchtung und Farbe und mit solchen Schlagschatten, wie sie sich in diesem alles in seinem eignen Widerscheine schauenden Geiste abspiegeln und darstellen mußten. Doch konnte es nicht seine Absicht sein, hier tiefer und voller darzustellen als für den Zweck des Ganzen nötig und gut wäre, und noch weniger konnte es seine Pflicht sein, einer bestimmten Wirklichkeit zu gleichen. Überhaupt gleichen die Charaktere in diesem Roman zwar durch die Art der Darstellung dem Porträt, ihrem Wesen nach aber sind sie mehr oder minder allgemein und allegorisch. Eben daher sind sie ein unerschöpflicher Stoff und die vortrefflichste Beispielsammlung für sittliche und gesellschaftliche Untersuchungen. Für diesen Zweck müßten Gespräche über die Charaktere im *Meister* sehr interessant sein können, obgleich sie zum Verständnis des Werkes selbst nur etwa episodisch mitwirken könnten: aber Gespräche müßten es sein, um schon durch die Form alle Einseitigkeit zu verbannen. Denn wenn ein einzelner nur aus dem Standpunkte seiner Eigentümlichkeit über jede dieser Personen räsonierte und ein moralisches Gutachten fällte, das wäre wohl die unfruchtbarste unter allen möglichen Arten, den *Wilhelm Meister* anzusehen, und man würde am Ende nicht mehr daraus lernen, als daß der Redner über diese Gegenstände so, wie es nun lautete, gesinnt sei.

Mit dem vierten Bande scheint das Werk gleichsam mannbar und mündig geworden. Wir sehen nun klar, daß es nicht bloß, was wir Theater oder Poesie nennen, sondern das große Schauspiel der Menschheit selbst und die Kunst aller Künste, die Kunst zu leben, umfassen soll. Wir sehen auch, daß diese Lehrjahre eher jeden andern zum tüchtigen Künstler oder zum tüchtigen Mann bilden wollen und bilden können als Wilhelmen selbst. Nicht dieser oder jener Mensch sollte erzogen, sondern die Natur, die Bildung selbst sollte in mannigfaltigen Beispielen dargestellt und in einfache Grundsätze zusammengedrängt werden. Wie wir uns in den *Bekenntnissen* plötzlich aus der Poesie in das Gebiet der Moral versetzt wähnten, so stehn hier die gediegnen Resultate einer Philosophie vor uns, die sich auf den höhern Sinn und Geist gründet und gleich sehr nach strenger Absonderung und nach erhabner Allgemeinheit aller menschlichen Kräfte und Künste strebt. Für Wilhelmen wird wohl endlich auch gesorgt, aber sie haben ihn, fast mehr als billig oder höflich ist, zum besten; selbst der kleine Felix hilft ihn erziehen und beschämen, indem er ihm seine vielfache Unwissenheit fühlbar macht. Nach einigen leichten Krämpfen von Angst, Trotz und

Reue verschwindet seine Selbständigkeit aus der Gesellschaft der Lebendigen. Er resigniert förmlich darauf, einen eignen Willen zu haben, und nun sind seine Lehrjahre wirklich vollendet, und Natalie wird Supplement des Romans. Als die schönste Form der reinsten Weiblichkeit und Güte macht sie einen angenehmen Kontrast mit der etwas materiellen Therese. Natalie verbreitet ihre wohltätigen Wirkungen durch ihr bloßes Dasein in der Gesellschaft, Therese bildet eine ähnliche Welt um sich her wie der Oheim. Es sind Beispiele und Veranlassungen zu der Theorie der Weiblichkeit, die in jener großen Lebenskunstlehre nicht fehlen durfte. Sittliche Geselligkeit und häusliche Tätigkeit, beide in romantisch schöner Gestalt, sind die beiden Urbilder oder die beiden Hälften eines Urbilds, welche hier für diesen Teil der Menschheit aufgestellt werden.

Wie mögen sich die Leser dieses Romans beim Schlusse desselben getäuscht fühlen, da aus allen diesen Erziehungsanstalten nichts herauskommt als bescheidne Liebenswürdigkeit, da hinter allen diesen wunderbaren Zufällen, weissagenden Winken und geheimnisvollen Erscheinungen nichts steckt als die erhabenste Poesie und da die letzten Fäden des Ganzen nur durch die Willkür eines bis zur Vollendung gebildeten Geistes gelenkt werden! In der Tat erlaubt sich diese hier, wie es scheint mit gutem Bedacht, fast alles und liebt die seltsamsten Verknüpfungen. Die Reden einer Barbara wirken mit der gigantischen Kraft und der würdigen Großheit der alten Tragödie; von dem interessantesten Menschen im ganzen Buch wird fast nichts ausführlich erwähnt als sein Verhältnis mit einer Pächtertochter; gleich nach dem Untergang Marianens, die uns nicht als Mariane, sondern als das verlassene, zerrissene Weib überhaupt interessiert, ergötzt uns der Anblick des Dukaten zählenden Laertes, und selbst die unbedeutendsten Nebengestalten wie der Wundarzt sind mit Absicht höchst wunderlich. Der eigentliche Mittelpunkt dieser

Willkürlichkeit ist die geheime Gesellschaft des reinen Verstandes, die Wilhelmen und sich selbst zum besten hat und zuletzt noch rechtlich und nützlich und ökonomisch wird. Dagegen ist aber der Zufall selbst hier ein gebildeter Mann, und da die Darstellung alles andere im großen nimmt und gibt, warum sollte sie sich nicht auch der hergebrachten Lizenzen der Poesie im großen bedienen? Es versteht sich von selbst, daß eine Behandlung dieser Art und dieses Geistes nicht alle Fäden lang und langsam ausspinnen wird. Indessen erinnern doch auch der erst eilende, dann aber unerwartet zögernde Schluß des vierten Bandes, wie Wilhelms allegorischer Traum im Anfange desselben, an vieles von allem, was das Interessanteste und Bedeutendste im Ganzen ist. Unter andern sind der segnende Graf, die schwangre Philine vor dem Spiegel, als ein warnendes Beispiel der komischen Nemesis, und der sterbend geglaubte Knabe, welcher ein Butterbrot verlangt, gleichsam die ganz bürlesken Spitzen des Lustigen und Lächerlichen.

Wenn bescheidner Reiz den ersten Band dieses Romans, glänzende Schönheit den zweiten und tiefe Künstlichkeit und Absichtlichkeit den dritten unterscheidet, so ist Größe der eigentliche Chrakter des letzten und mit ihm des ganzen Werks. Selbst der Gliederbau ist erhabner, und Licht und Farben heller und höher; alles ist gediegen und hinreißend, und die Überraschungen drängen sich. Aber nicht bloß die Dimensionen sind erweitert, auch die Menschen sind von größerem Schlage. Lothario, der Abbé und der Oheim sind gewissermaßen jeder auf seine Weise der Genius des Buches selbst, die andern sind nur seine Geschöpfe. Darum treten sie auch wie der alte Meister neben seinem Gemälde bescheiden in den Hintergrund zurück, obgleich sie aus diesem Gesichtspunkt eigentlich die Hauptpersonen sind. Der Oheim hat einen großen Sinn, der Abbé hat einen großen Verstand und schwebt über dem Ganzen wie der Geist Gottes. Dafür, daß er gern das Schicksal spielt, muß er auch im Buch die Rolle des Schicksals übernehmen. Lothario ist ein großer Mensch, der Oheim hat noch etwas Schwerfälliges, Breites, der Abbé etwas Magres, aber Lothario ist vollendet, seine Erscheinung ist einfach, sein Geist ist immer im Fortschreiten, und er hat keinen Fehler als den Erbfehler aller Größe, die Fähigkeit, auch zerstören zu können. Er ist die himmelanstrebende Kuppel, jene sind die gewaltigen Pilaster, auf denen sie ruht. Diese architektonischen Naturen umfassen, tragen und erhalten das Ganze. Die andern, welche nach dem Maß von Ausführlichkeit der Darstellung die wichtigsten scheinen können, sind nur die kleinen Bilder und Verzierungen im Tempel. Sie interessieren den Geist unendlich, und es läßt sich auch gut darüber sprechen, ob man sie achten oder lieben soll und kann, aber für das Gemüt selbst bleiben es Marionetten, allegorisches Spielwerk. Nicht so Mignon, Sperata und Augustino, die heilige Familie der Naturpoesie, welche dem Ganzen romantischen Zauber und Musik geben und im Übermaß ihrer eignen Seelenglut zugrunde gehen. Es ist, als wollte dieser Schmerz unser Gemüt aus allen seinen Fugen reißen: aber dieser Schmerz hat die Gestalt, den Ton einer klagenden Gottheit, und seine Stimme rauscht auf den Wogen der Melodie daher wie die Andacht würdiger Chöre.

Es ist, als sei alles Vorhergehende nur ein geistreiches, interessantes Spiel gewesen und als würde es nun Ernst. Der vierte Band ist eigentlich das Werk selbst; die vorigen Teile sind nur Vorbereitung. Hier öffnet sich der Vorhang des Allerheiligsten, und wir befinden uns plötzlich auf einer Höhe, wo alles göttlich und gelassen und rein ist und von der Mignons Exequien so wichtig und so bedeutend erscheinen als ihr notwendiger Untergang.

August Wilhelm Schlegel

EINLEITUNG ZU DEN »VORLESUNGEN ÜBER SCHÖNE LITERATUR UND KUNST«

1801/02

Theorie, Geschichte und Kritik der schönen Künste sind die Gegenstände dieser Vorlesungen, und zwar werde ich nicht jedes von diesen dreien getrennt und einzeln abhandeln, sondern, soviel möglich, alles miteinander zu vereinigen und zu verschmelzen suchen. Und dies nicht etwa bloß in der Überzeugung, daß jedes dieser Dinge dadurch lehrreicher und anziehender werde, sondern weil sie schlechthin nicht ohne einander bestehen können und eins immer nur durch Vermittlung des andern bearbeitet und vervollkommt werden kann. Die Erörterung dieser Begriffe, von der wir ausgehen müssen, um zu einer Übersicht unsers Vorhabens zu gelangen, wird dies dartun.

Gebräuchliche Benennungen der Kunsttheorie und damit verknüpfte Vorstellungsarten.

Theorie der schönen Künste und Wissenschaften. Dieser Zusatz ist unschicklich, schöne Wissenschaft ist in sich widersprechend. Denn Wissenschaft ist ein System oder ein geordnetes Ganzes von Wahrheiten, deren jede mit Notwendigkeit aus der vorhergehenden herfließt. Alle Wissenschaft ist also ihrer Natur nach strenge, der Schein von Spiel und Freiheit, der bei allem Schönen wesentlich stattfinden muß, ist bei ihr gänzlich ausgeschlossen. Unstreitig ist es nur eine ungeschickte Übersetzung von belles lettres, und die beiden schönen Wissenschaften sollen die Poesie und die Beredsamkeit sein. Unterdessen mag doch diese nunmehr fast veraltete Benennung die verkehrte Forderung begünstigt haben, als ob die Wissenschaft der Kunst selbst schön sein solle. Man glaubte in schönen Phrasen über die Künste reden zu müssen, daher entstand oberflächliche, seichte Schöngeisterei.

Aber selbst gegen den Ausdruck schöne Künste treten Bedenklichkeiten ein. Entweder man nimmt an, daß die Künste durchaus nichts anders hervorbringen sollen noch können als das Schöne, so ist dieses das Ziel und Wesen der Kunst selbst, das Beiwort ist dann wenigstens überflüssig und tautologisch. Oder aber man sieht es noch als problematisch an, ob die beiden Sphären des Schönen und der Kunst voneinander abgesondert sind, ob sie ineinander eingreifen oder sich gänzlich decken: so greift man durch den Zusatz dem Gange der Untersuchung vor und geht über das reine Faktum hinaus, welches in dem Vorhandensein der Kunst gegeben ist. Daß indessen das Wort schön in dieser Zusammenstellung ziemlich gedankenlos nach dem gemeinen Sprachgebrauch angewandt worden ist, erhellet daraus, daß auch solche Theoristen, die das Schöne als etwas vom Angenehmen und Guten spezifisch Verschiedenes eigentlich leugneten und entweder sinnliches Vergnügen oder Belehrung und moralische Nutzanwendung zum letzten Zweck der Künste machten, sie dennoch immerfort schöne Künste genannt haben.

Eine andre von Baumgarten erfundne und seitdem in Deutschland herrschend gewordene Benennung, die jetzt auch im Auslande Eingang findet, ist Ästhetik. Ableitung und Bedeutung des Wortes: eigentlich Lehre von den sinnlichen Wahrnehmungen. Diese könnte also bloß psychologisch sein, insofern sie auf die Werkzeuge der Sinne ginge, und physikalisch, insofern sie die Phänomene der verschiednen Sinne aus Naturgesetzen erklärte. Dergleichen Wissenschaften sind auch wirklich vom Gesichts und Gehörsinn aufgestellt worden: Optik, Akustik. Baumgarten verstand aber darunter ganz etwas anders: eine Analyse des untern (sinnlichen) Erkenntnisvermögens al

Gegenstück zu der des oberen oder der Logik. Wie diese den richtigen Gebrauch der Vernunft, sollte jene das gleiche für die unteren Erkenntniskräfte lehren: eine kann es aber ebensowenig als die andre. Das ganze Mißverständnis beruht auf der falschen Ansicht der Sinnlichkeit im Wolffischen System, die wir nachher bei der Übersicht der verschiednen Behandlungsarten der Kunsttheorie noch wieder berühren werden. Die Wolffische Schule leugnete nämlich die Anschauung, indem sie dieselbe für ein verworrenes Denken ausgab, also für etwas bloß Negatives, für eine Beschränkung des Denkens. Kant hat sie in ihre Rechte wiederhergestellt, und er hat auch zuerst die Benennung Ästhetik in ihrem wahren Sinne gebraucht, indem er den Abschnitt in der *Kritik der reinen Vernunft*, der von dem Allgemeingültigen, Notwendigen und an sich Gewissen in den sinnlichen Wahrnehmungen handelt, die transzendentale Ästhetik nennt. Er verwirft dabei in einer Anmerkung den Wolffischen Sprachgebrauch, zu dem er jedoch selbst wieder zurückgekehrt ist, indem er die erste Hälfte seiner *Kritik der Urteilskraft*, die *Kritik der ästhetischen Urteilskraft* nennt.

Es wäre Zeit, diesen unschicklichen Ausdruck ganz abzuschaffen, der nach Kant auch in den Schriften philoophischer Selbstdenker immer noch wieder vorkommt, wiewohl man häufig seine Widersinnigkeit anerkannt hat. Unstreitig hat er großen Schaden gestiftet: das Ästhetische st eine wahre qualitas occulta geworden, und hinter dem nverständlichen Wort hat sich so manche nichtssagende Behauptung, so mancher Zirkel im Beweisen verstecken önnen, der sonst in seiner Blöße aufgefallen sein würde. Baumgarten hat allerdings das Verdienst, zuerst mit ewußtsein einen (wiewohl mißglückten) Versuch gemacht u haben, eine philosophische Theorie der Künste volländig aufzustellen. Denn was bei seinen Vorgängern avon vorkommt, ist teils fragmentarisch und rhapsodisch, ils haben es sich die Urheber selbst nie recht klargemacht, ob etwas von ihren Sätzen und wieviel philosophische Dignität haben soll.

Unterschied zwischen einer philosophischen und einer bloß technischen Theorie einer Kunst. Die letzte bringt das Verfahren, wodurch man irgend etwas bewerkstelligt in ein System von Regeln. Den zu realisierenden Zweck setzt sie schon voraus. Die philosophische Theorie hingegen macht sich diesen selbst zum Gegenstande ihrer Betrachtung, sie leitet ihn erst als notwendig ab. Jene zeigt, wie etwas geleistet werden kann, diese, was überhaupt geleistet werden soll. Z. B. wie sich die Einwirkung der Körper aufeinander vermöge der Schwerkraft, Elastizität usw. zu mancherlei Erfolgen in der Körperwelt benutzen läßt, lehrt die Mechanik. Ob und warum dies aber geschehen soll, darum bekümmert sie sich nicht, sie ist eine bloß technische Theorie. Die Theorie des Staats hingegen, die Politik, ist eine philosophische, sie muß von dem Beweise ausgehen, daß der Mensch vermöge seiner Natur im Staate leben soll, und so die Idee eines vollkommnen Staates ableiten. Die Mittel, wie er allmählich zu realisieren ist, werden erst in der angewandten Politik angegeben.

Kants Nachbeter haben sich viele Mühe gegeben, philosophische Theorien von Künsten aufzustellen, wovon keine möglich sind, z. B. die Ökonomie transzendental zu dedu zieren. Dabei sind sie denn auf leere Formulare von Prin zipien gekommen, die ungefähr so beschaffen sind wie de höchste Grundsatz der Fechtkunst, welcher dem bürger lichen Edelmann beim Molière gelehrt wird. Eine tüchtig technische Theorie ist ohne Zweifel einer nichtsnutzigen philosophischen weit vorzuziehen; aus jener lernt ma wirklich etwas, in dieser wird man mit leeren Hülsen ge speist.

Es fragt sich nun also, ob es eine philosophische Theori der sogenannten schönen Künste geben kann?

Daß eine technische Theorie von ihnen möglich ist, leuch

tet sogleich ein. Denn die Erzeugnisse derselben sollen ja nicht als bloßer Entwurf im Innern des Geistes bleiben, sondern als Werke in die Welt der Erscheinungen zu allgemeiner Mitteilung hervortreten; sie müssen sich daher auch den in ihr geltenden Gesetzen unterwerfen. Hier zeigt sich nun aber schon ein merkwürdiger Unterschied zwischen den Künsten. Die bildenden Künste nämlich und die Musik bearbeiten allerlei Naturprodukte, um ihnen als einem Material die geistige Idee aufzuprägen oder um sie als Werkzeuge zum Vortrage derselben zu gebrauchen. Ferner bezielen sie Eindrücke auf zwei äußere Sinne, das Gesicht und Gehör. Ihre technische Theorie gründet sich also teils auf die Naturgesetze, nach welchen diese erfolgen (Optik und Akustik), teils auf die Beschaffenheit des Materials und ist folglich physikalisch. Die redenden Künste hingegen, Poesie und Beredsamkeit, haben zum Organ die Sprache, welche kein Naturprodukt, sondern ein Werk des menschlichen Geistes, und zwar, wie sich zeigen läßt, ein ursprüngliches und notwendiges ist. Selbst ihre technische Theorie kann daher nicht physikalisch sein, sondern ist schon wenigstens mittelbar philosophisch. Die Grammatik nämlich im echten Sinne des Wortes, nicht die Kenntnis von den Regeln dieser oder jener Sprache als einem historisch gegebnen, sondern die systematische Darstellung von der Art, wie sich der Mechanismus der menschlichen Geistestätigkeiten in der Form der Sprache überhaupt ausdrückt, ist eine philosophische Wissenschaft. Der technische Teil der Poetik wird daher grammatisch sein, insofern er sich auf das Gemeinschaftliche aller Sprachen, und philologisch, insofern er sich auf den besondern Charakter dieser oder jener bestimmten Sprache bezieht.

Bei diesen Künsten treibt daher schon von selbst die technische Theorie, gründlich behandelt, weiter zurück auf eine philosophische. Allein, auch bei den übrigen Künsten sieht jeder, der empfänglich für sie ist, leicht ein, daß es bei ihrer technischen Theorie nicht auf die Art sein Bewenden haben kann, als ob dadurch das ganze Wesen derselben erschöpft wäre. Was sie lehrt, ist bloß die negative Bedingung des Wohlgefallens an den Werken dieser Künste, keineswegs schon der eigentliche Grund davon. Man gesteht ein, daß jene mechanischen Regeln in einem Werke befolgt sein können, daß es eine äußerliche Richtigkeit haben und doch dabei geistlos und durchaus gleichgültig sein kann, statt daß ein genialisches Kunstwerk das Gemüt bewegt und erhebt.

Die Werke mechanischer Kunst sind tot und beschränkt; die Werke höherer Geisteskunst sind lebendig, in sich selbst beweglich und unendlich. Jene dienen einem bestimmten äußerlichen Zwecke, über dessen Erreichung sie nicht hinausgehen, und der Verstand, der sie entworfen, kann sie auch bis auf den Grund durchschauen. So dient z. B. eine Uhr, die Zeiten zu messen; weiter kann sie nichts, und mag sie noch so künstlich gebaut sein, man kann mit ihrer Zergliederung völlig zu Ende kommen, sie ebenso auseinandernehmen, wie sie zusammengesetzt worden ist. Daß die schöne Kunst hierüber hinausgeht, läßt sich am besten an der Architektur zeigen, die zugleich eine mechanische ist. Wenn ein Haus fest und dauerhaft und von innen geräumig und bequem wäre, so sollte man denken, es leistete alles, was daran zu fodern steht. Die Erfahrung zeigt aber, daß sich die Menschen dabei nicht beruhigt haben, denn dies würde kaum hinreichen, die Architektur unsrer Bauernhäuser zu erklären. Wie käme der Mensch nun dazu, das Haus noch als ein Ganzes für die Erscheinung nach den Verhältnissen seiner Teile zueinander zu betrachten, wenn nicht ein Prinzip in ihm läge, das ihn über den bestimmten Zweck hinaustreibt?

Ein Haus dient, um darin zu wohnen. Aber wozu dient in diesem Sinne wohl ein Gemälde oder ein Gedicht? Zu gar nichts. Viele haben es gut mit den Künsten gemeint, aber schlecht verstanden, wenn sie sie von seiten ihrer Nützlichkeit zu empfehlen gesucht haben. Das heißt sie aufs äußerste herabwürdigen und die Sache geradezu auf den Kopf stellen. Vielmehr liegt es im Wesen der schönen Künste, nicht nützlich sein zu wollen. Das Schöne ist auf gewisse Weise der Gegensatz des Nützlichen: es ist dasjenige, dem das Nützlichsein erlassen ist. Alles Nützliche ist dem untergeordnet, wozu es nützlich ist. Es muß demnach etwas geben, das letzter Zweck oder Zweck an sich ist, sonst würde man mit dem Nützlichen in einer unendlichen Reihe immer wieder an etwas andres verwiesen, und der Begriff des Nützlichen hätte am Ende gar keine Realität.

Einem solchen Zweck an sich müssen nun wohl die schönen Künste entsprechen, wenn sie nicht eine bloße Fratze sein sollen, da sie, wie wir gesehen haben, einem beschränkten Zwecke zu dienen sich nicht bequemen noch dazu dienen. Dies widerspricht dem nicht, daß wir sie vorher als zwecklos geschildert haben. Denn was einen absoluten Zweck hat, erscheint auf gewisse Weise wieder zwecklos, indem das, was wir gewöhnlich Zweck nennen, nur eine beschränkte Aufgabe des Verstandes und Verneinung eines absoluten Zwecks ist. Kunst kann man überhaupt als die Geschicklichkeit beschreiben, irgendeinen Zweck des Menschen in der Natur wirklich auszuführen. Die Zwecke des Menschen sind nun teils beschränkt und zufällig, teils unendlich und notwendig. Eine philosophische Theorie kann es nur von derjenigen Kunst geben, welche auf die letzten geht, denn die Philosophie beschäftigt sich mit nichts anderm, als was im menschlichen Geiste ewig und unabänderlich ist. Unstreitig ließe sich manche Kunst durch technische Theorie wissenschaftlicher behandeln, als bis jetzt geschehen ist. So müßte durch Zurückführung auf Chemie in der Kochkunst viel Neues entdeckt werden. Der berühmte Camper hat sich herabgelassen, eine Abhandlung über das Schuhmachen nach anatomischen Grundsätzen zu schreiben. Dies war also eine physikalische Theorie dieser Kunst: eine philosophische läßt sich davon nicht aufstellen, weil es keinen kategorischen Imperativ des Schuhtragens gibt, wie ein Kantianer das unumgängliche Bedürfnis nennen würde. Ist doch sogar Sokrates barfuß gegangen. Man müßte denn die Meinung der Stoiker annehmen, daß die eine und unteilbare Weisheit sich über alles verbreite und daß der Weise, wie Horaz spottend sagt, auch notwendig der beste Schuster sei. Ein Professor in Göttingen (Bouterwek) hat ein kleines Kompendium, *Philosophie des deutschen Stils,* herausgegeben, welches in der Tat wie eine philosophische Theorie des Schuhmachens klingt. Denn wie läßt sich dartun, daß man durchaus deutsch schreiben muß?

Sobald man behauptet, wie wir es denn allerdings behaupten, es sei eine philosophische Theorie der schönen Künste möglich, so haben wir dadurch schon ein Merkmal für diese gefunden, welches berechtigt, sie vor allen Gewerben, mechanischen, nützlichen oder angenehmen Fertigkeiten, vorzugsweise Künste zu nennen. Den Inbegriff der Künste in diesem Sinne nennt man noch besser die Kunst: dadurch deutet man an, daß das, was sie miteinander gemein haben (der menschliche Zweck) das Wesentliche an ihnen, das aber, was sie unterscheidet (die Mittel der Ausführung), das Zufällige ist. Diesem nach wäre ihre philosophische Theorie am schicklichsten Kunstlehre zu benennen, nach der Analogie von Sittenlehre, Rechtslehre, Wissenschaftslehre, oder auch Poetik, da man einverstanden ist, daß es in allen schönen Künsten außer dem mechanischen (technischen) und über ihm, einen poetischen Teil gebe; d. h., es wird eine freie, schaffende Wirksamkeit der Phantasie *(ποιησις)* in ihnen erkannt Poesie heißt dann im allgemeineren Sinne das allen Künsten Gemeinsame, was sich nur nach der besondern Sphäre ihrer Darstellungen modifiziert.

Was würde also eine solche Kunstlehre oder Poetik zu leisten haben?

Sie würde als Grundsatz aufstellen müssen: die Kunst

soll sein, oder das Schöne, wenn wir einmal den Gegenstand derselben so nennen wollen, muß hervorgebracht werden. Diesen Grundsatz hätte sie an das oberste Prinzip der Philosophie überhaupt anzuknüpfen. Ferner würde sie die Selbständigkeit des Schönen, seine wesentliche Verschiedenheit und seine Unabhängigkeit vom sittlich Guten dartun müssen: sie würde die Autonomie der Kunst behaupten. (Autonomisch ist sie, wenn die Anlage dazu ihr auch selbst das Gesetz gibt, heteronomisch, wenn sie es von einer fremden Anlage entlehnen muß.) Hierauf würde sie die gesamte mögliche Sphäre der Kunst ausmessen und umschreiben und wiederum die notwendigen Grenzen der besondern Sphären verschiedner Künste und der Gattungen und Unterarten in ihnen festsetzen und so durch beständige Synthesis zu den bestimmtesten Kunstgesetzen fortgehen.

Inwiefern diesen Forderungen bisher Genüge geleistet worden und was noch zu tun übrig ist, werde ich in einer gedrängten Übersicht der bisherigen Behandlungsarten dieser Wissenschaft zeigen und alsdann, was ich selbst Theoretisches zu sagen habe, meinem Plane gemäß mit dem Historischen und Kritischen verbinden. Es versteht sich von selbst, daß in diesen Vorlesungen nur auf die technische Theorie der Poesie und Beredsamkeit einige Rücksicht genommen werden kann; die der bildenden Künste und der Musik sind weitläuftige Wissenschaften, von denen die Ergründung einer einzigen ein ganzes Leben erfodern könnte.

Ich komme nun auf den Begriff einer Geschichte der Kunst und ihre Beziehung auf die Theorie.

Die Geschichte soll uns nach dem gewöhnlichen Begriff mit vorgefallnen Ereignissen und Begebenheiten bekannt machen. Sie erscheint also auf den ersten Anblick als der Theorie völlig entgegengesetzt, denn sie lehrt das Wirkliche kennen, statt daß diese sich mit dem Möglichen und Notwendigen beschäftigt. Allein, das Wirkliche ist wahrhaftig notwendig, nur daß die Notwendigkeit davon oft nicht unmittelbar und zuweilen nie vollständig eingesehen werden kann. Ein bloßes Aggregat von Vorfallenheiten, ohne Zusammenhang und ohne Sinn und Bedeutung im Ganzen, die nichts miteinander gemein haben, als daß sie an dem gleichen Orte (in einer Stadt, einem Lande) sich zugetragen und worin keine Ordnung zu entdecken ist als die der Zeitfolge: das ist die Geschichte in ihrer rohesten Gestalt. Dies ist die Chroniken-Methode, die kaum für die Archive einer kleinen Stadt hinreicht, wo man nichts Merkwürdiges weiß, außer daß man nebst der regelmäßigen Wahl der Beamten zuweilen ein Hagelwetter oder einen Brand aufzeichnet. Bliebe die Geschichte dabei stehen, so wäre sie unstreitig das mühseligste und unfruchtbarste Gedächtniswerk. Allein, sobald der menschliche Geist ein Ereignis mit einiger Besonnenheit betrachtet, wird er es in seiner Entstehung zu begreifen suchen, d. h., er wird nach seiner Ursache forschen. Er wird also auch in der Geschichte die Verknüpfung der Begebenheiten als Ursachen und Wirkungen voneinander darzulegen suchen und von denen, die nicht so zusammenhängen, die Ursachen aus einer andern Reihe von Dingen entlehnen. Mit der Ursache ist die Wirkung zugleich gesetzt, und diese wird also insofern als notwendig erkannt. Allein, dies ist nur eine bedingte Notwendigkeit, denn bis ich die Ursache der nächsten Ursache weiß, erscheint mir diese wiederum zufällig, und so in einer unendlichen Reihe rückwärts fort. Die Geschichte kann also nie zur Einsicht der unbedingten Notwendigkeit gelangen, weil sie keine absolut ersten Ursachen angeben kann, indem sich der Ursprung von allem in das Dunkel der Zeiten verliert, aus denen man historisch gar nichts wissen kann.

Demnach würde die Geschichte eben auf dem Übergange zwischen dem Wirklichen und Notwendigen ihr Geschäft zu treiben haben.

So viel von der Form ihrer Verknüpfung. Man sieht

aber leicht ein, daß unendlich vieles und vielerlei geschieht: nur mit dem, was in einer einzigen Stunde in einer einzigen Stadt vorgeht, wenn man alles wissen könnte, könnte ein Mensch leicht sein ganzes Leben hinbringen, es zu erlernen und seinem Gedächtnisse einzuprägen. Die Geschichte verliert sich also wieder in zwecklose und ermüdende Überhäufung, wenn sie nicht ein Prinzip für die Auswahl der Tatsachen hat. Alle sind darüber einig, daß sie nur das Merkwürdige aufzeichnen soll. Was ist denn nun merkwürdig? Nicht das Alltägliche, aber auch nicht das Außerordentliche und Wunderbare, wenn es weiter nichts bedeutet und keinen daurenden Einfluß hat. Das ist wieder Chronikstil. Die einzelnen Menschen, die sich mit ihren Gedanken nie über die Sorge für ihre äußerliche Existenz erheben und ihre beschränkten Beschäftigungen immerfort mechanisch wiederholen, verdienen keinen Platz in der Geschichte. Wenn sich die gesamte Menschheit nun auf eben diese Art im Kreise herumdrehte, so wäre die Geschichte etwas Trostloses und eines denkenden Geistes ganz Unwürdiges. Jeder edlere Mensch fühlt aber in sich ein Streben der Annäherung an etwas Unerreichbares, und dies selbige Streben legt er der ganzen Gattung bei, die ja nur das unsterbliche Individuum ist. Die Foderung demnach, worauf der ganze Wert der Geschichte beruht, ist die eines unendlichen Fortschrittes im Menschengeschlechte, und ihr Gegenstand ist nur das, worin ein solcher stattfindet. Folglich ist alle Geschichte Bildungsgeschichte der Menschheit zu dem, was für sie Zweck an sich ist; dem sittlich Guten, dem Wahren und Schönen, und ihre Hauptarten sind: politische Geschichte, welche die Ausbildung der Staaten des Völkervereins zeigt, wovon die sittliche Existenz des geselligen Menschen abhängt, Geschichte der Wissenschaft, besonders der Philosophie, und Geschichte der Kunst.

Man sehe die Foderung des unendlichen Fortschrittes ja nicht als eine Hypothese an, deren Gültigkeit sich an jedem noch so kleinen Teil einer partialen Geschichte müßte aufzeigen lassen und nach welcher also der Geschichtsschreiber versucht sein würde, die einzelnen Tatsachen zu deuten und zu wenden. Eben weil es eine bloße Idee ist, läßt sie alles übrige völlig unbestimmt, und es bleibt dabei immer noch problematisch, ob in dem größten Zeitraume der umfassendsten Geschichte, wovon wir uns nur immer Kenntnis erwerben können, ein bedeutendes Übergewicht der Fortschritte über die Rückschritte erkennbar sein wird. Denn wie jung und unvollständig ist nicht unsre Universalgeschichte! Hemsterhuis beschreibt sehr sinnreich die Zu- und Abnahme der Kultur als einen elliptischen Kreislauf, wo sich das Menschengeschlecht in einem Zeitalter in der Sonnennähe und dann wieder in der Sonnenferne befindet, und er nimmt in der ganzen Geschichte von den ältesten Zeiten erst drei solche Perioden an. Ob die Menschheit bei diesem Umschwunge ihrem Zentrum wirklich immer näher kommt oder nicht, das läßt er dabei unentschieden. Auf diese Art muß der Historiker den Naturgesetzen der Bildung im Großen auf die Spur zu kommen suchen. Er kann dies aber nicht, wenn er mit vorgefaßten Meinungen über das einzelne ans Werk geht und die Tatsachen nicht in ihrer Reinheit aufzufassen und zu begreifen sucht. Verstandesbegriffe können sie nie ganz erschöpfen, ihr Geist und Wesen muß anschaulich gemacht werden. Gediegene Darstellung ohne alles Räsonnement und ohne hypothetische Erklärerei ist daher der eigentliche Charakter der Historie: in den einzelnen Teilen muß die vollkommenste Empirie herrschen, nur im Ganzen darf die Beziehung auf eine Idee liegen. So kehrt denn die Geschichte in ihrer vollendeten Gestalt gewissermaßen zum Stil der Chroniken zurück, indem sie das, was in diesen bewußtlos und aus bloßer Einfalt geschieht (wie z. B. uns die Verfasser von solchen oft aufs kräftigste und naivste den Geist ihrer Zeiten darstellen, weil sie selbst ganz mit dazugehören), mit Absicht und der tiefsten Bedeutung tut.

Fassen wir alles Obige zusammen, so wäre die Historie im eigentlichen Sinne (von der wir es unentschieden lassen wollen, ob man auch nur angefangen hat, sie auszuführen) die Wissenschaft vom Wirklichwerden alles dessen, was praktisch notwendig ist.

Hier offenbart es sich nun schon deutlicher, wie die Geschichte und die Theorie, eben weil sie verschiedner Natur sind und sich in entgegengesetzter Richtung bewegen, einander zu begegnen und eine in die andre überzugehen streben. Die Theorie beweist, was geschehen soll, sie geht dabei von der allgemeinsten und höchsten Foderung aus und kommt von da immer mehr aufs Besondre, ohne je ganz zum Individuellen gelangen zu können. Die Historie wird von einer individuellen Erscheinung zur andern fortgeleitet, wobei aber das Allgemeinste und Höchste immer unsichtbar gegenwärtig ist: zur vollständigen Erscheinung würde es nur in dem Ganzen kommen, welches sie nie vollständig aufstellen kann. So wie die Philosophie eine Geschichte des innern Menschen, so ist die Geschichte eine Philosophie des gesamten Menschengeschlechts. Es ist dieselbe Evolution des menschlichen Geistes, welche der Philosoph in der ursprünglichsten Handlung desselben als eins und unteilbar begriffen aufsucht und ihre Gesetze darlegt und die der Historiker von Zeitbedingungen abhängig und in einem unendlichen Progreß realisiert vorstellt.

Daß die Kunstgeschichte der Kunsttheorie nicht entraten kann, erhellet aus dem Bisherigen zur Genüge. Denn jeder einzelnen Kunsterscheinung läßt sich nur durch Beziehung auf die Idee der Kunst ihre wahre Stelle anweisen, welche zu entfalten das Geschäft der Theorie ist, und wer die Idee der Kunst mit einiger Klarheit in sich hat, der besitzt schon Theorie, wenn er sie auch noch nicht ausgesprochen.

Auf der andern Seite kann die Theorie ebensowenig ohne die Geschichte der Kunst bestehen. Zuvörderst setzt ihre Entstehung überhaupt schon die Tatsache der Kunst voraus. Denn wie in aller Welt sollte man darauf kommen, die Gesetze, nach welchen der menschliche Geist die Kunst ausübt, erforschen zu wollen, wenn er sie überall noch nicht ausgeübt hätte? Die Tatsache der Kunst läßt sich aber nur durch Abstraktion als eine unbestimmte denken; das heißt, wenn überhaupt eine Kunst vorhanden ist, so ist sie gerade so vorhanden, wie sie sich in verschiednen Zeitaltern, unter verschiednen Nationen gestaltet hat. Diese eine Tatsache umfaßt also schon den ganzen Inhalt der Geschichte. Freilich abstrahiert die Theorie anfangs davon und hält sich nur an das Allgemeinste; doch fügt sie diesem immer nähere Bestimmungen hinzu und stößt zuletzt sogar auf nationale und lokale Bedingungen.

Man möchte etwa denken, wenn der Theorie einmal das allgemeine Faktum der vorhandenen Kunst gegeben wäre, so könnte sie nachher der Geschichte den Abschied geben und unbekümmert um sie fortfahren zu demonstrieren, was in der Kunst geleistet werden soll. Allein dies darf sie nicht aus dem doppelten Grunde: weil ihre Gegenstände nicht von der Art sind, daß sie nach dem bloßen Begriff erkannt werden könnten, sie muß also immerfort auf die Gegenstände selbst hinweisen; und weil die Aufgaben der schönen Kunst sämtlich von der Art sind, daß ihre Möglichkeit nur durch die wirkliche Lösung eingesehen wird. Sie muß mithin, sowohl ihrer Verständlichkeit als ihrer Beglaubigung wegen ihren Begriffen eine Reihe entsprechender Anschauungen unterlegen, welche ihr die Geschichte darbietet. Diese bleibt für sie der ewige Kodex, dessen Offenbarungen sie nur immer vollkommner zu deuten und zu enthüllen bemüht ist.

Mit einem Wort, was wir soeben abgeleitet haben, ist, damit ich es auf die schlichteste Weise ausdrücke, die von je und je anerkannte Wahrheit, daß die schöne Kunst sich nur vermittelst der Beispiele lehren lasse.

Wenn nun die Kunstgeschichte das unentbehrliche Korrelat der Kunsttheorie ist, so wird nötig sein, die Zweifel zu heben, welche sich gegen die Möglichkeit einer Kunstgeschichte erheben dürften. Die hauptsächlichsten möchten etwa folgende sein.

Gegenstand der Geschichte, haben wir gesagt, kann nur dasjenige sein, worin ein unendlicher Fortschritt stattfindet. Jede einzelne Kunsterscheinung müßte also in einer unbestimmbar weiten Entfernung von der höchsten Vollkommenheit vorgestellt werden, und doch nennen wir nur das ein echtes Kunstwerk, was in sich vollendet ist. Was nicht vortrefflich, hat in der schönen Kunst gar keinen Wert. Die ganze Kunstgeschichte würde also aus Erscheinungen zusammengesetzt sein, denen im Gebiete echter Kunst eigentlich kein Platz gebührte. Wie läßt sich nun dieser Widerspruch ausgleichen? Die Kunst erscheint überall an ein nationales und lokales Element gebunden, also unter Beschränkungen. Der ewig rege Kunstgeist bildet sich immer von neuem aus dem Stoffe jedes Zeitalters, aus jeder bestimmten Umgebung gleichsam einen Körper an, organisiert sich eine Gestalt. Je nachdem nun dieser Stoff widerstrebender oder tauglicher und bildsamer ist, wird auch die äußre Organisation der Kunst gröber oder zarter ausfallen, und es wird ihm mehr oder weniger gelingen, sich darin frei zu bewegen und sich mit aller Fülle, Energie, Leichtigkeit und Evidenz zu offenbaren. Dies ist es, was man mit dem Ausspruche meint, ein Volk, ein Zeitalter sei poetischer als das andere. Der Mangel kann freilich bis zur gänzlichen Negation gehen, und eine solche Prosa in den Gesinnungen, Ansichten, Sitten, Einrichtungen usw. kann in einer bestimmten Nationalität so fixiert sein, daß sie ohne eine ganz neue Ordnung der Dinge nicht aufzuheben ist und daß so lange wahre Poesie und Kunst unmöglich bleiben. Sonst aber muß ein jedes Kunstwerk aus seinem Standpunkte betrachtet werden; es braucht nicht ein absolut Höchstes zu erreichen, es ist vollendet, wenn es ein Höchstes in seiner Art, seiner Sphäre, seiner Welt ist. Und so erklärt sich, wie es zugleich ein Glied in einer unendlichen Reihe von Fortschritten und dennoch an und für sich befriedigend und selbständig sein kann.

Der andre Zweifel gegen die Möglichkeit einer Kunstgeschichte ist folgender. Die Geschichte soll, wie wir gesehen haben, nicht ein bloßes Aggregat von Wirklichkeiten sein, sondern zur Einsicht ihrer Notwendigkeit führen, sie soll in dem Chaos der Erscheinungen einen gesetzmäßigen Gang entdecken. Nun ist man aber allgemein einverstanden, daß die Kraft des Geistes, wodurch Werke der schönen Kunst hervorgebracht werden, das Genie, etwas sei, worauf gar nicht zu rechnen ist, eine bloße Gunst der Natur. Wie läßt sich also mit Zuversicht eine genialische Kunstproduktion erwarten? Und doch behauptet dies die Kunstgeschichte. So, nur durch Beispiele mich klarzumachen, fodert die *Ilias* als ihren poetischen Gegensatz und ihre Ergänzung die *Odyssee*, und der tragische Stil des Äschylus weist bestimmt auf den des Sophokles hin, als das, was die in ihm noch zurückbleibenden Disharmonien lösen soll. Die Erscheinungen im Gebiete der Kunst sind also objektiv notwendig, subjektiv aber zufällig, und aus dieser Unterscheidung begreift sich auch schon wie beides miteinander bestehen kann. Nämlich, es muß ein solches Werk seinem Wesen nach irgend einmal im Ganzen der Kunstwelt zum Vorschein kommen, die Person des Künstlers aber ist dabei ganz zufällig. Hiemit sind schon die Bestimmungen der Zeit und des Ortes abgerechnet. Wo und wann ein solcher Geist in die Welt treten werde, das läßt sich nicht vorher wissen und also auch nach dem Erfolge nicht erklären. Ob dieser Dichter oder Maler Sophokles oder Raffael, oder wie er sonst heißen mag, das ist gleichgültig. Sein Kunststil ist für die Geschichte das Wesentliche, in seinen Werken hat er sein inneres Leben, seine künstlerische Person niedergelegt; die äußerlichen Begebenheiten seines bloß irdischen Lebens gehen uns da nichts an. Freilich sucht die Geschichte auch die Ausbildung des Künstlers durch seine Umgebungen, die Umstände seines Lebens, sein Studium der Vorgänger usw. zu zeigen; bei allem diesem muß sie jedoch sein eigentümliches Genie schon voraussetzen. Grade so geht es auch der politischen Geschichte. Sie mag die Individuen, welche in die Begebenheiten eingreifen, noch so früh aufnehmen, um durch das, was ihnen vorangegangen ist und sie umgeben hat, ihren Charakter so oder so bestimmt zu zeigen und sie auch wieder als Wirkung zu betrachten, so muß sie doch immer einen ursprünglichen Kern in ihnen als unerklärlich zurücklassen. Denn die Erschaffung von Individuen ist das Geheimnis, das sich die Natur vorbehalten hat, und hierauf beruht eben der wunderbare Zauber der Geschichte, indem sonst keine unerwarteten Rollen in sie eintreten könnten. Bei der Kunstgeschichte ist es nur um so auffallender, daß wir hier an der Grenze unsrer Erkenntnis stehen, weil das Genie ein solcher ursprünglicher Kern des Menschen ist, der unter allem Erlernten, bei einer noch so kunstvollen Ausbildung immer das Glänzendste und Hervorstechendste bleibt.

Man will bemerkt haben, daß die Menschen von Genie zuweilen in Menge gleichzeitig erschienen, gleichsam als wären sie wie eine göttliche Gesellschaft nach vorgängiger Verabredung auf die Erde herabgekommen, und daß sie dann wieder auf Jahrhunderte verschwunden sein. Wie dem auch sei, die Zufälligkeit und Seltenheit des Genies darf uns nicht verzagen lassen, als ob manches Große in der Kunst, was wir uns bis jetzt bloß als ausführbar denken, vielleicht nie werde ausgeführt werden, weil der Mann dazu in aller Folge der Zeiten nicht geboren werden möchte. Wir dürfen uns nur zu dem höheren, unstreitig wahren Gesichtspunkt erheben, wo alle individuellen Genien nur als einzelne Seiten und Erscheinungen von dem einen großen Genius der Menschheit zu betrachten sind, der nicht untergehen kann und sich wie der Phönix aus seiner Asche immer schöner und herrlicher wieder gebiert. Eben dieser Genius ist es auch, der das Poetische im Leben hervorbringt, was sich nicht selbst im Kunstwerke konzentriert, aber auf den Charakter von Kunstwerken Einfluß hat, von der rohesten Mythologie an bis zur gebildetsten Sitte, alle die mannigfaltigen Phänomene, wo die Menschheit in Masse zu dichten scheint. Wenn dieses Poetische auch in langen Zeitaltern fast gänzlich verschwindet, darf man darum doch nicht die Hoffnung aufgeben, es wieder aufblühen zu sehen. Die Kunstgeschichte soll keine Elegie auf verlorne und unwiederbringliche Goldne Zeitalter sein. Eine solche vollendete Harmonie des Lebens und der Kunst, wie in der griechischen Welt stattfand und die von einer Seite unendlich über unserm jetzigen Zustande ist, wird man zwar in derselben Art nie wiederkommen sehen. Allein jene schöne Periode fiel in die Jugend, ja zum Teil in die Kindheit der Welt, wo sich die Menschheit noch nicht recht auf sich besonnen hatte. Aber wenn einmal ein solches Zusammentreffen auf andre Weise, weit mehr mit Absicht und Bewußtsein wieder erlangt wird, so kann man zuverlässig voraussagen, daß es etwas weit Größeres und Dauernderes sein wird als die hellenische Blütezeit. Wie sehr uns auch die Barbarei und Unpoesie mancher Zeitalter, und vielleicht unsers eignen, abstoßen mag: wer kann wissen, ob nicht der Genius alle diese abweichenden tausendfachen Formen und Gestalten der Menschheit selbst zu einem großen Kunstwerke verarbeitet und ordnet, worin auch die Dissonanzen ihre Stelle finden müssen? Wie in allem der unendliche Fortschritt gefodert wird, so steht sogar zu erwarten, daß er in dieser allgemeinen Metempsychose in immer höhere und mehr geläuterte Organisationen übergehen und zuletzt sich in ästhetischer Verklärung darstellen wird.

Es begreift sich, daß die Kunstgeschichte sich nicht so an Örter heften und der Zeitreihe mit Stetigkeit folgen kann wie die politische. Erst nach Jahrhunderten kann vielleicht ein großer Geist den ihm verwandten ansprechen, der imstande ist, entsprechende Werke an die seinigen anzubilden, und so gehören zuweilen Genien, die durch Weltteile und Jahrtausende getrennt sind, unmittelbar zueinander (Goethe, der erste epische Dichter im Sinne der Alten, nachdem die Schule der Homeriden erloschen). In den gewöhnlichen Geschichten der Poesie, auch der Malerei, stehen die Dichter einer Nation, ja vielleicht einer Provinz ungefähr so nacheinander wie die assyrischen oder ägyptischen Könige in den alten Universalhistorien: das ist der Chronikstil in der Kunstgeschichte. Das Bestreben nach literarischer Vollständigkeit, der gelehrte Wust ist ein großes Hindernis. Um Gesichtspunkte für die Kunstgeschichte zu bekommen, muß man große Massen zusammenfassen, und diese lassen sich nicht übersehen, wenn man nicht alles ausscheidet, was rein null ist, bloß zufällige falsche Richtungen und verfehlte Versuche, den ganzen Troß der Nachbeter und sekundären Köpfe. Dieses finden nun die meisten allzu strenge, und so führen sie immer noch eine Menge Poeten auf, deren Werke niemand liest, die eigentlich auch gar nicht existieren.

Überhaupt ist die echte Behandlung der Kunstgeschichte eine sehr schwierige Aufgabe. Zuvörderst wegen der großen und unersetzlichen Lücken in der so wichtigen Geschichte des Altertums. Sehr oft muß man aus Mangel an näheren Nachrichten den Geist einer gewissen Zeit aus einem Gedichte divinieren, das uns als einziges Denkmal aus derselben übriggeblieben ist und doch selbst wieder erst nach der Versetzung in den damaligen Standpunkt beurteilt werden kann. Weil das Genie zum Teil bewußtlos handelt, so können selbst die ausdrücklichsten Äußerungen vom Urheber eines Werks über die Absicht und Bedeutung desselben irreleiten. Beispiel vom Virgil und Dante. Endlich ist die historische Darstellung schwierig, weil sie Werke der höchsten Darstellung betrifft. Die vollkommen anschauliche Kunstgeschichte wäre also, wiewohl in prosaischer Form, eine Poesie in der zweiten Potenz, und die Entfaltung der Künste ließe sich vielleicht am tiefsten in einem großen Gedichte darstellen.

Die Griechen konnten natürlicherweise keine eigentliche Kunstgeschichte haben, weil sie keine andre Nation von der poetischen Seite kannten, die ihnen zum Vergleichungspunkt für ihre eigne Entwickelung hätte dienen können, und sie fühlten sich überhaupt mehr, als sie sich begriffen. Die Römer waren bloß Nachahmer der Griechen und arbeiteten sich in alle ihre Kunstformen hinein. Die meisten neueren Nationen sind einseitig auf ihre Nationalität eingeschränkt gewesen und haben sich zum Teil eingebildet, man müsse nur die Alten nachahmen. Ihre Literatoren haben gar nicht gemerkt, daß ihre größten Köpfe ganz etwas anders erstrebten, haben die Werke derselben darnach umgedeutet (so die spanischen Akademiker den *Don Quijote* nach den Regeln des Aristoteles) oder gar das Beste verkannt. Den Deutschen scheint die Lösung dieser Aufgabe vorbehalten zu sein. Sie allein verbinden Tiefe mit Universalität, und ihre Nationalität besteht darin, sich derselben willig entäußern zu können. Unter ihnen ist auch der Anfang zu einer echteren Kunstgeschichte wirklich gemacht worden. Man kann Winckelmann eigentlich den Stifter derselben nennen. Er war dem Geiste nach streng systematisch, wiewohl ganz und gar nicht in der Form seiner Werke. Er betrachtete zuerst die gesamte alte Kunstwelt als eins und unteilbar, als ein organisches Ganzes, als ein eigentliches Individuum. In der Geschichte der antiken bildenden Kunst ist durch ihn wenigstens das Prinzip richtig aufgestellt, die Untersuchung ist auf den rechten Weg geleitet. In der Ausführung bleibt freilich noch unermeßlich viel zu tun übrig. Über die Geschichte der Poesie gibt er nur Winke. Es sind seitdem auch bedeutende Schritte darin geschehen, doch ist noch der größte Teil der Arbeit zurück.

Höchst wesentlich ist für die Kunstgeschichte die Anerkennung des Gegensatzes zwischen dem modernen und antiken Geschmack. Man hat oft (besonders bei den Franzosen im Zeitalter Ludwigs XIV.) über den Vorzug der Alten oder Neuern gestritten, allein man hat sie nur dem Grade, nicht der Art nach verschieden geglaubt, und gewöhnlich verglich man nur solche Autoren mit den Alten, die sich ganz nach dem klassischen Altertum gebildet hatten und auf der Bahn desselben fortzugehen suchten. Daß die Werke, welche eigentlich in der Geschichte der modernen Poesie Epoche machen, ihrer ganzen Richtung, ihrem wesentlichsten Streben nach mit den Werken des Altertums im Kontraste stehn und dennoch als vortrefflich anerkannt werden müssen: diese Behauptung ist erst seit kurzem aufgestellt worden und findet noch viele Gegner. Man hat den Charakter der antiken Poesie mit der Benennung klassisch, den der modernen romantisch bezeichnet; wie ich in der Folge bei der Entwickelung dieser Begriffe zeigen werde, sehr treffend. Es ist eine große Entdeckung für die Kunstgeschichte, daß dasjenige, was man bisher als die ganze Sphäre der Kunst betrachtete (indem man den Alten uneingeschränkte Autorität zugestand) nur die eine Hälfte ist. Das klassische Altertum selbst kann dadurch weit besser verstanden werden als aus sich allein. Diese große allgemeine Antinomie des antiken und modernen Geschmacks (denn sie findet sich auch in den übrigen Künsten), welche die Geschichte aufstellt, ist nur der Theorie zu lösen vorbehalten, und wir sehen also hier wieder ihre innige wechselseitige Verknüpfung mit der Geschichte. Diejenigen, welche nach einer analytischen Philosophie alles auf tote Einförmigkeit zurückführen möchten, verzagen gleich, wenn sie hören, daß entgegengesetzte Dinge in gleicher Dignität stehen, gleiche Rechte haben sollen, und glauben sich in ein Chaos von Verwirrungen zu verlieren. Wir aber, die wir es wissen, daß unser ganzes Dasein auf dem Wechsel sich beständig lösender und erneuernder Widersprüche beruht, würden verwundert sein, wenn es anders wäre. Wir können uns die Antinomien der Kunst unter Bildern der äußeren Körperwelt leicht anschaulich machen, deren Erscheinungen ja auch aus ähnlichen Widersprüchen hervorgehen. So kann man sich die antike Poesie als den einen Pol einer magnetischen Linie denken, die romantische als den andern, und der Historiker und Theoretiker, um beide richtig zu betrachten, würde sich möglichst auf dem Indifferenzpunkte zu halten suchen müssen. Freilich wird unsre historische Kenntnis nie vollendet, es muß immer durch Divination ergänzt werden. Es könnte sich in der Folge offenbaren, daß das, was wir jetzt als den andern Pol betrachten, nur ein Übergang, ein Werden sei (welcher Charakter sich sogar mit Wahrscheinlichkeit in der romantischen Poesie aufweisen läßt) und die Zukunft also erst das der antiken Poesie entsprechende und ihr entgegengesetzte Ganze liefern werde.

Soviel für jetzt von der Kunstgeschichte. Den Begriff der Kritik habe ich bis jetzt noch gar nicht berührt, und doch wird sich bei seiner Erörterung zeigen, daß Kritik sowohl für Theorie als Kunstgeschichte das unentbehrliche Organ und das verbindende Mittelglied beider ist.

Ganz einfach erklärt ist Kritik die Fertigkeit, Werke der schönen Kunst zu beurteilen. Indessen sind alle Menschen einverstanden, daß die schöne Kunst für den unmittelbaren Eindruck arbeitet, daß sie durch das Gefühl aufgenommen, empfunden werden muß. Empfinden ist aber gerade das Entgegengesetzte von beurteilen; jenes drückt ein passives, dieses ein aktives Verhältnis gegen den Gegenstand aus. Es fragt sich also: wie ist Kritik überhaupt möglich? Dies Empfinden des Schönen ist von vielen mißverstanden und so weit ausgedehnt worden, als wenn sich die Seele dabei ebenso leidend verhielte wie bei den Eindrücken auf die äußeren Sinne, da doch erst durch ein wunderbares Spiel der Gemütskräfte das Kunstwerk, welches weder ein Gegenstand der äußern Sinne noch auch des bloßen Verstandes ist, zu seiner poetischen Existenz in uns gebracht wird. Zwar ist der Geist auch bei den Sinnesempfindungen nicht eigentlich und wahrhaft leidend. Eine höhere Philosophie zeigt uns, daß nie etwas von außen in ihn hineinkommt, daß er nichts als reine Tätigkeit ist und daß er sich nur dann leidend erscheinen muß, wenn sich seine Tätigkeit nach notwendigen Gesetzen beschränkt. Allein nach der gewöhnlichen Ansicht und dem unmittelbaren Ausspruche unsers Bewußtseins empfängt doch die Seele von einem Kunstwerke, das ihr dargeboten wird, den ersten Anstoß bloß leidend, und eine Menge gebräuchlicher Ausdrücke bezeichnen nicht bloß dies Verhältnis, sondern auch, daß das Kunstwerk um so vortrefflicher sei, je mehr die Seele sich ihm hingeben muß und in dem Eindrucke desselben ganz verloren ist. Man sagt: gerührt, erschüttert, entzückt, bezaubert, hingerissen, außer sich sein.

Müssen diese Gemütsbewegungen nun der Beurteilung zulieb aufgehoben und vernichtet werden? Keinesweges, denn sonst würde das Kunstwerk nicht empfunden, und das Gefühl bleibt doch die Hauptsache bei der Entscheidung darüber. Wie sind nun so entgegengesetzte Dinge miteinander zu vereinigen, wie das Urteil ist, welches eine Herrschaft des Gemüts über den Gegenstand bezeichnet, und Gefühle, die sich dessen ganz bemächtigen? Wir müssen uns hier an das ganze Geheimnis unsers geistigen Daseins erinnern, welches nichts anders ist als ein beständiges Pulsieren zwischen einer nach außen hin sich verbreitenden und einer in sich selbst zurückkehrenden Tätigkeit. Schon in der bloßen Sinnesempfindung ist das Gemüt ursprünglich verloren. Daß sie zum Bewußtsein kommt, heißt eben, daß der Geist mit freier Tätigkeit über sie hinausgeht und über sein eignes Verlorensein in der Empfindung reflektiert. Eben dieser Akt wird nun bei der Betrachtung des Schönen, nur nach einem größeren Maßstabe, gleichsam in einer höheren Potenz, erneuert. Es soll und darf nichts an unserm Gefühle selbst mit Willkür verändert werden, sondern wir müssen nur frei darüber reflektieren, unsre Empfänglichkeit selbst zum Gegenstande unsrer Selbsttätigkeit machen.

So wie bei der Sinnesempfindung durch Wiederholung ähnlicher Eindrücke das Bewußtsein immer heller und klarer wird, so ist es auch bei der Betrachtung des Schönen und dem Kunstgenusse. Wie wird nicht ein kindisches und noch ganz neues Gemüt von jedem bunten Farbenspiel, jedem lebhaften, lärmenden Wechsel von Tönen ergriffen und entzückt! Der Eindruck bei der ersten Bekanntschaft mit solchen Gegenständen ist ein frohes, aber gänzlich unbestimmtes Erstaunen, wie jeder Mensch sich aus seiner Kindheit wird zu erinnern wissen. Erst durch häufige Übung daran bekommt die freie Tätigkeit im Gemüte die Oberhand, und es lernt vergleichen und unterscheiden, also urteilen, indem dies ja nichts andres ist.

Die Fähigkeit, zu beurteilen, beruht also darauf, daß man die Eindrücke nicht ihrer Beschaffenheit, sondern ihren außerwesentlichen Bedingungen nach in seine Gewalt bekomme, daß man sie festhalten, sie beliebig in der Erinnerung erneuern, sie mit andern zusammenstellen und ganze Reihen von Eindrücken zu einem Gesamteindruck vereinigen könne. Dies letzte ist das Schwerste dabei und was man am spätsten lernt. Man wird finden, daß die meisten Menschen an einem Kunstwerke nur das einzelne loben oder tadeln. Von dieser oder jener Schönheit daran, wie man es zu nennen pflegt, sind sie ergriffen; das Ganze als solches aber ist für sie eigentlich gar nicht vorhanden, besonders wenn es von bedeutendem Umfange ist. Bei den bildenden Künsten, die in ihren Hervorbringungen alles gleichzeitig darstellen, werden die Betrachter unmittelbar hiezu aufgefodert, weniger bei der Poesie und Musik und allem was sukzessiv ins Gemüt kommt. Wie wenige sind einer solchen Spannung der Aufmerksamkeit fähig, daß sie z. B. in einer so reichen Komposition, wie ein Schauspiel von Shakespeare ist, sich von Anfang bis zu Ende alles gegenwärtig erhalten könnten, alles aufeinander beziehen, um sich zuletzt des einen großen Eindrucks aus diesen unzähligen Eindrücken bewußt zu werden. Und doch ist dies zu einer echten Kritik unumgänglich erfoderlich. Freilich hat es viele gegeben, die sich für Kritiker ausgaben und weitläuftige Kunstbeurteilungen schrieben und die doch hiezu nicht imstande waren. Das sind besonders diejenigen, die vorzugsweise oder gar ausschließend auf die sogenannte Korrektheit gehen. Man kann diesem Worte zwar einen gültigeren Sinn unterlegen; sie meinen aber damit eine Vollkommenheit der einzelnen Teile des Kunstwerks, und zwar bis in die kleinsten hinein, die ohne Beziehung auf das Ganze stattfinden soll. Man könnte dies die atomistische Kritik nennen (nach Analogie der atomistischen Physik), indem sie ein Kunstwerk wie eine Mosaik, wie eine mühsame Zusammenfügung toter Partikelchen betrachtet, da doch jedes, welches den Namen verdient, organischer Natur ist, worin das einzelne nur vermittelst des Ganzen existiert.

Zu der Herrschaft über die äußerlichen Bedingungen der Eindrücke gehört es auch, daß man dasjenige davon abzuscheiden wisse, was von der Stimmung, d. h. einem vorübergehenden Zustande unsrer Empfänglichkeit, herrührt. Unmöglich kann es für ein Urteil gelten, wenn jemand nach Launen heute so, morgen so, auf ganz entgegengesetzte Art über dieselbe Sache spricht. Die höchste Foderung über diesen Punkt wäre also: sich selbst willkürlich stimmen, d. h. in jedem Augenblicke die reinste und regste Empfänglichkeit für jede Art von Geistesprodukt in sich hervorrufen zu können. Dahin bringt es aber vielleicht niemand. Man erhebt sich über die Stimmung gewissermaßen schon dadurch, daß man sich ihrer bewußt ist; denn alsdann kann man sich's klarmachen, wie etwas in einer andern Stimmung ungefähr auf uns gewirkt haben würde.

Allein alles Bisherige reicht bei weitem noch nicht hin, um den Kenner zu bilden. Die Vergleichung mit vormaligen Eindrücken, haben wir gesehen, muß den Maßstab für die Beurteilung herleihen. Nun kommt es darauf an, von welchen Gegenständen diese Eindrücke waren. Es ist eine triviale Bemerkung, daß jemanden, der in seinem Leben nicht viel Gutes gesehen, das um etwas Bessere, immer noch nicht Vortreffliche leicht außerordentlich gefällt. Solange also die Gegenstände der Vergleichung mit dem Vorliegenden nur diejenigen sind, die sich gerade vorfinden, die wir so zufällig aufgesammelt haben, bleibt das Urteil immer bloß subjektiv; objektiv, über unsre Person hinaus gültig, kann es nur dadurch werden, daß die Vergleichung mit solchen Gegenständen angestellt worden, die wirklich dazugehören und einen wahren Maßstab der Vollkommenheit abgeben können, welches denn keine andre sind als die vortrefflichsten Werke derselben Kunst in verwandten Gattungen. Da diese sich nun nicht von selbst beisammen finden, sondern oft in entfernten Zeitaltern und Nationen aufgesucht werden müssen, so sieht man leicht ein, daß zu einer gründlichen Kritik historisches Studium, Kenntnis der Kunstgeschichte, wesentlich erfodert wird. Ferner steht jedes Kunstwerk, so sehr es der Künstler auch selbständig und in sich abgeschlossen zu bilden bemüht ist, doch vermöge der Einflüsse, welche sein Geist von seinen Vorgängern erfahren, bei seiner Entstehung in einem wirklichen historischen Zusammenhange mit früheren Produktionen, auf welche bei der Beurteilung Rücksicht genommen werden muß. Ein solcher regelmäßig fortgepflanzter Einfluß auf die Nachfolger in der Kunst vermittelst eingeführter Maximen und Methoden heißt eine Schule, ein Begriff, der bei den Modernen anwendbarer bei den bildenden Künsten als bei der Poesie, bei den Alten auch in dieser gültig und brauchbar war. Also in dieser Hinsicht bedarf die Kritik der Kunstgeschichte.

Ferner liegt in ihr eine beständige Beziehung auf die Theorie. Denn das Urteil kann nur durch Begriffe klargemacht und ausgesprochen werden, die erst durch ihre Stelle in einem vorausgesetzten Systeme (man mag es nun ausdrücklich besitzen oder nicht) ihre volle Bestimmtheit erhalten. Die kritische Reflexion ist eigentlich ein beständiges Experimentieren, um auf theoretische Sätze zu kommen. Auf der andern Seite wird durch sie das, was in einer Kunst vorhanden ist, erst zum Objekte für die Kunstgeschichte und dadurch mittelbar auch für die Theorie verarbeitet, denn beide haben es ja nicht mit den Kunstwerken zu tun, insofern sie eine äußerliche Masse in der Sinnenwelt ausmachen, sondern mit ihrem Geiste, den wir nur in uns selbst erforschen können. Die enge gegenseitige Verbindung dieser drei Dinge wäre hiemit wohl genugsam ins Licht gesetzt.

Mit welcher Kraft des Geistes aber auch die Kritik geübt und zur Fertigkeit gebracht werden mag, so bleibt doch immer etwas Subjektives in den Urteilen zurück. Denn wir werden von einem Kunstwerk nicht bloß als Menschen, sondern als Individuen affiziert, und das noch so ausgebildete Gefühl steht immer unter individuellen Beschränkungen. Da es also durchaus keine Wissenschaft gibt, welche rein objektiv, allgemein gültig urteilen lehrte, so bleibt nichts andres übrig, als sich seiner Persönlichkeit dabei bewußt zu sein, sie liberal zu behandeln und soviel möglich in der Art der Mitteilung mit auszudrücken. Es ist daher nichts verkehrter als mit pedantischer Methode über Kunstwerke zu schreiben, wie manche Kritiker tun, weil sie es ihrer Würde als sogenannte Kunstrichter schuldig zu sein glauben. Auf diese Art wird unter gleichgültigen Formeln alles Charakteristische ausgelöscht, statt daß hier grade die kecksten, geistreichsten und unmittelbarsten Äußerungen des Gemüts an ihrer Stelle sind. Mit einem Worte, was seinem Wesen nach notwendig individuell sein muß, sei es auch in der Form.

Jeder Mensch, der nicht mit seinem Geiste auf demselben Punkte stehenbleibt, wird sich erinnern, wie sich oft seine

Urteile bei vermehrten Einsichten und erhöhter Bildung ganz anders gewandt haben. Daher dürfen ihn auch die Abweichungen andrer nicht befremden, die sich grade bei den Ansichten der geistvollsten Menschen von den vortrefflichsten Werken am auffallendsten offenbaren, wenn sie mit einiger Tiefe in sie eingehen. Wegen der eben erwähnten Subjektivität auch der gründlichsten Urteile berechtigt dies gar nicht zu einem allgemeinen Skeptizismus in Sachen der Kunst. Es können verschiedne Menschen wirklich denselben Mittelpunkt vor Augen haben, aber weil jeder von einem verschiednen Punkte des Umkreises ausgeht, so beschreiben sie auch dahin verschiedne Radien.

Wenn man außer dem über die Erfodernisse echter Kritik Gesagten erwägt, daß auch die Kenntnis von den Mitteln einer Kunst oder von der technischen Theorie, die bei manchen Künsten eine so weitläuftigte Wissenschaft ist, mit dazugehört, so wird es einleuchtend, daß es erstaunlich schwer ist, in irgendeiner Kunst zu einer bedeutenden Kennerschaft zu gelangen, daß man leicht einen großen Teil seines Lebens damit zubringen kann und daß die Energie und Gewandtheit des Geistes, welche dazugehört, sogar mehre Künste als Kenner zu umfassen, eine große Seltenheit sein muß. Man weiß also auch, was man von dem anmaßenden Aburteilen über die höchsten Hervorbringungen des menschlichen Geistes von Leuten, die gar nichts mit Ernst und Eifer getrieben haben, zu halten hat.

Braucht der Kenner immer auch ausübender Künstler zu sein? Nein, denn die Anlage hiezu besteht in der Fähigkeit, sich selbst den ersten Anstoß zu geben, in der ursprünglichen Selbsttätigkeit und Regsamkeit des Geistes. Der Kenner braucht nur Empfänglichkeit oder Sinn, Urteil und die Gabe der Forschung zu haben. Man hat oft einem Beurteiler eingewandt: »Du kannst es ja doch nicht besser machen«, aber mit Unrecht, denn das ist es ja gar nicht, was er behauptet, sondern er sucht bloß die Möglichkeit im Allgemeinen zu zeigen, es besser zu machen. Auf der andern Seite fragt sich, ob der Künstler immer auch Kenner zu sein brauche, und dies muß man ebenfalls verneinen. Das Verhältnis der bewußtlosen und selbstbewußten Tätigkeit im Geiste des Künstlers kann verschieden sein. Zur höchsten Vollendung wird zwar immer ein Gleichgewicht zwischen beiden erfodert, doch gibt es Künstler, die von ihren wahrhaft genialischen Produktionen sehr wenig (sich und andern) Rechenschaft zu geben imstande sind. Ganz darf freilich das Urteil nicht fehlen, wenn sie nicht bloß durch das gute Glück davor bewahrt werden sollen, ins Exzentrische und Ausschweifende zu geraten. Dies war denn doch die Foderung, die in der Periode der Kraftgenies gemacht wurde, das Genie solle völlig blind sein, das kleinste Grad von Einsicht und Vernunft, glaubte man, tue schon der Genialität Abbruch. Der Erfolg war auch darnach. Aber eigentliche Kennerschaft geht immer auf Universalität aus, indem sie zur größeren Genauigkeit ihres Maßstabes alles Vergleichbare, soviel möglich, vollständig zu kennen sucht. So wird sie von einem Werke auf alle übrigen desselben Charakters, derselben Gattung, dann der ganzen Kunst, welcher jenes angehört, womöglich auch verschiedner Künste hingeführt, und das Studium des Kenners hat in seinem Umfange keine Grenzen. Der ausübende Künstler hingegen darf einseitig sein und um vieles unbekümmert bleiben. Es ist genug, wenn er seinen Geist mit Energie in einer einzigen bestimmten Richtung bewegt, und eben diese Energie könnte durch allzugroße Verbreitung geschwächt werden.

Man sieht häufig, daß Menschen, um für Kenner zu gelten, eine große Kälte affektieren und daß auf der andern Seite von Menschen, die sich einem unerzognen Gefühl überlassen, der gründliche Kunstbeurteiler ein kalter Kritiker oder Kunstrichter gescholten wird. Dies ist eine ganz falsche Vorstellung: was mit dem Gefühl nicht aufgefaßt wird, ist in dem Kunstwerke für uns nicht vorhanden; Empfänglichkeit ist also das eine wesentliche Erfodernis zum Kenner, und insofern ist der wärmste Kritiker auch der beste. Der Anschein von Kälte rührt nur daher, daß die Anlagen, welche die wilden Ausbrüche des Gefühls in Schranken halten, bei ihm mehr ausgebildet sind. Das tiefe und ernste Gefühl hält seine Entzückungen für zu heilig, um sie an gemeinen Puppentand zu verschwenden, und weil sich die kindischen Bewunderer von diesem in ihrer Erwartung betrogen finden, daß sie dabei in oberflächlichen Enthusiasmus auflodern sollen, so klagen sie dann über Kälte und Härte. Kennerschaft und echter Enthusiasmus schließen sich also gar nicht aus. Bei Winckelmann war z. B. der letzte in einem eminenten Grade vorhanden; es fehlte dagegen zuweilen an Klarheit und Schärfe der Unterscheidung. Lessing hingegen war eigentlich ein kalter Kritiker, es fehlte ihm an Sinn und Empfänglichkeit für Poesie, er wollte alles mit seinem scharfen Verstande ausmachen, daher war er sehr glücklich in seiner Polemik gegen Kunstwerke, die bloß mit dem Verstande mangelhaft, unbefriedigend zusammengesetzt sind, aber gar nicht, wo er das Wesen echt genialischer Hervorbringungen zu entwickeln versuchte (Jonson).

Die Kunst der Kritik kann nur durch ausführliche Behandlung mitgeteilt werden. Es hat aber sehr viel vortreffliche Kenner gegeben, die immer mehr unmittelbar aufs Praktische gegangen sind, d. h. ihren Takt aufs feinste ausgebildet haben, ohne seine Wahrnehmungen ebenso genau aussprechen zu können. Sie verstehen sich aufs halbe Wort, und gut oder nicht gut, vortrefflich oder schlecht sind ihre Aussprüche. Von ihrer Kennerschaft bleibt daher auch kein Ertrag für die Nachwelt übrig. So erklärt sich's, wie Nationen, bei denen sowohl der erfindende Geist in der Poesie als der feine Takt der Beurteilung immer sehr rege gewesen ist (die Spanier und Italiener), fast gar keine kritische Schriften, geschweige denn vortreffliche besitzen. Die nördlichern Nationen Europas haben sich desto mehr damit abgegeben, die Franzosen glänzend und oberflächlich, die Engländer nach dem sogenannten gesunden Menschenverstande klar und langweilig, die Deutschen ehrlich aber schwerfällig. Die meisten dieser Kritiken sind selbst unter aller Kritik. Die respektabelste Schule von Kritikern, die es vielleicht je in der Welt gegeben hat, waren die alexandrinischen Grammatiker.

Mit dem Worte Kritik wird nicht selten das Wort Geschmack verbunden, um jene von der historischen, philologischen Kritik zu unterscheiden. Man sagt: Kritik des Geschmacks. Diese Zusammenstellung ist aber tautologisch und folglich unschicklich, denn Geschmack bedeutet ebenfalls die Fähigkeit, das Schöne zu beurteilen. Kritik müßte denn etwa im Sinne der kritischen Philosophie genommen sein, dann hieße es: eine Untersuchung über die Gültigkeit der vom Geschmack abhängigen Urteile.

Es wird der Mühe wert sein, hier den Ursprung und die Angemessenheit dieses Ausdrucks etwas näher zu betrachten. Unstreitig ist er von dem körperlichen Sinne des Geschmacks hergenommen. Nun fragt sich, wie wir dazu kommen, die Empfänglichkeit für die feinsten und geistigsten Empfindungen unter dem Bilde eines so höchst materiellen Sinnes zu bezeichnen (Klopstocks sinnreiche Ode von den Ansprüchen der verschiednen Sinne). Der Kontrast wird noch auffallender, wenn man das Bild auf das Verbum übertragen und z. B. sagen wollte: Ich schmecke ein Gedicht, eine Musik. Wir müssen uns erinnern, daß auch das Gefühl, der unterste aller Sinnen, indem er bloß ihre körperliche Grundlage zu sein scheint, nicht nur für Kunstsinn, sondern auch für Empfänglichkeit des Gemüts für alle edlen und sittlichen Regungen gebraucht wird. Was ist nun der Grund, warum man dabei nicht die sogenannten edleren Sinne, Gehör und Gesicht, vorgezogen hat? Vermutlich hat eben die Klarheit und Bestimmtheit, welche es möglich macht, diesen Sinnen eigne schöne Künste zu widmen, sie von der Wahl eines allgemeinen Sinnes für alle ausgeschlossen. Das Gesicht zeigt uns Farben und

Figuren, das Gehör unterrichtet uns von Bewegungen; beide setzen uns ihre Gegenstände als in der Entfernung von uns entgegen. Beide sind also mehr geschickt, die Bilder der Erkenntnis herzugeben. Bei dem Gesicht und Geschmack sind wir uns hingegen einer unmittelbaren Berührung bewußt, und eben die Innigkeit und damit verknüpfte Dunkelheit dieser Sinne scheint ihnen hierbei den Vorzug gegeben zu haben. Die Hervorbringungen der schönen Kunst sollen nicht eine Sache des Verstandes sein, sondern in einer näheren Beziehung auf unser ganzes Wesen stehen. Wir sollen sie in uns aufnehmen. Dies findet nun zwar in einigem Grade bei den Empfindungen des Gesichts statt, wo z. B. Wärme und Kälte in uns übergeht usw., am meisten aber bei denen des Geschmacks. Es erfolgt dabei wirklich eine chemische Auflösung und Verbindung des Gegenstandes mit dem aufnehmenden Organ und dadurch unsrer ganzen Organisation. Hierin liegt also die Ähnlichkeit mit dem innern Sinn für das Schöne. Zum Glück ist dieser nicht so egoistisch als der körperliche Sinn des Geschmacks, dessen Gegenstände nur einmal und ausschließend genossen werden können. Darin aber sind sich der metaphorische und körperliche Geschmack wieder ähnlich, daß sie für die unendliche Mannigfaltigkeit und die feinen Nuancen ihrer Wahrnehmungen nur sehr wenige Ausdrücke haben, daß der eigentliche Zauber des Wohlgeschmacks immer unnennbar bleibt. Ich will nicht entscheiden, ob es den schönen Künsten zu Ehren geschehen ist, daß man den Geschmack, da er einmal als das Organ derselben vorgestellt worden, nun auch körperlich möglichst auszubilden gesucht und ihm die komponiertesten Erzeugnisse vorgelegt hat, wie z. B. ein leckeres Gastmahl eigentlich ein Konzert, eine Symphonie von Wohlgeschmäcken ist.

Das Wort Geschmack ist erst unter den Neueren aufgekommen, und die Franzosen haben sich desselben ganz besonders bemächtigt und es allenthalben angebracht. Da hat sich denn in der Sprache des Umgangs diesem Ausdrucke etwas Konventionelles beigemischt. Man schreibt nicht sowohl demjenigen Geschmack zu, der seinen Kunstsinn durch tiefes Studium gebildet und erhöhet hat, sondern demjenigen, der sich das Gefallende der Kunst, oft bloß ihre angenehme Unterlage, in seiner äußerlichen Bildung anzueignen weiß. Man bildet in diesem Sinn seinen Geschmack oft auf Kosten des echten Kunstgefühls aus; nämlich man erwirbt sich die Fertigkeit der Wahl und des Urteils nicht durch eine selbsttätige Reflexion über seine Empfänglichkeit, sondern durch Abstumpfung derselben, indem bei der innern Leerheit und Kälte alle Eindrücke auf der Oberfläche bleiben. Ich kann nicht leugnen, daß ich mit dieser Schilderung auf die Franzosen ziele, die man, wenn man will, eine geschmackvolle, aber dabei gänzlich unpoetische Nation nennen kann. Von ihnen schreibt sich auch der unselige Gegensatz zwischen Geschmack und Genie her, da doch, wenn jenes wahrhafter Kunstsinn sein soll, das Genie nichts anders ist als produktiver Geschmack. So wie in der Philosophie alle echte Spekulation unmöglich wird, wenn man ihre Aussprüche in letzter Instanz vor den Richterstuhl des sogenannten gesunden Menschenverstandes ziehen will, so ist es auch um die ursprüngliche göttliche Freiheit der Phantasie geschehen, wenn ein solcher nüchterner und wohlgezogener Geschmack zu einer fesselnden Macht im Gebiete der Kunst erhoben wird. Ein orthodoxer Kunstrichter des Geschmacks weiß sich recht viel damit, wenn er dartut, die *Divina Comedia* des Dante, Michelangelos *Jüngstes Gericht* oder Shakespeares *Macbeth* sei geschmacklos; und er sagt doch weiter damit nichts, als daß er diese Werke nicht begreift, weil sie über den Horizont seiner erlernten Regeln und Konventionen hinausgehen.

In diesem Sinne ist der Begriff Geschmack sehr nahe mit dem der Mode verwandt, und geschmackvoll heißt oft nichts weiter als modig. Die Mode ist das Afterbild und die Karikatur des öffentlichen Geschmacks. Dieser ist nämlich eine natürliche, freie Übereinstimmung in Sachen des Schönen und der Kunst, welche auf Ähnlichkeit der Anlagen und ihrer Ausbildung durch Erziehung, Sitten usw. beruht. Die Mode ist eine durch die Meinung erzwungne Übereinstimmung, eine Übereinkunft.

So frivol der Begriff der Mode beim ersten Anblicke scheint, so verdient er doch hier eine kleine Erörterung, weil unbewußterweise in ihm Foderungen liegen, die auf etwas Höheres hindeuten.

Zuvörderst leuchtet es ein, daß die Mode in demjenigen ihr Wesen treibt, was über das Nützliche, über das bloße Bedürfnis hinausgeht und also auf Schönheit Anspruch macht: ein Kleiderputz, die Verzierung der Wohnungen, Geräte, Anordnung geselliger Feste usw. Ferner, da allerlei Gemeinplätze über die Urteile des Geschmacks im Schwange gehen, welche ihre Gültigkeit auf die Person des Urteilenden beschränken (eben die, von welchen Kant bei der *Kritik der Urteilskraft* ausgeht), so liegt vielmehr in der Mode die Anmaßung allgemeiner Gültigkeit, die Foderung der Beistimmung aller, und gerade von dieser Erwartung hängt ja die Möglichkeit einer schönen Kunst ab.

Insofern wäre also die Mode ein Dokument gegen den künstlerischen Skeptizismus und wiese auf Gesetze des Schönen hin, die in der Natur aller Menschen liegen. Allein sie ist selbst veränderlich, und was heute alle schön finden müssen, bei Strafe für altfränkische, geschmacklose Menschen gehalten zu werden, das darf morgen bei gleicher Strafe niemand mehr schön finden. Sie macht also das Urteil über das Schöne von Zeitbedingungen abhängig. Nun haben wir bei den Betrachtungen über die Kunstgeschichte gesehen, daß sich die äußere Gestaltung der Kunst allerdings nach den verschiednen Zeitaltern modifiziert, daß das Wesen des wahren Schönen in allen Zeiten dasselbe ist, daß aber seine Erscheinung in Kunstwerken immer an Klarheit und Vollendung gewinnen kann, woraus wir die Möglichkeit und die Foderung eines unendlichen Fortschrittes ableiten. Eben die Veränderlichkeit der Mode weiset also auf diesen großen Gedanken hin, daß der menschliche Geist nie stillestehen darf. Allein sie tut es auf eine trügliche und sich selbst wieder aufhebende Art. Nämlich die Zeit ist nicht eine wahrhaft andre geworden, es ist nichts in ihr verändert als das, was die Mode selbst angeht. Deswegen findet auch kein wahrer Fortschritt in ihr statt (wenigstens ist er zufällig), und sie dreht sich in einem ewigen Kreise herum. Die Wiederkehr der Moden ist eine alte, triviale Bemerkung.

Daß die Mode häufig ihre Herrschaft nicht bloß auf die Verzierung des geselligen Lebens beschränkt, sondern sie über das Gebiet der eigentlichen Kunst ausdehnt, daß Musiker, Maler und Dichter in der Mode sind und aus der Mode kommen, ist unleugbar.

Es ist merkwürdig, daß sich diese Erscheinung gerade im modernen Europa am auffallendsten zeigt (denn die Griechen scheinen die Mode in unserm Sinne, wenigstens in ihrer schönsten Epoche gar nicht gekannt zu haben, und bei den Römern hat sich ihre Herrschaft wohl erst in den Zeiten der Verderbtheit und des ausschweifenden Luxus offenbart), in Zeitaltern und unter Nationen, bei denen der Charakter des Fortschreitens, die rastlose Progressivität in allen Bestrebungen des Geistes, sich am sichtbarsten äußert und selbst in die Hervorbringungen der Kunst, besonders der Poesie, mit aufgenommen ist. Der Gegensatz der Mode ist das Herkommen, wenn es sich über Sachen des Geschmacks erstreckt, und dies finden wir auch bei solchen Nationen herrschend, bei denen der Fortschritt des Geistes gewaltsam gehemmt und deren Bildung auf einem gewissen Punkte unabänderlich fixiert worden, wie es bei den großen asiatischen Völkern meistens der Fall ist. Bei den Chinesen z. B. scheint sich die Kunst nach dem Herkommen zu richten, und vermutlich machen sie immerfort Verse und musizieren ebenso wie vor Jahrtausenden.

Ein seltsamer Widerspruch scheint es, daß grade bei der Nation, welche in der Mode immer den Ton angibt und vorzugsweise die modige heißen kann, bei den Franzosen, in der Poesie ein gebieterisches Herkommen seinen Sitz aufgeschlagen hat. Sich zu kleiden wie im Zeitalter Ludwig des XIV., in Allongenperücken, herabhängenden Halskrausen, Kleidern mit tiefen Taillen und herabhängenden Aufschlägen an den Ärmeln, würde ein Franzose heutzutage höchst lächerlich finden; aber Tragödien, Oden und andre Verse soll man immerfort noch so machen wie in jenem Zeitalter, oder sie gelten nicht für vortrefflich; und doch sind die Regeln des Zuschnitts, wornach sich dies entscheidet, nichts anders als Allongenperücken und heraushängende Halskrausen. Daher ist nichts altfränkischer und streng orthodoxer als meistens die französischen Kunstrichter. Man muß dies so erklären, daß die Poesie oder besser die Kunst der schönen Verse durch Ludwig XIV. zu einer Mode gemacht wurde, und zwar zu einer so glänzenden und alles überstrahlenden Mode, daß man nach mehr als einem Jahrhunderte noch nicht von ihr zurückkommen kann. Es ist, als ob die Franzosen sich für ihre ausschweifende Wankelmut und Frivolität im Leben durch die geistlose Beharrlichkeit in der sogenannten Poesie selbst eine Buße auflegen wollten, und wer weiß also, ob nicht, wenn einmal bei ihnen die Mode zur Vernunft kommen sollte, in ebendem Maße ihre Poesie freier und genialischer wird.

Übersicht der bisherigen Versuche und Vorübungen zu einer Theorie der Kunst und des Schönen und der vornehmsten, als solche aufgestellten Systeme.

Bei den Alten finden wir nur fragmentarische, vorläufige Bemühungen. Das Problem einer philosophischen Kunstlehre haben sie sich gar nicht einmal recht aufgeworfen, geschweige denn gelöst. (Auf gewisse Weise ist es zwar das wichtigste und schwerste in der Philosophie, sich gehörig Probleme aufzuwerfen, und die neueste Philosophie hat sich hauptsächlich dadurch auf ihre Höhe geschwungen, daß sie die Aufgabe der gesamten Philosophie in ihrer größten Allgemeinheit gefaßt.)

Dieser Mangel darf nicht befremden. Auf die philosophische Theorie der Kunst zu kommen mußte den Griechen eben deswegen schwerer fallen, weil sie dieselbe so ursprünglich besaßen und so ganz eins mit ihr waren. Denn um die bei der Hervorbringung und dem Genuß des Schönen und der Kunst wirksamen Strebungen des menschlichen Geistes aus seinen eignen Gesetzen abzuleiten und darnach zu bestimmen, ist es notwendig, sie von allen übrigen, spezifisch verschiednen Tätigkeiten rein abzuscheiden. Dies war aber gerade da am schwersten, wo die Kunst natürlich aufblühte wie bei den Griechen, wo sie eben deswegen innigst mit ihrem ganzen Leben verwebt war. Der Dichter und Künstler verlor den absoluten Zweck, den er dem Wesen nach verfolgte, über einem äußerlichen und zufälligen aber ehrwürdigen aus den Augen. Der Dichter glaubte sich berufen, das Andenken großer Helden zu verewigen oder gegenwärtige Siege zu feiern, Weiser und Lehrer des Volks, Stimmführer bei öffentlichen Festen zu sein, der Bildner und Maler, die Tempel der Götter zu schmücken, der Musiker, den Götterdienst zu beleben, und indem er darein seinen ganzen Stolz setzte, kam er weniger zu einem reinen künstlerischen Bewußtsein. Bis nach der höchsten Periode der griechischen Kunst konnte auch gar kein Bedürfnis der Theorie eintreten, da ihr glücklicher Instinkt sie fast untrüglich leitete und ohne alle Disziplin gesetzmäßiges Ebenmaß in ihrer sich stetig entfaltenden Bildung erzeugte. Sogar das Geschäft des Kunstrichters war entbehrlich, denn es gab in diesem Zeitraume einen öffentlichen Geschmack, d. h., die Erziehung, die Sitten und der allgemeine Charakter der Bildung waren politisch bestimmt.

Nur wenn in einem Zeitalter der Barbarei die schöne Kunst ganz ausgestorben ist, wenn sich dann der wiedererwachende Geist mit Freiheit eine neue Richtung zu geben sucht, wenn er genötigt ist, die Kunst gleichsam außerhalb des wirklichen Lebens künstlich zu pflegen, dann wird er sich auf die Theorie getrieben fühlen und wegen der schon vorgegangnen Absonderungen des Lebens und der Kunst, des Instinkts und der Absicht eher imstande sein, Fortschritte darin zu machen. Die Griechen befanden sich nicht in diesem Falle, denn wie ihre Kunst eine natürliche Blüte gewesen, so war sie, einmal verwelkt, unwiederbringlich dahin. Kein frischer Trieb kam in sie, alles, was auf ihre große Periode folgte, war ein Überwintern ihres abgeblühten Stammes im Treibhause der Gelehrsamkeit. Die Theorie kam daher auch ohne rechte Energie und nur in schwachen Spuren zum Vorschein, erst als es keinen öffentlichen Geschmack mehr gab und die Kunst von ihrer Höhe gesunken war, und sie vermochte nie das geringste zur Wiederherstellung von beiden. Die Kritik wurde, wie wir gesehen haben, mit mehr Glück ausgeübt; doch brachte sie es praktisch auch nicht weiter als bis zur künstlichen und korrekten, aber kalten Nachbildung der großen Muster, deren Geist wieder zu erwecken sie nicht einmal versuchte.

Die Alten haben eine Menge Schriften über den technischen Teil der Künste gehabt, wovon sich noch einiges über die Rhetorik erhalten, in der Poesie über die Metrik, ferner einige, besonders spätere Musiker, deren Lehren uns aber zum Teil unverständlich geworden sind, weil uns die Anschauungen dazu fehlen. Die Schriften über Malerei (z. B. vom Apelles) und über Skulptur sind sämtlich untergegangen, welches sehr zu beklagen ist. Denn die technische Theorie der Alten war nur Inbegriff und Auszug ihrer vortrefflichen Praxis, und es muß uns damit weit mehr gedient sein als mit den Winken und Bruchstücken zu einer philosophischen Theorie. Denn der Schluß von der Vortrefflichkeit der Urbilder der griechischen Kunst auf den hohen Wert dessen, was sie in dieser geleistet, ist, wie aus den obigen Bemerkungen erhellet, gänzlich unstatthaft. Dennoch hat die Autorität der alten Theoristen einen so großen Einfluß auf die Theorie und Praxis der Neueren gehabt, daß sie uns dadurch wichtig werden und nicht ganz ubergangen werden durfen.

Die vornehmsten Schriftsteller, welche hiebei in Betrachtung kommen, sind Plato, Aristoteles, Cicero, Dionysius von Halicarnaß und Longinus.

Zuvörderst beim Plato finden wir teils Untersuchungen über das Wesen des Schönen, teils über das Wesen und die Bestimmung der Poesie und der übrigen Künste, aber beide völlig isoliert und ohne Übergang zueinander. Im *Hippias* widerlegt er auf eine sehr sinnreiche Art verschiedne gangbare Begriffe vom Schönen, und diese Polemik ist immer noch nicht veraltet, da diese Begriffe von Zeit zu Zeit wieder zum Vorschein kommen, so wie auch die Stelle im *Philebus,* wo er mit großer Schärfe die Grenze des bloß sinnlichen Vergnügens bestimmt, indem er gegen jemanden, der das höchste Gut des Lebens dareinsetzt, zeigt, daß, wenn man alles Fremdartige davon absondert, besonders was der denkenden Kraft angehört, nichts als das Leben einer Auster oder Molluske zurückbleibt, immer noch zur Widerlegung derer gebraucht werden kann, welche den Genuß des Schönen zu einem bloß sinnlichen Vergnügen herabsetzen.

Seine eignen Lehren über die Natur des Schönen trägt Plato hauptsächlich im *Gastmahl* und im *Phädrus* vor, und zwar unter mythischen Bildern und mit einem Anstrich von mystischer Begeisterung. Es würde uns hier zu weit führen, sie hievon zu entkleiden und das wahrhaft Spekulative in ihnen zu entwickeln, wir begnügen uns mit der Bemerkung, daß wenige Philosophen nach ihm sich wieder zu der Höhe geschwungen haben, worauf er bei Betrachtung dieser Gegenstände sich befand. Er erkannte die symbolische Natur des Schönen, daß es nämlich die sinnliche Erscheinung von etwas Geistigem ist, und indem er ein höchstes himmlisches Urbild des Schönen annimmt, setzt er es als Idee, d. h. als etwas, worauf unser Geist mit einem unendlichen Bestreben gerichtet ist.

Seine Kunstlehre findet sich hauptsächlich in der *Republik*, natürlicherweise, da sein Gesichtspunkt für die Poesie und Kunst ganz politisch war. Am berüchtigsten ist daraus der Satz geworden, daß Plato die Poeten aus seinem Vernunftstaat verbanne, womit man sie häufig geneckt hat. Allein, erstlich ist dies nicht in der Allgemeinheit zu verstehen, wie es gewöhnlich genommen wird: es galt nur die Dichter, welche er die nachahmenden nennt, d. h. die epischen und besonders die dramatischen; den lyrischen wollte er den Zutritt vergönnen, sie jedoch einer strengen Gesetzgebung unterwerfen. Auch sollte es nicht auf eine unziemliche Art, sondern mit aller Höflichkeit geschehen. Wir wollen nicht argwöhnen, der göttliche Plato habe die Dichter deswegen aus seiner Republik verbannen wollen, weil er nicht in die ihrige hatte aufgenommen werden können, weil er nämlich selbst verunglückte Versuche in der Poesie gemacht hatte. Aber an die uralte Feindschaft, welche zwischen den Poeten und Philosophen obwaltete, muß man sich dabei erinnern, auch an den damals schon beginnenden Verfall der Poesie. Manche seiner Beschuldigungen passen nur auf die Zeitgenossen, wie z. B. der Vorwurf, der Dichter befördre durch unmäßige Rührung die Leidenschaftlichkeit der Gemüter, bestimmt den Euripides zu treffen scheint. Genug, wiewohl Plato sonst die Würde des Dichterberufs anzuerkennen scheint, den Dichter einen Dolmetscher der Götter, ein heiliges, leichtes, geflügeltes Wesen nennt und seine Begeisterung unter dem Bilde einer religiösen Weihe schildert, so scheint er dies alles in der *Republik* zu vergessen und argumentiert gegen die Poesie als eine Unsittlichkeit und Trug und Irrtum befördernde Kunst mit großer Schärfe. Das erste beweist er besonders durch die unwürdigen Vorstellungen von den Göttern, welche die Dichter verbreiten, und durch ihre Begünstigung der Leidenschaften auf Unkosten der Vernunft; das zweite gründet sich auf die Natur der Nachahmung und einen sinnreichen Beweis vom Unwert jener Täuschung, welche der Dichter und Maler beabsichte. An einer Stelle sieht Plato ein, die Nachahmung des Künstlers sei ein bloßes Spiel, und gesteht der äußern Form der Poesie, dem Silbenmaß und Rhythmus eine große Macht der Bezauberung über das Gemüt zu. Wäre er auf dieser Spur fortgegangen, so hätte er erkennen müssen, daß eben dieses Spiel, diese Bezauberung, das wesentliche Ziel der Künste sei. Allein es scheint, er wollte ihren Wert nun einmal nach heteronomischen Grundsätzen beurteilen. Es war gleichsam eine Repressalie gegen die Eingriffe der Poesie in das Gebiet der Wahrheit und Sittlichkeit. Die Dichter verkannten selbst ihre Bestimmung, indem sie sich für göttliche Seher und weise Lehrer des Volks ausgaben, Plato konnte sie also auch wohl verkennen. Seine scharfsinnigen Angriffe sind deswegen merkwürdig, daß man einsieht, die Kunst sei nicht anders zu retten, als daß sie auf alle Ansprüche jenseits ihrer Grenzen, auf dem Gebiete der Wahrheit und Sittlichkeit, Verzicht leistet, innerhalb derselben sich aber als unabhängig behauptet. Rousseau hat in neueren Zeiten (vornehmlich in seinem berühmten Briefe an d'Alembert) diese Angriffe wiederholt und, besonders wie Plato, gegen die nachahmenden Dichter, nämlich das Schauspiel geeifert. Er hat aber schwerlich etwas vorgebracht, wovon der Keim nicht schon im Plato läge, sondern dies nur rhetorisch ausgeführt.

Vom Aristoteles haben wir vollständig seine *Rhetorik* und einen Teil der *Poetik*. Jene betrachtete er durchaus nicht als eine freie Kunst, sondern als eine Kunst des Verstandes und Schwester der Dialektik, mit der sie den gemeinschaftlichen Zweck habe, zu überzeugen. Sie unterscheide sich nur dadurch von ihr, daß die Dialektik streng wissenschaftlich verfahre, die Rhetorik aber die faßlichsten Beweise auswähle und sie auf populäre Art behandle. In den beiden ersten Büchern handelt er davon, woher die Beweisgründe zu nehmen, wodurch der Hörende so oder so zu affizieren und seine Meinung für den Redenden zu gewinnen sei. Erst im dritten Buche kommt er auf den wohlgefälligen Ausdruck und Vortrag, doch läßt er sich nur notgedrungen und mißbilligend hierauf ein: dies sei nur Nebenwerk, das bloß durch die Verderbtheit der Zuhörer so großen Einfluß haben müsse. Man findet beim Aristoteles nur die ersten Grundzüge der Lehren von der Diktion und dem Numerus, aber gar nicht wissenschaftlich aufgestellt, so daß z. B. auch seine Grenzbestimmung zwischen rednerischer und poetischer Diktion sehr schwankend ausfällt und sich auf gar nicht haltbare Gründe stützt. Sein Hauptverdienst bei dem ganzen Werk war wohl, daß er der eitlen Schönrednerei in den Weg getreten, wozu die Griechen besonders geneigt waren.

Von der *Poetik* haben wir nur ein Fragment, und auch das vielleicht nur im Auszuge. Diese verstümmelten und interpolierten Blätter spielen aber eine große Rolle in der Geschichte der Dichtkunst und ihrer Theorie, indem sie zu einer Autorität ohnegleichen gelangt sind. Man hat sie für den ästhetischen Stein der Weisen gehalten, sie ohne Ende übersetzt (Dacier, Batteux, Curtius) und kommentiert, die Engländer Twining und Pope in ganzen Quartanten. Dabei hat man ihn unaufhörlich mißverstanden und sogar verdreht. Dies letzte rührt eben von der Autorität her; man wollte ihn mit seiner Praxis in Übereinstimmung bringen. So prüfte Corneille erst am Ende seiner Laufbahn seine ohne Rücksicht auf den Aristoteles geschriebnen Tragödien nach den Regeln desselben und meinte, man könne sich dabei wohl eine kleine günstige Auslegung erlauben. Nach mißgedeuteten Äußerungen des Aristoteles schrieb Voltaire seine *Merope* und gab den Augenblick vor der Wiedererkennung für die erste aller tragischen Situationen aus. Lessing glaubte im Aristoteles, wenn er nur recht verstanden würde, einen poetischen Euklides zu finden, das heißt, die Lehrsätze der Poetik seien durch ihn zu solcher Evidenz gebracht wie die mathematischen. Diese Art von Evidenz findet zuvörderst bei diesen Gegenständen überhaupt nicht statt. Allein durch den Zusatz »wenn er nur recht verstanden wurde« hebt Lessing selbst seine Behauptung wieder auf, denn welch ein Mathematiker wäre das, dessen Sätze von streitiger Bedeutung sein könnten. Es ist fast unbegreiflich, wie Lessing die Widersprüche, worin sich Aristoteles verstrickt, entgehen konnten, da sie sich fast mit Händen greifen lassen. Da er einmal ein Evangelium aus ihm machte, so hätte er immerhin wie von den Evangelisten eine Harmonie der Poetik schreiben mögen. Als scharfer Denker und Unterscheider in allem, was keinen eigentlichen Kunstsinn foderte, mußte Aristoteles freilich dem Lessing, der ein auf ebendie Art einseitiger Kunstrichter war, sehr zusagen. Die Widersprüche im Aristoteles gereichen ihm sogar zum Lobe, denn sie beweisen, daß er ein redlicher Forscher war, der niemals einer Hypothese zulieb sich Tatsachen wegleugnete, und freilich konnte er auf die Art, wie er es angriff, das Rätsel nicht befriedigend lösen. Denn seine Ansicht und Beurteilung der Poesie ist bloß logisch und physisch, d. h., er bemerkt in ihr nur das, was der Verstand wahrnehmen kann, und zergliedert und klassifiziert das Vorhandne wie jedes andre Naturprodukt ohne Rücksicht auf Schönheit. Er war ein redlicher und scharfer Beobachter, soweit das Maß seiner Einbildungskraft und seines Gefühls reichte. Er hatte viel Sinn für das Richtige, Schickliche, Feine; er geht bei seiner Beurteilung von Gedichten überall auf logischen Zusammenhang, auf Konsequenz in den Charakteren, auf technische Zweckmäßigkeit. Er will ein Gedicht sogar als ein organisches Ganzes betrachtet wissen, aber der Begriff einer eigentümlichen poetischen Einheit fehlt ihm durchaus. Man sieht an manchen Stellen, daß er unbefriedigt mit dem laxen empirischen Begriff von Poesie nach allen

Seiten herumforschte, ohne aus Mangel an poetischem Sinn das Rechte treffen zu können. Für die Theorie leistet daher die *Poetik* wenig, hauptsächlich nur negativ, daß man sieht, wie unzulänglich diese Mittel sind, eine zustande zu bringen. Für die Geschichte der griechischen Poesie ist sie aber sehr wichtig wegen der verlorengegangenen Werke, die Aristoteles noch vor Augen hatte; und doch hat man sie von dieser Seite noch am wenigsten studiert und benutzt.

Das übriggebliebne Stück der *Poetik* handelt nur die Tragödie und die Epopöe ab, die Komödie wird bloß im Vorbeigehn erwähnt, und von der lyrischen Gattung kommt gar nichts vor. Wir werden auf seine Behauptungen über die erstgenannten beiden Gattungen Rücksicht nehmen, wenn wir von ihnen reden. Das Bestreben der Neueren, nach den Regeln des Aristoteles Tragödien und Heldengedichte zu verfertigen, führt uns auf sie zurück.

Seine allgemeineren Lehren über die gesamte Kunst reduzieren sich großenteils auf den Grundsatz der Nachahmung. Er dehnt nämlich diesen Begriff weiter aus als Plato und erklärt nicht nur die gesamte Poesie und die Malerei, sondern auch die Musik und Tanzkunst für nachahmende Künste. Die Poesie sei aus folgenden zwei natürlichen Ursachen entsprungen: erstens aus dem Nachahmungstriebe des Menschen, zweitens aus dem allgemeinen Vergnügen an der Nachahmung, welches wieder von dem allen eingepflanzten Triebe nach Erkenntnis herrühre. In der letzten widerspricht sich Aristoteles selbst: Kennen wir den Gegenstand schon, so lernen wir nichts aus der Nachahmung, kennen wir den Gegenstand noch nicht, so ist es nicht die Nachahmung, was uns ergötzt, sondern notwendig etwas anders, wie er selbst an dem Beispiele eines Porträts von einem uns unbekannten Originale eingesteht. »Die andre dergleichen Ursache« des Ergötzens war es eben, was ihm ein ewiges Geheimnis blieb.

Durch den in die Theorie eingeführten Begriff der Nachahmung hat Aristoteles womöglich noch mehr Unheil angerichtet als durch seine Lehren über das Drama und Epos. Freilich zum Teil ohne seine Schuld, denn die Tatsache, welche er aufstellt, »die schönen Künste sind nachahmend«, ist ganz verschieden von dem Grundsatz, worein viele Neuere sie verwandelt haben: die schönen Künste s o l l e n die Natur nachahmen. Jedoch setzte Aristoteles irrigerweise das ganze Wesen der schönen Kunst in die Nachahmung. Wir leugnen nicht, daß wirklich ein nachahmendes Element in ihr sei, aber das macht sie noch nicht zur schönen Kunst; vielmehr liegt dies eben in einer Umbildung des Nachgeahmten nach Gesetzen unsers Geistes, in einem Handeln der Phantasie ohne äußerliches Vorbild. Aristoteles ist auch nicht auf die Art zu retten, daß man annimmt, er habe unter Nachahmung eigentlich Darstellung gemeint; er führt uns gar zu sehr auf das eigentliche Nachahmen hin.

Wie sich nun dieser Grundsatz der Nachahmung, dessen Stifter Aristoteles war, bei den Neueren mannigfaltig anders gewandt und modifiziert hat und in veränderter Gestalt bis auf unsre Zeiten immer wiedergekommen ist, werde ich bei der Übersicht dessen zeigen, was die neueren Theoristen geleistet.

Wir kommen nun auf die rhetorischen Schriften des Cicero und Quinctilian. Beide haben vorzüglich eine praktische Tendenz, sie gehen auf Bildung eines vollkommnen Redners, und hierin hat Cicero einen großen Vorzug vor dem Quinctilian, indem er selbst als politischer Redner eine so große Rolle gespielt hatte, weswegen alles das bei ihm vortrefflich ist, was die Berührungspunkte der Politik und Redekunst betrifft, sowie auch die besondern Bestimmungen, welche die letzte durch den römischen Nationalgeist erhielt. Quinctilian hingegen brachte sein Leben damit hin, die Jugend in der Redekunst zu unterrichten, und die politische Wichtigkeit der Beredsamkeit war damals schon sehr gesunken.

Wissenschaftlichen Geist hatte Cicero durchaus nicht. Er

war ein Popularphilosoph und Eklektiker, teils aus Neigung und Anlage, teils weil er glaubte, daß das dem Redner am besten zustatten komme. Auch hätte ihm, wenn er streng wissenschaftlich hätte sein wollen, die lateinische Sprache große Hindernisse in den Weg gelegt, in der er sich erst selbst eine Kunstsprache schaffen mußte, wobei es sehr schwer war, Dunkelheiten und Unbestimmtheiten zu vermeiden.

Was die Abschnitte seiner Schriften betrifft, welche von der Redekunst als einer eigentlich schönen Kunst handeln, so ist er in der Lehre von der Diktion, vom Schmuck der Rede eben nicht tiefer eingegangen als seine Vorgänger, und seine Vorschriften gehen mehr aufs Allgemeine. Über den Numerus ist er zwar viel weitläufiger als Aristoteles und widerspricht diesem auch in vielen Punkten, seine Äußerungen hierüber sind aber nicht von Verwirrung frei. Bei ihm findet man auch treffliche Bemerkungen über den mündlichen Vortrag des Redners. Merkwürdig ist noch seine Untersuchung über den Witz und Scherz, worauf als auf eines der mächtigsten Mittel der Beredsamkeit er einen großen Nachdruck legte. (Apologie für den Gebrauch des Scherzes in literarischer Polemik.)

Man muß eingestehen, daß Quinctilian kein ausgezeichneter und origineller Kopf, sondern mehr ein fleißiger Gelehrter von gesundem, vielfältig durchgearbeitetem Urteil war. Er hat das, was er bei seinen Vorgängern fand, benutzt und zusammengestellt und es in dem grammatischen und philosophischen Teile mit einem Detail eigner Bemerkungen vermehrt. Mit Unrecht hat man ihn zu einem Kunstrichter im Felde der Poesie erheben wollen. Er gibt zwar eine Menge Urteile über griechische und römische Dichter, aber sein Hauptgesichtspunkt dabei ist ihre größere oder geringere Tauglichkeit, junge Deklamatoren künstlich schwatzen zu lehren.

Diese drei Schriftsteller, Aristoteles, Cicero und Quinctilian, sind es nun, welche den Begriff der Neuern von der

Redekunst (besonders den Schulbegriff) bestimmt haben und als höchste Autorität darin gelten, da doch Dionysius von Halicarnaß sie zu einer weit reineren Kunstansicht und einem richtigeren und umfassenderen Begriff der Redekunst hätte erheben können. Er beschränkte ihn nämlich nicht auf die Beredsamkeit in öffentlichen Reden, sondern erweiterte ihn zum Begriff der schönen Komposition in Prosa überhaupt, so daß er auch Geschichtschreiber und Philosophen als Redekünstler betrachtete, und zwar nicht bloß im Stil und der Darstellung im einzelnen, sondern in der ganzen Anlage des Plans. So vergleicht er den Herodot und Thukydides als Künstler miteinander und nennt die Werke beider »schöne Gedichte«, doch sei die Schönheit des Herodot die freundliche, die des Thukydides die furchtbare. Wir haben von ihm noch eine Anzahl Beurteilungen und Charakteristiken alter Redner und Historiker, wobei er immer von rein künstlerischen Gesichtspunkten ausgeht, z. B. die Schreibart des Isokrates mit den Kunstwerken des Phidias und Polyklet, die Prosa des Lysias mit den Bildern des Callimachus und Calamis vergleicht. Bei seinem tiefen Studium und inniger Bewunderung für die alten Meister ist er doch keineswegs blind für ihre Mängel, sondern kritisiert sie auf das schärfste. Seine Charakteristik vom Stil des Plato.

Wir haben von ihm nur noch e i n theoretisches Werk: von der Zusammenfügung der Wörter, welches also die eine Hälfte der Lehre vom Stil umfaßt, da die andre sich mit der Wahl der Wörter beschäftigt. Er handelt hierin sehr umständlich vom Numerus, sowohl dem oratorischen als poetischen, und subtilisiert dabei vielleicht zu sehr. Auf die Praxis der modernen Dichter und das Urteil ihrer Kunstrichter hat er durch seine Lehre von der nachahmenden Harmonie des Verses den größten Einfluß gehabt und einiges Unheil damit angerichtet.

Longin macht auf alle Art den Beschluß, der letzte der Zeit und dem Werte nach. Er war ein Sophist und Rhetor des dritten Jahrhunderts, und man hat von ihm eine Schrift über das Erhabne, die erste ästhetische Abhandlung dieser Art, die wir haben. Sie ist schlecht in blumenreichen Phrasen geschrieben, voll Deklamation, leer an Begriffen und noch mehr an Ordnung darin und dem Geiste nach schon völlig modern. Die reine Kunstansicht des klassischen Altertums ist mit einer sentimentalen Ansicht der Kunst, als wenn sie Natur wäre, vertauscht, und so wie er in seinen Vergleichungen alle Kunststile und alle Gattungen durcheinanderwirft, so nimmt er auch den Homer und die Bücher des Moses auf einen Fuß. Man kann ihn eigentlich den Erfinder der empfindsamen Ästhetik nennen.

Wie die Neueren überhaupt bei ihrem Studium des Altertums meistens sich an das Untergeordnete und Abgeleitete, statt des Ursprünglichen und Großen gehalten haben, so ist es ihnen auch mit den Schriftstellern ergangen, welche über die Kunst philosophieren. Man ist unbekümmert darum gewesen, die göttlichen Philosopheme Platos zu enthüllen, dagegen hat man den trocknen Sätzen des Aristoteles immer von neuem den Saft ausgepreßt. In der Redekunst hat man sich an die logischen und politischen Lehrer derselben, den Aristoteles, Cicero und Quinctilian gehalten, ohne sich zu dem eigentlich artistischen, dem Dionysius zu erheben; und letztlich hat man sich noch mit dem Longin behängt, ihn übersetzt und studiert, und seine Ansichten haben sich bis auf die neuesten Zeiten fortgeerbt. (Boileau hat ihn übersetzt. Sogar Klopstock hat sich bestechen lassen und hielt viel vom Login).

Neuere theoretische Schriftsteller über die Kunst. Es gibt ihrer unzählige, von denen wir hier unmöglich eine vollständige Literatur aufstellen können, die in Blankenburgs Anmerkungen zu Sulzers Wörterbuch umständlich zu finden ist. Um uns in diesem Chaos nicht zu verlieren, werde ich allgemeine Gesichtspunkte aufstellen, wornach sich ihre Bemühungen klassifizieren und eine Übersicht davon geben läßt.

Zuvörderst, je nachdem die Untersuchung beim Zergliedern von etwas schon Vorhandnem stehenblieb oder eine praktische Wendung auf etwas erst Hervorzubringendes nahm, betraf sie entweder das Wesen des Schönen oder das Verhältnis von Natur und Kunst. Im ersten Fall konnte sie meistens den Übergang zu wahrhaft praktischen Vorschriften für die Kunst nicht finden, im zweiten gedieh sie selten auch nur bis zur Form einer Theorie, sondern stellte nur eine unbewiesene oder sich auf Autorität berufende Maxime auf.

Die Methode bei der Analyse des Schönen war meistens die, daß man das Schöne zuerst ganz allgemein nahm, es hierauf in das Schöne im eigentlichen Sinne und in das Erhabne einteilte, dann die Unterarten von jedem, z. B. von diesem: das Würdige, Prächtige, Feierliche, Ernste, Schreckliche, von jenem: das Anmutige, Zärtliche, Niedliche usw. definierte und an Beispielen entwickelte. Wenn man nun wußte, was diese Beschaffenheiten wären, d. h., wenn man gute Namenserklärungen davon im Kopfe hatte, so war man für die Ausübung der Kunst oder auch nur für das bessere Verstehen und Beurteilen von Kunstwerken um nichts gebessert. Denn niemand konnte darnach eine Anweisung geben, ob und wie sich ein Kunstwerk aus lauter zu einer dieser Klassen gehörigen Bestandteilen zusammenbauen lasse, oder wenn man notwendig aus mehren etwas brauchte, welche Mischungen erlaubt und die besten wären. (Kants seltsame Vorstellung, wie sich Darstellung des Erhabnen in einem gereimten Trauerspiele, in einem Oratorium oder Lehrgedicht mit der Schönheit vereinigen lasse.) Mit einem Worte, diese Begriffe können erst dadurch wahren Gehalt bekommen, daß sie innerhalb der Sphären der verschiednen Künste und im bezug auf die Form ihrer Darstellungen betrachtet werden, welches eben nicht geschah und wohin man bei der anfangs genommenen Wendung durchaus nicht gelangen konnte.

Diese praktische Unfruchtbarkeit der allgemeinen Abhandlungen über das Schöne hat sich daher bis auf die neuesten Zeiten immer wiederholt, und Kants *Kritik der ästhetischen Urteilskraft* ist gar nicht davon ausgenommen. Er selbst gesteht die Unzulänglichkeit seines Buchs in dem, was die schönen Künste betrifft, ein, und die Sünden seiner Nachbeter, welche nach dem gewöhnlichen Zuschnitt einer Theorie der schönen Wissenschaften in dem allgemeinen Teile seine Sätze ohne den Schatten eines eignen Gedankens auswässern und dann über die Poesie und Beredsamkeit etwas Althergebrachtes aus Lessings oder Engels Schriften oder gar aus dem Batteux anhängen, was mit jenem nicht im geringsten Zusammenhange steht, werden ihm billig nicht zugerechnet. Aber auch der einsichtsvollste Kenner, der zugleich Philosoph ist, wird schwerlich imstande sein, aus den Grundsätzen der *Kritik der Urteilskraft* etwas zu einer Theorie der Künste Taugliches abzuleiten. Das Resultat des Ganzen ist daher eigentlich bloß negativ, wie wir bei Beleuchtung desselben näher sehen werden.

Das größte Unheil bei den Untersuchungen über das Schöne hat es angerichtet, daß man Kunst und Natur dabei so durcheinanderwarf und die Beispiele der sogenannten ästhetischen Eigenschaften ohne Unterschied aus beiden nahm, wo man sie irgend vorzufinden glaubte. Bei den Naturgegenständen wußte man das sentimentale Wohlgefallen, was sich in ihre Betrachtung mischt, nicht gehörig von dem, was eigentlich an ihnen die poetische Phantasie und den Kunstsinn ergötzt, abzusondern. Aus Kunstwerken hingegen riß man meistens Partien zu Beispielen heraus, besonders einzelne Gedanken und Bilder aus Dichtern. Man betrachtete sie ohne Rücksicht auf das Ganze, worin sie sich befinden, da doch in einem echten Kunstwerke alles nur relativ auf dasselbe existiert. Hiedurch mußte folglich ihr ganzes Wesen alteriert werden, sie sanken zu bloßer Natur herab, d. h., dergleichen Teile von

Kunstwerken, so fragmentarisch isoliert, hatten vor zufällig sich darbietenden Eindrücken aus der ohne Zutun menschlicher Kunst vorhandnen Welt nichts voraus.

Durch diese Ansichten des Schönen wurden denn auch die vom Verhältnis der Natur und der Kunst vorläufig verwirrt, da diese letzte Untersuchung praktisch hätte weiterführen können, wenn man sie zuvörderst vorgenommen und die über das Schöne ihr untergeordnet hätte. Die Kunst wurde auf beiden Seiten übel beraten, und alles mußte notwendig auf Sentimentalität und Naturalismus hinauslaufen.

Wir wollen zuerst die Resultate der bisherigen Untersuchungen über das Schöne näher beleuchten. Es versteht sich, daß wir nicht alle die hundert Definitionen, die man davon gegeben hat, einzeln durchgehen können. Dies ist aber auch nicht nötig, denn bei allen Abweichungen im Ausdruck wiederholen sie sich doch sehr, und man sieht besonders die Begriffe von Regelmäßigkeit, Zweckmäßigkeit, Schicklichkeit und Verhältnis immerfort wiederkehren. Statt auf den Mittelpunkt zu gehen und in das innerste Wesen zu dringen, hat man sich oft begnügt, ein einzelnes Merkmal herauszugreifen, das, je nachdem man bei dem Worte s c h ö n den umfassenderen Sprachgebrauch vor Augen hatte oder seine Beobachtung einseitig beschränkte, entweder zwar auf alles Schöne, aber nicht ausschließend, paßte oder nur bei speziellen Gattungen desselben als Bedingung, nicht als eigentliche Grundlage zutraf. Diese Beschreibungen (denn eigentliche Definitionen sind es nicht) enthalten also allerdings etwas Wahres, allein sie sind grundfalsch, sobald sie für erschöpfend und einzig gültig ausgegeben werden.

Von jener ersten Art (zu weit und unbestimmt) ist die so häufig wiederholte Definition: das Schöne sei Einheit in der Mannigfaltigkeit. Dies scheint überhaupt nur die Beschreibung von einem Ganzen zu sein, denn ein Ganzes besteht immer aus Teilen, die, insofern sie voneinander unterscheidbar sein sollen, mannigfaltig sein müssen. Unleugbar ist es, daß demzufolge jede mathematische Figur schön sein müßte, und noch in weit höherem Grade jede Organisation, sie möchte unserm Sinne noch so häßlich erscheinen. Ja jeder Begriff wäre schon etwas Schönes, weil er unstreitig mannigfaltige Merkmale in eins zusammenfaßt. Und insofern in unserm Bewußtsein durch die ganze Mannigfaltigkeit unsrer Vorstellungen die Einheit des Ichs stetig hindurchgeht, müßte es selbst schön sein, und wir könnten dem Schönen eigentlich in keinem Augenblicke unsers Dasein entgehen. Man kann also nur sagen, das Schöne sei unter anderm und mit vielen andern Dingen auch Einheit im Mannigfaltigen.

Ein Beispiel der andern Art (zu enger und partialer Bestimmungen) ist die Wellenlinie, worauf Hogarth alle Schönheit der Form reduzieren wollte. Wir werden noch Gelegenheit haben, dies wieder zu berühren, wann in Rücksicht auf bildende Kunst von der Schönheit organischer Körper die Rede sein wird. Auf ähnliche Art hat ein deutscher Philosoph nach der Bemerkung, daß an sichtbaren und hörbaren Gegenständen die Stetigkeit der Übergänge von einem Tone, einer Farbe zur andern und auch in den Umrissen der Form gefällt, die Schönheit überhaupt als die leichte Allmählichkeit bezeichnet. So eng diese Definition von einer Seite ist, so möchte sie doch noch zu weit sein. Es ist ganz treffend dagegen eingewandt worden, die sogenannte gelbe Postkutsche, die freilich allmählich genug von Leipzig nach Dresden kömmt, müsse alsdann wohl außerordentlich schön sein.

Der Grundirrtum bei allen diesen Untersuchungen war der, daß man die Existenz schöner Gegenstände für zufällig, und die Art, wie das Gemüt von ihnen affiziert wird, bloß für ein psychologisches Phänomen hielt. Die empirische Psychologie, eine nunmehr fast verschollene Wissenschaft, unternahm durch Beobachtung dessen, was im menschlichen Geiste so dann und wann vorgeht, die

Natur desselben zu erforschen; ein unmögliches und widersinniges Beginnen. Man wollte eine Experimentalphysik der Seele zustande bringen. Die eben genannte Wissenschaft würde ohne leitende Ideen über die Natur, auf die sich auch der am meisten empirische Naturforscher bei seinen Beobachtungen bezieht, er mag es sich noch so sehr ableugnen, ein bloßes, blindes Tappen sein. Wenn man sich aber die gesamte Natur als ein selbstbewußtes Wesen denkt, wie würde man die Zumutung an sie finden, sich selbst vermittelst der Experimentalphysik zu studieren? Und doch ist die Zumutung des empirischen Psychologen an den menschlichen Geist keine andre. Dieser hat die Fähigkeit, sich selbst unmittelbar anzuschauen, worin ja eben das Bewußtsein besteht. Dadurch wird er in den Stand gesetzt, sein Dasein an der Wurzel zu ergreifen, welches Spekulation heißt. Und wenn er so von dem einzigen festen Punkte ausgeht, wird er auch seine Existenz unter individuellen Bedingungen und in scheinbar zufälligen und anomalischen Zuständen verstehen lernen. Nimmt er aber einen so verkehrten Umweg, daß er den menschlichen Geist gerade da, wo er sich selbst beinahe verloren hat, in Träumen, in der Zerrüttung der Leidenschaften, in Trübsinn und Wahnsinn ursprünglich erforschen will, so wird er die ewigen Gesetze seiner Wirksamkeit, die auch hierin noch bestimmend sind, unfehlbar verkennen; sie entweder ganz wegleugnen oder das Notwendige und Unabänderliche zum Abgeleiteten und Zufälligen machen, wie man es denn auch erlebt hat, daß dergleichen psychologische Philosophen (die französischen Enzyklopädisten gehören großenteils dahin) die Moralität aus bloßen Angewöhnungen und die Überzeugungen der Vernunft aus Vorurteilen entstehen ließen. Da sie nun so aus den speziellsten Erscheinungen das Allgemeinste ableiteten, jene doch aber auch nicht unerklärt lassen wollten, so nahmen sie natürlich ihre Zuflucht zu grundlosen Hypothesen, und so endigte die ganze Philosophie in gewissen Fibern des

Gehirns, die zwar kein Mensch gesehen hatte, die aber eben deswegen um so bequemer zu regieren waren und mit deren Vibrationen sie alles mögliche beliebig zustande brachten.

Ich habe mich ein wenig umständlicher hierauf eingelassen, weil die psychologische Betrachtungsart von den Wirkungen der schönen Künste noch gar nicht ganz ausgestorben ist, nach welcher die Poesie leicht mit dem Träumen oder der Verrücktheit in eine nicht erwünschte Parallele kommen kann. Es ist noch nicht gar lange her, daß die Lehre von der Ideenassoziation eine große Rolle in den Theorien der Künste spielte. Diese besteht nämlich in der Beobachtung, daß die Vorstellungen nach gewissen Verwandtschaften, oder auch weil sie einmal zufällig koexistiert haben, einander wieder erwecken. Einige meinten, das Wohlgefallen am Schönen beruhe hauptsächlich auf den assoziierten Vorstellungen, und wo ich nicht irre, ist Diderot noch in seinen *Versuchen über die Malerei* nicht frei hievon. Eine Vorstellung soll demnach deswegen gefallen, weil sie andere erweckt. Aber warum gefällt es uns, diese Vorstellungen in uns erweckt zu sehen? Vermutlich, weil sie wiederum andere erwecken, und so ins Endlose fort. Eine Sache wäre demnach deswegen schön, weil einem alles mögliche andere bei ihr einfällt. Niemand hat mit dieser Lehre ein größeres Unwesen getrieben als die englischen Theoristen, welche die Schönheiten einer Menge poetischer Stellen darnach zergliedern. Insofern die Ideenassoziation auf einer wesentlichen Verwandtschaft beruht, wie z. B. die zwischen Ursache und Wirkung ist, wird sie gar nicht empirisch bestimmt, und wir brauchen sie daher auch nicht durch Beobachtung kennenzulernen. Sie ist keine Sache der Angewöhnung, sondern der menschliche Geist gibt sich darin selbst das Gesetz. Auch die zufälligen Ideenverknüpfungen sind leider sehr mächtig in uns; ohne Widerstand lassen sich aber nur schwachsinnige Menschen von ihnen regieren, die, wie man sagt, vom Hundertsten ins Tausendste kommen. Darin zeigt sich eben die Freitätigkeit des Geistes, daß er die Folge seiner Vorstellungen selbst bestimmt, und diese seine Selbstherrschaft soll sich in der Kunst ganz besonders offenbaren.

Bei der bloß psychologischen Betrachtung des Schönen bleibt immer die Frage unbeantwortet, woher es kommt, daß es überhaupt etwas Schönes gibt oder, welches einerlei ist, daß unser Gemüt Empfänglichkeit dafür hat. Home nimmt deswegen sehr treuherzig und drollig zu einer physikotheologischen Erklärung seine Zuflucht. (Diese besteht nämlich darin, daß die Weisheit und Güte Gottes bewundert wird, weil sie die Natur so oder so eingerichtet hat. Nachher findet sichs nicht selten, daß die Natur nicht so eingerichtet ist, und der Ruhm der göttlichen Eigenschaften liefe also wirklich Gefahr, wenn ihm die Kurzsichtigkeit dieser Philosophen etwas geben oder nehmen könnte.) Home meint also, Gott habe nach seiner Weisheit und Güte dem Menschen den Geschmack am Schönen angeschaffen, weil selbiger viel beitrage, die umgebenden Gegenstände angenehmer für uns zu machen und dadurch unsre Glückseligkeit zu befördern. Hernach sagt er: »Da das Schöne oft zugleich das Nutzbare ist, so gibt uns diese Neigung für das Schöne noch einen Antrieb, unsre Felder anzubauen und unsre Manufakturen zu verbessern.« Die Schönheit soll also ökonomische Dienste leisten, und Gott soll schon gleich bei der Schöpfung für den Flor der englischen Manufakturen Sorge getragen haben.

Soviel über die mangelhafte Art, über diese Gegenstände zu philosophieren, oder vielmehr nicht zu philosophieren. Eigentliche Systeme über das Schöne kann es nur drei geben: entweder man sucht es in der intellektuellen Welt oder in der sinnlichen oder in keiner von beiden, sondern eben auf dem Übergange von einer zur andern. Im ersten Falle wird das Schöne bloß eine verkleidete Vollkommenheit sein und dadurch den Geist befriedigen, im zweiten ist es eigentlich körperlich, und seine Wirkung läuft auf sinnliches Vergnügen hinaus, im dritten schwebt es zwischen beiden. Diese Systeme sind nun auch wirklich aufgestellt. Das erste, welches man das rationale nennen kann, um die Mitte des vorigen Jahrhunderts durch Baumgarten in Deutschland, wo es auch am meisten Anhänger fand. Das entgegengesetzte empirische ist mit der meisten Methode von Burke bearbeitet, mehr oder weniger ausgebildet zeigt es sich in einer Menge Schriften der Engländer, Franzosen und Deutschen. Der Widerspruch dieser einseitigen Theorien führte den ästhetischen Skeptizismus herbei, wodurch die *Kritik der ästhetischen Urteilskraft* vorbereitet und veranlaßt ward.

Da das Schöne so offenbar sinnlich-geistiger Natur ist, so konnten jene beiden Lehren nur in solchen philosophischen Systemen konsequent durchgeführt werden, die entweder das Sinnliche oder das Intellektuelle im Menschen unterdrückten und es ganz auf die andre Seite hinüberzogen, das Sinnliche entweder zu dem Negativen in unsren Vorstellungen oder zu dem einzigen Positiven machten, und dies findet sich denn auch so. Das Rationale kam in der Wolffischen Schule zum Vorschein, welche das Anschauen eigentlich leugnete und im menschlichen Geiste nichts als Denken statuierte; das Empirische hingegen in der Schule der neueren Lockianer, die alles Denken nicht nur aus sinnlichen Eindrücken entspringen lassen, sondern es auch darauf zurückführen, indem sie die Vorstellungen von gewissen Bewegungen der Gehirnfibern abhängig machten. Siegreich bestritten konnten beide nur werden aus einem System heraus, welches die Sinnlichkeit wieder in ihre Rechte einsetzte, ohne dem Verstande und der Vernunft die ihrigen zu entreißen, und ein solches ist auch das Kantische. Weil aber dieses in beiden zwar etwas Ursprüngliches und Wesentliches behauptet (die Anschauungsformen und Kategorien), beides aber als isoliert und schon fixiert im menschlichen Geiste vorstellt und es nicht als aus der einen unteilbaren Energie desselben hervorgehend gleichsam vor unsern Augen entstehen läßt, so mußte es glücklicher und befriedigender in seinen verneinenden Bestimmungen sein als in dem, was es selbst setzt. Ein geistreicher Denker hat bemerkt, daß Kant durch den Satz: es finde sich im Menschen Sinnlichkeit und Verstand, eigentlich nicht viel mehr aussage, als in dem uralten Gemeinspruche liegt, daß der Mensch aus Leib und Seele bestehe. Der transzendentale Idealismus, konsequent durchgeführt, wie er es seit Kant geworden ist, zeigt uns nicht nur die notwendige und nie aufzuhebende Entgegensetzung dieser beiden Seiten der menschlichen Natur, sondern auch ihre Einerleiheit in derselben, und ihm ist es daher erst vorbehalten, das Problem des Schönen vollständig zu lösen. Denn aus diesem Systeme läßt sich dartun, daß es dasjenige ist, wodurch wir uns in den Schranken der Endlichkeit und der Trennung in uns, der ursprünglichen Einheit von Geist und Materie, Intelligenz und Natur, Freiheit und Notwendigkeit bewußt werden, so daß die Aufgabe der Kunst keine andre ist, als das für die Anschauung zu leisten, was die höchste Spekulation auf intellektuale Weise bewerkstelligt.

Wir wollen Baumgartens Hauptsätze hier nur in der Kürze vorlegen. Sein ganzes System (man kann es aus Eberhards Theorie der schönen Wissenschaften kennenlernen) steht und fällt mit der Wolffischen Lehre von der sinnlichen Wahrnehmung, nach welcher diese ein verworrenes Denken sein soll, so daß sich folglich alle Anschauung durch Deutlichmachung in Begriffe müßte auflösen lassen, so daß gar kein Gehalt in unserm Denken zurückbliebe, sondern die bloße Form desselben, aus welcher ja auch Wolff analytisch alles in der Philosophie herausklauben wollte. Ferner muß man den Wolffischen Satz: das Vergnügen entspringe aus undeutlich erkannter Vollkommenheit, welcher unbeweisbar ist und wobei es befremden muß, daß die deutliche Erkenntnis der Vollkommenheit das Vergnügen nicht erhöht (welches Mendelssohn aus der Schwäche unsrer Natur hat erklären wollen), mit Baumgartens Lehren in Verbindung setzen.

Die Ästhetik hat nach ihm die Vollkommenheit der sinnlichen Erkenntnis zum Zweck, sie soll, mit andern Worten, schön denken lehren, so wie die Logik richtig denken. Die Schönheit definiert er als die sinnlich erkannte Vollkommenheit. Zur Vollkommenheit rechnet er nun teils etwas Formales, Übereinstimmung der Gedanken, ihrer Anordnung und Bezeichnung, teils etwas Materiales, Reichtum, Größe, Wahrheit, Klarheit, Gewißheit und Lebhaftigkeit der Erkenntnis, welche Eigenschaften aber der Übereinstimmung zur Einheit untergeordnet sein sollen. Das Erhabne fällt auf diese Art, als Gegensatz des Schönen, in Baumgartens System ganz weg und wird bloß zu einer von den materialen Beschaffenheiten, welche dieses haben kann. Wenn man das Erhabne nur in der Kunst betrachtet (nicht wie Kant tat, in der Natur), so ist dies auch ganz richtig, denn das Erhabne oder Große erscheint da immer unter schöner Form.

Die Widerlegung kann gleich aus Baumgartens erstem Satze geführt werden. Es ist unmöglich, die Vollkommenheit sinnlich zu erkennen oder, welches dasselbe ist, zu empfinden. Sie ist die Übereinstimmung einer Sache mit ihrem Zweck, welche gar nicht in die Sinne fällt und worüber nur durch Verstand und Vernunft geurteilt werden kann.

Auch müßte alsdann nach der Wolffischen Lehre vom Vergnügen alles, was dieses hervorbringt, für schön erklärt werden, welches doch gewiß seine Absicht nicht war.

Das Genie setzt er in die Vortrefflichkeit der unteren Seelenkräfte. Diese Einteilung ist, wie man schon bemerkt hat, ganz unstatthaft. Das sogenannte Höchste und Tiefste, Vernunft und Phantasie, ist unzertrennlich im menschlichen Geiste verknüpft, und wäre es nicht, so würde man zur Bildung schöner Kunstwerke schwerlich mit den unteren Fähigkeiten ausreichen.

Er wollte in drei Abschnitten seiner Ästhetik von der Erfindung, der Anordnung und der Bezeichnung schöner Gedanken handeln, ist aber noch nicht einmal völlig mit dem ersten zustande gekommen. Es gibt aber eine frühere Abhandlung von ihm über die Poesie insbesondre, worin er sie als eine sinnliche, vollkommne Rede definiert, welches unsäglich oft wiederholt worden ist.

Man findet bei Baumgarten in seinem barbarischen Latein, seiner Überhäufung mit unnützer Terminologie, seiner schwerfälligen Methode, bei seiner bis zum Lächerlichen gehenden Unbekanntschaft mit den Künsten doch im einzelnen viel Scharfsinn, vortreffliche Bemerkungen, besonders viel Anregungen zu eignem Nachdenken. Sogar die Unabhängigkeit des Schönen vom Intellektuellen und Sittlichen hat er auf gewisse Weise behauptet, wenigstens mehr, als man bei seinem System erwarten sollte. Freilich läuft die ganze Ansicht von den unteren Seelenkräften und dem Schönen, als denselben ausschließend angehörig, notwendig darauf hinaus, die Kunst zu einer bloßen Vorübung der Verstandes- und Vernunfterkenntnis herabzusetzen. Dies gesteht er auch selbst naiv genug ein, indem er den Einwurf, welchen er vorbringt: die sinnlichen Gegenstände seien unterhalb der Sphäre des Philosophen gelegen, die Verworrenheit (confusio) sei die Mutter des Irrtums [1], folgendermaßen widerlegt: Man müsse Sorge für die Konfusion (sinnliche Erkenntnis) tragen, damit nicht die größten Irrtümer daraus entstünden. Die Natur mache keinen Sprung von der Dunkelheit zur Deutlichkeit, sondern gehe aus der Nacht durch die Morgenröte in den hellen Mittag über. Dies heißt nun nichts anders als: der Zweck des Schönen und der Kunst sei, den sinnlichen Menschen allmählich zur Wahrheit zu führen.

[1] Wenn die Konfusion der Gegenstand von Baumgartens Werk war, so hat er das Verdienst, ihn gleich durch seine Behandlungsweise mit dargestellt zu haben. Er handelt sehr konfuse von der Konfusion.

Die vornehmsten Schüler oder Nachfolger von Baumgarten in Deutschland sind Sulzer und Mendelssohn. Es würde uns hier zu weit führen, auseinanderzusetzen, was sie Besondres gehabt. Beide kehrten dabei von der strengen Methode Baumgartens mehr zur Unwissenschaftlichkeit und Popularphilosophie zurück. Bei Sulzer, der diese Lehren mehr praktisch in Beziehung auf die Künste behandelt hat, sieht man recht deutlich, wohin sie führen. Er schärft mit dürren Worten die Lehre ein: der Zweck der Künste sei kein andrer, als durch sinnliche Eindrücke zum Wahren und Guten zu leiten; besonders geht er immer auf moralische Zwecke. Lessing hat sich, soviel ich weiß, nirgends ausdrücklich über das Baumgartensche System erklärt, doch scheint er es nach verschiednen Äußerungen als etwas nicht zu Widerlegendes vorauszusetzen.

JOHANN GOTTLIEB FICHTE

»ZUM EWIGEN FRIEDEN« EIN PHILOSOPHISCHER ENTWURF VON IMMANUEL KANT

1795

Der Name des großen Verfassers, das Interesse für die gegenwärtigen und nächstkünftigen politischen Ereignisse, die Parteilichkeit für oder wider gewisse Beurteilungen derselben, die Begierde, zu wissen, wie dieser große Mann sie ansehen möge, und wer weiß, welche Gründe noch – haben ohne Zweifel diese Schrift schon längst in die Hände aller, die die Lektüre lieben, gebracht, und unsere Anzeige käme für die meisten Leser dieses Journals wohl zu spät, wenn sie dieselben erst mit ihrer Existenz bekannt machen wollte. Aber gerade diese Beziehung derselben auf das Interesse des Tages, die Leichtigkeit und Annehmlichkeit des Vortrags und die anspruchslose Weise, mit welcher die in ihr vorgetragenen erhabenen, allumfassenden Ideen hingelegt werden, dürfte mehrere verleiten, derselben nicht die Wichtigkeit beizumessen, die sie unseres Erachtens hat, und die Hauptidee derselben für nicht viel mehr anzusehen als für einen frommen Wunsch, einen unmaßgeblichen Vorschlag, einen schönen Traum, der allenfalls dazu dienen möge, menschenfreundliche Gemüter einige Augenblicke angenehm zu unterhalten. Es sei uns erlaubt, auf die entgegengesetzte Meinung aufmerksam zu machen, daß diese Hauptidee doch wohl noch etwas mehr sein möge; daß sich vielleicht von ihr ebenso streng als von anderen ursprünglichen Anlagen erweisen lasse, daß sie im Wesen der Vernunft liege, daß die Vernunft schlechthin ihre Realisation fordere und daß sie sonach auch unter die zwar aufzuhaltenden, aber nicht zu vernichtenden Zwecke der Natur gehöre. Auch sei es uns erlaubt anzumerken, daß diese Schrift, wenn auch nicht durchgängig die Gründe, doch zum wenigsten die Resultate der Kantischen Rechtsphilosophie vollständig enthält und sonach auch in wissenschaftlicher Rücksicht äußerst wichtig ist.

Erster Abschnitt. Präliminarartikel zum ewigen Frieden unter den Staaten.

1. »Es solle kein Friedensschluß für einen solchen gelten, der mit dem geheimen Vorbehalt des Stoffes zu einem künftigen Kriege gemacht worden«; in welchem der schon bekannte oder unbekannte Grund eines künftigen Krieges nicht zugleich mit aufgehoben werde. Außerdem wäre kein Friede, sondern nur ein Waffenstillstand geschlossen, sagt Kant. Es liegt im Begriff des F r i e d e n s. Durch ihn versetzen sich, glaubt Rez., die Kontrahierenden, so gewiß sie kontrahieren, überhaupt in ein rechtliches Verhältnis gegeneinander und vertragen sich nicht nur über das bis jetzt streitige, sondern über alle Rechte, die zur Zeit des Friedensschlusses ein jeder sich zuschreibt. Wogegen nicht ausdrücklich Einspruch geschieht (wodurch aber der Friede aufgehoben würde), das gestehen die Parteien einander stillschweigend zu.

2. »Es solle kein für sich bestehender Staat (klein oder groß, das gelte hier gleichviel) von einem anderen Staate durch Erbung, Tausch, Kauf oder Schenkung erworben werden können« – weil es sowie die Verdingung der Truppen eines Staates an den anderen überhaupt gegen den Staatsvertrag laufe, wie a n s i c h klar ist; in Beziehung auf den beabzweckten ewigen Frieden, weil dies eine notwendige Quelle vieler Kriege gewesen sei und fortdauernd sein werde.

3. »Stehende Heere sollen mit der Zeit ganz aufhören« – weil sie beständig mit Krieg drohen und die Errichtung, Vermehrung, Erhaltung derselben oft selbst eine Ursache des Krieges werde.

4. »Es sollen keine Staatsschulden in Beziehung auf äußere Staatshändel gemacht werden« – *als Erleichterungsmittel der Kriege* zu verbieten wie die stehenden Heere – auch um des möglichen und zu seiner Zeit unvermeidlichen Staatsbankrotts willen.

5. »Kein Staat solle sich in die Verfassung und Regierung eines anderen Staates gewalttätig einmischen« – nicht etwa unter dem Vorwande des Skandals. Es sei allemal *scandalum acceptum* und die fremde Einmischung selbst ein großes Skandal.

6. »Es solle sich kein Staat im Kriege mit einem anderen Feindseligkeiten erlauben, welche das wechselseitige Zutrauen im künftigen Frieden unmöglich machen müssen: als da sind *Anstellung der Meuchelmörder, Giftmischer, Brechung der Kapitulation, Anstiftung des Verrates* in dem bekriegten Staate« usw. – weil dadurch der Friede unmöglich und ein *bellum internecinum* herbeigeführt würde.

Beiläufig wird aufmerksam gemacht auf den Begriff einer *lex permissiva*. Sie ist nur möglich dadurch, daß das Gesetz auf gewisse Fälle nicht gehe – woraus man, wie Rez. glaubt, hätte ersehen mögen, daß das Sittengesetz, dieser *kategorische* Imperativ, *nicht* die Quelle des Naturrechts sein könne, da er ohne Ausnahme und unbedingt gebietet: das letztere aber nur *Rechte* gibt, deren man sich bedienen kann oder auch nicht. Es ist hier nicht der Ort, sich weiter darüber auszulassen.

Zweiter Abschnitt, welcher die Definitivartikel zum ewigen Frieden unter Staaten enthält.

Alles ist aufgebaut auf die Sätze, die Kant schon ehemals aufgestellt, die nicht geringen Anstoß erregt haben und deren Prämissen auch hier nicht weiter als durch Winke angedeutet sind: »*Alle Menschen, die aufeinander wechselseitig einfließen können, müssen zu irgendeiner bürgerlichen Verfassung gehören.*« »Jeder hat das Recht, den anderen, den er dazu aufgefordert hat, feindlich zu behandeln, auch ohne daß derselbe ihn vorher beleidigt.« Es sei dem Rez. – der bei seinen Untersuchungen über das Naturrecht aus Prinzipen, die von den bis jetzt bekannten Kantischen unabhängig sind, auf diese und auf die tiefer unten folgenden Kantischen Resultate gekommen und den Beweis derselben gefunden, auch sie öffentlich vorgetragen hat, ehe dieses Buch in seine Hände gekommen – erlaubt, einige Worte hinzuzusetzen, um vorläufig die Befremdung, die bei der herrschenden Denkart diese Sätze erregen müssen, ein wenig zu mildern.

Nur inwiefern Menschen in Beziehung aufeinander gedacht werden, kann von Rechten die Rede sein, und außer einer solchen Beziehung, die sich aber dem Mechanism des menschlichen Geistes zufolge von selbst und unvermerkt findet, weil die Menschen gar nicht isoliert sein können und kein Mensch möglich ist, wenn nicht mehrere beieinander sind, ist ein Recht nichts. Wie können freie Wesen als solche beieinander bestehen, ist die oberste Rechtsfrage, und die Antwort darauf: Wenn jeder seine Freiheit so beschränkt, daß neben ihr die der anderen auch bestehen kann. Die Gültigkeit dieses Gesetzes ist sonach bedingt durch den Begriff einer Gemeinschaft freier Wesen; sie fällt weg, wo diese nicht möglich ist, sie fällt weg gegen jeden, der in eine solche Gemeinschaft nicht paßt, und es paßt keiner hinein, der sich diesem Gesetze nicht unterwirft. Ein solcher hat mithin gar keine Rechte, er ist rechtlos. – Solange Menschen nebeneinander leben, ohne anders als vermittelst der gegenseitigen Erkenntnis aufeinander einzufließen, ist es von beiden problematisch, ob sie jenem Gesetze sich im Herzen unterwerfen oder nicht. Da jeder von dem anderen ebensowohl das letztere annehmen kann als das erstere, so kann er vor demselben nie sicher sein; auch schon darum nicht, weil der andere ebensowenig weiß, ob er sich dem Gesetze unterwerfe und demzufolge Rechte habe oder rechtlos sei. Es muß jedem Angelegenheit sein, dem anderen seine Anerkenntnis des Rechtsgesetzes zu erklären, sich von seiner Seite die seinige von ihm zusichern und, da keiner dem anderen vertrauen kann, sie sich von ihm garantieren lassen, welches lediglich durch die Vereinigung mit einem gemeinen Wesen möglich ist, in welchem jeder durch Zwang verhindert wird, das Recht zu verletzen. Wer diesen Vorschlag nicht annimmt, erklärt dadurch, daß er dem Rechtsgesetze sich nicht unterwerfe, und wird völlig rechtlos.

Alle rechtliche Verfassung ist sonach (nach Kant), in Absicht der Personen, die darin stehen:

1. die nach dem Staatsbürgerrechte der Menschen in einem Volke (jus civitatis);
2. nach dem Völkerrechte der Staaten im Verhältnis gegeneinander (jus gentium);
3. die nach dem Weltbürgerrechte, sofern Menschen und Staaten in äußerem, aufeinander einfließendem Verhältnisse stehend, als Bürger eines allgemeinen Menschenstaates anzusehen sind (jus cosmopoliticum).

Es gibt sonach, wie jeder daraus leicht folgern kann, nach Kants Lehre gar kein eigentliches Naturrecht, kein rechtliches Verhältnis der Menschen, außer unter einem positiven Gesetze und einer Obrigkeit; und der Stand im Staate ist der einzige wahre Naturstand des Menschen – alles Behauptungen, die sich unwidersprechlich dartun lassen, wenn man den Rechtsbegriff richtig deduziert.

Erster Definitivartikel. »Die bürgerliche Verfassung in jedem Staate soll republikanisch sein.« – Diese Verfassung sei die einzig rechtliche an sich, dem Staatsbürgerrechte nach, und führe den ewigen Frieden herbei, der durch das Völkerrecht gefordert werde: indem nicht zu erwarten sei, daß die Bürger über sich selbst die Drangsale des Krieges beschließen werden, die ein Monarch, ohne für sich das geringste dabei zu verlieren, so leicht über sie beschließt. Die Republik sei von der *Demokratie* wohl zu unterscheiden. Die letztere sei diejenige Verfassung, in welcher das Volk in eigener Person die exekutive Gewalt ausübt, mithin immer Richter in seiner eigenen Sache ist, welches eine offenbar unrechtmäßige Regierungsform sei: der Republikanism diejenige, in welcher die legislative und exekutive Macht getrennt (ob nun die letztere an *eine* Person oder an mehrere übertragen), mithin das Repräsentationssystem eingeführt sei.

Dem Rez. hat diese vorgeschlagene Trennung der legislativen von der exekutiven Macht immer nicht bestimmt genug, wenigstens manchen Mißdeutungen ausgesetzt, geschienen. Er glaubt, daß diejenige Macht, die der exekutiven entgegenzusetzen ist, einer näheren Bestimmung fähig sei. Er hat, wenn es ihm erlaubt ist, seine Darstellung der Kantischen hinzuzufügen, die Sache so gefunden: Das höchste Rechtsgesetz ist durch die reine Vernunft gegeben, jeder beschränke seine Freiheit so, daß neben ihm alle übrigen auch frei sein können. *Wie weit* eines jeden Freiheit gehen solle, d. h. über das Eigentum im allerweitesten Sinne des Wortes, müssen die Kontrahierenden sich vergleichen. Das Gesetz ist nur *formal*, *daß* jeder seine Freiheit beschränken soll, aber nicht *material*, *wie weit* sie jeder beschränken solle. Hierüber müssen sie sich vereinigen. Aber daß überhaupt jeder darüber etwas deklariere, fordert das Gesetz. Die höchste Formel für alle möglichen Strafgesetze ist durch reine Vernunft gleichfalls gegeben: Jeder muß von seiner Freiheit gerade so viel wagen, als er die des anderen zu beeinträchtigen versucht ist. Die Menge der Menschen, die sich im Staate vereinigen, der Bezirk, den sie einnehmen, und die Nahrungszweige, die sie bearbeiten, gibt also immer das positive Gesetz für den Staat, den sie errichten; und jeder kann ihnen ihr bestimmtes positives Gesetz aufstellen, dem man nur jene Data gibt. Alle, sowie sie in diesen bestimmten Staat treten wollen, sind verbunden dieses bestimmte Gesetz anzuerkennen, und es bedarf da keiner Sammlung der Stimmen. Jeder hat nur zu sagen: Ich will in diesen Staat treten, und er sagt damit alles. Die Gemeine darf das Zwangsrecht nicht unmittelbar durch sich selbst ausüben, denn sie würde dadurch Richter in ihrer eigenen Sache, welches nie erlaubt ist. Sie muß sonach die Ausübung desselben, es sei einem einzelnen oder einem ganzen Korps, übertragen und wird durch diese Absonderung erst Volk (plebs). Dieses gewalthabende Korps kann zu nichts verbunden werden, als nur schlechtweg, was rechtens ist, in Ausübung zu bringen. Dafür ist es verantwortlich, und die allgemeinen und besonderen Anwendungen der Regel des Rechts auf bestimmte Fälle bleiben ihm sonach billigerweise überlassen. Es ist inappellabel; alle Privatpersonen sind ihm ohne Einschränkung unterworfen, und jede Widersetzlichkeit gegen dasselbe ist Rebellion. Wie es das Recht verwalte, darüber ist nur das Volk Richter, und es muß das Urteil sich schlechthin vorbehalten. Aber solange jenes Korps im Besitze seiner Gewalt ist, gibt es kein Volk, sondern nur einen Haufen von Untertanen, und kein einzelner kann sagen: Das Volk soll sich als Volk erklären, ohne sich der Rebellion schuldig zu machen, und die exekutive Gewalt wird das nie sagen; das Volk könnte nur sich selbst konstituieren, aber es kann sich nicht konstituieren, wenn es nicht ist. Es müßte sonach der exekutiven Gewalt ein anderer Magistrat, ein Ephorat, an die Seite gesetzt werden, der – sie nicht richtete – aber, wo er Freiheit und Recht in Gefahr glaubte, immer auf seine eigene Verantwortung das Volk zum Gericht über sie beriefe.

Zweiter Definitivartikel. »Das Völkerrecht solle auf einem Föderalism freier Staaten gegründet sein.« – Es gibt kein Völkerrecht zum Kriege. Recht ist Friede. Der Krieg ist überhaupt kein rechtlicher Zustand, wäre dieser zu erhalten, so wäre kein Krieg. – Wir begnügen uns auch nur mit Winken dies anzuzeigen wie Kant. Es hat wohl nie eine ungereimtere Zusammensetzung gegeben als die eines Kriegsrechts.

Es könne für Staaten, um in Beziehung aufeinander aus dem gesetzlosen Zustande des Krieges herauszugehen, kein anderes Mittel geben als dasselbe, welches es für einzelne gibt: daß sie sich, so wie diese zu einem Bürgerstaate, sie zu einem Völkerstaate vereinigen, in welchem ihre Streitigkeiten untereinander nach positiven Gesetzen entschieden werden. – Dies ist allerdings die Entscheidung der reinen Vernunft, und der von Kant vorgeschlagene Völkerbund zur Erhaltung des Friedens ist lediglich ein Mittelzustand, durch welchen die Menschheit zu jenem großen Ziele wohl dürfte hindurch gehen müssen, so wie ohne Zweifel die Staaten auch erst durch Schutzbündnisse einzelner Personen unter sich entstanden sind.

Dritter Definitivartikel. »Das Weltbürgerrecht solle auf Bedingungen der allgemeinen Hospitalität eingeschränkt sein« – d. h. auf das Recht jedes Menschen, um seiner bloßen Ankunft willen auf dem Boden eines anderen Staates nicht feindselig behandelt zu werden, wozu nach den Grundsätzen des bloßen Staatsrechts der Staat allerdings das vollkommenste Recht hätte.

Zusatz. Von der Garantie des ewigen Friedens. – Wenn sich nun gleich zeigen läßt (wie es sich zeigen läßt), daß die Idee des ewigen Friedens als Aufgabe in der reinen Vernunft liege, wer steht uns denn dafür, daß sie mehr als ein bloßer Begriff werden, daß sie in der Sinnenwelt werde realisiert werden? Die Natur selbst, antwortet Kant, durch die nach ihrem Mechanism geordnete Verbindung der Dinge. Nach den drei Arten des rechtlichen Verhältnisses hatte die Natur dreierlei Zwecke sich vorzusetzen.

Zuvörderst, nach dem Postulate des Staatsbürgerrechts, den: die einzelnen zur Vereinigung in Staaten zu treiben. Würde auch nicht die innere Mißhelligkeit, so würde doch der Krieg von außen, der gleichfalls in dem Plane der

Natur lag, die Menschen genötiget haben, ihre Macht zu vereinigen. Daß die Form dieser Vereinigung der allein recht- und vernunftmäßigen sich immer mehr nähere, dafür ist durch das Allgemeindrückende der Ungerechtigkeit und Gewalttätigkeit gesorgt, so daß die Menschen endlich durch ihren eigenen Vorteil werden gezwungen werden, zu tun, was rechtens ist.

Dann, nach dem Postulate eines Völkerrechts, den: die Völker voneinander abzusondern, welches durch die Verschiedenheit der Sprachen und Religionen befördert wurde, wodurch zwar anfangs der Krieg erzeugt, endlich aber doch durch das entstandene Gleichgewicht ein beständiger Friede hervorgebracht werden muß; wozu drittens der Handelsgeist, der auf den Eigennutz eine Sicherheit gründet, die das Weltbürgerrecht schwerlich hervorgebracht haben würde, beiträgt.

Es sei dem Rez. erlaubt, zur Erläuterung hinzuzusetzen, wie er selbst die Sache ansieht. – Die allgemeine Unsicherheit, welche jede rechtswidrige Konstitution mit sich führt, ist allerdings so drückend, daß man glauben sollte, die Menschen müßten schon längst durch ihren eigenen Vorteil, welcher allein die Triebfeder zur Errichtung einer rechtmäßigen Staatsverfassung sein kann, bewogen worden sein, eine solche zu errichten. Dies ist bisher nicht geschehen; die Vorteile der Unordnung müssen sonach noch immer die der Ordnung im allgemeinen überwiegen; ein beträchtlicher Teil der Menschen muß bei der allgemeinen Unordnung noch immer mehr gewinnen als verlieren, und denjenigen, die nur verlieren, muß doch noch die Hoffnung übrig sein, auch zu gewinnen. So ist es. Unsere Staaten sind für Staaten insgesamt noch jung, die verschiedenen Stände und Familien haben sich im Verhältnis aufeinander noch wenig befestigt, und es bleibt allen die Hoffnung, durch Beraubung der anderen sich zu bereichern; die Güter in unseren Staaten sind noch bei weitem nicht alle benutzt und verteilt, und es gibt noch so vieles zu begehren und zu okkupieren, und endlich, wenn auch zu Hause alles aufgezehrt sein sollte, eröffnet die Unterdrückung fremder Völker und Weltteile im Handel eine stets fließende, ergiebige Hülfsquelle. Solange es so bleibt, ist die Ungerechtigkeit bei weitem nicht drückend genug, als daß man auf die allgemeine Abschaffung derselben sollte rechnen können. Aber sobald der Mehrheit die sichere Erhaltung dessen, was sie hat, lieber wird als der unsichere Erwerb dessen, was andere besitzen, tritt die recht- und vernunftmäßige Konstitution ein. Auf jenen Punkt nun muß es endlich in unseren Staaten kommen. Durch das fortgesetzte Drängen der Stände und der Familien untereinander müssen sie endlich in ein Gleichgewicht des Besitzes kommen, bei welchem jeder sich erträglich befindet. Durch die steigende Bevölkerung und Kultur aller Nahrungszweige müssen endlich die Reichtümer der Staaten entdeckt und verteilt werden; durch die Kultur fremder Völker und Weltteile müssen doch diese endlich auch auf den Punkt gelangen, wo sie sich nicht mehr im Handel bevorteilen und in die Sklaverei wegführen lassen, so daß der letzte Preis der Raubsucht gleichfalls verschwinde. Zwei neue Phänomene in der Weltgeschichte bürgen für die Erreichung dieses Zweckes: der auf der anderen Hemisphäre errichtete blühende nordamerikanische Freistaat, von welchem aus sich notwendig Aufklärung und Freiheit über die bis jetzt unterdrückten Weltteile verbreiten muß, und die große europäische Staatenrepublik, welche dem Einbruche barbarischer Völker in die Werkstätte der Kultur einen Damm setzt, den es in der alten Welt nicht gab, dadurch den Staaten ihre Fortdauer und eben dadurch den einzelnen das nur mit der Zeit zu erringende Gleichgewicht in denselben garantiert. So läßt sich sicher erwarten, daß doch endlich ein Volk das theoretisch so leicht zu lösende Problem der einzig rechtmäßigen Staatsverfassung in der Realität aufstellen und durch den Anblick ihres Glückes andere Völker zur Nachahmung reizen werde. Auf diese Weise ist der Gang der Natur zur Hervorbringung einer guten Staatsverfassung angelegt; sobald aber diese realisiert ist, erfolgt unter den nach diesen Grundsätzen eingerichteten Staaten das Verhältnis des Völkerrechts der ewige Friede von selbst, weil sie bei dem Kriege nur verlieren können; dahingegen vor Erreichung des ersten Zweckes an die Erreichung des zweiten nicht zu denken ist, indem ein Staat, der in seinem Innern ungerecht ist, notwendig auf Beraubung der Nachbarn ausgehen muß, um seinen ausgesogenen alten Bürgern einige Erholung zu geben und neue Hülfsquellen zu eröffnen.

Der Anhang Über die Mißhelligkeit zwischen der Moral und der Politik, in Beziehung auf den ewigen Frieden, enthält eine Menge treffend gesagter Wahrheiten, deren reifliche Beherzigung jeder, dem Wahrheit und Geradheit am Herzen liegt, wünschen muß.

Joseph Görres

EINLEITUNG ZU DEN »VOLKSBÜCHERN«

1807

Die Schriften, von welchen hier die Rede ist, begreifen weniger nicht als die ganze eigentliche Masse des Volkes in ihrem Wirkungskreis. Nach keiner Seite hin hat die Literatur einen größeren Umfang und eine allgemeinere Verbreitung gewonnen, als indem sie, übertretend aus dem geschlossenen Kreise der höheren Stände, durchbrach zu den unteren Klassen, unter ihnen wohnte, mit dem Volke selbst zum Volke, Fleisch von seinem Fleisch und Leben von seinem Leben wurde. Wie Halm an Halm auf dem Felde in die Höhe steigt, wie Gräser sich an Gräser drängen, wie unter der Erde Wurzel mit Wurzel sich verflicht und die Natur einsilbig aber unermüdet immer dasselbe dort, aber immer ein anderes sagt, so tut auch der Geist in diesen Werken. Wie sehen wir nicht jedes Jahr in der höheren Literatur die Geburten des Augenblicks wie Saturn seine Kinder verschlingen, aber diese Bücher leben ein unsterblich unverwüstlich Leben. Viele Jahrhunderte hindurch haben sie Hunderttausende, ein ungemessenes Publikum, beschäftigt. Nie veraltend sind sie, tausend- und tausendmal wiederkehrend, stets willkommen; unermüdlich durch alle Stände durchpulsierend und von unzählbaren Geistern aufgenommen und angeeignet, sind sie immer gleich belustigend, gleich erquickend, gleich belehrend geblieben für so viele, viele Sinne, die unbefangen ihrem inwohnenden Geiste sich geöffnet. So bilden sie gewissermaßen den stammhaftesten Teil der ganzen Literatur, den Kern ihres eigentümlichen Lebens, das innerste Fundament ihres ganzen körperlichen Bestandes, während ihr höheres

Leben bei den höheren Ständen wohnt. Ob man wohl getan, diesen Körper des Volksgeistes als das Werkzeug der Sünde so geradehin herabzuwürdigen, ob man wohl getan, jene Schriften als des Pöbelwitzes dumpfe Ausgeburten zu verschmähen und darum das Volk mit willkürlichen Beschränkungen und Gewalttätigkeiten zu irren, das ist wohl die Frage nicht! Denn wir tadeln ja auch die Biene nicht, daß sie im Sechseck baue, und die Seidenraupe nicht, daß sie nur Seide und nicht Tressen und Purpurkleider webe, und beginnen allmählich jetzt die Welt zu achten, wie ohne Menschenweisheit sie die Natur zu ihrem Bestand geordnet und zur schönen humanen Duldung wohl gelangt; lassen wir leben, was atmen mag, weil es sich nicht geziemt, des Herren Werke zu vernichten. Von dieser toleranten Gesinnung der Gebildeten gegen die Ungebildeten wäre es, dünkt uns, gut und gelegen, in der Untersuchung auszugehen. Jene aber, die das Postulat nicht zuzugeben gesonnen sind, werden es zugleich mit begründet finden, wenn bewiesen worden, was bewiesen werden sollte. Das nämlich ist die Frage, ob diese Schriften bei ihrer äußeren Verbreitung wohl auch eine gewisse angemessene innere Bedeutsamkeit besitzen, ob nicht zu spärlich für den höhern Sinn der Funken der bildenden Kraft in ihnen glimme, ob nicht, das alles zugegeben, das Höhere, sobald es aus der Oberwelt in die pflanzenhafte, gefesselte Natur des Volks herabgestiegen, dort seine ganze innere Lebendigkeit verliere und, in ein unnützes Geranke verwildert, nur noch als schädlich Unkraut üppig wuchre? Wahr ist's, schmackloses Wasser führen die Ströme und die Brunnen nur, die aus schlechter Erde quellen, während der Feuerwein nur auf wenigen sonnichten, hochaufstrebenden Gebirgen reift. Man hat recht gut und recht scharfsinnig bemerkt, daß die Feldblumen wenig Reize für den gebildeten Dilettanten besitzen, und es ist ein kläglich Ding um alles, was die Natur weggeworfen; es ist kaum des Aufhebens für den bemittelten Menschen wert. Was aber wirklich kostbar ist, das versteckt sie recht tief und geizig in die vielen Falten ihres weiten Mantels, und nur wer die Wünschelrute hat, der mag zu dem Verborgenen gelangen. Wahr scheint's ferner auch, das Volk lebt ein sprossend, träumend, schläfrig Pflanzenleben, sein Geist bildet selten nur und wenig und kann nur in dem Strahlenkreise der höheren Weltkräfte sich sonnen; seine Blüte aber blüht alles unter die Erde in die Wurzel hinab, um dort wie die Kartoffel eßbare Knollen anzusetzen, die die Sonne nimmer sehen. Nicht ganz so ungegründet zeigt sich daher wohl die Besorgnis, es sei da unten nichts zu suchen als wertloses Gerölle, Kieselsteine, die die Ströme in den langen Zeitläuften rund und glatt gewälzt, schmutzige Scheidemünzen, die vielfältiges Betasten abgegriffen. Aber manches möchte doch dieser Ansicht wieder entgegenreden. Fürs erste könnte es scheinen, als ob die künstliche Differenz der Stände, weil keineswegs die Natur unmittelbar sie gegründet und in scharfen Umrissen abgegrenzt, auch auf keine Weise von so gar mächtigem Einfluß wäre. In jedem Menschen sind, dünkt uns, eigentlich alle Stände. Diese Zeit hat uns gelehrt, wie sie in einzelnen Individuen alle der Reihe nach erwachten, bis endlich oben gar Kronen aus dem Unscheinbaren erblühten. In den obern Ständen sehen wir daher den Bauer und den Bürger hinter der äußeren Eleganz versteckt, im Bauer aber in der Regel den guten Ton sozusagen ins Fleisch geschlagen und dort zum Tonus des Muskels werden. Man sollte denken, daß der eingesperrte Bauer dort wohl auch einmal, wenn er sich durchgeschlagen, auf bäuerisch sich erquicken möchte, und wieder, daß wohl auch in den unteren Ständen, besonders an Sonn- und Festtagen, wenn der Wochenschmutz abgerieben und der Körper im Staate auch zu Staatsaktionen aufgelegt sich fühlt, der kniende Herr im Menschen sich aufrichten und um sich blicken und auch nach den goldenen Äpfeln lüstern möchte, die oben in dem dunkeln Laube hängen. Wir wollen indessen keineswegs auf diesem fußen.

Jene würden schamhaft darum sich verbergen, daß sie in einem schwachen Momente sich überrascht, diese würde man als eitle Parvenus verlachen und in Spott entlassen. Aber eines wollen wir vorzüglich ins Auge nehmen, daß wir die Pöbelhaftigkeit als solche rein schlecht und verwerflich unterscheiden von Volksgeist und Volkssinn, die in ihrer Ausartung und Verderbnis nur in jenen übergehen. Wir werden dann der alten Bemerkung uns erinnern, wie diese Pöbelhaftigkeit, durch alle Stände greifend, keineswegs allein auf die Unteren sich beschränkt. Wenn wir das lärmende Marktvolk in unserer feinen Literatur die Kunstwerke umsummen und stier und dumm begaffen sehen, und dann in dem bösen Pfuhle, der sich um die hohen Bilder sammelt, die schönen Formen in mißfälligen Verzerrungen wiederscheinen, dann wittern wir Pöbelluft. Die Schlechtigkeit im Volke hat ihre Repräsentanten zum großen Konvente abgesendet, und die sitzen nun im Rate zu Gericht über Leben, Kunst und Wissenschaft und legen ihren Kommittenten periodisch Rechenschaft von ihrem Tun und Lassen ab, und es ist ein Geist und ein Willen und eine Gesinnung, die unter den verbundenen Brüdern und Freunden herrschen. So hat das Böse, das Schlechte, das Gemeine seine Kirche, seinen sichtbaren Statthalter auf Erden, betraute Räte, Priester, Ritter, Laien, alles Janhagel, feiner, gröber, bestialisch, geschliffen, pfiffig, dumm, alles Janhagel. Von dieses Volkes Büchern reden wir nicht, es würde zu weitläufig sein, und wir würden uns zu hoch versteigen müssen. Aber es gibt ein anderes Volk in diesem Volke, alle Genien in Tugend, Kunst und Wissenschaft und in jedem Tun sind dieses Volkes Blüte. Jeder, der reinen Herzens und lauterer Gesinnung ist, gehört zu ihm. Durch alle Stände zieht es, alles Niedere adelnd, sich hindurch, und jeglichen Standes innerster Kern und eigenster Charakter ist in ihm gegeben. Jedem Stande kann nämlich ein Idealcharakter inwohnend gedacht werden, höher hinaufgestimmt in den höheren Ständen, tiefer verleiblicht, aber immer noch vollkommen im Volke. Körperliche Gesundheit ist so vollendet in sich und achtbar wie innere Geistesharmonie, und eines jedesmal durch das andere bedingt. Von diesem heiligen Geiste, der im Volke wohnt und nichts zu schaffen hat mit unheilgem Pobel, reden wir jetzt, ob er darum, weil er derber, sinnlicher im Niedersteigen geworden ist, verwerflich sei. So ist der Geist, der z. B. am französischen Volke übrigbleibt, nachdem man alles, was die Verruchtheit von Jahrhunderten ihm eingebrannt, mit jenem Pöbel von ihm abgeschieden, ein harmloser, gutmütiger, leichter, heiterer Lebensgeist, gewandt und rasch in allen Äußerungen, für das Gute leicht empfänglich und berührsam. Das ist der herrliche Geist, der in den englischen Matrosen wohnt, nachdem man alle Bestialität in die Schlacken hineingetrieben, diese kräftige, energische, unermüdliche, brave Natur, die wie Damaszenerstahl im Sturmesbraus gehärtet gegen den Ankampf aller Elemente federt und stolz und wild und siegreich mit dem Meere ringt. Das der Spanier stolzer, hoher Barbareskensinn, der tönendes Erz im Busen trägt und, weil er Würdiges nicht vollbringen kann, lieber auf seinem innern Reichtum ruht und jede ungeziemende Tätigkeit verschmäht. So erkennen wir endlich auch den echten innern Geist des deutschen Volkes, wie die älteren Maler seiner besseren Zeit ihn uns gebildet, einfach, ruhig, still, in sich geschlossen, ehrbar, von sinnlicher Tiefe weniger in sich tragend, aber dafür um so mehr für die höhern Motive aufgeschlossen. Gerade die Demütigung, die diesem Charakter durch das Ungeschick der Führer bereitet worden ist, muß die innere Scheidung in dem Wesen der Nation vollenden. Sich lossagend von dem, was die Verworrenheit der nächst vergangenen Zeit ihr aufgedrungen, muß sie zurückkehren in sich selbst, zu dem, was ihr Eigenstes und Würdigstes ist, wegstoßend und preisgebend das Verkehrte, damit sie nicht gänzlich zerbreche in dem feindseligen Andrang der Zeit.

Nachdem wir das alles auf diese Weise erwogen, wird der Gedanken einer Volksliteratur uns keineswegs mehr so nichtig und in sich selbst verwerflich erscheinen, als es so geradehin auf den ersten Blick den Anschein gewann. Nachdem wir einen inwendigen Geist in allen Ständen wohnend und gleich einem schlackenlosen Metallkönig durch alle Verunreinigung von Zeit und Gelegenheit durchblickend anerkannt, wird auch die Idee näher uns befreundet, daß im allgemeinen Gedankenkreise die untersten Regionen auch etwas gelten und bedeuten möchten und daß der große Literaturstaat sein Haus der Gemeinen habe, in dem die Nation sich selbst unmittelbar repräsentiere. Gibt es aber nun wirklich einen Kreis von Schriften, die der Genius jener Völker, die wir aufgezählt, gleichmäßig anerkennt, die viele einander folgenden Generationen immer wieder von neuem sanktioniert, die den Besten immer wohlgefallen, die die Menge niemals sinken lassen und nach denen alle nimmer zu verlangen aufgehört, dann tun wir klug, nicht mehr so ganz wegwerfend abzuurteilen. Die Verachteten möchten uns unter die Augen treten und uns entgegenfragen, was wir denn selber bedeuteten und worauf unser Dünkel denn wohl sich gründen möchte? So aber ist's wirklich mit den Büchern, die wir im Auge haben, beschaffen: so weit deutsche Zungen reden, sind sie überall vom Volke geehret und geliebt; von der Jugend werden sie verschlungen, vom Alter noch mit Freude der Rückerinnerung belächelt, kein Stand ist von ihrer Einwirkung ausgeschlossen; während sie bei den Untern die einzige Geistesnahrung auf Lebenszeit ausmachen, greifen sie in die Höheren wenigstens durch die Jugend ein, in der überhaupt aller Standesunterschied sich mehr ausgleicht und die in ihnen oft für ihre ganze künftige Existenz den äußeren Anstoß findet und den Enthusiasmus ihres Lebens saugt. Aber keineswegs auf diesen großen nationalen Kreis haben sie ihre Wirksamkeit beschränkt; wie bei den Deutschen so finden wir sie auf gleiche Weise bei den Franzosen in allgemeinem Umlauf; wie dort Köln und vorzüglich Nürnberg sie zu Tausenden nach allen Richtungen hin vertreiben, so ist hier Troyes der allgemeine Stapelplatz, von wo aus sie, in gleicher Menge, nur in der Form häufig sorgfältiger und korrekter wie bei den Deutschen, sich über die Nation verbreiten und einen unzuberechnenden Einfluß auf ihren Geist und Charakter üben. Und auch damit noch ist der Wirkungskreis dieser Bücher nicht begrenzt. Während die Holländer und die Engländer die meisten in ihrer Sprache besitzen, haben nicht minder die Spanier und die Italiener sie teils in die ihrige übersetzt, teils manche selbst für sich produziert, so daß vielleicht sechzig und mehr Millionen Menschen um ihre Existenz wissen und mehr oder weniger an ihnen sich erfreuen. Nimmt man nun noch hinzu, daß, während im Jahrhunderte dreimal die Generationen wechseln, diese Bücher drei, vier und mehrere Jahrhunderte überlebten, manche, wie wir sehen werden, bis in die grauesten Zeiten des Altertums hinaufreichen, dann gewinnen sie ein wahrhaft ungemessenes Publikum, und sie stehen keineswegs mehr als Gegenstände unserer Toleranz uns gegenüber, sondern vielmehr als Objekte unserer höchsten Verehrung und unserer wahrhaftigen Hochachtung, als ehrwürdige Altertümer, die durch das läuternde Feuer so vieler Zeiten und Geister unversehrt durchgegangen sind. Man glaube nur nicht, daß ein Schlechtes für sich diese Prüfung der Menge und der Zeit bestehen könne: es kann mit unterlaufen, von dem Guten durchgeschleppt, aber nimmer sich für sich selbst allein behaupten. Die Nation ist nicht einem toten Felsen ähnlich, dem der Meißel willkürlich jedes Bild eingraben kann, es muß etwas ihm Zusagendes in dem sein, was man von ihr aufgenommen wissen will. Ein dunkler Instinkt für das Gute ist keiner Kreatur versagt, und damit fühlt sich leicht, was gut und gedeihlich, was schädlich und giftig ist, heraus, und kräftig und ohne sich zu besinnen stößt die Menge alles ab, vor dem dieser dunkle

Trieb sie warnt. Und wenn auch einzelne Irrungen unterlaufen, wenn das Schlechte, das Kraftlose augenblicklichen Eingang findet, bald erwacht der innere Ekel und Überdruß, und die Zeit spült in ihrem Strome alles wieder weg und gleicht alle Fehler wieder aus. Was aber diese Probe besteht, was allen zusagt, Individuen und Geschlechtern, was allen eine widerhaltende, kräftige Nahrung gibt wie Brot, das muß notwendig Broteskraft in sich besitzen und lebensstärkend sein. Wenn daher auch der Zufall bei der Wahl dieser Schriften gewaltet zu haben scheint, indem man dem Volke sie geboten, bei der Aufnahme hat er keineswegs vorgeherrscht. Ein großes, fortdauerndes Bedürfnis muß im Volk bestehen, dem jede einzelne für sich zusagt und das daher fortdauernd sie erhält. Nur gerade das Schlechte mag, durch den Zufall oben schwimmend, eine Weile erhalten werden, muß aber notwendig auch über lang oder kurz von ihm zerrieben werden. Und dies Bedürfnis ist gerade das unvertilgbar der menschlichen Natur eingepflanzte Streben, zu sättigen den Geist mit Gedanken und mit Empfindungen das Gemüt; ein Streben, das gerade am überraschendsten auf dieser Stufe siegreich sich offenbart, wo es scheinen sollte, als ob der dunkle sinnliche Trieb und die Lust, die mit seiner glücklichen Befriedigung verbunden ist, alle die Kräfte fesseln müßte, deren Spielraum in Regionen fällt, wo das körperliche Bedürfnis nichts zu suchen hat. Aber durchbrechend durch die feste Korallenrinde, in der das Leben gegen die unfreundliche Natur sich wahren muß, drängt der innere verschlossene Geist die Fühlhörner hinaus in die weite, freie Umgebung, und es ist rührend zu sehen, wie er um sich tastend und alles umher begreifend und nach allen Richtungen sich windend nach Weltanschauung ringt und auch sich ergötzen möchte in dem freundlichen Strahl, der die Seele aller Kreaturen ist. Es ist daher ein anderer Hunger und ein anderer Durst als jener bloß sinnliche, der hier sich im Volke regt. Nicht nach körperlicher Speise sehnt er sich, damit er in Leibliches sie wandle, sondern nach dem höheren Geiste lüstert ihn, den der Genius ausgegossen aus seiner Schale in die rohe Materie und der als ihre Seele sie sich nun zugestaltet hat. In die Tiefe zieht das Tier im Menschen die Leibesnahrung zu sich nieder, und, wiederkäuend und assimilierend die Lebenslymphe, erstarkt es und gewinnt Breite und Raum auf Erden; aber der Gott im Menschen mag nur den feinsten Wohlgeruch der Dinge, den zarten Duft, der aus ihnen unbegreiflich und unsichtbar atmet, er nährt sich nur mit den Lebensgeistern, die im Innersten der Wesen verborgen wohnen, die er dann einsaugt mit allen Nerven und sich aneignet als eines höheren Himmels Speise und in der Aneignung selbst verklärt. Dieser Geist muß sich vom Tiere losgerungen haben, zum Zentauren muß das rein Tierische sich hinaufgesteigert haben, in dem das Menschliche siegreich das Animalische überragt und bändigt, wenn irgend der Drang nach jener feinern Nahrung in ihm lebendig werden soll. Daß aber im Volke jener Drang und die Mittel zu seiner Befriedigung sich finden, beweist eben, daß in ihm längst schon jene Umwandlung vorgegangen ist, daß es längst schon die Region der dumpfen Stupidität verlassen hat, in die seine Verhältnisse es unlösbar gefesselt zu haben scheinen, daß nun in den untersten Klassen der Gesellschaft das Bessere siegreich sich offenbart und daß oben auf dem durch und durch sinnlichen Körper ein menschlich Antlitz entsprossen ist, das über die waagrechte Tierlinie sich erhebend hinaufstrebt zum Himmel und anderes denn das Irdische schon sucht und kennt.

Auf zwiefach verschiedene Weise aber hat jene innere, im Volke wachgewordene Poesie sich im Volke selbst geäußert. Einmal im Volkslied, in dem die jugendliche Menschenstimme zuerst tierischem Gebelle entblüht wie der Schmetterling der Chrysalide, in ungekünstelten Intonationen die Tonleiter auf- und niedersteigend freudig sich versuchte, und in dem die ersten Naturakzente klangen, in die das verlangende, freudige, sehnende, in innerem Lebensmut begeisterte Gemüt sich ergossen. Eintretend in die Welt, wie der Mensch selbst in sie tritt, ohne Vorsatz, ohne Überlegung und willkürliche Wahl, das Dasein ein Geschenk höherer Mächte, sind sie keineswegs Kunstwerke, sondern Naturwerke wie die Pflanzen; oft aus dem Volke hinaus, oft auch in dasselbe hineingesungen, bekunden sie in jedem Falle eine ihm einwohnende Genialität, dort produktiv sich äußernd und durch die Naivetät, die sie in der Regel charakterisiert, die Unschuld und die durchgängige Verschlungenheit aller Kräfte in der Masse, aus der sie aufgeblüht, verkündigend, hier aber durch ihre innere Trefflichkeit den feinen Takt und den geraden Sinn bewährend, der schon so tief unten wohnt und nur von dem Besseren gerührt, nur allein das Bessere sich aneignet und bewahrt. Wie aber in diesen Liedern der im Volke verborgene lyrische Geist in fröhlichen Lauten zuerst erwacht und in wenig kunstlosen Formen die innere Begeisterung sich offenbart und, bald gegen das Überirdische hin gerichtet, vom Heiligen spricht und singt, so gut die schwere, wenig gelenke Zunge dem innern Enthusiasmus Worte geben kann, dann aber wieder der Umgebung zugewendet von dem Leben und seinen mannigfaltigen Beziehungen dichtet, jubelt oder klagt und scherzt, so muß auf gleiche Weise auch der epische Naturgeist sich bald ebenfalls dichtend und bildend zu erkennen geben und auch mit seinen Gestaltungen den ihm in dieser Region gezogenen Kreis anfüllen. Jenen religiösen und profanen Gesängen, in denen des Volkes Gemüt sein Inneres ausspricht, werden daher auch bald andere Gedichte im Charakter jenes ruhigen Naturgeistes sich gegenüberstellen, in denen das Gemüt, was es durch seine Anschauung in der Welt gesehen, malt und verkündigt und gleichfalls bald als heilige Geschichte das Überirdische bedeutsam bezeichnet, bald als romantische dem unmittelbar Menschlichen nähergerückt, durch Schönheit, Lebendigkeit, Größe, Kraft,

Zauber oder treffenden Witz ergötzt. Diese Dichtungen sind die Volkssagen, die die Tradition von Geschlecht zu Geschlechte fortgepflanzt, indem sie zugleich mit jenen Liedern, durch die Gesangweise, die sich dem Organe eingeprägt, einmal gebildet, vor dem Untergange sich bewahrten. In den frühesten Zeiten entstanden die meisten dieser Sagen, da, wo die Nationen, klare, frische Brunnen der quellenreichen, jungen Erde, eben erst entsprudelt waren, da, wo der Mensch gleich jugendlich wie die Natur mit Enthusiasmus und liebender Begeisterung sie anschaute und von ihr wieder die gleiche Liebe und die gleiche Begeisterung erfuhr, wo beide, noch nicht alltäglich sich geworden, Großes übten und Großes anerkannten, in dieser Periode, wo der Geist noch keine Ansprüche auf die Umgebung machte, sondern allein die Empfindung, wo es daher nur eine Naturpoesie und keine Naturgeschichte gab, mußten notwendig in diesem lebendigen Naturgefühle die vielfältig verschiedenen Traditionen der mancherlei Nationen hervorgehen, die kein Lebloses anerkannten und überall ein Heldenleben, große gigantische Kraft in allen Wesen sahen, überall nur großes, heroisches Tun in allen Erscheinungen erblickten und die ganze Geschichte zur großen Legende machten. Lebendig wandelten diese Gesänge mit den Liedern, vom Ton beseelt, im Leben um. Da aber, als die Erfindung der Schreibkunst und später der Buchdruckerei dem Ton das Bild unterschob, da wurde freilich das Leben in ihnen matter, aber dafür in demselbem Maße zäher, und was sie an innerer Intensität verloren, gewannen sie wenigstens an äußerer Extension wieder. So wurden die Lieder in jenen Fliegenden Blättern fixiert, die sie wie auf Windesfittich durch alle Länder trugen, und was im Munde des Volkes allmählich mehr und mehr verstummte, das bewahrte das Blatt wenigstens für die Erinnerung auf. Jene andern Gesänge aber, ihrer Natur nach mehr ruhend, bestimmt, mehr an das Bild als an den Ton gebunden und daher Zauberspiegeln gleich, in denen das Volk sich und seine Vergangenheit und seine Zukunft und die andere Welt und sein innerstes geheimstes Gemüt und alles, was es sich selbst nicht nennen kann, deutlich und klar ausgesprochen vor sich stehen sieht, diese Gebilde mußten vorzüglich in jenem äußeren Fixierenden ein glückliches Organ für ihre freie Entwicklung finden, weil sie ihrer Natur nach mehr im Extensiven sind und nun, indem die Schranken, die die enge Kapazität des Gedächtnisses ihnen zog, gefallen waren, sich frei nach allen Richtungen verbreiten konnten. So sind daher aus jenen Sagen die meisten Volksbücher ausgegangen, indem man sie, aufgenommen aus dem mündlichen Verkehr in den schriftlichen, in sich selbst erweiterte und vollendete. Nur eines haben sie bei dieser Metamorphose eingebüßt: die äußere poetische Form, die man als bloßes Hülfsmittel des Gedächtnisses jetzt unnütz geworden wähnte und daher mit der gemeinen prosaischen verwechselte. So gut nämlich wie der alten griechischen Sage von der Einnahme Trojas ist es wenigen späteren geworden, daß sie nämlich einen Homer gefunden hätten, der aus dem Munde der Nation sie übernehmend, während er extensive zum großen Epos sie erweiterte, sie zugleich auch in ihrer innern Form verklärte und das große Werk nun in Tafeln von Erz gegraben im großen Tempel der Nation aufgestellt. Die Tradition selbst aber, nachdem sie auf diese Weise ein bleibendes Organ gefunden, verlor nun als solche sich allmählich; während andere Jahrhunderte hindurch, umsonst auf die gleiche Erlösung wartend, von der fortschreitenden Kultur erreicht, in sich vergangen sind, und noch andere in den entlegneren Gegenden, wo die Zeit das alte Dunkel noch nicht aufgeklärt, in der Dämmerung stillen Lichtern gleich schweben und auf eine bessere Zukunft verzweifelnd harren, weil die Mißgunst der Umstände nicht wollte, daß die Vergangenheit ihnen Körper und Bestand gegeben hätte. Von vielen dieser Volksbücher sagte ihre Geschichte ausdrücklich, daß sie auf solche Weise entstanden sind. Andere tragen unverkennbar den Charakter dieser Abkunft in ihrem ganzen Wesen, und wenn man bei noch anderen auf besondere historische Quellen sich beruft, dann findet man, wenn man die Natur dieser Quellen genauer prüft, immer wieder, wie sie zuletzt auf jene Sagen sich beziehen und aus ihnen sich gesammelt haben.

Was aber die didaktischen, lehrenden unter den Volksbüchern betrifft, so sind sie eben ihres innern reflektierenden Charakters wegen durchaus modern, und in demselben Grade mehr modern, wie das Verständige in ihnen mehr vorherrscht. Und in den ältesten herrscht es noch am meisten vor. Jene wunderbare Ansicht von seltsamen Eigenschaften der Naturprodukte, z. B. in den Kräuterbüchern dieser Zeit, die die Physik bei ihrem Fortschreiten völlig vernichtet hat, ist in dem Grade poetisch, wie sie unwissenschaftlich ist; und gerade weil sie so alt sind, ist so viel von Poesie in ihnen, so wenig hingegen von Wahrheit. Denn in dem Maße, wie die Naturkraft im einzelnen Menschen und im ganzen Volke in jugendlicher Fülle und in raschem Lebensmut vorherrscht, in dem Maße wird er auch von dem Lebensrausch besessen, und er taucht mit seinem ganzen Wesen unter in dem frischen, warmen Quelle und ist lauter Phantasie und Empfindung und Poesie. Wenn aber, nachdem das Ganze in kräftiger Fülle sich gegründet hat, die Natur im Menschen zur Vollendung reift, dann sammelt er sich in sich selber wieder und reißt sich von sich selber los und tritt nun in seiner Freiheit dieser Natur und seiner ganzen Vergangenheit ebenso als einem Gegenständlichen gegenüber, wie vorher das Objekt selbst der ganzen äußern Natur sich entgegensetzte, und mit diesem Gegensatz erwacht zuerst die Reflexion und das Nachdenken und mit ihnen die freie, klare Erkenntnis, und des Gedankens weites, schrankenloses Reich ist dann geöffnet. Alle diese Schriften sind daher nicht von früherer mündlicher Überlieferung ausgegangen, mithin auch nicht wie die rein poetischen aus dem Volke selbst hervorgewachsen und auch keineswegs so tief mit seiner innersten Natur verwachsen, wie es diese sind. Sie ordnen sich am nächsten jenen spätern Versuchen der Neuern bei, diese Literatur zu erweitern durch andere, der großen Masse fremde Kombinationen, mit denen vorher nie das Volk vertraut gewesen, die daher auch in ihrer Wirkung so wenig gedeihlich und so oft unnütz gewesen sind.[1] Das Volk hat sie nicht mit der Liebe umfassen können wie jene früheren, mit denen es gleichsam aufgewachsen und in welchen es erstaunt auf einmal sein eigenstes Eigentum erkannte und klar und deutlich im Worte ausgesprochen fand, was es wohl oft mit schwerer, dicker Zunge undeutlich nur artikulieren konnte.

Fragen wir aber nun noch nach dem allgemeinen Charakter, der alle diese Schriften gemeinschaftlich bezeichnet, dann müssen wir uns vor allem überzeugen, daß, sollten diese Gebilde Wurzel greifen in der Menge und eine eigene, selbständige Existenz in ihr gewinnen, eine innere Sympathie zwischen ihnen und der Nation selbst bestehen mußte. Es muß ein Moment für diese Wahlverwandtschaft in ihnen sein und ein gleiches entsprechendes im Volke, und im Zug und Gegenzug konnte dann alles in Liebe sich verbinden und eins werden in der allgemeinen Lust und Vertraulichkeit. Wir sahen eben, wie das Element, welches das Volk zur Bildung hergegeben, jene uralte Sagenpoesie war, die wie ein leises Murmeln fortlief durch alle Geschlechter, bis der letzten eines sie zur vollen Sprache bildete. Das parallel gegenüber eingreifende Moment in

[1] Ich rechne dahin unter andern die neuen Leipziger Volksbücher bei Solbrig; mehrere aus Musäus abgedruckte Volkssagen sind zwar nicht unzweckmäßig gewählt, obgleich der in ihnen herrschende Ton keineswegs eigentlicher Volkston und ihre Naivetät nicht Volksnaivetät ist. Alles andere aber ist meist so leer, so gehaltlos und fatal, daß die fade Speise notwendig den Instinkt des Volkes ekeln mußte.

den Büchern aber ist der durchaus stammhafte, sinnlich kräftige, derbe, markierte Charakter, in dem sie gedacht und gedichtet sind, mit Holzstöcken und starken Lichtern und schwarzen Schatten abgedruckt, mit wenigen festen, groben, kecken Strichen viel und gut bezeichnend. So nur kann die Poesie dem Volke etwas sein, nur für den starken, derb anschlagenden Ton hat dieser grobgefaserte Boden Resonanz, und die starke Fiber kann dem tief Einschneidenden nur ertönen. Nur dadurch wird die Poesie zur Volkspoesie, daß sie seinen Formen sich eingestaltet. Hat die Natur in diesen Formen ihre bildende Kraft offenbaren wollen, dann darf die Kunst auf keine Weise sich scheuen, ihr zu folgen in dieser Metamorphose und im Worte wieder auszuprägen, was jene stumm und still gestaltete. Aber doch ist nicht so ganz gleichmäßig in allen diesen Bildungen ohne Unterschied derselbe Geist herrschend. Durch die ganze fortlaufende Entwickelung der Zeit ist die Kunst von ferne her der Nation gefolgt, und die vorzüglichsten Epochen dieser allmählichen Entwickelung sind durch ebensoviel vorstechende Werke bezeichnet. Als die etruskischen Satiren und die oskischen Atellanen zuerst eingeführt wurden in Rom, da nahm das Volk sie freudig und willig auf. Überrascht fand es seine ganze Natur in diesen rohen, wilden, barbarischen Gestaltungen wiederscheinend. Die Kunst rang mit seiner Kraft und seiner innern Energie, und es rang wieder mit dem Geiste, der so derb anzufassen wußte, und es gewann Geschmack dem Schimpfspiel ab zwischen seinen Kräften und den Kräften des fremden, wunderbaren Zaubers, und alle Poesie war noch ganz Volkspoesie im eigentlichen Sinn, und in allem war große, feste, kernhafte Alpennatur. Nicht auf dieser Stufe von Gediegenheit hat in neuern Zeiten sich das Volk erhalten, schon dadurch, daß eben ein höherer Anflug aus der Masse sich herausverflüchtigte und gerade das Geistige ihm entführte, mußte der Rückstand im Gegensatz mit diesem Flüchtigen gewissermaßen einen mehr phlegmatischen und minder elastischen Charakter annehmen, und manche der ältesten Volksbücher, die dem früheren, antiken Volksgeist rein zusagten, sind dem gegenwärtigen fremd geworden, und manche neuere, indem sie jenem veränderten Genius sich anschmiegten, traten zugleich in einer Form hervor, die nicht ganz mehr mit jener normalen zusammenstimmen will. Es ziehen keine Bären mehr durch unsere Wälder, keine Elentiere und keine Auerochsen; mit ihnen ist daher auch das Bärenhafte, was die ältesten Sagen und Bildungen bezeichnet, gewichen, und wie die Sonnenstrahlen durch die gelichteten Wälder Bahn sich brachen, hat auch in der entsprechenden Kunstentwickelung ein milderer Geist Platz gegriffen, der manchmal rein für sich in einzelnen Bildungen dasteht, manchmal, mit jenem früheren sich verschmelzend, einen gewissen mittelschlägigen Charakter bildet. Nicht mehr des Ursen und des Bären unbändige Wildheit spricht daher aus diesen Büchern, wohl aber ein rascher, gesunder, frischer Geist, wie er das Reh durchs Dickicht treibt und in den andern Tieren des Waldes lebt. Es ist nichts Zahmes, Häusliches, Gepflegtes in ihnen, alles wie draußen im wilden Forst geworden, geboren im Eichenschatten, erzogen in Bergesklüften, frei und frank über die Höhen schweifend und zutraulich von Zeit zu Zeit zu den Wohnungen des Volkes niederkommend und von dem freien Leben draußen ihm Kunde bringend. Das ist der eigentliche Geist jener Schriften, fern von jenem, den man in den neuesten Zeiten in den Not- und Hülfsbüchern als eine feuchtwarme, lindernde Bähung seinen Breshaftigkeiten aufgelegt und die, obgleich vielleicht den augenblicklichen Bedürfnissen entsprechend, doch eben dadurch Zeugnis geben von dem chronisch-krankhaften Geist der Zeit.

Wenn man, was wir in diesen wenigen Blättern über den Charakter und das Wesen dieser Bücher beigebracht, erwägt, wenn man, sooft die Hoffart auf unsere feinere Poesie uns übernehmen will, bedenkt, wie es das Volk doch immer ist, was uns im Frühlinge die ersten, die wohlriechendsten und erquickendsten Blumen aus seinen Wäldern und Hegen bringt, wenn auch später freilich der Luxus unserer Blumengärten sich geltend macht, deren schönste Zierden aber immer irgendwo wild gefunden werden, wenn man sich besinnt, wie überhaupt alle Poesie ursprünglich doch immer von ihm ausgegangen ist, weil alle Institution und alle Verfassung und das ganze Gerüste der höheren Stände immer sich zuletzt auf diesen Boden gründet und in den ersten Zeiten die gleiche poetische wie politische und moralische Naivetät herrschend war, dann können wir wohl endlich voraussetzen, daß jedes Vorurteil gegen dies große Organ im allgemeinen Kunstkörper verschwunden sei, und wir haben uns Bahn gemacht zur gehörigen Würdigung dieser Schriften im einzelnen. Wir gehen daher ohne weitern Aufenthalt zur Betrachtung der besonderen Bildungen dieses Faches über, um zu sehen, inwiefern, was wir soeben im allgemeinen ausgesprochen, auch im einzelnen sich bewährt. Die Ordnung aber, die wir bei dieser Bücherschau befolgen, wird diese sein, daß wir nämlich mit den lehrenden, dem Alter nach jüngsten, beginnen, von dort aus zu den romantischen und dann zu den religiösen übergehen und endlich mit einem großen Blick auf das durchlaufene Gebiet von der gewonnenen Höhe hinab enden.

Ludwig Achim von Arnim

VON VOLKSLIEDERN

1805

An Herrn Kapellmeister Reichardt

Wenn das Volk beim Einzuge seines Helden die Pferde vom Wagen spannt, so tut es das wohl nicht, weil es besser ihn zu ziehen meint; ebenso spreche ich von Volksliedern im allgemeinen nur darum, einen guten Sinn zu bewähren, nicht aber, die wichtigen Untersuchungen über einzelne derselben zu verdrängen oder aufzugeben. Daß ich zu Ihnen spreche, findet in unsrer Befreundung sein Recht und in der Sache seinen Grund. Haben Sie doch selbst mehr getan für alten deutschen Volksgesang als einer der lebenden Musiker: haben Sie ihn doch nach seiner Würdigkeit den lesenden Ständen mitgeteilt; haben Sie ihn doch sogar auf die Bühne gebracht. In allem Hohen ist kein Überdruß, so werden Sie sich gern wieder mit mir zu einer hohen und herrlichen guten Sache hinwenden. – Ich führe Ihnen manche Beobachtung vor, aus verschiedenen Zeiten, aus verschiedenen Gegenden, alle einig in dem Glauben, daß nur Volkslieder erhört werden, daß alles andre vom Ohre aller Zeit überhört wird. – Was ist erhört? – Alles, was geschieht, was nur entfallen, nicht vergessen werden kann, was nicht ruht, bis es das Höhere hervorgebracht, das ist erhört. Wohl wußte ich das lange nicht; viele werden es mir nie glauben, denn jeglicher muß selbst im Schweiß seines Angesichts den Kreis der Zeit um und um bis zum Anfange in sich durchlaufen, ehe er weiß, wie es mit ihr steht und wie mit ihm. – Was ich unsre Zeit nenne, was in allen lebt als Methode, was keinem ein Wunder, das fängt mir in der Welt der Nachgedanken mit Kirchenliedern an; lange von mir nicht gehört, bleiben sie mir doch gegenwärtig. Ich hörte sie als Kind von meiner Wärterin beim Ausfegen der Zimmer, das in gleichem Zuge sie begleitete. Mir ward dabei ganz still. Ich mußte oft daran denken. Jetzt mögen Kinder sie seltener hören, und ich weiß nicht, an was sie statt ihrer denken mögen. Nachher hörte ich in geselligen Kreisen allerlei Lieder in Schulzens Melodien, wie sie damals in raschen Pulsen des Erwachens sich verbreiteten. Mein Hofmeister rühmte sie nächst Gellert. Mir war es nur ums Ausschreien darin zu tun; die Langeweile der Welt kümmerte mich nicht. Jetzt muß ich sagen, sie sind nicht ohne Beistand gewesen gegen das damalige Streben zu Krankheit und Vernichtung (die Sentimentalität[1]): es war doch darin ein wahrer Ton wie im derben Lachen aus Herzensgrund. Nachher scheint mir die Kraft wunderlich zerrissen. Vieles geht glänzend vorüber; da steht die Menge mit offnem Munde, dann sinkt es unter im Hexenkessel überschätzter Wissenschaft, worin

[1] Ich verstehe hier unter Sentimentalität das Nachahmen und Aufsuchen des Gefühls, das Schauspielen mit dem Edelsten, was nur im Spiele damit verloren gehen kann; nicht verstehe ich darunter jene Sentimentalität, das menschliche Gefühl, wie es im einzelnen sich ausdrückt, wogegen die Neuntöter, die philosophischen Schüler wohl schreiben (auch wohl wirken, wenn kein lebendiger Volksgeist es aufhebt) und darin zusammenkommen mit der ersten schimpflichen Sentimentalität zu demselben Mittelpunkte, zur Seligkeit eines Steins in Unempfänglichkeit und Unfruchtbarkeit der Lust. Keine Schule ist hiemit besonders bestimmt, sondern alle; denn wie die Begeisterung der Pythia mit Ermattung verbunden, so den Philosophen die Schüler. Die Philosophen sind ewige Nilmesser einer entwichenen Gottesflut und Erhebung; ihre Schüler wollen aber das Unmögliche leisten; zu messen, was nicht mehr vorhanden ist. Darum möchten sie gerne Zeichen geben und Wunder tun können. Dem Rechten ist aber das Zeichen an die Stirn geschrieben; die Wunder geschehn aber nur im Zukünftigen. Was vergangen, ist notwendig; was sie getan, ist vergangen.

sie damals überkocht wurde. Was mir im Worte lieb, das hörte ich nie allgemein singen, und die schönen Melodien pfiff ich lieber nach, die falschen Kuckuckeier zu verdrängen, welche dem edlen Singevogel ins Nest gelegt worden. Hörte ich von Gebildeten nach Ihrer Eingebung zum Flügel singen: »Kennst du das Land, wo die Zitronen blühen«, da sah ich die vier Wände umher wie herkulische Säulen, die nun für lange Zeit den tätigen, lebhaften Teil des Volkes von dem feurigen Bette der Sonne trennen. Sah ich dann still vor sich jemand den wunderbaren *Fischer* (Goethes) lesen, so war mir, als sähe ich den herrlichen Gedanken halb ziehen, halb sinken ins Wasser; keine Luft wollte sich ihm gestatten. – So ging es dem Herrlichen, während die schlechten Worte zum Theater sich erhoben, das damals mit Redensarten national werden wollte, in der Tat aber immer fremder wurde der Nation, zuletzt sich sogar einbildete, über die Nation erhaben zu sein (wohl um einiger Fuß hoher Bretter willen, wie das Hochgericht über die Stadt). Ja, wie ein Widerhall führte der edle Klang diese schlechten Worte durch die Gassen, und die ernsten blauen Chorschüler, wenn sie vor dem Hause sich zusammenstellten, waren von dem Streit des Doktors und Apothekers, des Poeten und Musikers befangen. Ein schönes Lied in schlechter Melodie behält sich nicht, und ein schlechtes Lied in schöner Melodie verhält sich und verfängt sich, bis es herausgelacht; wie ein Labyrinth ist es: einmal hinein, müssen wir wohl weiter, aber aus Furcht vor dem Lindwurm, der drin eingesperrt, suchen wir gleich nach dem ausleitenden Faden. So hat diese leere Poesie uns oft von der Musik, vielleicht die Musik selbst herabgezogen. Neues mußte dem Neuen folgen, nicht weil die Neuen so viel Neues geben konnten, sondern weil so viel verlangt wurde; so war einmal einer leichtfertigen Art von Liedern zum Volke Bahn gemacht, die nie Volkslieder werden konnten. In diesem Wirbelwind des Neuen, in diesem vermeinten urschnellen Paradiesgebären auf Erden waren auch in Frankreich (schon vor der Revolution, die dadurch vielleicht erst möglich wurde) fast alle Volkslieder erloschen; noch jetzt sind sie arm daran – was soll sie an das binden, was ihnen als Volk festdauernd sei? Auch in England werden Volkslieder seltener gesungen, auch Italien sinkt in seinem nationalen Volksliede, in der Oper durch Neuerungssucht der leeren Leute; selbst in Spanien soll sich manches Lied verlieren und nichts Bedeutendes sich verbreiten. – O mein Gott, wo sind die alten Bäume, unter denen wir noch gestern ruhten, die uralten Zeichen fester Grenzen, was ist damit geschehen? – Was geschieht? Fast vergessen sind sie schon unter dem Volke; schmerzlich stoßen wir uns an ihren Wurzeln. Ist der Scheitel hoher Berge nur einmal ganz abgeholzt, so treibt der Regen die Erde hinunter; es wächst da kein Holz wieder. Daß Deutschland nicht so weit verwirtschaftet werde, sei unser Bemühen!

Wo ich zuerst die volle, tateneigene Gewalt und den Sinn des Volksliedes vernahm, das war auf dem Lande. In warmer Sommernacht weckte mich ein buntes Geschrei. Da sah ich aus meinem Fenster durch die Bäume Hofgesinde und Dorfleute, wie sie einander zusangen:

Auf, auf, ihr Brüder, und seid stark!
Der Abschiedstag ist da;
Wir ziehen über Land und Meer
Ins heiße Afrika.

Sie brachen ab und auf zu ihren Regimentern, zum Kriege. Damals klang manches daran, was mir so in die Ohren gefallen; alles reizte mich höher, was ich von Leuten singen hörte, die nicht Sänger waren, zu den Bergleuten hinunter bis zum Schornsteinfeger hinauf. Später sah ich den Grund ein, daß in diesen schon erfüllt, wonach jene vergebens streben, auf daß ein Ton in vielen nachhalle und alle verbinde[1], der höchste Preis des Dichters wie des Musikers;

[1] Ich kann mich nicht enthalten, die wunderbar herrliche Vorrede Georg Forsters zu seinen *Frischen Liedlein,* Nürnberg 1352,

ein Preis, der nicht immer jedem Verdienste gefällt (wie manche Blume wird zertreten, aber das frische Wiesengras bringt tausend), aber auf lange Zeit gar nicht erschlichen werden kann, so daß jedes hundertjährige Lied des Volkes entweder im Sinn oder in Melodie, gewöhnlich in beiden, tauget.

Und als ich dieses feste Fundament noch unter den Wellen, die alten Straßen und Plätze der versunkenen Stadt noch durchschimmern sah, da hörte ich auf, mich über die großenteils mißlungenen Versuche vieler Dichter und Musiker, besonders des Theaterwesens, zu ärgern. Vielleicht würde einmal das Vortreffliche sonst gar nicht entstehen, gar nicht verstanden werden! Wo etwas lebt, da dringt es doch zum Ganzen: das eine ist Blüte, das andre Blatt, das dritte seine schmierige Wurzelfaser; alle drei müssen vorhanden sein, auch die saubern Früchtchen, die als eines meiner liebsten Herzblätter, zur Erläuterung des Gesagten mitzuteilen:

»Freundlicher lieber Singer und der edlen Musik Liebhaber! Es sind in einigen Jahren unter anderen Gesängen, so bisher gedruckt worden, mancherlei teutsche Liederbüchlein durch den Druck ausgegangen; wie aber die zum Teil sein, will ich denen, so des Gesanges einen Verstand haben, zu bedenken geben.

Ich übergebe mein Liederbüchlein, damit alte teutsche Lieder, so doch noch, wenn ich sagen dürfte, schier die besten sind, samt ihren Meistern, welche mit der Musik auferzogen, umgegangen und ihr Leben damit beschlossen haben, nicht ganz und gar vergessen und an ihrer Statt nicht viele ungereimte neue Kompositionen, die doch gar keine rechte teutsche liederische Art haben, gebraucht würden, sondern daß ich auch die mit solchen schlechten Liedern zerstörte schöne und liebliche Kunst der Musik, welche bei den Alten ehrlich und in großen Würden gehalten, möchte erhalten und fördern. Insonderheit dieweil bei allen Fröhlichkeiten und Kurzweilen frische gute teutsche Lieder zu singen oder auf den Instrumenten zu brauchen gebräuchlich, durch welches denn viel unnützes Geschwätz, unflätisch Zutrinken, darzu zänkisch und haderlich Spielen und andere Laster möchten verhindert werden. Wie ich denn oft von einem treff-

abfallen. Störend und schlecht ist nur das Verkehrte in sich, der Baum mit der Krone eingepflanzt; er muß eine neue Krone, eine neue Wurzel treiben, oder er bleibt ein dürrer Stab. Dieser Art von wahrer Störung ist die Beschränkung aller Theatererscheinungen in Klassen und für Klassen der bürgerlichen Gesellschaft, die entweder ganz unfähig der Poesie oder unbestimmt in ihrem Geschmacke geworden. Beschränkung ist aber das Tugendprinzip der Schwachheit; das Allgemeine verdammet sie, darum kann das Überschwengliche nie von ihr gefordert werden. Der Einfluß davon ist unbegrenzt; denn indem die Schauspieler das Gemeine vornehm machen wollen, machen sie das Ungemeine auch nichts weiter als vornehm – sie lassen Müller und Schornsteinfeger sich aneinander abreiben. So suchen nun die Künstler aller Art, um in gleichen Verhältnissen zu leben, wie sie dieselben gewöhnlich darstellen, da ihren Lohn, wo sie selten hingehören und nimmermehr hineinpassen sollten, wo es der Zweck des ganzen mühevollen Lebens, sich so leise wie möglich nebeneinander wegzuschieben; sie denken nicht, daß die besten Steinschneider Sklaven, die besten altdeutschen Maler zünftig waren. Daher das Abarbeiten

lichen teuren Manne gehört habe, als er sagt, daß unter allen Kurzweilen, damit man die Zeit zu vertreiben führt, er kein göttlichere, ehrlichere und schönere Kurzweil wüßte denn die liebliche Musik, daß alle andere Kurzweile als Spielen, Fechten, Ringen, Springen, dahin gericht wären, daß sich ein jeder nur aufs beste beflisse, damit er dem, mit welchem er solch Kurzweil übet, möchte überliegen, abgewinnen und zu bevorteilen, daraus denn mancher Unrat und Zank und Hader entspringe. *Die Musik aber hat kein andres Fürhaben, denn daß sie gedächte, wie sie nur die Einigkeit der Stimmen mit allem Fleiß möchte erhalten und aller Mißhellung wehren.*«

Der schönen Auswahl dieses Mannes dankt unsre Sammlung mehrere der besten Lieder, woraus zu ersehen, daß Verdienst nicht untergehen kann.

ihrer edelsten Kraft an Formen des Anstandes, die ihnen sich von selbst geben, wenn sie wirklich etwas Würdiges geben. Daher das Bemühen der Kunstsänger, zu singen, wie Vornehme gern reden möchten, ganz dialektlos; das heißt, sie wollen singen, ohne zu klingen, sie möchten blasen auf einem Saiteninstrumente. O ihr lebendigen Äolsharfen, wenn ihr nur sanft wäret; und wenn ihr sanft wäret, o hättet ihr doch Ton! Dem geschickten Künstler sind die Dialekte Tonarten[1]; er vernachlässigt keine, wenn er gleich nur in einer sich selbst vorgezeichnet finden kann. Das heutige Theater treibt sie auseinander nach Süden und Norden, Osten und Westen. Keiner kann sich fügen dem Fremden, da doch alle einander in Volksliedern begegnen wie Lustkähne, die eben erst vom gemeinschaftlichen Gespräche im Dunkeln auseinandertreiben, bald wieder zusammen, sich gleich wieder verstehen durch Aneignen und Weiterstreben, wenn auch in jedem das Gespräch sich anders gewendet. – Hinter dem vornehmen Anstande, hinter der vornehmen Sprache versteckt, scheiden sie sich von dem Teile des Volks, der allein noch die Gewalt der Begeisterung ganz und unbeschränkt ertragen kann, ohne sich zu entladen in Nullheit oder Tollheit. Unsre heutigen Theater- und Konzertteilnehmer, wie würden sie auseinanderspringen bei wahrer, reiner Kunsthöhe! Sie würden umsinken in der reinen Bergluft oder fühllos erstarren. Ruft nicht diesen Ton, ihren eigenen menschlichen Ton hinein, ihr Sänger! Sie würden springen wie Gläser, die, tausendmal aneinandergestoßen, doch nur

[1] Lorenz Medicis (Life of Medicis by Roscoe, I, 296), der in der Welt zu Hause wie ein andrer in seinen vier Wänden, verstand den Wert des Dialekts und schrieb zuerst in der Bauernsprache seines Landes, wie er für die Töchter der Stadt Tanzlieder erfand. Ein zierliches Bild stellt ihn dar, wie er, durch die Gassen streichend, abends zur Erfrischung ein Kränzlein von einer Schar tanzender Mädchen erhält. Wer möchte nicht um den Preis herrschen?

zersungen werden können mit ihrem Ton. – Sei ruhig, gutes Publikum! den Ton haben deine Sänger längst verloren, das Lebende von dem Toten zu scheiden, dabei kannst du noch das Heil deiner schlaffen Seele in (dem englischen Salzfläschchen) ihrer höheren Kritik suchen, in den wenigen vortrefflichen Formeln, welche die ganze Welt packen und sie in der Gravitation zwischen Ernährung und Zeugung erhalten, worin ihr wie Mücken spielt. – Mit großer Bravour können wohl diese vortrefflichen Kunstsänger ihren Kram ausschreien und ausstöhnen; man versuche sie nur nicht mit einem Volksliede, da verfliegt das Unechte. Laßt sie auch nicht miteinander reden! Sie singen wohl noch miteinander, aber mit dem Sprechen geht der Teufel los. Entweder haben ihre Sangstücke so unbedeutenden Charakter, daß er gar nicht verfehlt werden kann, oder wenn wir zum rechten Verstande davon kämen, wir würden sie hinunterjagen von ihren Brettern und uns lieber selbst hinstellen, zu singen, was uns einfiele und allen wohlgefiele, Ball schlagen, ringen, springen und trinken auf ihre Gesundheit. – Wollt ihr Sänger uns mit der Instrumentalität eurer Kehle durch Himmel und Hölle ängstigen? Denkt doch daran, daß dicht vor euch ein großes physikalisches Kabinett von graden und krummen hölzernen und blechernen Röhren und Instrumenten steht, die alle einen höheren, hellern, dauerndern, wechselndern Ton geben als ihr, daß aber das Abbild des höchsten Lebens oder das höchste Leben selbst, Sinn und Wort, vom Ton menschlich getragen, auch einzig nur aus dem Munde des Menschen sich offenbaren könne. Versteckt euch ebensowenig hinter welschen Liedern! Dem einheimischen Gefühl entzogen, seid ihr dem Fremden nur abgeschmackt. Nein, es ist kein Vorurteil der Italiener, daß jenseits der Alpen nicht mehr italienisch gesungen werde, daß selbst nationale Sänger ihren reinen italienischen Gesang in der Fremde verlieren. Denkt auch daran, daß es gar nichts sagt, fremde Sprachen melodischer zu nennen, als daß ihr unfähig seid und unwürdig der euern! Das weiß ich wohl, die Kunstübung erbt ohne meinen Rat wie die Pocken in allen kränklichen Reizungen der Städtlichkeit, Philosophie und Liederlichkeit auf alle Wohlgesittete, die sich den Bart nicht scheren, wenn er lang, sondern wenn ihr Tag gekommen, nicht einheizen, wenn sie frieren, sondern wenn ihre Stunde kommt. Ja es gibt ordentliche Register über die Kunst auf dem Rücken aller der buntjäckigen Leute, denen die alten Komödienzettel auf den Rücken geklebt sind – ich meine die Journalisten. Wievielmal diese Vögelscheuchen mit ihren unmaßgeblichen Meinungen sich drehen, wohin der Schlauch der Kunstspritzen sich wendet: die Kunst wendet sich selten mit der Not unsrer Zeit zu einer reinen Tätigkeit; sie ist fast nie notwendig, sondern den meisten eine böse Angewohnheit (wie der Schnupftabak; die Leute verwundern sich, wie schnell sie den Geschmack aufgeben, wenn sie die Dose einmal in eine andere Tasche stecken). Es müßte sonderbar in ihren Winter hinein blühen, wenn ihnen so der Sinn für das Große eines Volks aufgehen sollte und für sein Bedürfnis. Darum sind eigentlich die Künstler aller Art der Welt so überflüssig wie sie gegenseitig ärmlich sind. Zufrieden, wenn einer sie versteht unter Tausenden, glücklich, wenn dieser eine keinen Überdruß an ihnen erlebt! Mag nur keine neue Völkerwanderung kommen! Was würde von dem allen bleiben? Sicher keine athenische Ruinen!

Wir ahnen es schon hier, was wir, unsrer Geschichte nachgehend, so allgemein durchgreifend fanden: es wird wohl ein sehr allgemeines Verhältnis zur früheren Geschichte ihm Grund legen. Denken wir dem nach auf dem dunklen schwankenden Schiffe der Gedanken, sehen wir uns um nach den Wunderblumen, nach den Wasserlilien, welche die fernen Küsten umgaben! Da sehen wir nur eine Stelle erleuchtet, dahin sieht des Steuermanns Auge: es ist die Windrose, sie schwebt fest und wandellos und führt uns wohl weit weg! Die Erde ist umschifft, wir haben kein heimliches Grauen mehr vor dem Weltende; es liegt fest und sicher vor uns wie unser Tod. Es ist in aller Welt ein Verbinden getrennter Elemente, welche die innere Kraft jedes einzelnen schwächt, nur mit höchster Anstrengung jedes einzelnen glücklich beendigt werden kann. – Vielleicht mag dies bloß allgemein sein und darum gar nichts, aber so ist der Übergang immer von sich zur Welt; ich will ihn wenigstens nicht verschweigen, vielleicht daß einer ihn mit mir fand. – Zunächst hängt wohl dieses Herabsinken schönerer Bildung mit einer allgemeinen großen Erscheinung der vorigen Jahrhunderte zusammen, ich meine mit dem allgemeinen Klage- und Elendwesen. Dieses sonderbare Bewußtsein – wie ein Träumender läßt es das Glück aus der Hand fallen, weil ihm träumet, es falle, er müsse darnach greifen, und nun hält es Glück und Traum für nichts, weil es ihm nicht fortdauert. Als vorzeiten die Flagellanten in Selbstgeißelung wehklagend durch alle Straßen den Strom der Vorübergehenden in ihren Ton hineinrissen[1], so verstummte in dieser späteren Selbstpeinigung der Furcht noch einmal aller edle Gemütston. Die Regierungen glaubten es ihre Pflicht, diesen Jammer zu stillen, statt ihn in sich ausgehen zu lassen, aber sie waren demselben Zeitgeiste unterworfen; statt einer höheren Tätigkeit machten sie gegentätige (antipoetische) Bemühungen; das Fieber sollte sich schwächer zeigen, indem sie die gesamte Kraft des Körpers minderten; von dem Zwecke des Fiebers hatten sie keine Vor-

[1] Herr Koch, dem ich bei dieser Gelegenheit für manche literarische Mitteilung meinen Dank abstatte, bemerkt den Einfluß der Flagellanten auf den Untergang vieler weltlicher Lieder in seinem schätzbaren Handbuche. Sie entstanden während der großen Pestzeiten. Merkwürdig ist, daß in zwei sehr verschiedenen Chroniken, in der Straßburger und der Limpurger, dasselbe ganz schlechte Lied von ihnen angeführt wird. Vielleicht stammen aus den damaligen Gesinnungen die allgemein verbreiteten Totentänze.

stellung – es war ihnen ein Mißverhältnis, weiter nichts. Die notwendigen Lasten des bürgerlichen Vorteils wurden Einheimischen wie Fremden versteckt und heimlich, das Regierungswesen schien daher den Regierten dunkel und sündig. Noch mehr, es wurden ihnen Grenzen des Notwendigen gesetzt; man schnitt die Freude davon ab – so ward ihrem Leben aller Wert genommen, es entstand eine Sehnsucht nach dem Tode, an sich selbst der Tod, der mit seinem Knochenarm dem Lebenden eine Fallgrube gräbt. In der Liebe ist keine Furcht, sagt Johannes; es war diese Klage über die Selbstentleibung von Deutschland wie jene der Chrimhilde, welche immer neue Verzweiflung herbeiführte. Die Spaltung war gemacht, der Keil eingetrieben; bald sollte der Staat nicht mehr für die Einwohner, sondern als Idee vorhanden sein. Manches Volk kannte seinen eignen Namen nicht mehr, und wo ein Staat sich selbst geboren, da sah man, daß die andern eigentlich nur noch Namen waren. Wie die Bäume gemalt, so die Früchte – ein durchgeführter Schein, wo eines das andere darstellte. Räte sprechen wie Krieger, Krieger wie schlaue Räte; Festungswerke waren perspektivisch angelegt, Grenzen der Menschheit mit Wasserstraßen gezogen, über die gelegentlich jeder anstellige Hund hinüberschwimmt. Der Mensch ward Eigentum der Dinge dieser Welt. Dieses Elendsein wurde so auffallend wie aus wurmstichigem Holze der gelbe Staub. Allen hing es an, auch wenn nicht Splitter von demselben Holze. Die Sentimentalität war nur eine Färbung; ganz erscheint es in der kläglichen Sprache der niedern Stände vieler Gegenden. Weisheit wurde es, wie Unglückszeichen den freudigen Augenblick zu meiden, während seiner festesten Dauer sein Vergehen vorauszusehen und mit der Erinnerung den künftigen hellen Blick des Glückes zu trüben: es gab noch einen helleren. Jeder wußte über sein Leben etwas zu sagen, nur hatte keiner Leben. So wurde das Leben verachtet, der Tod gefürchtet und die Genialität bei dieser Ärmlichkeit in Völlerei gesetzt.[1] So war diese eitle Weisheit (wie die Petersburger Mägde um Schminke betteln sollen)! So wurde auf einmal die ganze Welt arm – schlechte Zeit, schlechte Sitten und Weltuntergang, verkündet in allem Frieden, in allem Überfluß, in allem Frühling! Weil keiner dem Drange seiner Natur, sondern ihrem Zwange nachleben wollte und konnte, so wurde schlecht Geld und kurze Elle in Gedanken wie auf dem Markte. Kein Stand meinte, daß er wie die Früchte der Erde durch sein notwendiges Entstehen trefflich gut sei, sondern durch einige Tauformeln vom Zweck ihres Geschäfts. So wollte der Adel das Blut verbessern; die Kaufleute bildeten sich ein, eigentlich nur zur sittlichen Kultur der Welt zu gehören, die Grübelnden dachten, in ihren Worten sei Seligkeit; die

[1] Es würde angenehm lauten, alles durchzugehen, was zu verschiedenen Zeiten genialisch genannt worden, wo aus dem zersplitterten Geiste der lebende Baum entwickelt wurde: kennen doch viele erst seine Festigkeit aus dem Gewichte, wodurch es zerreißt. Dem Takte nach setzte man Genie in schnelle, stoßweise, wenngleich noch so unbedeutende Produktion, in prahlende Schwatzhaftigkeit und unvermögende Planmacherei; sein Boden schien der Schmutz jeder Art; den Vorüberziehenden mußte es seine Früchte auf den Kopf fallen lassen, in allem Sturm seine Blätter schlaff und jämmerlich senken, in der Ruhe immer rauschen, als wenn ein Sturm ginge. Die Vögel, die zutraulich darauf nisteten, tückisch hinunterwerfen, schnell empor in falsches unbrauchbares Holz mußte es schießen, um schnell zu fallen. Wer verwundert sich nach solchen Antichristen, Talent verhaßt, Nichtigkeit geehrt zu finden! Die Wortspielerei unserer Zeit hat Kunst und Genie einander entgegengesetzt; viel Kunst und wenig Genie, wird von den elendesten Nachahmereien gesagt. Keiner ist ohne Genie, wenngleich manche Werke ohne Genie sind; der eine kann die Tropfen zählen, dem andern ist's ein Platzregen, der eine steht im Nordlichte, der andere sieht's in der Ferne. Wenn Genie das Schaffende genannt werden kann, so ist Kunst die Art der Erscheinung dieses Geschaffenen. Genie ohne Kunst wäre Luft ohne Beschränkung, Kunst ohne Genie wäre ein Punkt ohne alle Dimension.

aber, welche alles verachteten, meinten, es besonders getroffen zu haben. Es ließe sich viel sagen über die allgemeinen Aspekten dieser Phänomens – gehen wir nur in die nächste Gemäldesammlung eines alten Hauses –, wie auf einmal wahre Häßlichkeit und malerische Falschheit in die Welt gekommen. Wichtiger ist es, die Wirkungen dieser allgemeinen Erscheinung im Volksliede zu beobachten: sein gänzliches Erlöschen in vielen Gegenden, sein Herabsinken in andern zum Schmutz und zur Leerheit der befahrnen Straße.[1]

Da alles, wie wir sahen, klagend und gebrechlich erschien, so verloren die Regierungen alle Achtung, alles Vertrauen zu dem einzelnen. Was nicht durch allgemeinen Widerspruch und Aufruhr sich verdammte, das schien der Aufmerksamkeit unwürdig, und dieser allgemeine Widerspruch wurde durch drückende Verbote in seiner Äußerung selbst dem bestgesinnten Herrscher so lange unhörbar gemacht, bis seine Wut, nicht sein besserer Wille, alles überschrien hatte. Wem der Zufall zu einer wirksamen Stelle verhalf, dem glaubte man einen solchen vollständigen Volksverstand angetauft, daß sich das ganze Volk in ihm ausspreche. Freilich, wenn e i n e r nur reden darf, so redet er immer am klügsten; die Mühe, verschiedene Sinne zu vereinigen, wie es in der Beratschlagung versucht, in der Gesetzgebung ausgeführt wird, ward ganz überflüssig dadurch; man verwunderte sich über das kinderleichte Regierungsgeschäft. Das Volk kam dahin, die Gesetze wie Sturmwind oder irgendeine andre unmenschliche Gewalt zu betrachten, wogegen Waffnen oder Verkriechen oder Verzweifeln diente. In diesem Sinne wurde lange geglaubt, viele zusammen könnten etwas werden, was kein einzel-

[1] Die verkehrten Versuche einiger Gutgesinnten zur Herstellung und Ermunterung des Volksliedes durch Sammlungen, die weder den niedern Ständen gefielen, noch die höheren befriedigten, übergehe ich, meine Achtung in gleichem Sinne ihrem Sinne zu bezeugen.

ner darunter zu sein brauche. So sollte sich kein einzelner Krieger bilden; sie wurden zur Ruhe und zum nährenden Leben eingepfercht, sie mußten dem ewigen Streite gegen die Barbaren entsagen. Man wollte keinen Krieger, doch wollte man Kriegsheere; man wollte Geistlichkeit, aber keinen einzelnen Geist. So wurde das Tätige und Poetische, wo nicht die allmächtige Not alle Kräfte lüftete, im Lehr- und Wehrstande allmählich aufgehoben; nur der Nährstand konnte nicht so unumschränkt vernichtet werden – nähren mußte sich doch jeder, so kümmerlich es sein mochte. Darum finden wir auch das neuere Volkslied, wo es sich entwickelt, diesem angeschlossen in mäßiger Liebe, Gewerb- und Handelsklagen, Wetterwechsel und gepflügtem Frühling. Aber so wenig die Glieder ohne den Magen, so wenig war der Magen ohne die andern Glieder in jener uralten Fabel. Auch der Nährstand wurde enger, freudenleerer, bedürftiger, befangener in dem Herkommen; nirgend leisteten Feld-, Haus- und Werkarbeit, die Notdurft des Menschen, wie's ihre Bestimmung, mit geringerer Not zu bestreiten. Die Scheidung zwischen Freude und Bedürfnis war einmal gemacht. Es ist das Eigentümliche des Bösen wie der Krankheit: wo es erscheint, da erscheint es ganz, in ganzer Tätigkeit. Das Gute hingegen und die Gesundheit, wie Sterne dunkeler Nacht, wird selten sichtbar; dafür leuchtet sie ewig, während der fliegende feurige Drache in Funken zerstiebt. Die Bauern mochten klagen, daß ihnen alle Freude milder Gabe genommen, die singenden frommen Bettler wurden wie Missetäter eingefangen und gefangengesetzt; verkappt, still und heimlich mußte nun Armut umherschleichen. Wenigstens hätte das doch eine aufrichtige öffentliche Untersuchung erfordert, ob wir auf der Bildungsstufe uns befinden, wo sein eigner Herr nicht sein kann, der sich nicht selbst ernähren kann. Vielleicht würde sich finden, daß keiner mehr sein eigner Herr, daß alle bereits eingefangen sind in einem großen Arbeitshause. Wozu also das Arbeitshaus im Arbeitshause? – Ich greife unter dem vielen nur heraus, was mir am nächsten. – Wo es Volkfeste gab, da suchte man sie zu entweihen durch Abnehmung alles lebendigen Schmuckes oder durch ungeschicktes Umfassen, wobei sie ihn zerbrachen, oder bis sie gefährlich schienen in übler Nachrede. Schauspiel, Gaukelspiel und Musik, wie die Stadt sie zur Versöhnung für ihre Einkerkerung braucht, und das Land, wie es sich daran freut in dreitägiger Hochzeit, in taggleichen, nachtgleichen Kirmes – alles dies wurde Eigentum einzelner, um es besteuern zu können, und durch den einen Schritt einem strengen, äußern Drange, einer fremden Bestimmung, einem Stolze unterworfen, als wäre solche Lust etwas für sich, ohne die, welche sie hören, als wären sie Meistergilden wie jene Alten.[1] Neue Feste konnten unter den Umständen sowenig als neue Sprüchwörter allgemein werden; die Roheit äußerte ihr überflüssiges Leben in privilegierter Unzucht. Freude und Geist blieben in einzelnen Kreisen verschlossen, ein Spott gegen die andern und selbst verspottet; die bestehenden öffentlichen Vergnügen, Maskenbälle, Vogelschießen, Einzüge, wurden meistens anteillosere Formen, wie alte heilige Christbäume armer Familien immer wieder beleuchtet, immer dürrer in Blättern. Die Volkslehrer, statt in der Religion zu erheben, was Lust des Lebens war und werden konnte, erhoben schon früh gegen Tanz und Sang ihre Stimme: wo sie durchdrangen, zur Verödung des Lebens und zu dessen heimlicher Versündigung, wo sie überschrieen, zum Schimpf der Religion. Der Nährstand, der einzig lebende, wollte tätige Hände, wollte Fabriken, wollte Menschen, die Fabrikate zu tragen; ihm waren die Feste zu lange Ausrufungszeichen und Ge-

[1] Sie tragen viele vortreffliche Instrumente bei sich, warum verachten sie Landesinstrumente wie den Dudelsack? Den Hochländern nahm man das Schwert, weil sie gewöhnlich das Gewehr wegwarfen und damit fochten; auf den Schiffen weiß man es jetzt wieder zu gebrauchen.

dankenstriche; ein Komma, meinte der, hätte es auch wohl getan. Noch mehr, seine Bedürftigkeit wurde den andern Ständen Gesetz (sie mußten alle zur Gesellschaft medizinieren). Weil der Nährstand eines festen Hauses bedarf, so wurde jeder als Taugenichts verbannt, der umherschwärmte in unbestimmtem Geschäfte, als wenn dem Staate und der Welt nicht gerade diese schwärmenden Landsknechte und irrenden Ritter, diese ewige Völkerwanderung ohne Grenzverrückung, diese wandernde Universität und Kunstverbrüderung zu seinen besten, schwierigsten Untersuchungen allein taugten. Es ist genug träger Zug im Menschen gegen einen Punkt, aber selten ist die Tätigkeit, welche durch Einöden zieht und Samen wunderbarer Blumen ausstreut zu beiden Seiten des Weges, wo er hintrifft, allen gegeben wie der Tau, wie der Regenbogen. Doch wo er, vom Winde getragen, hinreicht, da endet die unmenschliche Einöde; es kommen gewiß, die sich unter den Blumen ansiedeln, um aus ihnen Lust und Leben zu saugen.

Warum zieht es uns in Büchern an, was wir von den ersten Entdeckungsreisen, von den Weltfahrten, von ziehenden Schauspielern, insonderheit was wir von dem wunderbaren Wandel des Zigeunerreichs lesen – im Kriege echte Soldaten, im Frieden zutrauliche Ärzte (dessen die gelernten sich jetzt fast alle entwöhnt)? Ich erinnere mich noch ihrer nächtlichen Feuer im Walde, wie sie mir aus der Hand wahrsagten; und sagten sie mir etwas Gutes, so sage ich wieder Gutes von ihnen. Wie die kleinen Zwerge, wovon die Sage redet [1], alles herbeischafften, was sich ihre stärkeren Feinde zu Festen wünschten, sich selbst mit Brotrinden des Mahles begnügend, aber einmal für wenige

[1] Otmars Volkssagen, Bremen 1800, S. 327. Eine Sammlung aus einem kleinen Flecken von Deutschland, die bis auf einzelne Zusätze und Wortüberfluß als Muster ähnlicher aufgestellt werden kann. Es ist wie eine neue Welt schöner Erfindung, aber von den meisten vergessen, weil es weder Veilchensirup noch Teufelskost,

Erbsen, die sie aus Not vom Felde nächtlich ablasen, jämmerlich geschlagen und aus dem Lande verjagt wurden, wie sie da nächtlich über die Brücke wegtrappelten, einer Schafherde zu vergleichen, wie jeder ein Münzchen niederlegen mußte und wie sie ein Faß damit füllten: so danken wir die mehrsten unsrer Arzeneien den Zigeunern [1], die wir verstoßen und verfolgt haben. Durch so viel Liebe konnten sie keine Heimat erwerben!

Auch die hellen Triangel der böhmischen Bergleute klingen den Kindern nicht mehr, am Leitbande darnach zu treten; die treuen heilgen Drei Könige begrüßen sie nicht mehr! – Aber was rede ich von Kindern, während die Politiker zehnmal in einer Viertelstunde zwischen Aufklärung und Verfinsterung die Welt wenden lassen, weil es in ihre Köpfe aus allen Ecken hineinbläst, den alten Staub zu heben und wegzutreiben; vielleicht ist in der Zeit anderes geschehen, was nicht bemerkt wurde, eben weil es geschah! – Das Wandern der Handwerker wird beschränkt, wenigstens verkümmert, der Kriegsdienst in fremdem Lande hört ganz auf, den Studenten sucht man ihre Weisheit allenthalben im Vaterlande auszumitteln und zwingt sie voraus, darin zu bleiben, während es gerade das höchste Verdienst freier Jahre, das Fremde in ganzer Kraft zu empfangen, das Einheimische damit auszugleichen. Dafür wird dem Landmann gelehrt, was er nicht braucht, Schreiben, Lesen, Rechnen, da er wenig Gutes mehr zu lesen, nichts aufzuschreiben, noch weniger zu berechnen hat. In der Stadt macht die körperliche Übung drückender geistiger Anstrengung Platz, um Kinder in die Plätze der Männer einzuschieben. Es mag verkehrt sein [2],

sondern weil es uns führt zu den Veilchen, auch wohl in die Behausung des Teufels.

[1] Ihr Lehrling war Paracelsus.

[2] Wenn ich es vekehrt nenne, wie die Alten in vielen Schulen betrieben, so ist es meine Erfahrung. An allen Orten des Altdeutschen war nichts, des Lateins zu viel, des Griechischen zu

wie zuweilen die Alten in den Schulen behandelt worden, aber Wahnsinn ist es, während die Gebildeten sich ihrer als Meister rühmen und Eltern aus Gewohnheit ihnen wohl wünschen, daß unwissende Vorsteher diese einzige uns übrige feste historische Wurzel ausreißen. Sind denn Kinder Kartenblätter, die törichte Spieler einander an den Kopf werfen? – Was erscheint, was wird, was geschieht? – Nichts? – Immer nur die Sucht der Bösen, die Welt sich und alles der Nichtswürdigkeit in der Welt gleichzumachen, alles aufzulösen, was enger als ein umzäuntes Feld an den Boden des Vaterlandes bindet. Der Gedanke, es ist derselbe Boden, auf dem wir in Lust gesprungen – wer so denkt, wird fest und herrlich sich und seinen Nachkommen bauen; wem aber die Baukunst fehlt, dem fehlt ein Vaterland. Wer nun fühlt, daß seinem bessern Leben ein Vaterland fehlt? Geh in die Komödie, sagt mancher, da ist poetischer Genuß, da singt's und klingt's! – Aber was ist das, poetischer Genuß? – Wo das Wesen dem Leben ausgegangen, da sendet es einen Schatten zu unsrer Furcht, daß wir uns selber nicht vergessen. So ist unser Schauspiel

wenig. Verkehrt nenne ich der Annäherung-Schulen nationale Geschichte, das Eigenste des Volks den Alten nachzubilden, da doch diese nur wegen dieser erschöpfenden Nationalität vortrefflich sind. Bis jetzt sind unsre Chroniken unsre einzigen Historiker, alle andern in konventioneller Ziererei und Ansicht versunken, und diese werden in Schulen ebenso wenig zugelassen als die nationalen epischen Gedichte; ja es möchte den meisten Schulmännern sehr wunderlich noch vorkommen, wenn ich ihnen die Volkslieder als lehrreicher zur Deklamation als alle Hallerschen Gedichte aufstellte. Aber wie die Jungen in unsrer Zeit ganz alt untereinander tun müssen, um in die Gesellschaft der Alten geführt zu werden und in aller Schlechtigkeit sich früh abzuglühen, so impft man ihnen einen ästhetischen Ausschlag früh ein, die natürliche Verehrung und das Gefühl dessen zu unterdrücken, was wir selbst nur im glücklichen Augenblicke hervorzubringen vermögen. So möchte freilich mancher dieser Knaben mit edler Herablassung dieser Lieder lächeln.

vom wahren Volksschauspiel ein fratzenhafter Schatten, und kein Volksschauspiel kann entstehen, weil es den Künsten kein Volk gibt; die äußere Not hat sie verbunden, nicht innere Lust, sonst wäre ein Volk, so weit man deutsch am Markte reden hört. Wisset, Künstler sind nur in der Welt, wenn sie ihr notwendig sind; ohne Volkstätigkeit ist kein Volkslied und selten eine Volkstätigkeit ohne dieses; es hat jede Kraft ihre Erscheinung, und was sich vorübergehend in der Handlung zeigt, das zeigt in der Kunst seine Dauer beim müßigen Augenblicke. Kritik ist dann ganz unmöglich. Es gibt nur Bessermachen und Anerkennen, nichts ganz Schlechtes. Unendlich viel läßt sich dann in der Kunst tun, wenig darüber sagen, denn sie spricht zu allen und in allen wieder; kein Vorwurf ist dann das Gemeine, sowenig es den Wäldern Vorwurf ist, daß sie alle grün; denn das Höchste, das Schaffende wird das Gemeinste, der Dichter ein Gemeingeist, ein spiritus familiaris in der Weltgemeine.

Daß aber Volkstätigkeit wirklich fehle, wer zweifelt? Es fehlt an Krieg, es fehlt an Frieden; eine unerschwingliche Last wälzt sich den Söhnen auf! – Daß ich klage, werden Sie sagen, was ich selbst als die höchste Lästerung des Jahrhunderts angeklagt; wer kann sich frei machen allein? Aber dreinwettern möchte ich können mit Fluch und Blitz. »Blau Feuer!« sagte der wackere Schärtlin, »alle Kopisterei und Kortisanei zerrissen – wir würden alle reich!« Seit ich denken kann, merke ich einen immer langsamern Gang menschlicher Tätigkeit; wie die Stunden der Ruhe und Nahrung einander verdrängen und beeinträchtigen, so haben alle Leidenschaften und Liebhabereien ihre kürzere Periode, geringeren Grad; die meisten springen von ihrem Geschäfte ab wie dürres Holz vom Herd; ja, viele dringen nie bis zu der Einigkeit der Welt mit sich vor, wo eines sie erfüllen und befriedigen kann; das sind die sehnenden, wähnenden Embryonen von Menschen; wenigen ist

Jugend, wenigen Alter. Wie die Balken unsrer Decken heutigestags von einem sonst unbekannten Schwamme verschwächt werden, so werden die Menschen um uns plötzlich hohl und leer, da sie noch kaum angefangen, zu tragen und zu stützen, zu leisten und zu streben. Wo seid ihr versunken? Ihr liegt verloren im Allgemeinen, im Weltmeere mit tausend Schätzen. Den Störchen möchte ich zuwinken: Bleibt weg! Holt keinen aus dem großen Wasser auf die Welt! Er sehnt und treibt sich doch wieder hinein, wie es auch ebbend vor seinem Fuße fliehen mag. Aber es gibt nur einen Teufel und viel Engel; ist wohl noch Rettung, ist die Wahl nur eure Qual? – Ob sich etwa die Welt ausruht zum Außerordentlichen? Das Spekulieren, was so ernsthaft genommen wird, macht es wahrscheinlich; denn dies ist der Traum der Tätigkeit; nur der Morgenträume sind wir uns bewußt. Wenn ich abends im Wintersturm beim Schauspielhause[1] vorüberziehe, wo Licht und Leben erloschen, denke ich wohl, die stille Uhr über den langwierigen Stunden wird einmal anschlagen, der hohe Deckel sich eröffnen vom Sarge, die Larve wird durchbrochen von einem bunten Chor, die neue Bande aufsteigen, ausfliegen durch das Land, fliegen auf allen Tönen, alle erwecken, die schon schlafen gegangen! Das Eis hält lange, ehe es bricht, und trägt viel; aber wer nur einmal über das glatte Eis durch alle wunderbare Bahnverschlingungen seiner Vorläufer fest dahingefahren, wo seine Augen den Schein der Sonne vor sich herspringen sahen: er ahnet das freudige Leben im freien Strom – zu schwimmen darin, zu segeln darauf, hindurchschreiten dem rauchenden Hirsche nach, dann ausruhen im Grünen, die Sterne darin zu sehen – kommen

[1] Dies bezieht sich auf den eigentümlichen sargartigen Bau des neuen Berliner Schauspielhauses; an andern Orten haben sie vielleicht die Form nicht, aber denselben toten Inhalt. Wie viele haben auch nicht die Uhr über der Szene, aber dieselbe Langeweile!

und untertauchen in ewiger Spiegelung. Ja, wer nur einmal im Tanze sich verloren und vergessen, wer einen Luftball ruhig wie die Sonne emporziehen sah, den letzten Gruß des Menschleins darin empfing, der, jemals vom jubelnden Taktschlage der Janitscharen hingerissen, einen Feind gegen sich, den mutigen Freund neben sich glaubte, der die Reiter auf Wolken gegen sich ansprengen sah, unwiderstehlich wie ein Trompetenstoß den mächtigen Strom hemmte oder etwa gar im Sonnenscheine einer Kriegsflotte Ankerlichten sah, wo wenige Augenblicke hinreichen voll Weben und Leben auf Masten und Stangen, diese goldenen Schlösser und Galerien, alle wie Flossen eines Fisches ruhig in das luftbegrenzte Meer hinschwinden zu sehen, alles Dinge, die uns umgeben, uns begegnen: der muß an eine höhere Darstellung des Lebens, an eine höhere Kunst glauben, als die uns umgibt und begegnet – an einen Sonntag nach sieben Werktagen[1], den jeder fühlt, der jedem frommt. Und wären sie tausendmal nicht gehört, es dürfen nur einmal, wenn dieser Tag gekommen und diese Morgenstunde, alle Türmer herunterposaunen zu dem Liede der Schüler, zu den Glocken: wie sanft wir auch ruhen, wir werden doch lieber erwachen. Da wird alles aufspringen, da wird die Last sich heben wie die Anker bei dem einfachen Liede der Matrosen, wenn sie nur alle zusammen singen. Was ich hoffe, ist kein leerer Traum; die Geschichte hat es so oft bewährt, wie das reine Streben der Menschen in gewissen Perioden siegend und singend hervortritt, wie Kunstwerke gefunden, erfunden und höher verstanden werden! Wer kann sich enthalten zu glauben, wenn er in eine heiße Glashütte tritt, wo einige rote Netze um ihn ziehen, andere mächtig das Glas für ihn aufblasen, was da aus dem roten Feuer durchsichtig werde, sei ein Jubelbecher, ihn im heißen Netze zu kühlen; und ist es nun

[1] Der gewöhnliche Sonntag wird jetzt auch in die Arbeit hineingerissen; darum sieben Werktage! Der Kalender ist wirklich nicht in Frankreich allein geändert.

gekühlt, so ist es ein elendes, gebrechliches, zitterndes Singglas, kein Glas, wobei er singen kann. Es sind der Singgläser doch endlich genug gemacht; wir werden endlich alle zusammenschlagen zum Pokal! Bricht aus den Springkugeln dazu die Spitze, daß sie zu Staub zerfallen, in dem die große Zahl der Dichter, Schauspieler und Sänger lange schon scheinlebend umherverkauft wurde? – Hört nur, wie die Zugvögel schön singen dem neuen Frühling; da ziehen schon die wackern Handwerksgenossen mit Bündel und Felleisen in langen Reihen über den Weg; wie sie zusprechen bei ihrem Zeichen, wie die Fensterscheiben und das goldene Schild vom echten Grundbaß erzittern: wo sie singen, ist keine Halbstimmigkeit, wo Deutsche gebraucht werden, von London bis Moskau und Rom, kein halbsinniges Lied.

Frisch auf, ihr Bursche! wandert mit,
Holt Bündel und Felleisen!
Doch eh wir mit dem letzten Schritt
Der Stadt den Rücken weisen,
Schenk, Mädchen, uns noch Kuß und Wein,
Drauf mit der Sonn zu reisen! (Liebesrose, Lied 18)

Es ist mir wohl begegnet im Herbste, wenn schon alles fast still und abgefallen, einen dichten krausen Baum mit sich umrungenen Ästen, von Staren wie durchdrungen, klingen und gleichsam auffliegen zu sehen; so sangen mir deutsche Handwerker lüftend ins Herz bei dumpfer Nachtluft holländischer Kanäle; ein kleines Segel flatterte von ihrem Gesange, an bunten Bändern schien das Schiff schneller fortgezogen. Wer hat so etwas nicht öfter erlebt, und sei es auch nur im Traume? So hörte ich auch über die Londonbrücke hannöversche Flüchtlinge »Ein freies Leben...« hinsingen, als ich mit Sehnsucht nach meinem Vaterlande den Wasserspiegel herabsah; da schien mir auch jener Boden befreundet mit seiner zornigen roten Abendsonne. – Noch nicht ganz erdrückt von der ernsthaften Dummheit, die ihr aufgebürdet, lebt euch das fröhliche, gesangreiche Symbol des werktätigen Lebens, die Freimaurerei. Noch stehen mitten inne als Künstler und Erfinder der neuen Welt die herrlichen Studenten; sie heften die höchsten Blüten ihrer frischen Jahre sich an den bezeichnenden Hut und lassen die farbigen Blätter hinwehen weit über Berg und Tal und in die Wasser. – Auch die Bänke der rauchenden Wachtstuben werden nicht immer von den Musen gemieden, und wenn sie auch zuweilen nicht hineinkönnen, so sehen sie doch nach ihrem Lieblingssitz durch die Fenster: wenn die überwachte Schildwache nachts ein schauerliches Anschlagen der Gewehre hört, sie spielen mit den blanken, schnellfertigen, lebendigen Gewehren. Es wird eine Zeit kommen, wo die drückende, langweilige Waffenübung allen die höchste Lust und Ehre, das erste der öffentlichen Spiele, höchste Kraft und Zierlichkeit zu einem Tanze verbunden ausdrücket. Für jede Tätigkeit gibt es einen Preis; wer diesen kennt, hat jene. Wer hat es erlebt, was den Schwindelnden auf glattem Stege hält? – Unter ihm brauset der Strom, Felsen und Bäume drehen sich über ihm – ein mächtiger Marsch hält ihn, fällt er ihm zur rechten Zeit ein, und aller Schwindel verschwindet wie die Tritte hinter seinem Rücken. So begreift man Taillefers Gesang, der in jener berühmten Schlacht bei Hastings England für Wilhelm eroberte, indem er die unerschütterliche Ordnung der Sachsen durchschrie. So mag auch wohl die Macht der runischen Verse gewesen sein. Wir begreifen nun leicht, wie unsere gebildeteren Zeiten bei der Vernachlässigung des ärmeren Lebens (denn das sind die unteren Klassen jetzt) so viele leere Kriegslieder entstehen sahen, während jeder der früheren deutschen Kriege in dem gemeinsamen Mitwirken aller zu großer Tat herrliche Gesänge hervorrief. Wer hat es je vor- oder nachgedichtet, was Zincgref[1] aus aller

[1] Phil. von Sittewald, Strafschriften, II. Band., S. 573.

braven Landsknechte Mund im öden Dreißigjährigen Kriege lehrend uns zu Gemüte führt:

Drum gehe tapfer an, mein Sohn, mein Kriegsgenosse!
Schlag ritterlich darein, dein Leben unverdrossen
Fürs Vaterland aufsetz, von dem du frei es auch
Zuvor empfangen hast; das ist der Deutschen Brauch.
Dein Herz und Auge laß mit Eifers Flamme brennen,
Kein menschliche Gewalt wird dich vom andern trennen.
Es weht von deinem Haupt die Fahne bald hinweg
Der Jugend Übermut, der Unordnung erweckt.

Kannst du nicht fechten mehr, du kannst mit deiner Stimme,
Kannst du nicht rufen mehr, mit deiner Augen Grimme
Den Feinden Abbruch tun in deinem Heldenmut,
Nur wünschend, daß du teu'r verkaufen mögst dein Blut.[1]
Im Feuer sei bedacht, wie du das Lob erwerbest,
Daß du in männlicher Postur und Stellung sterbest,
An deinem Ort bestehst fest mit den Füßen dein,
Und beiß die Zähn zusamm und beide Lefzen ein!

Daß deine Wunden sich lobwürdig all befinden
Da vorne auf der Brust und keine nicht dahinten,
Daß dich dein Feind, der Tod, im Tod bewundernd zier,
Dein Vater im Gesicht dein ernstes Leben spür.
Mein Sohn, wer Tyrannei geübriget will leben,
Muß seines Lebens sich freiwillig vor begeben;
Wer nur des Tods begehrt, wer nur frisch geht dahin,
Der hat den Sieg und dann das Leben zu Gewinn.

[1] Bei dem teuren Blutverkaufen der alten Landsknechte ist die Vergleichung mit den heutigen von Land zu Land sich stehlenden und angeworbenen Soldaten sehr traurig; jene kannten ganz den Wert ihres Lebens, ließen es sich wohl bezahlen, dienten ihre Zeit mit Ehre, dem Tode mit Bewußtsein – diese stürzen sich für einen frischen Trunk in einen frischen Rock und sehen beim Eintritt in das Tor, wie sie hinauslaufen können, wenn der Krieg sie überrascht, als welchen sie gar nicht ansehen mögen.

Ja, wir fühlen es, wie die Sprache unter dem gewaltigen Triebe in solchen Punkten sich weitet; wir sehen dagegen die ruhige, sinkende Erde asiatischer Steppen in der stillen Versteinerung (Steinfermentation) allmählich allem lebenden Eindrucke sich verschließen; jene Freiheit alter Sprache, die Starrheit der heutigen – sie sagen mehr, als ich sagen mag. Doch dieses wie so manches andere wunderbare Lied ist aus den Ohren des Volkes verklungen, den Gelehrten allein überblieben, die es nicht verstehen; alle Volksbücher sind so fortdauernd bloß von unwissenden Spekulanten besorgt, von Regierungen willkürlich leichtsinnig[1] beschränkt und verboten, daß es fast nur ein Zufall oder ein hohes Schicksal, wie uns so manches Wunderschöne in diesen Tagen angemahnt hat, zu fühlen und zu wissen, zu ahnen, zu träumen, was Volkslied ist und wieder werden kann, das Höchste und das einzige zugleich durch Stadt und Land.[2] Aber in den Gelehrten, wie sie vom Volke vergessen, liegt gegenseitig der Verfall des Volks, das tiefere Sinken der Gemüter, die Unfähigkeit, mit eigenwilliger froher Ergebenheit zu dienen und mit un-

[1] Es wäre mir leicht, einige zu nennen, bei denen recht gute kräftige alte Bücher verboten, die seichtesten dafür eingeführt, doch hilft das nichts; vielleicht hilft ihnen diese Betrachtung, um schlechte moralische Komödien-Lieder und Schriften dem Volke nicht weiter aufzudringen, daß keiner über das Heiligste schlecht schreiben kann, der nicht selbst schlecht ist; sie werden dann auch den Widerstand des Volks gegen neue Gesangbücher verstehen lernen.
[2] Warum Tieck vor allen früheren Bearbeitern und Herausgebern ein unsterbliches Verdienst zukommt, das wird jedem mitfühlenden Leser seine herrliche Einleitung zu den *Lalenbürgern* bewähren; nicht Neugierde, sondern reiner Sinn für ihren Wert bestimmte ihn, er hielt das Große vom Gemeinen frei. Ich würde der beiden Jahrgänge des von Nicolai besorgten *Feinen Almanachs* mit Lob erwähnen, wenn nicht durch die angehefteten schlechten Späße, wunderliche Schreibart und Ironie gegen Herder die Wirkung dieser schätzbaren Sammlung aufgehoben worden.

besorgtem allgemeinen Willen zu befehlen, ja bis zur Unfähigkeit des Vergnügens – was die tiefste Entartung andeutet, die fast aufgegebene Freiheit des Lebens. – Die Gelehrten indessen versaßen sich über einer eigenen vornehmen Sprache, die auf lange Zeit alles Hohe und Herrliche vom Volke trennte, die sie endlich doch entweder wieder vernichten oder allgemein machen müssen, wenn sie einsehen, daß ihr Treiben, die Sprache als etwas Bestehendes für sich auszubilden, aller echten Bildung entgegen ist, da sie doch notwendig ewig flüssig sein muß, dem Gedanken sich zu fügen, der sich in ihr offenbart und ausgießt; denn so und nur so allein wird ihr täglich angeboren, ganz ohne künstliche Beihülfe.. Nur wegen dieser Sprachtrennung, in dieser Nichtachtung des besseren poetischen Teiles vom Volke mangelt dem neueren Deutschlande großenteils Volkspoesie; nur wo es ungelehrter wird der allgemeinen Bildung durch Bücher, wenigstens überwiegender in besondrer Bildung, da entsteht manches Volkslied, das ungedruckt und ungeschrieben zu uns durch die Lüfte dringt wie eine weiße Krähe; wer auch gefesselt vom Geschäfte, dem läßt sie doch den Ring niederfallen des ersten Bundes. Mit wehmütiger Freude überkömmt uns das alte reine Gefühl des Lebens, von dem wir nicht wissen, wo es gelebt, wie es gelebt, was wir der Kindheit gern zuschreiben möchten, was aber früher als Kindheit zu sein scheint und alles, was an uns ist, bindet und löst zu einer Einheit der Freude. Es ist, als hätten wir lange nach der Musik etwas gesucht und fänden endlich die Musik, die uns suchte! –

Es wird uns, die wir vielleicht eine Volkspoesie erhalten, in dem Durchdringen unserer Tage –, es wird uns anstimmend sein, ihre noch übrigen lebenden Töne aufzusuchen; sie kömmt immer nur auf dieser einen ewigen Himmelsleiter herunter; die Zeiten sind darin feste Sprossen, auf denen Regenbogenengel niedersteigen; sie grüßen versöhnend alle Gegensätzler unserer Tage und heilen den großen Riß der Welt, aus dem die Hölle uns angähnt, mit ihrem Zeigefinger zusammen. Wo Engel und Engel sich begegnen, da ist Begeisterung [1]; die weiß von keinem Streit zwischen Christlichem und Heidnischem, zwischen Hellenischem und Romantischem; sie kann vieles begreifen, und was sie begreift, ganz und rein. Ein Streit des Glaubens wird ihr Wahnsinn, weil da der Streit aufhört, wo der Glaube anfängt; noch wahner der Streit über Kunst [2], welche nur ein Ausdruck des ewigen Daseins. Wo Kugel auf Kugel trifft, da sinken beide einträchtig zusammen wie die Hexameter zweier Homeriden. – Wen die Musik nur einmal wirklich berührt, den drängt und treibt sie, etwas aufzusuchen, was nicht Musik [3], worin sie ihre vorübereilende Macht binden kann. Im Altertume scheint die

[1] Sie weiß nichts davon, daß die Alten das Schöne gesucht und die Neuen das unterlassen. Ob es wohl einer kann lassen, das Schöne nicht zu finden, oder es kann finden, wenn er es sucht! Alles, was mit Lust im Gemüte sich auftut und findet, ist schön, sei es Himmel oder Hölle; nur das Zufällige ist häßlich: aus kindischen Strichen wird nie ein Apollokopf, und ein Maler, der aus willkürlichen Punkten Gruppen zeichnet, macht höchstens eine Klingenprobe seines Genies, so der Dichter aus Endreimen. Der Maler benutzt, was ihm die Erfahrungen über die Farben geben, der Farbe in seinem verschlossenen Auge sich zu nähern, der Dichter, was ihm die Sprache gibt, schaffend im widerstrebenden Stoff; der Reimer legt witzig zusammen, was lange schon vorhanden, er leimt eine Blume aus verschiedenen Blättern zusammen, die Fugen nennt er Originalität; die Leute verwundern sich erst darüber, dann sehen sie, daß alles daran welkt.

[2] Assonanz und andere Äußerungen der Spracheinigung sind den Gebildeten bis auf unsre Zeit fremd gewesen, von den simpeln Rezensenten verspottet, von ihren Freunden geheimnisvoll angepriesen; das Volkslied hat sie ohne Anmaßung, erkennt sie ohne Zwang und zeigt sogar ihren bessern Gebrauch in Werken, die nicht für die Assonanz gewirkt sind, sondern nur in der Assonanz werden konnten.

[3] Sie hat in der Erfindung der Harmonie ein eignes festes Haus sich erbaut, nicht in der Harmonie, wie sie in Büchern steht,

Musik der Plastik näher verbunden; vor den Götterbildern tönend zu erscheinen war ein Fest, die Memnonsäule ist uns ein Symbol dafür; vielleicht war Musik ebenso in der Zeit der Malerei dieser sehr nahe; allgemeiner ist Musik und ursprünglicher (bei uns besonders an den Ufern der Donau) dem Tanze (am Rheine), dem Worte verbunden.[1] Der deutsche Tanz, das einfache Zeichen der Annäherung, Verbindung und Aneignung, wächst an den Ufern der Donau bis zur reichsten inneren Bedeutsamkeit im oberösterreichischen Ländrischen; die Musik wächst und wetteifert mit ihm in hoher Erfindsamkeit, und der Sinn beschränkt sich immer fester auf die gemeinschaftliche, eigne Bildung des Volks.[2] Es ist nicht jene wohlige, frohmütige Zärtlichkeit durch Schwaben und Österreich, die uns in den unzerrissenen Gegenden des Rheins ergreift; es ist öfter ein Spott der Liebe in der Liebe, ein Übermut, der

sondern wie sie im Kopfe guter Instrumental-Komponisten oder solcher Tonkünstler klingt, welche die Stimme als Instrument gebraucht haben, in Kirchenmusiken. Daraus folgt aber nicht die Notwendigkeit dieser Harmonie, wo die Musik wieder im Worte gebunden erscheint.

[1] Aus einem sehr erklärlichen Mißverständnisse bei denen, die, einer der Künste nur mächtig, sich gern genügen wollten, entstand musikalische Poesie und poetische Musik; wenn aber etwas Poesie werden könnte, wäre es nicht Musik geworden und umgekehrt. Diese beiden edlen Sinne des Geistes befinden sich dabei wie in der Fabel Storch und Fuchs bei gleicher Schüssel oder wie ein Mensch, der seine Rührung beim Schmettern der Nachtigall durch Nachbildung ihres Tons darzustellen suchte.

[2] Wie nur sehr große Künstler andre fremde Meisterwerke lieben können, so hat auch der Haufe dort eine Abneigung gegen fremdartige Musik. So lieb es mir wäre, wenn der gute Geist der Zeit am Wiedermusizieren der Volkslieder sich rechtschaffen übte, so traurig ist mir, daß ich viele der besten Volksmelodien aus Unkenntnis nicht mitteilen kann, weil doch vielleicht nur eine große innere Melodie für jedes vorhanden; ob die früher oder später einem Menschen ins Ohr fällt, das kann keiner sagen, aufhorchen kann jeder.

sich verzagt stellt, ein Kind, das sich vor unsern Augen hinter einen Strauch stellt, herausrufend: »Wo bin ich?« So ist die Melodie und auch ihr Wort, wo sie zu Worten kommt, in der Liebe (die sich selbander Einsamkeit ist), beim Weine, beim Jagdtreiben, auf Wallfahrten, oder wo das Alter die Sehnen der Füße abspannt:

Es ist nit lang, daß es g'regnet hat,
Die Bäume tröpfle noch;
Ich hab einmal ein Schätzle g'habt,
Ich wollt, ich hätt es noch.

Dagegen singen wohl die Jungen:

In dem Wasser schmalzt der Fisch;
Lustig, wer noch ledig ist!

Was von den Sizilianern erzählt wird, die spielende Freudigkeit, in der alles zum Liede wird und ohne die nichts ein Lied, die findet sich fast dort allein, wo ein Blatt mit Reimen, die sie an Bildern oder in Jagdbüchern absuchen [1], jung und alt erfreut. Als zwei eigentümliche Widerklänge dieses Sinnes, welche, statt zu wiederholen, die Worte umkehren, sind die tiefgefühlten Berglieder der Bayrischen und Tiroler Alpen zu hören, so auch die rein witzigen Lieder, wie sie zur Zeit des Faschings in den Tanzkellern der Wiener Vorstädte umgehen, die kommen und gehen wie die Wünsche, wie die Sorgen der Zeit, ohne der Ewigkeit eingedrückt zu werden.[2]

[1] Ein trefflicher Aufsatz über Arbeits-, Handwerks-, Kinderlieder und Tanzlieder, der besonders den Unterschied zwischen dem deutschen Tanze und dem Reihentanze sowie die eigene Natur des Schleifers mit Enthusiasmus entwickelt (im Bragur III, S. 207–284), ist leider nicht vollendet; viele der dort erwähnten Lieder wünsche ich gern ganz mitteilen zu können.

[2] 1. Aus einem rätselhaften Quodlibet oder einer Gaskonade:
Potztausend, schaut, fort läuft die Katz,
Geh, Blasl, lauf, halt s' auf,
Ein jeder Mensch hat seinen Schatz,
In diesem Lebenslauf.

Vom Tanze verlassen in der Sommereinsamkeit, zu einfach anderer Kunst, singt der Hirte an den Quellen des Rheins dem ewigen Schnee zu:

Ist noch ein Mensch auf Erden,
So möcht ich bei ihm sein.

So klingen die Quellen des Rheins hinunter, dann immer neuen Quellen und Tönen verbunden, vom lustigen Neckar angerauscht, ein mächtiger Strom, der von Mainz mit dem weinfröhlichen, singenden Main verbunden, nur geschieden von ihm durch Farbe, doppelstimmig die vergangene Zeit in heutiger Frische umschlingt, eine sinnreiche Erinnerung für uns. Staunend saß ich da unter den lustigen Zechern im vollen Marktschiffe, sah drei wunderlichen Musikern

Als d'Jungfer noch ein Jungfer war,
Hat s' keine mehr sein mögen,
Ich wußt es alles auf ein Haar,
Ihr Pelz der hing voll Regen.

2. Aus einer Beschreibung der Neuigkeiten im Prater:

Auch ist eine Hütte, wie ihr wohl wißt,
Da läßt man sich wägen, wie schwer als man ist,
Ich ging auch einmal hin,
Z'wissen, wie schwer ich bin,
Der Kerl war ein Flegel, er sprach: Hörts der Herr,
Sie sind g'wiß ein Schneider und sind gar nicht schwer.
Wer damit nicht zufrieden, noch mehr sehen will,
Geh gerade von da aus zum Ringlspiel,
Da drehen sich zwei und zwei
Rund herum in der Reih,
Oft schreien die Mädeln: Nicht gar so geschwind,
Es ist nicht wegen meiner, es ist wegens Kind.

Das Verhältnis dieser Lieder zu den Nationalopern der dortigen Vorstädte wird schon aus diesen Proben fühlbar, die meisten dieser Singspiele sind der Anlage nach schön, ungeschickt und leer in der Sprache, gewöhnlich aber nur durch Fortsetzungen unangenehm.

mit immer neuem Liede zu – jeder ihrer Züge eine alte, ausgespielte Saite, jeder ihrer Töne ein ausgebissen Trinkglas; ewig hin und zurück geht das Schiff, ihre Wiege, ihr Thron; sie sind's, die diese arme, wüste Marktwelt (wie Kraut und Rüben untereinandergeworfen) zu einem wechselnden, lauten und stillen Gedankenchore verbinden, daß neben ihnen die ruhigen reichern Dörfer wie unerreichbare Sterne und Monde ohne Sehnsucht, ohne Preis vorüberschwimmen. Das Wunderbare hat immer einen fremden Übergang; der Zauberstab unterscheidet sich erst von einem gewöhnlichen Stabe nur durch die Farbe. So mag auch diese Kunst uns nur vorbereiten auf jene höhere am Rheine, der, endlich ermüdet vom wechselnden Reiz, wie das Gold im Sande sich verliert. Hier zwischen den Bergen beim Ostein leben noch alle die hochherzigen Romanzen, die Herder und Elwert gesammelt[1], viel schönere noch, die eben nur selten gehört werden, weil sie nur selten wahrhaft sich fügen; sie sind in dem Munde der meisten Schiffer und Weinbauern gleich der pastorella gentil, der zingarella und ähnlichen in Italien. Wie die Jacht mit den Reisenden durch das Wasser schäumt, in jeder Ufer-

[1] Ungedruckte Reste alten Gesanges von Elwert, Marburg 1784. Wo er dieselben Lieder als Herder mitteilt, sind sie besser; Herder konnte sich der Kritik nicht entladen. Elwert sagt sehr klar: »Der Mensch nur, der im wehenden Abendwind den Schlafgesang der Vögel belauscht, nur der konnte in voller Wehmut zum Liebchen seufzen: ›Wenn ich ein Vöglein wär und nur zwei Flügel hätte, flög ich zu dir‹. Aber es kamen andre Zeiten, und die Volkslieder erstarben in meinem Kopfe unter dem Wuste von wissenschaftlichem Unkraute. Alle Blumen in euren Gärten sind Kinder des Feldes und des Waldes. Sie hatten sanfte Farben von der Natur, aber sie luxurierten zuletzt und wurden oft grell durch überflüssigen Saft. Tausend solcher Sträucher blühen im hohen Grase; unsre Gelehrten stolpern vorbei, indem sie die hohen Felsen messen, Türme, Städte und all die großen Wunder der Natur anstaunen.«

krümmung von den Trümmern der Vorzeit einen Widerhall aufruft, so wechseln die Lieder, und wo sie aufsteigen:

Der Kuckuck mit seinem Schreien
Macht fröhlich jedermann;
Des Abends fröhlich reihen
Die Maidlein wohlgetan,
Spazieren zu den Brunnen,
Bekränzen sie zur Zeit;
All Volk sucht Freud und Blumen
Mit Reisen fern und weit.

»Kennst du das Land, wo die Zitronen blühen?« Italien ist entdeckt, wo der Wein reift an allen Orten. Und als ich im Mittelländischen Meere schiffte, der Schiffer sein Lied sang auf alles, was uns traf, Windstille und Seekrankheit, bis ihm der Sturm das Lied von der Lippe blies, da floß der Rhein. Ganz besonders ist es aber der Rhein, wenn sich die Winzer zur schönsten aller Ernten im alten Zauberschlosse der Gisela nachts versammeln; da flammt der Herd, die Gesänge schallen, der Boden bebt vom Tanz:

Da droben am Hügel,
Wo die Nachtigall singt,
Da tanzt der Einsiedel,
Daß die Kutt in die Höh springt.

Viele der Singweisen deuten auf einen untergegangenen Tanz, wie die Trümmer des Schlosses auf eine Zauberformel deuten, die einmal hervortreten wird, wenn sie getroffen und gelöst. Durch die lustige Schar der Winzer zieht dann wohl ein Frankfurter mit der Gitarre; sie sammeln sich um ihn, sie staunen dem König von Thule, der Becher stürzt in den Rhein; der Ernst ihres Lebens wird ihnen klar, wie wir klar sehen in wunderbaren Gedanken durch dunkle Nacht. – Wo Deutschland sich wiedergebiert, wer kann es sagen? Wer es in sich trägt, der fühlt es mächtig sich regen. – Als wenn ein schweres Fieber sich löst in Durst, und wir träumen, das langgewachsene Haar in die

Erde zu pflanzen, und es schlägt grün aus und bildet über uns ein Laubdach voll Blumen, die schönen weichen den späten schöneren, so scheint in diesen Liedern die Gesundheit künftiger Zeit uns zu begrüßen. Es gibt oft Bilder, die mehr sind als Bilder, die auf uns zuwandeln, mit uns reden: wäre so doch dieses! Doch bewährt die tiefe Kunstverehrung unserer Zeit, dieses Suchen nach etwas Ewigem, was wir selbst erst hervorbringen sollten, die Zukunft einer Religion, die dann erst vorhanden, wenn alle darin als Stufen eines erhabenen Gemüts begriffen, über das sie selbst begeistert ausfloriert. In diesem Gefühle einer lebenden Kunst in uns wird gesund, was sonst krank wäre, diese Unbefriedigung an dem, was wir haben, jenes Klagen der Zeit. Wir denken umher und werden aufmerksam, wie so vieles uns nimmer abgestoßen, wenn wir es nicht verkehrt angezogen hätten, wie der größere Teil der Welt, eine fremde Atmosphäre, durch unsere Luft hätte hindurchgehen können, für uns unschwer, für uns unwarm, keine Macht über uns habend als unsre Furcht davor. Große Kunst des Vergessens, in dir scheidet sich alle fremde Pestilenz von unsrer Heimat; fort mit dem Fremden im Fremden – die Welt klimatisiert sich uns; fort mit dem Fremden im Einheimischen! Nur darum ist Italien uns Italien, weil es kräftig genug war, lange das Fremde zu übersehen; von seinen Schauspielen her klingen noch die Lieder allen durch die Gassen, und die Handwerker, die vor den Türen arbeiten, lernen sie den Vorübergehenden ab. Eitelkeit kennen sie dabei nicht, denn sie kennen die Freude darin. Da mag die Musik wohl den giftigen Biß der Tarantel heilen. – Darum kann ich auch den Engländern nicht zürnen, die über eine Ministerveränderung kaum aufmerken, während ein italienisches Musikwunder im höchsten Glanze vor ihnen erscheint; sie müßten ihr Höchstes opfern, wenn sie diese Göttergunst erhalten wollten. Hören sie doch mit herzlicher Teilnahme jedem rotbemäntelten Weibe an der Straßenecke zu, das von Maria von Schottland singt; jagen sie doch dem Jagdhorn eifrig nach und regen die Füße, wo die schottische Sackpfeife sich hören läßt! Nein, höhere Musik gibt es wohl nicht als die der Matrosen von Lord Nelsons Sieg, wie sie die Hüte schwenken und die Stimmen, daß die Wolken sich verziehen von ihrem Konzertsaale, wo Wogenrollen der Akkord und Grundbaß. Ich denke mir dabei die Worte des Kaisers[1]: »Heiliger Gott! Heiliger Gott! Was ist das? Der eine hat eine Hand, so hat der andre ein Bein; wenn sie dann erst zwo Händ hätten und zwei Bein, wie wollt ihr dann tun?«

Noch lehrreicher ist vielleicht die Zusammenstellung der wälischen Bardengeschichte mit den schottischen Sängern.[2] Jene lebten in einer festen Kunstverbindung, hatten vieljährigen Unterricht, Ehre, Fürstengunst; aber seit sie von der Religion geschieden, treten ihre Gesänge fast nur im äußersten Elende schön und rein hervor; das nur läutert sie zur Wahrheit. Dagegen entstanden bei ihnen sonst nur lächerliche Streitigkeiten für Harmonie gegen Melodie, Machtsprüche und alles das kritische Elend, was nachahmend auch bei uns über der Poesie[3] schwebt. Nur da

[1] Götz von Berlichingens ritterliche Taten, S. 117.

[2] Vgl. Relicks of the Welsh Bards by Ed. Jones.

[3] Zur Ehre der Deutschen kann man sagen, daß sie nicht Erfinder dieser Höllenkünste der Rezensierbuden und des kritischen Waschweibergeschwätzes sind, ungeachtet dergleichen Mode bei ihnen insonders gefaßt. Doch sind hiebei immer noch wie ein Wirtshaus erster Klasse von einem der vierten zu unterscheiden die ernsthaften Dikasterien, wo freilich auch oft die Akten über Stadtneuigkeiten vergessen werden, von den telegraphischen Bureaus aller literarischen Misere durch ganz Deutschland. Dem freien Sinne für Kunst und Wissenschaft sind auch diese letzteren an sich lieb als Wiedererscheinung einer gewissen Gelehrsamkeitseinbildung, die wohl jedem als Kind der Gelehrsamkeit vorausgeht, lieb auch ihre Streitigkeiten, weil sie sich notwendig als echte Söhne des Mars oder wie Spinnen untereinander töten, wenn sie sonst kein Futter finden; aber dieser freie Sinn ist selten, der größte Teil der Leser nimmt an Kunst

geachtet, wo sie recht und ganz gehört wurden, ohne Kunstregel und Schule blieben die schottischen Bänkelsänger dem Großen und der Erfindung treu, so konnte ihnen auch die Form nicht fehlen. Die Wälischen klagten immer, die Kunst sterbe aus; sie war aber schon in ihnen ausgestorben. die Schotten hatten viel Größeres zu klagen und zu freuen, denn die Kunst lebte ihnen. Bei jenem mußte ein Gesetz den Schülern verbieten, ihre Lehrer in der Begeisterung nicht zu rupfen und auszulachen, diese brauchten keinen solchen wunderlichen Anlauf zur Poesie: wer dichtete, dem war dies Natur und Leben, wobei er keine Gesichter schnitt. Die Lieder der Wälischen konnten durch einen tollen Eroberer fast vertilgt werden, diese schottischen leben sich noch aus dem Herzen des Volkes in den Mund unsterblich. – Wenn nun so einfache, leichte Kunst viel wirkt, wie kommt es, daß oft die schwere, gehäufte sogenannte Kunst nichts leistet? Wer nicht das Höchste will, kann auch das Kleinste nicht; wer nur für sich schafft in stolzer Gleichgültigkeit, ob es einer fasse und trage, wie soll er andre erfassen und ergreifen? Wer nur um jenes Völkchen buhlt, das immer läuft und klappert, sich immer was zu sagen hat und eigentlich nie etwas sagt, sie gleiten beide ab, nicht weil die Welt wirklich Eis, sondern weil sie die beiden Eispole aufsuchen. – Auch müssen wir oft denken, es ist unendlich leicht, recht künstlich zu scheinen, wenn man das Leichte schwer, das Schwere leicht

und Wissenschaften gar keinen Teil; ihn reizt nur das Handelnde, das Bewegliche in den Gelehrten; er kommt endlich zu der wohlgefälligen Meinung, daß die ganze Gelehrtenrepublik nichts als ein Ameisenhaufen sei, der alles belaufe, kneife und beschmutze, um einigen armseligen Weihrauch zusammenzubringen. Solchen Geschäftsmännern geht es wie den meisten Leuten, die sonst keine Bilder sehen können und mögen als auf einmal viele hundert in einer Stunde im Bildersaale – keine Neugierde, keine Empfänglichkeit hält dagegen aus; es dreht sich die Farbenscheibe, alles verliert sich in einen weißen Schein.

nimmt; doch was ist dieser Schein? Er wäre das Wesen, wenn es nicht erschiene.[1] Solch eine Spiegelung nach oben, nach unten, wie sie leer ist, so vorübergehend ist sie, und doch geht darin Morgenstrahl und Leben, Aufsicht und Hoffnung auf, ein ewiges geistiges Menschenopfer. Sehe jeder nur frei und ganz, wie er gestellt, und einer ist dem andern notwendig; keinem ist das astralische Verhältnis entzogen, jeder ist ein Künstler, der das mitteilen kann, was ihm eigentümlich im All, die andern zu erklären. Dem aber sind die Aspekten besonders günstig, den ein wichtiges allgemeines Wirken mühlos vorbereitet, der ohne Arbeit erntet und alle ernährt im gottähnlichen Leben. So wird es dem, der viel und innig das Volk berührt: ihm ist die Weisheit in der Bewährung von Jahrhunderten, ein offenes Buch in die Hand gegeben, daß er es allen verkünde, Lieder, Sagen, Sprüche, Geschichten und Prophezeiungen, Melodien[2]; er ist ein Fruchtbaum, auf den eine milde

[1] Der Schein, was ist der, dem das Wesen fehlt?
Das Wesen, wär es, wenn es nicht erschiene?

Goethes *Eugenie.* Auch das ist wahr, jedes an seiner Stelle.

[2] Diese Sammlung sei dem Leser eine Probe von dem, was wir wünschen. Wer der Gelegenheit und Lust ermangelt, was er entdeckt, bekannt zu machen, dem erbieten wir uns, mein Freund Clemens Brentano in Heidelberg und ich in Berlin (abzugeben im Viereck Nr. 4), zur schnellen Herausgabe. Die zahlreichen Schweizerlieder (beim Staubbach wurden mir unzählige gesungen, aber ich konnte keines verstehen und herausbringen) verdienten ganz besonders eine treue Aufzeichnung von einem würdigen Gelehrten des Landes; es gibt große Heldengedichte noch unter dem Volke; so liest ein alter Mann in Meiringen ein sehr merkwürdiges Gedicht über die Entstehung des Völkchens den Reisenden vor. Sehr willkommen würden mir klargedachte Zeichnungen zu diesen Gedichten sein, die in ihrer gestaltreichen bestimmten Darstellung dem Zeichner ein Schatz von Erfindung sein können, wenn er ihn besprechen und heben kann. Ihn aufmerksam auf solche einzelne Bilder zu machen, würde vielleicht das Vergnügen rauben und ihm nur die Arbeit lassen.

Gärtnerhand weiße und rote Rosen eingeimpft zur Bekränzung. Jeder kann da, was sonst nur wenigen aus eigner Kraft verliehen, mächtig in das Herz der Welt rufen; er sammelt sein zerstreutes Volk, wie es auch getrennt durch Sprache, Staatsvorurteile, Religionsirrtümer und müßige Neuigkeit, singend zu einer neuen Zeit unter seiner Fahne. Sei diese Fahne auch nicht gestickt mit Trophäen, vielleicht nur das zerrissene Segel der schiffenden Argonauten oder der versetzte Mantel eines armen Sängers[1]; wer sie trägt, der suche darin keine Auszeichnung, wer ihr folgt, der finde darin seine Schuldigkeit; denn wir suchen alle etwas Höheres, das Goldne Vlies, das allen gehört, was der Reichtum unsres ganzen Volkes, was seine eigene innere lebende Kunst gebildet, das Gewebe langer Zeit und mächtiger Kräfte, den Glauben und das Wissen des Volkes, was sie begleitet in Lust und Tod: Lieder, Sagen, Kunden, Sprüche, Geschichten, Prophezeiungen und Melodien. Wir wollen allen alles wiedergeben, was im vieljährigen Fortrollen seine Demantfestigkeit bewährt, nicht abgestumpft, nur farbespielend geglättet, alle Fugen und Ausschnitte hat zu dem allgemeinen Denkmale des größten neueren Volkes, der Deutschen: das Grabmal der Vorzeit, das frohe Mal der Gegenwart, der Zukunft ein Merkmal in der Rennbahn des Lebens. Wir wollen wenigstens die Grundstücke legen, andeuten, was über unsre Kräfte, im feinen Vertrauen, daß die nicht fehlen werden, welche den Bau zum Höchsten fortführen, und der, welcher die Spitze aufsetzt allem Unternehmen. Was da lebt und wird und worin das Leben haftet, das ist doch weder von heute noch von gestern; es war und wird sein; verlieren kann es sich nie, denn es ist; aber entfallen kann es für lange Zeit, oft wenn wir es brauchen, recht eifrig ihm nachsinnen und denken. Es gibt eine Zukunft und eine Vergangenheit des Geistes, wie es eine Gegenwart des Geistes gibt – und ohne jene, wer hat diese?

[1] Vgl. die Zueignung des Buches.

Ludwig Achim von Arnim · Clemens Brentano

DES KNABEN WUNDERHORN
WIDMUNG

Seiner Exzellenz des Herrn Geheimerat von Goethe

1805/06

»Auf dem Reichstage zu Augsburg geschah ein guter Schwank von Grünenwald, Singer an des Herzogs Wilhelmen zu München Hof. Er war ein guter Musikus und Zechbruder, nahm nicht für gut, was ihm an seines gnädigen Fürsten und Herren Tisch aufgetragen ward, sunder sucht sich anderswo gute Gesellschaft, so seines Gefallens und Kopfs wäre, mit ihm tapfer dämpften und zechten, kam so weit hinein, daß alle Geschenke in der Schenken für nasse War und gute Bißlein dahingingen; nach mußt die Maus bas getauft werden, er macht dem Wirt bei acht Gulden an die Wand. Als der Wirt erfuhr, daß der Herzog von München samt andern Fürstenherren aufbrechen wollte, so kam er zu dem guten Grünenwald, fodret seine angeschriebene Schuld. ›Lieber Wirt‹, sagt Grünenwald, ›ich bitt Euch von wegen guter und freundlicher Gesellschaft, so wir nun lang zusammen gehabt, lassen die Sach also auf diesmal beruhen, bis ich gen München komm, denn ich bin jetzt zumal nicht gefaßt, wir haben doch nicht so gar weit zusammen, ich kanns Euch alle Tag schicken, denn ich hab noch Kleinod und Geld zu München, das mir die Schuld für bezahlen möcht.‹ ›Das gunn dir Gott‹, sagt der Wirt, ›mir ist aber damit nicht geholfen, so wölln sich meine Gläubiger nicht bezahlen lassen mit Worten, nämlich die, von denen ich Brot, Wein, Fleisch, Salz, Schmalz und andere Speisen kaufe; komm ich auf den Fischmarkt, sehen die Fischer bald, ob ich um bar Geld oder auf Borg kaufen wöll: nimm ichs auf Borg, muß ichs doppelt bezahlen. Ihr Gesellen aber setzt euch zum Tisch, der Wirt kann euch nicht genug auftragen, wenn ihr gleichwohl nicht ein Pfenning in der Taschen habt. Drum merk mich eben, was ich auf diesmal gesinnet bin. Willt du mich zahlen mit Heil, wo nicht, will ich mich demnächst zu meins gnädigen Fürsten und Herrn von München Sekretarien verfügen, derselbig wird mir wohl Weg und Steg anzeigen, damit ich zahlt werd.‹

Dem guten Grünenwald war der Spieß an Bauch gesetzt, wußt nicht, wo aus oder wo an, dann der Wirt, so auch mit dem Teufel zur Schulen gangen, war ihm zu scharf. Er fing an, die allersüßesten und glattesten Worte zu geben, so er sein Tag je studieren und erdenken mocht, aber alles umsonst war. Der Wirt wollt aber keineswegs schweigen und sagt: ›Ich mach nicht viel Umständ, glattgeschliffen ist bald gewetzt, du hast Tag und Nacht wollen voll sein; den besten Wein, so ich in meinem Keller gehabt, hab ich dir müssen auftragen, drum such nur nicht viel Mäus; hast du nicht Geld, so gib mir deinen Mantel, dann so will ich dir wohl eine Zeitlang borgen. Wo du aber in bestimmter Zeit nicht kommst, werd ich deinen Mantel auf der Gant verkaufen lassen, dies ist der Bescheid miteinander.‹ ›Wohlan‹, sagte Grünenwald, ›ich will der Sache bald Rat finden.‹ Er saß nieder, nahm sein Schreibzeug, Papier, Feder und Tinten und dichtet nachfolgendes Liedlein:

Ich stund auf an ei'm Morgen
Und wollt gen München gehn
Und war in großen Sorgen,
Ach Gott, wär ich davon,
Mein Wirt, dem war ich schuldig viel,

Ich wollt ihn gern bezahlen,
Doch auf ein ander Ziel.

Herr Gast, ich hab vernommen,
Du wöllest von hinnen schier,
Ich laß dich nicht wegkommen,
Die Zehrung zahl vor mir
Oder setz mir den Mantel ein,
Demnach will ich gern warten
Auf die Bezahlung dein.

Die Red ging mir zu Herzen,
Betrübt ward mir mein Mut,
Ich dacht, da hilft kein Scherzen,
Sollt ich mein Mantel gut
Zu Augsburg lassen auf der Gant
Und bloß von hinnen ziehen,
Ist allen Singern ein Schand.

Ach Wirt, nun hab Gedulte
Mit mir ein kleine Zeit,
Es ist nicht groß die Schulde,
Vielleicht sich bald begeit,
Daß ich dich zahl mit barem Geld,
Drum lasse mich von hinnen,
Ich zieh nicht aus der Welt.

O Gast! das geschieht mitnichten,
Daß ich dir borg diesmal,
Dich hilft kein Ausreddichten,
Tag, Nacht wollst du sein voll,
Ich trug dir auf den besten Wein,
Drum mach dich nur nicht müßig,
Ich will bezahlet sein.

Der Wirt, der sah ganz krumme,
Was ich sang oder sagt,
So gab er nichts darumme,
Erst macht er mich verzagt,

Kein Geld wußt ich in solcher Not,
Wo nicht der fromm Herr Fuker
Mir hilft mit seinem Rat.

Herr Fuker, laßt Euch erbarmen
Mein Klag und große Pein
Und kommt zu Hülf mir Armen;
Es will bezahlet sein
Mein Wirt von mir auf diesen Tag,
Mein Mantel tut ihm gefallen,
Mich hilft kein Bitt noch Klag.

Den Wirt tät bald bezahlen
Der edel Fuker gut
Mein Schuld ganz überalle,
Das macht mir leichten Mut,
Ich schwang mich zu dem Tor hinaus,
Adie, du kreidiger Wirte,
Ich komm dir nimmer ins Haus.

Dies Liedlein faßt Grünenwald bald in seinen Kopf, ging an des Fukers Hof, ließ sich dem Herrn ansagen. Als er nun für ihn kam, tät er seine gebührliche Reverenz, demnach sagt er: ›Gnädiger Herr, ich hab vernommen, daß mei gnädiger Fürst und Herr allhie aufbrechend auf München zu ziehen will. Nun hab ich je nicht von hinnen können scheiden, ich hab mich dann mit Euer Gnaden abgeletzet. Habe Deren zulieb ein neues Liedlein erdicht, so Euer Gnad das begehrt zu hören, wollt ichs Deren zu letze singen.‹ Der gute Herr, so dann von Art ein demütiger Herr war, sagt: ›Mein Grünenwald, ich wills gern hören, wo sind deine Mitsinger, so dir behülflich sein werden, laß sie kommen.‹ ›Mein Gnädiger Herr‹, sagt er, ›ich muß allein singen, dann mir kann hierein weder Baß noch Diskant helfen.‹ ›So sing her‹, sagt der Fuker. Der gute Grünenwald hub an und sang sein Lied mit ganz fröhlicher Stimm heraus. Der gut Herr verstund sein Krankheit bald, meinet aber nit, daß der Sach so gar wär, wie er in seinem Singen zu verstehn geben hat, darum schickt er eilend nach dem Wirt. Als er nun die Wahrheit erfuhr, bezahlt er dem Wirt die Schuld, errettet dem Grünenwald seinen Mantel und schenkt ihm eine gute Zehrung dazu. Die nahm er mit Dank an, zoge demnach seine Straße, da erhob sich ein Wind, der selbigen Mantel recht lustig vor dem Hause des armseligen Wirtes aufblies, war aber dem Wirte entgegen, warf ihm auch die Fenster zusammen: darum Kunst nimmer zu verachten ist.«

(Aus dem Rollwagenbüchlein)

Wir sprechen aus der Seele des armen Grünenwald. Das öffentliche Urteil ist wohl ein kümmerlicher Wirt, dem unsre Namen als Mantel dieser übel angeschriebenen Lieder die Schuld nicht decken möchten. Das Glück des armen Singers, der Wille des reichen Fuker geben uns Hoffnung, in Eurer Exzellenz Beifall aufgelöst zu werden.

L. A. von Arnim, C. Brentano

Heinrich von Kleist

ÜBER DIE ALLMÄHLICHE VERFERTIGUNG DER GEDANKEN BEIM REDEN

Um 1806

Wenn du etwas wissen willst und es durch Meditation nicht finden kannst, so rate ich dir, mein lieber, sinnreicher Freund, mit dem nächsten Bekannten, der dir aufstößt, darüber zu sprechen. Es braucht nicht eben ein scharfdenkender Kopf zu sein, auch meine ich es nicht so, als ob du ihn darum befragen solltest: nein! Vielmehr sollst du es ihm selber allererst erzählen. Ich sehe dich zwar große Augen machen und mir antworten, man habe dir in frühern Jahren den Rat gegeben, von nichts zu sprechen, als nur von Dingen, die du bereits verstehst. Damals aber sprachst du wahrscheinlich mit dem Vorwitz, andere, ich will, daß du aus der verständigen Absicht sprechest, dich zu belehren, und so könnten, für verschiedene Fälle verschieden, beide Klugheitsregeln vielleicht gut nebeneinander bestehen. Der Franzose sagt, l'appétit vient en mangeant, und dieser Erfahrungssatz bleibt wahr, wenn man ihn parodiert und sagt, l'idée vient en parlant. Oft sitze ich an meinem Geschäftstisch über den Akten und erforsche in einer verwickelten Streitsache den Gesichtspunkt, aus welchem sie wohl zu beurteilen sein möchte. Ich pflege dann gewöhnlich ins Licht zu sehen als in den hellsten Punkt bei dem Bestreben, in welchem mein innerstes Wesen begriffen ist, sich aufzuklären. Oder ich suche, wenn mir eine algebraische Aufgabe vorkommt, den ersten Ansatz, die Gleichung, die die gegebenen Verhältnisse ausdrückt und aus welcher sich die Auflösung nachher durch Rechnung leicht ergibt. Und siehe da, wenn ich mit meiner Schwester davon rede, welche hinter mir sitzt und arbeitet, so erfahre ich, was ich durch ein vielleicht stundenlanges Brüten nicht herausgebracht haben würde. Nicht, als ob sie es mir im eigentlichen Sinne sagte; denn sie kennt weder das Gesetzbuch, noch hat sie den Euler oder den Kästner studiert. Auch nicht, als ob sie mich durch geschickte Fragen auf den Punkt hinführte, auf welchen es ankommt, wenn schon dies letzte häufig der Fall sein mag. Aber weil ich doch irgendeine dunkle Vorstellung habe, die mit dem, was ich suche, von fern her in einiger Verbindung steht, so prägt, wenn ich nur dreist damit den Anfang mache, das Gemüt, während die Rede fortschreitet, in der Notwendigkeit, dem Anfang nun auch ein Ende zu finden, jene verworrene Vorstellung zur völligen Deutlichkeit aus, dergestalt, daß die Erkenntnis, zu meinem Erstaunen, mit der Periode fertig ist. Ich mische unartikulierte Töne ein, ziehe die Verbindungswörter in die Länge, gebrauche auch wohl eine Apposition, wo sie nicht nötig wäre, und bediene mich anderer, die Rede ausdehnender Kunstgriffe, zur Fabrikation meiner Idee auf der Werkstätte der Vernunft die gehörige Zeit zu gewinnen. Dabei ist mir nichts heilsamer als eine Bewegung meiner Schwester, als ob sie mich unterbrechen wollte; denn mein ohnehin schon angestrengtes Gemüt wird durch diesen Versuch von außen, ihm die Rede, in deren Besitz es sich befindet, zu entreißen, nur noch mehr erregt und in seiner Fähigkeit wie ein großer General, wenn die Umstände drängen, noch um einen Grad höher gespannt. In diesem Sinne begreife ich, von welchem Nutzen Molière seine Magd sein konnte; denn wenn er derselben, wie er vorgibt, ein Urteil zutraute, das das seinige berichten konnte, so ist dies eine Bescheidenheit, an deren Dasein in seiner Brust ich nicht glaube. Es liegt ein sonderbarer Quell der Begeisterung für denjenigen, der spricht, in einem menschlichen Antlitz, das ihm gegenübersteht; und ein Blick, der uns einen halbausgedrückten Gedanken schon als begriffen ankündigt, schenkt uns oft den Ausdruck für die ganze andere Hälfte desselben. Ich glaube, daß mancher große Redner, in dem Augenblick, da er den Mund aufmachte, noch nicht wußte, was er sagen würde. Aber die Überzeugung, daß er die ihm nötige Gedankenfülle schon aus den Umständen und der daraus resultierenden Erregung seines Gemüts schöpfen würde, machte ihn dreist genug, den Anfang auf gutes Glück hin zu setzen. Mir fällt jener »Donnerkeil« des Mirabeau ein, mit welchem er den Zeremonienmeister abfertigte, der nach Aufhebung der letzten monarchischen Sitzung des Königs am 23. Juni, in welcher dieser den Ständen auseinanderzugehen anbefohlen hatte, in den Sitzungssaal, in welchem die Stände noch verweilten, zurückkehrte und sie befragte, ob sie den Befehl des Königs vernommen hätten? »Ja«, antwortete Mirabeau, »wir haben des Königs Befehl vernommen« – ich bin gewiß, daß er bei diesem humanen Anfang noch nicht an die Bajonette dachte, mit welchen er schloß: »ja, mein Herr«, wiederholte er, »wir haben ihn vernommen« – man sieht, daß er noch gar nicht recht weiß, was er will. »Doch was berechtigt Sie« – fuhr er fort, und nun plötzlich geht ihm ein Quell ungeheurer Vorstellung auf – »uns hier Befehle anzudeuten? Wir sind die Repräsentanten der Nation.« – Das war es, was er brauchte! »Die Nation gibt Befehle und empfängt keine« – um sich gleich auf den Gipfel der Vermessenheit zu schwingen. »Und damit ich mich Ihnen ganz deutlich erkläre« – und erst jetzo findet er, was den ganzen Widerstand, zu welchem seine Seele gerüstet dasteht, ausdrückt: »so sagen Sie Ihrem Könige, daß wir unsre Plätze anders nicht, als auf die Gewalt der Bajonette verlassen werden.« – Worauf er sich selbstzufrieden auf einen Stuhl niedersetzte. – Wenn man an den Zeremonienmeister denkt, so kann man sich ihn bei diesem Auftritt nicht anders als in einem völligen Geistesbankerott vorstellen; nach einem ähnlichen Gesetz, nach welchem in einem Körper, der von dem elektrischen Zustand Null ist, wenn er in eines elektrisierten Körpers Atmosphäre kommt, plötzlich die entgegengesetzte Elektrizität erweckt wird. Und wie in dem elektrisierten dadurch, nach einer Wechselwirkung, der ihm inwohnende Elektrizitäts-Grad wieder verstärkt wird, so ging unseres Redners Mut bei der Vernichtung seines Gegners zur verwegensten Begeisterung über. Vielleicht, daß es auf diese Art zuletzt das Zucken einer Oberlippe war, oder ein zweideutiges Spiel an der Manschette, was in Frankreich den Umsturz der Ordnung der Dinge bewirkte. Man liest, daß Mirabeau, sobald der Zeremonienmeister sich entfernt hatte, aufstand und vorschlug: 1. sich sogleich als Nationalversammlung und 2. als unverletzlich zu konstituieren. Denn dadurch, daß er sich, einer Kleistischen Flasche gleich, entladen hatte, war er nun wieder neutral geworden und gab, von der Verwegenheit zurückgekehrt, plötzlich der Furcht vor dem Chatelet und der Vorsicht Raum. Dies ist eine merwürdige Übereinstimmung zwischen den Erscheinungen der physischen und der moralischen Welt, welche sich, wenn man sie verfolgen wollte, auch noch in den Nebenumständen bewähren würde. Doch ich verlasse mein Gleichnis und kehre zur Sache zurück. Auch Lafontaine gibt in seiner Fabel: les animaux malades de la peste, wo der Fuchs dem Löwen eine Apologie zu halten gezwungen ist, ohne zu wissen, wo er den Stoff dazu hernehmen soll, ein merkwürdiges Beispiel von einer allmählichen Verfertigung des Gedankens aus einem in der Not hingesetzten Anfang. Man kennt diese Fabel. Die Pest herrscht im Tierreich, der Löwe versammelt die Großen desselben und eröffnet ihnen, daß dem Himmel, wenn er besänftigt werden solle, ein Opfer fallen müsse. Viele Sünder seien im Volke, der Tod des größesten müsse die übrigen vom Untergang retten. Sie möchten ihm daher ihre Vergehungen aufrichtig bekennen. Er für sein Teil gestehe, daß er, im Drange des Hungers, manchem Schafe den Garaus gemacht, auch dem Hunde, wenn er ihm zu nahe gekommen, ja es sei ihm in leckerhaften Augenblicken zugestoßen, daß er den Schäfer gefressen. Wenn niemand sich größerer Schwachheiten schuldig gemacht habe, so sei er bereit zu sterben. »Sire«, sagt der Fuchs, der das Ungewitter von sich ableiten will, »Sie sind zu großmütig. Ihr edler Eifer führt Sie zu weit. Was ist es, ein Schaf erwürgen? Oder einen Hund, diese nichtswürdige Bestie? Und: quant au berger«, fährt er fort, denn dies ist der Hauptpunkt: »on peut dire«, obschon er noch nicht weiß, was? »qu'il méritait tout mal«, auf gut Glück, und somit ist er verwickelt; »étant«, eine schlechte Phrase, die ihm aber Zeit verschafft: »de ces gens-là«, und nun erst findet er den Gedanken, der ihn aus der Not reißt: »qui sur les animaux se font un chimérique empire.« Und jetzt beweist er, daß der Esel, der blutdürstige! (der alle Kräuter auffrißt), das zweckmäßigste Opfer sei, worauf alle über ihn herfallen und ihn zerreißen. – Ein solches Reden ist ein wahrhaftes lautes Denken. Die Reihen der Vorstellungen und ihrer Bezeichnungen gehen neben einander fort, und die Gemütsakten, für eins und das andere, kongruieren. Die Sprache ist alsdann keine Fessel, etwa wie ein Hemmschuh an dem Rade des Geistes, sondern wie ein zweites, mit ihm parallel fortlaufendes Rad an seiner Achse. Etwas ganz anderes ist es, wenn der Geist schon vor aller Rede mit dem Gedanken fertig ist. Denn dann muß er bei seiner bloßen Ausdrückung zurückbleiben, und dies Geschäft, weit entfernt ihn zu erregen, hat vielmehr keine andere Wirkung, als ihn von seiner Erregung abzuspannen. Wenn daher eine Vorstellung verworren ausgedrückt wird, so folgt der Schluß noch gar nicht, daß sie auch verworren gedacht worden sei, vielmehr könnte es leicht sein, daß die verworrenst ausgedrückten grade am deutlichsten gedacht werden. Man sieht oft in einer Gesellschaft, wo durch ein lebhaftes Gespräch eine kontinuierliche Befruchtung der Gemüter mit Ideen am Werk ist, Leute, die sich, weil sie sich der Sprache nicht mächtig fühlen, sonst in der Regel zurückgezogen halten, plötzlich mit einer zuckenden Bewegung aufflammen, die

Sprache an sich reißen und etwas Unverständliches zur Welt bringen. Ja, sie scheinen, wenn sie nun die Aufmerksamkeit aller auf sich gezogen haben, durch ein verlegnes Gebärdenspiel anzudeuten, daß sie selbst nicht mehr recht wissen, was sie haben sagen wollen. Es ist wahrscheinlich, daß diese Leute etwas recht Treffendes und sehr deutlich gedacht haben. Aber der plötzliche Geschäftswechsel, der Übergang ihres Geistes vom Denken zum Ausdrücken, schlug die ganze Erregung desselben, die zur Festhaltung des Gedankens notwendig, wie zum Hervorbringen erforderlich war, wieder nieder. In solchen Fällen ist es um so unerläßlicher, daß uns die Sprache mit Leichtigkeit zur Hand sei, um dasjenige, was wir gleichzeitig gedacht haben und doch nicht gleichzeitig von uns geben können, wenigstens so schnell als möglich aufeinanderfolgen zu lassen. Und überhaupt wird jeder, der, bei gleicher Deutlichkeit, geschwinder als sein Gegner spricht, einen Vorteil über ihn haben, weil er gleichsam mehr Truppen als er ins Feld führt. Wie notwendig eine gewisse Erregung des Gemüts ist, auch selbst nur, um Vorstellungen, die wir schon gehabt haben, wieder zu erzeugen, sieht man oft, wenn offene und unterrichtete Köpfe examiniert werden und man ihnen, ohne vorhergegangene Einleitung, Fragen vorlegt, wie diese: was ist der Staat? Oder: was ist das Eigentum? Oder dergleichen. Wenn diese jungen Leute sich in einer Gesellschaft befunden hätten, wo man sich vom Staat oder vom Eigentum schon eine Zeitlang unterhalten hätte, so würden sie vielleicht mit Leichtigkeit durch Vergleichung, Absonderung und Zusammenfassung der Begriffe die Definition gefunden haben. Hier aber, wo diese Vorbereitung des Gemüts gänzlich fehlt, sieht man sie stocken, und nur ein unverständlicher Examinator wird daraus schließen, daß sie nicht *wissen*. Denn nicht *wir* wissen, es ist allererst ein gewisser *Zustand* unsrer, welcher weiß. Nur ganz gemeine Geister, Leute, die, was der Staat sei, gestern auswendig gelernt und morgen schon wieder vergessen haben, werden hier mit der Antwort bei der Hand sein. Vielleicht gibt es überhaupt keine schlechtere Gelegenheit, sich von einer vorteilhaften Seite zu zeigen, als grade ein öffentliches Examen. Abgerechnet, daß es schon widerwärtig und das Zartgefühl verletzend ist und daß es reizt, sich stetig zu zeigen, wenn solch ein gelehrter Roßkamm uns nach den Kenntnissen sieht, um uns, je nachdem es fünf oder sechs sind, zu kaufen oder wieder abtreten zu lassen: es ist so schwer, auf ein menschliches Gemüt zu spielen und ihm seinen eigentümlichen Laut abzulocken, es verstimmt sich so leicht unter ungeschickten Händen, daß selbst der geübteste Menschenkenner, der in der Hebeammenkunst der Gedanken, wie Kant sie nennt, auf das meisterhafteste bewandert wäre, hier noch, wegen der Unbekanntschaft mit seinem Sechswöchner, Mißgriffe tun könnte. Was übrigens solchen jungen Leuten, auch selbst den unwissendsten noch, in den meisten Fällen ein gutes Zeugnis verschafft, ist der Umstand, daß die Gemüter der Examinatoren, wenn die Prüfung öffentlich geschieht, selbst zu sehr befangen sind, um ein freies Urteil fällen zu können. Denn nicht nur fühlen sie häufig die Unanständigkeit dieses ganzen Verfahrens: man würde sich schon schämen, von jemandem, daß er seine Geldbörse vor uns ausschütte, zu fordern, viel weniger, seine Seele, sondern ihr eigener Verstand muß hier eine gefährliche Musterung passieren, und sie mögen oft ihrem Gott danken, wenn sie selbst aus dem Examen gehen können, ohne sich Blößen, schmachvoller vielleicht als der eben von der Universität kommende Jüngling, gegeben zu haben, den sie examinierten.

(Die Fortsetzung folgt.) H. v. K.

Heinrich von Kleist

ÜBER DAS MARIONETTENTHEATER

Als ich den Winter 1801 in M... zubrachte, traf ich daselbst eines Abends in einem öffentlichen Garten den Hrn. C. an, der seit kurzem in dieser Stadt als erster Tänzer der Oper angestellt war und bei dem Publiko außerordentliches Glück machte.

Ich sagte ihm, daß ich erstaunt gewesen wäre, ihn schon mehreremal in einem Marionettentheater zu finden, das auf dem Markte zusammengezimmert worden war und den Pöbel durch kleine dramatische Burlesken, mit Gesang und Tanz durchwebt, belustigte.

Er versicherte mir, daß ihm die Pantomimik dieser Puppen viel Vergnügen machte, und ließ nicht undeutlich merken, daß ein Tänzer, der sich ausbilden wolle, mancherlei von ihnen lernen könne.

Da diese Äußerung mir durch die Art, wie er sie vorbrachte, mehr als ein bloßer Einfall schien, so ließ ich mich bei ihm nieder, um ihn über die Gründe, auf die er eine so sonderbare Behauptung stützen könne, näher zu vernehmen.

Er fragte mich, ob ich nicht in der Tat einige Bewegungen der Puppen, besonders der kleineren, im Tanz sehr graziös gefunden hatte.

Diesen Umstand konnt ich nicht leugnen. Eine Gruppe von vier Bauern, die nach einem raschen Takt die Ronde tanzte, hätte von Teniers nicht hübscher gemalt werden können.

Ich erkundigte mich nach dem Mechanismus dieser Figuren, und wie es möglich wäre, die einzelnen Glieder derselben und ihre Punkte, ohne Myriaden von Fäden an den Fingern zu haben, so zu regieren, als es der Rhythmus der Bewegungen oder der Tanz erfordere?

Er antwortete, daß ich mir nicht vorstellen müsse, als ob jedes Glied einzeln, während der verschiedenen Momente des Tanzes, von dem Maschinisten gestellt und gezogen würde.

Jede Bewegung, sagte er, hätte einen Schwerpunkt; es wäre genug, diesen in dem Innern der Figur zu regieren; die Glieder, welche nichts als Pendel wären, folgten ohne irgendein Zutun auf eine mechanische Weise von selbst.

Er setzte hinzu, daß diese Bewegung sehr einfach wäre, daß jedesmal, wenn der Schwerpunkt in einer graden Linie bewegt wird, die Glieder schon Kurven beschrieben und daß oft, auf eine bloß zufällige Weise erschüttert, das Ganze schon in eine Art von rhythmische Bewegung käme, die dem Tanz ähnlich wäre.

Diese Bemerkung schien mir zuerst einiges Licht über das Vergnügen zu werfen, das er in dem Theater der Marionetten zu finden vorgegeben hatte. Inzwischen ahndete ich bei weitem die Folgerungen noch nicht, die er späterhin daraus ziehen würde.

Ich fragte ihn, ob er glaubte, daß der Maschinist, der diese Puppen regierte, selbst ein Tänzer sein, oder wenigstens einen Begriff vom Schönen im Tanz haben müsse?

Er erwiderte, daß wenn ein Geschäft von seiner mechanischen Seite leicht sei, daraus noch nicht folge, daß es ganz ohne Empfindung betrieben werden könne.

Die Linie, die der Schwerpunkt zu beschreiben hat, wäre zwar sehr einfach, und, wie er glaube, in den meisten Fällen gerad. In Fällen, wo sie krumm sei, schiene das Gesetz ihrer Krümmung wenigstens von der ersten oder höchstens zweiten Ordnung, und auch in diesem letzten Fall nur elliptisch, welche Form der Bewegung den Spitzen des menschlichen Körpers (wegen der Gelenke) überhaupt die natürliche sei und also dem Maschinisten keine große Kunst koste, zu verzeichnen.

Dagegen wäre diese Linie wieder, von einer andern Seite, etwas sehr Geheimnisvolles. Denn sie wäre nichts anders als der W e g d e r S e e l e d e s T ä n z e r s; und er zweifle, daß sie anders gefunden werden könne als dadurch, daß sich der Maschinist in den Schwerpunkt der Marionette versetzt, d. h. mit andern Worten t a n z t.

Ich erwiderte, daß man mir das Geschäft desselben als etwas ziemlich Geistloses vorgestellt hätte: etwa was das Drehen einer Kurbel sei, die eine Leier spielt.

»Keineswegs«, antwortete er. »Vielmehr verhalten sich die Bewegungen seiner Finger zur Bewegung der daran befestigten Puppen ziemlich künstlich, etwa wie Zahlen zu ihren Logarithmen oder die Asymptote zur Hyperbel.«

Inzwischen glaube er, daß auch dieser letzte Bruch von Geist, von dem er gesprochen, aus den Marionetten entfernt werden, daß ihr Tanz gänzlich ins Reich mechanischer Kräfte hinübergespielt und vermittelst einer Kurbel, so wie ich es mir gedacht, hervorgebracht werden könne.

Ich äußerte meine Verwunderung zu sehen, welcher Aufmerksamkeit er diese für den Haufen erfundene Spielart einer schönen Kunst würdige. Nicht bloß, daß er sie einer höheren Entwickelung für fähig halte: er scheine sich sogar selbst damit zu beschäftigen.

Er lächelte und sagte, er getraue sich zu behaupten, daß wenn ihm ein Mechanikus, nach den Forderungen, die er an ihn zu machen dächte, eine Marionette bauen wollte, er vermittelst derselben einen Tanz darstellen würde, den weder er, noch irgend ein anderer geschickter Tänzer seiner Zeit, Vestris selbst nicht ausgenommen, zu erreichen imstande wäre.

»Haben Sie«, fragte er, da ich den Blick schweigend zur Erde schlug: »haben Sie von jenen mechanischen Beinen gehört, welche englische Künstler für Unglückliche verfertigen, die ihre Schenkel verloren haben?«

Ich sagte, nein, dergleichen wäre mir nie vor Augen gekommen.

»Es tut mir leid«, erwiderte er, »denn wenn ich Ihnen sage, daß diese Unglücklichen damit tanzen, so fürchte ich fast, Sie werden es mir nicht glauben. Was sag ich, tanzen? Der Kreis ihrer Bewegungen ist zwar beschränkt, doch diejenigen, die ihnen zu Gebote stehen, vollziehen sich mit einer Ruhe, Leichtigkeit und Anmut, die jedes denkende Gemüt in Erstaunen setzen.«

Ich äußerte, scherzend, daß er ja auf diese Weise seinen Mann gefunden habe. Denn derjenige Künstler, der einen so merkwürdigen Schenkel zu bauen imstande sei, würde ihm unzweifelhaft auch eine ganze Marionette, seinen Forderungen gemäß, zusammensetzen können.

»Wie«, fragte ich, da er seinerseits ein wenig betreten zur Erde sah: »wie sind denn diese Forderungen, die Sie an die Kunstfertigkeit desselben zu machen gedenken, bestellt?«

»Nichts«, antwortete er, »was sich nicht auch schon hier fände: Ebenmaß, Beweglichkeit, Leichtigkeit – nur alles in einem höheren Grade, und besonders eine naturgemäßere Anordnung der Schwerpunkte.«

»Und der Vorteil, den diese Puppe vor lebendigen Tänzern voraus haben würde?«

»Der Vorteil? Zuvörderst ein negativer, mein vortrefflicher Freund, nämlich dieser, daß sie sich niemals zierte. Denn Ziererei erscheint, wie Sie wissen, wenn sich die Seele (vis motrix) in irgendeinem andern Punkte befindet als in dem Schwerpunkt der Bewegung. Da der Maschinist nun schlechthin vermittelst des Drahtes oder Fadens keinen andern Punkt in seiner Gewalt hat als diesen, so sind alle übrigen Glieder, was sie sein sollen, tot, reine Pendel, und folgen dem bloßen Gesetz der Schwere; eine vortreffliche Eigenschaft, die man vergebens bei dem größten Teil unsrer Tänzer sucht.

»Sehen Sie nur die P... an«, fuhr er fort, »wenn sie die Daphne spielt und sich, verfolgt vom Apoll, nach ihm umsieht; die Seele sitzt ihr in den Wirbeln des Kreuzes; sie beugt sich, als ob sie brechen wollte, wie eine Najade aus der Schule Bernins. Sehen Sie den jungen F... an, wenn er als Paris unter den drei Göttinnen steht und der Venus den Apfel überreicht: die Seele sitzt ihm gar (es ist ein Schrecken, es zu sehen) im Ellenbogen.«

»Solche Mißgriffe«, setzte er abbrechend hinzu, »sind unvermeidlich, seitdem wir von dem Baum der Erkenntnis gegessen haben. Doch das Paradies ist verriegelt und der Cherub hinter uns; wir müssen die Reise um die Welt machen und sehen, ob es vielleicht von hinten irgendwo wieder offen ist.«

Ich lachte. – Allerdings, dachte ich, kann der Geist nicht irren, da, wo keiner vorhanden ist. Doch ich bemerkte, daß er noch mehr auf dem Herzen hatte, und bat ihn, fortzufahren.

»Zudem«, sprach er, »haben diese Puppen den Vorteil, daß sie antigrav sind. Von der Trägheit der Materie, dieser dem Tanze entgegenstrebendsten aller Eigenschaften, wissen sie nichts: weil die Kraft, die sie in die Lüfte erhebt, größer ist als jene, die sie an die Erde fesselt. Was würde unsre gute G... darum geben, wenn sie sechzig Pfund leichter wäre oder ein Gewicht von dieser Größe ihr bei ihren Entrechats und Pirouetten zu Hülfe käme? Die Puppen brauchen den Boden nur wie die Elfen, um ihn zu streifen und den Schwung der Glieder durch die augenblickliche Hemmung neu zu beleben; wir brauchen ihn, um darauf zu ruhen und uns von der Anstrengung des Tages zu erholen, ein Moment, der offenbar selber kein Tanz ist und mit dem sich weiter nichts anfangen läßt, als ihn möglichst verschwinden zu machen.«

Ich sagte, daß, so geschickt er auch die Sache seiner Paradoxe führe, er mich doch nimmermehr glauben machen würde, daß in einem mechanischen Gliedermann mehr Anmut enthalten sein könne als in dem Bau des menschlichen Körpers.

Er versetzte, daß es dem Menschen schlechthin unmöglich wäre, den Gliedermann darin auch nur zu erreichen. Nur ein Gott könne sich auf diesem Felde mit der Materie messen; und hier sei der Punkt, wo die beiden Enden der ringförmigen Welt ineinander griffen.

Ich erstaunte immer mehr und wußte nicht, was ich zu so sonderbaren Behauptungen sagen sollte.

Es scheine, versetzte er, indem er eine Prise Tabak nahm, daß ich das dritte Kapitel vom ersten Buch Moses nicht mit Aufmerksamkeit gelesen; und wer diese erste Periode aller menschlichen Bildung nicht kennt, mit dem könne man nicht füglich über die folgenden, um wieviel weniger über die letzte, sprechen.

Ich sagte, daß ich gar wohl wüßte, welche Unordnungen in der natürlichen Grazie des Menschen das Bewußtsein anrichtet. Ein junger Mann von meiner Bekanntschaft hätte durch eine bloße Bemerkung, gleichsam vor meinen Augen, seine Unschuld verloren und das Paradies derselben, trotz aller ersinnlichen Bemühungen, nachher niemals wieder gefunden. Doch, welche Folgerungen, setzte ich hinzu, können Sie daraus ziehen?

Er fragte mich, welch einen Vorfall ich meine?

Ich badete mich, erzählte ich, vor etwa drei Jahren mit einem jungen Mann, über dessen Bildung damals eine wunderbare Anmut verbreitet war. Er mochte ohngefähr in seinem sechszehnten Jahre stehn, und nur ganz von fern ließen sich, von der Gunst der Frauen herbeigerufen, die ersten Spuren von Eitelkeit erblicken. Es traf sich, daß wir grade kurz zuvor in Paris den Jüngling gesehen hatten, der sich einen Splitter aus dem Fuße zieht; der Abguß der Statue ist bekannt und befindet sich in den meisten deutschen Sammlungen. Ein Blick, den er in dem Augenblick, da er den Fuß auf den Schemel setzte, um ihn abzutrocknen, in einen großen Spiegel warf, erinnerte ihn daran; er lächelte und sagte mir, welch eine Entdeckung er gemacht habe. In der Tat hatte ich in eben diesem Augenblick dieselbe gemacht; doch sei es, um die Sicherheit der Grazie, die ihm beiwohnte, zu prüfen, sei es, um seiner Eitelkeit ein wenig heilsam zu begegnen: ich lachte und erwiderte – er sähe wohl Geister! Er errötete und hob den Fuß zum zweitenmal, um es mir zu zeigen; doch der Versuch, wie sich leicht hätte voraussehen lassen, mißglückte. Er hob verwirrt den Fuß zum dritten und vierten, er hob ihn wohl noch zehnmal: umsonst! er war außerstand, dieselbe Bewegung wieder hervorzubringen – was sag ich? die Bewegungen, die er machte, hatten ein so komisches Element, daß ich Mühe hatte, das Gelächter zurückzuhalten.

Von diesem Tage, gleichsam von diesem Augenblick an, ging eine unbegreifliche Veränderung mit dem jungen Menschen vor. Er fing an, tagelang vor dem Spiegel zu stehen, und immer ein Reiz nach dem anderen verließ ihn. Eine unsichtbare und unbegreifliche Gewalt schien sich wie ein eisernes Netz um das freie Spiel seiner Gebärden zu legen, und als ein Jahr verflossen war, war keine Spur mehr von der Lieblichkeit in ihm zu entdecken, die die Augen der Menschen sonst, die ihn umringten, ergötzt hatte. Noch jetzt lebt jemand, der ein Zeuge jenes sonderbaren und unglücklichen Vorfalls war und ihn Wort für Wort, wie ich ihn erzählt, bestätigen könnte.

»Bei dieser Gelegenheit«, sagte Herr C... freundlich, »muß ich Ihnen eine andere Geschichte erzählen, von der Sie leicht begreifen werden, wie sie hierher gehört.

Ich befand mich auf meiner Reise nach Rußland auf einem Landgut des Hrn. G..., eines livländischen Edelmanns, dessen Söhne sich eben damals stark im Fechten übten. Besonders der ältere, der eben von der Universität zurückgekommen war, machte den Virtuosen und bot mir, da ich eines Morgens auf seinem Zimmer war, ein Rapier an. Wir fochten, doch es traf sich, daß ich ihm überlegen war; Leidenschaft kam dazu, ihn zu verwirren; fast jeder Stoß, den ich führte, traf, und sein Rapier flog zuletzt in den Winkel. Halb scherzend, halb empfindlich, sagte er, indem er das Rapier aufhob, daß er seinen Meister gefunden habe, doch alles auf der Welt finde den seinen, und fortan wolle er mich zu dem meinigen führen. Die

Brüder lachten laut auf und riefen: ›Fort, fort! In den Holzstall herab!‹ und damit nahmen sie mich bei der Hand und führten mich zu einem Bären, den Hr. v. G., ihr Vater, auf dem Hofe auferziehen ließ.

Der Bär stand, als ich erstaunt vor ihn trat, auf den Hinterfüßen, mit dem Rücken an einem Pfahl gelehnt, an welchem er angeschlossen war, die rechte Tatze schlagfertig erhoben, und sah mir ins Auge: das war seine Fechterpositur. Ich wußte nicht, ob ich träumte, da ich mich einem solchen Gegner gegenüber sah; doch: ›stoßen Sie! stoßen Sie!‹ sagte Hr. v. G..., ›und versuchen Sie, ob Sie ihm eins beibringen können!‹ Ich fiel, da ich mich ein wenig von meinem Erstaunen erholt hatte, mit dem Rapier auf ihn aus; der Bär machte eine ganz kurze Bewegung mit der Tatze und parierte den Stoß. Ich versuchte ihn durch Finten zu verführen; der Bär rührte sich nicht. Ich fiel wieder, mit einer augenblicklichen Gewandtheit, auf ihn aus, eines Menschen Brust würde ich ohnfehlbar getroffen haben: der Bär machte eine ganz kurze Bewegung mit der Tatze und parierte den Stoß. Jetzt war ich fast in dem Fall des jungen Hr. v. G... Der Ernst des Bären kam hinzu, mir die Fassung zu rauben, Stöße und Finten wechselten sich, mir triefte der Schweiß: umsonst! Nicht bloß, daß der Bär wie der erste Fechter der Welt alle meine Stöße parierte, auf Finten (was ihm kein Fechter der Welt nachmacht) ging er gar nicht einmal ein: Aug in Auge, als ob er meine Seele darin lesen könnte, stand er, die Tatze schlagfertig erhoben, und wenn meine Stöße nicht ernsthaft gemeint waren, so rührte er sich nicht.

Glauben Sie diese Geschichte?«

»Vollkommen!« rief ich mit freudigem Beifall, »jedwedem Fremden, so wahrscheinlich ist sie, um wie viel mehr Ihnen!«

»Nun, mein vortrefflicher Freund«, sagte Herr C..., »so sind Sie im Besitz von allem was nötig ist, um mich zu begreifen. Wir sehen, daß in dem Maße, als in der organischen Welt die Reflexion dunkler und schwächer wird, die Grazie darin immer strahlender und herrschender hervortritt. Doch so, wie sich der Durchschnitt zweier Linien auf der einen Seite eines Punkts, nach dem Durchgang durch das Unendliche, plötzlich wieder auf der andern Seite einfindet oder das Bild des Hohlspiegels, nachdem es sich in das Unendliche entfernt hat, plötzlich wieder dicht vor uns tritt, so findet sich auch, wenn die Erkenntnis gleichsam durch ein Unendliches gegangen ist, die Grazie wieder ein; so, daß sie zu gleicher Zeit in demjenigen menschlichen Körperbau am reinsten erscheint, der entweder gar keins oder ein unendliches Bewußtsein hat, d. h. in dem Gliedermann oder in dem Gott.«

»Mithin«, sagte ich ein wenig zerstreut, »müßten wir wieder von dem Baum der Erkenntnis essen, um in den Stand der Unschuld zurückzufallen?«

»Allerdings«, antwortete er, »das ist das letzte Kapitel von der Geschichte der Welt.«

Karl Solger

ÜBER DIE »WAHLVERWANDTSCHAFTEN«

Um 1810

Wenn ich meine vorläufige Meinung über die *Wahlverwandtschaften* sagen soll, so muß ich schon diesmal nach Art der Rezensenten, die freilich nicht meine Lieblingsart ist, mit etwas allgemeiner Theorie anfangen. Doch bitte ich recht sehr, dies nur als ein vorläufiges Wort anzusehen. Es ist hier wieder ein unerschöpfliches Kunstwerk, ein immensum infinitumque, und ich kann noch bloß vom ersten Eindruck sprechen.

Krause hat mir übrigens die Hauptmomente so dargestellt, daß ich mich dadurch nur zu allgemeinen Reflexionen veranlaßt sehe. Zu seiner Darstellung weiß ich im ganzen wenig hinzuzusetzen. Ich möchte die Hoffnung fassen, daß aus diesem Werke, dergleichen ich lange eins gewünscht habe, den Menschen einmal ein Licht aufgehen werde über das Schicksal überhaupt und besonders in der antiken Kunst, worüber alle neueren Kunstrichter unaufhörlich sprechen und das keiner so verstanden hat wie ich. Was ich aber darüber denke, ziehe ich nicht bloß aus der Gestalt der Kunstwerke ab, sondern ich sehe es in seinen innersten Gründen ein, welche ich hier nicht entwickeln kann.

Die ganze alte Welt ist die Welt der Gattung als eins und aus einem Stücke. Das Ebenbild Gottes in ihr ist als die Idee der gesamten Menschheit erschienen, und es gab nur Menschen innerhalb der Nationen. Es gab also auch nur ein Geschick der Menschheit; denn diese war die erste Erzeugung Gottes, die zweite erst setzte einzelne Menschen ab. Diese einzelnen konnten daher nur bestehen, solange sie das Geschick der Menschheit zu dem ihrigen machten; wollten sie ihr eigenes für sich haben, so wurden sie von jenem allgemeinen ergriffen und zertrümmert. Dies beweist nicht allein die Kunst, welche es in seinen tiefsten Keimen darstellt, sondern auch die Geschichte in den höchsten Resultaten mit ihren Verbannungen, Ostrazismen usw. Kein großer Mann Griechenlands, der es durch seine Individualität war, ist anders als im Elende gestorben.

Was ist nun aber jenes allgemeine Geschick der Menschheit? Äußerlich, was das Geschlecht begrenzt, die physischen Gebrechen, denen jeder unterworfen ist; innerlich die notwendige Art zu denken, die unwillkürliche Verknüpfung der Gedanken, die in dem Großen und Kleinen, dem Edlen und Schlechten dieselbe ist. Und daß er diesen allgemeinen Gesetzen nicht entweichen kann, das stürzt eben den einzelnen. Das Drama ist die wahrste Darstellung der Gattung als des Erstgebornen und des Individuums als des Zweiten. Die alte Kunst ist also in ihren innersten Gründen dramatisch; selbst in der Erzählung, wie bekannt, im Homer.

Ich übergehe die sogenannte romantische Welt, welches mich zu weit führen würde, und komme auf die moderne. Hier ist das Erstgeborne das Individuum, welches das Ebenbild Gottes in sich trägt. Und zwar trägt es dasselbe in sich nicht als das Allgemeine oder als den absoluten Gott, sondern als das, welches gerade diesen bestimmten Punkt endlicher Erscheinung (welchen wir eben Individuum nennen) mit seinem eigenen, durchaus nur ihm gehörigen Wesen beseelt. Es kann also heutzutage jeder seinen Gott nur in sich selbst finden und auch seine Philosophie und seine Kunst, oder wie Ihr es nennen wollt. Das Zweite ist die Gattung, und um kurz zu sein sage ich nur, der Mensch lebt in der Gattung durch Anschauung aller übrigen Individualitäten, welches das System der Ehre und der zweckmäßigen Staatseinrichtungen bildet. Sein Geschick aber ist seine Individualität oder (recht verstanden) sein Charakter, und der Ausdruck dieses Geschicks die Liebe und Freundschaft. Nur dadurch kann ihm das Ebenbild Gottes in ihm zugleich wirklich werden. Der Mensch hat jetzt kein anderes Geschick als die Liebe. Wer seiner Individualität sein Verhältnis zu der Gattung unterwirft oder dies mit ihr vereinigt, der kommt durch. Und das stellt die Kunst im Roman dar. Alle heutige Kunst beruht auf dem Roman, selbst das Drama *(Iphigenia, Tasso).* Wer seine Individualität falsch versteht und meistert oder (wie Krause so wahr sagt) die Stimme des Gewissens überhört und dem klügelnden Verstande folgt, der geht unter. Und das ist der Gipfel der heutigen Kunst, der tragische Roman. Bei den Alten gibt es dagegen eine (sozusagen) romantische Tragödie, wo der Charakter gerechtfertigt und im Sturze selbst verklärt wird *(Ödipus in Kolonos).*

Alles dies ist von mir sehr roh hingestellt. Ihr werdet Euch das Wahre herausfühlen. Die πρώταρχος ἄτη liegt hier nicht bloß in dem Entschlusse, den Hauptmann und Ottilien kommen zu lassen, sondern schon in dem schwankenden Zustande, in dem die weislich von Gott getrennte Verbindung Eduards und seiner ehemaligen Geliebten, die ihm noch dazu selbst Ottilien bestimmte, doch geschlossen wird. Aber hier sind eben die Motive gerade ineinandergewirrt, wie es sein muß, wo Unheil entstehen soll. Ich denke, niemand wird hier verkennen, wie im Verlaufe der Handlung selbst alles von den Individualitäten ausgeht und diese immer einseitiger werden (besonders Eduard), je mehr sie gegen die Umgebungen zu kämpfen haben. Diese Betrachtung, daß sie dadurch einseitiger werden, rechtfertigt mir auch den Eduard, der mir sonst zu wenig seiner selbst mächtig ist. Und doch bin ich nicht ganz mit ihm zufrieden. Ich glaube, alles würde gewonnen haben, wenn er innerlich größer wäre und doch fallen müßte. Aber das Größte und Heiligste darin ist wahrlich die so tief innerliche Ottilie, die ihr keusches Inneres herausgeben muß an den Tag des Schicksals, der dieser Sturm ihre Knospe aufweht und ihren heiligen Blütenstaub verstreut.

Und göttlich ist es, daß auch ihr erhabener Vorsatz und ihr Gelübde nichts mehr hilft. Sie kann ihre eigene innere Macht nur noch dazu anwenden, sich durch sich selbst zu vernichten. So ist es gründlich durchgeführt.

Die vielen Reflexionen und Beobachtungen sind recht charakteristisch. Sie gehen immer auf Beobachtung und Untersuchung menschlicher Individualität, selbst wenn sie von der Natur ausgehen. Seht, wohin selbst das Studium der Natur diesen wahrhaften Dichter des Zeitalters geführt hat! In der Natur selbst erkennt er die Liebe, das sind die Wahlverwandtschaften.

Eben dazu gehören die Details der Umgebungen, wovon ich mir auch nicht ein Jota rauben lasse. Gerade diese sind das sichtbare Kleid der Persönlichkeiten. Und sie haben noch eine andere hohe Bedeutung. Sie sind das tägliche Leben, worin sich die Persönlichkeit ausdrückt, sofern sie mit andern in äußere Berührung kommt und sich von ihnen unterscheidet. Diese bleiben immer der eigentümliche gleichartige Ausdruck desselben, während das Innere sich gewaltsam umkehrt. Diese Umkehrung ist eben schrecklich einleuchtend, wenn einmal der Blick zugleich auf die eigentümlichen Umgebungen fällt, die immer dieselben blieben oder gleichartig fortschritten.

Es könnte vielleicht scheinen, als wenn manches von dem, was ich zuerst gesagt habe, einen Widerspruch erlitte durch die Art, wie hier die Natur behandelt ist, ja, wie sich dieses ganze Buch auf die Natur gründet. Der geheime innere Zusammenhang zwischen Eduard und Ottilien, »die sich sogar in den Kopfschmerz geteilt haben«, der zuletzt, wo sie so still nebeneinanderzusitzen pflegen, zur wahren Anziehungskraft wird, Ottiliens Auffinden des Steinkohlenlagers durch bloße hohe Sensibilität, die Tätigkeit des Pendels in ihrer Hand, endlich überhaupt die Wahlverwandtschaften selbst zeigen deutlich, daß hier die allgemeine Verwandtschaft der Natur mit sich selbst das Schicksal ist, welches alles hervorbringt. Nun könnte man sagen: also geht es nicht von den Individuen aus, sondern von jener allgemeinen Macht.

Aber bei tieferer Ansicht wird jeder entdecken, daß dieser Macht in der Hervorbringung der einzelnen Begebenheiten, Handlungen, Verhältnisse auch nicht der geringste Spielraum verstattet ist, sondern sie nur im Hintergrunde liegt, nicht als wirkliche Erscheinung hervortritt, sondern als das Wesen, welches innerhalb der Erscheinung ist. Und wie das durchgeführt ist, das ist wieder eine der alleraußerordentlichsten Vollendungen der Kunst, der fast nichts aus irgendeiner Zeit vorgezogen werden darf. Jede einzelne Regung oder Bewegung in dem ganzen Verlaufe ist unmittelbar in dem Charakter der Personen gegründet, und wo jenes Naturverhältnis ausdrücklich erwähnt wird, erscheint es entweder als zufällig bemerkt oder gar als Folge der persönlichen Verhältnisse, wie eben jene gegenseitige Anziehung der beiden Liebenden. Ich muß noch einmal zurückgehn auf die Vergleichung mit den Alten. Bei ihnen beruht das Geschick nicht auf Gesetzen der sogenannten physischen Natur, sondern der sittlichen, und diese sondert sich auch schon ganz als Prinzip des Schicksals von jener ab. Bei ihnen werden auch die Handlungen der einzelnen Personen gänzlich vom Geschick selbst hervorgebracht, und der Charakter der Menschen suppliert jenes erst. Hier ist es gerade umgekehrt.

Die Größe des Gegenstandes und die erhabene und reine Ansicht desselben hat eine solche Einfachheit der äußeren Hilfsmittel der Darstellung hervorgebracht, daß sich auch hierin das Werk der alten Tragödie sehr nähert und daß man nach gemeiner Ansicht die Geschichte selbst fast nur das Gerippe eines Romans nennen könnte. Daher rührt auch die große Kürze der Erzählung gegen die langen und häufigen Reflexionen und auch dieses, daß die Erzählung oft in das Präsens übergeht und mit kurzen, auf den ersten Anblick hart scheinenden Zügen Zustände der Personen umreißt.

Über die Details der Umgebungen habe ich mich schon geäußert. So wie diese das ganz tägliche, wirkliche Leben der Personen immer in gleicher Schwebung erhalten und gleichsam als Folie dienen, so verhält sich die Einflechtung von allem, was jetzt Mode ist, als Gartenkunst, Liebhaberei an der Kunst des Mittelalters, Darstellung von Gemälden durch lebende Personen und was sonst dahin gehört, zu dem Leben der Leser und des gesamten Zeitalters. In der Behandlung dieser Dinge liegt ebenfalls eine Kunst, die ich nicht genug bewundern kann. Sie sind als vollkommen gültig, wahr und in der Zeit lebendig aufgefaßt und von dem höchsten und reinsten Standpunkt aus dargestellt. Sie sind sogar in die Handlung selbst als bedeutend verflochten, wenn zum Beispiel der Architekt am Ende beim Sarge Ottiliens dieselbe Stellung annimmt, die er einst als Hirte in dem Gemälde halten mußte. So sind wir ganz auf einheimischem und frischem Boden der Zeit. In diesem Roman ist, wie im alten Epos, alles was die Zeit Bedeutendes und Besonderes hat, enthalten, und nach einigen Jahrhunderten würde man sich hieraus ein vollkommenes Bild von unserm jetzigen täglichen Leben entwerfen können.

Eben dazu gehören die überall ausgestreuten Reflexionen. Es ist heutzutage fast kein anderes Mittel da, auf Menschen zu wirken und in höherem Sinne in der menschlichen Gesellschaft gesellig zu leben, als eben das Privatgespräch und die Reflexionen darin. Wir müssen jetzt wahrlich unsere ganze Welt und unsere ganze Lebenstätigkeit hauptsächlich darin suchen. Diese aber sind auch hier wieder recht, was sie im gemeinen Leben sein sollen, Betrachtungen über das Nächste, das, was in den täglichen Sitten liegt, Betrachtungen aber, welche nie in Philosophie übergehen und doch im wirklichen Leben selbst allemal tief in das Wesentliche und wahrhaft Bedeutende eingreifen. Ja, diese Reflexionen sind eigentlich das wahre Leben, das wir führen, insofern wir uns über das ganz Gemeine und Sinnliche erheben. Es trägt also in ihrer Darstellung recht die höchste Aufgabe der Kunst, nämlich das Tiefe und Innere in den Gestaltungen der reinen Wirklichkeit selbst zum Sein zu bringen. Und wie vollkommen ist sie hier gelöst! Diese Reflexionen sind das Element, worin das einzelne atmet, sie sind das Akkompagnement zu den Arien der Begebenheiten und Handlungen. Wer aber nicht einen Sinn hat, gebildet für Goethe und durch ihn, der wird sie ohne Zweifel sehr langweilig finden.

Was Hagen über Ottilie sagt, finde ich vortrefflich. An Zurechnung ihres Vergehens kann niemand denken, der diese reine verschlossene Knospe zu verstehen fähig ist. Sie weiß es ja in der Tat nicht, wie es mit ihr und Eduard steht, sondern es ist so, ja sie selbst ist das ganze Verhältnis. Daß dieses hervorspringt und wirklich von dem verstehenden Leser gefaßt werden kann, ist allein eine Glorie um Goethes Haupt. Eduard bleibt mir immer noch ein wenig zu weichlich. Was mir dieses allein rechtfertigt, ist, daß Ottilie rein die Hauptperson ist und sein muß. Sie ist ja das wahre Kind der Natur und ihr Opfer zugleich. Mit diesen zwei Worten ist alles Schöne und Große ausgesprochen, was von Frauen zu sagen ist. Und wie unendlich und unerschöpflich ist dies! Es mußte notwendig hier eine Frau die Hauptperson sein.

Ich eile, nur noch einige Bemerkungen über die Nebenpersonen beizufügen. Vor allen liebe ich nur den Architekt. Dieses ist eine großartige Figur, eine der höchsten vielleicht im ganzen Werke, wie voll Grazie und Größe. Weise ist er nur unter die Nebenfiguren gestellt; ich möchte sagen, er war zu trefflich zum Haupthelden der Tragödie. Wohlverstanden, diese Trefflichkeit liegt zugleich mit in dem zufällig erscheinenden Umstand, daß ihn keine überwiegende Gewalt an den Tag des Schicksals reißt. Aber solche Umstände liegen mit in der Person. Ich muß innerlich lachen, wenn es heißt: »Ja wie würde sich der nun zeigen, wenn er in diese oder jene Lage käme?« Er kommt aber nicht darein, und das gehört schon mit zu ihm. Also ist diese stille, innerliche Größe eines jugendlichen Heros etwas sehr Hohes, selbst mit dadurch, daß sie an Umständen nicht geprüft wird. Denn beim Prüfen freilich wird immer etwas von einer solchen Ganzheit abgerieben. Nur entzieht er sich der Prüfung freilich nicht durch absichtliche Beschränkung, sondern durch seine Natur. Er gehört zu dem, was bei den Alten der Chor war.

Der Gehülfe der Pensionanstalt hat einen Anstrich von Pedanterei. Sein Verhältnis zu Ottilien ist aus unserm heutigen eigensten Leben herausgegriffen. Er gehört zu den einsichtsvollen, verständigen Personen, die Goethe so sehr liebt, und streift an das Erhabene einer solchen Art von Bildung, wie es im *Wilhelm Meister* einigemal hervortritt.

Ludwig Tieck

»DIE PICCOLOMINI«
»WALLENSTEINS TOD«

1823

Als Schiller nach einer langen Pause mit dem dramatischen Gedichte *Wallenstein* wieder auftrat, fühlten alle, daß die Erscheinung dieses großen und merkwürdigen Drama eine neue Epoche in unserer dramatischen Literatur beginne. Es schritt damals mächtig in die schwachen Geburten des Tages ein, und plötzlich sah man, wie gebrechlich das innere Wesen dieser Gebilde sei und wie unzulässig jene Anmaßung, mit welcher sie damals ausschließlich unsere Theater beherrschten. Diesen sogenannten Familien- oder häuslichen Gemälden, rührenden Dramen usw. an sich selber den Krieg anzukündigen wäre unbillig, unduldsam; es hieße auch wohl die reiche Vielseitigkeit der Kunst verkennen, wenn man sie von der Bühne verbannen wollte. Was gut und trefflich in ihnen ist, was die Verfasser wirklich der Natur abgelauscht haben, wird immer lobenswert bleiben, ja, der vollendeten Unnatur, einer schwülstigen Manier, einer Dichtung in lauter leeren und hohlen Worten gegenübergestellt, könnten sie gewissermaßen als Musterbilder, als erfreuliche Zeugen der Wahrheit gelten. Jene Idylls aber, diese niederländischen Gemälde aus dem kleineren Leben, ließen sich so wenig Zeit, ihre wahre Bestimmung und ihre Kunstform zu finden, daß sie vielmehr, von dem betäubenden Beifall der Zeitgenossen verlockt, sogleich über alle Kunstformen und Beschränkungen hinauswuchsen, betört, sich nicht nur für das wahre und höchste Leben gaben, sondern sich auch ausdrücklich polemisch der Kunst, Wissenschaft sowie den höheren Ständen gegenüberstellten.

Wie bald vergaß Iffland die ländliche Treuherzigkeit seiner *Jäger*! Wieviele sentimentale Karikaturen führte man, dem Beifall des Publikums vertrauend, auf die Bühne! In seinen früheren Schauspielen erschütterte Kotzebues betäubende Weichlichkeit so vieles Echte und Wahre, daß man damals und auch wohl späterhin ihm nicht Unrecht getan hat, ihn wirklich unmoralisch zu nennen. Wie ist in Goethes *Geschwistern* das hellste und reinste Gemälde allen als ein leuchtendes Muster gegenüberzustellen, was so viele in weit größerem Umfange nicht haben erreichen können. Jene beiden Lieblingsdichter hätten aus diesem schönen Werke oder aus dem Stoff von *Jery und Bätely* leicht durch Deklamation, große Not, Wohltätigkeit und einige herzlose Bösewichter zur Zugabe fünf Akte ausfüllen können.

Wir haben es in Deutschland erlebt, daß es gewissen Stimmungen sehr leicht wird, sich unserer Bühne zu bemeistern. Verschrobenheit muß nur zu oft für Edelmut, das Abgeschmackte für das Große gelten; und was vermögen Kritik, Witz und Philosophie gegen jene unüberwindliche deutsche Rührung, die jedem gutgemeinten poetischen Versuche schon auf drei Vierteil des Weges entgegenkommt? Daß Ironie mit echter Begeisterung verbunden nur eins sein muß, daß gewisse Dinge den Gebildeten weder zum Lachen noch zum Weinen reizen sollen, wird die Einsicht immer der Menge umsonst predigen, wenn auch unter denen, die das Antlitz der Wahrheit geschaut haben, darüber kein Zweifel walten kann.

Unter diese blassen Tugendgespenster jener Tage trat Wallensteins mächtiger Geist, groß und furchtbar. Der Deutsche vernahm wieder, was seine herrliche Sprache vermöge, welchen mächtigen Klang, welche Gesinnungen, welche Gestalten ein echter Dichter wieder heraufgerufen habe. Als ein Denkmal ist dieses tiefsinnige, reiche Werk für alle Zeiten hingestellt, auf welches Deutschland stolz sein darf, und ein Nationalgefühl, einheimische Gesinnung und großer Sinn strahlt uns aus diesem reinen Spiegel entgegen, um zu wissen, was wir sind und vermögen.

Als Goethe auftrat, ward er von dem jüngeren Teil der Nation mit Freude bewillkommt, der sich an ihm bildete, mit ihm fortschritt und von ihm lernte; die Älteren nahmen Anstoß an ihm. Schillers erste Erscheinung wirkte auf viele Gemüter mehr berauschend als begeisternd; die Ruhigeren, selbst unter der Jugend, standen ihm entgegen. Erst durch den *Carlos*, der ganz aus der Zeit und ihren Bedürfnissen entsprungen war, versöhnte er sich die Menge und machte auch die Philosophierenden zu seinen Freunden und Schülern, indem er allen ihren Wünschen und ihrem verwirrten Begehren geflügelte Worte lieh. In dieser aufgespannten Stimmung wurde ihm eine Zeitlang Politik, Philosophie und Geschichte wichtiger als die Ausübung der Poesie. Doch führte ihn der Genius zur Bühne zurück, und eben *Wallenstein* war die Frucht eines siebenjährigen Studiums.

Seitdem ist Schiller immer mehr und mehr der Dichter der Nation geworden. Das sicherste Zeichen, daß sie sich an ihm hinaufgebildet hat, daß er ihr gerade genug entgegengekommen ist, um ihr verständlich zu sein, daß eben unser Volk in der Poesie einen gewissen Ernst, eine Erhebung und Belehrung sucht, eine Wiederkehr großer Gedanken und feierlicher Situationen, und daß, wenn nur diese Forderungen, die es für die unerläßlichsten hält, erfüllt werden, es dann gern über kleine Flecken, Widersprüche und Unwahrscheinlichkeiten hinwegsieht oder sie in der Erhebung selbst nicht bemerkt. Ob von allen seinen Bewunderern das Beste in ihm immer verstanden wurde, ist zu bezweifeln: aber das geht deutlich hervor, daß seine enthusiastischen Verehrer sich selten zum Verständnis Goethes erheben oder gar in diesem den größeren Meister und die vollendetere Kunst erkennen mögen.

Die jüngeren Dichter haben nachher fast alle diesen Ton Schillers nachzusingen versucht. Hätten sie nur auch seinen tiefen, ernsten Geist überkommen! Möchten sie wenigstens seine Lust am Studium geerbt haben! Aber die Nachahmung besteht darin, links und rechts, wie der Säemann, mit vollen Händen Reflexionen und Sentenzen auszustreuen, unbekümmert, ob sie aufgehen oder von dem nächsten Sperling weggenascht werden. Sie glauben von ihm gelernt zu haben, wenn sie einen toten, außer dem Gedicht liegenden Begriff erfinden und dieses von ihm unterjochen lassen. Späterhin haben sie diese kalte Redseligkeit mit dem Allegorienspiel des Calderon verbinden können, ohne von dessen Begeisterung etwas zu fühlen, und seitdem haben Spuk, Laster und Bosheit, verklärte Gespenster, Blutschuld und -schande in allen möglichen und unmöglichen Versarten dithyrambisch ihr wildes Wesen getrieben und das Haupt des edlen Volkssängers auf eine Zeitlang mit dicken Nebeln und fratzenhaften Wolkengebilden dicht verhüllt.

Es war eine glückliche Wahl, daß Schiller einen wichtigen Gegenstand aus der deutschen Geschichte nahm. Die historische Tragödie kann keinen edlern und poetischern Anhalt finden als das eigene Vaterland. Die Liebe zu ihm, die Begeisterung für dieses, die großen Männer, die es erzeugt, die Not, die es erlebt hat, die glänzenden Perioden, durch welche es verklärt ist, alle diese Töne werden in jeder Brust um so voller widerklingen. Das poetische Auge des Dichters, dem sich die Geschichte seines Landes eröffnet, sieht und errät auch, wie alte Zeiten in der seinigen sich abspiegeln, wie das Beste seiner Tage nur durch edlen Kampf oder Drangsal der Vorzeit möglich wurde, und indem der Sänger alles mit dem echten Sinn des Menschlichen umfaßt, wird er zugleich ein Prophet für die Zukunft, er wird Geschichtschreiber, und das gelungene Werk ist nur eine Tat der Geschichte selber, an welcher noch der späte Enkel sich begeistert, seine Gegenwart aus diesem klaren Bilde erkennen und sich und sein Vaterland an ihm lieben lernt.

Ich rede also hier nicht von jenen Gegenständen, die man willkürlich und auf gut Glück aus der Geschichte aufgreift, irgendeine Verschwörung, ein seltsamer Mord, eine Hinrichtung, Bürgeraufstand und dergleichen, wo der Dichter dann diese Begebenheit, um sie sich und seinen Zuschauern interessant zu machen, mit Leidenschaft und starker Liebe, mit einigen höchst edlen und bösen Charakteren aufschmückt und als Virtuose oder Dilettant sein Thema abspielt, mit Variationen, die auch bei anderer Gelegenheit, unter ganz anderen Umständen, sich mit Beifall dürften hören lassen.

Ein großer Moment in der Geschichte ist eine Erscheinung, die sich nur dem Seherblicke erschließt. Hingerissen, befeuert wird auch das schwächere Gemüt von einer großen Begebenheit; um sich diese anzueignen, wird es aber bald eine einseitige Vorliebe, einen unbilligen Haß müssen wirken lassen. Ganz von dieser Hitze ist jener Enthusiasmus verschieden, der im Kleinen wie im Großen das ewige Gesetz wahrnimmt, sieht, wie eins das andere erzeugt, wie die Klugheit scheitert und eine höhere Weisheit die mannigfaltigen Fäden verbindet und selbst Zufälligkeiten noch einflechten kann, um die Erscheinung, das Wesen möglich zu machen, das nun ebenso wunderbar als gewöhnlich, ebenso verständlich als geheimnisreich wird und an dem diese scheinbaren Widersprüche sich zu einem notwendigen Ganzen verbinden. Geht in einem Dichter die Gesamtheit einer großen Geschichtsbegebenheit auf, so wird er um so poetischer und um so größer sein, je näher er sich der Wahrheit hält, sein Werk ist so vollendeter, je weniger es störende, spröde Bestandteile wegzuwerfen braucht; er fühlt sich selbst als der Genius der Geschichte, und die Dichtkunst kann schwerlich glänzender auftreten, als wenn sie auf diese Weise eins mit der wahren Wirklichkeit wird.

Diesen Weg hat außer dem großen Shakespeare noch kein anderer Dichter wieder finden können. Die Form seiner historischen Schauspiele ist die größte und vollendetste. Es dürfen sich diesem Dichter wohl selbst, was Verständnis des Ganzen und wahre Auffassung von Zeiten und Menschen betrifft, nur wenige Geschichtschreiber an die Seite stellen lassen.

Die Begeisterung des Dichters kann aber auch wohl, ohne die Gesamtheit des Wirklichen poetisch zu vereinigen, ein Element finden, in welchem sein Gegenstand sich verklärt, und *Egmont* wie *Götz* sind glänzende Beispiele von dieser Weise. Selbst die Dichter, die durch ihre Kraft die hohe Wahrheit ganz in Manier verwandeln wie einige Engländer und Deutsche, können noch ihre großen Verdienste haben.

Wenn Schiller damals den Entschluß hätte fassen können oder wenn sein Enthusiasmus ihm den Mut gegeben hätte, uns statt des *Wallenstein* in verschiedenen Stücken den unglückseligen Krieg jener furchtbaren dreißig Jahre hinzumalen, so hätte er seiner Nation etwas Ähnliches gegeben, wie Shakespeare für alle Zeiten seinen Engländern hinterlassen hat. Nur freilich konnte der Deutsche nicht mit jenem Glücke beschließen, welches *Richard III.* nach ungeheurem Elend in der letzten Szene so erfreulich und beruhigend endigt oder sich in *Heinrich VIII.* in einer prophetischen Rede von den Segnungen des Friedens, der Ruhe und des Heils unter der Regierung der Elisabeth ergießt. Jener deutsche Krieg verwüstet alle Provinzen, Elend häuft sich auf Elend, auf keiner Seite steht das Recht klar und rein, den Eingriffen des Kaisers stellen sich die schlimmsten Grundsätze entgegen, Abenteurer benutzen die Stimmung und das Unglück, Fremde sollen das Heil bringen, da die einheimischen Fürsten in Schwäche und Widerspruch keine festen Entschlüsse fassen können; gegen Tillys kalte Grausamkeit und Wallensteins dunkles Gemüt hebt sich Gustavs Erscheinung leuchtend hervor, aber auch diese fallen, und schlimmer als schlimm hauset nun Feldherr auf Feldherr eigenmächtig, bis die allgemeine Ohnmacht einen Frieden herbeizwingt, der zugleich, wie ein offenes Grab, alle bis dahin frische Kraft Deutschlands, alles regere Leben, ja alle Hoffnung verschlingt und dem jene finstere Zeit des Stillstandes, der Lähmung folgen mußte, die erst wieder durch Friedrich und noch später zum Erwachen konnte aufgerüttelt werden. Diese bittere Wehmut hätte also durch alle Begebenheiten des großen Gedichtes tönen müssen. Die Not des Vaterlandes, der Untergang der Völker, das Brechen der Kräfte in Fürst und Untertan, die Hoffnung, das Heil, das von Fremden kam und sich in Übermut und Drangsal verwandeln mußte, der Glanz einzelner Erscheinungen, welche alle die finstere Nacht verschlang, dies alles, wenn es gelang, bildete dann ein vaterländisches großes Gedicht, wie es, wie schon gesagt, eben nur bis jetzt einmal da ist.

Doch Schiller hat es vorgezogen, den Untergang des Wallenstein abgesondert herauszuheben. Wie sehr er die ganze Zeit kannte, welche Studien er gemacht hat, beweist das Stück selbst und außerdem sein *Dreißigjähriger Krieg.* Ich glaube aber, das Schauspiel zeigt auch zugleich, wie er es fühlte, daß diese abgetrennte Begebenheit kaum verständlich oder interessant und noch weniger groß und tragisch genug sei, um sich der Dichtkunst als eine vollständige zu bieten. Man sieht wenigstens deutlich den Kampf des Dichters, in welcher Anstrengung er mit seinem Gegenstande ringt, wie er alle Kräfte aufbieten muß, um ihn zu bezwingen, und es am Ende doch wohl zweifelhaft bleibt, ob der Held oder der Dichter erliegt.

Schiller muß sein Werk in zwei Teile und einen dramatischen Prolog scheiden. Aber diese Teile sind nicht notwendig voneinander geschieden, sondern nur willkürlich voneinander getrennt; sie fließen ineinander über, und der Prolog ist nur gleichsam ein Stück des Stückes, ein Gemälde ohne Handlung, trefflich, lebend in niederländischer Manier; Stil und Haltung ganz und durchaus anders als die der Tragödie. Ja, diesem dramatischen geht noch ein anderer einfacher Prolog voll trefflicher Wahrheiten voraus, um die Gemüter vorzubereiten und für die ganz neue

Erscheinung empfänglich zu machen. Die beiden Hälften waren, solange das Werk noch Manuskript blieb, anders wie jetzt abgeteilt: das erste Schauspiel, *Die Piccolomini*, faßte sieben Akte der beiden Tragödien, denn es nahm noch die zwei ersten von *Wallensteins Tod* in sich auf und schloß da, wo Isolan und Buttler bewogen worden, zu ihrer Pflicht zurückzukehren. Damals war die letzte Hälfte, die nur die drei letzten Akte der jetzigen ausmacht, wahrscheinlich in den Reden gedehnter. Aber der Einschnitt war besser als jetzt, wo das erste Schauspiel mit der Erklärung des Max Piccolomini gegen seinen Vater endigt, daß er seinen Feldherrn selbst befragen wolle. Zwischen diesem und dem folgenden liegt wenig Zeit; die Tragödie hebt nicht mit neuen Empfindungen an, sondern knüpft sich an die vorigen. Hätte der Aufenthalt in Eger mehr Handlung und Begebenheit, so bildete dieser wohl am schicklichsten den zweiten Teil. Man sieht nur, wie schwer sich die äußere Form dem Gegenstande hat fügen wollen.

Schiller fand den Charakter seines Helden, ja selbst die Ursachen seines Unterganges etwas dunkel und ungewiß. Seine Verschwörung hat nie können erwiesen werden, die Untat seiner Hinrichtung hat man entschuldigen müssen. Der Feldherr hatte sich auf eine gefährliche Höhe gestellt, sein Amt selbst, seine Vollmacht und Unabhängigkeit waren furchtbar, ihm sowohl wie seinem Herrn. Alles dies hat der Dichter selbst vortrefflich gesagt und entwickelt. Er geht aber weiter, und diese geschichtliche Anschauung verleitet ihn, über die Geschichte hinauszuschreiten. Er zeigt uns den Helden, der endlich gezwungen wird, das zu tun und zu werden, was er sich nur als ein freies Scherzen der Gedanken erlaubte: dieses Spiel mit dem Teufel, wie er es nennt, erzeugt das ernste Bündnis mit diesem. Wallensteins wundersame Seelenstimmung, die ungewisse Dämmerung seines Gemütes, sein Wanken wie seine Unfähigkeit, einen Entschluß zu fassen, soll uns eben die große Lehre einprägen, daß das Leben ein Einfaches, Wahres erstreben müsse, wenn es nicht in Gefahr kommen will, dunkeln und rätselhaften Mächten anheimzufallen. Durch diese Aufgabe, die vielleicht mehr eine philosophische als eine poetische zu nennen ist, wird Wallenstein aber selbst ein Rätsel, der Glaube an ihn schwankt, das Interesse für ihn ermattet, er verliert mit einem Worte als tragische Person. Jener Begriff (oder jene Lehre, wie es oben genannt ist), den der Dichter mit vieler Kunst und großer Anstrengung, besonders aber mit klarem Bewußtsein seinem Werke einlegt, ist bei ihm ein Teil von dem, was er in diesem Gedichte das Schicksal nennt, das eben hierin zur Anschauung gebracht werden soll. Diese willkürliche Stellung (so wahr übrigens jene Lehre an sich selbst sein mag), diese bewußtvolle Absicht des Dichters macht aber aus jener großen Erscheinung des Schicksals, die aus der Gesamtheit, aus der innersten Anschauung hervorgeht und die zwar in der hohen Begeisterung des Dichters, in der Phantasie, nicht aber in einem äußeren Begriffe einheimisch sein kann, etwas ganz anderes und Beschränkteres, als sie sein soll. Jene beschränktere Lehre liegt auch bewußt und unbewußt in jener erhabenen Anschauung, aber ein viel geheimnisvolleres, nicht in Reflexionen aufzulösendes Wesen umfaßt diesen wie noch viele andere Gedanken. Die Idee schafft diese, nicht aber umgekehrt. So wird Wallenstein von vielen, ja zu vielen Motiven seinem Untergange entgegengetrieben. Selbständigkeit, Kampf ist nicht mehr möglich, und er erliegt den Umständen, der herbeigeführten Notwendigkeit; es legt sich dies selbsterregte Schicksal wie die Schlangen des Laokoon dicht und dichter um die Brust des Leidenden und erdrückt ihn. Der freie Herkules auf dem Oëta, Ajax, Ödipus und Niobe sind aber ohne Zweifel größere Aufgaben für die Tragödie als jener Laokoon.

Dies ist auch die Ursache, weshalb der Schluß des *Wallenstein* nur wenige Wirkung hervorbringt, vorzüglich im Verhältnis zur Anstrengung oder gegen einzelne mächtige

Szenen des Gedichtes gehalten. In den beiden prosaischen Tragödien des Dichters ist der Schluß furchtbar und erschütternd, weniger im *Fiesko*, den die Willkür schwächt. Man hatte Schiller vorgeworfen, seine Entwicklungen seien zu gräßlich, wild und blutig. Im *Carlos* ist die Katastrophe schon ungenügend, das Drama schließt eigentlich mit Posas Tod und der Gefängnisszene; und seitdem hat Schiller in keiner seiner Tragödien einen wirklich befriedigenden Schluß wiederfinden können.

Daß der Dichter Kraft und Gesinnung hatte, jene Folgenreihe von Schauspielen zu geben, geht aus dem Werke selbst hervor, denn das Kriegerische, Politische und Historische ist das Herrlichste in demselben. Es war ohne Zweifel eine einseitige Theorie, die ihn veranlaßte, der Dichtung die gegenwärtige Gestalt zu geben. Wie trefflich, unvergleichlich ist der Prolog. Alles lebt, stellt sich dar, nirgend Übertreibung, nirgend Lückenbüßer, so der echte, militärische gute und böse Geist jener Tage, daß man alles selbst zu erleben glaubt; kein Wort zuviel noch zuwenig. Zur Handlung selbst, von welcher er sich auch schon durch Sprache und Reimweise absondert, gehört er freilich nicht, auch fällt nichts in ihm vor, es ist Schilderung eines Lagers und der Stimmung desselben. Es ließe sich aber wohl die Frage aufwerfen, ob unser Theater nicht mehr dergleichen kleinere Gemälde haben könnte und sollte und ob sie nicht eine eigene Gattung bilden dürften. Schilderungen anderer Art, eines ruhigen, kleinen Lebens, hätte vielleicht Iffland dichten und uns Meisterwerke geben können: Verknüpfung, Plan, Handlung, diese Forderungen sind es, die ihn und so manches andere Talent, weil sie ihnen nicht genügen konnten, so weit in das Leere und Nichtige hineingeführt haben.

Meisterhaft ist die Eröffnungsszene der *Piccolomini*; trefflich die Audienz im zweiten Akt; in jedem Worte spricht der vollendete Meister, man sieht, man glaubt alles, ja sogar der Hintergrund des schon überlebten Krieges wird lebendig und überzeugend, der Zuschauer fühlt sich ganz in jene Zeit zurückversetzt. Die Tafelszene hat wiederum großen Charakter, nur ist es wohl nicht unbedingt zu billigen, daß das Gemälde, wie manche des Veronese, uns so geordnet vorgeschoben wird, daß Schenken und Dienerschaft als Hauptpersonen den Vorgrund füllen und die wichtigen Charaktere verkleinert mehr in den Hintergrund treten. Das kurze Gespräch der Diener hält der Dichter für notwendig, aber es will sich nicht einfügen, und es gleicht den Zeilen in Büchern, mit einer Hand bezeichnet: man wird zum Aufmerken ermuntert, aber man fühlt die Absicht des Dichters zu sehr.

Im folgenden Schauspiel steht die Szene Wallensteins mit Wrangel für meine Einsicht so hoch und einzig da, daß ich sie die Krone des Stücks nennen möchte. Jedes Wort, jede Andeutung und Erinnerung tritt groß und mächtig in die Seele. Dabei das Muster einer schwierigen Unterhandlung. Diese Auftritte müssen studiert werden, um sie gehörig würdigen zu können. Dieser überzeugende Glaube fehlt, bei übrigens großen Schönheiten, der Szene, in welcher Wallenstein die Kürassiere wieder auf seine Seite zu ziehen sucht; man fühlt wieder die Absichten des Dichters zu deutlich. Die letzten Szenen, in welchen sich der Held zeigt, sind ergreifend, sein dunkles Vorgefühl, die Unzufriedenheit, ja Verstörtheit seines Gemütes sind trefflich geschildert; aber dieselbe Mattigkeit, von der Wallenstein niedergedrückt wird, an welcher Gordon zu sichtlich leidet, teilt sich auch dem Zuschauer mit, und tiefe Wehmut, Überdruß des Lebens, Verachtung seiner Herrlichkeit, Zweifel an aller Größe und Kraft des Charakters ist es, was uns am Schlusse beherrscht und stimmt. Und gewiß sollte eine Tragödie, die sich diesen großen Vorwurf gewählt hat, die mit so trefflicher Kraft ausgestattet ist, nicht mit diesen Empfindungen schließen.

Wie, wenn Wallenstein (wie wir auch glauben müssen, wenn wir die Geschichte ernst ansehen) viel weniger schuldig, gewissermaßen ganz unschuldig war? Ich glaube, alles würde dann notwendig größer, nur fehlte freilich noch jener Grund des Gemäldes, der es zum Bilde machte. Als einzelne Geschichte, wie ich oben schon sagte, konnte es noch immer kein wahres vaterländisches und geschichtliches Schauspiel werden.

Die französische Tragödie begreift es nicht, wie selbst ein Philoktet ohne eine Liebesgeschichte existieren könne. Wir Deutschen haben den Sophokles schon längst über diesen Mangel gerechtfertigt, ja wir finden die Forderung unserer Nachbarn lächerlich und fühlen, wie auch Shakespeares *Bürgerkrieg* ohne diese Zugabe, die fast das ganze neuere Drama beherrscht, sein dürfen. Aber dennoch besitzen wir kein Gedicht (*Caspar der Thoringer* und *Otto* etwa ausgenommen), das sich bis zur allgemeinen Beliebtheit Bahn gemacht hätte, ohne eine Beimischung der Liebe und Leidenschaft. Wo die Frauen, sei es durch Verstand oder Schönheit, eine große Rolle in der Geschichte gespielt haben, muß der Dichter ohne Zweifel sie ebenfalls einwirken lassen, und es wäre mehr als törichter Eigensinn, sie hier abweisen zu wollen. Auch in einem dramatischen Dreißigjährigen Kriege darf im Anbeginn die Prinzessin Elisabeth nicht fehlen, selbst späterhin kann sie noch ein episodisches Interesse erregen. Goethes *Egmont* ist, so wie ihn der Dichter in trunkener Begeisterung schön empfangen und vollendet hat, ohne die Figur Klärchens gar nicht zu denken, ebensowenig sein *Götz* ohne Maria und Adelheid; wenn auch ein anderer großer Dichter diese Begebenheiten ohne Einwirkungen der Liebe hätte darstellen können. Aber für unsere Literatur ist es zu bedauern, daß Schiller damals nicht den Entschluß fassen konnte, jenen grauenhaften Bürgerkrieg der Wahrheit gemäß auszumalen, und sich, zu sehr der hergebrachten Form folgend, mit einer unbefriedigenden Episode begnügte. Da er das mächtige Interesse für das Vaterland fallenließ, so mußte er sich freilich nach Wesen und Tönen umtun, die der spröden Materie Geist und biegsames Leben einflößen konnten.

Wer kennt in Deutschland nicht Thekla und die Erhabenheit ihres Schmerzes! Wie viele Tränen sind diesem edeln Bilde schon geflossen! Die Abschiedsszene vom Geliebten, die Erzählung von seinem Tode, ihre Klagen um ihn, im ersten wie im zweiten Schauspiele, gehören als einzelne poetische Stellen gewiß zu dem Schönsten, was Schiller je geschrieben hat. Außer der Rührung hat er aber auch eine höhere Absicht mit dieser Gestalt. In dieser reinen Liebe und wahren Natur soll sich die ganze Verwerflichkeit jener düster verworrenen Plane spiegeln: bei der großen Frage zwischen dem Freunde, der Leidenschaft und Pflicht spricht sich Theklas Herz, eben weil es liebt, als ungefälschtes Orakel aus; sie und Max und selbst Wallensteins Freude an ihm muß nun untergehen: und daß diese schönen Naturen ohne alle Schuld auch mit in den Abgrund gerissen werden, ist eben wieder jenes Schicksal, welches der Dichter so bewußtvoll, ja gleichsam in deutlicher Figur auftreten läßt. Es wird aber dadurch, daß Schiller selbst bestimmt und unzweideutig auf diese Einschreitung hinweist, weit mehr ein äußerer Begriff, als daß dieses furchtbare Wesen unmittelbar als Erscheinung mit überzeugender Notwendigkeit aus der Dichtung selbst emporstiege. Dasselbe, was Schiller hier zeigt, geschieht im *Hamlet* auch, noch stärker im *Lear;* aber ein weit höherer Standpunkt läßt dies Untergehen der Unschuld mehr als Lehre, die wir beiher auch wohl fassen, auf uns eindringen, als daß es nun die Sache der Tragödie selbst würde, deren Furchtbarkeit uns mit viel höheren Geheimnissen erschüttert. Auch Piccolomini knüpft ein Gewebe, dessen Fäden er nachher nicht mehr regieren kann. Wie schärft im *Othello,* in *Richard II.* und allen historischen Werken Shakespeare diese Lehre ein; aber auch sie kann bei ihm nicht so bewußtvoll in die Gesamtheit seiner wundervollen Kompositionen eindringen, daß sie dort so wie hier den höchsten Thron im Geisterreiche einnähme.

Wallenstein hinterließ, als er starb, eine Tochter von

drei Jahren, Piccolomini hatte keinen Sohn, wohl aber einen Neffen; nicht der Vater Piccolomini, sondern Gallas war das Haupt der Partei, die dem Wallenstein gegenübergestellt wurde. Indessen, wenn der Dichter nur den Platz, den er sich erwählt hat, unüberwindlich verteidigt, so ist es kleinlich, mit ihm darüber zanken zu wollen, auf welche Art er die Bewaffnung stellt und verteilt. Die Gräfin Terzky, die Schwester des Helden, befindet sich im Lager, die Herzogin kommt an, und die Tochter wird vom jungen Piccolomini aus ihrem friedlichen Aufenthalte geholt. Die kluge Terzky, die den Bruder und dessen stolze Plane ziemlich kennt, im Übermute sich noch höher als er selber versteigt, bildet sich nun ein, der Feldherr sende den jungen Obersten vorzüglich deswegen hin, damit eine Leidenschaft für Thekla in ihm erwachen und sich bilden solle, durch welche dieser nachher dem Empörer um so gewisser und fester mit seinem Regimente verbunden sei. Sie befördert also diese Liebe, die sich wirklich erzeugt hat, sie ist die Mitwisserin, sie veranstaltet, daß die beiden jungen Leute sich sehen und sprechen. – Dieser mit Recht bewunderte Prachtbau dieser Liebe, gewissermaßen der Mittelpunkt des Palastes –, auf welchen dünnen Säulchen ruht er in ängstlicher Haltung!

Durch das ganze Werk empfindet man trotz aller Anstrengung und Kunst das Hereingezwungene und Unpassende der weiblichen Figuren. Die Herzogin wirkt so wenig, sie erregt nur so geringe Teilnahme, sie ist so allgemein gehalten und kann immer und immer nur wieder von ihrer Sorge und ihrem Schmerze sprechen, daß man deutlich fühlt, sie habe den Dichter selbst beängstigt, sooft er sie mußte auftreten lassen. Die Terzky, die diesen ganzen leidenschaftlichen Teil zusammenhalten soll, ist im Grunde ebenso überflüssig, daher auch ihr letztes Erscheinen keine tragische Wirkung hervorbringen kann; und die Liebe selbst ist eine schön gedichtete Episode, gegen welche sich aber das übrige Werk, und zwar das Beste und wahrhaft Historische in ihm, mit allen Kräften sträubt, die daher auch nicht, mit dem Ganzen verflößt, harmonisch mit diesem zusammenklingen kann. Daß viele jugendliche Gemüter diesen Teil dem Ernstkriegerischen und Großhistorischen, die sanften, zarten Töne dem vollen Klang und der Rede der echten Tragödie vorziehen, ist an sich nicht unlöblich, kann aber der Kritik keinen Eintrag tun.

Schiller hat in der Schöpfung seiner weiblichen Charaktere keine große Mannigfaltigkeit bewiesen; dies ist gerade der Punkt, wo seine Schwäche am meisten sichtbar wird. Alle seine Heldinnen sind so ganz von Liebe durchdrungen, daß sie in ihrer hohen und edeln Leidenschaft unüberwindlich erscheinen; sie sprechen sich gleich beim Auftreten so stark und voll aus, daß kaum eine Steigerung möglich bleibt. Daher ist bei ihm die Liebe ein hoher Rausch oder eine edle Resignation, und wir hören in allen diesen Gestalten weit mehr den Dichter als die Natur sprechen. Sonderbar, daß ihm gerade dieser Mangel die Herzen scheint gewonnen zu haben.

Ganz dithyrambisch ist seine Amalie in den frühern *Räubern,* die Luise in *Kabale* ist ihr ganz ähnlich, die Lenore im *Fiesko* ist nur das geschwächte Bild dieser, weil hier die Intrige und mannigfaltige Geschichte vorherrscht. Die Königin im *Carlos* ebenso groß, edel und ergeben; von der Eboli und ähnlichen Charakteren können wohl selbst die einseitigen Verehrer des Dichters nicht ganz leugnen, daß sie verzeichnet sind. In der Thekla spricht sich diese Weiblichkeit, die mehr Abstraktion als Wirklichkeit zu nennen ist, am edelsten aus. In der *Maria Stuart* wurde der Dichter von der Geschichte gezwungen, ihr etwas mehr Wahrheit, Schwäche und Verirrung zu geben, und sie ist auch wohl sein gelungenster weiblicher Charakter. Die sonderbare »Jungfrau« erscheint im Anfang spröde und wunderlich, in ihrer unbegreiflichen Liebe aber wieder in der Manier des Dichters, ganz so die Braut von Messina und das Fräulein im *Tell.*

Findet man bei unserm größten Dichter auch, daß Klärchen und Margarethe, diese wundersamen Schöpfungen, eine ähnliche Physiognomie haben, ja möchte man selbst die Marien im *Clavigo* und *Götz* ihnen gewissermaßen zugesellen sowie die Mariane der *Geschwister*, so sind dennoch die reine Iphigenie, die Prinzessin Lenore und wie viele treffliche Gebilde zu berücksichtigen, die uns aus seinen kleineren Werken sowie aus seinen Romanen und Erzählungen entgegenleuchten, daß wir in ihnen die reiche Schöpfergabe des Dichters sowie in seinen Gestalten die Wahrheit und in so verschiedenen Modifikationen die echte Weiblichkeit bewundern müssen. Unsere verwirrten Tage und die immer mehr einbrechende rohe Anarchie machen es nötig, dergleichen in Erinnerung zu bringen, was ehemals überflüssig erscheinen konnte.

Schiller leiht auch seinen Männern oft Gesinnungen und Reden, die den Umständen und ihrem Charakter nicht ganz angemessen sind und in welchen man nur den reflektierenden Dichter vernimmt; aber groß und wahr, selbständig und lebendig sind die meisten seiner Figuren, und es wäre unnütz, dies noch beweisen zu wollen, da man bei ihnen wohl einzelne Reden tadeln, aber an ihrer Individualität nicht so wie bei den meisten Weibern des Dichters zweifeln kann.

Mich dünkt, man kann es fast in allen Szenen nachweisen, wie es den Dichter selbst gedrückt hat, so heterogene Stoffe zu vereinigen. Im ersten Schauspiele, als Max auftritt, die Partei Wallensteins nimmt, diesen rechtfertigt, unwillig, ja unartig gegen den gemessenen Questenberg wird: wie charakterisiert jedes Wort den jungen Soldaten, der seinen Feldherrn mit Liebe verehrt; nun aber, als die Rede auf den Frieden kommt, er, wie berauscht, jene schöne, poetische und berühmte Stelle deklamiert – wo bleibt da jener Max, der noch eben gesprochen hat? War er so gestimmt und zwingt er sich so wenig, diese Stimmung zu verbergen, so mußte er auch anders auftreten, oder er mußte hier etwas anders sprechen. Diese Kontraste wollen sich nicht vereinigen. Im dritten Akte finden wir die sonderbare Szene, wo die Gräfin Terzky den Liebenden eine Zusammenkunft veranstaltet. Thekla, die ungeduldig den Freund erwartet hat, die es weiß, daß nur flüchtige Minuten ihnen vergönnt sind, muß (denn so lenkt der Dichter den Dialog) uns gleich umständlich den astrologischen Turm und dessen Bilder beschreiben. Max verteidigt recht schön den Glauben an die Gestirne, aber wir fühlen, daß dies alles gezwungen herbeigeführt ist, um uns mit diesen Umständen bekannt zu machen. Als die Gräfin sich entfernt, zeigt Thekla unverhohlen ihr Herz und ihre Liebe.

In meiner Seele lebt
Ein hoher Mut, die Liebe gibt ihn mir –
Ich sollte minder offen sein, mein Herz
Dir mehr verbergen: also will's die Sitte.
Wo aber wäre Wahrheit hier für dich,
Wenn du sie nicht auf meinem Munde findest?
Wir haben uns gefunden, halten uns
Umschlungen, fest und ewig.

Schön. Julie im *Romeo* gibt sich in der Mondnacht auf eine ähnliche Art kund. Aber sie kommt liebetrunken vom Ball, ist im Hause, hauptsächlich von einer nicht sehr gewissenhaften Amme, nicht im Kloster erzogen. Auch Miranda im *Sturm* sagt fast die nämlichen Worte – aber auch hier sind die Umstände sehr verschieden und besonders das Mädchen selbst ein ganz anderer Charakter. Der Gesang Theklas entfernt uns, so schön das Lied ist, zu sehr aus jener militärisch-historischen Welt, bringt das Schauspiel dem Romantischen allzu nahe, worin es doch auf keine Weise aufgehen kann und soll.

»Es geht ein finstrer Geist« usw. Diese berühmten Verse, die sich durch den Reim noch besonders herausheben, gehören zu denen, wo der Dichter die Person fast ganz vergißt und sie das sagen und poetisch ausmalen läßt, was der Hörer wohl mehr oder weniger bestimmt empfinden und denken wird. Es klingt ganz wie das Gedicht eines tiefempfindenden Zuschauers auf das Stück selbst. Dergleichen hat Schiller in allen seinen Werken, und daß diese schildernden Sentenzen, diese gewissermaßen gesungenen Gesinnungen so isoliert stehen, aus dem Werke herausfallen, das ist es gerade, was sie so beliebt gemacht und so viele Nachahmungen veranlaßt hat. Diese undramatische Eigenheit ist in der *Maria Stuart* einigemal noch stärker, auffallender noch in der *Jungfrau* und in der *Braut* auf die höchste Spitze getrieben. Dies Tadelnswürdige hat begeistert und ist seitdem verzerrt in Nachäffungen wiedergegeben worden, und man kann darum behaupten, daß Schiller selbst, so wie er gewissermaßen erst unser Theater gegründet hat, auch der ist, der es zuerst wieder zerstören half.

Es schleudert selbst der Gott der Freude
Den Pechkranz in das brennende Gebäude.

Ich sagte oben, die Gräfin Terzky sei eigentlich überflüssig; aber doch scheint ja der Dichter auf gewisse Weise den Ausschlag von Wallensteins Schicksal in ihre Hand zu legen. Nachdem schon alle Motive in Tätigkeit gesetzt sind, nachdem der Unterhändler Seni gefangen ist, dem Feldherrn kein Ausweg mehr bleibt und er in einem langen Monolog seine Lage erwägt, endlich den Schweden Wrangel kommen, ihn aber ohne Entscheidung wieder fortgehen läßt, erscheint die Gräfin, hört von diesem unbegreiflichen Wankelmut, stellt ihm alles noch einmal von andern Seiten und in einem andern Lichte dar und bringt so durch die Kraft ihrer Beredsamkeit den Zögernden zum Entschluß. Ich muß gestehen, daß dieses die einzige Stelle des Werkes ist, in der ich den Dichter niemals verstanden habe. Sie sagt ihm nichts, sie kann ihm nichts sagen, was ihm die Freunde nicht schon, er sich selbst aber weit mehr, ebenso gründlich und tief vorgetragen. Mit seinem Verstande, der so ungern andere über sich erkennt, wäre es nur eine spielende Bemühung, diese leichten Sophismen in ihr Nichts aufzulösen. Der Anfang ihrer Rede erinnert sehr bestimmt an die Lady Macbeth in jener Überredungsszene der einsamen Nacht, und ich müßte sehr irren, wenn Schiller sie nicht auch im Auge gehabt hätte. Aber wie sind dort Menschen und Umstände so völlig andere! Eine angebetete Gattin, die Einsamkeit, der von Ehrgeiz und Bezauberung schon Wahnwitzige, das gewisse, naheliegende Glück, das ein einziger kühner Dolchstoß erringen kann. Dort kann Macbeth durch sein Zaudern und seine Schwäche nur besser, durch die Überredung, die ihn endlich bestimmt, nur milder erscheinen; hier aber verliert der Feldherr zu viel von seinem Charakter, da ihn nichts bestimmen kann als endlich die nicht sehr durchgreifenden Gründe einer Frau, die er nicht sonderlich achtet.

Im dritten Akte hemmen die Szenen mit den Frauen die Handlung erst zu lange; die Verteidigung der Astrologie, nachdem er schon alle bösen Nachrichten vernommen hat, ist im Munde Wallensteins unwahrscheinlich, wenigstens etwas zu umständlich. Der Abschied des Max, da nun alles die höchste Spitze erreicht hat, ist ergreifend. Als einzelne Szene wird diejenige, in welcher Thekla den Tod ihres Geliebten erfährt, mit Recht gelobt, doch wünsche ich wieder nach der rührenden Erzählung und dem edeln Schmerz die Reime weg, welche ihren Monolog schließen und die freilich wieder die beliebtesten sind. Der Schluß dieser:

Da kommt das Schicksal. – Roh und kalt
Faßt es des Freundes zärtliche Gestalt
Und wirft ihn unter den Hufschlag seiner Pferde. –
Das ist das Los des Schönen auf der Erde...

ist wieder wie bittere Reflexion aus fremdem Munde. Daß das Schicksal hier, noch mehr aber das Schöne selbst personifiziert worden, gibt der Stelle einen leisen komischen Anhauch, weshalb sie sich auch schon so oft zu Parodien hat hergeben müssen.

Daß Schiller die Liebe ernst und feierlich nimmt, stürmisch und enthusiastisch, niemals im Rausch die edlere Sinnlichkeit, die Grundbasis der Leidenschaft und alles Schönen, anklingen läßt, das ist es allerdings, wodurch er keusch und sittlich erscheint; und da er nie diese Erhebung dramatisch-ironisch behandelt, sondern die Erscheinung rein lyrisch, als ein Gedicht im Gedichte, sprechen läßt, so ist er dadurch ausdrücklich des Beifalls derer gewiß geworden, die im Schauspiel nur Rührung und Erschütterung suchen.

Eine des großen Werkes unwürdige Szene ist die zweite des fünften Aktes, in welcher Buttler die beiden Hauptleute zum Morde des Feldherrn auffordert. Sie verletzt zu herbe, und man sieht auf keine Weise ihre Notwendigkeit, da hier eine Abkürzung, im Vorübergehen dem Zuschauer den Zusammenhang nur zu verstehen gebend, so recht an ihrem Orte gewesen wäre. Die Szene der Mörder, welche den Herzog Clarence umbringen *(Richard III.)*, mag wohl das Vorbild gewesen sein. Doch hier spricht aus dem Munde der Verruchten die Nemesis selbst auf die furchtbarste Weise, ihre Gemeinheit verwandelt sich in Schauer und Entsetzen, da uns bei Schiller ihre Roheit und ein gewisser Blödsinn nur beleidigt und hier gegen den Schluß ein so geringer und dünner Ton erklingt, wie keiner im ganzen Gedichte, wodurch das Ende noch mehr geschwächt wird.

Wird nun, nach des Helden Tode, der Kaiser ihn vermissen? Wird die Armee noch dieselbe bleiben? Werden die Schweden jetzt nicht ohne Widerstand das Land beherrschen? Von allen diesem, selbst von Octavios Schicksal erfahren wir nichts, können auch nichts ahnden, und das ganze Gedicht ist also auch hier, wie so manches neuere, unmittelbar an den einzigen Mann geknüpft; er fällt, und alles ist vorüber, ohne daß dasjenige gelöset würde, was doch oft genug im Werke selbst unsere Aufmerksamkcit fordert. Es ist beschlossen, aber nicht vollendet. Es gleicht dadurch manchen Gebäuden der Vorwelt, die groß begannen, aber nachher durch Mangel und Drang der Zeiten nicht haben ausgebauet werden können.

Ich kann diesen Gegenstand nicht verlassen, ohne auch noch in die oft gehörte Klage über die Kunst des Schauspielers, welche keine Spur zurückläßt, einzustimmen. Wenn man des *Wallensteins* gedenkt und sich seiner Herrlichkeit freut, sollte man auch zuweilen an den trefflichen Fleck in Berlin erinnern, der sein reifes Mannsalter durch das Studium dieser Rolle verherrlichte. Gewiß, wer ihn damals, als das Gedicht zuerst erschienen war, diesen Helden darstellen sah, hat etwas Großes gesehen. Ich habe fast auf allen deutschen Theatern auch der Aufführung dieses Gedichtes zu verschiedenen Zeiten beigewohnt; vieles war zu loben, dies und jenes gelang, aber nirgend ward mir etwas sichtbar, das diesem wahren Heldenspiele nur von ferne wäre ähnlich gewesen. Wenn Fleck sagte:

Von welcher Zeit ist denn die Rede, Max?...
Über der Beschreibung da vergeß ich
Den ganzen Krieg...

oder:

Tod und Teufel!
Ich hatte, was ihm Freiheit schaffen konnte...

so sah und fühlte man die tiefste Absicht des Dichters. Wo ist je der große Monolog und dann die Szene mit Wrangel wieder so gesprochen und gespielt worden! Welche Würde, welche sichtbare Vision, als er den Traum erzählt, die Worte:

Mein Vetter ritt den Schecken an dem Tag,
Und Roß und Reiter sah ich niemals wieder...

eröffneten einen Blick in eine unendliche, wundervolle Weite. Wenn er in der höchsten Seelenbedrängnis sagte:

Max! bleibe bei mir! – Geh nicht von mir, Max...

so war in diesem milden, fast gebrochenen Ton so viel Geschichte der ganzen innern Seele, so viel Poesie in den wenigen Worten, daß hier wirklich kein Dichter, auch der große nicht, den großen Schauspieler erreichen kann. Als der Held ohne Erfolg sein Angesicht den wütenden Truppen gezeigt hat und er nun wiederkehrt und bloß: »Terzky!« im Zurückkommen ruft – wer malt oder erzählt wieder, was in diesem einzigen Worte lag? Schiller selbst sagt uns weder, daß er erschüttert oder vernichtet oder blaß usw. zurückkehrt (wie manche Dichter nicht Beischriften der Art genug erfinden können), er hatte aber damals in Flecks Person für einen so schöpferischen Genius gearbeitet, daß er ihm in dieser Szene gern die ganze Poesie überlassen durfte, die er ja hier mit Worten doch niemals schaffen konnte. Glückliche Zeiten, wenn Genien sich so begegnen!

Iffland gab damals den Piccolomini vortrefflich, und wenn die übrigen Darsteller auch mehr oder minder Tadel zuließen, so sprachen doch selber die schwächeren die Verse in jenen Jahren viel besser, als man es jetzt sogar von den guten gewohnt ist. Denn alle, die in Prosa und Charakterstücken gezwungen waren, natürlich zu erscheinen, die individuell zu sein strebten, hatten (ohne eben den Vers sonderlich zu kennen) noch nicht jene ermüdende Monotonie gefunden, die jetzt die deutsche Tragödie auf der Bühne so sehr entstellt. Scheint es doch, als haben die Schauspieler die Verse zu deklamieren erst verlernt, seit alles in Versen, sei es übrigens auch noch so unbedeutend, geschrieben wird.

Was von fünfundzwanzig Jahren der Meister seinen Zeitgenossen zurief, gilt leider auch noch jetzt, vielleicht sogar mehr als damals:

Denn nur der große Gegenstand vermag
Den tiefen Grund der Menschheit aufzuregen;

Im engen Kreis verengert sich der Sinn.
Es wächst der Mensch mit seinen größern Zwecken.
Und jetzt, an des Jahrhunderts ernstem Ende,
Wo selbst die Wirklichkeit zur Dichtung wird,
Wo wir den Kampf gewaltiger Naturen
Um ein bedeutend Ziel vor Augen sehn
Und um der Menschheit große Gegenstände,
Um Herrschaft und um Freiheit wird gerungen,
Jetzt darf die Kunst auf ihrer Schattenbühne
Auch höhern Flug versuchen, ja sie muß,
Soll nicht des Lebens Bühne sie beschämen.

Was hat der Dichter selbst nicht seit 1798 erlebt und wie viel Größeres und Wundervolleres hat sich seit seinem Tode 1805 zugetragen! – Aber wenn wir unsere Bühne fragen, welche Lehre sie daraus gezogen hat, so muß ihr Mund, wie so mancher, verstummen, der wohl Antwort sollte geben können.

Ludwig Tieck

VORREDE ZUR ERSTEN AUSGABE DER »DRAMATURGISCHEN BLÄTTER«

1826

Es waren äußerliche Veranlassungen, die mich bestimmten, vor einiger Zeit über unser deutsches Theater mich vernehmen zu lassen. Diese Aufsätze, welche ich hier dem Leser gesammelt und mit einigen Zusätzen vermehrt übergebe, wurden mit Beifall aufgenommen – ein Beweis, daß es noch viele Liebhaber und Kenner gibt, welche mit der Richtung, die unsere Bühne seit Jahren genommen hat, nicht zufrieden sind. Man möchte im Gegenteil glauben, daß alle, denen man eine Stimme zugestehen darf, sich dahin vereinigen, unser Theater stehe seinem völligen Untergange ganz nahe. Wenn dies der Fall sein sollte, so ist es kein überflüssiges Beginnen, zu zeigen, wo das Übel liegt, anzudeuten, wie es könne geheilt oder verbessert werden; denn eine öffentliche Anstalt, die es unternimmt, die Besseren sowie die Menge zu einer geistreichen Erheiterung oder zum Kunstgenuß zu versammeln, die jetzt von den Städten und Fürsten so auffallend beschützt wird, für welche große Summen ausgegeben und prächtige Tempel errichtet werden, von der man in allen Gesellschaften spricht und die man, wie es scheinen möchte, in diesen Tagen des Friedens fast zur wichtigsten Nationalangelegenheit erhoben hat, verdient ohne Zweifel beachtet und nicht als etwas ganz Unwürdiges vom Freunde der Kunst beiseite geschoben zu werden.

Soll nun aber die Untersuchung eingeleitet werden, woher es komme, daß sich das Theater, sowohl die dramatische Kunst selbst wie die des Schauspielers, so auffallend verschlechtert habe und fortfahre, immer tiefer zu sinken, so entdeckt der Kenner so viele und mannigfaltige Ursachen, daß er bei den vielverschlungenen Fäden in Versuchung gerät, im Überdruß zu ermüden und lieber das verwirrte Gewebe sich selber zu überlassen.

Als unser deutsches Theater sich bildete, gewann es dadurch Kraft, daß es sich lange fast selber überlassen war. Es fand nur wenige Beschützer, die Anzahl der Freunde war nicht übermäßig groß, und die Schauspieler waren zufrieden, sich hinzufristen und nur zuweilen von Kennern aufgemuntert zu werden. So bildeten sich große Talente fast in der Einsamkeit, und eine deutsche Schule entstand, die den Lekains, Prévilles und Garricks vielleicht ebenso vollendete Künstler entgegenstellen konnte. Als nach und nach die Menge Teil nahm, als die Schauspielhäuser sich mehr füllten, nahm diese wohlwollend auf, was ihr verständig geboten wurde, und überließ es den Kennern, mit Kritik zu loben oder zu tadeln.

Statt des Lustspiels und der Tragödie ward es bald die Liebhaberei der Deutschen, eine Gattung auszubilden, die, zwischen beiden schwebend, die Erscheinungen des Lebens mit allen ihren Zufälligkeiten abzuschildern strebt und ohne jene Begeisterung des Lächerlichen oder Erhabenen durch eine leicht zu gewinnende Rührung Bilder interessant zu machen, die gewissermaßen ohne allen Kunstrahmen hingestellt werden. Die frühere Schule hatte eben nicht viel Vortreffliches aufzuweisen, aber ihr Streben war ein anderes, und es ist eben nicht nötig, daß eine Schule, sowie sie nur erst gegründet ist, lauter Meisterstücke hervorbringe; es ist schon Gewinn, wenn die Schüler sich nur des Weges, den sie gehen sollen, bewußt sind. Diese Lust aber an der Rührung, die den Deutschen so auffallend charakterisiert, bemächtigte sich verblendend bald ausschließend des Theaters, und eine Anzahl von Kleingemälden mit falscher Sentimentalität und schwächlichen Schilderungen menschlichen Elends und verächtlicher Erbärmlichkeit erfüllte unsere Theater. Diese Neuerung verdrängte die Anlage zu einer deutschen Schule so völlig, daß man diese Schilderungen jetzt selber so nennen müßte, weil sie lange Zeit fast ausschließend herrschten. Diese Bilder, roh aus dem Leben aufgegriffen, hatten noch den Nachteil, daß sie die Schauspielkunst fast überflüssig machten und den Zuschauer gewöhnten, nur das Natürliche, Unbedeutende, ohne weiteren Zusammenhang mit der Kunst, gern zu ergreifen und die grobe Täuschung für die wahre und echte zu nehmen. Nun war es der Menge leicht, nach augenblicklichen Gefühlen ein Urteil zu fällen, und schon damals entstand eine sonderbare Kritik, die um so mehr zu loben fand, je mehr sich jene schwächlichen Geburten von aller Kunst entfernten, die Begeisterung verhöhnten und der Natur selbst einen so schlecht geschliffenen Spiegel vorhielten, daß nur Ungeheuer und Fratzen sich in ihm abbildeten.

Jeder Künstler will erkannt sein; er wünscht Stimmen zu hören, die sein Bestreben rechtfertigen oder auf die bessere Bahn lenken. Eine mannigfaltige Kritik bestrebte sich auch mit mehr oder minder Glück, diese Forderung zu befriedigen. Eigene Blätter waren dieser Liebhaberei gewidmet, die nur der Schauspieler oder Theaterfreund las. Aber mit der wachsenden Lust am Schauspiel, die freilich mehr ein Bedürfnis ward, nur die Zeit auszufüllen und zu vertreiben, vermehrten sich auch die Tagesblätter in jeder Stadt in demselben Maße, als eine nüchterne, stets hungernde Lesegier diejenigen peinigte, die, zu wenig gebildet, um in echten Schriften sich zu unterrichten, doch von der Welt und ihren Erscheinungen erfahren und Gedanken in sich hervorbringen wollten, die auf das Edle und Schöne hinzudeuten schienen.

Nach manchen Versuchen unserer besten Schriftsteller, das Publikum für Untersuchungen über die Kunst zu interessieren, nach einer vorübergehenden Anstrengung der Nation, sich für Philosophie und Wissenschaft zu begeistern, ist an die Stelle einer vielleicht einseitigen Energie eine fast allgemeine Schlaffheit eingetreten, eine träge Skepsis, die jeder Wahrheit wie Untersuchung scheu aus dem Wege tritt und in anmaßender Sicherheit nur den Effekt und immer wieder den Effekt predigt, jede Zurechtweisung verlachend, als wenn Bildung und Kunstsinn nicht eben jene Wirkungen verschmähend von sich wiesen, die den rohen Haufen so oft entzücken.

Diese Meinungen des Haufens, seine Lobpreisungen, sein irrer Tadel und poetisches Faseln, alle diese Ergießungen der Unwissenheit finden heutzutage ihren Platz in jenen Magazinen unserer zahllosen Tagesblätter. Nicht, daß sich in manchen nicht lobenswerte Arbeiten von vorzüglichen Schriftstellern finden sollten oder einige dieser Blätter selbst ein besseres Bestreben aussprächen: der Mehrzahl geschieht kein Unrecht, wenn man sie zum Abfall und Kehricht unserer Literatur rechnet. Denn hier haben Stimmen Gelegenheit, sich hörbar zu machen, die sich ehemals nirgend durften vernehmen lassen, die ungesalzensten Erzählungen, die ärmsten Späße, die verwirrtesten Meinungen, die sich die Miene der Kritik geben, finden hier ihre Stelle. Die Lesenden gewöhnen sich immer mehr an dieses Geschwätz und werden immer unfähiger, ein Buch zu verstehen. Das Seichteste in dieser Masse ist ohne Zweifel, was man in diesen Blättern über die verschiedenen deutschen Theater findet. Und was soll man zu den sogenannten Kritiken über die Schauspieler sagen? Den meisten sieht man Unkunde und Parteilichkeit beim Aufschlagen an. Manche wollen durch scharfe Bitterkeit auffallen, aber die Mehrzahl lobt in allen Tönen. Wehe den armen Schauspielern über dieses Lob und diesen Tadel! Am meisten aber sind die Schauspielerinnen zu bedauern! Was sollen sie doch mit diesen gedruckten Liebeserklärungen anfangen, die so oft im Tone eines Faunen oder schmachtenden Weichlings sich vernehmen lassen? Schämen wenigstens sollten sie sich dieser zu öffentlichen Huldigungen. Ein auffallender Widerspruch ist es, daß unsere Zartheit jetzt im Theater so leicht von einem Scherz eines älteren Dichters verletzt wird, daß oft die Künstlerinnen diese und jene Rolle versagen, an denen man ehemals keinen Anstoß nahm, und das feine Gefühl doch von jener lauten Anbetung nicht beleidigt wird, die so oft an den Ton der Frechheit grenzt. Sonderbar ist es, daß so unbedingt und laut von allen Stimmen jungendlicher Reiz, üppige Formen usw. gefordert werden und jedermann zu vergessen scheint, daß eine Unzelmann-Bethmann noch im Alter junge Rollen vortrefflich spielte und eine Siddons selbst hochbejahrt in der Tragödie als »Jungfrau« bewundert wurde.

Diesen Sinnenreiz suchen also die meisten männlichen Zuschauer im Theater und sprechen unverhohlen diesen Wunsch aus. Ist es zu verwundern, daß die Schauspielerinnen, um zu gefallen, diesem Wunsche entgegenkommen? Viele wenigstens, und unter diesen nicht unberühmte, stellen die Natur und sogenannte Naivetät so dar, daß es das wird, was man ehemals übertriebene Koketterie nannte. Die Zuschauer selbst wissen dies eigentlich auch, aber sie sind zufrieden, wenn sie nur gereizt sind.

Wie kann bei solcher Stimmung noch von einem Kunstgenuß die Rede sein? Wahrlich, die Theater und ihre Besucher bieten von dieser Seite allein den Zeloten, deren Stimme jetzt wieder erwacht, eine schlimme Blöße.

Als der Alexandriner, vorzüglich durch Lessings Bemühungen, vom Theater verdrängt wurde, glaubten die besseren Köpfe damals, viel für die Freiheit gewonnen zu haben. Sie sahen freilich nicht vorher, daß das Dürftige, unter dem Titel der Natur, sich nach einer gewissen Zeit so durchaus des Theaters bemächtigen würde. Doch wurden zu Lessings Zeit und bald nach ihm alle unsere wahrhaft großen Schauspieler gebildet. Auf dieser Prosa ruhte ihr größtes Verdienst, und wie sie diese zu behandeln verstanden, mit welcher Kunst sie sprachen, wandelten und sich gebärdeten, davon ist freilich den jüngeren Schauspielern und Zuschauern auch jede Ahnung entschwunden. Die Zeit jener Familiengemälde schadete ihrer Kunst wesentlich, noch mehr aber jener fruchtbare Schriftsteller, der, selbst ohne Arg darüber, sich die Aufgabe gesetzt zu haben schien, die Natur in allen ihren Erscheinungen zu entstellen. Wo Natur und Wahrheit in der Dichtung völlig mangeln, da kann der Schauspieler zwar überkleiden und verhüllen, um die Karikatur wieder zu einem Gemälde zurechtzurücken; soll er aber lange diese mißliche Übung vornehmen, so wird er endlich erschlaffen, er wird auch die grellen Übergänge nicht mehr scheuen, sich in der Übertreibung und den groben Pinselstrichen gefallen, und der Zuschauer wird sich, verwöhnt, bald überreden, dieses rohe Bild sei die wahre Erscheinung der Natur, und durch ungeziemenden Beifall den Darsteller um so sicherer und vielleicht auf immer verderben.

Doch auch diese Zeit liegt schon hinter uns. Ein großer Dichter nahm sich der sinkenden Bühne an, ließ den Vers wieder ertönen und schenkte uns edle Werke, die recht eigentlich jetzt mehr als alle andere deutschen Produktionen der ganzen Nation angehören. Die älteren Schauspieler widersetzten sich mehr oder minder, öffentlich oder ingeheim diesem neu erscheinenden Verse. Nicht, daß sie ihn nicht hätten sprechen können, denn wir werden ihn nicht so rezitieren hören, wie wir ihn von Schröder, Fleck oder Brockmann vernommen haben, sondern weil alle Spieler ahneten, daß die Freiheit, in der sie sich bewegten, gehemmt werden, daß die echte Darstellung eine falsche Richtung nehmen dürfte.

Der Erfolg hat wenigstens ihre Besorgnis gerechtfertigt. Es wäre ungerecht, zu behaupten, daß unser Schiller zunächst die Veranlassung gegeben hätte. Einige seiner Werke streben zwar zu einer lyrischen oder epischen Ausschmükkung hin, die das Spiel und die Rezitation vereinzeln, die den Schauspieler fast zwingen, etwas aus dem Zusammenhange zu reißen; aber das dramatische Element ist bei ihm so überwiegend, daß es den schädlichen Einfluß auf die Bühne nicht hätte äußern können, wenn sich ihm nicht andere angeschlossen hätten, die gewissermaßen eine Schule bilden und die in diesem Fehler mit vollem Bewußtsein ihre größte Kraft entwickeln wollen. Durch diese Bemühungen sind die Schauspieler, vorzüglich die jüngeren, verleitet worden, daß sie jetzt aus manchem gerühmten Trauerspiele nichts mehr als ein Deklamationskonzert machen und der Hörer, der schon an diese vollendete Unnatur gewöhnt ist, um so mehr entzückt wird, je mehr der junge Mann oder die verehrte Schöne eine Stelle ganz vereinzelt und aus dem Zusammenhange reißt, um sie unter seltsamen Zuckungen dem Parterre entgegenzuschreien, um alle übrigen Mitspielenden völlig unbekümmert. Bald darauf tritt dann ein zweiter hervor, der es auf ähnliche Art wiederholt, und so fort, so daß man völlig Theater und Gedicht vergißt und nur noch eine Übung schreiender Stimmen anhört, wie sie wohl sonst auf Schulen oder bei den ersten Anfängern im Deklamieren gewöhnlich war.

Lange klagte man in Deutschland, daß es so wenige stehende Theater gebe und daß kein Fürst sie beschütze. Jetzt geschieht es, und jede bedeutende Stadt hat ihr eigenes Theater, wenn nicht mehr. Aber wir haben vielleicht zu viel damit gewonnen, als daß es noch ein echter Gewinn sein könnte. So viel gibt die Erfahrung, wenn man es nicht schon vorher gewußt hätte, daß zu große und prächtige Säle, besonders bei der Beleuchtung der Lichter, unser Schauspiel völlig vernichten. Wenn man nicht Menschen und Gesichter mehr sieht, die feinen Übergänge im Gespräch nicht mehr versteht, so kann kein Bemerken des Spieles und kein Vergnügen daran stattfinden. Für die Oper mögen diese großen Häuser vorteilhaft sein; die Oper verdrängt aber, wo diese Prachtsäle sind, früher oder später das Schauspiel aus dem Hause.

Um nun harmonisch und würdig das Ganze darzustellen, malt man Dekorationen, die keine solche mehr, sondern selbständige Kunstwerke sein wollen. Geschehe dies immerhin der Oper zu Gefallen, nur verschone man das Schauspiel damit. Aber, um Zuschauer zu locken, um doch durch etwas Sinnenreizendes das verlorene Theater zu ersetzen, ordnet man große, kostspielige Aufzüge an; Pferde, je mehr je lieber, übertäuben die Redenden, Feuerwerke sprützen und ängstigen, seltsame Beleuchtungen blenden, Seiltänzer und Ballett füllen die Lücken, und ein Kostüm aller Jahrhunderte prahlt mit kindischer Gelehrsamkeit, um auf alle Weise den Haufen zu bestechen und ihn, so weit als nur möglich, von einem edeln geistigen Genusse entfernt zu halten, als verstände es sich nicht von selbst, daß in der Theaterkunst, wie in Malerei und Skulptur, das Gewand und Kostüm nur den höheren Absichten dienen und hundertmal für den anmaßlichen Kenner unrichtig sein müsse, um nur passend und kunstgemäß zu bleiben.

Trefflich in diese Verwirrung hinein haben die neueren Dichter gearbeitet. Ob es ein lyrisches Drama geben könne und solle (wenn es sich nicht als Oper darstellt), darüber läßt sich viel streiten. Manche Stücke von Calderon nähern sich vielleicht der Lösung dieser schwierigen Aufgabe. Aber durch die *Jungfrau von Orleans* und die *Braut von Messina* ermutigt, haben uns Werner, Müllner, Grillparzer, Houwald, Raupach und andere Gedichte in so seltsamen Formen gegeben, daß die meisten formlos zu nennen sind. Durch die gräßlichsten Situationen, dadurch daß sie den Menschen unter das Tier erniedrigen, wollen manche das ermattete Gefühl reizen und erschüttern, in derselben Zeit, in welcher man noch immer einem Ideale nachjagt, das sich in ein Nichts von Zartheit auflöst; andere dieser Gedichte sind so schülerhaft komponiert, daß man sich in jene frühen Anfänge der dramatischen Kunst versetzt glaubt, in welchen die dialogische Form erst entdeckt wurde. Andere Verfasser scheuen sich schon gar nicht mehr, für Dekorationen, leeres Geräusch und unnützen Pomp ihre Stücke einzurichten, während wir zugleich von den französischen Vorstadttheatern mit Malefikanten aller Art versorgt werden, deren Darstellung ziemlich das Gefühl bei einer wirklichen Hinrichtung erregen mag.

Und unser neuestes Lustspiel! Lange quälten uns die kleinen epigrammatischen Stücke von zwei oder drei Personen, in denen gar nichts geschah. Jetzt hat uns ein weitberühmter Autor wieder mit Handlungen versorgt, in denen wir die gemeinsten Redensarten und Scherze vernehmen, bei welchen wir uns freilich die schwächsten Kompositionen von Kotzebue und Iffland wieder zurückwünschen müssen.

Kurz, Tragödienschreiber wie Spieler, Lustspiel und Ballett und Dekoration, Kostüm und gräßliche Mordgeschichten, alles mit Dichtern und Tänzerinnen und Schauspielerinnen im Bunde, arbeitet nur dahin, den groben Sinnenreiz zu erwecken, sei es, auf welche Art es wolle, und Kunst, Kritik, Satire, Scherz und Witz schweigt nicht nur dazu, sondern strengt sich, zwar in Schwäche sich abmühend, im Gegenteil an, das Beginnen mit Bitterkeit oder Lob in Gedichten oder Abhandlungen zu rechtfertigen.

Ich wollte in nachfolgenden Blättern auf das Verfehlte wie auf das Bessere aufmerksam machen. Schilt man entgegen und beruft sich auf die vollen Schauspielhäuser, so wird immer zu fragen erlaubt bleiben, ob dieselben Säle nicht, wenn die Sache wieder eine bessere Wendung nehmen sollte, von anderen Zuschauern ebenfalls gefüllt sein würden? Ob nicht viele der jetzigen Bewunderer auch das Bessere bewundern lernten? Und ob nicht alle dabei gewönnen?

Georg Wilhelm Friedrich Hegel

ÜBER LESSINGS BRIEFWECHSEL MIT SEINER FRAU

Ich las neulich Lessings Briefwechsel mit seiner Frau; die Empfindung, die ich teils während des Lesens hatte, teils zurückbehielt, war ganz eigen; es war Interesse mit Vergnügen und Wehmut vermischt. Nach einem langen Romanlesen kann nichts erwünschter kommen als so eine ganz aus dem wirklichen Leben genommene Unterhaltung. Man ist immer auf die Entwicklung begierig, obgleich keine Intrige und große Hindernisse die Entwicklung aufhalten – gewöhnliche Erfordernisse in einem Roman, um die Aufmerksamkeit des Lesers zu spannen –, so fehlt doch das Interesse nie und ist um so viel herzlicher und teilnehmender, weil die Umstände so ganz natürlich und menschlich sind. Das einzige Hindernis, das sich in den Weg legt, bezieht sich auf den Punkt, der heutzutage am meisten, oft fast allein (hier freilich nicht) in Betracht kommt, nämlich das hinlängliche Auskommen (denn die Liebe ist nimmer so stark, daß man miteinander in Wüsteneien zieht, aller Bequemlichkeiten sich entschlägt und nur von der Liebe lebt), und da jenes Erfordernis noch nicht hinlänglich gesichert war, so wird die Verbindung immer aufgeschoben. Kein grausamer Vater, kein harter Onkel oder Vormund, kein der Unschuld nachstellender Lord ist es, der die Heirat aufhält –, die Zeit, in welcher der Briefwechsel fortdauert, ist sechs Jahre – welche lange Zeit für einen Bräutigam und eine Braut! Und in diesem Zwischenraum fast nichts als Verdruß und Leiden durch Krankheiten, und dann die Dauer der Ehe – war nur drei Jahre. Stoßen einem hier nicht Betrachtungen über die Nichtigkeit des Menschen und seiner angenehmsten Sorgen auf? Sollte man nicht denken, wenn ein Mensch dies voraus wüßte, würde er nicht einen frühern Tod, als ihm die Natur bestimmt hat, einem solchen Leben vorziehen? Vielleicht, wenn man sich ein Leben voll lauter Elend und Mühseligkeit denkt, aber man bringt nicht in Anschlag, was das Leben in concreto ist, die angenehme Gewohnheit des Wirkens und Tätigseins, wie es Goethe nennt – das uns beständig beschäftigende unaufhörliche Einströmen von Empfindungen in die körperliche Behaglichkeit. Bei einem Menschen, der den Gedanken, sich selbst außer allen diesen Verhältnissen zu setzen, ausführen kann, müssen die Vorstellungen und das Wirken der Seele fast bloß nach innen gehen, und das Band, das durch die Sinne ihn an die ganze Natur knüpft, muß sehr schwach sein. Doch von dieser Digression wieder auf Lessings Briefwechsel zu kommen, so ist der ganze Ton desselben, wenigstens größtenteils, mehr geschickt, den Leser zu Wehmut als zu angenehmer Empfindung zu stimmen. Aber die Sprache des Schmerzes und der Leiden ist viel beredter als die Sprache der Freude und der Genuß der letztern nicht so bemerkbar wie die Empfindung des erstern. Der trübe Augenblick, in dem wir schreiben, überzieht auch das Andenken an frohe Stunden mit einem schwarzen Flor, außerdem daß er das Traurige noch hervorhebt, stärkere Farben aufträgt und zuviel Schatten ins Gemälde bringt. Oft mischt sich auch eine kleine, heimliche, dem Angesteckten selbst unbemerkte Eitelkeit ins Spiel, die uns aus dem hintersten Winkel des Herzens überredet, es erwecke mehr Interesse, die Teilnahme sei größer, wenn man uns leiden als wenn man uns fröhlich sieht, wir erscheinen etwas größer im Schmerz als in der Freude usf. Noch eine Bemerkung war mir sehr auffallend. Wenn Lessings Geliebte von ihrer üblen Laune, ihrer verdrüßlichen Lage u. dgl. schreibt und er gerade guten Humors ist, so kommt er mit Lebensregeln angezogen, mit Vorschriften aus der arte bene vivendi, als ob er die vergnügte Laune, in die ihn die Umstände versetzten (vielleicht ein schöner Tag, verbunden mit dem Gefühl der Gesundheit), sich selber, der Befolgung seiner weisen Maximen allein zu danken hätte. – Hierin betrügt sich das liebe eitle Herzchen oft. – Durch die Fröhlichkeit wird Zufriedenheit mit sich selbst, über sein Tun und Lassen, über das Gelingen kluger Plane, über seine äußeren Umstände befördert. Man glaubt aber, es sei immer der Fall umgekehrt, nur wenn wir mit unserm Gewissen, mit unserer Klugheit zufrieden zu sein Ursache zu haben vermeinen, so soll die Folge davon Heiterkeit des Gemüts und wahres Vergnügen sein; wie gesagt, meist ist es umgekehrt. Gefühl der Gesundheit, schönes Wetter, Freiheit von gegenwärtigen Sorgen, eine Aussicht auf ein fröhliches Mahl setzt uns in einen Zustand von Froheit und dieser täuscht uns gar zu gern. Nur Unglück erweckt die Stacheln des Gewissens, häuft das Andenken aller zu bereuenden Unbesonnenheiten zusammen und läßt es selten dabei bewenden, die Seele mit dem Gefühl der traurigen Lage, der Schmerzen usf. erfüllt zu haben, sondern ruft auch Unzufriedenheit mit sich selbst, Selbstanklage zu Hülfe, um der Seele vollends den Mut zu rauben, der standhaft, stolz auf seine Unschuld, dem Schmerze trotzt. Aber hier hebst du allen Unterschied zwischen guten und bösen Menschen auf? Nur bei den letztern mag dein hier entworfenes Gemälde passen. Nein, aber der Unterschied ist hier nicht spezifisch, sondern nur den Graden nach. Wo finden wir den Menschen, der das Bewußtsein hat, immer mit der besten Absicht, immer nach der ewigen Regel des Rechts und zugleich immer mit der größten Klugheit gehandelt zu haben und der sich in Ansehung dieser Punkte nichts vorzuwerfen hat. Der Unmut ruft oft längst abgetane Sachen zurück, und so sehr wir oft streben, dergleichen Bilder schnell wegzuhauchen, so bleibt doch das nachfolgende Gefühl, das sich mit dem vorhandenen Unmut vermischt, zurück. – Doch zurückzukommen auf Lessings Moralien, so finden wir oft gleich im nächsten Briefe durch Umstände die Wirksamkeit derselben ganz aufgehoben und den auffallendsten Beweis, wie wenig Maximen über den Eindruck, der sich auf Vergnügen und Unlust bezieht, vermögen.

Der Ton der Briefe ist gegenseitige Teilnahme, Mitteilung seiner Angelegenheiten und Geschäfte, seines Kummers und seiner Freude und Anteil daran auf der andern Seite. Der Ausdruck ist ungekünstelt und bleibt bei dem Allgemeinen stehen – er zergliedert die Empfindung nicht; sie gibt den Totaleindruck an, gerade wie wir es bei den Griechen sehen, wo eine Tragödie kein Kompendium der empirischen Psychologie in nuce ist wie oft heutzutage; dies ist Natur, diese geht auf Genuß und Empfindung. – Die frühen Umstände der Jugend und der Erziehung hemmen den Eindruck der Natur in uns, wir werden zuviel daran gewöhnt, daß die Seele sich mit sich selbst beschäftige, die äußern Gegenstände zuviel nach Begriffen beurteile, nicht nach den Empfindungen der Schönheit. Das Herz wird verschlossen, und nur der kalte, berechnende Verstand bleibt übrig, der am Ende bloß an den Mitteln kleben bleibt und des Zwecks nie gedenkt. Ein schneidender Unterschied unserer Sitten und unsers Charakters von dem griechischen ist wohl dadurch abgezeichnet, daß der Dichter, der zum Genuß des Lebens durch Erinnerung an den Tod aufriefe: »Mensch, genieße dein Leben!« usf., bei uns sehr abgeschmackt erscheinen würde. Wie würde ich heute das Leben genießen können, wenn morgen der Tod mich abriefe!

Nur der Grieche konnte so genießen, sich für ein jedes Wesen, das Leben und Empfindung äußert, interessieren. Überall entdeckte der reine Geist der Griechen ein ungekünsteltes Verhältnis, woran das Herz teilnahm; er zeigt sich von dieser Seite am edelsten in ihren Sinngedichten, er scheint sich zu dem unsrigen zu verhalten wie ein Knabe, der an eine Rose riecht, zu dem Apotheker, der Rosenwasser daraus macht. Keusche Reinheit und liebliche Schamhaftigkeit scheint überhaupt ein Eigentum des griechischen Genius gewesen zu sein.

Georg Wilhelm Friedrich Hegel

ÜBER »WALLENSTEIN«

Der unmittelbare Eindruck nach der Lesung *Wallensteins* ist trauriges Verstummen über den Fall eines mächtigen Menschen unter einem schweigenden und tauben Schicksal. Wenn das Stück endigt, so ist alles aus, das Reich des Nichts, des Todes hat den Sieg behalten; es endigt nicht als eine Theodicee.

Das Stück enthält zweierlei Schicksale Wallensteins: das eine, das Schicksal des Bestimmtwerdens eines Entschlusses, das zweite, das Schicksal dieses Entschlusses und der Gegenwirkung auf ihn. Jedes kann für sich als ein tragisches Ganzes angesehen werden. Das erste, Wallenstein, ein großer Mensch, denn er hat als er selbst, als Individuum, über viele Menschen geboten, tritt auf als dieses gebietende Wesen, geheimnisvoll, weil er kein Geheimnis hat, im Glanz und Genuß dieser Herrschaft. Die Bestimmtheit teilt sich gegen seine Unbestimmtheit notwendig in zwei Zweige, der eine in ihm, der andere außer ihm. Der in ihm ist nicht sowohl ein Ringen nach derselben als ein Gären derselben. Er besitzt persönliche Größe, Ruhm als Feldherr, als Retter eines Kaisertums durch Individualität, Herrschaft über viele, die ihm gehorchen, Furcht bei Freunden und Feinden. Er ist selbst über die Bestimmtheit erhaben, dem von ihm geretteten Kaiser oder gar dem Fanatismus anzugehören. Welche Bestimmtheit wird ihn erfüllen? Er bereitet sich die Mittel zu dem größten Zwecke seiner Zeit, dem, für das allgemeine Deutschland Frieden zu gebieten, ebenso dazu, sich selbst ein Königreich und seinen Freunden verhältnismäßige Belohnung zu verschaffen. Aber seine erhabene, sich selbst genügende, mit den größten Zwecken spielende und darum charakterlose

Seele kann keinen Zweck ergreifen, sie sucht ein Höheres, von dem sie gestoßen werde. Der unabhängige Mensch, der doch lebendig und kein Mönch ist, will die Schuld der Bestimmtheit von sich abwälzen, und wenn nichts für ihn ist, das ihm gebieten kann – es darf nichts für ihn sein –, so erschafft er sich, was ihm gebiete. Wallenstein sucht seinen Entschluß, sein Handeln und sein Schicksal in den Sternen (Max Piccolomini spricht davon nur wie ein Verliebter). Eben die Einseitigkeit des Unbestimmtseins mitten unter lauter Bestimmtheiten, der Unabhängigkeit unter lauter Abhängigkeiten, bringt ihn in Beziehung mit tausend Bestimmtheiten, seine Freunde bilden diese zu Zwekken aus, die zu den seinigen werden, seine Feinde ebenso, gegen die sie aber kämpfen müssen. Und diese Bestimmtheit, die sich in dem gärenden Stoff, denn es sind Menschen, selbst gebildet hat, ergreift ihn, da er damit zusammen- und also davon abhängt, mehr, als daß er sie macht. Dieses Erliegen der Unbestimmtheit unter die Bestimmtheit ist ein höchst tragisches Wesen und groß, konsequent dargestellt; die Reflexion wird darin das Genie nicht rechtfertigen, sondern aufzeigen. Der Eindruck von diesem Inhalt als einem tragischen Ganzen steht mir sehr lebhaft vor. Wenn dies Ganze ein Roman wäre, so könnte man fordern, das Bestimmte erklärt zu sehen, nämlich dasjenige, was Wallenstein zu dieser Herrschaft über die Menschen gebracht hat. Das Große, Bestimmungslose, für sie Kühne fesselt sie; es ist aber im Stück und konnte nicht handelnd dramatisch, d. h. bestimmend und zugleich bestimmt auftreten; es tritt nur als Schattenbild, wie es im Prolog, vielleicht in anderm Sinne, heißt, auf, aber das Lager ist dieses Herrschen, als ein Gewordenes, als ein Produkt.

Das Ende dieser Tragödie wäre demnach das Ergreifen des Entschlusses, die andere Tragödie das Zerschellen dieses Entschlusses an seinem Entgegengesetzten; und so groß die erste ist, so wenig ist mir die zweite Tragödie befriedigend. Leben gegen Leben; aber es steht nur Tod gegen Leben auf, und unglaublich! abscheulich! der Tod siegt über das Leben! Dies ist nicht tragisch, sondern entsetzlich! Dies zerreißt das Gemüt, daraus kann man nicht mit erleichterter Brust springen!

ANMERKUNGEN

Die vorliegenden Texte wurden – wenn nicht anders vermerkt – in Rechtschreibung und Interpunktion modernisiert. Im Lautstand folgen sie insgesamt den angegebenen Ausgaben.

Johann Christoph Gottsched

Vorrede zum »Sterbenden Cato«

Druckvorlage: Deutsche Nationalliteratur, hrsg. von Joseph Kürschner, Bd. XLII, Berlin-Stuttgart 1884.

S. 43 *Johann Christoph Gottsched* – (1700–1766) Professor der Poesie und Rhetorik in Leipzig; leistete Wesentliches für die Reinigung der deutschen Sprache und leitete eine Reform des völlig abgesunkenen deutschen Dramas ein. Seine Verdienste um die Förderung der deutschen Sprache und Literatur bleiben trotz der heftigen Polemik der Schweizer Bodmer und Breitinger und Lessings, die vor allem seine Überschätzung der Werke der französischen Klassik kritisierten, unbestritten. Seine *Deutsche Schaubühne* war eine wichtige Sammlung der bis dahin existierenden Theaterstücke.

S. 43 *»Cato«* – Das nach dem Vorbild von Deschamps' (1683 bis 1747) *Caton d'Utique* (1715) und Addisons (1672 bis 1719) *Cato* (1713) geschriebene Trauerspiel Gottscheds erschien 1732 unter dem Titel: Joh. Christ. Gottscheds, Prof. der Poesie in Leipzig, Sterbender Cato, ein Trauerspiel, nebst einer kritischen Vorrede, darinnen von der Einrichtung desselben Rechenschaft gegeben wird. Leipzig, zu finden in Teubners Buchladen, 1732. Obwohl Gottsched fast wörtlich übersetzte – bis auf einige Szenen sind der erste bis vierte Akt aus dem Französischen, ein Stück des vierten und der fünfte Akt aus dem Englischen übertragen –, nennt er seinen *Cato* eine »Originaltragödie«. – Der historische Cato, mit vollem Namen Marcus Portius Cato Uticensis (95–46 v. u. Z.), war ein entschiedener römischer Republikaner, daher Feind des Triumvirats und Cäsars. Als die Sache der Republikaner nach dem Sieg Cäsars über die Pompejaner bei Thapsus (46 v. u. Z.) endgültig verloren war, gab er sich selbst den Tod.

S. 43 *»Cid« des Corneille* – Pierre Corneille (1606–1684) schuf die nationale klassische Tragödie Frankreichs. Als erstes bedeutendes tragisches Werk des Dichters stand 1636 der *Cid* im Mittelpunkt einer kunsttheoretischen Auseinandersetzung, in der auf Betreiben Kardinal Richelieus die Entscheidung der Akademie angerufen wurde. In den *Sentiments de l'Académie française sur la tragicomédie du Cid* wiesen die Mitglieder der Akademie auf das Gesetz der Wahrung der drei Einheiten hin. Im *Cid* seien die Einheit der Zeit und des Ortes nicht gewahrt, das Werk sei daher als Beispiel einer klassischen Tragödie ungeeignet. Corneille bemühte sich in seinen späteren Dramen (u. a. *Horace*, 1640; *Cinna*, 1640; *Polyeucte*, 1642/43; *Nicomède*, 1651; *Sophonisbe*, 1666) um die Gestaltung der regelmäßigen heroischen Tragödie. Corneille und Racine haben die Form und den Charakter der klassischen französischen Tragödie bestimmt.

S. 43 *»Merope« des Herrn Maffei* – Francesco Scipione Maffei (1675–1755) wollte in seiner *Merope* (1714) die Vorzüge der griechischen und französischen Tragödie vereinigen. Euripides, der jüngste der drei großen griechischen Tragiker (etwa 480–406 v. u. Z.), hatte als erster den Mythos von Merope zu einem Trauerspiel, *Kresphontes*, verarbeitet; später nahmen Maffei und Voltaire den Stoff wieder auf. Bekannt ist die Kritik Lessings an der *Merope* Voltaires in der *Hamburgischen Dramaturgie* (36. bis 50. Stück).

S. 44 *Lohensteins Trauerspiele* – Gemeint sind hier die sechs Trauerspiele *Ibrahim Bassa* (1653), *Cleopatra* (1661), *Agrippina* (1665), *Epicharis* (1665), *Ibrahim Sultan* (1673) und *Sophonisbe* (1680) von Daniel Kaspar von Lohenstein (1635–1683). Sie erschienen zuerst einzeln, später, mit Ausnahme des ersten, gesammelt in seinen *Trauer- und Lustgedichten* (1680).

S. 44 *Opitzens »Antigone«* – erschien zuerst 1636.

S. 45 *Boileau* – *Nicolas Boileau-Despréaux* (1636–1711), Dichter und Kritiker; schrieb in Anlehnung an Horaz Satiren, Episteln und eine *Art poétique* (1674), die sich stark an die Regeln des Aristoteles anlehnte (Kunst ist Nachahmung der Natur, das künstlerische Schaffen ist ewig gleichen, auf der Vernunft beruhenden Gesetzen unterworfen) und das Ansehen eines ästhetischen Gesetzbuches erhielt.

S. 45 *die privilegierten dresdenischen Hofkomödianten* – Gemeint ist die Hofmannsche Gesellschaft.

S. 45 *»Streit zwischen Ehre und Liebe oder Roderich und Chimene«* – Titel der Gottschedschen Übersetzung des *Cid.*

S. 45 *Prinzipal der Komödie* – Gemeint ist Hofmann.

S. 45 *Andreae Gryphii Trauerspiele* – Andreas Gryphius (1616 bis 1664) schrieb fünf Tragödien: *Leo Armenius oder Fürstenmord* (1646), *Katharina von Georgien oder Bewährte Beständigkeit* (um 1647), *Cardenio und Celinde oder Unglücklich Verliebte* (um 1649), *Ermordete Majestät oder Carolus Stuardus, König von Großbritannien* (1649) und *Großmütiger Rechtsgelehrter oder Der sterbende Paulus Papianus* (zwischen 1657 und 1659). Ferner schrieb Gryphius eine Reihe Komödien, von denen der *Peter Squenz* (um 1648) und der hier genannte *Horribilicribrifax* die bekanntesten sind.

S. 46 *aus den Fontenellischen Schäfergedichten* – Bernard le Bovier de Fontenelle (1657–1757), ein Neffe Corneilles, verfertigte neben Opern, Tragödien und Lustspielen kleinere Poesien. Er wurde wegen seines klaren, eleganten Stils allgemein bewundert. Gottsched übersetzte Fontenelles 1786 entstandene *Entretiens sur la pluralité des mondes* und den 1728 publizierten *Endymion.*

S. 46 *in Rothens »Deutscher Poesie«* – Gemeint ist die Poetik von A. Ch. Roth (1651–1701).

S. 46 *Menantes* – Pseudonym für Christian Friedrich Hunold (1680–1721); bekannt durch seine im Lohensteinschen Geschmack geschriebenen Romane *Die verliebte und galante Welt* und *Satirischer Roman* (1705–1707); verfaßte auch Operntexte.

S. 46 *»Allerneueste Art, zur galanten Poesie zu gelangen«* – eine von Erdmann Neumeister (1671–1756) ausgearbeitete und von dem damals in Hamburg lebenden Hunold mit Zusätzen versehene Poetik, die 1706 unter dem Titel *Die allerneueste Art, zur reinen und galanten Poesie zu gelangen* in Hamburg erschien.

S. 47 *Daciers französische Übersetzung* – André Dacier (1657 bis 1722), Altphilologe, Bibliothekar des französischen Königs, gab 1692 eine Übersetzung und Erklärung der *Poetik* des Aristoteles heraus.

S. 47 *Casaubonus* – Isaak Casaubonus (1559–1614), bedeutender Humanist; das hier erwähnte Buch erschien 1605 zu Paris unter dem Titel *De satyrica Graecorum poesi et Romanorum satira, libri II.*

S. 47 *Rappolts »Poetica Aristotelica«* – Friedrich R. Rappolt 1615–1676), Theologe und Philologe; 1656 Professor der Poesie an der Universität Leipzig, schrieb 1675 einen Kommentar zu Horaz, die erwähnte *Poetica Aristotelica* erschien 1678.

S. 47 *Heinsius* – Daniel Heinsius (1580–1655), holländischer Philologe und Dichter; schloß sich eng an Ronsard (1525 bis 1585) an und war für Opitz ein vielbewundertes Vorbild.

S. 47 *Aubignac* – François-Hedelin, Abbé d'Aubignac (1604 1676), Kritiker; feindete Corneille und Ménage an; das genannte Werk, *La pratique du théâtre*, erschien 1657.

S. 47 *St. Evremont* – Charles de Marguetel de Saint-Denis, Graf Ethalan, Seigneur de Saint-Evremont (auch Evremond) (1610–1703), Satiriker und Kritiker. Gottsched bezieht sich wohl besonders auf dessen *Betrachtungen über die Tragödie und Komödie.*

S. 47 *La Grange* – François-Joseph Chancel, bekannt unter dem Namen La Grange (1677–1758), französischer Schriftsteller; schrieb die Tragödien *Oreste et Pylade* (1697), *Méléagre* (1699), *Alceste* (1703).

S. 47 *La Motte* – Antoine Houdart de La Motte (auch La Motte-Houdar), französischer Schriftsteller (1672–1731); einer der kühnsten Anreger unter den Literaturreformern des 18. Jahrhunderts; sprach als einer der ersten aus, daß auch Prosawerke Dichtungen sein können; schrieb *Odes avec un discours sur la poésie en général* (1709), *Œuvres de théâtre* (1730).

S. 47 *Brumoys »Théâtre des Grecs«* – Pierre Brumoy (1688

bis 1742), Jesuit, wurde bekannt durch das genannte Werk *Théâtre des Grecs*, das von 1730 an in vielen Bänden erschien und das fanzösische Publikum durch Auszüge, Übersetzungen und Abhandlungen mit den altgriechischen Tragödien und Komödien bekanntmachte.

S. 47 *Riccoboni* – Ludovico Riccoboni, genannt Lelio (1674 bis 1753), gilt als der Reformator des italienischen Schauspiels; Leben und Werk werden in Lessings *Theatralischer Bibliothek* gewürdigt.

S. 47 *einen andern Prinzipal* – Gemeint ist Johann Neuber 1697–1759).

S. 47 *Herzog Anton Ulrichs Zeiten* – Herzog Anton Ulrich von Braunschweig-Wolfenbüttel (1663–1714), seit 1704 Mitregent seines Bruders Rudolf August, Mitglied der Fruchtbringenden Gesellschaft, Verfasser von Singspielen, geistlichen Liedern und zwei Romanen.

S. 48 *Pradon* – Nicolas Pradon (1632–1698), französischer Trauerspieldichter; literarischer Nebenbuhler Racines.

S. 48 *»Brutus« ... »Alexander und Porus«* – Corneilles *Brutus* erschien 1699 und 1702 in der Übersetzung von Bressand (um 1670–1729), der bereits 1692 Racines *Alexander und Porus* ins Deutsche übertragen hatte.

S. 48 *Geschicktern Poeten* – gemeint ist Gottfried Lange (1672 bis 1788), der 1699 als Hofmeister an der Ritterakademie in Wolfenbüttel den *Cid* des Pierre Corneille ins Deutsche übersetzte. Seit 1710 war Lange Ratsherr in Leipzig. Der erste Teil der Übersetzung erschien 1741 in Gottscheds *Deutscher Schaubühne*.

S. 48 *von einem vornehmen Ratsgliede* – Gemeint ist Christoph Fürer von Haimendorff (1663–1732); die Übersetzung erschien 1702 in der Sammlung *Christliche Vesta und irdische Flora*.

S. 48 *Übersetzung der »Iphigenia«* – Die Gottschedsche Übersetzung der 1669 erschienenen *Iphigenie* des Racine wurde 1732 als Einzelausgabe veröffentlicht und später als erstes Stück in den zweiten Band der *Deutschen Schaubühne* aufgenommen.

S. 48 *»Chimenens Trauerjahr«* – nach Angabe der *Beiträge zur kritischen Historie der deutschen Sprache, Poesie und Beredsamkeit*, Bd. VI, (1732–1744), dem ersten von Gottsched herausgegebenen deutschen Literatur-Journal von »Herrn M. H., einem sehr geschickten Poeten« ins Deutsche übertragen.

S. 48 *»Berenice«* – Bérénice wurde 1670 geschrieben, nach Angabe der *Kritischen Beiträge* (Bd. VI), von einem Magister Pantke übersetzt.

S. 49 *Maternus* – Curiatius Maternus, Jurist, Redner und Dichter; einer der Hauptredner in dem Tacitus zugeschriebenen *Dialog von den Rednern.* Er soll *Thyest, Medea, Domitius* und *Cato* gedichtet haben.

S. 50 *Addison* – Joseph Addison (1672–1719), Anhänger der Whigs, hatte wesentlichen Anteil an Steeles politischen Zeitschriften *Spectator* (1711) und *Guardian* (1713). Sein Trauerspiel *Cato* (1713), das wegen seiner politischen Anspielungen lebhaften Beifall fand, diente Gottsched als Vorwurf zu seinem *Cato* (s. Anm. zu S. 43).

S. 50 *»Gardian«* – Gemeint ist die von Steele und Addison herausgegebene politische Wochenschrift *Guardian.*

S. 51 *nämlich von Italienern ... und Deutschen* – In der außerdeutschen Literatur existiert eine *Sophonisbe* von dem Italiener Trissino (1478–1550), von Corneille (s. Anm. *»Cid« des Corneille* zu S. 43) und von dem Engländer Lee (um 1653–1692); das deutsche Werk ist das 1666 entstandene Trauerspiel von Daniel Kaspar von Lohenstein (s. Anm. *Lohensteins Trauerspiele* zu S. 44).

S. 51 *»Quae conuenere ...«* – Was aus der *Perinthia* (seines griechischen Vorbildes Menander – H. M.) in die *Andria* paßte, gesteht er (der Poet – H. M.), herübergenommen und als das Seinige benutzt zu haben«, heißt es in der Vorrede zur *Andria* des Terenz (190–158 v. u. Z.).

S. 51 *»Habet bonorum ...«* – »Er (der Poet – H. M.) hat das Beispiel guter Dichter vor sich, nach welchem Beispiele er glaubt, was sie getan haben, auch tun zu dürfen«, heißt es in derselben Vorrede des Terenz.

S. 51 *Menander* – (342–290 v. u. Z.), Vertreter der sogenannten neueren attischen Komödie, aus der Terenz und Plautus vielfach entlehnt haben.

S. 52 *Aus dem »Ödipus« und der »Iphigenia«* – Gemeint sind *Ödipus* von Corneille (1659) und *Iphigenie* von Racine (1674).

S. 52 *in den »Beiträgen zur kritischen Historie der deutschen Sprache«* – Die betreffende Stelle findet sich im 1. Stück; sie wurde geschrieben anläßlich der alten Zerbstischen Übersetzung von Miltons *Verlorenem Paradies.*

S. 57 *Ens entium miserere mei!* – Wesen der Wesen, erbarme dich meiner!

Johann Jakob Bodmer

Aus den Diskursen der Malern
Zwanzigster Diskurs des ersten Teils

Druckvorlage: Deutsche Nationalliteratur, hrsg. von Joseph Kürschner, Bd. XLII, Berlin-Stuttgart 1884.

S. 59 *Johann Jakob Bodmer* – (1698–1783); entfremdete sich schon während seines theologischen Studiums dem geistlichen Beruf, ging dann als Kaufmann nach Italien und beschäftigte sich eingehend mit englischer, französischer, italienischer und deutscher Literatur. Nach seiner Rückkehr in die Schweiz gab er von 1721 bis 1723 gemeinsam mit Breitinger (1701–1776) die *Diskurse der Malern* heraus. Bodmer war von 1725 bis 1775 Professor für helvetische Geschichte in Zürich. Seine Übersetzung von Miltons *Verlorenem Paradies* und die lobende Abhandlung über die Vorzüge der englischen Literatur gegenüber der französischen führten zu der bekannten Auseinandersetzung zwischen Bodmer/Breitinger und Gottsched. Von wechselseitigem Einfluß waren die Begegnungen mit Klopstock (1750/51) und Wieland (1752–1754). Besondere Erwähnung verdient die Auffindung der mittelhochdeutschen Manessischen Liederhandschrift durch Bodmer und die von ihm und Breitinger gemeinsam vorbereitete und veranlaßte Veröffentlichung der ersten kritischen Opitz-Ausgabe.

S. 59 *»Diskurse der Malern«* – erschienen von 1721 bis 1723 nach dem Vorbild der moralischen Wochenschriften Addisons und Steeles und wurden von Bodmer und Breitinger gemeinsam herausgegeben; die Zeitschrift, deren Titel von Bodmer stammt, sollte die Gemeinsamkeiten von Poesie und Malerie hervorheben: die Poesie als beständige und weitläufige Malerei. Dieses Problem beschäftigte Bodmer seit seiner Italienreise; die kunsttheoretischen Schriften der Franzosen und Italiener übten dabei großen Einfluß auf ihn aus. – Die *Diskurse,* die sich in vier Teile gliedern, umfassen vierundneunzig Aufsätze, von denen Bodmer sechsundvierzig und Breitinger siebenundzwanzig verfaßte; dreizehn wurden von beiden gemeinsam ausgearbeitet. Der zwanzigste Diskurs des ersten Teils ist von Bodmer geschrieben.

S. 59 *Manes* – bei den alten Römern die Seelen der Verstorbenen, besonders der guten; sie galten als unsterblich wie die Götter.

S. 60 *in einen Fischschwanz zusammenzöge* – bekanntes Gleichnis aus Horaz' *De arte poetica* (Vers 30); s. auch Anm. zu S. 223.

S. 60 *Die Gedichte von Ovide* – Gemeint sind die *Tristia* (Klagelieder), Elegien in fünf Büchern, die Ovid (43 v. u. Z. bis 17 n. u. Z.) in den letzten Lebensjahren während seiner Verbannung schrieb.

S. 60 *gerichts* – direkt, unmittelbar.

S. 61 *künstlich* – kunstvoll.

S. 61 *abtreten* – abweichen.

S. 62 *fürbilden* – vorstellen.

S. 63 *Cheroneser* – Gemeint ist Aristoteles.

S. 64 *gleiche Qualitäten haben* – etwa: gleiche Eigenschaften besitzen.

S. 64 *der einen solchen Schlüssel... für wahrhaft verkaufet* – sinngemäß: der einen historischen Charakter poetisch verwendet und ihn dennoch als historischen angesehen wissen will.

GOTTLIEB WILHELM RABENER

Vom Mißbrauche der Satire

Druckvorlage: Gottlieb Wilhelm Rabeners sämtliche Schriften, hrsg. von Christian Felix Weiße, Erster Teil, Leipzig 1777.

S. 65 *Gottlieb Wilhelm Rabener* – (1714–1771); studierte nach dem Besuch der Fürstenschule in Meißen (wo er mit Karl Christian Gärtner und Christian Fürchtegott Gellert bekannt wurde) in Leipzig die Rechte und übernahm anschließend in dieser Stadt das Amt eines Steuerrevisors. Nach 1773 lebte Rabener als Obersteuerrat in Dresden; er war Mitarbeiter an Schwabes *Belustigungen des Verstandes und des Witzes* und schrieb später für die *Bremer Beiträge*. In diesen beiden Zeitschriften erschienen fast alle frühen Satiren Rabeners. Die in den Jahren nach 1755 entstandenen wurden erst nach seinem Tode veröffentlicht. Der *Vorbericht* leitete die erste Sammlung von Rabeners satirischen Schriften ein, die 1751 erschien.

S. 69 *Fehler des Übelstandes* – »Übelstand« wird von Rabener vielfach im Sinne des Unanständigen gebraucht, im Gegensatz zu »Wohlstand« im Sinne von Wohlanständigkeit.

S. 70 *Vossius* – Gemeint sind die von dem Amsterdamer Professor der Philologie und Rhetorik Gerhard Johann Voß (1577–1649) herausgegebenen Schulbücher *Grammatica latina* (1626) und *Grammatica graeca* (1627), die auf den damaligen Unterricht entscheidenden Einfluß hatten.

S. 78 *Donatschnitzer* – Verstoß gegen die gewöhnlichsten Regeln der lateinischen Grammatik. Der römische Grammatiker Aelius Donatus (um 350) verfaßte Kommentare zu Terenz und Virgil sowie eine *Ars grammatica*, die im späteren Mittelalter der gültige Leitfaden für den Elementarunterricht in Latein war. »Donat« bedeutete seither überhaupt soviel wie lateinische Grammatik.

S. 79 *satirische Konkordanz* – »Konkordanz« ist die alphabetische Zusammenstellung aller in einem Schriftstück vorkommenden Wörter mit Angabe der Belegstellen (Verbal-Konkordanz) oder aller auf einen bestimmten Gedanken oder Gegenstand bezüglichen Stellen (Real-Konkordanz). Besonders verbreitet sind die Bibelkonkordanzen. »Satirische Konkordanz« bedeutet etwa: Sammlung aller in der Satire gebräuchlichen Mittel und Waffen.

S. 81 *Sporteln* – Gerichtsgebühren.

S. 81 *einen Scaramutz zu tanzen* – Scaramuccio ist eine Charakterfigur der italienischen Stegreifkomödie, ein feiger Großsprecher im spanischen Kostüm. »Einen Scaramutz tanzen« will sagen: sich in der Manier dieses Scaramuccio betragen.

S. 82 *von dem Eidschwure* – Rabener hatte in den *Bremer*

Beiträgen 1745 den *Versuch eines deutschen Wörterbuches* veröffentlicht. Er zitiert hier den Abschnitt *Eidschwur.*

S. 82 *deferieren* – zuschieben.

S. 83 *eines gewissen Narrens* – Wie aus dem Folgenden hervorgeht, handelt es sich hier um eine Fiktion, da Rabener bewußt jede Beziehung auf eine bestimmte Person in seinen Satiren vermeidet.

S. 85 *Autodafé* – Ketzerverbrennung.

S. 86 *et magnum Dei...* – Es ist eine große Wohltat Gottes, gesunden Menschenverstand zu besitzen.

S. 86 *Cominaeus* – Philippe de Comines, Sieur d'Argenton (1445–1509), französischer Staatsmann und Geschichtsschreiber.

S. 87 *Juvenal* – Decimus Junius Juvenalis (etwa 60–140), römischer Dichter, von dem sechzehn Satiren überliefert sind.

S. 87 *Scholiasten* – Verfasser der sogenannten Scholien, der aus dem Altertum erhaltenen erklärenden und textkritischen Anmerkungen; ihre Namen sind in der Regel unbekannt.

S. 90 *»Der Jüngling«* – eine seit 1747 von Rabener, Johann Arnold Ebert (1723–1795), Nicolaus Dietrich Giseke (1724–1765) und Carl Friedrich Cramer (1752–1807) herausgegebene Wochenschrift.

S. 92 *Assietten* – kleine Schüsseln.

Johann Elias Schlegel

Vergleichung Shakespeares und Andreas Gryphs bei Gelegenheit des Versuchs einer gebundenen Übersetzung von dem »Tode des Julius Cäsar«

Druckvorlage: Johann Elias Schlegels ästhetische und dramaturgische Schriften, in: Deutsche Literaturdenkmale des 18. und 19. Jahrhunderts, hrsg. von Bernhard Seuffert, Bd. XXVI, Heilbronn 1887.

S. 99 *Johann Elias Schlegel* – (1719–1749); schrieb seine ersten Dramen in Schulpforta, wo er von 1733 bis 1739 die Fürstenschule besuchte. In Leipzig studierte er die Rechte (1739–1742) und verfaßte neben mehreren Dramen und Gedichten seine ersten kunsttheoretischen Abhandlungen. Von Gottsched beeinflußt und gefördert, ging er – vor allem auf ästhetischem Gebiet – bald seine eigenen Wege. – Schlegel kam 1743 als Privatsekretär des Kriegsrates von Spener (des sächsischen Gesandten am dänischen Hofe) nach Kopenhagen. Hier widmete er sich in seinen dramatischen und theoretischen Arbeiten besonders der »Aufnahme« des dänischen Theaters. 1748 wurde er durch Vermittlung Holbergs als außerordentlicher Professor für Geschichte, Kommerzwesen und Staatsrecht an die Ritterakademie zu Sorø berufen. – Schlegel gilt als der bedeutendste Dramatiker und Ästhetiker der deutschen Aufklärung vor Lessing.

S. 99 *»Vergleichung Shakespeares und Andreas Gryphs...«* – Der Aufsatz erschien 1741 im 28. Stück der *Beiträge zur kritischen Historie der deutschen Sprache, Poesie und Beredsamkeit.* Im 27. Stück dieser Beiträge hatte Gottsched die Übersetzung des *Julius Cäsar* angezeigt, auf die sich Schlegel in seiner *Vergleichung* bezieht. Der (ungenannte) Übersetzer war Kaspar Wilhelm von Borck (1704–1747). Für Schlegel blieb die Beschäftigung mit Shakespeare eine Episode. In seinen späteren Werken erwähnte er nur noch einmal (beiläufig) den Namen des englischen Dramatikers. Als Johann Heinrich Schlegel die Werke seines Bruders Johann Elias herausgab (1761 1770), schrieb er in seinem *Vorbericht* zu diesem Aufsatz: »Obgleich die gegenwärtige Vergleichung zum Vorteile des Engländers ausfällt, so möchten doch diejenigen, die diesen schöpferischen Dichter kennen, nicht ganz damit zufrieden sein, daß sie Gryphen nicht in eine größere Entfernung von ihm gesetzt sehen. Man muß aber bedenken, daß diese Vergleichung eingewurzelte Vorurteile zu bestreiten hatte und daß damals, als sie gemacht ward, die meisten Liebhaber der deutschen Poesie Gryphen nicht sonderlich geehrt fanden, wenn man ihn nicht über einen so unregelmäßigen und seltsamen Schriftsteller erhöhete, als ihnen Shakespeare abgemalet ward.«

S. 100 *hat uns selbst ermuntert* – In der Vorrede des Übersetzers heißt es, niemand werde dem Verfasser einen größeren Gefallen tun, »als wer die gegenwärtige Arbeit vernünftig durchziehet und die häufigen Fehler daraus entdecket«.

S. 107 *Zuschauer* – Gemeint ist *The Spectator*, die von Steele und Addison 1711/12 herausgegebene Moralische Wochenschrift.

S. 107 *»Cäsar«* – Shakespeares Trauerspiel *Julius Cäsar* entstand um 1600.

S. 107 *»Leo Armenius«* – Das Trauerspiel *Leo Armenius* (1646) ist das erste Drama von Andreas Gryphius.

S. 108 *unsere »Banise«* – Gemeint ist hier die *Banise* des Enzyklopädisten und Schriftstellers Friedrich Melchior Grimm (1723–1807), der in jungen Jahren in Leipzig studiert hatte. Das Schauspiel erschien 1743 im vierten Band der *Deutschen Schaubühne*.

S. 109 *Jonson* – Benjamin (Ben) Jonson (1573–1637), englischer Dramatiker, Freund Shakespeares.

Gedanken zur Aufnahme des dänischen Theaters

Druckvorlage: Johann Elias Schlegels ästhetische und dramaturgische Schriften, in: Deutsche Literaturdenkmale des 18. und 19. Jahrhunderts, hrsg. von Bernhard Seuffert, Bd. XXVI, Heilbronn 1887.

S. 128 *»Gedanken zur Aufnahme des dänischen Theaters«* – Der Aufsatz entstand 1747 nach der Wiedereröffnung der dänischen Schaubühne. Seit dem Brand von 1728 hatte Kopenhagen (unter der Herrschaft des pietistischen Königs Christian VI.) kein Theater besessen. Vermutlich war die Abhandlung nicht zum Drucke bestimmt, sondern sollte »in einer bloßen Abschrift einigen Beförderern und Liebhabern der dänischen Schaubühne mitgeteilt« werden. Johann Heinrich Schlegel veröffentlichte den Aufsatz 1764 im dritten Teil der Werke seines Bruders, fügte einige Anmerkungen bei und glättete wahrscheinlich den Text.

S. 129 *Hedelin von Aubignac* – Siehe Anm. zu S. 47.

S. 129 *Brumoy* – Siehe Anm. zu S. 47

S. 129 *Riccoboni* – Siehe Anm. zu S. 47.

S. 132 *Steele* – Richard Steele (1672–1729), englischer Schriftsteller. Neben mehreren politischen und schöngeistigen Zeitschriften gab er die ersten Moralischen Wochenschriften heraus (*The Tatler*, 1709–1711, und gemeinsam mit Addison *The Spectator*, 1711/12). Seine Lustspiele betonten, im Gegensatz zu der damals üblichen englischen Komödie, stark das rührselige Element. Steele machte die sogenannte rührselige Komödie in England heimisch.

S. 133 *Destouches »Ruhmrediger«* – Philippe-Néricault Destouches (1680–1754), französischer Dramatiker. Seine Komödie *Le glorieux* wurde 1745 (wahrscheinlich von Johann Elias Schlegel) ins Deutsche übersetzt.

S. 133 *Holbergs Komödien* – Ludwig Holberg (1684–1754), Schriftsteller und Historiker, bedeutendster Vertreter der Aufklärung in Dänemark und Norwegen. Er gründete 1722 das dänische Nationaltheater, für das er zahlreiche Komödien schrieb. Johann Elias Schlegel wurde 1743 mit ihm bekannt und erhielt durch seine Vermittlung die Professur in Sorø.

S. 133 *aus dem Deutschen übersetzte Stücke* – Von Schlegels Komödien wurde *Die Langeweile* (ein Vorspiel) ins Dänische übersetzt und bei der Eröffnung des dänischen Theaters 1747 unter dem Titel *Kiedsommelighed* aufgeführt.

S. 135 *Buffonerie* – Possenreißerei.

S. 135 *»Die Maskerade«* und *»Die Honette Ambition«* – Lustspiele von Holberg.

S. 136 *Beifall erhalten* – »Von den 28 Schauspielen, welche der sel. Baron Holberg in dänischer Sprache hinterlassen, gründen sich sehr viele auf Charaktere und Vorfälle der untersten Klasse des Bürgerstandes und schildern die darin vorkommenden Szenen sehr lebhaft und getreu. Einige schwingen sich zu edlern Szenen und seltenern Charakteren. Unter dieselben gehören, nebst der Tragikomödie *Melampe,* vorzüglich die beiden hier genannten Stücke.« (Anmerkung Johann Heinrich Schlegels)

S. 136 *haselieren* – sich töricht, geckenhaft benehmen; Lärm machen.

S. 136 *Boileau* – Siehe Anm. zu S. 45.

S. 136 *»Britannicus«* – Tragödie von Racine (1669).

S. 138 *Fabel vom Ödipus* – Ödipus ist der Sohn des Königs Laios von Theben und der Iokaste. Einem Orakelspruch folgend, tötete er, ohne es zu wissen, seinen Vater und heiratete seine Mutter. Nach Aufdeckung der Greuel blendete er sich selbst und ging in die Verbannung. Er ist der Held zweier Tragödien des Sophokles. Der *Ödipus* des Pierre Corneille (1659) behandelt den gleichen Stoff.

S. 138 *Solche Kunstrichter* – Gemeint ist Gottsched.

S. 138 *gibt andern Anlaß* – Mit »andern« sind Bodmer und Breitinger gemeint.

S. 140 *»Zuschauer«* – Siehe Anm. zu S. 107.

S. 140 *Hugo Grotius* – eigentlich Huig de Groot (1583–1645), niederländischer Humanist, Politiker und Jurist; gilt als der Begründer des modernen Völkerrechts.

S. 140 *außer einigen Zeilen* – »Aus der *Deutschen Schaubühne*, im V. Teile, S. 3, 13, 17, 20.« (Anmerkung Johann Heinrich Schlegels)

S. 142 *etwas beigetragen hat* – »Ich bin zwar nicht durch mich selbst im Stande, zu urteilen, ob in den Sitten in Kopenhagen, seitdem diese Stadt wieder ein eigenes Theater bekommen, eine merkliche Veränderung vorgegangen und ob diese Veränderung eben dem Theater zuzuschreiben sei. Das aber kann man sagen, daß die Mißbrauche und Vorurteile des gemeinen Bürgers, die in der *Wochenstube*, der *Weihnachtsstube* und andern Holbergischen Komödien lächerlich gemacht sind, wenig mehr hier angetroffen werden, und es scheint, daß man dieses Lächerliche als eine mitwirkende Ursache der Verbesserung anzusehen habe.« (Anmerkung Johann Heinrich Schlegels)

S. 143 *Die erste Art von diesen Handlungen* – »Mein Bruder, der das Werk des Batteux von der Einschränkung der Künste auf einen Grundsatz herausgegeben, hat in seiner sechsten Abhandlung diese Einteilung der Schauspiele angenommen. Doch in Absicht auf die dritte Klasse ist er, wie mir scheint, mit Grunde von anderer Meinung als mein seliger Bruder. Derselbe rechnet die Schäferspiele zu den Handlungen niedriger Personen, welche Leidenschaften erregen. Gründet sich nicht dieser Begriff auf den so oft übel ausgedeuteten Namen S c h ä f e r? Schäfer sind eben solche Leute, bei denen weder Niedrigkeit noch Hoheit des Standes gedacht werden soll. Hier denkt man nur die menschliche Natur, den unschuldigsten und anmutigsten Empfindungen ganz überlassen, von den äußerlichen Nebenumständen abgesondert, die sie im gemeinen Leben so oft unkenntlich machen. Man setzt sie freilich in

Fluren und in Wälder, aber nicht weil sie zu gering für Paläste sind, sondern weil handelnde Personen irgendeine Szene haben müssen und weil diese Szene sich am besten für ihre Empfindungen schickt. Man läßt sie Herden treiben, aber nicht als solche, die aus Armut und im Schweiße ihres Angesichts arbeiten, sondern weil Empfindungen gern mit unmühsamen Beschäftigungen abwechseln und weil diese oft Gelegenheiten zu Handlungen geben, wobei sich die Empfindungen ausdrücken. – Die dritte Klasse der dramatischen Gedichte schränkt sich also mit Ausschließung der Schäferspiele, die eine eigene Klasse ausmachen, auf die Handlungen niedriger Personen ein, welche Leidenschaften erwecken. Diese teilt mein Bruder in der Abhandlung über den Batteux wiederum in zwo Gattungen, in die bürgerliche Tragödie und die rührende Komödie, davon jene heftige und diese sanfte Leidenschaften erregen will. Den angeführten fünf Klassen und den Schäferspielen fügt er noch eine siebente, ja in gewissem Maße eine achte Klasse bei, wenn man entweder mit dem Saint-Foix Feen und andere erdichtete Wesen auftreten läßt oder auch Personen aus der Geschichte oder dem bürgerlichen Leben wählt, deren Stand also zwar bestimmt ist, aber wenig oder gar nicht in Betrachtung gezogen wird, weil sie nur die Sprache der Empfindung reden.« (Anmerkung Johann Heinrich Schlegels) – *Mein Bruder* – Johann Heinrich Schlegel spricht hier von seinem Bruder Johann Adolf Schlegel (1721 bis 1793), der 1751 die Schrift des französischen Ästhetikers Charles Batteux, *Les beaux-arts réduits à un même principe*, ins Deutsche übersetzt und mit eigenen Bemerkungen versehen hatte.

S. 143 *Amphitruo* – Gemeint ist Molières Lustspiel *Amphitryon* (1668).

S. 143 *de la Chaussée* – Pierre-Claude Nivelle de La Chaussée (1692–1754), französischer Schriftsteller, begründete die Comédie larmoyante, seine *Gouvernante* erschien 1747 und wurde mit großem Beifall aufgenommen.

S. 151 *nicht ... sich für die Hauptpersonen erklären müsse* – »Ohne an seinen *Canut* gedacht zu haben, gibt hier der Verfasser die beste Rechtfertigung für denselben gegen eine scheinbare Kritik an die Hand. Es ist wahr, Ulfo kann mit mehrerm Rechte die Hauptperson in diesem Trauerspiele heißen als Canut. Aber Canut ist die Person, die das Herz des Zuschauers einnimmt, für deren Erhaltung er besorgt ist. Und warum sollte es dem Dichter verwehrt sein, sein Stück von einer solchen Person zu benennen, wenn er zumal erhebliche Nebenursachen darzu hat?« (Anmerkung Johann Heinrich Schlegels)

S. 152 *die »Sklaveninsel«* – »In dem Theater des Herrn von Marivaux.« (Anmerkung Johann Heinrich Schlegels) – *Marivaux* – Pierre-Carlet de Chamblain de Marivaux (1688–1763), französischer Schriftsteller.

S. 155 *des Congreve »Double-dealer«* – William Congreve (1670–1729), englischer Dramatiker; das genannte Werk erschien 1693. Johann Elias Schlegel hatte dessen Tragödie *The mourning bride* (fragmentarisch) ins Deutsche übersetzt.

S. 155 *Cibber* – Colley Cibber (1671–1757), englischer Schauspieler und Lustspieldichter.

S. 157 *denn schlechte Verse verderben den Nachdruck der Gedanken...* – »Diese wenigen Worte scheinen am besten den Streit über die Komödie in Versen zu entscheiden, wovon in den vorhergehenden Abhandlungen vieles gesagt worden ist. Wenn man sich mit der Prose begnügt, so geschieht es, um die geringere Vollkommenheit einer größern aufzuopfern. Die Schwierigkeit, gute komische Verse zu machen, ist in allen Sprachen nicht gleich groß.« (Anmerkung Johann Heinrich Schlegels) – *in den vorhergehenden Abhandlungen* – Gemeint ist hier vor allem die Abhandlung seines Bruders Johann Elias Schlegel, *Schreiben an den Herrn N. N. über die Komödie in Versen.*

S. 158 *sehr körperlich* – Anspielung auf die Regeln in Gottscheds *Kritischer Dichtkunst.*

GOTTHOLD EPHRAIM LESSING

Aus den »Briefen, die neueste Literatur betreffend«

Druckvorlage: Gotthold Ephraim Lessing, Gesammelte Werke, hrsg. von Paul Rilla, Bd. IV, Berlin 1955, und Bd. II, Berlin 1954 (für den Teil *Faust und die sieben Geister* im *Siebzehnten Brief*). – Unser Text folgt der angegebenen Ausgabe auch in Rechtschreibung und Interpunktion.

S. 165 *Gotthold Ephraim Lessing* – (1729–1781).

S. 165 *»Briefe, die neueste Literatur betreffend«* – erschienen vom 4. Januar 1759 bis zum 4. Juli 1765 in vierundzwanzig Bänden in Friedrich Nicolais Verlag. Lessing wollte mit seinen Beiträgen »Ordnung« in die Literaturstreitigkeiten seiner Zeit bringen. Neben Lessing arbeiteten vor allem Friedrich Nicolai (1733–1811) und Moses Mendelssohn (1729–1786) an diesem Unternehmen mit. Lessings Zeichen waren: A., E., Fll., G., L., C., außerdem stammen der 43. und 44. Brief im zweiten Teil von Lessing. Mit dem 127. Brief endet seine regelmäßige Mitarbeit (25. September 1760).

S. 165 *»Bibliothek«* – Gemeint ist die *Bibliothek der schönen Wissenschaften und der freien Künste*, ab 1757 von Friedrich Nicolai, ab 1759 von Christian Felix Weiße (1726 bis 1804) herausgegeben.

S. 165 *ich leugne es geradezu* – Vgl. dagegen die Vorrede zu den *Beiträgen zur Historie und Aufnahme des Theaters* (Gotthold Ephraim Lessing; Gesammelte Werke, hrsg. von Paul Rilla, Bd. III, S. 170 f.).

S. 166 *schweizerischer Kunstrichter* – Gemeint ist Bodmer, der Gottscheds *Sterbenden Cato* (s. Anm. zu S. 43) mit der *Sinnlichen Erzählung von der mechanischen Verfertigung des deutschen Originalstückes, des Gottschedschen Catos* (in: Sammlung kritischer, poetischer und anderer geistvoller Schriften, * 1741–1744, 2. Aufl. 1753) verspottete. Die folgenden Originalstücke von Gottscheds Anhängern waren in der *Deutschen Schaubühne* Gottscheds abgedruckt: *Darius*, Tragödie von Friedrich Lebegott Pitschel (Bd. III, Nr. 3); *Die Austern* (Bd. IV, Nr. 6), *Der Bock im Prozesse* (Bd. V, Nr. 4) und *Der Hypochondrist* (Bd. VI, Nr. 4), Lustspiele von Theodor Johann Quistorp, *Aurelius* (Bd. IV, Nr. 3), ein Trauerspiel von demselben;

Elise (Bd. V, Nr. 6), Schäferspiel von Adam Gottfried Uhlich; *Der Witzling* (Bd. VI, Nr. 6), ein Lustspiel von Gottscheds Gattin; *Die Banise* (Bd. IV, Nr. 5), eine Bearbeitung des alten Zieglerschen Romanes durch Friedrich Melchior Grimm.

S. 166 *in den Geschmack... einschlagen* – Vgl. die Vorrede zu den *Beiträgen zur Historie und Aufnahme des Theaters* (Gesammelte Werke, Bd. III, S. 168).

S. 166 *mit den Augen der Franzosen* – Über Addisons *Cato* schreibt Voltaire im *Discours sur la tragédie à mylord Bolingbroke:* »...la seule bien écrite (d. h. vor Addisons *Brutus* – H. M.) d'un bout à l'autre chez votre nation.«

S. 166 *Jonson* – s. Anm. zu S. 109.

S. 166 *Beaumont* – Francis Beaumont (1584–1616), englischer Dramatiker.

S. 166 *Fletcher* – John Fletcher (1579–1625), englischer Dramatiker; seit 1606 arbeitete er mit Beaumont zusammen.

S. 167 *»Zaïre« des Voltaire* – erschien 1732; Lessing behandelt sie in der *Hamburgischen Dramaturgie* im 15. Stück.

S. 168 *einen alten Entwurf dieses Trauerspiels* – Lessing vermittelt hier nicht die Arbeit eines Freundes, sondern seine eigene. Er versuchte als erster deutscher Dichter, den großen Stoff kunstmäßig zu formen. Die vorliegende Teufelsszene knüpft an die deutsche Überlieferung an, die, zurückgehend auf die erste Aufzeichnung der *Historia von D. Johann Fausten* (1587 bei dem Frankfurter Buchhändler Johann Spies), in den verschiedensten Formen in den Volksbüchern weiterlebte. Daneben existierten eine von dem Engländer Christopher Marlowe (1564–1593) dramatisierte Fassung sowie das durch die Einführung der »lustigen Person« besonders beliebte *Faust*-Puppenspiel. Lessing hatte dieses Volksschauspiel schon als Leipziger Student kennengelernt. Durch Moses Mendelssohns Brief vom 19. November 1755 erhalten wir die erste Nachricht, daß ein *Faust* geplant und in Angriff genommen sei. Lessing hat aber zwei verschiedene Bearbeitungen des Faust-Stoffes begonnen: eine, die sich, entsprechend der alten Tradition, in der Geister- und Teufelssphäre bewegte, eine andere, in der Fausts Verführer menschlichen Charakter trägt. Wieviel von dem ersten Entwurf am 16. Februar 1759, dem Datum des 17. Literaturbriefes, fertig war, läßt sich nicht feststellen; jedenfalls ist die Äußerung zu Gleim vom 8. Juli 1758, die eine Aufführung »ehstens« in Aussicht stellt, nicht ernst aufzufassen. – Im Erfurter Volksbuch (1590) bereits zitiert Faust die Teufel, um ein Gastmahl bereiten zu lassen, und befragt die drei erscheinenden Geister nach ihrer Geschwindigkeit: der erste gleicht dem Pfeil, der zweite dem Wind, der dritte, schnellste, dem Gedanken. Das deutsche Volksschauspiel in der Danziger Bearbeitung von 1668 dramatisiert zum erstenmal die Szene: der schnellste bleibt hier, wie auch im Puppenspiel, der Geist, der die Schnelligkeit des Gedankens besitzt. Bei Lessing wird er übertroffen durch den, der so schnell ist wie der Übergang vom Guten zum Bösen; diese Version ist vom Straßburger Puppenspiel übernommen. – Zum 16. und 17. Literaturbrief erschien 1760 zu Frankfurt und Leipzig eine witzige, die Schwächen der *Faust*-Szene treffende Erwiderung: *Briefe, die Einführung des englischen Geschmacks in Schauspielen betreffend.*

S. 170 *wandelt wieder unter den Menschenkindern* – Unter dem Einfluß Bodmers hatte sich Wieland während seines Aufenthalts in der Schweiz zu einer geradezu puritanischen Lebensauffassung bestimmen lassen. Seine Dichtung aus dieser Zeit war völlig weltabgewandt, so daß er besonders von Lessing als »seraphischer« Dichter angegriffen wurde (vgl. 7. und 8. Literaturbrief). Vor allem nach seiner Beschäftigung mit den Werken der französischen Aufklärung nahm er wieder eine mehr der Welt zugewandte Haltung ein; besonders Lessing begrüßte diese Entwicklung Wielands (ebenda).

S. 170 *mit großem Beifalle* – Das Trauerspiel wurde am 20. Juli 1758 in Winterthur im Beisein des Dichters von der Ackermannschen Truppe aufgeführt.

S. 171 *»Die Tragödie ...«* – Vgl. dazu Christoph Martin Wieland, Gesammelte Schriften, hrsg. von der Deutschen Kommission der Königlich Preußischen Akademie der Wissenschaften, Abt. I: Werke, Bd. II, Berlin 1910, S. 147.

S. 171 *er wird die Menschen ... erblicken* – Vgl. dagegen Lessings Urteil über Wieland, besonders über seinen *Agathon* in der *Hamburgischen Dramaturgie*, 69. Stück (Gesammelte Werke, Bd. 6, S. 356).

S. 172 *Plutarch* – Die ganze Stelle aus Plutarch, De audiendis poetis, Kapitel 7, lautet in der Übersetzung: Deshalb muß eine Nachahmung, die die Wirklichkeit nicht gänzlich unberücksichtigt läßt, die Charaktere in der Handlung aus guten und schlechten Zügen mischen. So ist auch beim Homer die Forderung der Stoiker außer acht gelassen: Diese behaupten nämlich, daß weder der Tugend etwas Schlechtes, noch dem Laster etwas Gutes beigemischt sein könne, vielmehr müsse der Unverständige in allem fehlen, der Verständige aber in jeder Beziehung Ordnung schaffen. So etwas lernt man in der Schule, in der Wirklichkeit des täglichen Lebens aber geht es so zu, wie Euripides sagt: Gutes und Schlechtes sind nicht voneinander getrennt, sondern es findet eine gewisse Vermischung statt.
(Die gesperrt gedruckten Stellen entsprechen dem oben zitierten griechischen Text) – Das Euripides-Zitat stammt aus dessen Tragödienfragment *Äolus.*

S. 172 *seines Euripides* – Lessing betont »seines Euripides«, weil Wieland in der Vorrede bemerkt hatte, er habe sich die Simplizität des Euripides vorgestellt.

S. 172 *daß die Verfasser... getan haben* – Moses Mendelssohn setzt an dem Plane aus, daß der fünfte Akt gegenüber den vorhergehenden völlig abfalle, und tadelt den Aufbau der Handlung: der ganze erste und zweite Akt gehörten in die Exposition. Am tadelnswertesten erscheint ihm die ungenötigte Entdeckung des schurkischen Verrates von Northumberland am Ende des vierten Aufzuges; dadurch verliere die Hauptperson, Johanna, an Interesse. Auch er rügt, daß Wieland nur tugendhafte Charaktere gewählt habe; der schändliche Guardiner allein belebe die Aktion. Besonderes Lob erteilt er jedoch der sprachlichen Form.

S. 173 *»Nimmer werden uns...«* – Lady Johanna Gray, I, 1.

S. 173 *»Was gut, was schön...«* – Ebenda, I, 1.

S. 175 *Verfasser der »Parisischen Bluthochzeit«* – Gemeint ist Gottsched. *Die Parisische Bluthochzeit König Heinrichs von Navarra* wurde in den sechsten Band der *Deutschen Schaubühne* (1745) aufgenommen.

S. 175 *recht augenscheinlich zu plündern* – Über das wirkliche Verhältnis vgl. den 64. Literaturbrief.

S. 175 *Gottsched triumphierte ... gewaltig* – William Lauder (gest. 1771) hatte 1750 in dem *Essay on Milton's use and imitation of the moderns in his »Paradise lost«* einen literarischen Betrug großen Stils verübt, indem er Miltons Gedicht als ein Plagiat aus einer Anzahl unbekannter Werke, darunter auch aus zwei deutschen von Jakob Masenius und Friedrich Taubmann, zu erweisen suchte und die angeblichen Originale zum Teil erfand. Gottsched hatte 1752 in sechs Heften seiner Zeitschrift *Das Neueste aus der anmutigen Wissenschaft* nach einer triumphierenden Einleitung Auszüge der Lauderschen Schrift gebracht und sich dadurch mitschuldig gemacht an diesem Betrug. Durch eine Gegenschrift von Douglas, *Milton vindicated*, aus demselben Jahre wurde Lauder in England zum Bekenntnis seiner Infamie gezwungen; er behauptete, sie aus materieller Not begangen zu haben. Gottsched schwieg darüber. Nicolai verfaßte daraufhin 1753 die Schrift *Untersuchung, ob Milton sein »Verlorenes Paradies« aus neueren lateinischen Schriftstellern ausgeschrieben habe.* Lessing spielt wiederholt auf diesen Fall an (vgl. den Anfang des 64. Literaturbriefes).

S. 175 *»Doch wenn Edward wirklich ...«* – Lady Johanna Gray, II, 3.

S. 176 *»Deine Mutter ...«* – Ebenda, II, 3.

S. 176 *»Ach, Kerker, Bande ...«* – Ebenda, II, 5.

S. 177 *»Heil dir, Prinzessin ...«* – Ebenda, II, 5.

S. 178 *»Verwünscht sei mein fataler Rat ...«* – Ebenda, III, 5.

Aus der »Hamburgischen Dramaturgie«

Druckvorlage: Gotthold Ephraim Lessing, Gesammelte Werke, hrsg. von Paul Rilla, Bd. VI, Berlin 1954. – Unser Text folgt der angegebenen Ausgabe auch in Rechtschreibung und Interpunktion.

S. 179 *»Hamburgische Dramaturgie«* – Die einhundertundvier Stücke der *Hamburgischen Dramaturgie* schrieb Lessing zwischen dem 22. April 1767 und dem 19. April 1768.

Sie erschienen vom 8. Mai 1767 bis Ostern 1769. Die Unternehmer des Hamburger Nationaltheaters beabsichtigten, Lessing als Theaterdichter zu gewinnen. Lessing übernahm jedoch nur die Kritik an den Dichtungen und den Leistungen der Schauspieler.

S. 179 *Verwaltung des hiesigen Theaters* – Die Verwaltung des Hamburger Theaters lag damals in den Händen von Seyler, Tillemann und Bubbers.

S. 179 *Sie haben sich... erklärt* – Die Stellungnahme ist in Johann Friedrich Löwens *Vorläufiger Nachricht von der auf Ostern 1767 vorzunehmenden Veränderung des hamburgischen Theaters* zu finden. Sie wurde bereits im Herbst 1766 veröffentlicht.

S. 179 *ein Vorwurf ihres spöttischen Aberwitzes werden* – Dieses Wort war nötig, um die Gegner Löwens abzuschrecken. Die Verunglimpfer verstummten vor der Schärfe Lessings.

S. 180 *zur Aufnahme des dänischen Theaters* – Nicht der Aufsatz *Gedanken zur Aufnahme des dänischen Theaters*, der sich hauptsächlich mit dem Repertoire beschäftigt und ein nationales Drama fordert, enthält Johann Elias Schlegels Vorschläge zur äußeren Theaterreform, sondern das vorausgehende *Schreiben von Errichtung eines Theaters in Kopenhagen*. Beide Aufsätze sind 1747 entstanden, aber erst fünfzehn Jahre nach Schlegels Tode im dritten Bande seiner Werke (1764) veröffentlicht worden (s. Anm. zu *»Gedanken zur Aufnahme des dänischen Theaters«* S. 128)

S. 182 *die Kunst des Schauspielers ist... transitorisch* – Zu diesem Problem vgl. die *Hamburgische Dramaturgie* (5. Stück) und *Laokoon;* ferner Schillers Prolog zum *Wallenstein*.

S. 182 *Er muß überall... für ihn denken* – Die Forderung, der Schauspieler müsse mit dem Dichter denken und ihn unter Umständen ergänzen, fand Lessing in den Schriften des französischen Schriftstellers und Mitglieds der Berliner Akademie Rémond de Sainte-Aloine (1699–1778). Dessen 1747 erschienene Schrift *Le comédien* übersetzte Lessing auszugsweise in seiner *Theatralischen Bibliothek* (1754).

S. 183 *Der angeführte französische Schriftsteller* – Vgl. dazu die Fußnote Lessings im 18. Stück der *Hamburgischen Dramaturgie:* »Journal Encyclopédique; Juillet 1762.«

S. 183 *zu bekümmern habe* – Vgl. Hamburgische Dramaturgie, 89. Stück. Lessing zitiert dort aus dem neunten Kapitel der Aristotelischen *Poetik*: »Aus diesem also . . .« (vgl. S. 190 f. dieses Bandes). Schon Johann Elias Schlegel hatte im Vorwort zu seinem *Canut* seine Abweichungen von der Geschichte ähnlich entschuldigt.

S. 184 *Panegyrikus* – Vortrag, der bei den alten Griechen bei einer Volksversammlung gehalten wurde; später dann soviel wie Lobrede.

S. 184 *die »Zelmire« des Du Belloy* – wurde 1762 zum erstenmal aufgeführt. Besonderen Erfolg hatte der Dichter Pierre-Laurent Buyrette de Belloy (1727–1775) mit seinem Trauerspiel *Le siège de Calais* (1765), das durch seinen nationalen Gehalt der in Frankreich herrschenden vorrevolutionären Stimmung entgegenkam.

S. 185 *der Tyrann* – Gemeint ist Antenor, der die Herrschaft über Lesbos an sich gerissen hatte.

S. 185 *Rhamnes* – Vertrauter Antenors, der das Urteil an ihm vollstreckt.

S. 185 *Ilus* – Zelmirens Gatte; kehrt im Laufe der Handlung aus Troja heim.

S. 185 *wenn Polidor anders ginge* – Zelmire hat gehört, daß Polidor auf trojanische Schiffe gerettet worden sei; als diese bedroht werden, glaubt sie den Vater zu schützen, indem sie das Grabmal als seinen Aufenthalt angibt. Zu ihrem Entsetzen wird er tatsächlich dort entdeckt; er war nach der Schlacht in der Verkleidung eines phrygischen Soldaten, unerkannt von Zelmire, dahin zurückgekehrt.

S. 185 *Mit dem Billet des Azor* – Azor ist Zelmirens Bruder, der von Antenor ermordet worden ist. Im zweiten Akt erzählt ein thrakischer Kriegsknecht, daß er von dem sterbenden Azor einen Brief erhalten habe, worin dieser den Antenor als seinen Mörder bezeichnet. Aber erst am Schluß des fünften Aktes wird dieser Brief von Rhamnes verlesen.

S. 185 *nur in Prosa* – Seine Ansprüche an eine dramatische

Übersetzung hat Lessing zu dieser Zeit bereits eingeschränkt; in der *Vossischen Zeitung* (19. Dezember 1752) hatte er noch mit dem Übersetzer des *Idomeneus* gerechtet, weil dieser auf den Reim verzichtet hatte.

S. 186 *Tropen* – Tropus – in der Rhetorik die Ersetzung des nächstliegenden Ausdrucks durch einen verwandten bildlichen (z. B. »fliegen« für »eilen«).

S. 186 *Houdar de La Motte* – Antoine Houdar de La Motte (1672–1731), französischer Dichter und Ästhetiker. Den *Discours sur la tragédie* schickte er als Vorrede seinen Tragödien voraus. Im *Discours à l'occasion de la tragédie d'Œdipe* eifert er gegen den Vers im Drama und überträgt als Probe den Eingang von Racines *Mithridate* in Prosa. Er war einer der ersten Gegner der drei Einheiten; seine 1719 erschienenen Fabeln und deren allegorische Definition forderten Lessing zum Widerspruch heraus. De La Mottes *Matrone von Ephesus* erschien 1702.

S. 187 *freilich ist dieses nur ein sehr elender Wert* – Rémond de St. Mard (1699–1778) sagt dazu in seiner *Poetik:* »Après avoir ainsi rendu justice à la rime, je dis hardiment qu'elle a grand besoin du surcroît de plaisir que lui donne la convention et le mérite de la difficulté vaincue.« Lessing hatte sich diese Begründung schon im 14. seiner Literaturbriefe zu eigen gemacht (vgl. auch Hamburgische Dramaturgie, 13. Stück).

S. 188 *Banks* – John Banks (etwa 1650–1705), englischer Dramatiker; die Stoffe zu seinen Tragödien sind teils dem Altertum, teils der englischen Geschichte entnommen (er schrieb u. a. eine *Maria Stuart*, eine *Johanna Gray* und eine *Anna Boleyn).* Seine Essex-Tragödie *The unhappy favourite* erschien 1682. In der Bearbeitung von Dyk hielt sie sich bis ins 19. Jahrhundert auf der deutschen Bühne. Lessing bezieht sich hier auf seine Übersetzung aus dem dritten Aufzug von *The unhappy favourite*, die er im 57. und 58. Stück bekanntgibt.

S. 188 *Ampullae et sesquipedalia* – Den Vers »proicit ampullas et sesquipedalia verba...« (Horaz, De arte poetica, Vers 97) hatte Diderot zitiert und »ampullae« mit »des sentences et des bouteilles soufflées« (Œuvres de Denis

Diderot, Paris 1821, Bd. IV, S. 164) wiedergegeben; daher Lessings Übersetzung »Blasen«.

S. 188 *Zweite Unterredung hinter dem »Natürlichen Sohne«* – Gemeint ist *Dorval und Ich, Zweite Unterredung* im *Theater des Herrn Diderot*, das 1760 erschien und Lessings Übersetzungen von Werken Diderots enthielt, unter anderem das Drama *Der natürliche Sohn* und *Die Unterredungen* (Lessings Werke, hrsg. von J. Petersen und W. v. Olshausen, Berlin-Leipzig-Stutgart, 11. Teil).

S. 189 *Wie ich Banks' Elisabeth sprechen lasse* – Die Aussprüche der Königin sind Lessings Übersetzung entnommen (vgl. Hamburgische Dramaturgie, 57. und 58. Stück).

S. 191 *»The Diction is every...«* – »Der Ausdruck ist überall sehr schlecht und an einigen Stellen so platt, daß er sogar unnatürlich wird. – Und ich glaube, daß es keinen größeren Beweis der geringen Ermutigung geben kann, die das Verdienst bei diesem Zeitalter findet, als daß kein mit echtem Dichtergeist begabter Mann es seiner Aufmerksamkeit wert hält, einen so berühmten Teil der Geschichte mit jener Würde des Ausdruckes zu behandeln, die der Tragödie überhaupt, besonders aber da zukommt, wo die Charaktere vielleicht die größten sind, welche die Welt jemals hervorgebracht hat.«

S. 191 *Jones* – Henry Jones (1721–1770), englischer Dramatiker; seine Tragödie *The Earl of Essex* kam unter dem Protektorat von Chesterfield und Colley Cibber (s. Anm. zu S. 155) 1753 auf dem Covent-Garden-Theater zur Aufführung. (Vgl. auch Lessings Bemerkungen über Jones im Anhang zur *Hamburgischen Dramaturgie.* Dort äußert er sich gleichfalls über die Beziehungen von Jones und Brook zu Banks' *Essex.*)

S. 191 *Brook* – Henry Brook (richtiger Brooke; 1706–1783), gebürtiger Irländer. Seine Tragödie *The Earl of Essex* wurde 1749 zum erstenmal aufgeführt.

S. 192 *Ben Jonson* – Siehe Anm. zu S. 109.

S. 192 *James Ralph* – (etwa 1705–1762), ursprünglich Schullehrer in Philadelphia, gewann am englischen Hofe Ansehen und verfaßte eine Geschichte Englands. Ralph war ein Gegner Popes (s. Anm. zu S. 286). Sein Trauerspiel *Fall of the Earl of Essex* erschien 1731.

S. 192 *»Il a aussi fait tomber...«* – »Ebenso hat er (Brooke) die Gräfin Rutland in dem Augenblick wahnsinnig werden lassen, da ihr berühmter Gemahl zum Schafott geführt wird. Dieser Augenblick, wo die Gräfin besonderen Mitleids wert ist, hat einen sehr großen Eindruck hervorgerufen und wurde in London für bewundernswert gehalten; in Frankreich wäre die Szene lächerlich erschienen, sie wäre ausgepfiffen worden, und man hätte die Gräfin mitsamt dem Autor ins Irrenhaus geschickt.«

S. 193 *Wenn in dieser Vergleichung* – bezieht sich auf eine längere Textstelle aus Wielands *Agathon*, die Lessing am Ende seines 69. Stückes der *Hamburgischen Dramaturgie* zitiert.

S. 193 *Mischspiel* – Als in der Mitte des 17. Jahrhunderts bei den Sprachgesellschaften die Neubildungen »Trauerspiel« und »Freudenspiel« (erst später »Lustspiel«) aufkamen, entstand auch der Begriff »Trauer-Freudenspiel«. Der erste, der das Wort »Mischspiel« anwandte, scheint Kaspar Stieler (1632–1707) gewesen zu sein. Er erklärt es später in seinem *Teutschen Sprachschatz* (1691) als »Tragico-Comoedia«; bei den Mischspielen *Ermelinde oder Die viermal Braut* (Rudolstadt 1665) und *Die erfreuete Unschuld* (Rudolstadt 1666) hatte er wohl mehr an eine äußerliche Vermengung ernster und komischer, realistischer und allegorischer Handlungen gedacht. Es folgte Martin Schusters *Bestrafte Verleumdung und belohnte Gottesfurcht* (Straßburg 1668). Die Gleichsetzung mit »Singspiel« erfolgte bei Lysander mit *Die obsiegende Christenlieb* (Onolzbach 1680) und mit »Tragico-Comoedia« bei Michael Kongehl in seinem Stück *Die vom Tode erweckte Phönizia* (Königsberg 1680); das Mischspiel *Obsiegende Tugend oder Der betörte, doch wieder bekehrte Solimann* von A. A. von Haugwitz erschien 1684 in Dresden. Diese Beispiele konnte Lessing in Gottscheds *Nötigem Vorrat* (1757–1765) finden.

S. 193 *beim Lope* – Lessing spielt hier auf die 1609 erschienene Schrift *Arte nuevo de hacer comedias* Lope de Vegas an, in der sich dieser vor den Klassizisten rechtfertigt, die ihm Verstöße gegen die Regeln des Aristoteles vorgeworfen hatten.

S. 194 *»die Natur ebenso getreu nachahmen...«* – Lessing äußert im folgenden Gedanken, die sich mit den im Laokoon dargestellten berühren und in den späteren Teilen vermutlich weiter ausgeführt worden wären.

S. 196 *»Die Brüder« des Herrn Romanus* – *Die Brüder oder Die Früchte der Erziehung* lautet der genaue Titel der in Dresden und Warschau 1761 erschienenen Komödie des Wirklichen Geheimen Kriegsgerichtsrats Franz Romanus (1731–1787), dessen Lustspiele während seiner Studentenzeit 1755 und 1756 entstanden und von der Kochschen Truppe in Leipzig aufgeführt worden waren. Ein Teil erschien 1761 gesammelt als *Komödien.*

S. 196 *»Das Orakel« von Saint-Foix* – Das Stück des französischen Lustspieldichters Germain François Poullain de Saint-Foix (1698–1776) war schon 1742 in Deutschland nach einer Übersetzung, die erst 1745 in Hamburg im Druck erschien, gespielt worden.

S. 196 *aus den »Brüdern« des Terenz* – Originaltitel des Werkes: *Adelphoe;* geschrieben etwa 160 v. u. Z.

S. 196 *»Männerschule«* – Originaltitel: *L'école des maris;* die Komödie wurde am 24. Juni 1661 uraufgeführt.

S. 196 *Anmerkungen über dieses Vorgeben* – In *Vie de Molière* (1739) schreibt Voltaire: »On a dit que *L'école des maris* était une copie des *Adelphes* de Térence: si cela était, Molière eût plus mérité l'éloge d'avoir fait passer en France le bon goût de l'ancienne Rome, que le reproche d'avoir dérobé sa pièce. Mais *Les Adelphes* ont fourni tout au plus l'idée de *L'école des maris etc.«* (Œuvres complètes de Voltaire, hrsg. von Beuchot, Bd. XXIII, Paris 1879, S. 102 f.)

S. 196 *»Primus sapientiae...«* – »Die erste Stufe der Weisheit ist die Einsicht in das Falsche.« Diese Textstelle stammt ebenso wie die folgende aus dem Hauptwerk des christlichen Popularphilosophen Firmianus Lactantius, *Divinarum institutionum, libri VII* (um 300).

S. 196 *»secundus vera cognoscere«* – »Die zweite, die Erkenntnis des Wahren.«

S. 197 *»Solet Aristoteles...«* – »Aristoteles pflegt in seinen Büchern Streit zu suchen. Und dies tut er nicht leichtfertig und aufs Geratewohl, sondern methodisch und planmäßig, denn nachdem die Meinungen anderer umgestoßen sind...«

S. 198 *ohne allen Beweis gelassen hat* – Die Stelle bezieht sich auf Inhalt des 87. und 88. Stückes der *Hamburgischen Dramaturgie.*

S. 198 *Fast scheint es so* – Lessing selbst hatte schon beim *Samuel Henzi* auf die typische Bedeutung der tragischen Charaktere hingewiesen. In der Folgezeit kam man noch mehr von der Auffassung Diderots ab. Schiller und Goethe fanden, daß die Charaktere der griechischen Tragödie mehr oder weniger idealische Masken und keine Individuen seien (vgl. den Brief Schillers an Goethe, 4. April 1797). Die Romantiker dagegen betonten das Individuelle der komischen Poesie (z. B. Friedrich Schlegel in seiner Schrift *Vom ästhetischen Werte der griechischen Komödie*).

S. 198 *nicht gleicher Meinung mit ihm sein könne* – In der Vorrede zum ersten Teil vom *Theater des Herrn Diderot* (1760) hatte Lessing Diderot neben den griechischen Philosophen gestellt: »Ich möchte wohl sagen, daß sich nach dem Aristoteles kein philosophischerer Geist mit dem Theater abgegeben hat als er.«

S. 199 *Daher ist denn auch die Poesie philosophischer und nützlicher...* – Zustimmend zitiert noch Schopenhauer, für den die Geschichte weder philosophisch noch überhaupt eine Wissenschaft sein kann, diese Ansicht des Aristoteles (*Die Welt als Wille und Vorstellung*, Ergänzungen zum 3. Buch, Kapitel 38). Auch Goethe bezeichnet in einem Briefe an Frau von Stein (3. März 1785) die dramatische Poesie als die »causa finalis der Welt- und Menschenhändel« und bekennt sich noch im August 1806 im Gespräch mit Luden zur gleichen Ansicht: »Der Dichter schafft seine Welt frei, nach seiner eigenen Idee, und darum kann er sie vollkommen und vollendet hinstellen; der Historiker ist gebunden; denn er muß seine Welt so aufbauen, daß die sämtlichen Bruchstücke hineinpassen, welche die Geschichte auf uns gebracht hat. Deswegen wird er niemals ein vollkommenes Werk liefern können, sondern immer wird die Mühe des Suchens, des Sammelns, des Flickens und des Leimens sichtbar bleiben.« (Goethes Gespräche, hrsg. von Flodoard Freiherr von Biedermann, 2. Auflage, Bd. I, S. 442)

S. 199 *»Blume des Agathon«* – Agathon (etwa 446–401 v. u. Z.), athenischer Tragödiendichter; von seinen Werken sind nur noch Bruchstücke erhalten.

S. 200 *wie Diderot sagt* – Die Textstelle bezieht sich auf den Inhalt des 87. und 88. Stückes; Lessing spielt hier auf die Ausführungen Diderots in *Dorval und Ich, Dritte Unterredung* an, die er an dieser Stelle in seiner Übersetzung zitiert: »Die komische Gattung hat Arten, und die tragische Individua. Ich will mich erklären. Der Held einer Tragödie ist der und der Mensch. Er ist Regulus oder Brutus oder Cato und sonst kein anderer. Die vornehmste Person einer Komödie hingegen muß eine große Anzahl von Menschen vorstellen. Gäbe man ihr von ohngefähr eine so eigene Physiognomie, daß ihr nur ein einziges Individuum in der Welt ähnlich wäre, so würde die Komödie wieder in ihre Kindheit zurücktreten.

S. 200 *»οὗ στοχάζεται...«* – »Allgemein ist: was für Dinge einem so oder so beschaffenen Menschen zu sagen oder zu tun mit Wahrscheinlichkeit oder Notwendigkeit zukommt.« (Aristoteles, Poetik, Langenscheidtsche Bibliothek sämtlicher griechischer und römischer Klassiker, Bd. XXII, Berlin-Stuttgart 1855–1914, Teil Aristoteles III, S. 98)

S. 201 *Dacier* – Siehe Anm. zu *Daciers französische Übersetzung* S. 47.

S. 201 *Curtius* – Michael Konrad Curtius (1724–1802), Theologe, Professor in Lüneburg, später in Hannover, veröffentlichte didaktische Gedichte. Seine Übersetzung der *Poetik* des Aristoteles erschien 1753 in Hannover; in der betreffenden Textstelle fehlen die Worte »oder Notwendigkeit«.

S. 202 *»Aristote prévient ici une objection...«* – »Aristoteles beugt hier einem Einwande vor, den man ihm wegen seiner Definition des Allgemeinen machen könnte. Denn die Ignoranten hätten ihm gewiß gesagt, daß z. B. Homer gar nicht eine allgemeine, sondern eine besondere Handlung darstellen will, weil er erzählt, was bestimmte Menschen, wie Achill, Agamemnon, Odysseus u. a. getan haben, und daß daher kein Unterschied sei zwischen

Homer und einem Geschichtsschreiber, der etwa die Taten des Achill beschreibt. Diesem Einwande tritt der Philosoph entgegen, indem er zeigt, daß die Dichter, d. h. die Verfasser einer Tragödie oder einer epischen Dichtung, selbst wenn sie ihren Personen (bestimmte) Namen geben, keineswegs daran denken, diese wie in Wirklichkeit sprechen zu lassen, was sie doch tun müßten, wenn sie die besonderen und wirklichen Taten eines bestimmten Menschen namens Achill oder Ödipus schilderten. Sie wollen im Gegenteil die Personen nach Notwendigkeit oder Wahrscheinlichkeit handeln lassen, d. h. sie tun und sagen lassen, was Menschen eben dieses Charakters in solcher Lage tun und sagen müssen, sei es notwendigerweise oder wenigstens nach den Regeln der Wahrscheinlichkeit. Dies aber beweist unwiderleglich, daß es allgemeine Handlungen sind.«

S. 203 *Dodsley und Compagnie* – Name einer angesehenen Londoner Verlagsbuchhandlung, den sich Engelbert Benjamin Schwickert, der damals noch im Dienste der Witwe Dyk in Leipzig stand und erst 1770 selbständig wurde, angeeignet hatte. Er behauptete, die Nachdruck- und Skandalliteratur, die er auf die Messe brachte und gegen die sich Lessing im folgenden wendet, nur in Kommission zu haben. Lessing hatte den Nachdruck dadurch herausgefordert, daß er, entgegen Nicolais Rat, den üblichen buchhändlerischen Vertrieb durch die Leipziger Messe vermied. Er verschweigt hier, daß noch ein anderer Nachdruck erschien, nämlich der des Hamburger Buchhändlers Bock. Dodsley interessierte ihn vor allem wegen seines Zusammenhanges mit den Klotzianern (zu Professor Klotz s. Anm. *Walfisch... zu Halle* zu S. 212). Diese Beziehung tritt 1769 auch durch das Erscheinen des *Almanachs der deutschen Musen* bei Dodsley hervor, der von Christian Heinrich Schmid (1746–1795) herausgegeben und von Friedrich Justus Riedel (1742–1785) und Johann Georg Meusel (1743–1820) unterstützt wurde. Nach Lessings Tod erschien noch ein weiterer Nachdruck der *Dramaturgie* durch Johann Georg Heinzmann (gest. 1802).

S. 203 *Poeta, cum primum animum...* – Anfangsworte des

Prologs zur *Andria* von Terenz: »Als es den Dichter zum Schreiben drängte...«

S. 204 *Ich stand eben am Markte...* – Vgl. Matthäus 20, 3–7.

S. 204 *daß ich es... der Kritik zu verdanken habe* – Über den Anteil der Kritik an seinem Schaffen spricht Lessing nach dem Erscheinen der *Emilia Galotti* in einem Brief an Ramler (21. April 1772). Eine weitere Äußerung Lessings über seine dramatische Produktion hat Georg Christoph Lichtenberg am 3. September 1772 aufgezeichnet: »Herr Herder erzählte mir ebenfalls, daß Lessing gesagt habe, man könne unmöglich immer mit Empfindung dessen schreiben, was man schreibe, die Vernunft müsse sich die Situation denken, er habe bei seinen Trauerspielen allezeit so verfahren.« Herder selbst schränkt übrigens Lessings allzu bescheidene Äußerung in einer Fußnote zu seinen *Briefen zur Beförderung der Humanität* ein.

S. 204 *durch die Gläser der Kunst meine Augen zu stärken* – Die Stelle ist eine Antithese zu Drydens Preis Shakespeares: »Er braucht nicht die Brillen der Bücher, um in der Natur zu lesen.«

S. 205 *Ich bin ein Lahmer... erbauen kann* – Der von Thomas Abbt (1738–1766) verfaßte 204. Literaturbrief (1761), gegen den sich Lessing hier zu wenden scheint, beginnt mit dem Zitat aus Youngs Essay *Conjectures on original composition* (1759): »Die Regeln sind Krücken, welche nur der Kranke gebraucht, der Gesunde hingegen wegwirft.« Abbt fährt fort: »Wenn nun diese Vergleichung gleich nicht völlig richtig sein sollte, so ist es doch gewiß, daß nichts schädlicher ist als Regeln, die das Genie einschränken und es sozusagen hindern, auf seine eigenen Füße zu treten.« – Johann Georg Hamann gebrauchte schon 1758 in seinen *Biblischen Betrachtungen* ein ähnliches Bild wie Young: »Alle Methoden sind als Gängelwagen der Vernunft anzusehen und als Krücken derselben. Die Einbildungskraft der Dichter hat einen Faden, der dem gemeinen Auge unsichtbar ist und den Kennern ein Meisterstück zu sein scheint.« Von den Regeln als »Krücken der Schwachheit« spricht auch Schiller in der Abhandlung *Über naive und sentimentalische Dichtung*.

S. 205 *de la Casa* – Giovanni de la Casa (1503–1556), Erzbischof von Benevent, später Geheimer Staatssekretär des Papstes Paul IV.

S. 205 *»An opinion ...«* – »Eine Meinung, von der Jean de la Casse, Erzbischof von Benevent, geplagt wurde, war diese: Er glaubte nämlich, daß, wann immer ein christlicher Mensch ein Buch schriebe (nicht zu seinem Privatvergnügen, sondern) guten Glaubens in der Absicht und mit dem Zweck, es für die Welt zu drucken und zu veröffentlichen, seine ersten Gedanken stets Versuchungen des Teufels seien. – Meinem Vater gefiel die Theorie des Jean de la Casse sehr, und er hätte (wäre er durch sie nicht ein wenig in seinem Glauben beengt worden), glaube ich, zehn von den besten Äckern des Shandy-Gutes dafür hergegeben, wenn e r sie erfunden hätte; – da er sich selber jedoch nicht die Ehre der Erfindung dieser Theorie im wörtlichen Sinne zusprechen konnte, begnügte er sich mit der Allegorie davon. Denn – Vorurteil, und zwar infolge falscher Erziehung, meinte er, das und nichts anderes sei der Teufel.«

S. 206 *meinen rüstigern Freunden* – Diese Äußerung bezieht sich vor allem auf Christian Felix Weiße, der in der Vorrede zu seinen *Trauerspielen* gesagt hatte: »Andere (damit meinte er Lessing – H. M.) lassen, wir wissen nicht aus was für unglücklichen Ursachen, die Jahre des Genies vorbeifliehen.« Lessing war auf diese Äußerung bereits im 81. Literaturbrief eingegangen.

S. 206 *Casaubonus* – Siehe Anm. zu S. 47.

S. 206 *»Διδασκαλία accipitur ...«* – »Unter ›Didaskalien‹ versteht man eine Schrift, in der auseinandergesetzt wird, wo, wann, wie und mit welchem Erfolge ein Drama aufgeführt worden ist. – Wie sehr die Kritiker durch diese sorgfältigen Angaben den alten Chronologen zu Hilfe kamen, können allein die würdigen, denen bekannt ist, wie geringe und dürftige Hilfsmittel diejenigen hatten, die zuerst eine sichere Zeitrechnung aufzustellen suchten. Ich selbst zweifle nicht, daß Aristoteles vornehmlich dies im Auge hatte, als er seine Didaskalien zusammenstellte.«

S. 206 *Archonten* – die höchsten Staatsbeamten in Athen nach dem Untergang des alten Königstums (um 1068 v. u. Z.).

S. 207 *Lione Allacci* – (1586–1669), päpstlicher Bibliothekar in Rom; seine *Dramaturgia oia catalogo di tutti li drammi, comedie, tragedie* (Rom 1666) ist eine reine Materialiensammlung.

S. 207 *breviter et eleganter scriptas* – knapp und zierlich abgefaßt; vgl. Casaubonus, Animadversionum in Deipnosophistas, libr. XV.

S. 207 *»Sie sollten jeden Schritt begleiten...«* – Lessing zitiert hier frei aus der *Ankündigung.*

S. 210 *ein ebenso unfehlbares Werk... als die Elemente des Euklides* – Der Vergleich zwischen Aristoteles und Euklid findet sich bereits in einer Rezension des Jahres 1751, die Lessing zugeschrieben wird. Lessing wußte übrigens nicht, daß die absolute Gültigkeit der Euklidischen Postulate, die auch Kant noch als synthetische Urteile a priori gelten ließ, bereits in Zweifel gezogen war durch das Werk des italienischen Jesuitenpaters Gerolamo Saccheri (1667 bis 1733) *Euclides ab omni naevo vindicatus* (Mailand 1733), danach durch Abraham Gotthelf Kästners Schüler Georg Simon Klügel (1739–1812) in einer Göttinger Dissertation des Jahres 1763. – Die Unfehlbarkeit des Aristoteles hatte bereits Johann Georg Hamann in den *Sokratischen Denkwürdigkeiten* angezweifelt: »Was ersetzt bei Homer die Unwissenheit der Kunstregeln, die ein Aristoteles nach ihm erdacht, und was bei einem Shakespeare die Unwissenheit oder Übertretung jener Gesetze? Das Genie ist die einmütige Antwort.« Zur gleichen Zeit (1769) schreibt Herder in den *Kritischen Wäldern:* »Ein Sophokles dachte an keine Regeln des Aristoteles; liegt aber nicht mehr als der ganze Aristoteles in ihm?«

S. 212 *Was gilt die Wette* – Ähnlich erklärte Schiller, »jede einzelne Szene aus jedem französischen Tragiker wahrer und also besser zu machen« (Schiller an Körner, 12. Februar 1788). Wie sehr Schillers Urteil auch später mit dem Lessings übereinstimmte, zeigt sein Brief an Goethe vom 31. Mai 1799.

S. 212 *kritische Walfische* – Nach Abraham Gotthelf Kästner (Vermischte Schriften, Bd. II, 1772) geht die Redensart auf Kurfürst Moritz von Sachsen (1521–1553) zurück und hat etwa den Sinn: Dem Walfisch eine Tonne zum Spielen geben, um das Schiff zu retten. Lessings Rezensent erwiderte in einem fingierten Dialog zwischen Lessing und Herrn Stl. (Deutsche Bibliothek, Bd. IV, S. 169 ff.) mit plumper Verdrehung: »Eine Tonne? Sie haben uns also ein Spielwerk geben wollen? Ihre ganze Dramaturgie (sie beruht ja auf den Aristoteles und auf die Verachtung des Corneille) ist also ein Spaß? Paradoxa sind freilich nur Spielwerk. Oder meinen Sie, die Kunstrichter werden über ernsthafte und wichtige Sachen spotten? Wenn Sie nicht mit Ihnen einig sind, und dies scheinen Sie hier zu befürchten, so nennen Sie das mit der Tonne spielen? Sie haben die Tonne einzig und allein für die Kunstrichter ausgeworfen? Also ist es Ihnen hier nicht um die Wahrheit zu tun, sondern nur den Kunstrichtern Händel zu machen? Und alle Kunstrichter verhalten sich zu Ihnen wie die Walfische zum Walfischfänger?«

S. 212 *Walfisch ... zu Halle* – Gemeint ist Lessings fanatischer Gegner Professor Christian Adolf Klotz (1738–1771) aus der Salinenstadt Halle. Lessing hatte zur Michaelismesse 1768 den ersten Teil der gegen Klotz gerichteten *Antiquarischen Briefe* erscheinen lassen.

S. 212 *Herr Stl.* – Es ist noch nicht geklärt, wer sich hinter diesem Anonym verbarg; vielleicht vermutete Lessing hinter der Maske Klotz selbst, der aus den mittleren Konsonanten seiner beiden Vornamen (Christian Adolf) den nom de guerre hätte zusammensetzen können. Daß die Besprechung für die *Antiquarischen Briefe* Vergeltung üben sollte, kommt an mehreren Stellen zum Ausdruck.

S. 212 *Aber was bekömmt ...* – Die folgende Partie ist in der Entgegnung des Herrn Stl. (Deutsche Bibliothek, 13. Stück, S. 170) dialogisiert.

S. 212 *Magd in der Apostelgeschichte* – Vgl. Apostelgeschichte 16, 16–18.

S. 212 *Denn wer hätte es ihm sonst sagen können ...* – In der Besprechung des ersten Bandes der *Hamburgischen Dramaturgie* heißt es: »Einige haben ihn der Parteilichkeit sowohl im Tadel, z. E. S. 26, als im Lobe, z. E. bei der sonoren Stimme der Madame Löwen oder bei der Erhebung der Mademoiselle Felbrich, beschuldigen wollen. Alles dies samt den geheimen Ursachen, die davon angegeben werden, will ich ununtersucht lassen.« In seiner Entgegnung beruft sich Herr Stl. auf »das Gerücht« und fährt mit der lahmen Entschuldigung fort: »Das Gerücht mag wahr oder falsch sein, ich mußte es anzeigen, um das übertriebene Lob dieser beiden Schauspielerinnen nur einigermaßen begreifen zu machen.« (Vgl. *Hamburgische Dramaturgie*, 10. Stück)

S. 213 *wenn nicht die Abhandlung wider die Buchhändler* – Hinter »Buchhändler« setzte der Rezensent in Klammer: »Ich weiß nicht, ob Herr Nicolai darunter begriffen ist.«

S. 213 *das einzige Mittel... ihm zu steuern* – Aus Lessings Nachlaß wurde 1800 das Fragment *Leben und leben lassen* veröffentlicht, in dem der Selbstverlag mit Subskription als einzige Abhilfe genannt wird.

S. 214 *was solch Geschmeiß... weiß es nur halb* – Worte Mohammeds über die Dämonen (vgl. *Der Koran*, übersetzt von Friedrich Rückert, Sure 37, Vers 10).

S. 214 *»Antworte dem Narren...«* – Die Sprüche Salomo 26, 4–5.

S. 214 *einen periodischen Nutzen... erteilen können und sollen* – Anspielung auf die Rezension zum ersten Band der *Hamburgischen Dramaturgie* von Stl., die in Klotzens *Deutscher Bibliothek der schönen Wissenschaften* (Bd. III, 9. bis 12. Stück, Halle 1768) erschienen war.

S. 215 *»Nachricht an die Herren Buchhändler«* – Das Zirkular wurde auf der Ostermesse 1768 ausgegeben.

S. 217 *Was sind das für erforderliche Eigenschaften?* – Nicolai, der in der *Allgemeinen deutschen Bibliothek* (Bd. X, 1769) auf Lessings Seite trat, hielt es doch für nötig, ihn in diesem Punkte zu berichtigen und auf die mühsam zu erwerbende Kunstfertigkeit des Buchhändlers hinzuweisen.

S. 217 *getreulich nachdrucken zu lassen* – In der Tat nahm der Nachdrucker diese Partien auf, aber nicht, ohne in einem *Intermezzo* seine Rechtfertigung zu versuchen: »Wir haben um destoweniger Bedenken getragen, seine artige Harlekinade unverstümmelt abzudrucken, weil man einen solchen Ton einem Lessing nicht würde zugetraut haben... Er verteidigt den Selbstverlag, den Schleichhandel der Autoren; er redet also hier als Buchhändler, und Buchhändler können wohl Buchhändlern gewachsen sein. Wir würden sagen, er strebe nach der Monarchie unter den Buchhändlern und rede mit ihnen im Ton der *Antiquarischen Briefe,* wenn er uns nicht schon ohnedies, gleich denen Herren Wichmännern nichtswürdigen Andenkens, in Verdacht des Klotzianismus hätte; wir würden uns auf das Privilegium der Dramaturgie berufen, das ausdrücklich Lessing und Boden erteilt ist, und unsere Leser fragen, ob Herr Lessing so ganz von Verdacht des Eigennutzes freizusprechen.« – Ebenso hatte der Rezensent der Klotzischen *Deutschen Bibliothek,* der dieses Intermezzo »nicht übel geraten« fand, auf Lessings Frage geantwortet: »Das sächsische Privilegium.« Seine Besprechung trug sogar die Überschrift: Hamburgische Dramaturgie. Erster Teil, bei Lessing und Boden und bei Dodsley und Kompanie: mit allergnädigsten Freiheiten. – Mit *Boden* ist Johann Joachim Christoph Bode (1730 bis 1793) gemeint, der mit Lessing Ende der sechziger Jahre einen vergeblichen Versuch unternahm, eine Buchhandlung zu gründen.

S. 218 *werde es schwerlich... tun* – Entgegen dieser Behauptung ließ Lessing die erste Ausgabe des *Nathan* doch auf eigene Kosten drucken.

S. 218 *coup de main* – Handstreich.

S. 218 *das bekannte Leibnizische Projekt* – Leibniz hatte bereits 1668 in einem Entwurf *De vera ratione reformandi rem literariam* für den Erzbischof von Mainz den Vorschlag einer »Societas eruditorum Germaniae« gemacht, d. h. einer Vereinigung der Gelehrten zum Zweck gegenseitiger Unterstützung in Herstellung und Vertrieb ihrer Werke. Er betrieb diesen Plan später auch in Wien und vertrat ihn noch 1715 in Briefen an Sebastian Kortholt.

Christoph Martin Wieland

Neuer Vorbericht zu Klopstocks Trauerspiel »Der Tod Adams«

Druckvorlage: Christoph Martin Wieland, Gesammelte Schriften, hrsg. von der Deutschen Kommission der Königlich Preußischen Akademie der Wissenschaften, erste Abteilung: Werke, Bd. III, Berlin 1910.

S. 219 *Christoph Martin Wieland* – 1733–1813.

S. 219 *»Neuer Vorbericht zu Klopstocks Trauerspiel ›Der Tod Adams‹«* – Klopstocks Trauerspiel *Der Tod Adams* erschien zwar erst im Frühjahr 1757, war jedoch schon 1753 nahezu vollendet worden. Diese Folge von Dialogen, in denen keine dramatische Handlung entwickelt, sondern nur das Sterben Adams gezeigt wird (Moses Mendelssohn charakterisierte es folgendermaßen: »Adam stirbt, und alle seine Angehörigen sind äußerst darüber betrübt«), erregte großes Aufsehen in literarischen Kreisen. Klopstock bricht bewußt mit den Regeln des französischen Dramas. Schon in der Stoffwahl zeigt sich das Streben nach natürlicher Einfachheit. Um der »Unnatur« und »Künstlichkeit« in der entwickelten Gesellschaft zu entgehen, wählt Klopstock den Anfang der Menschheitsgeschichte. Obwohl alles Dramatische fehlt, hatte das Stück einen europäischen Erfolg. Wieland drückt die Empfindungen, die diesen großen Zeiterfolg hervorriefen, in seinem Vorbericht zu dem Nachdruck, den er sofort in der Schweiz veranstaltete, treffend aus.

Allgemeiner Vorbericht zu den »Poetischen Schriften«

Druckvorlage: Christoph Martin Wieland, Gesammelte Schriften, hrsg. von der Deutschen Kommission der Königlich Preußischen Akademie der Wissenschaften, erste Abteilung: Werke, Bd. IV, Berlin 1910.

S. 221 *»Allgemeiner Vorbericht zu den ›Poetischen Schriften‹«* – Wieland schrieb diesen Vorbericht kurz nach seiner amtlichen Anstellung in Biberach (1761). Er betrachtete seine Gedichte als Produkte einer abgeschlossenen und überwundenen Jugendentwicklung, die ihn von der Nachahmung Hallers, Klopstocks und Ewald von Kleists in das Lager Bodmers geführt hatte. Erst im folgenden Jahr gab er die christliche Schwärmerei in seiner Dichtung endgültig auf und fand die leichte, spielerische und bildliche Gestaltung, die später die Entrüstung der Klopstockjünger des Göttinger Hains hervorrief (s. auch Anm. zu S. 170).

S. 221 *Pergolese* – Giovanni Battista Pergolesi (1710–1736), italienischer Komponist; wurde berühmt durch seine Werke *Stabat Mater, Salve regina* und die Oper *La serva padrona.*

S. 221 *Galuppi* – Baldassare Galuppi, mit dem Beinamen Buranello (1706–1785), italienischer Opernkomponist, Kapellmeister an der Markuskirche in Venedig; schrieb an die hundert (vergessene) Opern. Galuppi beherrschte zeitweilig die italienische Bühne.

S. 221 *Graun* – Karl Heinrich Graun (1701–1759), seit 1740 königlicher Kapellmeister in Berlin; schrieb das bis ins 19. Jahrhundert sehr beliebte Oratorium *Der Tod Jesu* (1755), etwa dreißig Opern u. a.

S. 221 *Correggio* – Antonio Allegri, genannt Correggio (etwa 1494–1534), berühmter italienischer Maler der Renaissance.

S. 221 *Paul Veronese* – Paolo Caliari, genannt Veronese (etwa 1528–1588), venezianischer Maler; wurde berühmt durch seine Farbgebung. Seine Gemälde spiegeln das festliche venezianische Leben wider.

S. 222 *unanakreontisch* – Der Begriff »anakreontisch« ist abgeleitet von dem Namen des griechischen Lyrikers Anakreon (um 520 v. u. Z.), der in seinen Gedichten die Liebe und den Wein besang. Von den Liedern sind nur noch Fragmente erhalten. Die Sammlung *Anacreontea* (d. h. Lieder nach Anakreons Art) enthält etwa sechzig Stücke späteren Ursprungs. »Anakreontiker« ist die Bezeichnung für die deutschen Nachahmer Anakreons im 18. Jahrhundert. Zu ihnen gehörten vor allem Wilhelm Ludwig Gleim (1719–1803), Johann Peter Uz (1720–1796) und Johann Nikolaus Götz (1721–1781); gegen deren Nachahmer wiederum richtet sich Wielands Kritik.

S. 222 *untibullisch* – Der Begriff »tibullisch« ist abgeleitet von dem Namen des römischen Elegikers Albius Tibullus (etwa 54–18 v. u. Z.).

S. 222 *aristarchische Beurteilung* – Aristarch (2. Jahrhundert v. u. Z.), der größte der alexandrinischen Grammatiker, wurde berühmt vor allem durch seine Wiederherstellung und Erklärung der Homerischen Gedichte. »Aristarchische Beurteilung« ist hier im Sinne der Forderung nach strengster poetischer Korrektheit gebraucht, und zwar nach dem Gottschedschen, auf französisches Vorbild zurückgehenden Kanon.

S. 223 *Hagedorn* – Friedrich von Hagedorn (1708–1754), Lied- und Fabeldichter.

S. 223 *Horaz* – (65–8 v. u. Z.), römischer Dichter, wirkte besonders seit dem Beginn des 18. Jahrhunderts auf die deutschen Dichter, u. a. durch seine Oden und seine Epistel *De arte poetica.* (Vgl. die Abhandlungen Bodmers und Klopstocks S. 59 ff. und S. 239 ff. dieses Bandes.) Wieland, Ramler, Johann Heinrich Voß u. a. übersetzten seine Werke.

S. 223 *Xenophon* – (etwa 430–354 v. u. Z.), griechischer Schriftsteller und Feldherr; leitete nach der Schlacht bei Kunaxa (401 v. u. Z.) den Rückzug der zehntausend Griechen, den er in der *Anabasis* beschreibt.

S. 223 *Menander* – Siehe Anm. zu S. 51.

S. 223 *Apelles* – (zweite Hälfte des 4. Jahrhunderts v. u. Z.), griechischer Maler; Lieblingsmaler und Vertrauter Alexanders des Großen. Von seinen Werken ist nichts erhalten. Der Ruhm, der größte Maler aller Zeiten zu sein, geht auf die zahlreiche Literatur über Apelles und sein Werk zurück.

S. 223 *Phidias* – (etwa 500–438 v. u. Z.), größter athenischer Bildhauer. – Die erwähnten fünf Künstler und Schriftsteller werden von Wieland als Repräsentanten der griechischen Nationalkultur genannt.

S. 224 *Ptolemäus Philadelphus* – Ptolemäus II. Philadelphus (285–246 v. u. Z.), Begründer der Bibliothek und des Museums in Alexandria.

S. 226 *serva pecora* – Viehsklave; hier im Sinne von Wiederkäuer, leerer Nachahmer.

S. 226 *»Cyrus«* – Fragment gebliebenes Epos in Hexametern über den persischen König Kyros (etwa 558–529 v. u. Z.), von dem fünf Gesänge ausgeführt und veröffentlicht worden sind (1759).

S. 226 *Graf von Shaftesbury* – Anthony Ashley-Cooper, Earl of Shaftesbury (1671–1713); Verfasser der *Characteristics of men, manners, opinions and times* (1711), einer Schrift, die großen Einfluß auf die deutsche Literatur des 18. Jahrhunderts hatte.

S. 226 *amanuensis* – bei den Römern der Sklave, dessen man sich beim Abschreiben, Vorlesen usw. bediente; dann, ähnlich wie »famulus«, ein Schüler und Student, der seinem Lehrer Hilfsdienste leistete. Hier bedeutet amanuensis »Gehilfe«.

S. 227 *eines bekannten Gelehrten* – Gemeint ist Bodmer, in dessen Hause Wieland von 1752–1754 wohnte.

S. 227 *Andere haben mich gar beschuldiget...* So nannte Ewald von Kleist Wieland »einen Pinsel, der die Welt reformieren will und noch keinen Bart hat«. Salomon Geßner schrieb: »Wieland sitzt bei Bodmern... mit stolzer Zufriedenheit und überdenkt seine Hoheit und Tugend, sitzt da und wartet auf Anbeter und Bewunderer...« (Zitiert nach: Friedrich Sengle, Wieland, Stuttgart 1949, S. 54) Vgl. auch Lessings Kritik an Wieland (s. Anm. zu S. 170).

S. 227 *der Misanthrope des Molière* – Titelgestalt des gleichnamigen Dramas von Molière (1666).

S. 228 *quid verum atque decens* – was wahr und anmutig ist.

S. 228 *tartüffische Affektation* – Heuchelei; nach der Titelgestalt in Molières Komödie *Tartuffe.*

S. 228 *Pindar* – (etwa 522–446 v. u. Z.), griechischer Lyriker; erhalten sind vier Bücher seiner Siegeslieder (Epinikia) für die Preisträger der großen griechischen Wettkämpfe. Seine übrigen Dichtungen, hymnische Chorgesänge mit besonderen sprachlichen Eigentümlichkeiten, sind nur in Bruchstücken bekannt.

S. 229 *Madrigal* – Nebenart des Sonetts, aus mehreren drei- oder vierzeiligen Absätzen aufgebaut.

S. 229 *Theophrast* – (etwa 372–287 v. u. Z.), griechischer Philosoph; bedeutender Schüler des Aristoteles, Haupt der Peripatetischen Schule in Athen. Theophrast ist besonders bekannt durch seine *Ethischen Charaktere.*

Nationalpoesie

Druckvorlage: Christoph Martin Wieland, Sämtliche Werke, hrsg. von Johann Gottfried Gruber, Bd. XLIX, Leipzig 1826.

S. 230 *»Nationalpoesie«* – Diese Arbeit erschien 1772 im *Teutschen Merkur* als *Bemerkungen zu Schmidts Aufsatz »Über den gegenwärtigen Zustand des deutschen Parnasses«*. Sie gehört in die Reihe jener Aufsätze, in denen Wieland seinen Standpunkt gegenüber dem Herders und seiner Anhänger abgrenzt. Nachdem er in den Aufsätzen *Über eine Anekdote in Voltaires Universalhistorie* und *Der Geist Shakespeares* (ebenfalls 1773 im *Teutschen Merkur*) gemeinsame Anschauungen hervorgehoben hatte, stellt er hier der starken Betonung des nationalen Elements bei Herder bzw. Schmidt die Verwandtschaft der europäischen Nationalkulturen und den Vorteil der gegenseitigen Anregung und Befruchtung, den er selbst vielfach erfahren hatte, entgegen.

S. 230 *poliziert* – abgeleitet von griech. polis = Stadt; der Begriff bedeutet hier: durch Aufblühen der Städte auf eine höhere Entwicklungs- und Kulturstufe gebracht.

S. 231 *Fescenninen* – italische Hochzeitslieder mit derben Scherzen und anzüglichen Neckereien des Bräutigams; dann auch Spottlieder, z. B. auf den Triumphator.

S. 231 *saturnische Verse* – Der saturnische Vers, das alte, durch griechische Metren verdrängte Versmaß der Römer, hatte das Schema ∪–́∪–́∪–́⏓–́∪–́∪–́⏓, wurde aber sehr frei gehandhabt. Reste finden sich in literarischen Bruchstücken und Inschriften.

S. 232 *Ossian* – Helden- und Sängergestalt aus dem irisch-schottischen Sagenkreis. Sohn des Fingal (s. Anm. zu S. 252). 1760 gab der Schotte James Macpherson (1736–1796) fünfzehn kürzere Dichtungen als Werke Ossians heraus: *Fragments of ancient poetry*. 1762/1763 ließ er zwei Epen, *Fingal* und *Temora*, erscheinen, die er gleichfalls als Werke Ossians ausgab. Diese Werke, teils freie Bearbeitungen alter Dichtungen, teils eigene Schöpfungen Macphersons, wurden vom größten Teil der Zeitgenossen wie Homers Epen als Musterbeispiele echter Volkspoesie verstanden und hatten, vor allem durch Herders Interpretation (vgl. Herders Aufsatz *Über Ossian und die Lieder alter Völker,* S. 247–281 dieses Bandes), großen Einfluß auf die deutsche Literatur.

S. 232 *als wenn wir sie in eine Velleda verkleiden wollten* – Velleda hieß nach Tacitus eine Seherin der Brukterer, eines nach 12 v. u. Z. im Münsterland und an der unteren Lippe ansässigen germanischen Volksstammes. »Die Poesie in eine Velleda verkleiden« bedeutet wohl sinngemäß: die Dichtung in die Form einer seherischen Voraussage, einer Prophezeiung, kleiden.

S. 236 *Enkel Teuts* – Teut ist ein von den »Barden« des 18. Jahrhunderts erfundener, mit Tuiskon gleichgesetzter germanischer Gott.

S. 236 *Barden* – ursprünglich Name der altkeltischen Dichtersänger; seit dem 17. Jahrhundert durch Mißverständnis einer Tacitusstelle (Germania, Kap. III, wo baritus = Schlachtgeschrei als barditus gelesen wurde) auch für altgermanische Sänger gebraucht. Von Klopstock u. a. wurde versucht, Vaterlandsgesänge nach deren Art neu zu dichten.

Friedrich Gottlieb Klopstock

Eine Beurteilung der Winckelmannischen »Gedanken über die Nachahmung der griechischen Werke in den schönen Künsten«

Druckvorlage: Klopstocks sämtliche Werke, hrsg. von Back und Spindler, Bd. XVI, Leipzig 1830.

S. 239 *Friedrich Gottlieb Klopstock* – 1724–1803.

S. 239 *»Eine Beurteilung der Winckelmannischen Gedanken ...«* – erschien in der von Johann Andreas Cramer (1723–1788) herausgegebenen Zeitschrift *Der nordische Aufseher,* die seit 1758 in Kopenhagen und Leipzig erschien. Klopstock, der sich seit 1751 in Kopenhagen aufhielt, arbeitete an dieser Zeitschrift mit. Die Winckelmannsche Arbeit war 1755 unter dem Titel *Gedanken über die Nachahmung der griechischen Werke in der Malerei und Bildhauerkunst* erschienen.

S. 239 *»Der einzige Weg ...«* – Wir zitieren im folgenden Johann Joachim Winckelmann, Gedanken über die Nachahmung der griechischen Werke in der Malerei und Bildhauerkunst, in: Deutsche Literaturdenkmale des 18. und 19. Jahrhunderts in Neudrucken, hrsg. von Bernhard Seuffert, Heilbronn 1885, 1. und 2. Folge, Nr. 20. Die obengenannte Textstelle lautet wörtlich: »Der einzige Weg für uns groß, ja, wenn es möglich ist, unnachahmlich zu werden, ist die Nachahmung der Alten...« (Ebenda, S. 8)

S. 240 *»Die Kenner und Nachahmer...«* – Ebenda, S. 9.

S. 241 *»Das allgemeine, vorzügliche Kennzeichen...«* – Die Textstelle lautet bei Winckelmann: »...ist endlich eine edle...« (Ebenda, S. 24)

S. 241 *»Alle Handlungen und Stellungen...«* – Ebenda, S. 25.

S. 241 *»Die Geschichte der Heiligen...«* – Die Textstelle lautet bei Winckelmann: »Die Geschichte der Heiligen, die Fabeln und Verwandlungen sind der ewige und fast einzige Vorwurf der neueren Maler seit einigen Jahrhunderten...« (Ebenda, S. 39) Der im Zitat folgende Satz »Hierauf wird vorgeschlagen...« ist die Klopstocksche Zusammenfassung der bei Winckelmann folgenden Ausführungen.

S. 242 *Apelles* – Siehe Anm. zu S. 223.

S. 243 *»Parrhasius hat sogar...«* – Die Textstelle lautet bei Winckelmann: »Aristides, ein Maler, der die Seele schilderte, hat so gar, wie man sagt, den Charakter eines ganzen Volkes ausdrücken können. Er malete die Athenienser, wie sie gütig und zugleich grausam, leichtsinnig und zugleich hartnäckig, brav und zugleich feige waren. Scheinet die Vorstellung möglich, so ist sie es nur allein durch den Weg der Allegorie, durch Bilder, die allgemeine Begriffe bedeuten.« (Ebenda, S. 40)

S. 243 *Parrhasius* – (um 400 v. u. Z.), griechischer Maler aus der ionischen Malerschule; behandelte vor allem die Umrisse der Gestalten; Meister in der Darstellung der Leidenschaften.

S. 243 *»daß Rubens der vorzüglichste...«* – Die Textstelle lautet bei Winckelmann: »Der große Rubens ist der vorzüglichste unter großen Malern, der sich auf den unbetretenen Weg dieser Malerei in großen Werken als ein erhabener Dichter gewaget.« (Ebenda, S. 41)

S. 243 *»Delphinum silvis appingunt.«* – Die lateinische Textstelle lautet »delphinum silvis adpingi« (vgl. Horaz, De arte poetica, Vers 30) und heißt im Zusammenhang übersetzt: »Der, der den einen Stoff recht seltsam sucht zu verändern, malt in Wälder den Delphin hinein und in Fluten den Eber.«

S. 243 *»Der Künstler hat ein Werk nötig ...«* – Die Textstelle lautet bei Winckelmann: »Der Künstler hat ein Werk vonnöten, welches aus der ganzen Mythologie, aus den besten Dichtern alter und neuerer Zeiten, aus der geheimen Weltweisheit vieler Völker, aus den Denkmälern des Altertums auf Steinen, Münzen und Geräten diejenige sinnliche Figuren und Bilder enthält, wodurch allgemeine Begriffe dichterisch gebildet worden.« (Ebenda, S. 41)

S. 245 *»daß der Geschmack ...«* – Die Textstelle lautet bei Winckelmann: »Der gute Geschmack in unseren heutigen Verzierungen, welcher seit der Zeit, da Vitruv bittere Klagen über das Verderbnis derselben führete, sich in neueren Zeiten noch mehr verderbet hat, teils durch die von Morto, einem Maler von Feltro gebürtig, in Schwang gebrachte Grotesken, teils durch nichts bedeutende Malereien unserer Zimmer, könnte zugleich durch ein gründlicheres Studium der Allegorie gereinigt werden und Wahrheit und Verstand erhalten.« (Ebenda, S. 42) – *Vitruv* – Vitruvius Pollio, römischer Baumeister und Ingenieur zur Zeit des Augustus. Seine Werke, vor allem *De architectura,* erlangten in der Renaissance kanonische Bedeutung.

S. 245 *Vignetten* – ursprünglich »Weinranken«; Verzierungen, kleine Figuren; ebenso Ansichten in Kupfer gestochener Landschaften, Lithographien oder Holzschnitte auf Blatträndern, Titel- und Anfangsseiten der Bücher oder einzelner Abschnitte.

JOHANN GOTTFRIED HERDER

Auszug aus einem Briefwechsel
über Ossian und die Lieder alter Völker

Druckvorlage: Herders Sämtliche Werke, hrsg. von Bernhard Suphan, Bd. V, Berlin 1891.

S. 247 *Johann Gottfried Herder* – 1744–1803.

S. 247 *»Über Ossian und die Lieder alter Völker«* – Der Aufsatz wurde ursprünglich geschrieben für die von dem Hamburger Verleger Bode angeregte Fortsetzung der *Briefe über Merkwürdigkeiten der Literatur,* die Heinrich Wilhelm Gerstenberg 1766/1767 herausgegeben hatte. Von dieser Fortsetzung erschien jedoch nur ein erstes Stück (1770), ein zweites, für das Herders Beitrag bestimmt war, kam nicht zustande. Da Herders Aufsatz aber bereits gedruckt war, beschloß man, ihn gemeinsam mit einigen anderen Aufsätzen als selbständiges Buch herauszugeben. Das Sammelwerk, das außer diesem Aufsatz noch Herders *Shakespeare,* Goethes *Von deutscher Baukunst* sowie zwei andere Arbeiten enthielt, erschien im Frühjahr 1773 unter dem Titel *Von deutscher Art und Kunst, Einige fliegende Blätter.* – Herder hatte den Ossian (s. Anm. zu S. 232) schon in seiner Königsberger Studentenzeit kennengelernt, wohl in den ersten deutschen Übersetzungen, die von J. A. Engelbrecht und A. Wittenberg 1764 vorgelegt worden waren: *Fragmente der alten hochschottländischen Dichtkunst; Fingal, ein Heldengedicht, nebst verschiedenen andern Gedichten Ossians.* In den *Fragmenten über die neuere deutsche Literatur* (Dritte Sammlung, 1767) zählte er ihn neben Homer und Shakespeare zu den größten poetischen Genies. Den ersten Band der Ossian-Übersetzung des Wiener Jesuiten Michael Denis (1729–1800), die 1768–1769 in drei Bänden erschien, hatte Herder bereits 1769 rezensiert. Sein Haupteinwand richtete sich dagegen, daß Denis den Ossian in Hexametern übertragen hatte. An die Gedankengänge jener Rezension knüpft Herder hier an.

S. 247 *in faece Romuli* – in der Hefe des (ungebildeten) römischen Volkes (vgl. Cicero, Briefe an Atticus, Buch II, Nr. 1, § 8); hier: bei der großen Menge.

S. 247 *Fetwa* – Rechtsspruch eines Mufti, d. h. eines arabischen Gesetzauslegers oder Geistlichen; bei Herder: Bescheid in theologischen und juristischen Fragen (vgl. Herder an Hamann, 4. August 1785).

S. 248 *den Kleistischen ... Hexameter* – In Ewald von Kleists epischem Gedicht *Der Frühling* (1749) steht vor dem ersten Daktylus des Hexameters ein einsilbiger Auftakt.

S. 248 *hinc illae lacrimae* – daher jene Tränen (geflügeltes Wort aus Terenz' *Andria* I, 1); es bedeutet: Die Tränen werden aus einem anderen Grunde vergossen, als man annimmt.

S. 248 *kann Macpherson unmöglich gedichtet haben* – Bald nach Erscheinen der von Macpherson als Werke Ossians herausgegebenen Dichtungen waren Zweifel an ihrer Echtheit laut geworden; zu den Zweiflern gehörten u. a. Gerstenberg und später August Wilhelm Schlegel.

S. 248 *Das läßt sich wahrhaftig nicht singen* – bezieht sich auf Denis' Übersetzung.

S. 249 *Pergolese* – Siehe Anm. zu S. 221.

S. 249 *»Twelfth-Night«* – Lustspiel von Shakespeare, in Deutschland bekannt als *Was ihr wollt* (Untertitel des Originals); das angeführte Liedchen findet sich in der vierten Szene des zweiten Akts.

S. 251 *wenn der einige fast* – Die Bemerkung Herders bezieht sich auf Gerstenberg. – Die *Nänie auf den Tod einer Wachtel*, in der das Bild vom Schnittermädchen des Himmels erscheint, steht ohne Namen im *Göttinger Musenalmanach* 1771 und ist nicht von Gerstenberg, sondern von Ramler (s. Anm. zu S. 267), der dieses Lied schon 1772 in seine *Lyrischen Gedichte* aufgenommen hatte. Die übrigen Gedichte stammen von Gerstenberg. Das *Gedicht eines Skalden* erschien 1766; die *Grabschrift Aspasiens* stammt aus dem Trauerspiel *Die Braut* von Beaumont und Fletcher (1765; s. Anm. zu S. 166).

S. 251 *die Dodsleyschen Reliques* – Gemeint ist die Sammlung *Reliques of ancient English poetry*, die 1765 zunächst anonym bei dem Londoner Verleger Dodsley erschien. Ihr Herausgeber war der Dichter und Volkskundler Thomas Percy (1729–1811). Seine Sammlung hatte großen Einfluß auf die Wiederbelebung alten Volksgutes, er wurde darum von Herder, Goethe und Bürger sehr geschätzt.

S. 251 *»In ancient times...«* – »Vor Zeiten war in Engelland Lord Heinrich weltgepriesen.« (Vgl. Herders Sämtliche Werke, hrsg. von Bernhard Suphan, Bd. XXV, Berlin 1885, S. 166)

S. 251 *Samuel Bishop* – (1731–1795); das genannte Werk erschien 1764.

S. 251 *Macferlanesche Übersetzung* – Robert Macferlane (1734 bis 1804); die Übersetzung erschien 1769 in London unter dem Titel *Temorae liber primus versibus latinis expressus.*

S. 252 *Fingal* – Held aus dem Sagenkreis der gälisch sprechenden Volksstämme Irlands und der schottischen Hochlande; wahrscheinlich liegt dieser Sagengestalt die historische Gestalt des irischen Fürsten Finn (3. Jahrhundert) zugrunde.

S. 253 *im Worm, im Bartholin, im Peringskiöld und Verel* – Olaus Wormius (1588–1654), Thomas Bartholin d. J. (1659–1690), Johann Peringer de Peringskiöld (1654 bis 1720), Olaus Verelius (1618–1682) – Überlieferer nordischer Lieder und Sagen.

S. 253 *conson* – (von lat. consonare = zusammentönen) zusammenklingend.

S. 254 *Prosodie* – Ursprünglich die Lehre von den Schriftzeichen, durch welche die Beschaffenheit der Sprachlaute gekennzeichnet wird; später die Lehre von den Betonungsverhältnissen im Hinblick auf den Versbau.

S. 254 *Dysen* – Walküren, göttliche Frauen.

S. 254 *Zaubergespräch Odins am Tor der Hölle* – Vgl. das Lied *Odins Höllengang (Das Grab der Prophetin),* in: Herders Sämtliche Werke, Bd. XXV, S. 470.

S. 254 *aus dem Jüngsten Gericht der Eddagötter* – Vgl. *Voluspa,* ebenda, S. 460.

S. 254 *Gespräch Gauls und Mornis* – wie das anschließend genannte Gespräch zwischen Fingal und seiner Gattin Roskrana ein angebliches Fragment verlorener Bardendichtung, von Macpherson in Anmerkungen zum dritten Teil der *Temora* mitgeteilt. Es ist ein Gespräch Gauls, Mornis Sohn, mit dem Geiste seines Vaters.

S. 254 *aus Evind Skaldaspillers »Trauerlied auf Hako«* – Eyvindr Skaldaspillir, norwegischer Skalde des 10. Jahrhunderts; sein Gedicht auf den Tod König Hakos in der Schlacht von Stord (963) findet sich in Herders Sämtlichen Werken, Bd. XXV, S. 217.

S. 254 *»Rothschildsgräber«* – Vgl. Klopstocks gleichnamige Ode.

S. 254 *Hickes* – George Hickes (1642–1715), englischer Geistlicher, veröffentlichte die Ergebnisse seiner Forschungen über die nordischen Sprachen, vor allem das Angelsächsische, in dem umfangreichen Sammelwerk *Antiquae litteraturae septentrionalis libri duo* (1705).

S. 255 *die fünf Nationen in Nordamerika* – Herder meint die Senekä, Caynga, Onondago, Oneida und Mohawk, Indianerstämme Kanadas, die verbündet am englisch-französischen Kriege 1756–1763 teilnahmen.

S. 255 *Kaledonier* – Bewohner des nordwestlichen Teils von Schottland.

S. 255 *Charlevoix* – François-Xavier Charlevoix (1682–1761), Jesuitenpater, Verfasser der *Histoire et description générale de la Nouvelle-France* (1744).

S. 255 *Lafiteau* – Joseph-François Lafiteau (1670–1740), französischer Missionar, schrieb *Mœurs des sauvages américains comparées aux mœurs des premiers temps* (1724).

S. 255 *Roger* – Woodes Roger (gest. 1732), englischer Seefahrer, schrieb *A voyage to the South Sea and round the world* (1708).

S. 255 *Cadwallader Colden* – (1688–1776), Botaniker und Politiker, schrieb *History of the five indian nations of Canada* (1727).

S. 255 *Kapitän Timberlake* – Henry Timberlake (um 1765), englischer Kolonisator in Nordamerika, veröffentlichte seine Memoiren 1765.

S. 255 *Als eine Reise nach England ...* – Herder hatte ursprünglich geplant, 1769 von Paris aus mit seinem Freund Berens über Holland nach England zu reisen.

S. 256 *Voltaire über Rousseau* – Vgl. Voltaires Brief an Rousseau vom 30. August 1755 über den *Discours sur l'origine de l'inégalité parmi les hommes:* »Noch nie hat jemand so viel Geist aufgewendet, um uns zu Bestien zu machen.

Liest man Ihr Buch, so wandelt einen die Lust an, auf allen vieren zu laufen.«

S. 257 *Klippen Olaus* – Die Klippen Olaus (latinisierte Form von Olaf), bekannt nach dem norwegischen König Olaf dem Heiligen (gest. um 1030), liegen an der schwedischen Küste.

S. 257 *jene Zauberase* – die zauberkundige Ase (Göttin) ist Gefion, eine jungfräuliche Göttin der germanischen Mythologie, die nach einer nordischen Sage Seeland vom Schwedenkönig Gylfe zum Geschenk erhielt und es mit ihren vier mit einem Riesen gezeugten und in Ochsen verwandelten Söhnen vom Festland abpflügte. Dem anschließend von Herder zitierten Text liegt eine Strophe des Skalden Brage der Alte (8./9. Jahrhundert) zugrunde.

S. 257 *Sandlande* – Gemeint ist das heutige Jütland (vgl. Sundland).

S. 258 *Wood* – Robert Wood (1716–1771), besuchte Troja und schrieb *A comparative view of the ancient and present state of the Troad; to which is added an essay on the original genius of Homer* (1769). Der Anhang wurde unter dem Titel *Versuch über das Originalgenie Homers* (1773) von Michaelis ins Deutsche übersetzt und beeinflußte die Dichtungskonzeption des Sturm und Drang stark.

S. 258 *»Lusiaden«* – *Os lusiados;* das Epos des portugiesischen Dichters Luis de Camões (1524–1580), das die Seefahrten der Portugiesen, der Abkömmlinge des Lusus, des sagenhaften Ahnherrn dieses Volkes, verherrlicht.

S. 258 *Uthal und Ninathoma* – Liebespaar aus *Berrathon* im Ossian.

S. 258 *auf scheiterndem Schiffe* – Auf Herders Überfahrt von Antwerpen nach Amsterdam (Januar 1770) wurde das Schiff vom Sturm auf eine Sandbank geworfen.

S. 258 *unter lebenden Völkern* – Gemeint sind in erster Linie die Letten, mit deren Sprache sich Herder beschäftigte; er riet Goethe in Straßburg, lettisch zu lernen.

S. 258 *der französische Marcell* – Bezieht sich auf einen Pariser Tanzmeister, der aus der Körperhaltung auf den Charakter des Menschen schließen wollte (vgl. »Tanzmarcell« in Herders Gedicht *An den Genius von Deutschland).*

S. 258 *aus Ruhig* – Gemeint sind die beiden Volkslieder (Erste und zweite Daina), die Lessing im 33. Stück der *Briefe, die neueste Literatur betreffend* nach den *Betrachtungen der Litauischen Sprache in ihrem Ursprunge, Wesen und Eigenschaften* (1745) von Philipp Ruhig zitiert hatte.

S. 258 *Garcilasso di Vega* – Garcilaso de la Vega (1539–1616), spanisch-peruanischer Historiker; Hauptwerk: *Comentarios reales que tratan del origen de los Incas* (1609 bis 1617). Zum angeführten Gedicht vgl. Herders Sämtliche Werke, Bd. XXV, S. 549.

S. 259 *Scheffer* – Gemeint ist die Sammlung nordischer Lieder, die Johannes Scheffer (1621–1679) seinem Buch *Lapponia, id est regionis Lapponum et gentis nova et verissima descriptio* (1673) beigab. Vgl. ebenda, S. 405.

S. 260 *Dein Schwert, wie ist's von Blut so rot* – Es handelt sich um das Gedicht *Edward* aus Percys Sammlung. Vgl. ebenda, S. 476.

S. 261 *des dänischen Skalden* – Gemeint ist Gerstenberg.

S. 262 *Bardit* – Klopstock nannte sein Drama *Hermanns-Schlacht* wegen der darin auftretenden Bardenchöre ein »Bardit« (s. Anm. *Barden* zu S. 236).

S. 262 *»Auf Moos, am luftigen Bach...«* – Manas Lied zum Tanze Thusneldas (11. Szene der *Hermanns-Schlacht*).

S. 262 *in den »Bremer Beiträgen«* – Herder gibt hier irrtümlich die *Bremer Beiträge* an; das genannte Werk erschien in der *Sammlung vermischter Schriften von den Verfassern der Bremischen neuen Beiträge* (1753).

S. 262 *»Was tat dir, Tor, dein Vaterland...«* – Anfang der Ode *Wir und Sie*.

S. 263 *Valkyriur* – nordische Schicksalsgöttin.

S. 263 *im »Beschwörungsliede der Hervor«* – Gemeint ist die Hervarer-Saga: Hervor bittet an der Gruft ihres Vaters Angantyr um dessen Schwert Tyrsing. Vgl. Herders Sämtliche Werke, Bd. XXV, S. 211.

S. 263 *Aerugo* – Edelrost, Patina.

S. 264 *Prämeditation* – wohlvorbereitete Überlegung.

S. 264 *Launcelot* – Shylocks Diener in Shakespeares *Kaufmann von Venedig*.

S. 264 *Polizeidiener* – Gemeint sind Holzapfel und Schleewein in *Viel Lärm um Nichts*.

S. 264 *Totengräber* – Gemeint ist der Totengräber im *Hamlet.*
S. 265 *αοιδοις* – Sänger.
S. 265 *Minstrels* – fahrende Sänger in England.
S. 265 *Homers Rhapsodien* – mit Kitharabegleitung vorgetragene Dichtungen.
S. 265 *impromptus* – vom Augenblick eingegebene Schöpfungen.
S. 266 *Apelles* – Siehe Anm. zu S. 223.
S. 267 *Haller* – Albrecht von Haller (1708–1777), Arzt und Dichter. Seine Dichtungen, gesammelt in dem *Versuch schweizerischer Gedichte* (1732), darin das idyllische Lehrgedicht *Die Alpen* (1729), trugen zum Aufschwung der deutschen Literatur in der zweiten Hälfte des 18. Jahrhunderts bei.
S. 267 *Gleim* – Wilhelm Ludwig Gleim (1719–1803), zu seiner Zeit beliebter Lyriker, schrieb Gedichte und Lieder im Stile der Anakreontik (Versuch in scherzhaften Liedern, 3 Bde., 1744–1758); bemühte sich später um die Schaffung einer in Gehalt und Form volkstümlichen Dichtung, wobei er von Lessing und Herder unterstützt wurde (Preußische Kriegslieder in den Feldzügen 1756 und 1757 von einem Grenadier, 1758; Lieder für das Volk, 1772).
S. 267 *Jacobi* – Johann Georg Jacobi (1740–1814), anakreontischer Lyriker, gab von 1774 bis 1777 die Zeitschrift *Iris* heraus, an der auch Goethe mitarbeitete.
S. 267 *Ramler* – Karl Wilhelm Ramler (1725–1798), schrieb kunstvolle Gedichte nach antiken Vorbildern, vor allem nach Horaz. Er war befreundet mit Lessing und Gleim, die ihn als Autorität auf dem Gebiet der poetischen Technik anerkannten. Verdienstvoll sind seine Sammlungen älterer Dichtungen: *Lieder der Deutschen* (1766) und *Fabellese* (1783–1790).
S. 269 *ein »Jägerlied«* – Vgl. Herders Sämtliche Werke, Bd. XXV, S. 114.
S. 270 *»Sweet Williams Ghost«* – Vgl. ebenda, S. 523.
S. 271 *Chansons* – in der altfranzösischen Literatur (gesungene) epische und lyrische Dichtungen; Herder meint hier wohl vor allem Dichtungen mit balladeskem Charakter, die sogenannten chansons de geste.
S. 271 *Songs* – die ältesten Balladen der Engländer.

S. 271 *der einzige Lessing* – Lessing gab gemeinsam mit Ramler 1759 die Sinngedichte Logaus heraus, bearbeitete 1771 die Gedichte von Andreas Scultetus, einem Dichter der ersten Schlesischen Schule, und veröffentlichte sie in Zachariäs *Auserlesenen Stücken der besten deutschen Dichter von Martin Opiz bis auf gegenwärtige Zeiten* (1771), gleichzeitig auch als Separatdruck. Außerdem plante er 1758, angeregt durch Bodmers Herausgabe von *Chriemhildens Rache und Klage* (1757), eine Abhandlung über das Heldenbuch, von der einiges Material im Nachlaß erhalten ist.

S. 271 *Penia* – Armut.

S. 273 *»Fabelliedchen«* – Findet sich, zum *Heidenröslein* umgedichtet, seit 1789 in Goethes Gedichten. Die älteste Quelle ist das in der Sammlung von Paul von der Aelst (1602) enthaltene Lied *Sie gleicht wohl einem Rosenstock.* In der hier und in den *Volksliedern* (vgl. Herders Sämtliche Werke, Bd. XXV, S. 437) vorliegenden Fassung hat es Herder in Straßburg frei aus dem Gedächtnis niedergeschrieben, so wie es ihm Goethe mündlich mitgeteilt hatte.

S. 274 *in den gedrungenen Blank-Versen* – Der Blankvers ist ein reimloser fünffüßiger jambischer Vers, der seit Lessing im deutschen Drama statt des Alexandriners verwendet wurde.

S. 274 *Elisionen* – das Auslassen von Vokalen am Wortende, wenn das nächste Wort mit einem Vokal beginnt.

S. 276 *irrt, doch nicht verwirret!* – ein ungenaues Zitat aus dem Gedicht *An die lyrische Muse* von Johann Peter Uz; dort heißt es: »O Muse! fleug mir vor, Du, deren freier Flug oft irrt, nie sich verwirret!«; wohl unabhängig von der ungenauen Zitierung der gleichen Stelle bei Nicolai im 140. Literaturbrief, wo es heißt: »sich wirrt, doch nie verwirret«.

S. 276 *A. T.* – Altes Testament.

S. 276 *dogmatischer Locus* – ein regelgerecht abgehandelter Lehrsatz.

S. 277 *»Über die Berge!«* – Vgl. Herders Sämtliche Werke, Bd. XXV, S. 358.

S. 277 *Transgressionen* – Übergänge.

S. 278 *kastigieret* – gezüchtigt, hier: zurechtgestutzt.

S. 280 *Provinzialen* – hier für: Provenzalen.

S. 280 *Gleim sang seine »Marianne«* – Vgl. die erste der Romanzen (1765), nach dem Französischen des F. A. Paradis de Montcrif (1687–1770): *Les constantes et malheureuses amours d'Alix et d'Alexis.*

S. 280 *Seine beiden anderen Stücke* – Gemeint sind *Damons und Ismenens zärtliche und getreue Liebe* und *Wundervolle doch wahrhafte Abenteuer Herrn Schout by Nachts Cornelius van der Tyt.*

S. 280 *Nachsinger* – Gemeint sind Johann Friedrich Löwen (1729–1771) und Daniel Schiebeler (1741–1771).

S. 280 *»Rosemunde« – Die schöne Rosemunde*, die erste englische Ballade, an der sich Herder nach der Vorlage der Percyschen Sammlung versuchte. Vgl. Herders Sämtliche Werke, Bd. XXV, S. 135.

S. 280 *»Alkanzor und Zaide«* – Vgl. ebenda, S. 148.

S. 280 *in welcher gotischen Manier* – »Gotische Manier« bedeutet hier soviel wie maßlos. Vgl. dazu Goethes Aufsatz *Von deutscher Baukunst* (1773).

S. 281 *Gray* – Thomas Gray (1716–1771), englischer Lyriker, Professor für die Geschichte der Neuzeit in Cambridge. Mit seiner Ode *The bard* (1757) und seinen Umbildungen einiger *Edda*-Gedichte trug er zur Neubelebung der altgermanischen Dichtung und Mythologie bei.

S. 281 *Akenside* – Mark Akenside (1721–1770), englischer Dichter und Mediziner; schrieb das Lehrgedicht *The pleasures of imagination* (1744) und *Oden* (1745).

S. 281 *Mason* – William Mason (1725–1797), englischer Dichter.

Von Ähnlichkeit der mittlern englischen und deutschen Dichtkunst nebst Verschiednem, das daraus folget

Druckvorlage: Herders Sämtliche Werke, hrsg. von Bernhard Suphan, Bd. V, Berlin 1893.

S. 282 *»Von Ähnlichkeit der mittlern englischen und deutschen Dichtkunst ...«* – Der Aufsatz ist die umgearbeitete Zusammenfassung der Vorreden zum ersten, dritten und vierten Buch der *Alten Volkslieder*, der ersten Volksliedersammlung Herders, an deren Herausgabe er seit 1773 gearbeitet hatte, die er dann aber während des Druckes zurückzog (s. Anm. *Volkslieder...* zu S. 296). Die Arbeit wurde im November 1777 in Heinrich Christian Boies Zeitschrift *Deutsches Museum* veröffentlicht. Herder beschränkte sich nicht auf eine Würdigung der mittleren, d. h. mittelalterlichen Dichtung, sondern schuf darüber hinaus die Grundlagen für die vergleichende Literaturwissenschaft und förderte die Entwicklung einer altdeutschen Philologie.

S. 283 *Parker* – Matthew Parker (1504–1575), erster anglikanischer Erzbischof von Canterbury; trieb kirchengeschichtliche Studien und erwarb sich besondere Verdienste um die Sammlung alter Handschriften.

S. 283 *Selden* – John Selden (1584–1654), englischer Orientalist und Jurist.

S. 283 *Spelman* – Sir Henry Spelman (1564–1641), englischer Altertumsforscher und Rechtswissenschaftler, begann mit der Herausgabe eines angelsächsischen Glossars.

S. 283 *Whelock* – Abraham Whelock (1593–1653), Bibliothekar und Professor des Angelsächsischen in Cambridge, Herausgeber verschiedener altenglischer Texte.

S. 283 *Hickes* – Siehe Anm. zu S. 254.

S. 283 *Stußens Plan* – Johann Heinrich Stuß (1686–1775), vielseitiger deutscher Gelehrter; studierte alte Sprachen, Geschichte und Philosophie. Er ist Verfasser einer Abhandlung über die Bibelübersetzung des Ulfilas und war einer der ersten, die Klopstocks *Messias* begeistert begrüßten. Als langjähriger Rektor der Herzoglichen Landschule zu Gotha entwickelte er seinen Plan im Schulprogramm von 1733: *Consilium de Thesauro Teutonico altero tertioque adornando.*

S. 283 *Lindenbrogs angelsächsisches Glossarium* – Friedrich Lindenbrog (1573–1648), Philologe, Jurist und Historiker; hatte die Absicht, ein althochdeutsches Wörterbuch herauszugeben, konnte es jedoch nicht vollenden. Seine Sammlungen erhielt die Bilbiothek seiner Vaterstadt Hamburg.

S. 283 *in der kaiserlichen Bibliothek* – Gemeint ist die kaiserliche Hofbibliothek zu Wien.

S. 283 *Hurd* – Richard Hurd (1720–1808), englischer Bischof, verfaßte neben theologischen Arbeiten Aufsätze über Spenser und Shakespeare. Herder bezieht sich hier auf seine *Letters on chivalry and romance* (1762), eine Untersuchung der Ursprünge des Rittertums und Verteidigung der mittelalterlichen Sprache und Lebensformen gegen den Vorwurf der Barbarei.

S. 284 *Curne de St. Palaye* – (1697–1781), französischer Schriftsteller; schrieb *Mémoires sur l'ancienne chevalerie* (3 Bde., 1759–1781); deutsche Übersetzung Nürnberg 1786–1791.

S. 284 *Warton* – Thomas Warton (1728–1790), englischer Literaturhistoriker; seiner *Geschichte der englischen Dichtung seit dem Ausgang des 11. Jahrhunderts* (3 Bde., 1774 bis 1781) geht eine Abhandlung über den Ursprung der romantischen Dichtungen in Europa voraus.

S. 284 *Goldast* – Melchior Goldast (1576–1635), Jurist und Philologe; beschäftigte sich mit der alt- und mittelhochdeutschen Literatur, veröffentlichte erste Stücke aus der Manessischen Handschrift (s. Anm. zu S. 287).

S. 284 *Schilter* – Johann Schilter (1632–1705), vielseitiger deutscher Gelehrter, der sich neben staatsrechtlichen Studien besonders mit altdeutschen Texten beschäftigte und ein altdeutsches Wörterbuch herausgab.

S. 284 *Schatz* – Gemeint ist wahrscheinlich Schilters Schüler Johann Georg Scherz (1678–1754), der von 1726 bis 1728 dessen *Thesaurus antiquitatum Teutonicarum* herausgab.

S. 284 *Eckhart* – Johann Georg Eckhart (1674–1730), studierte in Leipzig Theologie, Geschichte und Philologie, war viele Jahre Mitarbeiter von Leibniz. Er erwarb sich besondere Verdienste als Herausgeber altdeutscher Literaturdenkmäler. Seine wichtigste Textsammlung, die *Commentarii de rebus Franciae orientalis* (1720), enthält u. a. das *Hildebrandslied*.

S. 284 *Freher* – Marquard Freher (1565–1614), Jurist, Professor in Heidelberg, gab verschiedene althochdeutsche und angelsächsische Literaturdenkmäler heraus.

S. 284 *Spenser* – Edmund Spenser (1552–1599), englischer Dichter; wurde berühmt durch die Hirtengeschichte *The shepherd's calendar* (1579) und das allegorische Ritterepos *The Fairy Queen* (1590–1596).

S. 284 *Theobald* – Lewis Theobald (1688–1744), englischer Schriftsteller; gab eine grundlegende Ausgabe der Werke Shakespeares heraus; Übersetzer der Werke von Sophokles, Aristoteles und Plato.

S. 284 *Upston* – Gemeint ist John Upton (1707–1760), bekannt durch seine *Critical observations on Shakespeare* (1746) und als Herausgeber von Spensers *Fairy Queen* (1758).

S. 284 *Fingal* – Siehe Anm. zu S. 252.

S. 284 *»The Horne-Child«* – ein mittelenglisches Versepos; in der Schlacht von Hastings soll aber – nach einem Bericht des normannischen Chronisten Wace – von den Angelsachsen das *Rolandslied* gesungen worden sein.

S. 284 *Harleysche Sammlung* – die umfangreiche Handschriftensammlung (über 7000 Bände und 14 000 Einzelhandschriften) des englischen Politikers Robert Harley (1661 bis 1724), jetzt Teil des Britischen Museums.

S. 285 *Chaucer* – Geoffrey Chaucer (etwa 1340–1400), englischer Dichter; in seinen ersten Werken ist die Anlehnung an Ovid und die italienische Frührenaissance zu spüren. Die Motive seines bekanntesten Werkes, der *Canterbury Tales* (1387), übernahm er großenteils aus lateinischen, italienischen und französischen Quellen. Sein Werk gibt jedoch ein charakteristisches Bild der englischen Gesellschaft seiner Zeit.

S. 286 *Ramsey* – Allan Ramsey (1686–1758), schottischer Dichter; sammelte alte schottische und englische Lieder, die 1724 unter dem Titel *Tea-table miscellany or a collection of choiced songs, Scots and English* herauskamen.

S. 286 *Percy* – Siehe Anm. *die Dodsleyschen Reliques* zu S. 251.

S. 286 *Shenstone* – William Shenstone (1714–1763), englischer Dichter, beeinflußte Percy.

S. 286 *Mason* – Siehe Anm. zu S. 281.

S. 286 *Mallet* – David Mallet (etwa 1705–1765), schottischer Lyriker und Dramatiker; schrieb unter anderem die Ballade *William and Margret*, die Herder in seine *Volkslieder* (1778/1779) aufnahm (vgl. Herders Sämtliche Werke, hg. von Bernhard Suphan, Bd. XXV, Berlin 1885, S. 192).

S. 286 *Dryden* – John Dryden (1631–1700), englischer Dichter; Übersetzer der Werke Juvenals und Vergils; versuchte in seinen Dramen eine Synthese zwischen dem Stil des Shakespeare-Theaters und dem des französischen Klassizismus herzustellen.

S. 286 *Pope* – Alexander Pope (1688–1744), Hauptvertreter des englischen Klassizismus, gab 1721 die Werke Shakespeares heraus.

S. 286 *Addison* – Siehe Anm. zu S. 50.

S. 287 *Philipp Sydney* – (1554–1586), englischer Politiker und Dichter, schrieb u. a. den Roman *Arcadia* (gedruckt 1590), der 1642 von Martin Opitz übersetzt und bearbeitet wurde. In seiner *Defence of poetry* (um 1580) hatte er die alte Ballade von der Chevy-Jagd rühmend hervorgehoben.

S. 287 *Bardenwindsbraut* – Herder meint die vor allem unter Klopstocks und Gerstenbergs Einfluß um 1770 in Mode gekommene Bardendichtung und den damit verbundenen Bardenkult in Deutschland, den gutgemeinten, aber zumeist unreifen, unklaren und künstlerisch schwachen Versuch, durch Wiederbelebung der germanischen Frühgeschichte eine vaterländische Dichtung zu schaffen. Herder hatte sich bereits früher mehrfach kritisch mit diesen Bestrebungen auseinandergesetzt (vgl. die Rezensionen über Werke von Denis und Kretschmann, in: Herders Sämtliche Werke, Bd. IV, S. 320; Bd. V, S. 322, 334, 416).

S. 287 *Gesänge ... die der große Karl gesammlet haben soll* – Bardengesänge wie bei den Skandinaviern und Kelten hat es bei den alten Germanen nicht gegeben. Die von Karl dem Großen – nach einem Bericht seines Biographen Einhard (um 770–840) – veranstaltete Sammlung alter Lieder, unter denen man Bardengesänge vermutete, mögen Teile der Nibelungensage oder fränkische Lieder gewesen sein.

S. 287 *Ossian* – Siehe Anm. zu S. 232.

S. 287 *Macpherson* – Siehe Anm. *Ossian* zu S. 232.

S. 287 *Otfried* – Otfried von Weißenburg, deutscher Dichter des 9. Jahrhunderts, schrieb eine *Evangelienharmonie*, d. h. ein Leben Jesu, in Versen. Das Werk ist die erste größere deutsche Dichtung, in der der Endreim statt der bisher üblichen Alliteration verwendet wird.

S. 287 *der Manessische Kodex* – eine umfangreiche Handschrift mittelalterlicher deutscher Dichtungen, nach ihren Aufbewahrungsstätten auch als Pariser (bis 1888) oder Große Heidelberger Liederhandschrift bezeichnet. Der von Herder gebrauchte Name geht auf Bodmer zurück, der in dem Liedersammler Rüdiger Manesse, einem Züricher Patrizier um 1300, den Veranstalter der Sammlung vermutete. Geschrieben in der ersten Hälfte des 14. Jahrhunderts, enthält die Handschrift Lieder von 140 Dichtern sowie 138 Abbildungen der Dichter und ihrer Wappen.

S. 287 *Schoepflin* – Johann Daniel Schoepflin (1694–1771), Straßburger Historiker; durch seine Vermittlung erhielten Bodmer und Breitinger Abschriften aus der damals in Paris befindlichen Manessischen Sammlung, aus der sie 1748 zunächst *Proben der alten schwäbischen Poesie des 13. Jahrhunderts* veröffentlichten; 1758 gaben sie die ganze Handschrift unter dem Titel *Sammlung von Minnesingern aus dem schwäbischen Zeitpunkt* heraus.

S. 288 *Abt Millot* – Claude-François Millot (1726–1785), Professor der Geschichte in Parma, Mitglied der Académie française; schrieb die *Histoire littéraire des troubadours* (1774).

S. 288 *Säklenfleiß* – verkürzt aus »Säkularfleiß«, d. h. für Jahrhunderte schaffender Fleiß.

S. 288 *durch ... Gleim in Nachbildung* – Herder bezieht sich auf die *Gedichte nach den Minnesingern*, die Gleim 1773 veröffentlichte.

S. 288 *»Jordan, Po und Tiber ...«* – Die Verse stammen aus Herders Gedicht *An den Genius von Deutschland.*

S. 291 *Schüssel voll Schlamm* – Gemeint ist Friedrich Nicolais Schrift, in der er die Volksliedbegeisterung verspottet: Eyn feyner kleyner Almanach vol schönerr echterr liblicherr Volckslieder, lustigerr Reyen vnndt kleglicherr Mordgeschichten, gesungen von Gabriel Wunderlich weyl. Benkelsengernn zu Dessaw, herausgegeben von Daniel Seuberlich, Schusternn tzu Ritzmink ann der Elbe (2 Bde., 1777/1778).

S. 291 *Virgil in den Eingeweiden Ennius'* – Der römische Dichter Quintus Ennius (239–169 v. u. Z.) versuchte, nach dem Muster Homers ein römisches Nationalepos zu schaffen. Vergil stützte sich bei seiner *Äneis* auf das Werk des Ennius, übertraf diesen aber bei weitem. Vergils Biograph Donatus (Mittel des 4. Jahrhunderts) berichtet, jener habe auf die Frage, warum er Ennius überhaupt lese, geantwortet, er sammle Gold aus dem Kote des Ennius.

S. 292 *»Nie war gegen das Ausland ...«* – Zitat aus Klopstocks Ode *Mein Vaterland.*

S. 293 *Alle unpolizierten Völker* – Siehe Anm. *poliziert* zu S. 230.

S. 294 *Lessing hat über zwei litauische Lieder seine Stimme gegeben* – Siehe Anm. *aus Ruhig* zu S. 258.

S. 294 *Kleist hat ein Lied der Lappen und Kannibalen nachgebildet* – Vgl. Ewald von Kleists *Neue Gedichte vom Verfasser des Frühlings* (1758).

S. 294 *Gerstenberg* – Heinrich Wilhelm Gerstenberg (1737 bis 1823), erlangte literarische Bedeutung vor allem durch sein Drama *Ugolino* (1768) und seine *Briefe über Merkwürdigkeiten der Literatur* (1766–1767), mit denen er wichtige Beiträge zur Herausbildung des deutschen Sturm und Drang gab. – Im achten Stück der *Briefe über Merkwürdigkeiten der Literatur* schreibt Gerstenberg über dänische Volkslieder und gibt vier Stücke in deutscher Übersetzung, die Herder später in eigener Übertragung auch in seine *Volkslieder* aufnahm. Es handelt sich um die Stücke *Elvershöh, Morgengesang im Kriege, Lied des gefangenen Asbiorn Prude* und *Das Hagelwetter* (vgl. Herders Sämtliche Werke, Bd. XXV).

S. 295 *Wood* – Siehe Anm. zu S. 258.

S. 295 *Tyrtäus* – griechischer Dichter des 7. Jahrhunderts v. u. Z.

S. 295 *Arion* – griechischer Dichter und Musiker (um 620 v. u. Z.), gilt als Erfinder des Dithyrambos; Werke von ihm haben sich nicht erhalten.

S. 295 *Amphion* – der griechischen Sage nach Dichter und Sänger, Sohn des Zeus und der Antiope.

S. 295 *voll Hefen* – Nach einer Angabe des Horaz (De arte poetica, Vers 277) bestrichen in der Frühzeit des griechischen Theaters die Schauspieler ihre Gesichter mit Hefe (als Maske).

S. 295 *der das Marienbild trägt* – In dem ersten Druck (Deutsches Museum, Bd. II, 1777, S. 421–434) folgt nach dem Schlusse der Herderschen Abhandlung noch nachstehende Anmerkung von dem Herausgeber der Zeitschrift, Heinrich Christian Boie, die auf Herders *Volkslieder* (1777/1779) hinweist: »Ich freue mich, daß ich bei dieser Gelegenheit den Freunden der Poesie und des echten Naturgesangs eine ganze Sammlung solcher Volkslieder aus mancherlei Sprachen ankündigen darf, die bald, und vielleicht schon in der künftigen Messe, erscheinen wird. Sie wird an Reichtum und Wahl sicherlich alle ähnlichen Sammlungen übertreffen und bald den Wust vergessen machen, den man hie und da für Volkslieder zu verkaufen anfängt. Der Sammler hat sich nicht allein auf seine Nation eingeschränkt, sondern gibt nebst vortrefflichen, meistens so gut wie unbekannten und verlorenen deutschen Liedern die schönsten Gesänge andrer Völker, zum Teil wahre Meisterstücke des stärksten Gefühls und der höchsten Simplizität. Zum Glück braucht ein solches Geschenk in Deutschland noch keiner Empfehlung; also kein Wort mehr davon! – B.«

Vorrede zu den »Volksliedern
nebst untermischten andern Stücken, zweiter Teil«

Druckvorlage: Herders Sämtliche Werke, hrsg. von Bernhard Suphan, Bd. XXV, Berlin 1885.

S. 296 *»Vorrede zu den Volksliedern ...«* – Angeregt durch ausländische, vor allem englische Sammelwerke und durch Ossian hatte Herder bereits früh begonnen, Volkslieder der verschiedensten Nationen zu sammeln. Um die Thesen seiner theoretischen Untersuchungen zu belegen und das Volkslied in Deutschland wieder lebendig zu machen, begann er 1773 mit der Herausgabe einer Sammlung englischer, nordischer und deutscher Volkslieder. Das Werk, das den Titel *Alte Volkslieder* erhalten sollte, war bereits im Druck, als Herder, veranlaßt durch die zu erwartenden Angriffe seiner literarischen Gegner – vor allem Nicolais – und die Säumigkeit der Druckerei, das Unternehmen abbrach. Eine zweite, wesentlich umfangreichere Sammlung konnte 1778/1779 unter dem Titel *Volkslieder* in zwei Teilen erscheinen. Auch nach ihrem Abschluß setzte Herder seine Sammeltätigkeit fort; sein Tod verhinderte die Vollendung einer dritten Sammlung. Auf der Grundlage seiner Vorarbeiten wurde 1807 von Caroline Herder und Johannes von Müller (s. Anm. zu S. 576) eine neue Sammlung nach einem von Herder in der *Adrastea* skizzierten Plan veröffentlicht, die von den Herausgebern den Titel *Stimmen der Völker in Liedern* erhielt (s. Anm. *Stimme des Volks* zu S. 300). Sie ist gegenüber der zweiten Sammlung etwas umfangreicher, hat jedoch auch manche Stücke Herders wieder ausgeschieden. Herders Volksliedersammlungen sind in dieser Form weithin bekannt geworden, die Ausgabe muß jedoch als nichtauthentische Vulgata gelten.

S. 296 *Linus* – nach einer griechischen Sage thebanischer Überlieferung ein Sänger der Vorzeit, Sohn des Apollon und der Muse Urania; später auch als Verwandter des Orpheus und Musäus dargestellt.

S. 296 *Musäus* – schattenhafte Parallelgestalt zu Orpheus, Sänger von Weihe- und Sühneliedern. Ihm werden alte Orakelsprüche und religiöse Lieder zugeschrieben, die jedoch zumeist Nachbildungen oder Fälschungen späterer Zeit sind.

S. 297 *der größte Volksdichter* – Die Auffassung Homers als Volksdichter stammt von Wood (s. Anm. zu S. 258).

S. 299 *Pindars Gesängen* – Siehe Anm. zu S. 228.

S. 299 *leichte Weisen* – Vgl. die Stücke *Lied der Freiheit, Wunsch, Lob des Gastfreundes, Hochzeitlieder* und *Fragmente griechischer Lieder* in Herders *Volksliedern* (Herders Sämtliche Werke, hrsg. von Bernhard Suphan, Bd. XXV, Berlin 1885).

S. 300 *Eckhart* – Siehe Anm. zu S. 284.

S. 300 *Schilter* – Siehe Anm. zu S. 284.

S. 300 *Lambeck* – Peter Lambeck (1628–1680), Bibliothekar der kaiserlichen Bibliothek in Wien, veröffentlichte *Commentarii de Bibliotheca Caesarea Vindobonensi* (8 Bde., 1665 bis 1679).

S. 300 *Strophen aus der Vorrede* – Otfrieds (s. Anm. zu S. 287) Widmung an Bischof Salomo I. von Konstanz und Buch I,

Kap. 1 und 2, der *Evangelienharmonie* sind in Herders Übersetzung unter dem Datum vom 2. Januar 1777 handschriftlich erhalten.

S. 300 *»Ludwig der Schnelle«* – Gemeint ist das erste der insgesamt vier Widmungsschreiben der *Evangelienharmonie*, das an König Ludwig den Deutschen (843–876) gerichtet ist.

S. 300 *»Annos Gesang«* – Gemeint ist das *Annolied*, ein frühmittelhochdeutscher Lobgesang auf den Erzbischof von Köln, den später heiliggesprochenen Anno (1010–1075).

S. 300 *eine Sprosse mit in unsres Opitz Krone* – Martin Opitz hatte 1639 das *Annolied* nach einer – später verlorengegangenen – Handschrift veröffentlicht.

S. 300 *Stimme des Volks* – Die gleiche Formulierung findet sich auch in Herders Aufsatz *Von Ähnlichkeit der mittlern englischen und deutschen Dichtkunst* (s. S. 288 dieses Bandes); später noch an verschiedenen Stellen in der *Adrastea* (1801/1803). Nach Suphans Ansicht ist aus diesen Formulierungen der Titel der nach Herders Tod veröffentlichten dritten Volksliedsammlung entstanden.

S. 300 *Fragment eines altdeutschen Romans* – Gemeint ist das *Fragmentum fabulae romanticae saxonica dialecto seculo VIII conscriptae ex Codice Hasso-Casselano;* hinter diesem Titel verbirgt sich das *Hildebrandslied.*

S. 300 *Meiboms Sammlung* – Gemeint ist die von dem lateinisch schreibenden Dichter und Historiker Heinrich Meibom (1555–1625) herausgegebene Sammlung *Opuscula historica rerum Germanicarum* (1688).

S. 301 *Gottesfronden* – Priester.

S. 301 *Wette* – Strafe, Genugtuung.

S. 301 *hiere* – heilig.

S. 301 *Triller* – Daniel Wilhelm Triller (1695–1782), in seiner Zeit berühmter Philologe, Mediziner und Dichter; schrieb über die Geschichte seiner mit diesen historischen Ereignissen verbundenen Familie das umfangreiche epische Gedicht *Der Sächsische Prinzenraub oder Der wohlverdiente Köhler* (1743).

S. 301 *Spangenberg* – Cyriacus Spangenberg (1528–1604), erster deutscher Genealoge; Verfasser der *Hennebergischen*

Chronik (1599) und der *Mansfeldischen Chronik* (1572), die zur *Sächsischen Chronik* (1583) erweitert wurde.

S. 301 *Glafeys »Sächs. Geschichte«* – Gemeint ist *Kern der Geschichte des Chur- und Fürstlichen Hauses zu Sachsen* (2. Aufl., 1737) von dem Dresdner Juristen und Archivar Adam Friedrich Glafey (1692–1753).

S. 301 *Pomarii »Chronik«* – Gemeint ist die von Johann Pomarius, eigentlich Johann Baumgart (1514–1578), einem Schüler Melanchthons, und seinem Bruder Samuel verfaßte *Magdeburgische Chronik* (1583).

S. 301 *Fortsetzung von Spangenbergs »Hennebergischer Chronik«* – Gemeint ist die *Hennebergische Chronik* (1766 bis 1777) von J. Ludwig Heim.

S. 301 *Falckensteins Erfurtische Geschichte* – Gemeint ist *Civitatis Erfurtensis historia critica et diplomatica oder vollständige Alt-, Mittel- und Neue Historie von Erffurth* (1739) von Johann Heinrich von Falckenstein (1682 bis 1760).

S. 302 *»Eichen ohne Gerten«* – Vgl. *Deutsches Kinderlied und Kinderspiel, Volksüberlieferungen aus allen Landen deutscher Zunge,* hrsg. von Franz Magnus Böhme, Leipzig 1897.

S. 302 *Lieder, die ... angestimmt wurden* – Zu diesen Liedern gehören u. a.: *Tredet herzu wer buszen welle, O herre vader Jhesu Christ, Es ging sich unse Frauwe,* die alle aus dem Jahre 1349 stammen.

S. 302 *Limpurger Chronik* – Das Werk erschien 1617. Zur näheren Charakteristik des Buches vgl. Volkslieder, Zweiter Teil, Einleitung zum dritten Buch, in: Herders Sämtliche Werke, Bd. XXV, S. 459.

S. 302 *Pfefferkorn* – Georg Michael Pfefferkorn (1646–1732), evangelischer Geistlicher und Kirchenlieddichter; gab 1684 die *Merkwürdige und auserlesene Geschichte von der berühmten Landgrafschaft Thüringen* heraus.

S. 302 *In Senkenbergs »Select. iuris et histor.«* – Heinrich Christian Senkenberg (1704–1768), Historiker und Jurist, veröffentlichte 1734–1742 die Quellensammlung *Selecta iuris et historiarum,* die viele Erstdrucke von Urkunden und Chroniken zur Geschichte des deutschen Mittelalters enthält.

S. 302 *in Reinhards »Beiträgen«* – gemeint sind die *Beiträge zu der Historie Frankenlands und der angrenzenden Gegenden (1760–1762)* von Johann Paul Reinhard (1722 bis 1779), Professor an der Universität Erlangen. Im ersten Teil von Reinhards *Beiträgen* findet sich eine gereimte Beschreibung des Gefechts bei Hempach im Jahre 1450 von Johann Rosenplüt.

S. 302 *in Schöttgens und Kreisigs »Diplomatischer Nachlese«* – gemeint ist die *Diplomatische und curiöse Nachlese der Historien von Obersachsen* (1730), verfaßt von Johann Christian Schöttgen (1687–1751), der längere Zeit als Rektor der Kreuzschule in Dresden tätig war, und Georg Christoph Kreisig (1697–1758).

S. 302 *Menckens Sammlung* – Gemeint ist *Scriptorum rerum Germanicarum, praecipue Saxonicarum* (1728–1730) von Johann Burkhard Mencke (1674–1732).

S. 302 *in Letzners »Einbeckschen Chronik«* – Gemeint ist die nicht vollständig gedruckte *Braunschweig-Lüneburg-Göttingensche Chronik* des Geistlichen Johann Letzner (1531–1613), der im Auftrage der welfischen Herzöge arbeitete. Teile des Gesamtwerks erschienen unter den Titeln *Dasselsche Chronik* und *Pöhlder Chronik*.

S. 302 *in Buchholz' »Brandenburgischer Geschichte«* – Gemeint ist die *Geschichte der Kurmark Brandenburg von den ältesten Zeiten bis zum Hubertusburger Frieden* (Berlin 1765–1775) des Theologen Samuel Buchholz (1717 bis 1774), der viele Jahre das Konrektorat zu Werben in der Altmark innehatte und in Verbindung mit Winckelmann stand.

S. 303 *einen Band gedruckter Lieder* – Die hier angeführten Lieder finden sich ebenso wie viele der auf den Seiten 301 bis 303 dieses Bandes genannten in Rochus Freiherr von Liliencrons *Historischen Volksliedern der Deutschen vom 13. bis 16. Jahrhundert* (1865–1869).

S. 303 *»Der Jäger«* – Vgl. Des Knaben Wunderhorn, Teil I.

S. 304 *»Ein neu Lied von zweien Märterern...«* – Zuerst im *Enchiridion* (Erfurt 1524, Nr. 18; mit Ausnahme von Vers 9 und 10), dann im *Geystlichen gesank Büchlein* Wittenberg 1524, Nr. 3) erschienen.

S. 304 *»Nun treiben wir den Tod heraus«* – Vgl. die Parodie

Nun treiben wir den Babst heraus, die von Luther in Druck gegeben wurde, aber nicht von ihm stammt. Vgl. auch *Des Knaben Wunderhorn* (Teil I) und *Philosophischer Feierabend* (erschienen 1700) von Franz Christian Paullini (1643–1711). Herder kannte gleichfalls Hilschers Werk *Wegen des zur Fasten und Osterzeit eingerissenen Aberglaubens* (1708).

S. 304 *»Cantio de aulis«* – Satire auf das Hofleben (vgl. Das Lied vom Hofe, in: Herders Sämtliche Werke, Bd. XXV, S. 529). In der Altenburger Lutherausgabe von 1662 (Bd. V, S. 804) ist es ebenso wie in der Eislebener Ausgabe von 1565 (Bd. II, S. 500) bereits vorhanden.

S. 304 *Erasmus Alberus* – (um 1500–1553), Mitarbeiter der Reformatoren, stand mit Luther und Melanchthon im Briefwechsel; schrieb Satiren gegen den Katholizismus und ist als Verfasser zahlreicher Tierfabeln bekannt. Zu seiner Satire *Der Barfüßer Mönche Eulenspiegel und Alcoran* (1542) schrieb Luther das Vorwort.

S. 305 *Fragment der Chronik* – Bezieht sich auf die *Limpurger Chronik* (s. Anm. zu S. 302).

S. 305 *»Historisches Gesangbuch« von Johann Höfel* – erschien 1681 in Schleusingen.

S. 306 *Reusner* – Gemeint ist Adam Reißner (etwa 1500 bis 1572), Geistlicher, Historiker und Dichter; seine Parodie *Historia Herrn Georgen und Herrn Casparn von Frundsberg* erschien 1568. Das Lied steht sowohl im *Wunderhorn* (Teil II) als auch im *Ambraser Liederbuch*.

S. 306 *Manessesche Sammlung* – Siehe Anm. zu S. 287. – Das Lied vom *Treuen Wächter* erinnerte Herder an eines von Wolframs Tageliedern.

S. 306 *auf eine ... neue Weise zu deklamieren* – Diese Spitze ist gegen Friedrich Nicolai und seinen *Feynen kleynen Almanach* gerichtet (s. Anm. zu S. 291).

S. 307 *Zachariä* – Friedrich Wilhelm Zachariä (1726–1777), Anhänger Bodmers und Breitingers. Herder spielt an auf Zachariäs Sammlung *Auserlesene Stücke der besten deutschen Dichter von M. Opitz bis auf gegenwärtige Zeiten* (1771).

S. 307 *fehlte mir zu zweien oder dreien Stücken Platz* – Gemeint sind wohl Stücke von Rudolf Weckherlin (1584 bis 1653), dessen Andenken durch Bodmer und Herder wieder geweckt wurde. Herder kommt auf ihn in seiner Arbeit *Andenken an einige ältere deutsche Dichter* (erster Brief) im *Deutschen Museum* vom Oktober 1779 (vgl. Herders Sämtliche Werke, Bd. XV, S. 3) zurück, erweitert durch Werkproben in der Sammlung *Zerstreute Blätter* von 1793 (vgl. Herders Sämtliche Werke, Bd. XVI, S. 244).

S. 307 *Eschenburg* – Johann Joachim Eschenburg (1743–1820); wurde durch sein *Handbuch der klassischen Literatur* (1783) und den *Entwurf einer Theorie und Literatur der schönen Wissenschaften* (1783) sowie die erste vollständige Übertragung von Shakespeares Schauspielen bekannt (1775 bis 1782). Belebte mit den *Denkmälern altdeutscher Dichtkunst* (1799) das Studium der altdeutschen Dichtung.

S. 307 *Anton* – Karl Gottlob von Anton (1751–1818), Rechtswissenschaftler; veröffentlichte *Erste Linien eines Versuches über der alten Slawen Ursprung, Sitten, Gebräuche, Meinungen und Kenntnisse* (1783–1789), *Geschichte der Teutschen Nation* (1793) und *Über Sprache in Rücksicht auf die Geschichte der Menschheit* (1799).

S. 307 *Seybold* – David Christoph Seybold (1747–1804), Professor der Philosophie in Jena. Seine Hauptwerke sind: *Anthologia historica graecolatina* und *Anthologia romana poetica* (1778).

S. 307 *Übersetzungen Fischarts* – Johann Fischart (etwa 1546 bis 1590), Dichter und Publizist im Zeitalter der Gegenreformation. Seine Hauptwerke, die zum Teil auf holländische und französische Vorbilder zurückgehen, entstanden in den Jahren 1575 bis 1581 in Straßburg. Die bis heute lebendig gebliebene *Affentheuerliche und ungeheuerliche Geschichtsschrift vom Leben ... der ... Helden ... Grandgusier, Gargantoa und Pantagruel* (1575; 1582 als *Affentheuerliche Naupengeheuerliche Geschichtklitterung von ...* erschienen) ist in vielen Teilen eine Übersetzung von Rabelais' *Gargantua,* wenn auch im einzelnen von Fischart für seine Zwecke (Verspottung des Ritterromans und der damaligen deutschen Zustände, Kampf für den geistigen Fortschritt) verändert und erweitert. Unerschöpflich war Fischart im Erfinden neuer Wörter, Wendungen und witziger Wortverdrehungen.

S. 307 *»Litanei der Trunkenen«* – Vgl. das 8. Kapitel der *Geschichtklitterung.*

S. 308 *mit der allgemeinsten und unendlichsten Bibliothek* – Anspielung auf die von Friedrich Nicolai seit 1765 herausgegebene *Allgemeine Deutsche Bibliothek.*

S. 308 *in »Sittewalds Gesichten«* – Gemeint ist Johann Michael Moscheroschs (1601–1669) Satire *Wunderliche und wahrhaftige Gesichte Philanders von Sittewald* (um 1640), die die schlimmen Zustände in Deutschland schildert.

S. 308 *»Lyrische Blumenlese«* – ein Almanach, der von 1774 bis 1778 von Ramler herausgegeben wurde.

S. 308 *Evoe* – Jubelruf.

S. 310 *Liedern aus Shakespeare* – Vgl. Vorrede zum zweiten Buch des ersten Teils der *Alten Volkslieder* (Herders Sämtliche Werke, Bd. XXV, S. 33).

S. 311 *z. E. Percy, Murray* – Bezieht sich auf die beiden Balladen *Die Chevy-Jagd* und *Murrays Ermordung* (vgl. Herders Sämtliche Werke, Bd. XXV, S. 382, 480).

S. 311 *Vater Opitz hat selbst übersetzt* – Vgl. das vierte Buch der *Poetischen Wälder* (Breslau 1690). Die Übersetzung wurde in Herders *Volkslieder* aufgenommen (Herders Sämtliche Werke, Bd. XXV, S. 373).

S. 311 *Gil Polo* – Gaspar Gil Polo (um 1535–1591), Hauptvertreter der spanischen Schäferdichtung.

S. 311 *Cronegk* – Johann Friedrich Cronegk (1731–1758), studierte in Halle und Leipzig, wo er Anschluß an den Kreis um Gellert fand. In seinen *Schriften* (erschienen 1760/61) stehen zwei Übersetzungen aus dem Spanischen des Cristobal de Castillejo (etwa 1491–1556): *Das Glück und Amor* und *Lyda.*

S. 311 *Kästner* – Abraham Gotthelf Kästner (1719–1800), Professor der Naturlehre in Leipzig und Göttingen, trat auch als Dichter von Epigrammen und Sinngedichten hervor, die sich mit literarischen Tagesereignissen auseinandersetzten. In seinen *Vermischten Schriften* (1772) findet sich die übersetzte Copla (Copla – eine aus vier oder fünf Kurzzeilen bestehende Strophe der älteren spanischen Dichtung) *Zweierlei Zeitrechnung* aus Lesages

Gil Blas de Santillane (vgl. Herders Gedichte *Der Augenblick* und *Und die goldnen süßen Stunden,* in: Herders Sämtliche Werke, Bd. XXIX, S. 371, 593).

S. 312 *Pulci* – Luigi Pulci (1432–1484), italienischer Dichter; schrieb das Rittergedicht *Il Morgante,* in dem er die Abenteuer Rolands und des Riesen Morgante in einem die Florentiner Bänkelsänger nachahmenden Tone erzählt; außerdem burleske Sonette, Strambotti und eine Novelle.

S. 312 *der ungenannte Name ... ist keine Sünde* – Anspielung auf Christian Wernickes (1661–1725) Gedicht *Beichtfrage* (in: Poetische Versuche, 1704).

S. 312 *»vom grausam wilden Bär ...«* – Anspielung auf ein Gedicht von Christian Gottlieb Lieberkühn in seinem Band *Arzeneien* (Berlin 1759).

S. 314 *purer puter* – Damals häufige Verbindung nach lat. purus putus, soviel wie: rein, fein. (Vgl. das Gedicht *Serenata, im Walde zu singen* von Matthias Claudius)

Jakob Michael Reinhold Lenz

Über »Götz von Berlichingen«

Druckvorlage: Jakob Michael Reinhold Lenz, Gesammelte Schriften, hrsg. von Franz Blei, Bd. IV, München-Leipzig 1910.

S. 317 *Jakob Michael Reinhold Lenz* – (1751–1792); begann in Königsberg mit dem Theologiestudium und reiste im April 1771 als Begleiter zweier Herren von Kleist nach Straßburg. Dort wurde er Mitglied der Société de philosophie et des belles-lettres, des Kreises um Johann Daniel Salzmann und trat 1774 in engere Beziehungen zu Goethe. Er folgte ihm nach Weimar, mußte allerdings die Stadt bald wieder verlassen. Er durchzog dann ruhelos die Schweiz und das Elsaß. Lenz verfiel schließlich dem Wahnsinn. 1779 wurde er von seinem Bruder nach Riga zurückgeholt. Nach notdürftiger Heilung unternahm er einen vergeblichen Versuch, in Riga oder Petersburg eine Professur zu erlangen, und ging im Sommer 1781 nach Moskau, wo er ein Unterkommen als Hauslehrer fand; auch diese Stellung verlor er bald. Ständig verfolgt von Armut und Krankheit, ist er in Moskau gestorben.

S. 317 *»Über ›Götz von Berlichingen‹«* – Die Arbeit gehört zu einer Reihe von Vorträgen, die Lenz im Salzmannschen Kreise gehalten hat. Franz Blei vermutet, daß sie unmittelbar nach Erscheinen des *Götz* (1773) entstanden ist.

S. 319 *cui bono* – zu wessen Nutzen.

S. 321 *Als ich ein Kind war, tat ich wie ein Kind* ... – 1. Korinther 13,11.

S. 321 *Eleusinis* – Gemeint sind die eleusinischen Mysterien des griechischen Altertums, Feste zu Ehren der Göttinnen Demeter (Göttin des Erdsegens und der Fruchtbarkeit) und Persephone (Tochter des Zeus und der Demeter) zu Eleusis bei Athen.

Anmerkungen übers Theater

Druckvorlage: Jakob Michael Reinhold Lenz, Gesammelte Schriften, hrsg. von Franz Blei, Bd. I, München-Leipzig 1910.

S. 322 *»Anmerkungen übers Theater«* – Diese Aufzeichnungen waren für die Société de philosophie et des belles-lettres bestimmt; Lenz bewirkte 1775 eine Neubildung der Société als Deutsche Gesellschaft. Er trug dort entweder seine Arbeiten selbst vor oder sandte die Manuskripte zur Durchsicht und zum Vortrag ein. Nach den Untersuchungen von Theodor Friedrich (»Anmerkungen übers Theater« des Dichters Jakob Michael Lenz, in: Probefahrten, hrsg. von Albert Köster, Bd. XIII, Leipzig 1909) sind die *Anmerkungen* nicht in einem Zuge geschrieben worden. Der Teil über die drei Einheiten und über das Wesen des Dramas war vor Erscheinen der Blätter *Von deutscher Art und Kunst* und des *Götz von Berlichingen* (1773) fertiggestellt. Der Teil über das französische Drama entstand 1773, der Rest 1774. Mehrfache Überarbeitungen und Glättungen zwischen 1772 und 1774 sind wahrscheinlich. Dem Text steht folgende Vorbemerkung voran: »Diese Schrift ward zwei Jahre vor Erscheinung der *Deutschen Art und Kunst* und des *Götz von Berlichingen* in einer Gesellschaft guter Freunde vorgelesen. Da noch manches für die heutige Belliteratur drin sein möchte, das jene beiden Schriften nicht ganz überflüssig gemacht, so teilen wir sie – wenn nicht anders als das erste ungehemmte Räsonnement eines unparteiischen Dilettanten – unsern Lesern rhapsodienweis mit.«

S. 322 *Nec minimum meruere decus...* – Vgl. Horaz, De arte poetica; die Textstelle lautet vollständig:

Nil intemptatum nostri liquere poetae
Nec minimum meruere decus, vestigia graeca
ausi deserere et celebrare domestica facta
Vel qui praetextas vel qui docuere togatas.

In der Übersetzung:

Nichts auch ward unversucht von unseren Dichtern gelassen;
Nicht ihr geringstes Verdienst wars, da sie die Spuren der Griechen
Mutig verließen und Taten der Heimat priesen im Liede,
Ob sie zum Stoff sich wählten das Staatskleid oder die Toga.

(Langenscheidtsche Bibliothek sämtlicher griechischer und römischer Klassiker, Horatius, Teil II, Satiren und Episteln, übersetzt von Prof. Dr. Wilhelm Binder, Epistel an Lucius Calpurnius Piso und seine Söhne.)

S. 322 *Aulus Gellius* – (um 175), römischer Grammatiker. Seine *Noctes atticae* vermitteln wertolle Auszüge aus Werken griechischer und römischer Schriftsteller.

S. 322 *Plautus* – (250–184 v. u. Z.), römischer Lustspieldichter; seine Werke sind vielfach nur Bearbeitungen der neueren attischen Komödie. – Lenz übersetzte und bearbeitete einige Stücke des Plautus (z. B. *Miles gloriosus*) und schrieb neue *Lustspiele nach Plautus* (z. B. *Die Aussteuer* nach *Aulularia*). Die Beschäftigung mit Plautus fällt vor allem in die Jahre 1772/73.

S. 322 *Roscius* – Gallus Quintus Roscius (134–61 v. u. Z.), römischer Schauspieler.

S. 322 *Du Bos* – Jean-Baptiste Du Bos (1670–1742); französischer Ästhetiker, Sekretär der Académie française, später Kanonikus von Paris; berühmt durch seine *Réflexions critiques sur la poésie et la peinture* (1719).

S. 323 *geschweige...* – Typische Erscheinung bei Lenz: Im Ungestüm seines Denkens und Formulierens führt er begonnene Sätze oftmals nicht fort, sondern beläßt es bei bruchstückartigen Andeutungen; dabei bricht er mitunter sogar mitten im Wort ab. Dem Leser bleibt es überlassen, die begonnenen Sätze zu Ende zu denken.

S. 323 *der rasende Ödip* – Siehe Anm. *Fabel vom Ödipus* zu S. 138. Lenz bezieht sich hier auf den *Ödipus* des Corneille (1659).

S. 324 *Garrick* – David Garrick (1716–1767), englischer Schauspieler und Lustspieldichter; vor allem bekannt durch seine Gestaltung Shakespearescher Rollen. Garrick bemühte sich um Wiederherstellung des Urtextes der Shakespeare-Dramen.

S. 324 *deutsche Franzosen* – Gemeint sind die deutschen Nachahmer der klassischen französischen Dichter.

S. 324 *deutsche Metastasio* – Pietro Metastasio, eigentlich Trapassi (1698–1782), italienischer Dichter; seit 1730 Hofdichter in Wien, wurde vor allem bekannt durch seine Libretti zu Opern und Oratorien.

S. 324 *Cluvers »Orbis antiquus«* – Philipp Cluver (1580–1622) war der Begründer der historischen Geographie, er schrieb eine Reihe historisch-geographischer Werke über Mittel- und Südeuropa; am bekanntesten ist seine *Germania antiqua* (1616).

S. 325 *fünf Tore unsrer Seele* – Gemeint sind die fünf Sinne.

S. 325 *Bunyan* – John Bunyan (1628–1688), englischer Theosoph und Schriftsteller; schrieb *The pilgrim's progress* (1675), das hier erwähnte Werk *The Holy War* (1682) u. a. Unter den katholischen Stuarts wurde Bunyan, der als puritanischer Prediger auftrat, mehrfach eingekerkert.

S. 326 *im vierten Buch seiner »Poetik«* – Kap. 4, Satz 1. – Lenz zitiert den Aristoteles offensichtlich nach einer lateinischen Ausgabe und übersetzt die Zitate für seinen eigenen Gebrauch. Da die einzelnen Aristoteles-Ausgaben Abschnitte und Sätze verschieden zählen, werden Kapitel und Sätze, denen die Zitate entstammen, nach der großen Ausgabe *Aristoteles opera* (hrsg. von der Preußischen Akademie, Bd. II, Berlin 1831) nachgewiesen.

S. 326 *Peter Ramus* – Petrus Ramus, eigentlich Pierre de la Ramée (1515–1572), französischer Humanist, berühmter Gegner der Aristotelischen Lehre.

S. 327 *»Die Gabe, zu vernünfteln...«* – Zitat aus *Tristram*

Shandy (3. Teil, Kap. 40). Dort heißt es: »Die Gabe zu vernünfteln und Syllogismen zu machen – ich meine im Menschen–, denn in höheren Klassen von Lebewesen, wie in Engeln und Geistern, wird das alles, wenn es Eurer Lordschaft gefällt, wie sie mir sagen, durch Anschauung getan.«

S. 328 *amicus certus in re incerta* – ein treuer Freund in ungewisser Sache.

S. 329 *vivida vis ingenii* – feurige Kraft des Geistes.

S. 329 *nota diacritica* – unterscheidendes Merkmal.

S. 329 *Belsazers Waage* – Belsazar (555–538 v. u. Z.), letzter König von Babylon (vgl. Buch Daniel 5,25); »Belsazers Waage« bedeutet sinngemäß: das unerbittliche Urteil des Schicksals.

S. 330 *Batt...* – Lenz bricht mitten im Wort ab; gemeint ist Charles Batteux (1713–1780), französischer Kunsttheoretiker; seine Schrift »Cours de belles-lettres« (1765) erregte in Deutschland viel Aufsehen. Die späteren Auflagen erschienen unter dem Titel »Principes abrégés de la littérature«.

S. 330 *Longin* – Cassius Longinus (213–273), griechischer Philologe und Rhetor; verfaßte umfangreiche Schriften zur Rhetorik, Philologie und Literaturkritik; seine Werke sind jedoch nur fragmentarisch erhalten.

S. 330 *Home* – Henry Home (1696–1782), englischer Philosoph und Ästhetiker; lehnte Corneille, Racine und ihre dramatischen Theorien ab und trat für Shakespeare ein. Sein Hauptwerk *Elements of criticism* (1762) übte großen Einfluß auf die ästhetischen Ansichten Lessings, Schillers und Kants aus. Home veröffentlichte ferner die *Essays on the principles of morality and natural religion* (1751).

S. 330 *Korollarien* – Blumenkronen, Blüten.

S. 331 *»Es ist also das Trauerspiel...«* – Vgl. Aristoteles, Poetik, Kap. 6, Satz 2.

S. 332 *»Und weil das Trauerspiel...«* – Vgl. ebenda, Satz 6.

S. 332 *»Sitten sind die Art...«* – Vgl. ebenda, Satz 7.

S. 332 *»der Dichter solle Begebenheiten...«* – Vgl. ebenda, Kap. 9, Satz 1.

S. 332 *»Das Wichtigste unter allen...«* – Vgl. ebenda, Kap. 6, Satz 11.

S. 333 *»Sie sind nach ihren Sitten ...«* – Vgl. ebenda, Satz 11 f.
S. 333 *»Die Begebenheiten ...«* – Vgl. ebenda, Satz 12 f.
S. 334 *Grandison* – Gestalt aus Samuel Richardsons Roman *Sir Charles Grandison* (1753/54).
S. 334 *Simson* – letzter Richter Israels, Nationalheld der Hebräer, hatte durch seine von Gott verliehene Körperstärke den Feinden Israels viel Schaden zugefügt. Seine Geliebte Delila verriet das Geheimnis seiner Stärke den Philistern, die schoren ihm das Haar, blendeten ihn und führten ihn in Gefangenschaft. Erst mit dem Nachwachsen des Haares gewann er seine Kraft zurück und rächte sich furchtbar an seinen Feinden. (Vgl. Buch der Richter 13–16)
S. 334 *»Die Trauerspiele der meisten Neueren ...«* – Vgl. Aristoteles, Poetik, Kap. 6, Satz 14.
S. 334 *Zeuxes* – Gemeint ist der griechische Maler Xeuxis (Anfang des 4. Jahrhunderts v. u. Z.).
S. 334 *Polyglotus* – Polygnotus (bei Lenz fälschlich Polyglotus genannt, 450–410 v. u. Z.), griechischer Maler. Aristoteles erwähnt in seiner *Poetik* (Kap. 6, Satz 14) sowohl Xeuxis wie Polygnotus.
S. 334 *hyperbolisch* – in bezeichnender Übersteigerung.
S. 334 *Apelles* – Siehe Anm. zu S. 223.
S. 335 *Thespis Karre* – Der Athener Thespis (6. Jahrhundert v. u. Z.) gilt als Begründer der Tragödie. Thespiskarren ist die Bezeichnung für eine Wanderbühne.
S. 335 *»Ein Zeichen für die Wahrheit des Satzes ...«* – Vgl. Aristoteles, Poetik, Kap. 6, Satz 17.
S. 335 *Dictione et moribus* – in Ausdrucksweise und Charakter.
S. 335 *famam sequere sibi convenientia finge* – Vgl. Horaz, De arte poetica. Lenz gibt verkürzte lateinische Zitate; die Textstelle und ihre Übersetzung lauten vollständig:

Aut famam sequere aut sibi convenientia finge Scripto.
Folge der Sage, wo nicht, sinn aus, was schicklich sich anpaßt, Dichter!

S. 335 *servetur ad imum* – Horaz, De arte poetica, Kap. 6; die Textstelle und ihre Übersetzung lauten vollständig:

Siquid inexpertum scaenae conmittis et audes
Personam formare novam, servetur ad imum,
Qualis ab incepto processerit, et sibi constet.

Wenn du der Szene vertraust, was keiner zuvor noch versucht hat,
Und neu wagst, den Charakter zu schaffen, geleit ihn zum Ende,
Wie du von Anfang ihn darstelltest; er bleibe sich selbst treu.

(Vgl. Langenscheidtsche Bibliothek ..., Teil II)

S. 335 *Journal Encyclopédique* – Von Pierre Rousseau begründete Zeitschrift, die im Kielwasser der gerade berühmt gewordenen Enzyklopädie erschien.

S. 335 *»soutenir les caractères«* – die Charaktere durchführen.

S. 336 *Melopöie* – Tonfall, rhythmisch-musikalisches Gefüge der dramatischen Dichtung.

S. 336 *einem je ne sais quoi* – einem gewissen Etwas.

S. 336 *Ruhepunkt Archimeds* – Von Archimedes ist der Ausspruch überliefert: »Da mihi figere pedem et terram movebo.« – »Gib mir einen festen Standpunkt, und ich werde die Erde bewegen.«

S. 337 *Fabula autem est una, non ut aliqui putant, si circa unum sit* – Die Fabel aber hat nicht dadurch Einheit, wie manche glauben, daß sie sich um eine Person dreht. (Vgl. Aristoteles, Poetik, Kap. 8, Satz 1)

S. 337 *bon gré, mal gré* – Sie mag wollen oder nicht.

S. 338 *fabula est una si circa unum sit* – Die Fabel ist eine Einheit, wenn sie sich um eine Person dreht.

S. 338 *causa prima und remotior* – die erste und die entferntere Ursache.

S. 338 *»Die Epopee ist also ...«* – Vgl. Aristoteles, Poetik, Kap. 5, Satz 7.

S. 338 *unus solis ambitus* – ein Sonnenumlauf.

S. 338 *differentia specifica* – besondere Unterscheidung.

S. 339 *ὢ πόποι* – Wehe!

S. 339 *Fielding* – Henry Fielding (1707–1754), englischer Schriftsteller, besonders bekannt durch seinen gesellschaftskritischen, äußerst humorvollen Roman *Tom Jones, or the history of a foundling* (1749).

S. 340 *non saginandi* – Sie sollen gemästet werden, d. h. Lenz verlangt für die Dichter keine materielle Unterstützung, sondern nur die Möglichkeit, ihre Werke aufzuführen, um diese selbst wirken zu lassen.

S. 341 *Bardit* – Siehe Anm. zu S. 262.

S. 341 *La Motte* – Gemeint ist Antoine Houdar de La Motte.

S. 341 *Les Français sont les premiers...* – Die Franzosen sind die ersten, welche die weisen Theaterregeln wiederbelebt haben, die anderen Völker... Aber daß dieses Joch begründet war und die Vernunft schließlich und endlich triumphiert...

S. 342 *suavi sermone* – mit lieblicher Rede.

S. 342 *Madame Dacier* – Anne Dacier (1654–1720), gute Kennerin und Herausgeberin der Werke antiker Autoren; sie übersetzte Plautus, Terenz, Homer und Aristophanes ins Französische. Lenz bezieht sich auf ihre Schrift *Traité des causes de la corruption du goût* (1714).

S. 342 *wie Virgil die Dido beschreibt* – Anspielung auf folgende Stelle im ersten Buch der *Äneis*, wo es heißt: »Es war Dido so schön, so schritt sie mit heiterem Antlitz mitten hindurch, anfeuernd zum Werk und zur künftigen Herrschaft. Drauf an der Göttin Portal, wo die Wölbung ruhet des Tempels, nahm sie, von Waffen umringt, auf erhobenem Throne den Sitz ein. Recht und Gesetz gab hier sie den Männern und teilte der Arbeit Mühe nach Billigkeit aus...«

S. 343 *trifles light as air* – Kleinigkeiten leicht wie Luft; ganze Kleinigkeiten.

S. 345 *Armide* – verführerische Frauengestalt aus Tassos *Befreitem Jerusalem* (1575).

S. 345 *»Phädra«* – *Phèdre et Hippolyte* von Pradon, wurde zur gleichen Zeit wie Racines *Phèdre* in Paris aufgeführt.

S. 345 *La conduite de ces deux ouvrages...* – Die Anlage, sagt er, ist beinahe bei beiden Werken gleich. Noch mehr. Die Personen beider Stücke sagen, wenn sie sich in gleichen Situationen befinden, dasselbe. Aber man unterscheidet den großen Menschen und den schlechten Poeten dadurch, daß Racine und Pradon, wo sie gleich denken, doch am verschiedensten sind. (Voltaire, Commentaire sur Corneille 1764)

S. 346 *per syllogismum* – durch einen logischen Schluß.

S. 346 *um den Tod des Cäsar* – Vgl. Voltaires *La mort de César* (1731) und Shakespeares *Julius Cäsar* (1603).

S. 346 *Quo me Bacche rapis tui plenum?* – Wohin führest du, Bacchus, mich, der ich von dir erfüllt bin?

S. 346 *il nostro poeta...* – Unser Dichter bediente sich hier Shakespeares so, wie Vergil es mit Ennius tat. (Vgl. auch Anm. *Virgil in den Eingeweiden Ennius'* zu S. 291).

S. 347 *Portia* – Gemahlin des Brutus, Gestalt in Shakespeares *Julius Cäsar*.

S. 347 *Sein Brutus spaziert in einer Nacht...* – Die Schilderung bezieht sich auf die ersten Szenen des zweiten Akts von *Julius Cäsar*.

S. 348 *Addisons Seraph* – Lenz spielt hier auf das Cato-Drama von Addison an (s. Anm. zu S. 50).

S. 348 *Parther* – alter iranischer Stamm im Nordosten Persiens; seit 53 v. u. Z. im Kampf mit Rom.

S. 348 *Tu veux être...* – Du willst ein Held sein, aber du bist nur ein Barbar.

S. 348 *Quelle bassesse...* – Welche Niedertracht (Brutus), o Himmel! und welche Gemeinheit! Das sind also deine Helfer (bis auf den letzten Tropfen). Das sind eure Nachfolger, Horatius, Decius (kurz, er ruft alle Helden des alten Roms in chronologischer Ordnung um Beistand an, und Pompejus erhört ihn in loco). Was sehe ich, großer Pompejus – Du schläfst, Brutus – Rom, ich werde immer mit offenen Augen auf dich schauen (ein Wortspiel). Aber welcher andere Zettel...

S. 349 *Sa mort fut inutile...* – Sein Tod war unnütz, und das ist der einzige Fehler, den dieser große Mann begangen hat.

S. 349 *Jurez donc...* – Schwört denn, sagt er, mit mir, schwört, sagt er, auf dieses Schwert, beim Blute des Cato (obschon er einen Bock damals gemacht), beim Blute des Pompejus...

S. 349 *allons, préparons nous...* – Wohlan! bereiten wir uns vor, zu lang hat man uns aufgehalten.

S. 349 *il nostro poeta... Ennio* – Siehe Anm. zu S. 346.

S. 349 *quo nunc se proripit ille* – wohin begibt sich jener nun?

S. 350 *ηϑος* – Idee, Ideengehalt.

S. 350 *Diomed* – Diomedes, König der Bistionen in Thrazien; fütterte seine Pferde mit Menschenfleisch. Diomed wurde nach der Sage von Herkules getötet.

S. 350 *Secundum autem sunt mores* – Das zweite aber sind die Charaktere.

S. 350 *»Ödip« des Herrn Voltaire* – *Œdip* erschien 1718; geschrieben im Stil Corneilles'.

S. 350 *impitoyables dieux, mes crimes sont les vôtres* – unerbittliche Götter, meine Verbrechen sind die euren.

S. 352 *Griselda* – Titelgestalt einer Komödie von Hans Sachs (1546).

S. 354 *qui hedera non egent* – die nicht nach dem Dichterkranz verlangen.

S. 354 *Petronius* – Arbiter Petronius (gest. 66), römischer Satiriker; sein Werk ist nur fragmentarisch erhalten, einigermaßen vollständig ist nur das *Gastmahl des Trimalchio* aus dem *Satiricon.*

S. 354 *Saturnalien* – altrömische Feste zu Ehren des Gottes Saturn (17. Dezember).

S. 354 *Wer noch Magen hat ...* – Das folgende bezieht sich auf die Übersetzung von Shakespeares *Love's labour's lost,* die Lenz zusammen mit den *Anmerkungen übers Theater* unter dem Titel *Amor vincit omnia* veröffentlichte.

S. 354 *eheu discrimina rerum* – ach welch Unterschied der Dinge.

S. 354 *Hemd der Dejanira* – Deïaneira ist die Tochter des Oineus, nach der griechischen Sage von Herakles dem Acheloos in schwerem Kampfe abgerungen, wobei der Kentaur Nessos getötet wurde. Als Deïaneira später glaubte, Herakles werde Jole mehr lieben als sie, schickte sie ihm ein Hemd, das sie mit dem Blute des Kentauren bestrich. Sie war der Meinung, es wirke als Liebeszauber. Das Hemd verbrannte jedoch Herakles bei lebendigem Leibe. – Lenz zieht mit dieser Andeutung in Erwägung, daß seiner folgenden Übersetzung Mängel anhaften können, durch die das interessierte Publikum zu einem scharfen, ablehnenden Urteil hingerissen werden könnte.

Heinrich Leopold Wagner

Etwas über »Evchen Humbrecht«

Druckvorlage: Heinrich Leopold Wagner, Die Kindermörderin, in: Deutsche Literaturdenkmale des 18. und 19. Jahrhunderts, hrsg. von Bernhard Seuffert, Bd. XIII, Heilbronn 1883.

S. 355 *Heinrich Leopold Wagner* – (1747–1779), studierte in Straßburg die Rechte und war längere Zeit Hofmeister beim Präsidenten von Günderode in Saarbrücken; promovierte 1776 in Straßburg und ließ sich dann als Advokat in Frankfurt a. M. nieder. – In beiden Städten gehörte er zum Kreis um Goethe. Er schrieb mehrere Schauspiele, u. a. *Die Kindermörderin*, außerdem Rezensionen, kleine Erzählungen und Aufsätze.

S. 355 *»Etwas über ›Evchen Humbrecht‹«* – Sein Trauerspiel *Die Kindermörderin* erschien zuerst anonym 1776 im Schwickertschen Verlage, Leipzig. Die Zensur stand dem Werk ablehnend gegenüber, darum lieferte Wagner 1779 eine eigene Bearbeitung unter dem Titel: Evchen Humbrecht oder Ihr Mütter, merkt's Euch! Ein Schauspiel in 5 Aufzügen von H. L. Wagner; Frankfurt am Main, bei Joh. Gottlieb Garbe. Diese Bearbeitung, der *Etwas über »Evchen Humbrecht«* als Vorrede vorangestellt war, erschien in einem Sammelband *Theaterstücke von H. L. Wagner.*

S. 356 *Der Wahrischen Gesellschaft gelang es* – Die von Karl Wahr, einem bekannten Schauspieler und erfolgreichen Theaterdirektor geleitete Schauspielertruppe wirkte vor allem in der Wiener Neustadt; von da aus unternahm sie im Winter Abstecher nach Preßburg, später wurde Karl Wahr Leiter des Nationaltheaters in Prag.

S. 356 *von dem jüngern Herrn Lessing* – Gemeint ist Karl Gotthelf Lessing (1740–1812), jüngerer Bruder Gotthold Ephraim Lessings, Münzdirektorialassistent in Berlin, seit 1779 Münzdirektor in Breslau; übersetzte Romane aus dem Englischen, schrieb Lustspiele und Schauspiele, 1777 veröffentlichte er seine Bearbeitung von Wagners *Kindermörderin.*

S. 357 *von der Seylerischen Schauspielergesellschaft* – Abel Seyler (1730–1801) war seit 1766/67 Direktor einer Schauspielergesellschaft. Bedeutend, wenn auch mitunter wenig erfolgreich war seine Tätigkeit in Hamburg (mit Lessing als Dramaturg) und Mannheim (unter Dalberg). – Eine Zeitlang leitete er das Frankfurter Theater. Hier nahm Heinrich Leopold Wagner die Verbindung zu ihm auf und schrieb für die Eröffnungsvorstellung einen allegorischen Prolog. In die gleiche Zeit, 1778, gehören seine *Briefe, die Seylersche Schauspieler-Gesellschaft betreffend.* Seyler bemühte sich um ein Nationaltheater und wirkte als Wegbereiter neuer literarischer Tendenzen auf der Bühne (Wieland, Lessing, Klinger, Shakespeare, Goethe).

MATTHIAS CLAUDIUS

»Emilia Galotti«, Ein Trauerspiel von Gotthold Ephraim Lessing

Druckvorlage: Sämtliche Werke des Wandsbecker Boten, Bd. I, Gotha 1882.

S. 359 *Matthias Claudius* – (1740–1815), Sohn eines Predigers, studierte von 1759 bis 1763 Theologie und Jura in Jena und arbeitete später als Redakteur in Hamburg. Von 1771 bis 1775 gab er die Zeitung *Wandsbecker Bote* heraus, zu deren Mitarbeitern zeitweise auch Herder, Goethe, Hölty und Bürger gehörten. Nach seiner Tätigkeit als Leiter der *Landeszeitung* in Darmstadt (1776) lebte er als freier Schriftsteller in Wandsbeck und arbeitete seit 1788 als Revisor der schleswig-holsteinschen Bank in Altona. – Die folgenden Rezensionen erschienen im *Wandsbecker Boten: »Emilia Galotti«* 1772, *»Der Hofmeister oder Vorteile der Privaterziehung«* 1774, *»Die Leiden des jungen Werthers«* 1774.

S. 359 *»Der Künstler scheint ...«* – Anspielung auf den Ausspruch Contis (Emilia Galotti, I, 4): »Ha! daß wir nicht unmittelbar mit den Augen malen! Auf dem langen Wege aus dem Auge durch den Arm in den Pinsel, wieviel geht da verloren!«

S. 360 *»Kunst, die nach Brot geht«* – Claudius bezieht sich hier auf folgende Textstellen: »Conti: Prinz, die Kunst geht nach Brot.« (Emilia Galotti, I, 2); »Prinz: Und wie gesagt: in meinem Gebiete soll die Kunst nicht nach Brot gehen.« (Emilia Galotti, I, 6)

S. 360 *»Zieh hin«* – Emilia Galotti, V, 8.
S. 360 *er ist's so mit Geheimden Räten gewohnt* – Anspielung auf Lessings Kontroverse mit Geheimrat Klotz aus Halle (s. Anm. *Walfisch ... zu Halle* zu S. 212).

»Der Hofmeister oder Vorteile der Privaterziehung«, Eine Komödie

Druckvorlage: Matthias Claudius, Werke, hrsg. von Bruno Adler, Bd. III, Weimar 1924.

S. 361 *Menuett samt Pas* – Menuett mit Figuren.
S. 361 *Pintinello* – Tanzmeister im *Hofmeister;* von Graf Wermuth und Läuffer erwähnt (Der Hofmeister, I, 3).
S. 362 *Maître des arts* – Magister der freien Künste.
S. 362 *»Ohne Freiheit geht das Genie bergab ...«* – Frei zitiert aus dem *Hofmeister* (II, 1); dort heißt es: »Geh. Rat: ... an einer Sklavenkette verseufzen; an den Winken der gnädigen Frau hängen und sich in die Falten des gnädigen Herrn hineinstudieren ... Ohne Freiheit geht das Leben bergab rückwärts. Freiheit ist das Element des Menschen wie das Wasser des Fisches, und ein Mensch, der sich der Freiheit begibt, vergiftet die edelsten Geister seines Blutes, erstickt die süßesten Freuden des Lebens in der Blüte und ermordet sich selbst.«
S. 362 *Pärus* – gemeint ist die Figur des Pätus.
S. 362 *Maître de garderobe* – Verantwortlicher für die Wahl der Kleidung.
S. 362 *Maintenon* – Françoise d'Aubigné, Marquise de Maintenon (1635–1719), Enkelin des Hugenottenführers Agrippa d'Aubigné, Gattin des Dichters Scarron (1610 bis 1660), ging 1684 eine geheime Ehe mit Ludwig XIV. ein, nach dessen Tode zog sie sich nach St. Cyr zurück, in die von ihr und Ludwig XIV. begründete Anstalt zur Ausbildung adliger Mädchen aus verarmten Familien.

»Die Leiden des jungen Werthers«, Erster und Zweiter Teil

Druckvorlage: Sämtliche Werke des Wandsbecker Boten, Bd. I, Gotha 1882.

Gottfried August Bürger

Vorrede zu den Gedichten

Druckvorlage: Gedichte von Gottfried August Bürger, Göttingen 1778. – Unser Text folgt hier in der Orthographie der angegebenen Ausgabe; die Interpunktion ist modernisiert.

S. 365 *Gottfried August Bürger* (1747–1794), Sohn eines Pfarrers, studierte von 1764 bis 1767 in Halle, von 1768 bis 1771 in Göttingen; wurde 1772 Amtmann in Altengleichen, 1784 Dozent, 1789 unbesoldeter Professor in Göttingen; hatte enge Beziehungen zum Göttinger Hain, ohne ihm anzugehören. Nach anakreontischen Anfängen nahm er mit größerem Erfolg als Gleim die Bemühungen um eine volkstümliche Dichtung auf. Seine *Lenore* (s. Anm. zu S. 463) ist die erste deutsche Kunstballade.

S. 367 *»Nicht auf immer lastet es...«* – Aus Klopstocks *Weissagung, An die Grafen Christian und Friedrich Leopold zu Stolberg.*

S. 368 *»Heiliger und schöner war...«* – aus Bürgers *Minnelied* (»O wie schön ist, die ich minne...«).

S. 369 *Petrarcas Laura* – Gemeint ist die immer wieder besungene idealisierte Geliebte des italienischen Dichters und Gelehrten Francesco Petrarca (1304–1374).

S. 369 *Zeloten* – blinde Eiferer. Bürger wendet sich besonders gegen die Prüderie einer geistlichen Zensur, deretwegen die Verleger nicht wagten, Gedichte zu drucken, die nach ihrer Meinung hätten Anstoß erregen können. So war z. B. der *Göttinger Musenalmanach* mit der Bürgerschen Ballade in Österreich verboten worden, weil Lenore in ihrer Verzweiflung »ketzerische Äußerungen« tut. Bürgers Verleger Dietrich sandte aus diesem Grunde die 1777 entstandene Ballade *Frau Schnips* an Georg Christoph Lichtenberg (1742–1799) zur Begutachtung. Der empfahl zwar Bürger, lieber die Zeiten zu ändern als eine Zeile seines Gedichtes, äußerte aber doch skeptisch: »Die Mäntel der Liebe unserer Geistlichen werden alle Tage enger. Ich glaube nicht, daß sie dieses Gedicht darunter bringen können.« (Zitiert nach: Strodtmann, Briefe von und an Bürger, Bd. II, S. 276). Erst 1782 wagte Bürger, die Ballade im *Göttinger Musenalmanach* zu veröffentlichen mit einer Anmerkung im Register, in der er auf sein

Vorbild Percy (s. Anm. *die Dodsleyschen Reliques* zu S. 251) hinweist, der als Geistlicher diese Ballade herausgegeben habe.

S. 369 *Johan Ahrends wahres Christentum* – Anspielung auf die zu Bürgers Zeit weit verbreitete Erbauungsschrift des braunschweigischen Generalsuperintendenten Johann Arndt (1555–1621), *Vier Bücher vom wahren Christentum* (1609).

S. 370 *Parnell* – Thomas Parnell (1679–1718), Freund Popes und Swifts. Sein poetischer Nachlaß wurde von Pope veröffentlicht. Bürgers *Adeline* ist eine freie Nachbildung des Gedichts *When thy beauty appears.*

S. 370 *Bernard* – Pierre-Joseph Bernard (1708–1775); schrieb Operntexte und Gedichte. Vorbild für Bürgers *Dörfchen* war das Gedicht *Hameau,* das im *Almanach des Muses* (Paris 1767) erschienen war.

S. 370 *Rochon de Chabannes* – Marc-Antoine-Jacques Rochon de Chambannes (1730–1800), Verfasser zahlreicher Dramen und Gedichte; war von 1770 bis 1772 Gesandter in Dresden. Bürgers Vorbild ist das Gedicht *Les jeunes amants* aus dem *Almanach des Muses* von 1766.

S. 370 *Grecourt* – Jean-Baptiste-Joseph Villaret de Grécourt (1684–1743), französischer Dichter, seit 1700 Kanonikus in Tours. Sein Gedicht *La vie heureuse* (in: Œvres diverses, Luxemburg 1761) war Vorbild für Bürgers Gedicht *Das vergnügte Leben.*

S. 370 *Elegie des Johannes Secundus* – Johann Secundus, eigentlich Jan Nicolai Everaerts (1511–1536), neulateinischer Dichter; Vorbild für Bürger war *Basia* (2. Stück): *Vicina quantum vitis lascivit in ulmo.*

S. 370 *»Guiscardo und Gismunda«* – Die Vorlage zu *Lenardo und Blandine* findet sich in Boccaccios *Decamerone* (erste Erzählung des vierten Tages). Bürger hat den Stoff jedoch aus der *Schönen Historia von des Fürsten von Salerno schönen Tochter Gismunda,* einem Anhang zu dem bekannten Volksbuch vom Markgrafen Walter. Die *Historia* ist eine Überarbeitung der Steinhöwelschen Übersetzung der Novelle des Boccaccio.

S. 370 *Handlung des »Braven Mannes«* – Die gleiche Geschichte wie in Bürgers *Lied vom braven Manne* wird von dem französischen Schriftsteller Jean-François Marmontel (1723–1799) in seiner *Poétique française* (1762) erzählt.

S. 371 *si parva licet componere magnis* – wenn es erlaubt ist, die Geringen mit den Großen zu vergleichen.

S. 371 *in Ramlers »Lyrischer Blumenlese«* – Siehe Anm. *»Lyrische Blumenlese«* zu S. 308.

S. 374 *versionem interlinearem* – versio interlinearis – Wort-für-Wort-Übersetzung.

Ulrich Bräker

Etwas über William Shakespeares Schauspiele
von einem armen ungelehrten Weltbürger,
der das Glück genoß, ihn zu lesen

Druckvorlage: Ulrich Bräker, Werke, hrsg. von Samuel Voellmy, Bd. III, Basel 1945.

S. 375 *Ulrich Bräker* – (1735–1798), der »arme Mann im Tockenburg«, entwickelte sich ohne alle Vorbildung durch eigenes Studium zu einem realistischen Gestalter. Bräker war zeit seines Lebens in finanzieller Not und schlug sich kümmerlich durch. Daran konnte auch die zeitweilige Unterstützung durch Füeßli und Lavater, die er nach Veröffentlichung seiner Jugendgedichte im *Schweizer Museum* kennengelernt hatte, nichts ändern. Bräker starb in völliger Armut. Seine Shakespeare-Aufzeichnungen gerieten mit dem anderen literarischen Nachlaß, soweit er nicht im *Armen Mann* zusammengefaßt war, in Vergessenheit und wurden zum erstenmal 1877 im *Jahrbuch der deutschen Shakespeare-Gesellschaft* herausgegeben. Bräker hatte Eschenburgs (s. Anm. zu S. 307) Shakespeare-Übersetzung in der Bücherei der Moralischen Gesellschaft in Lichtensteig entdeckt und jahrelang zu seinem Studium benutzt; die Ergebnisse dieser Studien hielt er in seinen Tagebüchern fest.

S. 375 *das liebste ohne zwei* – Bräker stellt, wie er an anderer Stelle seiner Aufzeichnungen bemerkt, *Hamlet* und *König Lear* noch über *Julius Cäsar.*

S. 381 *Habermann* – Johann Habermann (gest. 1590), lutherischer Theologe, Verfasser theologischer Handbücher.

S. 381 *»Wetterglocken«* – *Die Wetterglocke* war ein Erbauungsbuch.

S. 381 *mehr als alle Schmolcken* – Benjamin Schmolck (1672 bis 1737), Verfasser erbaulicher Bücher.

S. 381 *Zollikofer* – Georg Joachim Zollikofer (1730–1788), Verfasser sehr verbreiteter Gebets- und Andachtsbücher.

S. 381 *Bogatzkische Sporren* – Karl Heinrich Bogatzky (1690 bis 1774), Erbauungsschriftsteller, Verfasser des *Goldenen Schatzkästleins der Kinder Gottes,* von welchem Johann Peter Hebel den Titel *Schatzkästlein* übernahm. – *Sporren* (Sparren bedeutet soviel wie Verstiegenheiten).

JOHANN WOLFGANG GOETHE
Zum Schäkespears Tag

Druckvorlage: Goethes Werke, hrsg. im Auftrage der Großherzogin Sophie von Sachsen (Weimarer Ausgabe), Abt. I, Bd. XXXVII, Weimar 1896.

S. 387 *Johann Wolfgang Goethe* – 1749–1832.

S. 387 *»Zum Schäkespears Tag«* – Nach seinem Wiedereintreffen in Frankfurt wollte Goethe, den Herder in Straßburg auf Shakespeare aufmerksam gemacht hatte, eine Shakespeare-Feier (14. Oktober 1771) veranstalten. Zu diesem Zwecke verfaßte er den vorliegenden Aufsatz, der als Vorrede zum »Götz« betrachtet werden kann, da er in ihm die theoretischen Grundsätze zu rechtfertigen versucht, die er in seinem Schauspiel anwandte. Mit dieser Abhandlung begann er den Kampf gegen die starre Regelanweisung.

S. 389 *Theokrit* – (um 270 v. u. Z.), griechischer Dichter; schrieb Epigramme und Idyllen; lebte und wirkte in Alexandria und Syrakus.

S. 390 *sogar Wieland* – Goethe spielt hier auf die Anmerkungen zu Wielands Shakespeare-Übersetzung (Zürich 1762 bis 1766) an.

S. 390 *Thersit* – Verleumder, Schmäher und Lästerer. Der Begriff geht zurück auf die griechische Sagengestalt Thersites, der Agamemnon verleumdet hat und deshalb von Odysseus öffentlich gezüchtigt wurde.

»Idyllen« von S. Geßner

Druckvorlage: Goethes Werke, Weimarer Ausgabe, Abt. I, Bd. XXXVII, Weimar 1896.

S. 392 *»›Idyllen‹ von S. Geßner«* – Die *Frankfurtischen gelehrten Zeitungen,* die seit 1736 von den verschiedensten Verlegern herausgegeben wurden, machte Johann Heinrich Merck (1741–1791), der die Zeitschrift Anfang 1772 als Leiter übernommen und den Titel in *Frankfurter gelehrte Anzeigen* geändert hatte, zu einem ideologischen Kampfinstrument des Bürgertums. Die bedeutendsten Mitarbeiter waren Herder, Goethe und Johann Georg Schlosser (1739–1799), Goethes späterer Schwager, der vom Juli bis November 1772 die Hauptredaktion innehatte. Welche Rezensionen von den einzelnen Mitarbeitern stammen, ist nicht eindeutig zu entscheiden (vgl. Dichtung und Wahrheit, zwölftes Buch). Einige Aufsätze können Goethe mit ziemlicher Sicherheit zugeschrieben werden, darunter die Besprechung der *Idyllen* von Salomon Geßner (1772), die die Überschrift hatte: *Moralische Erzählungen und Idyllen von Diderot und S. Geßner.* (Der erste Absatz des Aufsatzes, in dem das Erscheinen einer französischen Ausgabe von Diderots Erzählungen angekündigt wird, ist hier weggelassen.)

S. 392 *Geßner* – Salomon Geßner (1730–1788), Schweizer Landschaftsmaler und Idyllendichter; die *Idyllen* erschienen 1756 und 1772.

S. 392 *Brief an Füeßli* – Gemeint ist Geßners *Brief über die Landschaftsmalerei an Herrn Füeßlin.* Heinrich Füeßli (1706–1782) war ein Schweizer Maler, Zeichner und Schriftsteller.

S. 392 *pis aller* – wörtlich: immer schlimmer; hier: schlimmer Zufall.

S. 392 *Mit Lessingen* – Goethe bezieht sich hier auf Lessings Stellungnahme im *Laokoon* (1766).

S. 393 *Herrn Schwähervaters Kupferstichsammlung* – Gemeint ist die Sammlung Johann Heinrich Heideggers (1633 bis 1698).

S. 394 *vice versa* – umgekehrt, gegenteilig.

Einfache Nachahmung der Natur, Manier, Stil

Druckvorlage: Goethes Werke, Weimarer Ausgabe, Abt. I, Bd. XLVII, Weimar 1896.

S. 396 *»Einfache Nachahmung der Natur, Manier, Stil«* – entstanden 1788; diese Abhandlung ist eine Zusammenfassung von Goethes kunsttheoretischen Ansichten nach der Italienreise. Er veröffentlichte den Aufsatz im Februar 1789 in Wielands *Teutschem Merkur.*

S. 399 *Huysum* – Jan van Huysum (1682–1749), holländischer Maler; Meister in der genauen Nachbildung von Blumen, Früchten und Insekten.

S. 399 *Rachel Ruysch* – (1664–1750), die »gepriesenste aller Blumenmalerinnen« von Amsterdam, Schülerin des Jan Davidz de Heem (etwa 1606–1684).

Literarischer Sansculottismus

Druckvorlage: Goethes Werke, Weimarer Ausgabe, Abt. I, Bd. XL.

S. 402 *»Literarischer Sansculottismus«* – Als Daniel Jenisch (1762–1804) seinen Aufsatz *Über Prosa und Beredsamkeit der Deutschen,* in dem er sich über den Mangel an Werken in Deutschland beklagte, 1795 veröffentlichte, antwortete ihm Goethe im gleichen Jahre im fünften Stück der *Horen* mit dem Aufsatz *Literarischer Sansculottismus;* mit dieser Antwort eröffnete er den Kampf gegen diejenigen Zeitschriften, die gegen die *Horen* auftraten, einen Meinungskampf, den er gemeinsam mit Schiller in den *Xenien* energisch weiterführte.

S. 402 *Sansculottismus* – Goethe erklärt selbst, was er darunter versteht: »... Anmaßung, womit man sich in einen Kreis von Bessern zu drängen, ja Bessere zu verdrängen und sich an ihre Stelle zu setzen denkt ...« (Vgl. die Textstelle auf S. 403 dieses Bandes)

S. 405 *trotz dem Knurren aller Smelfungen* – Smelfungus ist eine Gestalt aus *Yoricks empfindsamen Reisen durch Frankreich und Italien* (1768) von Laurence Sterne; hier im Sinne von: Nörgler, ein Wanderer, der alles tadelt.

Lyrische Gedichte von Johann Heinrich Voß

Druckvorlage: Goethes Werke, Weimarer Ausgabe, Abt. I, Bd. XL.

S. 408 *»Lyrische Gedichte von Johann Heinrich Voß«* – geschrieben 1802. Eine allgemeine literarische Wirksamkeit ging zu Goethes Zeit von der Universität Jena aus. Besonderen Einfluß auf den literarischen Geschmack hatte damals die von Christian Gottfried Schütz (1747–1832) und Wieland gegründete *Allgemeine Literaturzeitung* (1785). Als Schütz, Professor der Poesie und Beredsamkeit zu Jena, auf Grund einiger Meinungsverschiedenheiten die von ihm geleitete Zeitschrift nach Halle verlegte, wo er weiter als Professor der Literaturgeschichte wirkte, gründete Goethe, um den Jenenser Einfluß zu erhalten, die *Jenaische Allgemeine Literaturzeitung* (1804–1806). Er selbst lieferte verschiedene Beiträge für dieses Blatt; der bedeutendste ist zweifellos seine wohlwollende Rezension der Vossischen *Gedichte* (Gesamtausgabe von 1802), in der er Vossens Natürlichkeitspoesie verteidigt, über die sich die Romantiker (insbesondere August Wilhelm Schlegel) lustig gemacht hatten.

S. 408 *Johann Heinrich Voß* – (1751–1826), Dichter und Philologe. Seine eigenen poetischen Werke zeugen im allgemeinen nicht von überragender Gestaltungskraft. Bedeutende Verdienste erwarb er sich durch seine Übersetzungen der antiken Dichter (Homer, Aristophanes, Horaz, Vergil u. a.).

S. 411 *»Kartoffellied«* – Gemeint ist *Die Kartoffelernte* (»Kindlein, sammelt mit Gesang...«); das Lied wurde von August Wilhelm Schlegel im *Athenäum* (1800) heftig kritisiert.

S. 413 *verbannt sich launicht von heiteren Gastmählern* – Vgl. die dritte Strophe des *Trinklieds für Freie* und die vierte Strophe des *Rundgesangs beim Rheinwein,* an die Goethe hier wohl denkt.

S. 414 *im Genuß zehnjährigen Friedens* – 1763 war der Frieden zu Hubertusburg zwischen Österreich und Preußen geschlossen worden.

S. 414 *Tyrannenblut* – Diese Anspielung bezieht sich weniger auf Voß als auf die Brüder Stolberg. (Vgl. Dichtung und

Wahrheit, 18. Buch; der »poetische Tyrannenhaß« der beiden Stolbergs wird von Goethes Mutter durch das »wahre Tyrannenblut« – nämlich Wein – gestillt.)

S. 416 *Besorgnisse des Dichters* – Auf die hier gemeinten Differenzen zwischen Voß und Friedrich Leopold Graf Stolberg geht Goethe näher in seinem Aufsatz *Voß und Stolberg* (1820) ein.

S. 419 *Verdienst um die deutsche Rhythmik* – Auf diesem Gebiet erkannten auch die Romantiker (z. B. August Wilhelm Schlegel) Vossens Verdienste an.

S. 419 *Schulz* – Gemeint ist der Komponist Johann Abraham Peter Schulz (1747–1800).

S. 421 *Tartarus* – bei Homer ein tiefer Abgrund unter der Erde; später als Gegensatz zu Hesiods »Inseln der Seligen« verstanden, also Hölle.

S. 421 *an den Urbarden* – Gemeint ist Homer.

S. 421 *mit des Dichters eigenen Worten* – Die angeführten Verse sind der Schluß der Ode *Der Rebensproß*.

S. 422 *Lyäos* – Beiname des Bacchus, »Befreier«, »Sorgenbrecher«.

S. 422 *Herling* – unreife Traube.

Shakespeare und kein Ende

Druckvorlage: Goethes Werke, Weimarer Ausgabe, Abt. I, Bd. XLI, 1, Weimar 1902.

S. 423 *»Shakespeare und kein Ende«* – Der erste und zweite Teil dieser Abhandlung (geschrieben 1813) erschien am 12. Mai 1815 in Cottas *Morgenblatt für gebildete Stände*, der dritte Teil in *Kunst und Altertum* (1826). – In dieser Studie greift Goethe die romantische Dramaturgie an; vornehmlich zieht er gegen Tiecks Auffassung zu Felde, daß man Shakespeare ohne Änderungen, getreu dem Original der Werke spielen solle. (Vgl. Ludwig Tieck, Dramaturgische Blätter, Bd. I, Breslau 1826, S. 235, 242, Bd. II, S. 39, 53)

S. 424 *Hamlets Geist* – Vgl. Hamlet, I, 1 bis I, 5.

S. 424 *Macbeths Hexen* – Vgl. Macbeth, I, 1 und I, 3.

S. 424 *beim Vorlesen* – Goethe denkt hier wohl an die meisterhaften Lesungen Shakespearescher Werke durch Tieck.

S. 426 *das materielle Kostüm* – Gemeint sind Tracht, Sitte, alle eine bestimmte Zeit und historische Situation kennzeichnend umkleidenden Formen.

S. 427 *Man hat daher schon eingesehen ...* – Vgl. Schillers Abhandlung *Über naive und sentimentalische Dichtung* (1795).

S. 430 *Hekate* – Gestalt aus der Tragödie *Macbeth*.

S. 431 *präkonisieren* – lobpreisen.

S. 431 *Blümners höchst schätzbare Abhandlung* – Heinrich Blümner (1765–1839), Obergerichtshofrat in Leipzig; dort erschien 1814 die erwähnte Schrift.

S. 433 *»Bretter, die die Welt bedeuten«* – Das geflügelte Wort stammt aus Schillers Gedicht *An die Freunde*.

S. 433 *die Krone ... wegnimmt* – Vgl. König Heinrich IV., II. Teil, IV, 4.

S. 434 *Epitomator* – Zusammenfasser, Verkürzer.

S. 435 *Schröder* – Friedrich Ludwig Schröder (1744–1816), Schauspieler, Theaterdirektor und Dramatiker, hatte besonders als König Lear große Erfolge. Schröder modernisierte *Hamlet, Othello, Maß für Maß, Richard II.*, den *Kaufmann von Venedig, König Lear, Heinrich IV.*, *Macbeth* und *Viel Lärm um nichts*.

S. 436 *vortreffliche, genaue Übersetzung* – Gemeint sind die Übersetzungen von August Wilhelm Schlegel; seit 1826 setzte Tieck diese Arbeit fort.

S. 436 *für das weimarische Theater* – Goethe denkt hier an die Aufführung von Shakespeares *Julius Cäsar* in der Schlegelschen Übertragung (1. Oktober 1803).

S. 436 *Die Grundsätze ... wollen wir ehestens entwickeln* – Die hier versprochenen Grundsätze wurden nicht herausgegeben.

Ein Wort für junge Dichter

Druckvorlage: Goethes Werke, Weimarer Ausgabe, Abt. I, Bd. XLII, 2, Weimar 1907.

S. 437 *»Ein Wort für junge Dichter«* – Im Jahre 1832 schrieb Goethe einen Aufsatz *Für junge Dichter*, den er als Beilage eines Schreibens vom 22. Januar 1832 an Melchior Meyr (1810–1871, Erzähler aus dem Ries) sandte. Aus dem Nachlaß erschien 1833 der Aufsatz unter dem von Eckermann nachgetragenen Titel *Noch ein Wort für junge Dichter.*

S. 437 *Naturdichtung* – Goethe sagt dazu an anderer Stelle: »Die sogenannten Naturdichter sind frisch und neu aufgeforderte, aus einer überbildeten, stockenden manierierten Kunstepoche zurückgewiesene Talente. Dem Platten können sie nicht ausweichen, man kann sie daher als rückschreitend ansehen; sie sind aber regenerierend und veranlassen neue Vorschritte.« (Kunst und Altertum, 1821)

FRIEDRICH SCHILLER

Vorrede zu den »Räubern«

Druckvorlage: Schillers sämtliche Schriften, hrsg. von Karl Goedecke, Teil II, Stuttgart 1867.

S. 439 *Friedrich Schiller* – 1759–1805.

S. 439 *»Vorrede zu den ›Räubern‹«* – Einführung zur ersten Ausgabe der *Räuber*, die Schiller im Frühjahr 1781 auf eigene Kosten drucken ließ. Die erste Vorrede war während des Druckes gestrichen worden. Das Werk erschien in Stuttgart, doch waren der Sicherheit halber die Druckorte Frankfurt und Leipzig angegeben worden. In späteren Ausgaben ist der Vorrede ein lateinisches Zitat vorangestellt: »Quae medicamenta non sanant, ferrum sanat, quae ferrum non sanat, ignis sanat.« (Was Heilmittel nicht heilen, heilt das Eisen, was Eisen nicht heilt, heilt das Feuer.) Das Zitat ist den Aphorismen des griechischen Arztes Hippokrates (etwa 460–377 v. u. Z.) entnommen. Seine Schriften wurden von den Römern übersetzt.

S. 439 *Batteux* – Siehe Anm. zu S. 330.

S. 440 *Brutus* – Lucius Junius Brutus, der 510 oder 509 v. u. Z. Roms erster Konsul wurde; nicht Marcus Junius Brutus, der Mörder Cäsars.

S. 441 *Satyr* – hier gemeint als Geist der Satire; von Schiller irrtümlich mit den Satyrn, den Wald- und Quelldämonen aus der griechischen Mythologie, in Verbindung gebracht.

S. 441 *Adramelech* – Teufel in Klopstocks *Messias*, der Satan, den Höllenfürsten, haßt, weil dieser zuerst von Gott abfiel und ihm zuvorkam.

S. 442 *Miltons Satan* – Gemeint ist der Satan aus John Miltons *Verlorenem Paradies.*

S. 442 *Medea* – Tochter des Königs Aëtes von Kolchis. Sie wird als Zauberin dargestellt und gehört zum griechischen Sagenkreis um Jason. Ihr Schicksal ist in Dramen von Euripides und Seneca gestaltet worden.

S. 442 *Shakespeares Richard* – Gemeint ist die Hauptgestalt des Trauerspiels *König Richard III.* (nicht vor 1588/89 entstanden, gedruckt 1597).

S. 443 *mit Abdera und Demokrit* – Die in Griechenland gelegene Stadt Abdera gilt als das Schilda des Altertums. In seinem 1774 veröffentlichten satirischen Roman *Die Geschichte der Abderiten* geißelt Wieland unter der Maske der Verspottung griechischer Zustände die Dummheit, Überheblichkeit und Geistlosigkeit des deutschen Kleinbürgertums und der Halbgebildeten, die das zerrissene Deutschland in besonders starkem Maße hervorbrachte. Der aus Abdera stammende griechische Naturphilosoph Demokrit (um 400 v. u. Z.) ist eine der vier weisen Gestalten, die sich vergeblich bemühen, die Abderiten von ihrer Krankheit, ihrem törichten Wesen, zu heilen. Er wird von ihnen selbst für schwerkrank und reif für die Einlieferung in eine Heilanstalt gehalten.

S. 443 *ganze Plantagen Nieswurz* – gleichfalls Anspielung auf die *Geschichte der Abderiten* (zweites Buch, siebentes Kapitel). Hippokrates erteilt den Abderiten den Rat, gegen ihre Krankheit, den Mangel an Verstand, Nieswurz zur Heilung zu gebrauchen.

Über »Egmont«, Trauerspiel von Goethe

Druckvorlage: Schillers Werke, Nationalausgabe, Bd. XXII: Vermischte Schriften, hrsg. von Herbert Meyer, Weimar 1958. – Unser Text folgt der angegebenen Ausgabe auch in Orthographie und Interpunktion.

S. 444 *»Über ›Egmont‹, Trauerspiel von Goethe«* – Goethe hatte die Tragödie im römischen Sommer (1787) vollendet, 1788 erschien der fünfte Band seiner Schriften, in dem der *Egmont* enthalten war, im Verlag Göschen zu

Leipzig. Schillers Rezension wurde am 20. September 1788 in der in Jena erscheinenden *Allgemeinen Literaturzeitung* veröffentlicht. Schiller nahm sie mit einigen kleinen Veränderungen in den vierten Band seiner *Kleineren prosaischen Schriften* auf. Er schrieb am 20. Oktober 1788 aus Rudolstadt an Gottfried Körner: »Meine Rezension von *Egmont* hat viel Lärm in Jena und Weimar gemacht, und von der Expedition der A. L. Z. (gemeint ist die *Allgemeine Literaturzeitung* – H. M.) sind sehr schöne Anerbietungen an mich erfolgt. Göthe hat mit sehr viel Achtung und Zufriedenheit davon gesprochen...« (Vgl. Schillers Briefe, hrsg. von Fritz Jonas, Bd. II [1892], S. 132.)

S. 444 *eine Meisterszene im »Mohren von Venedig«* – *Der Mohr von Venedig* ist der Titel, unter dem die Tragödie *Othello* (1604) bekannt wurde. Schiller meint wahrscheinlich die dritte Szene des dritten Aktes.

S. 445 *Die alten Tragiker* – Gemeint sind die drei bedeutendsten griechischen Tragödiendichter Äschylos, Sophokles und Euripides.

S. 445 *»Götz von Berlichingen«* – wurde 1773 vollendet.

S. 446 *In der Geschichte ist Egmont kein großer Charakter* – Lamoral, Graf von Egmont (1522–1568), Fürst von Gavre, Statthalter der Provinzen Flandern und Artois, wandte sich gemeinsam mit Wilhelm von Oranien (s. Anm. *dem Pr. v. O.* zu S. 450) und dem Grafen Hoorne (s. Anm. zu S. 455) im Staatsrat gegen den Kardinal Granvella (1517–1586). Auf Geheiß Herzog Albas (s. Anm. zu S. 454) wurde er 1567 gefangengenommen, des Hochverrats beschuldigt und am 9. Juli 1568 auf dem Marktplatz zu Brüssel hingerichtet.

S. 447 *St. Quentin* – Stadt in der Picardie. Hier wurden die Franzosen 1557 von den Spaniern geschlagen; Graf Egmont hatte wesentlichen Anteil an diesem Sieg.

S. 447 *Gravelingen* – Stadt in Flandern; hier besiegte Graf Egmont 1558 die Franzosen.

S. 447 *»Leb ich nur...«* – gekürztes Zitat aus dem zweiten Aufzug (Szene in Egmonts Wohnung, Gespräch mit dem Sekretär). Bei Geothe heißt es: »Wenn ihr das Leben gar zu ernsthaft nehmt, was ist denn dran? Wenn uns der

Morgen nicht zu neuen Freuden weckt, am Abend uns keine Lust zu hoffen übrigbleibt, ist's wohl des An- und Ausziehens wert? Scheint mir die Sonne heut, um das zu überlegen, was gestern war?«

S. 448 *Heinrich IV. von Frankreich* – Heinrich von Bourbon (1553–1610), König von Navarra, seit 1569 König Heinrich IV. von Frankreich.

S. 448 *Gabriele* – Gemeint ist Gabrielle d'Estrées, Marquise de Monceaux, Herzogin von Beaufort (1573–1599), Geliebte König Heinrichs IV. von Frankreich.

S. 448 *»Die Leute...«* – unvollständiges Zitat aus dem dritten Aufzug (Szene in Klärchens Wohnung).

S. 448 *»Dieser Mann...«* – gekürztes Zitat aus dem zweiten Aufzug (Unterredung Oraniens mit Egmont).

S. 449 *eine Herzogin von Bayern* – Sabine von Bayern, Tochter des Pfalzgrafen von Simmern; hatte 1544 den Grafen Egmont geheiratet.

S. 450 *dem Pr. v. O.* – Wilhelm I., Graf von Nassau-Dillenburg, Fürst von Oranien (1544–1584), war Statthalter der meisten niederländischen Provinzen. 1567 empörten sich die Niederländer gegen die spanische Zwangsherrschaft. Oranien verließ das Land, seine Güter wurden eingezogen. Er versuchte einen Einfall in die Niederlande, wurde aber von Alba zurückgeschlagen. Die sieben nördlichen Provinzen sagten sich 1581 von Spanien los, nachdem sie vorher 1579 die Utrechter Union gebildet hatten. Sie übertrugen die erbliche Statthalterwürde an Wilhelm von Oranien. Dieser wurde 1584 in Delft ermordet.

S. 451 *in zwei andern Stücken...* – Gemeint sind *Götz von Berlichingen* und *Iphigenie auf Tauris.*

S. 452 *»Ich bin fremd...«* – gekürztes Zitat aus dem ersten Aufzug (Szene beim Armbrustschießen).

S. 453 *»Das war ein Herr...«* – gekürztes Zitat aus dem gleichen Aufzug (Szene beim Armbrustschießen).

S. 453 *»Ein schöner Herr...«* – zweiter Aufzug (Szene auf dem Platz in Brüssel, Gespräch zwischen dem Zimmermeister und Jetter).

S. 454 *Herzogin von Parma* – Margarete von Parma (1522 bis 1586), Tochter Kaiser Karls V. und Halbschwester König

Philipps II. von Spanien, war von 1559 bis 1567 Statthalterin in den Niederlanden. Sie verließ nach dem Eintreffen Herzog Albas das Land.

S. 454 *»Ich weiß...«* – gekürztes Zitat aus dem ersten Aufzug (Szene im Palast der Regentin).

S. 454 *Herzog von Alba* – Fernando Alvarez de Toledo, Herzog von Alba (1507–1582), spanischer Feldherr, von 1567 bis 1573 Statthalter der Niederlande, konnte den Freiheitskrieg der Niederländer trotz aller Brutalität nicht unterdrücken und ließ sich 1573 nach Spanien zurückrufen.

S. 454 *»ein eherner Turm...«* – ungenaues Zitat aus dem vierten Aufzug (Szene im Kulenburgischen Palast, dem Quartier des Herzogs Alba).

S. 454 *»Dein Name war's...«* – gekürztes Zitat aus dem fünften Aufzug (Szene im Gefängnis, Gespräch zwischen Ferdinand und Egmont).

S. 455 *»War dir mein Leben ein Spiegel...«* – gekürztes Zitat aus dem gleichen Aufzug (gleiche Szene).

S. 455 *Graf von Hoorne* – Philipp II. von Montmorency-Nivelle, Graf Hoorne (1518–1568), war wie Egmont Gegner des Kardinals Granvella; trennte sich von Wilhelm von Oranien und blieb in Brüssel, Herzog Alba ließ ihn am 9. September 1567 verhaften, wegen Hochverrats anklagen und zusammen mit Egmont im Juni 1568 hinrichten.

S. 455 *»Sie läßt mich stehn...«* – gekürztes Zitat aus dem fünften Aufzug (Szene in Klärchens Haus).

S. 456 *um einen Traum – zu sehen* – Schiller wandte sich gegen die Traumerscheinung, doch Goethe verteidigte ihre Notwendigkeit. Sie blieb zwar in Schillers Theaterbearbeitung von 1796, die er für ein Gastspiel Ifflands herstellte, im Text erhalten, wurde aber nicht gezeigt, sondern lediglich von Iffland pantomimisch ausgedrückt und danach als Traum erzählt. Nach Schillers Tod wurde *Egmont* jedoch wieder mit der Traumerscheinungs-Szene gespielt.

Über Bürgers Gedichte

Druckvorlage: Schillers Werke, Nationalausgabe, Bd. XXII: Vermischte Schriften, hrsg. von Herbert Meyer, Weimar 1958. – Unser Text folgt der angegebenen Ausgabe auch in Orthographie und Interpunktion.

S. 457 *»Über Bürgers Gedichte«* – Bürger veröffentlichte die zweite Auflage seiner Gedichte im Jahre 1789; sie wurde Schiller zur Besprechung zugesandt. Die Rezension erschien am 15. und 17. Januar 1791 in der in Jena erscheinenden *Allgemeinen Literaturzeitung*. Die strenge Kritik an Bürgers poetischem Werk war zugleich eine Auseinandersetzung mit dem eigenen Jugendschaffen. Schiller nahm nichts von seinem Urteil zurück. Elf Jahre später nahm er die Arbeit in den vierten Band seiner kritischen Schriften auf, ohne den Wortlaut zu verändern. – Goethe und Gottfried Körner stimmten der Auffassung Schillers zu; Gottfried August Bürger war sehr gekränkt. Er schrieb am 5. März 1791 in Göttingen eine *Vorläufige Antikritik und Anzeige*, die am 6. April im *Intelligenzblatt der Allgemeinen Literaturzeitung* veröffentlicht wurde. Dieselbe Nummer brachte auch Schillers *Verteidigung des Rezensenten*. Die Verstimmung dauerte einige Jahre. Bürger schrieb 1792 das satirische Gedicht *Der Vogel Urselbst* gegen Schillers Rezension, schloß aber die Angriffe gegen ihn mit dem Epigramm *Über Antikritiker* ab.

S. 459 *der größte Teil unsrer nicht ungepriesenen, lyrischen Dichter* – Gemeint ist vor allem Gotthold Friedrich Stäudlin (1758–1796), ein wenig befähigter, damals aber berühmter schwäbischer Lyriker. Schiller wandte sich gegen seinen *Schwäbischen Musenalmanach* von 1782 und gegen seine *Deutsche Äneis*.

S. 460 *Popularität* – Zur Erläuterung der Auffassung Bürgers über Popularität sei ein Zitat aus seinen theoretischen Schriften angeführt: »Man lerne das Volk im Ganzen kennen, man erkundige seine Phantasie und Fühlbarkeit, um jene mit gehörigen Bildern zu füllen und für diese das rechte Kaliber zu treffen. Alsdann den Zauberstab des natürlichen Epos gezückt! Das alles in Gewimmel und Aufruhr gesetzt! Vor den Augen der Phantasie vorbeigejagt! Und die güldenen Pfeile abgeschossen! Traun, dann soll's anders gehen, als es bisher gegangen ist. Wer es dahin bringt, dem verspreche ich, daß sein Gesang den verfeinerten Weisen ebensosehr als den rohen Bewohnern des Waldes, die Dame am Putztische wie die Tochter der Natur hinter dem Spinnrocken und auf der Bleiche entzücken werde. Dies sei das rechte Non plus ultra aller Poesie.« (Vgl. aus Daniel Wunderlichs Buch, Abschnitt: Herzensausguß über Volkspoesie)

S. 460 *Volksdichter* – Vgl. ebenda: »Deutsche sind wir! Deutsche, die nicht griechische, nicht römische, nicht Allerweltsgeschichte in deutscher Zunge, sondern in deutscher Zunge deutsche Gedichte, verdaulich und nährend fürs ganze Volk, machen sollen. Ihr Dichter, die ihr ein solches nicht geleistet habt und daher wenig oder gar nicht gelesen werdet, klaget nicht ein kaltes und träges Publikum, sondern euch selbst an! Geb uns einer ein großes Nationalgedicht von jener Art, und wir wollen's zu unserem Taschenbuche machen. Steiget herab von den Gipfeln eurer wolkigen Hochgelahrtheit und verlanget nicht, daß wir vielen, die wir auf Erden wohnen, zu euch wenigen hinaufklimmen sollen.«

S. 461 *Es fehlt uns nicht an Dichtern* – Gemeint sind die Dichter des frühen 18. Jahrhunderts, die Anakreontiker, die in ihren Gedichten Liebe, Lebensfreude und Gesang verherrlichten. Schiller denkt hier wohl vor allem an Gleim.

S. 462 *»Popularität eines Gedichts...«* – Bürger schrieb in der Vorrede zur zweiten Ausgabe seiner Gedichte: »Popularität eines Werkes ist das Siegel seiner Vollkommenheit. Wer diesen Satz sowohl in der Theorie als Ausübung verleugnet, der mißleitet das ganze Geschäft der Poesie und arbeitet ihrem wahren Endzweck entgegen.« (Bürgers Sämtliche Werke in vier Bänden, hrsg. von Wolfgang von Wurzbach, Leipzig o. J. Bd. III, S. 161)

S. 463 *»Nachtfeier der Venus«* – Das Gedicht ist eine Nachdichtung des lateinischen *Pervigilium Veneris*, das aus dem zweiten oder dritten Jahrhundert stammt. Seit 1767 plante Bürger die nachschaffende Übersetzung, und 1769 war die gereimte Form vollendet. Im Frühjahr 1772 arbeitete er das Gedicht um. Die Nachdichtung sollte

Wohlklang und Korrektheit vereinen; zur Dreiteilung entschloß sich Bürger 1773.

S. 463 *»Lenore«* – Diese Ballade ist die bekannteste Dichtung Bürgers. Mit ihr suchte er Herders Lehre vom Volkslied, die dieser in seinem Aufsatz *Über Ossian und die Lieder alter Völker* (s. Anm. zu S. 247) dargelegt hatte, zu entsprechen. Goethes *Götz von Berlichingen* wirkte gleichfalls sehr stark auf ihn, und er wollte in der Kunstform Ballade eine dem Goetheschen Schauspiel gleichwertige Dichtung schaffen. Das Gedicht wurde im regen Meinungsaustausch mit den Dichtern des Göttinger Hains ausgearbeitet. Das Thema von der Macht der Liebestränen, die den beweinten Toten aus dem Grabe locken, so daß der Geliebte das Mädchen holt, ist ein Sagenmotiv, das sich bei vielen europäischen Völkern findet. – Auch die Ballade *Sweet Williams Ghost,* die Herder 1773 aus der Percyschen Sammlung (s. Anm. die *Dodsleyschen Reliques* zu S. 251) übersetzt hatte, diente Bürger als Vorbild.

S. 463 *»An die Hoffnung«* – Vorbild für diese 1772 geschriebene Dichtung war das italienische Gedicht *La speranza e sempre verde* von Serafino Aquilano, das auch Herder nachgedichtet hatte (Das Lied der Hoffnung). Für die Ausgabe von 1778 nahm Bürger eine Umarbeitung vor.

S. 463 *»Die Elemente«* – In der pantheistischen Auffassung seiner Zeit versuchte Bürger in diesem Gedicht, das er 1776 schrieb, die Liebe als allmächtiges Weltprinzip darzustellen.

S. 463 *»Göttingische Jubelfeier«* – Gemeint ist: Ode, der fünfzigjährigen Jubelfeier der Georgia Augusta am 17. September 1787 gewidmet von mehreren zu Göttingen Studierenden.

S. 463 *»Männerkeuschheit«* – Das 1778 entstandene Gedicht wurde von Wieland mit Anerkennung aufgenommen. Er hatte 1778 im *Teutschen Merkur* geschrieben: »Durch dies einzige Lied ist Bürger ein größerer Wohltäter unserer Söhne und Enkel geworden, als wenn er ein dickes Buch voll der schönsten moralischen Dissertationen und Deklamationen über diese Materie geschrieben hätte.« (Bürger,

Gedichte, hrsg. von Arndd E. Berger, Leipzig-Wien 1891, S. 429)

S. 463 *»Vorgefühl der Gesundheit«* – Dieses Gedicht ist Bürgers Freund Heinrich Christian Boie gewidmet; es entstand vor 1789.

S. 463 *»Frau Schnips«* – Siehe Anm. *Zeloten* zu S. 369.

S. 463 *»Fortunens Pranger«* – Das Gedicht (1778 entstanden) erinnert an die gereimten Erklärungen von Holzschnitten, wie sie im 16. Jahrhundert verbreitet waren. Bürger versucht, die einzelnen Stände satirisch als Tiermasken darzustellen.

S. 463 *»Menagerie der Götter«* – 1774 geschriebene satirische Ballade. Johann Heinrich Voß wollte das Gedicht 1777 in seinem *Göttinger Musenalmanach* veröffentlichen. Bürger beabsichtigte, *Frau Schnips, Fortunens Pranger* und *Die Menagerie der Götter* in die geplante Prachtausgabe nicht mehr aufzunehmen.

S. 463 *»An die Menschengesichter«* – Dem Gedicht liegt Bürgers Erlebnis seiner Liebe zur Schwester seiner ersten Frau, Auguste Leonhardt (nach englischem Vorbild Molly genannt), zugrunde.

S. 464 *Wenn wir anders aber einen Volksdichter richtig schätzen* – Diese Zeilen wurden durch das Gleichnis vom Schuhmacher veranlaßt, das Bürger in der Vorrede zur zweiten Ausgabe seiner Gedichte anführt. Es heißt: »Der Schuhmacher, welcher mit einer großen Anzahl zum voraus verfertigter Schuhe zu Markte zieht, weiß sehr wohl, daß seine Schuhe nicht auf alle Füße passen werden. Es gibt allerdings Abweichungen ins Große und ins Kleine, und selbst Menschen gehen bisweilen auf Pferdefüßen. Deswegen ist doch aber sein allgemeiner Maßstab kein Unding; und ob mir, dem gewöhnlichen Manne, gleich nicht alle seine hundert oder tausend Paar Schuhe wie angegossen passen, so könnte ich doch wohl, wenn es darauf ankäme, in allen hundert und tausend Paaren ganz leidlich einhergehen. Wenig Nutzen würde hingegen sowohl ihm als dem Publikum seine Bude gewähren, wenn er nur Zwerg- oder Riesenschuhe zu Markt gebracht hätte. Ein Paar von beiderlei Abweichungen mögen immer mit unterlaufen.« (Bürgers Sämtliche Werke, Bd. III, S. 161)

S. 467 *»Das Mädel, das ich meine«* – Das Gedicht war als Geburtstagsgeschenk für Molly bestimmt (geschrieben zum 24. August 1776). – 1792 veröffentlichte Bürger im *Göttinger Musenalmanach* eine Umarbeitung des Gedichtes unter dem Titel *Die Holde, die ich meine.* Anlaß dazu war ihm das Fragezeichen hinter »Mädel« im Erstdruck der Rezension.

S. 467 *»Das hohe Lied« – Das hohe Lied von der Einzigen* entstand bald nach dem Tode von Auguste Bürger (1786), die Arbeit daran aber fand lange Zeit keinen Abschluß, da sich Bürger um höchste Vervollkommnung bemühte. Das Gedicht erschien erst 1789 im Druck.

S. 468 *»Im Denken ist sie Pallas ganz ...«* – Schiller zitiert die vierte Strophe des Gedichts *Die beiden Liebenden.*

S. 468 *das Klinglingling* – Klangnachahmungen aus der Ballade Lenore (vgl. die Strophen 13, 19, 25, 30). »Trallirum larum« ist der Anfang des *Ständchens* (1775; Vers 1–6):

> Trallirum, larum, höre mich!
> Trallirum, larum Leier.
> Trallirum, larum! das bin ich
> Schön Liebchen, dein Getreuer.
> Hüll auf den hellen Sonnenschein
> In deine zwei Guckäugelein.

S. 469 *»Blümchen Wunderhold«* – Das Gedicht entstand 1789.

S. 469 *»Du teilst der Flöte weichen Klang ...«* – Zitat aus dem Gedicht *Das Blümchen Wunderhold* (Strophe 5, Vers 5–8).

S. 469 *»blähn« und »schön«* – Die angegebenen Reime sind ebenfalls dem Gedicht *Das Blümchen Wunderhold* (Strophe 4, Vers 2 und 4) entnommen:

> Auf steifem Hals ein Strotzerhaupt,
> Des Wangen hoch sich b l ä h n,
> Des Nase nur nach Äther schnaubt,
> Läßt doch gewiß nicht s c h ö n.

S. 469 *Molly* – Siehe Anm. *»An die Menschengesichter«* zu S. 463.

S. 469 *Was Lessing ... zum Gesetz macht* – In der *Hamburgischen Dramaturgie* (89.–95. Stück) setzt sich Lessing mit der Aristotelischen Forderung nach dem rechten Verhältnis von individueller Charakterisierung und allgemeiner Gültigkeit in der Komödie und in der Tragödie auseinander.

S. 469 *Heautontimorumenos des Terenz – Der Vater, der sich selbst straft* oder *Der Selbstpeiniger* ist eine Komödie des Terenz, die 163 v. u. Z. entstanden ist und dem griechischen Dichter Menander nachgedichtet wurde. Lessing besprach das Werk im 87. und 88. Stück der *Hamburgischen Dramaturgie;* er wandte sich gegen Diderots Auffassung, daß der »Selbstpeiniger« nicht für die Komödie geeignet sei, weil sein Charakter allzu eigentümlich und die Situation eine Ausnahme sei.

S. 471 *Andre Kunstrichter* – Schiller denkt vor allem an August Wilhelm Schlegel, der in den *Göttingischen Anzeigen für gelehrte Sachen* 1789 und im *Neuen deutschen Museum* 1790 über Bürger geschrieben hatte.

S. 471 *das Siegel der Vollendung* – In der dreiundvierzigsten und letzten Strophe des Gedichtes *Das hohe Lied von der Einzigen* schrieb Bürger (Vers 1–5):

Nimm, o Sohn, das Meistersiegel
Der Vollendung an die Stirn.
Ewig strahlen dir die Flügel
Meines Geistes helle Spiegel
Wie der Liebe Nachtgestirn!

S. 472 *sublimi feriam sidera vertice* – Schlußverse (Vers 35/36) der ersten Ode im ersten Buch der Horazischen Oden an Maecenas:

Quodsi me lyricis vatibus inseris
sublimi feriam sidera vertice!
Wenn du mich den lyrischen Dichtern einreihst,
Werde ich mit erhabenem Scheitel an diese Sterne rühren.

S. 472 *des pythischen Gottes* – Gemeint ist Apollo, der u. a. als Gott der Wahrsagekunst verehrt wurde; pythisch bedeutet dunkel, geheimnisvoll, abgeleitet von dem Namen der Priesterin Pythia zu Delphi.

S. 472 *»Zechlied«* – Das Lied (1777 geschrieben) ist eine Nachdichtung des Trinklieds des Archipoeta: »Mihi est propositum in taberna mori...« (»Mir ist bestimmt, in der Schenke zu sterben...«).

S. 472 *mit einem Anakreontischen ... von ähnlichem Inhalt* – Hier sind Lieder Anakreons gemeint.

S. 473 *frei und kühn in die Welt der Ideale emporschweben soll* – An diesen Gedanken Schillers knüpft Bürgers satirisches Gedicht *Der Vogel Urselbst, seine Rezensenten und der Genius* (1792) an. Bürger schreibt (Vers 43–49):

Es fliegt im dritten Himmelssaal
Ein Vogel namens: Ideal.
Mit dessen Federn rüste dich,
Sonst fliegst du ewig schlecht für mich.
Noch tatst du keinen Flügelschlag,
Der tadellos passieren mag.
Versagt bleibt dann auf mein Geheiß
Dir der Vollendung Paradeis.

Über den Gebrauch des Chors in der Tragödie

Druckvorlage: Schillers sämtliche Schriften, hrsg. von Karl Goedecke, Bd. XIV, Stuttgart 1872.

S. 475 *»Über den Gebrauch des Chors in der Tragödie«* – Die Abhandlung entstand im Juni 1803; sie war als Vorbemerkung zu Schillers Trauerspiel *Die Braut von Messina* gedacht, das am 1. Februar 1803 vollendet worden war. Es war geplant, Vorbemerkungen und Tragödie im Herbst 1803 in Cottas Verlag zu veröffentlichen.

S. 479 *So haben die Franzosen* – Im 16. Jahrhundert forderte die Dichtergruppe der Plejade (Siebengestirn), deren bedeutendster Vertreter Pierre de Ronsard (1524–1585) war, nach dem Muster der antiken Tragödie die Einheit der Zeit und des Ortes im Drama. Der Theoretiker Julius Cäsar Scaliger schrieb in seiner 1561 erschienenen *Poetik* als erster die Wahrung der drei Einheiten als Regel vor: »Man muß die Fabel oder das Spiel immer an demselben Tag, in derselben Zeit und an demselben Ort darstellen.«

S. 484 *Chöre ... in der modernen Tragödie* – Etienne Jodelle (1532–1573) schuf 1552 mit seinem Trauerspiel *Cléopâtre captive* die erste französische Tragödie nach antikem Vorbild. Er hatte den Chor als Zeugen der Handlung eingeführt. Racine schrieb 1689 das religiöse Drama *Esther* und brachte darin den Chor der alten Tragiker auf die Bühne.

Wilhelm von Humboldt

Über Schiller und den Gang seiner Geistesentwicklung

Druckvorlage: Briefwechsel zwischen Schiller und Wilhelm von Humboldt, Mit einer Vorerinnerung über Schiller und den Gang seiner Geistesentwicklung von Wilhelm von Humboldt, Stuttgart-Tübingen 1830.

S. 487 *Wilhelm von Humboldt* – Friedrich Wilhelm Karl Ferdinand von Humboldt (1767–1835); studierte die Rechte, widmete sich jedoch mit besonderem Interesse den Altertumswissenschaften. Nach Reisen durch Frankreich, die Schweiz und Süddeutschland war er 1790 kurze Zeit als Referendar am Kammergericht in Berlin tätig, löste sein Anstellungsverhältnis aber bald, um sich ganz seinen Studien widmen zu können. Im Februar 1794, nach seiner Übersiedlung nach Jena, wurde er von dem dort bestehenden Kreis von Dichtern und Gelehrten freundschaftlich aufgenommen. Zurückgekehrt von ausgedehnten Reisen, lebte er seit 1809 wieder in Preußen, wirkte auf dem Gebiet des Kultus- und Unterrichtswesens. (Die Gründung der Berliner Universität ist sein Verdienst.) Humboldt, der fast zehn Jahre im diplomatischen Dienst gestanden hatte, wurde 1819 aus dem Staatsdienst entlassen, weil er sich gegen die Karlsbader Beschlüsse empörte. Bis zu seinem Tode lebte er nur noch seinen wissenschaftlichen und künstlerischen Studien, beschäftigte sich mit den Sprachen der Basken und der Völker Amerikas und des Südseegebietes, studierte Sanskrit und Chinesisch und veröffentlichte Aufsätze über seine wissenschaftlichen Erkenntnisse.

S. 487 *»Über Schiller und den Gang seiner Geistesentwicklung«* – Die Herausgabe des Briefwechsels zwischen Goethe und Schiller bewog Wilhelm von Humboldt, auch seinen brieflichen Gedankenaustausch mit Schiller zu veröffentlichen. Dem Briefwechsel stellte er eine Studie über Schillers geistige Eigenart voran, der er den Titel: *Vorerinnerung – Über Schiller und den Gang seiner Geistesentwicklung* gab. Der Briefwechsel erschien 1830 in der Cottaschen Buchhandlung.

S. 487 *im Auslande aufhielt* – 1797 reiste Humboldt über Dresden und Wien nach Italien. Der Krieg verleidete ihm einen längeren Aufenthalt, er wandte sich nach Paris, wohnte dort bis 1801 und kehrte dann nach Berlin zurück. 1802 ging er als preußischer Ministerresident für sechs Jahre nach Rom.

S. 487 *seit dem Erscheinen des »Don Carlos«* – Der Plan zu dieser Tragödie beschäftigte Schiller seit 1782. Vom Mai 1783 bis zum Juni 1784 arbeitete er nicht an dem Drama, nahm dann während des Aufenthaltes in Leipzig und Dresden die Arbeit wieder auf und veröffentlichte den zweiten Akt 1786 im zweiten und dritten Heft der *Thalia*. Das Werk wurde mehrfach umgearbeitet und erschien im Juni 1787 in Leipzig bei Göschen.

S. 487 *Vollendung des »Wallensteins«* – Anfang 1791 dachte Schiller zum erstenmal an eine Bearbeitung des Wallenstein-Stoffes. Er nahm die Arbeit erst 1794 wieder auf, vertiefte sich 1796 in historische Studien zum Stoff und begann die Ausführung. 1797 wurde das Vorspiel *Wallensteins Lager* angefangen und vollendet. 1798 folgte die Arbeit an der eigentlichen Wallenstein-Tragödie, die er im gleichen Jahre in die Abschnitte *Die Piccolomini* und *Wallensteins Tod* teilte. Am 12. Oktober 1798 wurde *Wallensteins Lager* in Weimar aufgeführt. Die Aufführung der *Piccolomini* erfolgte am 30. Januar 1799; am 15., 17. und 20. April 1799 wurden auf der Weimarer Bühne zum erstenmal alle drei Teile hintereinander aufgeführt.

S. 487 *entstehen* – fehlen, mangeln (Sprachgebrauch des 18. Jahrhunderts).

S. 488 *als Schiller von einer … Reise zurückkam* – Humboldt irrt sich in seiner Jahresangabe; Schiller reiste erst im August 1793 nach Schwaben. Er wohnte zuerst in Heilbronn, siedelte im September nach Ludwigsburg über und zog im März 1794 nach Stuttgart. Er hielt sich auch einige Tage in Tübingen auf, wo er Cotta und Dannecker kennenlernte. Am 6. Mai trat er die Rückreise an, fuhr über Meiningen und erreichte Jena am 14. Mai 1794.

S. 488 *die große Krankheit* – Im Januar 1791 war Schiller an einem heftigen Katarrhfieber erkrankt; ein Rückfall brachte eine Lungen- und Rippenfellentzündung, von der sich Schiller nie mehr völlig erholte.

S. 488 *neue Niederlassung* – Nach der Rückkehr aus Schwaben war Schiller zunächst in die Wohnung am Untern Markt gezogen, 1795 zog er in das Griesbachsche Haus um.

S. 488 *der damals beginnende Umgang mit Goethe* – die Rudolstädter Begegnung mit Goethe (1788) hatte nicht zu einer näheren Bekanntschaft der beiden Dichter geführt. Goethe befürwortete lediglich die Ernennung Schillers zum Professor in Jena (1789). Als dieser 1794 die Herausgabe der literarischen Monatsschrift die *Horen* vorbereiten wollte, schrieb er am 13. Juni des Jahres einen Brief an Goethe und bat ihn um seine Mitarbeit. Goethe sagte in seinem Brief von 24. Juni zu. Eine Sitzung der Naturforschenden Gesellschaft zu Jena brachte beide zum Gedankenaustausch. Hier ergab sich die freundschaftliche Annäherung. (Vgl. den Brief Schillers vom 23. August 1794, in dem er versucht, die Wesensart Goethes zu erfassen und darzustellen.)

S. 488 *»Briefe über die ästhetische Erziehung des Menschen«* – Schiller schrieb diese kunsttheoretische Abhandlung, die aus seinem Briefwechsel mit dem Herzog Christian Friedrich von Holstein-Augustenburg entstanden war, während seines Aufenthaltes in Schwaben 1793/94 und veröffentlichte sie 1795 in den *Horen*. Eine spätere Umarbeitung ergab die jetzige Gestalt des Werkes.

S. 488 *Im Dichten hatte er sich seit dem Jahre 1790 nicht versucht* – Nach dem Abschluß des *Don Carlos* hatte Schiller kein größeres poetisches Werk mehr geschaffen. Seine Berufung nach Jena (1789) zwang ihn zu weiteren historischen Studien. Nachdem er 1788 bereits die *Geschichte des Abfalls der Vereinigten Niederlande* geschrieben hatte, vollendete er 1792 die *Geschichte des Dreißigjährigen Krieges*. Seit 1791 setzte er sich eingehend mit der philosophischen Lehre Kants auseinander (s. auch Anm. *Bekanntschaft mit Kantischer Philosophie* zu S. 505) und beschäftigte sich anschließend mit der Dichtung der Griechen. Die besonders nach seiner Vermählung mit

Charlotte von Lengefeld (1790) vordringlich werdenden Arbeiten für seinen Lebensunterhalt beanspruchten Schillers ganze Kraft, so daß er erst 1794/95 wieder Zeit zu poetischen Arbeiten fand.

S. 488 *»Malteser«* – Ein Dramenplan aus der Geschichte des Johanniter- oder Malteser-Ordens beschäftigte Schiller seit 1788. Als er die Arbeit am *Wallenstein* (1797) begann, hatte er den Plan zunächst zurückgestellt, nach der Vollendung des Trauerspiels *Die Jungfrau von Orleans* (1801) noch einmal erwogen, aber nach dem Abschluß der Tragödie *Die Braut von Messina* (1803) endgültig aufgegeben. Aus dem Stoffkreis gestaltete Schiller 1788 die Ballade *Der Kampf mit dem Drachen* und 1795 das Gedicht *Die Johanniter.*

S. 488 *meinen Wohnsitz in Jena genommen* – Ende Februar 1794 siedelte Humboldt nach Jena über. Dort blieb er sechzehn Monate (bis Mitte 1795); als seine Mutter erkrankte, ging er für einige Monate nach Berlin zurück und kam erst im Spätherbst 1796 wieder für ein halbes Jahr nach Jena.

S. 490 *»Räuber«* – Nachdem ihn der Stoff längere Zeit beschäftigt hatte, begann Schiller 1779 mit der Arbeit an den *Räubern.* Im Mai 1781 wurde das Schauspiel veröffentlicht. Am 6. Oktober 1781 war auch die Bühnenbearbeitung vollendet, und die Uraufführung erfolgte am 13. Januar 1782 im Mannheimer Nationaltheater.

S. 490 *»Fiesco« – Die Verschwörung des Fiesko zu Genua, Ein republikanisches Trauerspiel,* wurde von Schiller während des Jahres 1782 ausgearbeitet. Nach der Flucht aus Stuttgart las er es den Mannheimer Schauspielern vor, fand aber keinen Beifall. Anfang November 1782 war die vollständige Umarbeitung beendet; diese wurde 1783 gedruckt und die Erstaufführung erfolgte am 11. Januar 1784 in Mannheim.

S. 491 *Diese Eigentümlichkeiten endlich erklären die tadelnden Urteile*... – Die Brüder Schlegel versuchten Schillers Werke herabzusetzen, indem sie sie als Leistungen des Geistes, aber nicht als Schöpfungen des Genies kennzeichneten.

S. 493 *»Tell«* – Ende Januar 1802 begann Schiller mit der

Arbeit an dem Schauspiel *Wilhelm Tell.* Im Januar 1804 war der erste Akt abgeschlossen, und im Februar konnte Schiller das ganze Werk vollenden. Die erste Aufführung fand am 17. März 1804 in Weimar statt.

S. 493 *Strophe des »Tauchers«* – Die Ballade *Der Taucher* entstand 1797; Humboldt meint hier die zwölfte Strophe:

Und es wallet und siedet und brauset und zischt,
Wie wenn Wasser mit Feuer sich mengt,
Bis zum Himmel spritzet der dampfende Gischt,
Und Well auf Well sich ohn Ende drängt,
Und wie mit des fernen Donners Getose
Entstürzt es brüllend dem finstern Schoße.

S. 494 *»Hochzeit der Thetis«* – Bruchstück aus der Übersetzung der Tragödie *Iphigenie in Aulis* von Euripides. Schiller begann die Übersetzung 1788 und vollendete sie im gleichen Jahre. Das Werk erschien im 6. und 7. Heft der *Thalia* von 1789. Die vierte Zwischenhandlung, den Chorgesang (Vers 1290 bis 1343), veröffentlichte Schiller unter dem Titel *Die Hochzeit der Thetis* im ersten Band seiner Gedichte (1800).

S. 494 *»Kraniche des Ibykus«* – Die Ballade wurde 1797 vollendet und erschien im *Musenalmanach für das Jahr 1798.*

S. 494 *»Siegesfest«* – Schiller sandte das Gedicht am 24. Mai 1803 an Goethe; es sollte ein geselliges Lied gehobener Art sein. Schiller hatte das Thema aus der *Ilias* genommen, jedoch frei gestaltet. Cotta druckte *Das Siegesfest* 1803 in seinem *Damenkalender.*

S. 496 *»aus den Künstlern«* – Das Gedicht *Die Künstler* wurde im März 1789 im *Teutschen Merkur* veröffentlicht. Humboldt zitiert hier die Verse 228–231.

S. 496 *den sanften Bogen der Notwendigkeit* – Bei Schiller heißt es wörtlich: »Vom sanften Bogen der Notwendigkeit« (vgl. Die Künstler, Vers 315).

S. 496 *»Columbus«* – Das 1795 entstandene Gedicht lautet:

Steure, mutiger Segler! Es mag der Witz dich verhöhnen,
Und der Schiffer am Steuer senken die lässige Hand.
Immer, immer nach West! Dort muß die Küste sich zeigen,

Liegt sie doch deutlich und liegt schimmernd vor deinem Verstand.
Traue dem leitenden Gott, und folge dem schweigenden Weltmeer,
Wär sie noch nicht, sie stieg jetzt aus den Fluten empor.
Mit dem Genius steht die Natur in ewigem Bunde,
Was der eine verspricht, leistet die andre gewiß.

S. 496 *Distichen* – Das Distichon (Doppelvers) wurde in der antiken Metrik für Elegien und Epigramme verwendet. Es besteht aus einem daktylischen Hexameter und einem Pentameter.

S. 496 *in den »Briefen Raffaels an Julius«* – Den Plan zu einem philosophischen Roman *Briefe von Julius an Raffael* hatte Schiller bald wieder aufgegeben. Es wurde daraus eine Selbstverständigung über weltanschauliche Fragen (s. Anm. *Philosophische Briefe* zu S. 505).

S. 496 *»Thalia«* – 1784 gab Schiller die *Rheinische Thalia* heraus, eine literarische Zeitschrift, die von ihm selber geschrieben wurde. 1787 führte er sie als *Thalia* und 1792/93 als *Neue Thalia* weiter.

S. 496 *»als Columbus die bedenkliche Wette mit einem unbefahrenen Meer einging«* – Die Textstelle ist den *Philosophischen Briefen* entnommen und lautet im Zusammenhang: »Auf die Unfehlbarkeit eines Kalkuls geht der Weltentdecker Kolumbus die bedenkliche Wette mit einem unbefahrenen Meere ein, die fehlende zwote Hälfte zu der bekannten Hemisphäre, die große Insel Atlantis zu suchen, welche die Lücke auf seiner geographischen Karte ausfüllen sollte.«

S. 497 *»Anmut und Würde«* – Schillers Abhandlung *Über Anmut und Würde* (1793) erschien zuerst in der *Neuen Thalia* (Teil III, 2. Stück), im gleichen Jahre wurde die Arbeit als Einzelausgabe in Leipzig gedruckt.

S. 499 *»Ehe er es unternimmt ...«* – Humboldt zitiert ungenau; es heißt in Schillers Rezension *Über Bürgers Gedichte* (1791): »Alles, was der Dichter uns geben kann, ist seine Individualität. Diese muß es also wert sein, vor Welt und Nachwelt ausgestellt zu werden. Diese seine Individualität so sehr als möglich zu veredeln, zur reinsten, herrlichsten Menschheit hinaufzuläutern, ist sein erstes und wichtigstes Geschäft, ehe er es unternehmen darf, die Vortrefflichen zu rühren.«

S. 499 *»Rezension der Bürgerschen Gedichte«* – Vgl. Schiller, Über Bürgers Gedichte, S. 457 ff. dieses Bandes und die dazugehörigen Anmerkungen.

S. 499 *in einem seiner späteren Briefe* – Schiller schrieb am 27. Juni 1798 an Wilhelm von Humboldt: »Wirklich hat uns beide unser gemeinschaftliches Streben nach Elementarbegriffen in ästhetischen Dingen dahin geführt, daß wir die Metaphysik der Kunst zu unmittelbar auf die Gegenstände anwenden und sie als ein praktisches Werkzeug, wozu sie doch nicht gut geschickt ist, handhaben. Mir ist dies vis à vis von Bürger und Matthisson, besonders aber in den *Horen*-Aufsätzen öfters begegnet.« – Friedrich von Matthisson (1761–1831) war ein zu seiner Zeit berühmter, auch von Schiller anerkannter Lyriker.

S. 500 *Strenge seines Urteils über seine frühesten Produktionen* – Vgl. dazu Schiller, Über Bürgers Gedichte, S. 458 f. dieses Bandes.

S. 500 *»Vorerinnerung« zu der Sammlung seiner Gedichte* – Im Mai 1803 erschien der zweite Teil der Gedichte, zu dem Schiller in einer Vorerinnerung schrieb: »Die wilden Produkte eines jugendlichen Dilettantisten, die unsicheren Versuche einer anfangenden Kunst und eines mit sich selbst noch nicht einigen Geschmackes finden sich hier mit solchen zusammengestellt, die das Werk einer reiferen Einsicht sind.«

S. 502 *Dichter... die alle Zeiten für groß und hervorragend erkennen werden* – Gemeint sind die bedeutendsten italienischen, spanischen, englischen und französischen Dichter: Dante, Petrarca, Tasso, Calderón, Lope de Vega, Shakespeare, Molière, Corneille und Racine.

S. 502 *mächtige Geister in der letzten Hälfte des vorigen Jahrhunderts* – Gemeint sind neben Kant und Lessing vorzüglich die Philosophen und Schriftsteller aus dem Raume Jena–Weimar, also Herder, Goethe, Schiller, Fichte, August Wilhelm Schlegel, Friedrich Schlegel, Schelling und nicht zuletzt Wilhelm von Humboldt selbst.

S. 503 *Demeter* – Mutter der Erde und Göttin der Fruchtbarkeit in der griechischen Mythologie; weil ihre Tochter

Persephone von Pluto geraubt worden war, verbarg sie sich, so daß die Erde keine Früchte mehr trug. Mit Erlaubnis des Zeus durfte Persephone einen Teil des Jahres auf der Erde verweilen. Schiller gestaltete nach diesen Motiven die Gedichte *Klage der Ceres* und *Das Eleusische Fest.*

S. 503 Das *»Eleusische Fest«* – Das Gedicht *Das Eleusische Fest* entstand 1798 und wurde 1799 als *Bürgerlied* in Schillers *Musenalmanach* veröffentlicht.

S. 503 *Aufleben der indischen Literatur* – Friedrich Schlegel gab 1808 sein Werk *Sprache und Weisheit der Inder* heraus, und August Wilhelm Schlegel begründete 1818 nach seiner Berufung an die Universität Bonn dort die Indologie als Fachwissenschaft. Wilhelm von Humboldt selbst begann 1821 mit Sanskrit-Studien.

S. 505 *Schilderung eines Naturstandes* – In den *Briefen über die ästhetische Erziehung des Menschen* (1795) vergleicht Schiller die Zustände seines Zeitalters mit dem Naturstande der Menschheit. Der Mensch seiner Zeit versucht, den Naturstand in der Idee nachzuholen. »So holt er, auf eine künstliche Weise, in seiner Volljährigkeit seine Kindheit nach, bildet sich einen Naturstand in der Idee, der ihm zwar durch keine Erfahrung gegeben, aber durch seine Vernunftbestimmung notwendig gesetzt ist, leiht sich in diesem idealischen Stand einen Endzweck, den er in seinem wirklichen Naturstand nicht kannte, und eine Wahl, deren er damals nicht fähig war, und verfährt nun nicht anders, als ob er von vorn anfinge und den Stand der Unabhängigkeit aus heller Einsicht und freiem Entschluß mit dem Stand der Verträge vertauschte.« (3. Brief)

S. 505 *Emanation* – in der Philosophie Bezeichnung für das Hervorgehen aller Dinge aus einem Prinzip.

S. 505 *in der zweiten und dritten Periode seines Lebens* – Diese Spanne umfaßt die Zeit seines ersten Aufenthaltes in Weimar und der Professur in Jena, etwa die Jahre 1787 bis 1794, in denen Schiller historische Studien trieb, sich mit der Lehre Kants auseinandersetzte und sich mit der griechischen Dichtung beschäftigte.

S. 505 *seine drei früheren* – Gemeint sind die Trauerspiele *Die*

Verschwörung des Fiesko zu Genua (1783), *Kabale und Liebe* (1784) *und Don Carlos* (1787).

S. 505 *seine letzten Trauerspiele, vom »Wallenstein« an* – *Wallenstein* (1798/99), *Maria Stuart* (1800), *Die Jungfrau von Orleans (1801)* und *Die Braut von Messina* (1803).

S. 505 *»Philosophische Briefe«* – Schiller versuchte eine Selbstverständigung über weltanschauliche Fragen. In den Briefen des jungen Idealisten Julius an den materialistischen Zweifler Raffael gab er sich selbst die Antworten auf seine Fragen. Gottfried Körner, der die Rolle des Raffael übernommen hatte, war zu säumig in seinen Entgegnungen. Die *Philosophischen Briefe* wurden 1786 im dritten Heft der *Thalia* veröffentlicht.

S. 505 *»Resignation«* – Das Gedicht wurde 1786 im zweiten Heft der *Thalia* gedruckt.

S. 505 *Bekanntschaft mit Kantischer Philosophie* – Im März 1791 wollte Schiller mit dem Studium Kants beginnen, die Krankheit hinderte ihn jedoch an seinem Vorhaben, und er begann Anfang des Jahres 1792 sich mit der Lehre Kants vertraut zu machen. Dabei berücksichtigte er besonders die *Kritik der Urteilskraft*; in seinen theoretischen Schriften der folgenden Jahre spiegelt sich diese Auseinandersetzung wider.

S. 507 *daß der hohe philosophische Beruf beide Eigenschaften ... verbunden fordert* – In einer Anmerkung zur Abhandlung *Über naive und sentimentalische Dichtung* (1795/96) würdigte Schiller Kant und schrieb: »Wer den Verfasser nur als einen großen Denker bewundern gelernt hat, wird sich freuen, hier auf eine Spur seines Herzens zu treffen und sich durch diese Entdeckung von dem hohen philosophischen Beruf dieses Mannes (welcher schlechterdings beide Eigenschaften verbunden fodert) zu überzeugen.« (Siehe auch Anm.: *hat Schiller in mehreren Stellen ... geäußert* zu S. 509)

S. 507 *Ansichten über den Bau des gestirnten Himmels* – Gemeint sind die von Kant in seiner Schrift *Allgemeine Naturgeschichte und Theorie des Himmels* (1755) vertretenen Auffassungen.

S. 507 *bei dem Erscheinen seiner »Kritik der reinen Vernunft«* –

Die erste Ausgabe der *Kritik der reinen Vernunft* erschien 1781, die zweite 1787.

S. 508 *von ihm abweichende Systeme und Schulen* – Seit Kant entwickelten sich in der deutschen Philosophie verschiedene Richtungen, darunter die Lehre Johann Gottlieb Fichtes und die Identitätsphilosophie Schellings. Zur Rechtslehre vgl. die in Fichtes Rezension der Kantschen Schrift *Zum ewigen Frieden* vorgetragenen Ansichten (s. S. 669 ff. dieses Bandes).

S. 508 *daß er Philosophien ... zu wecken vermochte* – Gemeint sind die Systeme Hegels und Schopenhauers, die beide – wenn auch in verschiedener Weise – von Kant ausgehen.

S. 508 *mehr den alten oder den späteren Philosophen verdankte* – Kant verarbeitete in seiner Lehre kritisch die Anschauungen des aufklärerischen Rationalismus von Leibniz und die Ansichten des skeptischen Empirismus David Humes.

S. 508 *Diese in alle seine Schriften reichlich verstreuten Stellen* – Ein Stelle, in der er zu den Fragen der Zeit Bemerkungen macht, ist die Beurteilung der Platonischen Republik mit den weiteren Ausführungen über die Verfassung (Kritik der reinen Vernunft, Bd. I, Des ersten Buches von der transzendentalen Dialektik Erster Abschnitt, Von den Ideen überhaupt): »Die Platonische Republik ist als ein vermeintlich auffallendes Beispiel von erträumter Vollkommenheit, die nur im Gehirn des müßigen Denkers ihren Sitz haben kann, zum Sprichwort geworden, und Brucker findet es lächerlich, daß der Philosoph behauptete, niemals würde ein Fürst wohl regieren, wenn er nicht der Ideen teilhaftig wäre. Allein man würde besser tun, diesem Gedanken mehr nachzugehen und ihn (wo der vortreffliche Mann uns ohne Hülfe läßt) durch neue Bemühung in Licht zu stellen, als ihn unter dem sehr elenden und schädlichen Vorwande der Untunlichkeit als unnütz beiseitezustellen. Eine Verfassung von der größten menschlichen Freiheit nach Gesetzen, welche machen, daß jedes Freiheit mit der andern ihrer zusammen bestehen kann (nicht von der größten Glückseligkeit, denn diese wird schon von selbst folgen), ist doch wenigstens eine notwendige Idee, die man nicht bloß im ersten Entwurfe einer Staatsverfassung, sondern auch bei allen Gesetzen zum Grunde legen muß, und wobei man anfänglich von den gegenwärtigen Hindernissen abstrahieren muß, die vielleicht nicht sowohl aus der menschlichen Natur unvermeidlich entspringen mögen als vielmehr der Vernachlässigung der echten Ideen bei der Gesetzgebung.«

S. 509 *hat Schiller in mehreren Stellen seiner Schriften geäußert* – So schreibt er z. B. in einer Anmerkung zur Abhandlung *Über naive und sentimentalische Dichtung* im Kapitel *Über das Naive,* daß die Entdeckung der Nachahmung der Natur die Illusion zerstöre: »Kant, meines Wissens der erste, der über dieses Phänomen eigens zu reflektieren angefangen, erinnert, daß, wenn wir von einem Menschen den Schlag der Natigall bis zur höchsten Täuschung nachgeahmt fänden und uns dem Eindruck desselben mit ganzer Rührung überließen, mit der Zerstörung dieser Illusion alle unsere Lust verschwinden würde. Man sehe das Kapitel vom intellektuellen Interesse am Schönen in der *Kritik der ästhetischen Urteilskraft.* Wer den Verfasser nur als einen großen Denker bewundern gelernt hat, wird sich freuen, hier auf eine Spur seines Herzens zu treffen, und sich durch diese Entdeckung von dem hohen philosophischen Beruf dieses Mannes (welcher schlechterdings beide Eigenschaften verbunden fodert) zu überzeugen.« (Siehe auch Anm. *daß der hohe philosophische Beruf...* zu S. 507)

S. 509 *die unmittelbar vorher herrschend gewesenen Theorien* – In der Philosophie vor Kant zeichneten sich verschiedene Geistesrichtungen ab: die deutsche Aufklärungsphilosophie im Anschluß an Leibniz' Lehre, der französische Materialismus Denis Diderots und der englische Empirismus.

S. 509 *als er zuerst Kants Namen öffentlich aussprach* – Humboldt bezieht sich auf eine Textstelle in der Abhandlung *Über Anmut und Würde* (1793); Schiller wendet sich hier gegen Kants Auffassung von Pflicht und Neigung: »Aber so wie die Grundsätze dieses Weltweisen von ihm selbst und auch von andern pflegen vorgestellt zu werden, so ist die Neigung eine sehr zweideutige Gefährtin des Sittengefühls und das Vergnügen eine bedenkliche Zugabe zu moralischen Bestimmungen... In der Kantischen Moralphilosophie ist die Idee der Pflicht mit einer Härte vorgetragen, die alle Grazien davon zurückschreckt und einen schwachen Verstand leicht versuchen könnte, auf dem Wege einer finstern und mönchischen Asketik die moralische Vollkommenheit zu suchen.«

S. 510 *wie die Sprache den Ausdruck umhüllen soll* – Schiller schrieb in einer Beilage *(Das Schöne der Kunst)* zum Brief an Körner vom 28. Februar 1793: »Soll also eine poetische Darstellung frei sein, so muß der Dichter die Tendenz der Sprache im Allgemeinen durch die Größe seiner Kunst überwinden, und den Stoff (Worte und ihre Flexions- und Konstruktionsgesetze) durch die Form (nämlich die Anwendung derselben) besiegen. Die Natur der Sprache (eben diese ist ihre Tendenz zum Allgemeinen) muß in der ihr gegebenen Form völlig untergehen, der Körper muß sich in der Idee, das Zeichen in dem Bezeichneten, die Wirklichkeit in der Erscheinung verlieren. Frei und siegend muß das Darzustellende aus dem Darstellenden hervorscheinen, und trotz allen Fesseln der Sprache in seiner ganzen Wahrheit, Lebendigkeit und Persönlichkeit vor der Einbildungskraft dastehen. Mit einem Wort: Die Schönheit der poetischen Darstellung ist ›freie Selbsthandlung der Natur in den Fesseln der Sprache‹.«

S. 511 *Gedichte, welche vorzugsweise der Ausführung philosophischer Ideen gewidmet sind* – Gemeint sind *Das Ideal und das Leben* (zuerst erschienen unter dem Titel *Das Reich der Schatten*, 1795 im Septemberheft der *Horen*; als *Das Reich der Formen* wurde es in der ersten Auflage der Sammlung von 1800 veröffentlicht; in der zweiten Auflage dieser Sammlung, 1804/05, erhielt es den endgültigen Titel *Das Ideal und das Leben), Die Künstler* (entstanden im Herbst 1788, mehrfach umgearbeitet, veröffentlicht in der Sammlung von 1803), *Der Spaziergang* (zuerst 1795 veröffentlicht unter dem Titel *Elegie*).

S. 511 *daß es noch kein wahres didaktisches Gedicht gebe* – In der Abhandlung *Über naive und sentimentalische Dichtung* beurteilt Schiller im Abschnitt *Elegische Dichter*

Hallers didaktische Gedichte und schreibt: »Überhaupt läßt sich nur in diesem Sinne eine didaktische Poesie ohne innern Widerspruch denken; denn, um es noch einmal zu wiederholen, nur diese zwei Felder besitzt die Dichtkunst; entweder sie muß sich in der Sinnenwelt oder sie muß sich in der Ideenwelt aufhalten, da sie im Reich der Begriffe oder in der Verstandeswelt schlechterdings nicht gedeihen kann. Noch, ich gestehe es, kenne ich kein Gedicht in dieser Gattung, weder aus älterer noch neuerer Literatur, welches den Begriff, den es bearbeitet, rein und vollständig entweder bis zur Individualität herab oder bis zur Idee hinaufgeführt hätte. Der gewöhnliche Fall ist, wenn es noch glücklich geht, daß zwischen beiden abgewechselt wird, während daß der abstrakte Begriff herrschet, und daß der Einbildungskraft, welche auf dem poetischen Felde zu gebieten haben soll, bloß verstattet wird, den Verstand zu bedienen. Dasjenige didaktische Gedicht, worin der Gedanke selbst poetisch wäre und es auch bliebe, ist noch zu erwarten.«

S. 511 *»Spaziergang«* – Das Gedicht *Der Spaziergang* entstand 1795 und wurde in den *Horen* veröffentlicht.

S. 511 *»Die Götter Griechenlands«* – Die erste Fassung dieses Gedichts erschien im März 1788 im *Teutschen Merkur*.

S. 512 *Schillers historische Arbeiten* – Auf historischem Gebiet waren Schillers Hauptwerke *Die Geschichte des Abfalls der Vereinigten Niederlande von der spanischen Regierung* (1788 vollendet) und die *Geschichte des Dreißigjährigen Krieges* (erschienen 1793). Neben diesen Arbeiten verfaßte Schiller noch zahlreiche historische Aufsätze, z. B. *Die Sendung Moses* (1790) oder *Die Gesetzgebung des Lykurgus und Solon* (1790).

S. 513 *Briefe an Körner* – Schiller schrieb am 13. Oktober 1789 aus Rudolstadt an Gottfried Körner: »Das Interesse, welches die Geschichte des Peleponn. Kriegs für die Griechen hatte, muß man jeder neuern Geschichte, die man für die Neuern schreibt, zu geben suchen. Das eben ist die Aufgabe für das Genie, daß man seine Materialien so wählt und stellt, daß sie des Schmucks nicht brauchen, um zu interessieren. Wir Neueren haben ein Interesse in unserer Gewalt, das kein Grieche und kein Römer gekannt hat und dem das vaterländische Interesse bei weitem nicht beikommt. Das letzte ist überhaupt nur für unreife Nationen wichtig, für die Jugend der Welt. Ein ganz andres Interesse ist es, jede merkwürdige Begebenheit, die mit Menschen vorging, dem Menschen wichtig darzustellen.« Aus Weimar schrieb er einige Monate vorher, am 7. Januar 1788, an den Freund: »Deine Geringschätzung der Geschichte kommt mir unbillig vor. Allerdings ist sie willkürlich, voll Lücken und sehr oft unfruchtbar, aber eben das Willkürliche in ihr könnte einen philosophischen Geist reizen, sie zu beherrschen; das Leere und Unfruchtbare einen schöpferischen Kopf herauffodern, sie zu befruchten und auf dieses Gerippe Nerven und Muskeln zu tragen.«

S. 513 *»Horen«* – Diese bedeutendste Zeitschrift der Klassik wurde von 1795 bis 1797 im Verlag Cotta herausgegeben. Schiller hatte diesen lange gehegten Plan verwirklicht, er gewann Goethe, Herder, Wilhelm v. Humboldt, Fichte und August Wilhelm Schlegel als Mitarbeiter.

S. 513 *als ich ihn das letztemal im Herbst 1802 sah* – Am Donnerstag, dem 9. September 1802 wurde Humboldt in Weimar erwartet. Schiller gab diese Mitteilung an Gottfried Körner und schrieb: »Heute wird Humboldt hier erwartet, ich werde ihn nicht ohne eine gewisse traurige Empfindung von uns hinwegscheiden sehen.«

S. 514 *»Anderwärts liest man von außen hinein ...«* – Goethe schrieb in der *Italienischen Reise* (Rom, am 29. Dezember 1786): »Besonders liest sich Geschichte von hier aus ganz anders als an jedem Orte der Welt. Anderwärts liest man von außen hinein, hier glaubt man, von innen hinaus zu lesen, es lagert sich alles um uns her und geht wieder aus von uns ...«

S. 515 *»Macht des Gesanges«* – Das 1795 entstandene Gedicht *Die Macht des Gesanges* wurde in Schillers *Musenalmanach für das Jahr 1796* veröffentlicht. Die von Humboldt herangezogenen Verse (1–4) lauten:

Ein Regenstrom aus Felsenriffen,
Er kommt mit Donners Ungetüm,
Bergtrümmer folgen seinen Güssen,
Und Eichen stürzen unter ihm.

S. 517 *»Die Ideale«* – Das Gedicht entstand im Sommer 1795 und wurde 1796 im *Musenalmanach* veröffentlicht. Humboldt beurteilte es in seinem Brief vom 31. August 1795, Schiller schrieb seine Erwiderung am 7. September 1795.

S. 517 *»Des Mädchens Klage«* – Das Gedicht entstand 1798 unabhängig vom *Wallenstein*, wurde in den zweiten Teil der Tragödie, *Die Piccolomini*, als siebente Szene des dritten Aktes für die Schauspielerin Caroline Jagemann eingefügt.

S. 517 *den »Jüngling am Bach«* – Das Gedicht *Der Jüngling am Bach* wurde in das Lustspiel *Der Parasit* von Louis-Benoît Picard eingefügt, das Schiller übersetzt hatte. Charlotte singt dieses Lied in der vierten Szene des vierten Aktes.

S. 517 *»Thekla, eine Geisterstimme«* – Das Gedicht wurde 1803 in Cottas *Taschenbuch für Damen* erstmalig veröffentlicht.

S. 517 *»An Emma«* – Das Gedicht wurde unter dem Titel *Elegie an Emma* zuerst im *Musenalmanach für das Jahr 1798* veröffentlicht.

S. 517 *»Die Erwartung«* – Das Gedicht ist 1799 als kleineres poetisches Werk in den *Musenalmanach* aufgenommen worden.

S. 517 *»Lied von der Glocke«* – wurde 1799 vollendet; mit diesem Gedicht schloß der *Musenalmanach für das Jahr 1800* ab; es war der letzte, den Schiller herausgab.

S. 520 *»Über naive und sentimentalische Dichtung«* – Eine Reihe von kunsttheoretischen Aufsätzen, die 1795/96 in den *Horen* veröffentlicht wurden, faßte Schiller unter dem Titel *Über naive und sentimentalische Dichtung* zusammen.

S. 521 *Stellen, wo Schiller seinem Dichterberufe zu mißtrauen scheint* – Im Briefwechsel mit Humboldt äußerte Schiller manchmal Zweifel an seiner dichterischen Berufung, die er jedoch wieder überwand. So schrieb er z. B. am 21. August 1795 aus Jena: »Übrigens kenne ich nun bald meine Stärke sowohl als meine Schranken im poetischen Felde. Diese letztern werden mir wohl das Dramatische verbieten, aber auf das Epische werde ich dafür ernstlicher losgehen, nicht auf die große Epopee versteht sich.«

S. 521 *Ähnliches findet sich in Körners Lebensbeschreibung* –

Körner zitiert aus einem Brief vom 4. September 1794: »Vor dieser Arbeit (dem *Wallenstein* – H. M.) ist mir ordentlich angst und bange, denn ich glaube mit jedem Tag mehr zu finden, daß ich eigentlich nichts weniger vorstellen kann als einen Dichter, und daß höchstens da, wo ich philosophieren will, der poetische Geist mich überrascht...« (Zitiert nach: Körner, Nachrichten von Schillers Leben, in: Schillers Sämtliche Werke, Stuttgart-Tübingen 1812, S. XXXIV)

S. 522 *nach Goethes treffender Bemerkung* – Goethe und Schiller schrieben 1797 die kurze Abhandlung *Über epische und dramatische Dichtung*. Die Anregung hatten sie aus ihrem Briefwechsel erhalten. Goethe führt aus: »Der Epiker und Dramatiker sind beide den allgemeinen poetischen Gesetzen unterworfen, besonders dem Gesetze der Einheit und dem Gesetze der Entfaltung; ferner behandeln sie beide ähnliche Gegenstände und können beide alle Arten von Motiven brauchen; ihr großer wesentlicher Unterschied beruht aber darin, daß der Epiker die Begebenheit als vollkommen vergangen vorträgt und der Dramatiker sie als vollkommen gegenwärtig darstellt.«

S. 523 *In mehreren Stellen seiner Briefe* – Unter anderem berührte Schiller diese Frage in seinem Brief vom 21. März 1796, in dem er Humboldt die Wiederaufnahme der Arbeit am *Wallenstein* mitteilte. Er hebt hervor, daß er nunmehr die Totalität des Werkes weiter berücksichtigen werde und bemerkt: »Vordem legte ich das ganze Gewicht in die Mehrheit des einzelnen; jetzt wird alles auf die Totalität berechnet, und ich werde mich bemühen, denselben Reichtum im einzelnen mit ebenso vielem Aufwand von Kunst zu verstecken, als ich sonst angewandt ihn zu zeigen und das einzelne recht vordringen zu lassen.«

S. 523 *dies höchste Erfordernis eines Kunstwerks* – Am 9. Februar 1789 schrieb Schiller aus Weimar an Körner über sein Gedicht *Die Künstler*: »Ich habe nun die Hauptidee des Ganzen, die Verhüllung der Wahrheit und Sittlichkeit in die Schönheit, zur herrschenden und im eigentlichen Verstande zur Einheit gemacht...«

S. 524 *was er irgendwo vom idealisch gebildeten Menschen über-*

haupt sagt – In der Abhandlung *Über die ästhetische Erziehung des Menschen* (14. Brief) schreibt Schiller über die Aufgabe des Menschen: »Er soll nicht auf Kosten seiner Realität nach Form, und nicht auf Kosten der Form nach Realität streben; vielmehr soll er das absolute Sein durch ein bestimmtes und das bestimmte Sein durch ein unendliches suchen. Er soll sich eine Welt gegenüberstellen, weil er Person ist, und soll Person sein, weil ihm eine Welt gegenübersteht. Er soll empfinden, weil er sich bewußt ist, und soll sich bewußt sein, weil er empfindet.«

S. 525 *bei Gelegenheit des Plans zu einer Idylle* – Am 29. November 1795 teilte Schiller Wilhelm von Humboldt mit, daß er eine Idylle zu schreiben gedenke: »Die Vermählung des Herkules mit der Hebe würde der Inhalt meiner Idylle sein. Über diesen Stoff hinaus gibt es keinen mehr für den Poeten, denn dieser darf die menschliche Natur nicht verlassen, und eben von diesem Übertritt des Menschen in den Gott würde diese Idylle handeln. Die Hauptfiguren wären zwar schon Götter, aber durch Herkules kann ich sie noch an die Menschheit anknüpfen und eine Bewegung in das Gemälde bringen. Gelänge mir dieses Unternehmen, so hoffte ich dadurch mit der sentimentalischen Poesie über die naive selbst triumphiert zu haben.«

S. 525 *die Seligkeit des dichterischen Schaffens* – Im gleichen Brief kommt zum Ausdruck, welch hohe Erwartungen Schiller an die Gestaltung der Idylle knüpfte: »Denken Sie sich aber den Genuß, lieber Freund, in einer poetischen Darstellung alles Sterbliche ausgelöscht, lauter Licht, lauter Freiheit, lauter Vermögen – keinen Schatten, keine Schranke, nichts von dem allem mehr zu sehen. – Mir schwindelt ordentlich, wenn ich an diese Aufgabe – wenn ich an die Möglichkeit ihrer Auflösung denke. Eine Szene im Olymp darzustellen, welcher höchste aller Genüsse!«

S. 525 *daß »er die Angst des Irdischen von sich geworfen hatte ...«* – Humboldt spielt auf das Gedicht *Das Ideal und das Leben* an (Vers 28–30):

Werft die Angst des Irdischen von euch,
Fliehet aus dem engen dumpfen Leben
In des Ideales Reich!

Johann Georg Forster

Fragment eines Briefes an einen deutschen Schriftsteller über Schillers »Götter Griechenlands«

Druckvorlage: Georg Forster, Philosophische Schriften, hrsg. von Gerhard Steiner, in: Philosophische Studientexte, hrsg. von der Arbeitsgruppe Philosophiehistorische Texte an der Deutschen Akademie der Wissenschaften zu Berlin, Berlin 1958.

S. 527 *Johann Georg Adam Forster* – (1754–1794); sein Vater, Johann Reinhold Forster, begleitete den Weltumsegler James Cook als Naturforscher, und der damals achtzehnjährige Georg durfte gleichfalls an der Reise teilnehmen. Nach der großen Fahrt, die Georg Forster in seiner *Reise um die Welt* (zuerst in englischer Sprache erschienen: 1777) schildert, wirkte er in Kassel und Wilna als Professor der Naturwissenschaften. 1788 wurde er als Bibliothekar an die Mainzer Universitätsbibliothek berufen. Zwei Jahre später unternahm er zusammen mit dem jungen Alexander von Humboldt eine Reise nach den Niederlanden, England und Frankreich. Als 1792 Mainz von den französischen Truppen besetzt wurde, schloß sich Forster den Revolutionären an und wurde bald zum Präsidenten des Jakobinerklubs von Mainz sowie zum Vizepräsidenten des rheinisch-deutschen Nationalkonvents gewählt. 1793 fuhr er als Deputierter zum französischen Nationalkonvent nach Paris, wo er bis zu seinem Tode blieb (Mainz war inzwischen durch die Preußen zurückerobert worden).

S. 527 *»Fragment eines Briefes an einen deutschen Schriftsteller über Schillers ›Götter Griechenlands‹«* – Der Aufsatz erschien im März 1788 in Wielands *Teutschem Merkur.* (Das umgearbeitete Gedicht erschien erst in der Sammlung von 1803.) Schillers damalige Neigung zur Antike wurde von Friedrich Leopold Graf zu Stolberg (1750–1819) kritisiert. Forsters Antwort auf Stolbergs Angriff erschien in *Neue Literatur und Völkerkunde für das Jahr 1789* (ein periodisches Werk, hrsg. von Archenholz, Bd. I, S. 373–392). In seiner sachlichen Polemik gegen Stolberg verteidigt Forster Schiller.

S. 529 *ein vortrefflicher Denker* – Friedrich Heinrich Jacobi (1743–1819). Die Zitate entstammen Jacobis Schrift

Etwas, das Lessing gesagt hat (1782) bzw. dem Anhang zu dieser Schrift.

S. 530 *Kennen wir gleich, wie Lessing sagt, bei weitem nicht das Gute...* – Vgl. Lessing, Nathan der Weise, IV, 7 (Klosterbruder):

...Weil wir das Schlimme zwar
So ziemlich zuverlässig kennen, aber
Bei weitem nicht das Gute.

S. 533 *anthropomorphistische Vorstellung* – menschliche Eigenschaften auf außermenschliche Dinge übertragen.

S. 534 *kadmeische... Brut* – Nach der griechischen Sage erschlug Kadmos, ein phönizischer Königssohn, den Drachen des Ares und säte dessen Zähne aus, wie Athene ihm geraten hatte. Aus ihnen wuchsen Krieger, die sich fast alle gegenseitig totschlugen.

S. 534 *wie ein andrer Ixion* – Nach der griechischen Sage liebte Ixion Hera, die ihn betrog und ihn Nephele, ein ihr ähnliches Wolkenbild, umarmen ließ; aus dieser Umarmung entsprossen die Kentauren. Ixion aber verharrte in dem Glauben, Hera umarmt zu haben.

S. 534 *Naturalisten* – Anhänger einer philosophischen Richtung, die »Gott«, »Geist« oder »Schöpfung« mit unter den Begriff »Natur« faßt und alles Geschehen aus dem Wirken von Naturgesetzen erklärt.

S. 537 *heilige Hermandad* – Bündnis der kastilischen Städte zu gegenseitigem Schutz. Isabella I. (1451–1504) und Ferdinand V. (1452–1516) machten sie zu einer politisch-militärischen, bald alle Länder umfassenden Organisation, die zuletzt allein polizeiliche Funktionen hatte. Später wurde »heilige Hermandad« zu einer scherzhaften Bezeichnung für die Polizei.

S. 538 *»Selbst des Orkus strenge Richterwaage...«* – Von den neun Verszeilen, die Forster zitiert, sind nur diese beiden in die Neufassung der *Götter Griechenlands* (neunte Strophe) aufgenommen worden.

S. 538 *Westfälischer Frieden* – beendete 1648 den Dreißigjährigen Krieg. In den Verträgen wurde u. a. die Gleichberechtigung von Katholiken, Lutheranern und Calvinisten festgelegt.

S. 538 *Totengespräche* – eine literarische Form, in der die Gesprächspartner historische oder mythologische Gestalten sind, die einander im Hades begegnen. Durch Gegenüberstellungen werden geistliche und weltliche Autoritäten relativiert, Götter werden in diesen Gesprächen nicht als Gegenstand der Anbetung, sondern nur als Gestalten der Mythologie dargestellt. Totengespräche schrieben u. a. Fénelon (1651–1715), Fontenelle (1657–1757) und Wieland (1733–1813); die berühmtesten sind die des Lukian (125 – etwa 190).

S. 538 *Konstantin der Große und Kant* – Konstantin erhob das Christentum zur römischen Staatsreligion und gab damit der antiken Götterwelt den Todesstoß; Kants Aufklärungsphilosophie wird hier eine ähnliche Rolle gegenüber der christlichen Orthodoxie zugeschrieben.

S. 541 *»Toldos Jeschu«* – Gemeint ist *Toldot Jeschu* (oder auch *Toledot Jeschua*), eine mittelalterliche, gegen die christliche Auffassung von Jesus von Nazareth gerichtete Schrift.

S. 541 *Klopstocks Epopee* – Gemeint ist der *Messias* (vollendet 1773).

S. 541 *»Gerusalemme«* – Torquato Tassos (1544–1595) Epos *Das befreite Jerusalem (La Gerusalemme liberata).*

Vom Ideal

Druckvorlage: Georg Forsters Werke, Sämtliche Schriften, Tagebücher, Briefe, hrsg. von der Deutschen Akademie der Wissenschaften zu Berlin, Bd. IX: Ansichten vom Niederrhein, von Brabant, Flandern, Holland, England und Frankreich im April, Mai und Junius 1790, hrsg. von Gerhard Steiner, Berlin 1958.

S. 544 *»Vom Ideal«* – Es handelt sich um den Anfang des achten Abschnittes der *Ansichten vom Niederrhein, von Brabant, Flandern, Holland, England und Frankreich im April, Mai und Junius 1790* (erster Teil, Berlin 1791). Die *Ansichten* sind der Bericht über eine Reise, die von Mainz aus den Niederrhein entlang über Lüttich durch Brabant, Flandern und die Republik der vereinigten Niederlande nach England und von dort über Frankreich zurück nach Mainz führte. Sie enthalten neben naturwissenschaftlichen, ökonomischen und politischen auch ästhetische Betrachtungen. Die Abschnitte VI, VII und VIII beschäftigen sich mit der Düsseldorfer Bildergalerie.

S. 544 *Signatur* – hier: Kennzeichen, Gepräge; in der älteren Arzneikunde bedeutete Signatur: auf äußerer Ähnlichkeit beruhende Beziehung von Pflanzen und Dingen zu Körperteilen oder Krankheiten.

S. 545 *»Die Kunst und das Zeitalter«* – Dieser Aufsatz erschien 1789.

S. 547 *pathognomischer Eindruck* – krankhafter Eindruck.

S. 548 *Raffael* – Raffaelo Santi (1483–1520) italienischer Maler und Architekt.

S. 548 *Tizian* – Tiziano Vecelli (1477–1576) Meister der venezianischen Malerschule.

S. 548 *Correggio* – Siehe Anm. zu S. 221.

S. 548 *Phidias* – Siehe Anm. zu S. 223.

Vorrede zu »Sakontala oder Der entscheidende Ring«

Druckvorlage: Georg Forsters sämtliche Schriften, Leipzig 1843, 9. Band.

S. 552 *»Vorrede zu ›Sakontala...‹«* – Es handelt sich hier um die *Vorrede des Übersetzers*; der Titel des Stückes lautet vollständig: Sakontala oder Der entscheidende Ring, ein indisches Schauspiel von Kalidasa, Aus den Ursprachen Sanskrit und Prakrit ins Englische und von diesem ins Deutsche übersetzt, mit Erläuterungen von Georg Forster, Mainz und Leipzig 1791. – Bei seinem Aufenthalt in England 1790 hatte Forster das indische Drama in der englischen Übersetzung von William Jones entdeckt. Er begann noch in England mit der Übertragung ins Deutsche, die er nach seiner Rückkehr vollendete.

S. 552 *ein neunzehnhundertjähriges Alter* – Bis ins 19. Jahrhundert wurde angenommen, Kalidasa habe im 1. Jahrhundert v. u. Z. gelebt, während die moderne Forschung seine Lebensdaten im 5. Jahrhundert u. Z. ansetzt.

S. 554 *Hier öffnet sich... ein ganz neues Feld* – Durch Forsters Übersetzung der *Sakontala* wurden Goethe und August Wilhelm Schlegel auf die indische Poesie aufmerksam gemacht.

S. 555 *Begleitung als Ehrenwache* – Vgl. dazu Herders Abhandlung *Über ein morgenländisches Drama* in den *Zerstreuten Blättern* (vierte Sammlung, 1792).

FRIEDRICH SCHLEGEL

Georg Forster, Fragment einer Charakteristik der deutschen Klassiker

Druckvorlage: Friedrich Schlegel, Prosaische Jugendschriften, hrsg. von Jakob Minor, Bd. II, Wien 1882.

S. 557 *Friedrich Schlegel* – (1772–1829), studierte in Göttingen und Leipzig Rechtswissenschaft und klassische Philologie; 1796 ging er nach Jena und beschäftigte sich seit der Zeit mit neuerer Literatur und Philosophie, was er später in Paris, Köln, Berlin, Wien und Dresden neben seiner dichterischen Tätigkeit fortsetzte. – Schlegel ist einer der bedeutendsten Vertreter der Romantischen Schule; ein Musterstück romantischer Kunst suchte er in seinem Roman *Lucinde* zu geben. In seinen kritischen Schriften und in den Charakteristiken zielt Schlegel auf die Verbindung von umfassender Überschau und strenger Definition hin.

S. 557 *»Georg Forster, Fragment ...«* – Der Aufsatz, wahrscheinlich eine der letzten Arbeiten in Jena, erschien in der von Reichardt 1797 gegründeten Zeitschrift *Lyceum der schönen Künste* (Bd. I, 1, S. 32–78). Forster und Schlegel waren einander durch Karoline Schlegel (1763 bis 1809) persönlich nahegebracht worden, und es befriedigte Schlegels Oppositionslust, gegen die Xeniendichter, die sich sehr geringschätzig über Forster geäußert hatten, zu Felde zu ziehen, wie er es bereits in einer Rezension des *Musenalmanachs für das Jahr 1797* getan hatte. Doch nicht allein das persönliche Moment ist entscheidend für das Entstehen dieser Arbeit, sondern Schlegel stand in dieser Zeit auch den Gedanken Forsters nahe.

S. 557 *nicht einmal in Regensburg in Anregung gebracht* – d. h. auf dem Reichstag, der bis 1806 als ständische Körperschaft existierte.

S. 557 *einem Sophisten der Reinholdischen Schule* – Karl Leonhard Reinhold (1758–1823), zuerst Lehrer am Jesuitenkollegium in Wien, trat dann zum Protestantismus über; in Weimar arbeitete er am *Teutschen Merkur* mit. Seine *Briefe über die Kantische Philosophie* (1786/87) trugen zur Popularisierung der Lehre Kants bei. Den eigenen philosophischen Standpunkt versuchte er in den Schriften *Versuch einer neuen Theorie des Vorstellungsvermögens* (1789); *Beiträge zur Berichtigung bisheriger Mißverständnisse in der Philosophie* (1790–1794) und *Über das Fundament des philosophischen Wissens* (1791) darzulegen.

S. 558 *Wir hätten keinen klassischen Schriftsteller, wenigstens nicht in Prosa* – Diese Bemerkung richtet sich gegen Goethes *Horen*-Aufsatz *Literarischer Sansculottismus* und gegen den kläglichen Versuch Daniel Jenischs (1762 bis 1804), den Deutschen zu beweisen, daß sie noch keine Prosaschriftsteller hätten (s. Anm. *Literarischer Sansculottismus* zu S. 402).

S. 559 *was Poesie eigentlich sei* – Diese Bemerkung ist ein versteckter Angriff auf Christian Garve (1742–1798), der seine eigenen Schriften gern als das Muster eines guten deutschen Stils anpries. Bekannt wurde Garve durch die Übersetzung der Cicero-Schrift *Von den Pflichten* (1783); erwähnenswert ist auch seine Übersetzung von Adam Smiths *Untersuchung über die Natur und die Ursachen des Nationalreichtums* (1794–1796) und das Werk *Über Gesellschaft und Einsamkeit* (1797–1800). Garve stand dem englisch-schottischen Empirismus nahe.

S. 561 *»Über Proselytenmacherei«* – Diese Schrift erschien in der *Berlinischen Monatsschrift* (14/1789).

S. 562 *dagegen die Trennung von Deutschland ... keinen bedeutenden Einfluß gehabt* – Forster war 1793 als Deputierter des Mainzer Konvents nach Paris gesandt worden; seine letzten Schriften, *Die Parisischen Umrisse* und die *Letzten Briefe* (1793 erschienen), waren besonders angegriffen worden.

S. 562 *Cook* – James Cook (1728–1779); führte, nachdem er bereits von 1764 bis 1767 an Vermessungen im St.-Lorenz-Strom-Gebiet teilgenommen hatte, in den Jahren 1772 bis 1775 seine zweite Weltumseglung durch.

S. 563 *Ton ... der ausländischen Philosophie* – Hier sind vor allem die Werke von Locke (1632–1704), Mirabeau

(s. Anm. *Donnerkeil des Mirabeau* zu S. 743) und Rousseau zu nennen, ohne daß Forster das »Zurück zur Natur« Rousseaus anerkannte, im Gegenteil, er war ein glühender Verfechter des Gedankens der uneingeschränkten Vervollkommnungsmöglichkeit des Menschen.

S. 564 *»Über die Beziehung der Staatskunst auf das Glück der Menschheit«* – Der Aufsatz erschien 1794 in Ludwig Ferdinand Hubers (1764–1804) *Friedenspräliminarien.*

S. 564 *Meister der reinen Vernunft* – wahrscheinlich eine Anspielung auf Kant, da Friedrich Schlegel – trotz aller Wertschätzung Kants – sich gegen Ende der Jenaer Zeit immer stärker Fichte zuwandte.

S. 565 *Timoleon* – Korinthischer Feldherr (etwa 411–337 v.u.Z.), ließ 366 seinen Bruder Timophanes, der die Alleinherrschaft anstrebte, töten, befreite 343 v. u. Z. Syrakus von Dionysos; 340 v. u. Z. zwang er die Karthager zur Räumung Siziliens und einigte die befreiten Städte unter der Führung von Syrakus.

S. 565 *Gibbon* – Edward Gibbon (1737–1794), englischer Geschichtsschreiber; sein Hauptwerk *History of the decline and fall of the Roman Empire* erschien in sechs Bänden (1776–1788).

S. 566 *Iffland* – August Wilhelm Iffland (1759–1814); Schauspieler in Mannheim und 1796 Theaterdirektor in Berlin, gab auch in Weimar Gastspiele und wurde als Verfasser zahlreicher platter Dramen bekannt; u. a. schrieb er *Die Advokaten, Alte und neue Zeit, Der Fremde, Verbrechen aus Ehrsucht.* Als Schauspieler und Theaterleiter gehörte er zu den besten seiner Zeit.

S. 566 *Hemsterhuis* – Franz Hemsterhuis (1721–1790), holländischer Philosoph und Kunstkenner, verkehrte mit Friedrich Heinrich Jacobi und Johann Georg Hamann, wirkte auch auf Herder und Goethe ein. In seinen mathematischen Studien griff er auf Platons Philosophie zurück. Hemsterhuis stand weitgehend unter Voltaires und Rousseaus Einfluß. Seine bedeutendste Schrift, in der er seine Psychologie entwickelt, ist *Lettre sur l'homme et ses rapports* (1772).

S. 566 *Buffon* – Georges-Louis Leclerc de Buffon (1707–1788), berühmter französischer Naturforscher; suchte in seinem

Hauptwerk *Histoire naturelle générale et particulière* (1749–1789) eine Darstellung des Aufbaus der Natur zu geben.

S. 567 *»Dodds Leben«* – Gemeint ist: Leben Dr. Wilhelm Dodds, ehemaligen Königlichen Hofpredigers in London, bei Haude und Spener Berlin 1779.

S. 567 *in den »Parisischen Umrissen« und in den »Letzten Briefen«* – Siehe Anm. *dagegen die Trennung von Deutschland*... zu S. 562.

S. 568 *welche Forsters Schriften nach seinen bürgerlichen Verhältnissen beurteilt haben* – richtet sich gegen zwei Rezensenten der *Allgemeinen Literaturzeitung;* die Namen waren nicht nachzuweisen.

S. 571 *nachdem er die engländische Verfassung... gepriesen hat* – Vgl. Forsters sämtliche Schriften, hrsg. von Therese Forster, 9 Bde., Berlin 1843, Bd. III, S. 400 f.

S. 571 *die kritischen Annalen der englischen Literatur* – Gemeint sind die Aufsätze Forsters *Geschichte der englischen Literatur vom Jahre 1788, Geschichte der englischen Literatur im Jahre 1791*, die in den jeweiligen Jahrgängen der *Annalen der britischen Geschichte* Johann Wilhelm Archenholz' (1743–1812) erschienen.

S. 572 *Robertsons Werk über Indien* – Gemeint ist: W. Robertsons historische Untersuchung über die Kenntnisse der Alten von Indien, aus dem Englischen von D. M. Liebeskind, mit einer Vorrede und Anmerkungen von G. Forster, Berlin 1792.

S. 573 *Sokratische Ironie* – Vgl. Schlegels Fragmente *Über Ironie* im *Lyceum der schönen Künste* (Bd. I, 2. Teil, Berlin, bei Johann Friedrich Unger).

S. 576 *»Cook, der Entdecker«* – Der Titel dieser Schrift lautet: *Des Capitän Jakob Cook dritte Entdeckungsreise in die Südsee und nach dem Nordpol 1776–1780* (1787–1789).

S. 576 *»Botanybay«... Aufsatz über Nordamerika* – Schlegel meint folgende Schriften Forsters: *Neuholland und die britische Kolonie in Botany-Bay* im *Historischen Kalender vom Jahre 1786* und die *Geschichte der Reisen, die seit Cook an der Nordwest- und Nordostküste von Amerika und in dem nordöstlichen Amerika selbst... unternommen worden sind* (1791).

S. 576 *Müllers Meisterwerke* – Johannes von Müller (1752 bis 1809), Privatgelehrter in Genf; war seit 1786 als Bibliothekar in Mainz tätig. Kurz vor der Besetzung der Stadt durch die Franzosen ging er nach Wien, 1804 nach Berlin. – *Die Geschichte der Schweiz,* Johannes von Müllers Hauptwerk, ist das erste schriftstellerisch durchgebildete Geschichtswerk deutscher Sprache. Müllers sämtliche Werke erschienen von 1810 bis 1819.

S. 578 *»Über Leckereien«* – erschien 1789 im *Göttinger Taschenkalender.*

S. 578 *»Erinnerungen«* – Gemeint sind die *Erinnerungen aus dem Jahre 1790 in historischen Gemälden und Bildnissen* (1793).

S. 579 *Sakontala* – Siehe Anmerkung *»Vorrede zu ›Sakontala...‹«* zu S. 552.

S. 580 *»Die Kunst und das Zeitalter«* – Dieser Aufsatz erschien 1789 im neunten Heft der *Thalia.*

Über Goethes »Meister«

Druckvorlage: Athenaeum, Eine Zeitschrift, hrsg. von August Wilhelm Schlegel und Friedrich Schlegel, Bd. I, Berlin 1798.

S. 585 *»Über Goethes ›Meister‹«* – Der Aufsatz erschien 1798 im zweiten Heft des *Athenäum,* einer Zeitschrift, die von Friedrich und August Wilhelm Schlegel nach dem Bruch mit Schiller (1797) gegründet, zum Brennpunkt aller kunsttheoretischen Auseinandersetzungen der Romantik wurde. Neben der »Französischen Revolution und Fichtes Wissenschaftslehre« hielt Friedrich Schlegel Goethes *Meister* für die »größte Tendenz des Zeitalters«. Keiner der bedeutenden Romantiker konnte sich der faszinierenden Wirkung dieses Buches entziehen; schien es doch klassische und romantische Kunstanschauung in sich zu vereinen, der romantischen dabei die dominierende Stellung zuzuweisen.

August Wilhelm Schlegel

Einleitung zu den »Vorlesungen über schöne Literatur und Kunst«

Druckvorlage: August Wilhelm Schlegels Vorlesungen über schöne Literatur und Kunst, erster Teil: Die Kunstlehre, in: Deutsche Literaturdenkmale des 18. und 19. Jahrhunderts, in Neudrucken, hrsg. von Bernhard Seuffert, Bd. XVII, Heilbronn 1884.

S. 609 *August Wilhelm Schlegel* – (1767–1845); studierte seit 1786 in Göttingen Theologie und Philosophie, u. a. bei Gottfried August Bürger; ging 1796 nach Jena, wo er 1798 zum außerordentlichen Professor ernannt wurde. Seit 1801 weilte Schlegel in Berlin und hielt hier in den Wintermonaten der Jahre 1801 bis 1804 seine *Vorlesungen über schöne Literatur und Kunst*. In diesen *Vorlesungen* sind die Anschauungen seiner Freunde und seine eigenen Ansichten über das Wesen der Kunst zusammengefaßt. Gleichen Beifall fanden die 1808 in Wien gehaltenen *Vorlesungen über dramatische Kunst und Literatur*. Schlegels bleibende Leistung liegt auf dem Gebiet der theoretisch-kritischen Auseinandersetzung und Systematisierung, nicht so sehr auf dem eigener poetisch-schöpferischer Arbeit. Ebenfalls bleibenden Verdienst erwarb er sich als Übersetzer Shakespearescher Werke und als Anreger indologischer Studien.

S. 610 *Baumgarten* – Alexander Gottlieb Baumgarten (1714 bis 1762), Philosoph; Schüler Christian Wolffs, dessen System er durch die Ästhetik als einer selbständigen philosophischen Disziplin erweiterte. Aus seinen Diktaten entstanden Georg Friedrich Meiers *Anfangsgründe aller schönen Wissenschaften* (3 Bde., 1754–1759). Baumgarten ließ darauf seine *Aesthetica acromatica* (2 Bde., 1750 bis 1758, unvollendet) erscheinen. 1739 war bereits seine *Metaphysica* veröffentlicht worden.

S. 611 *im Wolffischen System* – Christian Wolff (1679–1754), Philosoph und Mathematiker, bedeutendster Vertreter der Aufklärungsphilosophie in Deutschland; gab die Philosophie von Leibniz in allgemeinverständlicher Form heraus; Wolff schuf die deutsche philosophische Fachsprache. Seine Werke, deren Titel meist mit den Worten »Vernünftige Gedanken über...« beginnen, umfassen das Gesamtgebiet der Philosophie, wobei er auf deren praktische Anwendung großes Gewicht legte. Sein von Leibniz ausgehendes System ist rein rationalistisch.

S. 612 *der höchste Grundsatz der Fechtkunst* – Vgl. dazu Molière, Der Bürger als Edelmann, II, 3.

S. 615 *Camper* – Petrus Camper (1722–1789), niederländischer Anatom; schrieb Arbeiten über Anatomie und praktische Medizin.

S. 616 *Bouterwek* – Friedrich Bouterwek (1766–1828), Verfasser philosophischer und literaturhistorischer Schriften. Sein Hauptwerk sind die *Ideen zu einer allgemeinen Apodiktik* (2 Bde., 1799), wichtig sind außerdem seine *Ästhetik* (2 Bde., 1806) und die *Geschichte der neuern Poesie und Beredsamkeit* (12 Bde., 1801–1819). Wahrscheinlich bezieht sich Schlegel hier auf die Vorlesungen Bouterweks über die Theorie des deutschen Stils.

S. 620 *Hemsterhuis* – Siehe Anm. zu S. 566.

S. 638 *Jonson* – Es ist in diesem Zusammenhang an Lessings Beurteilung der Dramen Ben Jonsons gedacht; die kritischen Einwände Lessings finden sich besonders in dem Aufsatz *Von Johann Dryden und dessen dramatischen Werken* im vierten Stück der *Theatralischen Bibliothek* (1754–1758).

S. 639 *die alexandrinischen Grammatiker* – Gemeint sind die Philosophen der Alexandrinischen Schule (Aristarchos u. a.; Ausgang des 2. Jahrhunderts).

S. 639 *Klopstocks sinnreiche Ode* – Es handelt sich um Klopstocks Ode *Der Geschmack*, die 1795 entstand.

S. 646 *Apelles* – Siehe Anm. zu S. 223.

S. 647 *Dionysius von Halicarnaß* – griechischer Gelehrter; kam 30 v. u. Z. nach Rom und lebte dort unter Augustus; 7 v. u. Z vollendete er seine *Alte römische Geschichte.*

S. 647 *Longinus* – Siehe Anm. Longin zu S. 330.

S. 647 *Plato* – (427–347 v. u. Z.), wurde durch seine Ideenlehre zum Begründer des Idealismus als philosophisches System; 387 v. u. Z. gründete er in der Nähe seiner Vaterstadt Athen die Akademie, in der er sich, vom öffentlichen Leben zurückgezogen, der Ausbildung seiner Lehre und dem Unterricht seiner Schüler widmete. Die Echtheit und Entstehungszeit seiner Schriften sind noch heute umstritten. *Hippias* ist wahrscheinlich unecht. Die anderen von Schlegel genannten Werke gehören zu den grundlegenden Werken der Platonischen Philosophie: Im *Philebus* stellt Plato als höchste Idee die Idee des Guten (im Gegensatz zur Lust) dar; das *Gastmahl (Symposion)* schildert den Eros als philosophischen Grundtrieb; im *Phaidros* wird vor allem die Seelenlehre entwickelt und in der *Republik* die Staatslehre. Die deutsche Plato-Rezeption im 19. Jahrhundert begann mit dem Wirken Friedrich Schleiermachers (1768–1834).

S. 649 *in seinem berühmten Briefe an d'Alembert* – Rousseau behauptet in seinem Brief an d'Alembert (1758), die Theater verdürben das Volk und seien nicht geeignet, es zu bilden.

S. 649 *Aristoteles* – (384–324 v. u. Z.), Schüler Platos, Erzieher Alexanders von Makedonien; gründete 335 v. u. Z. in Athen eine eigene Schule (Peripatetiker). Aristoteles betrachtete im Gegensatz zu Plato, dessen Ideenlehre er als unfruchtbar für eine philosophische Erkenntnis ablehnte, die Natur in ihrer Bewegung und Entwicklung, wobei er die Entwicklung als Formungsprozeß der Materie und als Übergang von der Möglichkeit zur Wirklichkeit auffaßte. Er begründete die Logik als eigene wissenschaftliche Disziplin. Sein System beherrschte mehr als ein Jahrtausend die Entwicklung der Philosophie in Europa. Das philosophische Hauptwerk des Aristoteles ist die *Metaphysik*; die *Rhetorik* und die *Poetik* enthalten seine ästhetischen Anschauungen.

S. 650 *Dacier* – Siehe Anm. *Daciers französische Übersetzung* zu S. 47.

S. 650 *Batteux* – Siehe Anm. zu S. 330.

S. 650 *Curtius* – Siehe Anm. zu S. 201.

S. 650 *Pope* – Siehe Anm. zu S. 286.

S. 650 *»Merope«* – Voltaires Tragödie *Mérope* entstand 1743; Lessing setzt sich in der *Hamburgischen Dramaturgie* (36.–50. Stück) mit diesem Stück kritisch auseinander.

S. 653 *Cicero* – Marcus Tullius Cicero (106–43 v. u. Z.), römischer Rhetoriker, Schriftsteller und Staatsmann. Deckte 63 v. u. Z. die Verschwörung des Catilina auf. Sein Verdienst ist es, die griechischen Philosophen (insbesondere Plato) popularisiert zu haben.

S. 653 *Quinctilian* – Gemeint ist Quintilian (etwa 35–100), römischer Rhetor. Sein Hauptwerk ist die *Institutio oratoria.*

S. 655 *Herodot* – (um 484–425 v. u. Z.), ältester griechischer Geschichtsschreiber.

S. 655 *Thukydides* – (um 460–400 v. u. Z.), griechischer Geschichtsschreiber des Peloponnesischen Krieges.

S. 655 *Isokrates* – (436–338 v. u. Z.), Rhetor und Politiker in Athen.

S. 655 *Phidias und Polyklet* – Polyklet war neben Phidias der führende Bildhauer der klassischen griechischen Kunst in der zweiten Hälfte des 5. Jahrhunderts v. u. Z.

S. 655 *Lysias* – (etwa 440–380 v. u. Z.), griechischer Rhetor.

S. 655 *Callimachus* – Alexandrinischer Dichter aus dem 4. Jahrhundert v. u. Z.

S. 655 *Calamis* – Bildhauer aus Athen, lebte um 460 v. u. Z.

S. 656 *Boileau* – Siehe Anm. zu S. 45.

S. 656 *Blankenburgs Anmerkungen zu Sulzers Wörterbuch* – Christian Friedrich Blankenburg (1744–1796), Ästhetiker und Popularphilosoph; gab Johann Georg Sulzers (1720 bis 1779) Hauptwerk, die *Allgemeine Theorie der schönen Künste,* neu heraus; es enthält, alphabetisch geordnet, Artikel über Grundbegriffe und Spezialfragen der Ästhetik.

S. 658 *Engels Schriften* – Johann Jakob Engel (1741–1802), Schriftsteller und Kunstkritiker; gab *Ideen zu einer Mimik* (1785/86), sowie eine Sammlung philosophischer Abhandlungen heraus, die unter dem Titel *Der Philosoph für die Welt* (1775–1777) erschienen; im Jahre 1801 erschien sein Familienroman *Herr Lorenz Stark* als Buch, nachdem er schon 1795 in den *Horen* abgedruckt worden war.

S. 660 *Hogarth* – William Hogarth (1697–1764), englischer Zeichner, Maler und Kupferstecher.

S. 662 *in seinen »Versuchen über die Malerei«* – Diderots Essay über die Malerei, *Essai sur la peinture,* wurde 1765 geschrieben, Goethe übersetzte ihn und fügte gleichzeitig kritische Bemerkungen hinzu.

S. 663 *Home* – Siehe Anm. zu S. 330.

S. 664 *Burke* – Edmund Burke (1729–1797), englischer Schriftsteller und Staatsmann; erregte mit seiner Abhandlung *The philosophical inquiry into the origin of our ideas on the sublime and beautiful* (1757) in England und Deutschland Aufsehen.

S. 665 *Eberhards Theorie von den schönen Wissenschaften* – Johann August Eberhard (1739–1809), Philosoph, vertrat den Standpunkt der Leibniz-Wolffschen Schule gegen Kant; schrieb u. a. die *Allgemeine Theorie des Denkens und Empfindens* (1776).

S. 665 *Mendelssohn* – Moses Mendelssohn (1729–1786), Philosoph; war seit 1754 mit Lessing befreundet und stand mit Kant im Briefwechsel. Er schrieb u. a. die Abhandlung über die Evidenz in den metaphysischen Wissenschaften (1764), die von der Berliner Akademie einen Preis erhielt. Die Schrift *Jerusalem oder Religiöse Macht und Judentum,* in der er die jüdische Religion als die der Aufklärung am meisten entsprechende bezeichnet, rief den Widerspruch Hamanns hervor. In der Schrift *M. M. an die Freunde Lessings* (1786) versuchte Mendelssohn Lessing vom Vorwurf des Spinozismus zu befreien.

Johann Gottlieb Fichte

»Zum ewigen Frieden«, Ein philosophischer Entwurf von Immanuel Kant

Druckvorlage: Johann Gottlieb Fichtes sämtliche Werke, hrsg. von I. H. Fichte, Dritte Abteilung, Bd. VIII, Berlin 1845.

S. 669 *Johann Gottlieb Fichte* – 1762–1814.

S. 669 *»Zum ewigen Frieden«* – Die Rezension erschien 1796 im *Philosophischen Journal* (Bd. IV) und enthält in gedrängter Darstellung die unterscheidenden Merkmale der Rechtslehren Fichtes und Kants. Fichte deutet hier seine Ansichten über die notwendige Fortbildung der Gegenwart zum sogenannten wahren Staate bereits an, die Arbeit zeigt im Keim die Ideen seiner späteren Staatslehre. – Kants Schrift war zur Michaelismesse 1795 bei dem Königsberger Verleger Nicolovius erschienen. Wie Herder in seinem 118. Humanitätsbrief berichtet, wurde in jener Zeit viel von Entwürfen zum ewigen Frieden gesprochen. Der Abschluß des Sonderfriedens zu Basel zwischen Preußen und Frankreich, durch den Preußen aus der Koalition gegen das revolutionäre Frankreich ausschied, erweckte vor allem in Deutschland die Hoffnung auf einen ewigen Frieden. Es wird angenommen, daß Kant die unmittelbare Anregung zu dieser Schrift durch die Lektüre des *Projet de paix perpétuelle* (1713) des Abbé Charles-Irénée de Saint-Pierre erhalten hat.

S. 669 *im Wesen der Vernunft* – Für Fichte herrscht in der Vernunft das Primat des Praktischen, sie ist »lauteres, reines Tun«.

S. 670 *»Es solle kein Friedensschluß ...«* – Die Textstelle lautet bei Kant: »Es soll kein Friedensschluß ...« (Kants gesammelte Schriften, hrsg. von der Königlich Preußischen Akademie der Wissenschaften, Berlin 1910 ff., Band. VIII, S. 343)

S. 670 *Außerdem wäre kein Friede ...* – Die Textstelle lautet wörtlich: »Denn alsdann wäre er ja ein bloßer Waffenstillstand, Aufschub der Feindseligkeiten, nicht Friede, der das Ende aller Hostilitäten bedeutet und dem das Beiwort ewig anzuhängen schon ein verdächtiger Pleonasm ist.« (Ebenda, S. 343)

S. 670 *»Es solle kein für sich bestehender Staat ...«* – Kant schreibt wörtlich: »Es soll kein für sich bestehender Staat (klein oder groß, das gilt hier gleichviel) ... erworben werden können.« (Ebenda, S. 344)

S. 670 *»Stehende Heere sollen mit der Zeit ganz aufhören«* – Ebenda, S. 345.

S. 671 *»Es sollen keine Staatsschulden ...«* – Ebenda, S. 345.

S. 671 *»Kein Staat solle sich in die Verfassung ...«* – Es heißt bei Kant: »Kein Staat soll sich ... einmischen.« (Ebenda, S. 346)

S. 671 *scandalum acceptum* – erwünschte Veranlassung.

S. 671 *»Es solle sich kein Staat im Kriege mit einem anderen ...«* – Die Textstelle lautet wörtlich: »Es soll sich kein Staat im Kriege mit einem andern solche Feindseligkeiten erlauben, welche das wechselseitige Zutrauen im künftigen Frieden unmöglich machen müssen: als da sind Anstellung der Meuchelmörder (percussores), Giftmischer (venifici), Brechung der Kapitulation, Anstiftung des Verrats (perduellio) in dem bekriegten Staate usw.« (Ebenda, S. 346)

S. 671 *bellum internecinum* – Ausrottungskrieg.

S. 671 *lex permissiva* – Erlaubnisgesetz.

S. 671 *daß das Sittengesetz, dieser kategorische Imperativ* – Das Sittengesetz, den kategorischen Imperativ, leitet Kant von der reinen praktischen Vernunft ab. »Reine Vernunft ist für sich allein praktisch und gibt (dem Menschen) ein allgemeines Gesetz, welches wir das Sittengesetz nennen.« (Kritik der praktischen Vernunft, 1788)

S. 671 *»Jeder hat das Recht, den anderen ...«* – Fichte zitiert hier ungenau; er bezieht sich wahrscheinlich auf folgende Stelle: »Er (der Friedenszustand – H. M.) muß also gestiftet werden; denn die Unterlassung der letzteren (Ausbruch der Feindseligkeiten – H. M.) ist noch nicht Sicherheit dafür, und, ohne daß sie einem Nachbar von dem andern geleistet wird (welches aber nur in einem gesetzlichen Zustande geschehen kann), kann jener diesen, welchen er dazu aufgefordert hat, als einen Feind behandeln.« (Kants Gesammelte Schriften, Bd. VIII, Anm. zu S. 349)

S. 673 *»Alle rechtliche Verfassung ist sonach ...«* – Ebenda, Anm. zu S. 349.

S. 673 *»Die bürgerliche Verfassung in jedem Staate soll republikanisch sein«* – Ebenda, S. 349.

S. 675 *inappellabel* – endgültig, durch Berufung nicht anfechtbar.

S. 675 *Ephorat* – aufsichtführende Institution.

S. 675 *»Das Völkerrecht solle ...«* – Ebenda, S. 354.

S. 676 *der von Kant vorgeschlagene Völkerbund* – Die entsprechende Stelle lautet bei Kant: »Völker, als Staaten, können wie einzelne Menschen beurteilt werden, die sich in ihrem Naturzustande (d. i. in der Unabhängigkeit von äußern Gesetzen) schon durch ihr Nebeneinandersein lädieren und deren jeder, um seiner Sicherheit willen, von dem andern fordern kann und soll, mit ihm in eine, der bürgerlichen ähnliche, Verfassung zu treten, wo jedem sein Recht gesichert werden kann. Dies wäre ein Völkerbund, der aber gleichwohl kein Völkerstaat sein müßte.« (Ebenda, S. 354)

S. 676 *»Das Weltbürgerrecht solle auf Bedingungen der allgemeinen Hospitalität eingeschränkt sein«* – Ebenda, S. 357.

S. 676 *Von der Garantie des ewigen Friedens* – Ebenda, S. 360.

S. 676 *Die Natur selbst, antwortet Kant* – bezieht sich auf folgende Textstelle: »Das, was diese G e w ä h r (Garantie) leistet, ist nichts Geringeres als die große Künstlerin N a t u r (natura daedala rerum), aus deren mechanischen Laufe sichtbarlich Zweckmäßigkeit hervorleuchtet...« (Ebenda, S. 360 f.)

S. 679 *Der Anhang »Über die Mißhelligkeit...«* – Gemeint ist der Anhang *Über die Mißhelligkeit der Moral und der Politik, in Absicht auf den ewigen Frieden* (Ebenda, S. 370 ff.)

Joseph Görres

Einleitung zu den »Volksbüchern«

Druckvorlage: Deutsche Nationalliteratur, hrsg. von Joseph Kürschner, Bd. CXLVI, 1, hrsg. von Max Koch, Stuttgart [1891].

S. 681 *Joseph Görres* – (1776–1848), veröffentlichte 1807 *Die deutschen Volksbücher* und zehn Jahre später die *Altdeutschen Volks- und Meisterlieder.* Seit Februar 1814 war er der Herausgeber der Zeitung *Rheinischer Merkur,* die 1816 von der preußischen Regierung unterdrückt wurde. Nachdem 1819 seine Schrift *Teutschland und die Revolution* erschienen war, konnte er sich nur durch Flucht der Verhaftung entziehen. – Seine immer stärker hervortretende Neigung zum Mystizismus ließ ihn auch politisch zum Vertreter eines ultramontanen Standpunktes werden.

S. 681 *»Einleitung zu den ›Volksbüchern‹«* – Der Untertitel der in Heidelberg herausgegebenen Volksbücher lautet: Nähere Würdigung der schönen Historien-, Wetter- und Arzneibüchlein, welche teils innerer Wert, teils Zufall Jahrhunderte hindurch bis auf unsere Zeit erhalten hat. Görres wurde zu seinem Buch durch die Arbeiten Arnims und Brentanos an der Volksliedersammlung *Des Knaben Wunderhorn* (s. Anm. *Ludwig Achim von Arnim* zu S. 699) angeregt.

S. 684 *Janhagel* – rohe Menge, Pöbel, hergelaufenes Volk.

S. 685 *Barbareskensinn* – »Barbaresken« ist eine alte Bezeichnung für die einzelnen Staaten der Berberei im nordwestlichen Teil von Afrika. Die Namensformen »Barbarei« für das Land und »Barbaresken« für die einzelnen Staaten entstanden im Laufe des 16. Jahrhunderts. »Barbareskensinn« bedeutet rohe, barbarische und despotische Wesensart; hier wohl auch im Sinne von unbeugsam, willensstark.

S. 689 *Chrysalide* – Puppe.

S. 691 *in jenen Fliegenden Blättern* – In der zweiten Hälfte des 15. Jahrhunderts kamen diese einseitig bedruckten Blätter (auch als Flugblätter bezeichnet) auf. Sie dienten für Bekanntmachungen aller Art, brachten Berichte über bemerkenswerte Ereignisse und wurden oft zur Verbreitung von Streitschriften, Sinnsprüchen, Liedern und Sentenzen, meist mit Illustrationen, verwendet. Wegen ihres oft sozialkritischen Inhalts standen in Deutschland zwischen 1819 und 1849 alle Flugschriften unter Zensur.

S. 694 *Musäus* – Gemeint sind die von Johann Karl August Musäus (1735–1787) herausgegebenen *Volksmärchen der Deutschen* (5 Bde., 1782–1786).

S. 695 *die etruskischen Satiren* – Wahrscheinlich sind damit Satyrspiele gemeint, heitere Nachspiele zu altgriechischen tragischen Trilogien, in denen Satyrn, d. h. Wald- und Berggeister, den Chor bildeten.

S. 695 *die oskischen Atellanen* – auch oskische Spiele genannt, sind italische Volkslustspiele mit Charaktermasken; der Name ist abgeleitet von der kampanischen Stadt Atella.

Ludwig Achim von Arnim

Von Volksliedern

Druckvorlage: Arnims Werke, hrsg. von Alfred Schier, Bd. III, Leipzig-Wien o. J.

S. 699 *Ludwig Achim von Arnim* – (1781–1831); einer der bedeutendsten deutschen Romantiker; studierte in Halle und Göttingen Naturwissenschaften, lernte 1801 in Göttingen Clemens Brentano (1778–1842) kennen, mit dem er gemeinsam seit 1805 in Heidelberg alte Volkslieder sammelte. Unter dem Titel *Des Knaben Wunderhorn* erschien die Sammlung 1806–1808 in drei Büchern.

S. 699 *»Von Volksliedern«* – Der im Winter 1804/05 verfaßte Aufsatz wurde zum Teil schon 1805 in der von Reichardt herausgegebenen *Berlinischen Musikalischen Zeitung* gedruckt, vollständig veröffentlicht wurde er zuerst 1806, im ersten Band von *Des Knaben Wunderhorn*. Ähnliche Gedanken hatte Arnim bereits 1802 mit seinem Plan einer »Sprach- und Singschule« ausgedrückt.

S. 699 *Reichardt* – Johann Friedrich Reichardt (1752–1814), Kapellmeister am preußischen Hof; komponierte Singspiele und Lieder (u. a. nach Goethes Texten); schuf das sogenannte Liederspiel.

S. 699 *haben Sie ihn doch sogar auf die Bühne gebracht* – Arnim weist hier auf die von Reichardt neu geschaffene Gattung des »Liederspiels« (als erstes, 1801, *Lieb und Treu*) hin, einer Art Singspiel, in dem alle vorkommenden Gesangsstücke entweder aus allgemein bekannten Liedern oder aus bekannten Melodien mit neuem Text bestehen (ähnlich dem französischen Vaudeville, einer Singspielform, die sich als volkstümliche Posse mit eingeschobenen Couplets zwischen 1710 und 1720 auf den Pariser Jahrmarktsbühnen herausbildete).

S. 700 *Lieder in Schulzens Melodien* – Gemeint ist der Komponist Johann Abraham Peter Schulz (1747–1800).

S. 700 *Neuntöter* – im übertragenen Sinn: Verfasser von Theaterstücken, in denen viele Morde vorkommen.

S. 700 *Pythia* – Die Prophetin des Delphischen Orakels; soll sich durch betäubende Dünste in rauschhafte Verzückung versetzt haben, ehe sie Orakelsprüche verkündete.

S. 700 *Nilmesser* – an verschiedenen Stellen des alten Ägypten angelegte, mit Skalen versehene Brunnen, in denen für die Steuerveranschlagung die jährliche Höhe der Nilüberschwemmung gemessen wurde.

S. 701 *Streit des Doktors und Apothekers* – Anspielung auf Karl Ditters von Dittersdorfs 1786 in Wien uraufgeführte komische Oper *Doktor und Apotheker*.

S. 701 *einer leichtfertigen Art von Liedern zum Volke Bahn gemacht ...* – Anspielung auf die parodierenden Romanzen Gleims, Daniel Schiebelers (1741–1771) u. a., die zwischen 1750 und 1780 sehr verbreitet waren.

S. 702 *»Auf, auf, ihr Brüder...«* – Anfang des *Kapliedes* von Christian Friedrich Daniel Schubart (1739–1791), das unter dem Titel *Das heiße Afrika* in *Des Knaben Wunderhorn* aufgenommen wurde.

S. 702 *Georg Forster* – (um 1514–1568), Nürnberger Arzt; Liederkomponist und Sammler deutscher weltlicher Lieder.

S. 704 *Beschränkung aller Theatererscheinungen in Klassen* – Der Klassenbegriff wird hier natürlich nicht im Sinne des historischen Materialismus gebraucht; Arnim geht wohl etwa von dem damals üblichen »Standes«-Begriff aus (s. auch S. 711 dieses Bandes, Anm. 1).

S. 705 *Lorenz Medicis* – Gemeint ist Lorenzo I. von Medici, »der Prächtige« (1449–1492).

S. 708 *Herr Koch* – Erduin Julius Koch (1764–1834), Prediger und Literaturhistoriker; verfaßte das zweibändige *Compendium der deutschen Literaturgeschichte von den ältesten Zeiten bis auf Lessings Tod* (1790–1798).

S. 709 *In der Liebe ist keine Furcht* – Johannes 4, 18: »Furcht ist nicht in der Liebe...«

S. 709 *wie jene der Chrimhilde* – Gemeint ist Kriemhildens Klage um Siegfrieds Tod. Bodmer hatte 1757 *Chriemhildens Rache* und die *Klage* in Zürich, C. H. Müller 1782 den ersten vollständigen Abdruck der *Nibelungen* in Berlin herausgegeben.

S. 712 *in jener uralten Fabel* – In der Zeit der römischen Republik beschlossen 494 v. u. Z. die Plebejer aus Protest gegen die harte Unterdrückung durch die Patrizier, Rom zu verlassen; sie zogen zum »Heiligen Berg« bei Rom. In der Befürchtung, der Auszug der Plebejer könne Heer und Wirtschaft schwächen, waren die Patrizier daraufhin zu Zugeständnissen bereit (Einsetzung der Volkstribunen). Die Sage berichtet, Menenius Agrippa habe damals die Plebejer durch die Fabel von der Auflehnung der Glieder gegen den Magen zur Rückkehr bewogen. Diese Fabel erzählt, wie die Glieder, neidisch auf den Magen, der nichts arbeite, aber immer zu essen bekäme, sich weigerten, ihm Nahrung zuzuführen. Bald aber stellten sie fest, daß auch sie schlapp und kraftlos wurden, sahen die Torheit ein und versahen wie früher ihren Dienst.

S. 713 *in taggleichen, nachtgleichen Kirmes* – Die Kirmes wird in Österreich und Süddeutschland regelmäßig im Herbst, nach vollbrachter Ernte, also um die Zeit der Tagundnachtgleiche, gefeiert.

S. 716 *Verkehrt nenne ich der Annäherung Schulen...* – Die Textstelle ist vermutlich zu lesen: »Verkehrt nenne ich der Schulen Annäherung, nationale Geschichte, das Eigenste des Volkes, den Alten nachzubilden...«

S. 717 *Schärtlin* – Ritter Sebastian Schärtlin von Burtenbach (1496–1577), Landsknechtsführer; kommt auch in Arnims *Kronenwächtern* vor. In der *Lebensbeschreibung des berühmten Ritters Sebastian Schärtlin von Burtenbachs...* (1777) von Christoph Siegmund von Holzschuher heißt es: »... sein gewöhnliches Fluchwort soll gewesen sein: Potz blau Feuer.« Die Worte »alle Kopistereien und Kortisanei zerrissen« (etwa »alle Nachäfferei und Schmarotzerei...«) kommen dort ebenfalls vor, aber in anderem Zusammenhang.

S. 718 *Bau des neuen Berliner Schauspielhauses* – Gemeint ist das von Langhans 1802 errichtete Haus, das 1807 wieder abbrannte.

S. 719 *vom jubelnden Taktschlage der Janitscharen hingerissen* – Janitscharen (von türk. jenitscheri – neues Heer) sind die 1329 aus bekehrten christlichen Gefangenen aufgestellte und 1360 neu organisierte Kerntruppe der türkischen Sultane; das Charakteristische an ihrer Musik war die Verwendung vieler Blas- und Schlaginstrumente.

S. 719 *der Kalender ist wirklich nicht in Frankreich allein geändert* – Arnim spielt hier auf die Reform des Gregorianischen Kalenders in der Französischen Revolution (1793) an, die den Kalender nach dem Dezimalsystem geregelt hatte.

S. 720 *Springkugeln* – gläserne Tropfen, die noch heiß, in kaltem Wasser abgeschreckt werden und infolge ihrer Sprödigkeit in Staub zerspringen, wenn von ihrem fadenähnlichen Ende ein Stückchen abbricht.

S. 720 *hannöversche Flüchtlinge* – Das hannoversche Heer war im Juli 1803 von Napoleon aufgelöst worden, und große

Teile der entlassenen Truppen strömten nach England, mit dem Hannover durch Personalunion verbunden war. Arnim befand sich zu dieser Zeit in London und erlebte da die Ankunft der Flüchtlinge.

S. 720 *»ein freies Leben«* – Vgl. Die Räuber, IV, 5.

S. 721 *Freimaurerei* – Die seit 1717 in England bestehende Freimaurerbewegung breitete sich seit 1737 auch in Deutschland aus. Die bürgerlich-humanistischen Ziele dieses Bundes fanden u. a. die Zustimmung Lessings, Goethes, Herders, Wielands und Fichtes. Die erstarkende nationale Bewegung des 19. Jahrhunderts fand auch in der deutschen Freimaurerbewegung ihren Ausdruck, der damals z. B. Stein, Scharnhorst und Blücher angehörten.

S. 721 *Taillefers Gesang* – Taillefer war ein Troubadour, der sich in der Schlacht bei Hastings (1066) hervortat; nach der Überlieferung in der normannischen Reimchronik von Wace soll er während der Schlacht Teile des *Rolandsliedes* gesungen haben.

S. 722 *»Drum gehe tapfer an ...«* – Arnim zitiert die Schlußstrophen aus *Soldaten-Lob oder Unüberwindlicher Soldaten-Trutz* (1622) von Julius Wilhelm Zincgref (1591 bis 1635). Er hatte das Gedicht auch in das kleine Heft *Kriegslieder* aufgenommen, das er 1806 an die durch Göttingen ziehenden Blücherschen Truppen verteilte; in der bei Arnim gedruckten Fassung finden sich manche Abweichungen von Zincgrefs Text.

S. 723 *Lalenbürger* – Gemeint ist Tiecks *Denkwürdige Geschichtschronik der Schildbürger* (Lalenbürger), erschienen im dritten Band seiner Volksmärchen (1797).

S. 725 *wahner* – »wahn«, jetzt veraltet, wird von Arnim in der niederdeutschen Bedeutung »töricht« gebraucht, »wahner« als Komparativform.

S. 725 *Homeriden* – Antike Sängerzunft auf der Insel Chios, die Homer als Ahnherrn betrachtete. Im weiteren Sinne alle, die in der Weise der Homerischen Gesänge dichteten bzw. als Rhapsoden die Homerischen Gedichte öffentlich vortrugen.

S. 726 *Memnonsäule* – Als Memnonsäulen bezeichnet man zwei riesige Bildsäulen des Pharao Amenophis III. (1413 bis 1377 v. u. Z.); sie wurden fälschlich auf den sagenhaften äthiopischen Fürsten und Sohn der Morgenröte, Memnon, bezogen.

S. 727 *»Bragur« – Bragur, Literarisches Magazin der deutschen und nordischen Vorzeit* (1791–1802), begründet von Friedrich David Gräter (1768–1830), einem schwäbischen Schulmann und Volksliedforscher. Im dritten Bande dieser Zeitschrift erschien der von Arnim erwähnte Aufsatz Gräters *Über die teutschen Volkslieder und ihre Musik.*

S. 727 *Quodlibet* – quod libet = »was beliebt«; entweder potpourrieartige Aneinanderreihung bekannter Kompositionen, meist in scherzhafter Absicht, oder scherzhafte Kompositionsformen, in denen verschiedene Melodien mit verschiedenen Texten zu einem mehrstimmigen Tonsatz verknüpft werden.

S. 727 *Gaskonade* – Aufschneiderei (nach der landläufigen Meinung über die prahlerische Art der Gascogner).

S. 728 *Nationalopern* – hier wohl mehr im Sinn von volkstümlichem Singspiel, wie es sich in der zweiten Hälfte des 18. Jahrhunderts in Anlehnung an die Opera buffa gegen die herrschende Opera seria ausbildete (1778 Gründung eines »Deutschen Nationalspiels« in Wien). Es ist bezeichnend für den bürgerlich-volkstümlichen Charakter dieser Bewegung, daß u. a. auch Rousseau ein berühmtes Singspiel, *Der Dorfwahrsager,* schrieb.

S. 729 *Ostein* – Schloß und Flecken im Oberelsaß, zwischen Lauff und Thur, nahe Ruffach.

S. 729 *Elwert* – Anselm Elwert (1761–1825), Volksliedersammler, Mitarbeiter an Gräters *Bragur* (s. Anm. zu S. 727).

S. 729 *pastorella gentil* – edles Schäferlied.

S. 729 *zingarella* – Zigeunerlied.

S. 730 *im alten Zauberschlosse der Gisela* – Wahrscheinlich ist die Brömserburg in Rüdesheim gemeint. Ein Ritter Brömser von Rüdesheim soll der Sage nach in sarazenischer Gefangenschaft seine Tochter Gisela dem Himmel gelobt haben. Als er daraufhin heimkehrte, verweigerte Gisela das Klosterleben und stürzte sich aus Liebesleid in den Rhein.

S. 730 *ein Frankfurter mit der Gitarre* – Gemeint ist Clemens Brentano; Arnim erinnert sich der gemeinsamen Rheinreise (1802).

S. 732 *Nelsons Sieg* – Lord Nelson (1758–1805) hatte am 1. August 1798 die französische Flotte bei Abukir geschlagen.

S. 732 *»Götz von Berlichingens ritterliche Taten«* – Arnim zitiert nach der *Lebensbeschreibung Herrn Goetzens von Berlichingen* (hrsg. von Franck von Steigerwald, Nürnberg 1731).

S. 732 *Dikasterien* – Dikasterion – Gerichtshof.

S. 732 *telegraphische Bureaus* – Anspielung auf die Vorläufer der heutigen Telegraphie, die von Chappe erfundenen optischen Telegraphen.

S. 733 *Gelehrtenrepublik* – Anspielung auf Klopstocks Schrift *Die deutsche Gelehrtenrepublik* (1774).

S. 734 *»Diese Sammlung...«* – Gemeint ist *Des Knaben Wunderhorn.*

S. 734 *Meiringen* – an der Aare im Oberland des Schweizer Kantons Bern gelegener Ort.

S. 735 *Zueignung des Buches* – Gemeint ist die Zueignung an Goethe; sie enthält die Erzählung vom verschuldeten Sänger Grünewald aus dem *Rollwagenbüchlein* (s. S. 736 ff. dieses Bandes und die entsprechenden Anmerkungen).

Ludwig Achim von Arnim · Clemens Brentano
Des Knaben Wunderhorn, Widmung

Druckvorlage: Des Knaben Wunderhorn, Alte deutsche Lieder, gesammelt von Ludwig Achim von Arnim und Clemens Brentano, 2. Aufl., Bd. I, Heidelberg 1819.

S. 736 *»Des Knaben Wunderhorn«* – Arnim und Brentano widmeten Goethe den ersten Band von *Des Knaben Wunderhorn.* Goethe antwortete bald mit einer positiven, sehr eingehenden Besprechung des Buches in der *Jenaischen Allgemeinen Literaturzeitung* (21./22. Januar 1806). Die für die Widmung ausgewählte Geschichte entnahmen Arnim und Brentano dem zuerst 1555 in Colmar/Elsaß erschienenen *Rollwagenbüchlein* von Jörg Wickram (etwa 1500–1560), dem Stadtschreiber zu Burgheim (vermutlich das Städtchen Burgheim im Breisgau bei Schloß Sponeck). Es ist die dreiundfünfzigste Erzählung des *Rollwagen-*

büchleins mit dem Titel: *Ein guter Schlemmer dichtet ein Liedlein, damit ward sein Wirt bezahlet von den Fuckern.*

S. 736 *Auf dem Reichstage zu Augsburg* – Gemeint ist der Reichstag zu Augsburg von 1530, auf dem Karl V. (1500 bis 1558) im Hause der Brüder Raimund und Anton Fugger wohnte.

S. 736 *Herzog Wilhelm zu München* – Gemeint ist Herzog Wilhelm IV. von Bayern (1493–1550), Sohn Albrechts IV., der von 1515 bis 1545 regierte.

S. 736 *dämpften* – schwelgten.

S. 736 *nach mußt die Maus bas getauft werden* – sinngemäß: nachher mußte noch mehr getrunken werden.

S. 737 *der Wirt, so auch mit dem Teufel zur Schulen gangen* – sinngemäß: der Wirt, der pfiffig, hart und habsüchtig war.

S. 737 *glattgeschliffen ist bald gewetzt* – Wenn das Messer gut geschliffen ist, braucht man es nicht lange zu wetzen; hier sinngemäß: Wenn man sich klar ausdrückt, wird es bald verstanden.

S. 737 *Gant* – öffentlicher Verkauf der Güter eines Verschuldeten.

S. 737 *nachfolgendes Liedlein* – Grünewalds Lied ist die Umdichtung eines bekannten siebenstrophigen Volksliedes, das wie folgt beginnt:

Ich stund an einem Morgen
heimlich an einem Ort,
Da hett ich mich verborgen,
ich hort klägliche Wort
Von einem Fräulein hübsch und fein:
Das stund bei seinem Buhlen,
Es mußt geschieden sein.

S. 738 *vor* – vorher.

S. 738 *begeit* – begibt.

S. 738 *sah ganz krumme* – zog ein Gesicht.

S. 739 *Fuker* – Fugger.

S. 739 *abgeletzet* – verabschiedet.

S. 739 *demütiger* – herablassender.

HEINRICH VON KLEIST

Über die allmähliche Verfertigung der Gedanken beim Reden

Druckvorlage: Heinrich von Kleist, Werke und Briefe, neu hrsg. von Georg Minde-Pouet, 8 Bde., Leipzig 1936 ff.

S. 741 *Heinrich von Kleist* – 1777–1811.

S. 741 *»Über die allmähliche Verfertigung der Gedanken beim Reden«* – Genaue Angaben über die Entstehungszeit dieses Aufsatzes fehlen. Reinhold Steig vermutet wegen des Vergleichs mit dem Roßkamm und der Andeutungen über die Akten, mit denen Kleist zu tun hat, daß der Aufsatz in der Königsberger Zeit (1806) geschrieben wurde. Er wurde von Kleist selbst nicht veröffentlicht, sondern erschien erst 1878 in der Zeitschrift *Nord und Süd.*

S. 741 *Vorwitz* – hier im Sinne von Absicht.

S. 741 *l'appétit vient en mangeant* – Der Appetit kommt beim Essen.

S. 741 *l'idée vient en parlant* – Der Gedanke kommt beim Sprechen.

S. 742 *Euler* – Leonhard Euler (1707–1783), Mathematiker, Professor in Petersburg und Berlin; seine Hauptschriften behandeln Differentialrechnung, Algebra, Mechanik und Planetenbewegung.

S. 742 *Kästner* – Siehe Anm. zu S. 311.

S. 742 *berichten* – hier im Sinne von: berichtigen, korrigieren.

S. 743 *»Donnerkeil« des Mirabeau* – Honoré-Gabriel Riquetti, Graf von Mirabeau (1749–1791) ließ sich 1789 als Vertreter des dritten Standes in die Generalstände wählen. Nachdem sich am 17. Juni 1789 der dritte Stand zur Nationalversammlung proklamiert und am 20. Juni im Ballhaus geschworen hatte, nicht auseinanderzugehen, ehe eine Verfassung ausgearbeitet und ratifiziert sei, erklärte Ludwig XVI. am 23. Juni alle Beschlüsse der Nationalversammlung für ungültig und befahl den Ständen, wieder gesondert zu tagen. In dieser Situation brachte Mirabeau mit dem von Kleist benutzten Ausspruch die Entschlossenheit des Bürgertums zum Ausdruck, sich diesem Befehl zu widersetzen. Er konnte dadurch den Widerstand der übrigen Vertreter des dritten Standes festigen, aber keineswegs hervorrufen, wie Kleist überspitzt folgert; Kleists Unverständnis für die bewegenden Kräfte der gesellschaftlichen Entwicklung wird besonders kraß in den im folgenden geäußerten Gedanken sichtbar.

S. 744 *einer Kleistischen Flasche gleich* – Mit der Kleistischen Flasche ist die innen und außen zur Hälfte mit Metall (meist Stanniol) belegte Glasflasche gemeint, die als elektrischer Kondensator Verwendung findet; sie wurde 1745 von Ewald Georg von Kleist in Kammin und 1746 von Cunnäus in Leiden erfunden. Heute ist sie als Leidener Flasche bekannt.

S. 744 *Châtelet* – der königliche Gerichtshof in Paris.

S. 744 *»Les animeaux malades de la peste« – Die pestkranken Tiere;* bekannte Fabel von Lafontaine (1621–1695), die Kleist offenbar nach dem Gedächtnis zitiert. Er stellt den Hund eigenmächtig zwischen Schafe und Hirten, auch beweist bei Lafontaine nicht der Fuchs, daß der Esel das zweckmäßigste Opfer sei, sondern der Dichter selbst stellt es so dar. Die Worte »qu'il méritait tout mal« heißen im Original »qu'il etait digne de tous maux«.

S. 745 *»quant au berger...«* »Was den Schäfer betrifft, kann man sagen, daß er alles Schlechte verdiente, weil er zu jenen Leuten gehört, die über die Tiere eine trügerische Herrschaft aufrichten.«

S. 747 *stetig* – soviel wie beharrlich, störrisch (auf Pferde angewendet); gebräuchlichere Form in der Mark: »stätisch«, »stätsch«.

S. 747 *es ist so schwer, auf ein menschliches Gemüt zu spielen* – Vgl. Hamlet, III, 2.

S. 747 *Hebeammenkunst der Gedanken* – Das bekannte Wort von der »Hebammenkunst der Gedanken« geht auf Plato zurück, in dessen Dialog *Theätet* Sokrates von sich sagt, daß er als der Sohn einer Hebamme die Hebammenkunst auf geistigem Gebiet ausübe. Der Hinweis auf Kant ist nach Reinhold Steig ein Gedächtnisirrtum Kleists.

Über das Marionettentheater

Druckvorlage: Heinrich von Kleist, Werke und Briefe, neu hrsg. von Georg Minde-Pouet, 8 Bde., Leipzig 1936 ff.

S. 748 *»Über das Marionettentheater«* – Der Aufsatz stammt aus Kleists letzter Schaffenszeit. Reinhold Steig weist darauf hin, daß das Ballett *Apoll und Daphne* am 9. Oktober 1810 zum ersten Male in Berlin gegeben wurde, daß aber mit Rücksicht auf die streng geübte Theaterzensur die Anspielungen auf die Berliner Theaterereignisse sehr dunkel und heute kaum noch zu entwirren sind. Der Aufsatz erschien in den *Berliner Abendblättern* vom 12. und 15. Dezember 1810.

S. 748 *Ronde* – Rundtanz.

S. 748 *Teniers* – David Teniers der Ältere (1582–1649) und David der Jüngere (1610–1690), niederländische Genremaler, die vorwiegend Bauernszenen malten.

S. 750 *Vestris* – Es gab mehrere berühmte Tänzer dieses Namens. Kleist meint offensichtlich Marie-Jean-Augustin Vestris-Allard (1760–1842), Solotänzer der Pariser Oper, Erfinder der Pirouette.

S. 751 *vis motrix* – bewegende Kraft.

S. 751 *wenn sie die Daphne spielt* – Daphne, eine Gefährtin der Artemis, wünschte keinen Liebhaber. Sie floh vor Apoll, der um sie warb. Als sie jedoch spürte, daß er sie einholen würde, bat sie Zeus um Rettung. Er verwandelte sie in einen Lorbeerstrauch.

S. 751 *wie eine Najade aus der Schule Bernins* – Najade – Wassernymphe; Giovanni Lorenzo Bernini (1598–1680), italienischer Architekt und Bildhauer, der Vollender der Peterskirche in Rom. Es ist möglich, daß Kleist ein Frühwerk Berninis meint.

S. 752 *Entrechats* – Kreuzsprünge, bei denen man die Füße schnell mehrmals über- und aneinanderschlägt.

S. 752 *Pirouetten* – das schnelle Umdrehen auf einem Fuß.

S. 753 *das dritte Kapitel vom ersten Buch Moses* – Gemeint ist die Geschichte vom Sündenfall.

S. 753 *den Jüngling ... der sich einen Splitter aus dem Fuße zieht* – Gemeint ist der *Dornauszieher*, eine berühmte Bronzefigur; heute im Konservatorenpalast in Rom.

Karl Solger

Über die »Wahlverwandtschaften«

Druckvorlage: Solgers nachgelassene Schriften und Briefwechsel, hrsg. von Ludwig Tieck und Friedrich von Raumer, Bd. I, Leipzig 1826.

S. 757 *Karl Solger* – Karl Wilhelm Ferdinand Solger (1780–1819), Jurist, Professor der Philosophie, 1814/15 Rektor der Berliner Universität, gehörte zu den gedankenreichsten Theoretikern der Literatur und schönen Künste seiner Zeit. Er lernte Goethe und Schiller, Schelling und Johann Heinrich Voß kennen und stand in Verbindung mit Ludwig Tieck, dem Berliner Germanisten Friedrich von der Hagen (1780 bis 1865) und dem Historiker Friedrich von Raumer (1781 bis 1873). Solger veröffentlichte 1808 seine Gesamtübersetzung des Sophokles und trug 1809 als Professor in Frankfurt/Oder zum ersten Male seine Theroie der Ästhetik vor. 1815 erschien sein philosophisches Hauptwerk *Erwin, Vier Gespräche über das Schöne und die Kunst*, und 1817 veröffentlichte er die *Philosophischen Gespräche*. Hegel, der auf Solgers Veranlassung an die Berliner Universität berufen wurde, befaßte sich in einer ausführlichen Studie *Über Solgers nachgelassene Schriften und Briefwechsel* mit Solgers Gedanken und setzte sich auch in der Einleitung zu seiner Vorlesung über Ästhetik kritisch mit dessen ästhetischen Theorien auseinander. (Vgl. Jahrbücher wissenschaftlicher Kritik, 1. Januar 1827; und Georg Wilhelm Friedrich Hegel, Sämtliche Werke, hrsg. von Hermann Glockner [Jubiläumsausgabe], Bd. XII, Stuttgart 1930, S. 105 ff.)

S. 757 *»Über die Wahlverwandtschaften«* – Tieck ordnete in seiner 1826 veranstalteten Ausgabe der nachgelassenen Schriften und Briefe Solgers diesen Aufsatz als letzten Beitrag aus dem Jahre 1809 ein. Eine Anmerkung auf Seite VI jener Ausgabe besagt, daß die Überschrift zu diesen Beiträgen »Briefwechsel mit Freunden« lauten sollte. Das mag Goethe, der sich am 21. Januar 1827 Eckermann gegenüber voll Anerkennung über diesen Aufsatz äußerte, veranlaßt haben, ihn als einen Brief an Tieck zu bezeichnen. Freundschaftliche Beziehungen zwischen Solger und Tieck bestanden jedoch erst seit 1811; zudem ist es unwahrscheinlich, daß Solger zwei

Monate nach dem Erscheinen der *Wahlverwandtschaften*, als er durch seine eben erst angetretene Professur in Frankfurt/Oder im Amt übermäßig belastet war, eine so tiefschürfende Rezension verfaßt haben sollte. Am 28. Oktober 1810 schreibt Solger an Rudolf Bernhard Abeken (1780–1866), daß er eine Rezension der *Wahlverwandtschaften* über das *Pantheon* (Pantheon, Eine Zeitschrift für Wissenschaft und Kunst, Von Büsching und Kannegießer, 1810) plane, und setzt sich kritisch mit einigen Ansichten Abekens über die *Wahlverwandtschaften* auseinander. Der Aufsatz Solgers ist vermutlich um diese Zeit unter dem Eindruck eines Gespräches in der Freitagsgesellschaft, der Abeken, Krause, von der Hagen u. a. angehörten, als ein erster Entwurf dieser nicht veröffentlichten Rezension entstanden.

S. 757 *immensum infinitumque* – ein Unermeßliches und Unendliches.

S. 757 *Krause* – Karl Christian Krause (1781–1832), Professor der Philosophie; vor allem von Schelling beeinflußt. Solger bezieht sich offensichtlich auf mündliche Ausführungen Krauses, die allerdings den Ideen in dessen Buch *Urbild der Menschheit* (1811) entsprechen.

S. 758 *Ostrazismus* – Scherbengericht; übliche Form der Volksabstimmung im alten Athen (507–418 v. u. Z.). Politiker, deren Namen von der Mehrheit des Volkes auf einer Scherbe eingekratzt wurden, schickte man in die Verbannung.

S. 758 *die sogenannte romantische Welt* – Gemeint ist das katholische Mittelalter.

S. 759 *»Ödipus in Kolonos«* – Tragödie des Sophokles.

S. 759 *πρώταρχος ἄτη* - die auslösende ursprüngliche Schicksalsverkettung.

S. 763 *Akkompagnement* – Begleitung.

LUDWIG TIECK

»Die Piccolomini«, »Wallensteins Tod«

Druckvorlage: Ludwig Tieck, Kritische Schriften, Bd. III: Dramaturgische Blätter, erster Teil, Leipzig 1852.

S. 765 *Ludwig Tieck* – (1773–1853); seit 1792 literarische Studien an den Universitäten Halle, Göttingen und Erlangen; hatte bereits damals großes Interesse für Shakespeare. Er trat 1794 in den Dienst Nicolais und übersiedelte 1799 nach Jena, wo ihn eine enge Freundschaft mit Novalis verband. Nach einer Zwischenstation in der Neumark übersiedelte Tieck nach Dresden. Hier entstanden seine wichtigsten kritischen Schriften. Neben seinen poetischen Werken, seiner theaterkritischen Tätigkeit und seiner dramaturgischen Arbeit am Dresdner Theater wurde Tieck durch seine Rezitationen von Dramen aus der gesamten Weltliteratur bekannt. Die Fortsetzung der Schlegelschen Shakespeare-Übersetzung ist ihm zu verdanken.

S. 765 *»›Die Piccolomini‹, ›Wallensteins Tod‹«* – Der Aufsatz wurde zuerst 1823 in der Dresdner *Abendzeitung* veröffentlicht.

S. 766 *Iffland* – Siehe Anm. zu S. 566.

S. 766 *Kotzebue* – August Kotzebue (1761–1819), seine Familiendramen voll falscher Sentimentalität beherrschten längere Zeit die deutschen Bühnen, einige seiner Dramen sind: *Menschenhaß und Reue, Marie, Das Taschenbuch.* Er war lange Zeit in Rußland und seit 1817, nach seinem zweiten Rußlandaufenthalt, Kulturattaché und Staatsrat in Deutschland; als Vertreter der Reaktion wurde er 1819 von dem Studenten Sand ermordet.

S. 766 *in Goethes »Geschwistern«* – Das Stück wurde 1776 geschrieben und im gleichen Jahre in Weimar aufgeführt. Die literarische Anregung empfing Goethe wahrscheinlich durch das Stück *La pupille* (1734) von Fagan (1702 bis 1750). Daneben gaben wohl die Erinnerung an seine Schwester Cornelia und vor allem seine Liebe zu Frau von Stein einen entscheidenden Anstoß.

S. 766 *»Jery und Bätely«* – Singspiel, das Goethe nach seiner Schweizer Reise von 1779 schrieb und das am 12. Juli 1780 in der Seckendorfschen Vertonung zum ersten Male aufgeführt wurde. Er charakterisiert es in einem Brief an Frau von Stein vom 3. Januar 1780: »Die Szene ist in der Schweiz, es sind aber und bleiben Leute aus meiner Fabrik«; und an Dalberg schreibt er unter dem 2. März 1780: »Das letzte, was ich gemacht habe, ist eine kleine Operette, worin die Akteurs Schweizerkleider anhaben und von Käs und Milch sprechen werden.«

S. 774 *in den beiden prosaischen Tragödien* – Gemeint sind *Die Räuber* (1781) und *Kabale und Liebe* (1784).

S. 776 *wie selbst ein Philoktet ... existieren könne* – 1783 erschien die Tragödie *Philoctète* von La Harpe (1739 bis 1803), der es gewagt hatte, ein Stück ohne Liebesintrige zu schreiben, und damit lebhafte Diskussionen auslöste. La Harpe ging auf Sophokles zurück, doch kann man seine Bearbeitung nicht als Übersetzung ansehen, dazu ist die Gestaltung zu selbständig. Es gelang ihm von allen französischen Schriftstellern seiner Zeit am besten, sich dem großen Vorbilde zu nähern.

S. 776 *»Caspar der Thoringer«* – Drama von Josef August von Törring (1753–1826), das 1779 geschrieben, aber erst 1785 veröffentlicht wurde; den Stoff entnahm er der eigenen Familiengeschichte, die Gestaltung läßt deutlich erkennen, daß Goethes *Götz* das Vorbild war.

S. 776 *»Otto« – Otto von Wittelsbach*, Drama von Joseph Marius Babo (1756–1822); wurde 1782 in München aufgeführt.

S. 781 *»In meiner Seele lebt ...«* – Vgl. Piccolomini, III, 5.

S. 781 *»Es geht ein finstrer Geist«* – Vgl. Piccolomini, III, 9.

S. 782 *»Es schleudert selbst der Gott der Freude ...«* – Es heißt bei Schiller: »Blindwütend schleudert selbst der Gott der Freude ...« (Piccolomini, III, 9).

S. 783 *Überredungsszene der einsamen Nacht* – Vgl. Macbeth, I, 7.

S. 783 *»Da kommt das Schicksal ...«* – Vgl. Wallensteins Tod, IV, 12.

S. 785 *Fleck* – Johann Friedrich Ferdinand Fleck (1757–1801), Schauspieler und Regisseur; bedeutend als Helden- und Charakterdarsteller, verkörperte neben Rollen aus Shakespeares Werken auch den Karl Moor und Wallenstein.

S. 785 *»Von welcher Zeit ist denn die Rede, Max?...«* – Vgl. Piccolomini, II, 7.
S. 785 *»Tod und Teufel! Ich hatte, was ihm Freiheit schaffen konnte«* – Vgl. ebenda.
S. 785 *»Mein Vetter ritt den Schecken an dem Tag...«* – Vgl. Wallensteins Tod, II, 3.
S. 786 *»Max! bleibe bei mir!...«* – Vgl. Wallensteins Tod, III, 18.
S. 786 *»Denn nur der große Gegenstand...«* – Vgl. den Prolog zum *Wallenstein.*

Vorrede zur ersten Ausgabe der »Dramaturgischen Blätter«

Druckvorlage: Ludwig Tieck, Kritische Schriften, Bd. III: Dramaturgische Blätter, erster Teil, Leipzig 1852.

S. 788 *»Vorrede zur ersten Ausgabe der ›Dramaturgischen Blätter‹«* – Tieck galt als einer der kunstverständigsten Kritiker und hatte Besprechungen über Theateraufführungen in der seit 1817 von Theodor Hell und Friedrich Kind herausgegebenen *Abendzeitung* veröffentlicht. 1826 sammelte er die einzelnen Aufsätze und gab sie unter dem Titel *Dramaturgische Blätter* heraus. Die Vorrede, die er 1826 verfaßte, diente als Einleitung zur ersten Ausgabe. Goethe widmete den *Dramaturgischen Blättern* 1826 einen kurzen anerkennenden Aufsatz.
S. 789 *Lekain* – Gemeint ist Henri-Louis Cain (1728–1778), französischer Schauspieler, der von Voltaire begünstigt wurde; wandte sich gegen die lauttönende Deklamation.
S. 789 *Préville* – Pierre-Louis Dubus, genannt Préville (1721 bis 1799), französischer Schauspieler; hatte zuerst in der Provinz Erfolg und trat 1753 erstmalig in der Comédie-Française auf; von 1753 bis 1786 war er der hervorragendste Schauspieler dieses Theaters; Ludwig XVI. setzte ihm eine hohe Pension aus; nach der Revolution wirkte Préville erneut erfolgreich als Schauspieler.
S. 789 *Garrick* – Siehe Anm. zu S. 324.
S. 789 *Anzahl von Kleingemälden mit falscher Sentimentalität* – Gemeint sind vor allem die Werke Ifflands und Kotzebues (s. die Anmerkungen zu S. 566 und 766).

S. 790 *Tagesblätter* – Eine Vielzahl von Tageszeitungen und literarischen Blättern wurde in den ersten Jahrzehnten des 19. Jahrhunderts herausgegeben; u. a. *Zeitung für die elegante Welt* (Leipzig 1801–1852), *Der Gesellschafter* (Berlin 1817–1847), *Der Freimütige* (Berlin 1808–1829) und die *Abendzeitung* (Dresden 1817–1843).

S. 792 *Unzelmann-Bethmann* – Friederike Unzelmann-Bethmann geb. Flittner (1760–1815), Schauspielerin und Sängerin; hatte besonders große Erfolge als Lady Macbeth, Ophelia, Adelheid und Maria Stuart.

S. 792 *Siddons* – Sarah Siddons (1755–1831); galt in ihrer Zeit als bedeutendste Dastellerin tragischer Rollen.

S. 793 *Schröder* – Siehe Anm. zu S. 435.

S. 793 *Brockmann* – Johann Franz Hieronymus Brockmann (1745 bis 1812) hatte in Hamburg als Schauspieler unter Schröders Leitung gespielt, ging 1778 zum Wiener Burgtheater, dessen Leitung er von 1789 bis 1792 innehatte. Brockmann war der erste deutsche Hamlet-Darsteller (1776).

S. 794 *die gewissermaßen eine Schule bilden* – Nach Goethes Amtsniederlegung (1817) widmete sich die Weimarer Schule vorzüglich dem Versdrama; dabei wurde übertrieben viel Wert auf die Deklamation gelegt.

S. 795 *Werner* – Zacharias Werner (1768–1823), romantischer Dichter, Hauptvertreter der sogenannten Schicksalstragödie, die in der Nachfolge von Schillers *Braut von Messina* zu einer literarischen Mode wurde; er steigerte sich in seinen Dramen in eine mystische Phantastik, der dramatische Ausdruck wurde exaltiert; sein einziges Streben wurde schließlich die Verherrlichung der katholischen Kirche.

S. 795 *Müllner* – Adolf Müllner (1774–1829), Rechtsanwalt und Schriftsteller; Vertreter der Schicksalsdramatik. Müllner, der von 1820 bis 1825 das *Literaturblatt* (Beilage zu Cottas *Morgenblatt*) leitete, wurde seiner schonungslosen Kritik wegen gefürchtet. Einige seiner künstlerisch unbedeutenden Dramen sind: *Inzest oder der Schutzgeist von Avignon*, *Die Schuld* und *Der 29. Februar* (eine Nachahmung von Werners Schauspiel).

S. 795 *Grillparzer* – Franz Grillparzer (1791–1872) wurde

wegen seines Jugendwerkes *Die Ahnfrau* (1817) zu den »Schicksalsdramatikern« gezählt.

S. 795 *Houwald* – Christian Ernst Freiherr von Houwald (1778–1845) schrieb gleichfalls Schicksalsdramen. Seine Werke *Das Bild* und *Der Leuchtturm* (beide 1821 entstanden) wurden in Dresden oft aufgeführt.

S. 795 *Raupach* – Ernst Raupach (1784–1852), ursprünglich Theologe, später Erzieher und Professor in Rußland; vielschreibender Autor; verfaßte bühnenwirksame Stücke. So dramatisierte er die Geschichte der Hohenstaufen in sechzehn Tragödien; bedeutende Zeitgenossen wie Heine, Gutzkow und Hebbel lehnten seine Werke ab.

S. 796 *die kleinen epigrammatischen Stücke* – Als epigrammatische Stücke bezeichnete man kleinere Dramen, in denen wenige Personen auftraten. Drei-Personen-Dramen sind u. a. Tiecks *Abschied* und Theodor Körners *Sühne.*

S. 796 *jetzt hat uns ein weitberühmter Autor wieder mit Handlungen versorgt* – Es kann *Zu zahm und zu wild*, ein Werk von A. Albini gemeint sein, das zu jener Zeit in Dresden aufgeführt wurde. Genaues läßt sich nicht feststellen, da in diesen Jahren in Dresden viele Stücke mittelmäßiger Autoren aufgeführt wurden.

Georg Wilhelm Friedrich Hegel

Über Lessings Briefwechsel mit seiner Frau

Druckvorlage: Georg Wilhelm Friedrich Hegel, Sämtliche Werke (Jubiläumsausgabe), hrsg. von Hermann Glockner, Bd. XX, Stuttgart 1930.

S. 797 *Georg Wilhelm Friedrich Hegel* – 1770–1831.

S. 797 *»Über Lessings Briefwechsel mit seiner Frau«* – ist ebenso wie *»Über Wallenstein«* (s. Anm. zu S. 801) Ende der zwanziger Jahre des 19. Jahrhunderts als Feuilleton für Berliner Lokalblätter geschrieben worden. – Lessings Briefwechsel mit Eva König, die am 8. Oktober 1776 seine Frau wurde, stammt aus den Jahren 1770 bis 1776 (erster Brief Lessings vom 10. Juni 1770, letzter Brief vom 30. September 1776).

S. 798 *die angenehme Gewohnheit des Wirkens und Tätigseins* – Zitat aus Egmont, V, 4 (Gespräch Egmonts mit

Ferdinand), dort heißt es wörtlich: »Süßes Leben! Schöne, freundliche Gewohnheit des Daseins und Wirkens!«

S. 798 *aus der arte bene vivendi* – ars bene vivendi = Kunst, gut zu leben.

S. 800 *kein Kompendium... in nuce* – Die Textstelle bedeutet im übertragenen Sinne: kein (wie in einer Nuß) zusammengefaßtes Kompendium.

S. 800 *»Mensch, genieße dein Leben!«* – Hegel denkt hier an den Leitspruch der Anhänger der epikureischen Philosophie.

Über »Wallenstein«

Druckvorlage: Georg Wilhelm Friedrich Hegel, Sämtliche Werke (Jubiläumsausgabe), hrsg. von Hermann Glockner, Bd. XX, Stuttgart 1930.

S. 801 *»Über ›Wallenstein‹«* – geschrieben für die *Schnellpost* des Journalisten Moritz Gottlieb Saphir (1795–1858).

S. 801 *Theodicee* – Hegel verwendet diesen Begriff im allgemeinen im Sinne von »Rechtfertigung Gottes«; »Theodicee, eine Rechtfertigung Gottes, d. i. Berichtigung unserer Idee... es ist ein Aufzeigen, daß es, wie ich sonst gesagt, vernünftig in der Welt zugegangen...«; »Die Philosophie ist die wahrhafte Theodicee... diese Versöhnung des Geistes, und zwar des Geistes, der sich in seiner Freiheit und in dem Reichtum seiner Wirklichkeit erfaßt hat...« (Georg Wilhelm Friedrich Hegel, Sämtliche Werke, hrsg. von Hermann Glockner [Jubiläumsausgabe], Bd. XIX).

S. 801 *Fanatismus* – nach Hegel »eine Begeisterung für ein Abstraktes, für einen abstrakten Gedanken, der negierend sich zum Bestehenden verhält« (ebenda, Bd. XI).

REGISTER

Vorbemerkung: Alle kursiv stehenden Bezeichnungen sind Titel; kursiv stehende Ziffern bezeichnen die Stellen, an denen Beiträge der genannten Autoren abgedruckt sind.